Les Celtes

La première édition
de ce volume
a été publiée à l'occasion de l'exposition Les Celtes
au Palazzo Grassi à Venise, 1991

© *1997 RCS Libri S.p.A.*

© *1997, Éditions Stock*
pour la présente édition
Dépôt légal: novembre 1997
54-40-4844-01/4
ISBN : 2-234-04844-3

© *1991 Gruppo Editoriale Fabbri, Bompiani,*
Sonzogno, Etas S.p.A., Milan

Les Celtes

Direction scientifique	Sabatino Moscati (coordination)
	Otto Hermann Frey
	Venceslas Kruta
	Barry Raftery
	Miklós Szabó
Secrétariat scientifique	Ermanno Arslan
	Daniele Vitali

Stock

Les Celtes et l'Europe ancienne

Guido Achille Mansuelli

Dans le contexte européen et méditerranéen, les Celtes *(Keltòi, Galàtai)* ont sans aucun doute occupé une place de premier rang. Le premier point du problème est d'ordre chronologique, car, pour la *communis opinio* de notre culture, la présence des Celtes coïncide avec l'occupation de Rome. En réalité, si l'on s'en tient à ce que Tite-Live a narré dans le livre V *ab urbe condita*, la présence celtique s'encadre entre témoignages antérieurs et témoignages postérieurs. Si l'on part du récit de Tite-Live, nous voyons que le phénomène ne concerne pas seulement Rome, ni seulement l'Italie proto-historique. En effet, dans le chapitre 34 du livre V, l'historien consacre un passage aux témoignages antérieurs d'une présence que, deux chapitres auparavant, il avait indiquée comme tenant du fantastique ; on y lit: *"M. Caedicius de plebe nuntiavit tribunis... vocem noctis silentio audisse clariorem humana, quae magistratibus dici iuberet Gallos adventare"* (V, 32, 6). Dans une narration postérieure des faits, après avoir observé que, à cause de *l'humilitas* de Caedicius, l'avertissement fut sous-estimé, Tite-Live observe que juste au moment où l'on contraignait Camille à partir en exil à Ardéa, des ambassadeurs envoyés par les *Clusini* arrivaient à Rome demander de l'aide contre l'arrivée des Gaulois, et que l'on soupçonnait un citoyen de *Clusium* d'avoir, pour des raisons personnelles, provoqué la venue de ces *gens longinqua atque ignotior.* Le souci de l'exactitude narrative conduit Tite-Live à mener une recherche rétrospective et, sur la base de cette recherche, il a pu préciser que, deux cents ans au moins avant la prise de Rome, les Gaulois étaient descendus en Italie (V, 32, 5-6) et que souvent les forces gauloises avaient combattu contre les Etrusques qui peuplaient les régions entre les Alpes et les Apennins. Tout le chapitre 34 est consacré à un *lógos* sur le *transitus in Italiam Gallorum,* dans lequel Tite-Live illustre en détail les faits antécédents, remontant à l'époque du règne de Tarquin l'Ancien, époque durant laquelle les Bituriges jouissaient du plus grand prestige auprès des Gaulois, avec leur souverain Ambigatus, dont les neveux, Segovesus et Bellovesus, durent effectuer une migration, que la surpopulation avait rendue indispensable. Tite-Live, donc, dans ce *lógos*, a tenté d'expliquer par des raisons démographiques le fait qu'à un des frères, Segovesus, échut le sort, par un rite augural venu peut-être d'une extension aux Gaulois des rituels étrusques, de se rendre dans la *Hercynia Silva* (c'est-à-dire dans l'Allemagne-Bohême), tandis que la volonté divine assigna à Bellovesus la migration en Italie, *haud paulo laetiorem.* Les deux princes étaient à la tête d'une importante suite de gens (et ici Tite-Live se révèle très au courant sur la mécanique des mouvements de ces peuples primitifs, habitués à se déplacer par groupes tribaux multiples). Le récit postérieur apporte une précision de type topographique et ethno-historique quant à ces mouvements synchroniques avec l'établissement des Massaliotes (Grecs de Phocée venus par mer de l'Ionie), auxquels s'opposèrent les *Salluvii*. L'*omen*, pour les Gaulois, était d'aider les Massaliotes à s'établir, comme ce fut le cas ; quant aux Gaulois de Bellovesus, après avoir franchi les Alpes pour le pays des Taurini, et après avoir vaincu les Tusci sur le Tessin, ils s'établirent dans le territoire indiqué comme appartenant aux Insubres, homonyme d'un *pagus* des *Aedui*, et y fondèrent une ville qu'ils appelèrent *Mediolanium*. Dans le paragraphe 33, 1 et suivants, l'historien continue sa description de l'implantation des Celtes, auxquels s'ajoutèrent les *Cenomani* de Etitovio, qui s'étaient fixés entre *Brixia* et *Verona*, suivis dans le temps d'abord par les *Libui*, puis par les *Salluvii*, qui occupèrent la région contiguë à celle des Ligures *Laevi, antiqua gens*, établis sur le Tessin. Il faut mettre en relief, dans la reconstitution de Tite-Live, cette marche en avant, que nous pourrions appeler "préhannibalienne" puisqu'elle a de loin précédé l'expédition transalpine du guerrier punique, lequel mettra évidemment à profit, les connaissant bien, les expériences faites précédemment par les populations gauloises. Une fois le mont *Poeninus* franchi, les *Boii* et les *Lingones*, vu que toute la région au-delà du Pô était occupée, passèrent le fleuve sur leurs radeaux et contraignirent non seulement les Etrusques mais aussi les Ombriens à abandonner le terrain. Prêtons attention au moment de cette occupation dans le récit fait par Tite-Live, parce qu' il s'agit là d'une description raisonnée et critique, qui se poursuit jusqu'à l'établissement des derniers Gaulois, les *Senones. Recentissimi advenarum*, ceux-ci occupèrent la région qui va de l'*Utens* (Ronco) jusqu'à *Aesis* (Esino). Ici se termine le *lógos* gaulois de Tite-Live, qui reprend alors (V, 33, 4) le récit de la guerre de *Clusium* et de *Veii*, répétant que, s'étant trouvés face à *formas hominum invisitatas* et à un *genus armorum* différent, un équipement guerrier jusqu'alors inconnu, les *Clusini* demandèrent l'aide des Romains ; une aide qu'ils n'obtinrent point, car le Sénat, qui préférait *pace potius cognosci quam armis*, préféra traiter avec les Gaulois. Mais l'erreur tactique des Romains ne fit qu'irriter les Gaulois et amena le déclenchement des hostilités contre Rome. Tite-Live reprend (V, 37, 4) le récit des faits, se bornant toujours aux régions de l'Italie centrale et de Rome, accusant le manque de bon sens des *tribuni militum consulari potestate*, qui remplaçaient alors la magistrature ordinaire. Le fait que l'historien n'ait pas laissé passer l'occasion de rejeter la faute sur une magistrature "populaire" est assez significatif aux yeux de qui a étudié sa manière de penser et de juger, même rétrospectivement ; significative est également son hypothèse selon laquelle ce fut justement leur irritation envers Rome qui amena les Gaulois à converger leur action contre la capitale. Après cette conclusion dramatique provisoire du conflit anticeltique, Tite-Live peut passer au récit des événements, selon un ordre chronologique, tout en revenant par la suite plusieurs fois sur ce fait. Nous, nous reprendrons les citations de son texte, que nous suivrons jusqu'à la fin, chaque fois que l'occasion se présentera. Mais pour tracer un tableau homogène du passé celtique, nous ne pouvons nous borner à Tite-Live. La seule reconstruction des événements qui se sont produits en Italie risquerait de réduire les dimensions réelles du phénomène, d'en réduire la véritable portée. Le souci d'exactitude nous oblige à élargir notre champ d'étude bien au-delà de celui qui a été le nôtre jusqu'ici. Un grand spécialiste des Celtes, Paul-Marie Duval, en écrivant en 1978 la préface à un travail de synthèse de Venceslas Kruta, *Les Celtes*, publié à Fribourg-Paris, a éclairé la situation d'une façon vraiment exemplaire. L'origine des Celtes, avertit Duval, se perd, comme il l'a exprimé avec une heureuse formule, dans la nuit des temps sans écriture, d'où émergent la langue, la culture et les modes de vie caractéristiques d'une région qui s'étend de l'Occident jusqu'à l'Orient, et d'une époque qui va de la proto-histoire jusqu'au Moyen Age ; il s'est agi d'une force vive soit du passé préchrétien, soit d'une maturation qui a laissé de profondes racines jusque dans la chrétienté du Moyen Age, au cours d'un développement qui a concerné, tour à tour, les peuples de l'Espagne, de la Ligurie, de la Pannonie, les Goths, les Daces et les Thraces, des Carpates aux Balkans. L'activité artistique et artisanale a eu des manifestations de première importance dans de nombreux domaines, sauf dans celui de l'urbanisme et de l'architecture, qui se développera plus tard ; l'importance dans le domaine linguistique a été au contraire d'une grande portée, recouvrant pratiquement toute l'aire gauloise (ou disons française pour mieux nous comprendre), qui, dans la terminologie savante, prend le nom de civilisation de La Tène, laquelle s'étendait sur un territoire très vaste, allant de la mer du Nord à la mer Noire. Cette période s'échelonne, répétons-le, en deux temps, du Ve au Ier siècle av. J.-C. et de la première époque impériale romaine jusqu'à la fin du Ve siècle ap. J.-C. ; ses influences, tant sur le plan de la langue que dans les manifestations de l'art, se ressentirent encore longtemps plus tard, à des époques successives. Déjà dans les histoires d'Hérodote d'Halicarnasse (II, 33), qui écrivit depuis l'époque des guerres médiques jusqu'au-delà de l'an 450 av. J.-C., et donc à une époque précise qui coïncide avec le développement déjà consolidé des Celtes, le grand historien indiquait ainsi les frontières du monde celtique : l'*Istrer*, désigné aussi plus tard sous le nom de *Danuvius*, naît dans le pays des Celtes près des Pyrénées et traverse l'Europe, qu'il partage en deux. Hérodote nous fournit donc le plus ancien témoignage chronologique certain sur les peuples celtes, qui s'étendaient de l'Occident jusqu'aux Colonnes d'Hercule et sur toute l'Allemagne actuelle.

Le fait que la civilisation celtique ait été une civilisation dépourvue de toute tradition écrite, et ce pendant une très longue période, confère à l'affirmation d'Hérodote une valeur extraordinaire, puisqu'il a été le premier à s'y référer avec précision et à la situer dans le temps. Si nous reprenons le sujet en nous fondant sur l'étude de Kruta, nous voyons qu'une réalité celtique existait évidemment avant même l'époque mentionnée par Hérodote, et qu'elle représentait la fin d'un long processus de formation, lequel, comme nous l'avons déjà mentionné, a eu ses racines dans la proto-histoire du continent, contemporainement de l'Atlantique à l'Europe centrale, déjà aux VIe et Ve siècles. Tite-Live, dont les récits ont fourni notre point de départ, avait déjà eu conscience de cette dimension, et Jules César, dès le début de *De Bello Gallico*, donc déjà bien avant Tite-Live, avait précisé leur distribution géographique, notant que la Gaule était divisée en trois parties, dont la première était habitée par les *Belgae*, la seconde par les *Aquitani*, et la troisième par ceux qui, dans leur langue, s'appelaient les Celtes et, dans la nôtre, les Gaulois : *"Gallia est omnis divisa in partes tres, quarum primam incolunt Belgae, secondam Aquitani, tertiamui sua lingua Celtae, nostra Galli appellantur."* César, qui a bien connu, par expérience directe et prolongée, le monde celtique, a donc fait d'abord un "distinguo" dont l'historien moderne doit tenir compte, à savoir que les Celtes, dans l'espace, mais évidemment aussi dans le temps, ont constitué seulement une partie des habitants de la Gaule, possédant donc une individualité ethnique différente de celle des *Belgae* et de celle des *Aquitani.* Le "distinguo" de César a une valeur différente de celui d'Hérodote et définit une situation à la lumière d'une réalité historique différente. Lorsque César était proconsul en Gaule et écrivait le récit de son expérience, la réalité avait radicalement changé par rapport à la reconstruction que nous a laissée Tite-Live et qui se réfère à l'époque de Tarquin l'Ancien : César substitue à la vision rétrospective de Tite-Live l'évidence de l'actualité. Un troisième témoignage est celui de Pline l'Ancien qui, pour l'époque du début du IVe siècle, a recueilli la tradition selon laquelle un forgeron gaulois, étant retourné dans son pays après avoir travaillé à Rome, aurait convaincu ses compatriotes de conquérir l'Italie. Ce fait rapporté par Pline témoigne de l'existence de relations très anciennes entre Rome et la Gaule ; il témoigne également de l'habileté professionnelle et de l'importante position sociale des artisans de la Gaule, qui jouissaient d'une condition privilégiée, dans laquelle on pourrait déjà entrevoir, parmi les gros possesseurs de bétail, un système d'hérédité foncière ; c'est ainsi d'ailleurs que s'est formé le concept des "princes", comme on peut le constater d'après l'ensemble des objets faisant partie du mobilier d'outre-tombe.

En 577 av. J.-C., un grand tertre fut érigé au Magdalensberg, dans la Forêt-Noire, sur le cours supérieur du Brigach, l'un des cours d'eau qui alimentaient le Danube ; dans la tombe, on a retrouvé un ensemble d'objets qui jettent quelques lumières sur l'activité économique de la culture en formation de cette civilisation de "princes", qui se divise en deux phases : l'une va du VIe au Ve siècle ; l'autre du IVe au IIIe siècle, et que caractérisent justement les grands dépôts tumulaires. La formation de la civilisation laténienne, qui tire son nom des découvertes de La Tène, sur la Thièle, est caractérisée par ces monuments funéraires. Dans la tradition littéraire ancienne, ces concepts, liés aux monuments et objets qui documentent cette période, peuvent se rapprocher des données dont parle Tite-Live (V, 33) concernant les présences antérieures des Celtes et leurs luttes contre les Etrusques. Nous pouvons donc rapprocher la tradition monumentale de la tradition littéraire et les intégrer l'une à l'autre : les événements de l'Italie padane et cispadane que nous pouvons illustrer, et qui ont eu pour centre Bologne, Marzabotto, Servirola San Polo, sont contemporaines des établissements du Picenum et de ce qui restait des établissements celtes, dernières traces de l'expédition menée contre Rome. Celles-ci délimitent les frontières extrêmes d'une occupation presque totale du nord et du centre de l'Italie, occupation qui, d'une part, opère une substitution ethnique dans les régions septentrionales de l'Italie – comme projection extrême d'une prépondérance qui a concerné toute l'Europe –, et qui, d'autre part, permet d'établir un synchronisme entre un épicentre italien et une extension de l'horizon au niveau continental. Au début du IVe siècle av. J.-C., tandis que diverses implantations avaient tour à tour lieu dans la plaine du Pô, les Boïens cispadans opéraient de nouvelles implantations dans la Bohême-Bavière, et aux implantations des Sénons dans les Marches correspondaient les implantations analogues de l'Yonne et de la Seine. C'est à 386 que l'on fait remonter le siège de *Clusium*, *casus belli* des hostilités contre Rome, mais guère de temps plus tard, en 369-368, le tyran Denys de Syracuse recrutait des mercenaires celtes pour ses expéditions en Sicile et en Italie. A cette époque s'affirme, dans les régions cisalpines, le style décoratif à motifs végétaux, avec ses principes dynamiques. C'est aussi à cette époque qu'il faut insérer la réalité de Spina et d'Adria ; l'élément celtique s'approprie donc peu à peu les expériences grecques, italiotes et étrusques, essentielles pour la formation d'un patrimoine, révélé d'autre part par les découvertes de Waldalgesheim, aux confins du Hunsrück rhénan ; la tombe de Waldalgesheim était destinée à une femme que, enjambant les époques, Venceslas Kruta compare aux reines de Bretagne Boudicca et Cartimandua. Dans notre tentative de rechercher des documents divers et complémentaires dans l'aire européenne, nous pouvons passer à la région de la Marne, frontière septentrionale d'une implantation qui a fourni de nombreux témoignages, révélateurs d'un artisanat local, qui s'est nourri, là aussi, des expériences d'origine padane et italique. Le bassin sénonique de l'Yonne permet de retrouver des analogies entre les deux aires, italique et européenne, tandis qu'au IVe siècle seule l'Armorique révèle l'extension de ce rayonnement celto-italique qui désormais semble être arrivé au bout de ses énergies. Vers le milieu du

IVe siècle av. J.-C., on observe des implantations d'une importance particulière en Suisse, région que l'analyse des découvertes qualifie de carrefour obligé d'un vaste ensemble, caractérisé par des documents comme le "trésor" de Duchkov, dans le nord-ouest de la Bohême, constitué de plusieurs centaines d'objets précieux et de bronze semblables aux modèles helvétiques. Kruta relève l'authenticité et l'antiquité de la caractérisation des Celtes que Polybe a insérée dans ses récits. Le texte de Polybe est remarquable par ses affirmations : absence d'industrie, d'art, de science, affirmations compréhensibles chez un grec "citadin" incapable de juger une société "barbare" sur la base de critères différents des siens. J'ajouterais qu'un Grec, Polybe justement, n'était pas non plus en mesure de comprendre des documents tels que des objets, cela étant tout à fait hors de portée de son entendement.

C'est au IIIe siècle av. J.-C. que l'on fait remonter l'aspect le plus représentatif de l'art laténien, qui ne peut être considéré comme une simple forme de maniérisme décoratif ; c'est alors que l'on a des manifestations originales, vigoureuses, novatrices, dont l'interprétation est controversée suivant le point de vue adopté. Le problème ne peut être saisi dans toute son exactitude si on ne le considère pas dans sa globalité. Au IIIe siècle av. J.-C., les motifs décoratifs, étroitement liés à l'aire danubienne, coïncident avec l'installation d'un nouveau groupe, les *Volcae Tectosages*, qui, selon César, sont installés dans la *Selva Hercynia* et mentionnés dans les tribus galates. Nous connaissons peu de chose de l'époque qui a précédé les implantations en Gaule durant le second tiers du IIIe siècle. La présence des *Tectosages* constitue un ultérieur renversement du tableau anthropique, parallèle à l'expansion balkanique, connu seulement à travers l'étude du matériel archéologique ; les autres *Volcae*, les *Arecomici*, s'insèrent, de façon significative, dans le tissu démographique sans troubler l'organisation des autochtones. Il y a une connexion directe entre les expéditions dirigées vers le monde hellénique et l'apparition de nouvelles peuplades aux confins occidentaux du monde celtique ; la tradition ancienne a d'ailleurs attribué les trésors des Volques, découverts dans le lac sacré près de Toulouse, au pillage du sanctuaire de Delphes en 279, ce qui laisserait entrevoir un certain parallélisme entre l'expansion du début du IVe siècle av. J.-C. et la poussée dans une double direction : vers le territoire d'origine et vers les régions où la continuité démographique est attestée par la documentation archéologique. Les Sénons d'Italie, après avoir presque complètement rompu toute relation avec les transalpins, vaincus à Sentino en 295, vainqueurs à *Arretium* en 285, furent écrasés en 283 sur le lac Vadimone. La même année, à l'embouchure du torrent Misa, dans ce qui fut le territoire des Sénons, les Romains fondèrent leur colonie de *Sena Gallica*. La reprise des hostilités contre d'autres populations gauloises de la Gaule Cisalpine conduisit, en 225, à une défaite décisive de ceux-ci, à Talamone, en Étrurie, suivie d'une autre défaite à *Clastidium*, en 222. Le succès romain conduisit à l'occupation de *Mediolanium*. Hannibal réveilla les espoirs gaulois, surtout après la victoire du lac Trasimène, mais, en 207, la victoire romaine à Métaure marqua la fin d'Hannibal et de ses alliés et, en 191, eut lieu la défaite des Boïens, qui refranchirent alors les Alpes. La Gaule Cisalpine a été le véhicule de pénétration à l'intérieur de l'Europe et l'instrument qui a permis de surmonter une crise appelée à ouvrir un chapitre différent dans le développement du continent. Trogue Pompée (XXIV, 4) a écrit que l'excédent démographique avait poussé les peuples à se déplacer, comme par un *ver sacrum* étendu : une grande partie s'installa en Italie ; d'autres, guidés par les oiseaux, s'établirent à l'intérieur de l'Illyrie ; d'autres encore, s'ouvrant la voie à travers des groupes barbares, en Pannonie. Il est remarquable que l'historien voconce, de l'époque d'Auguste, ait parlé de *ver sacrum*, c'est-à-dire d'une institution religieuse typiquement romaine, d'influence probablement étrusque, pour expliquer les mouvements migratoires des groupes celtes et leur diaspora à travers l'Europe. Si les conditions de notre information ne nous ont pas permis de connaître la situation du passé préceltique, et si c'est seulement avec Hérodote que nous parvenons à une connaissance assez exacte du cours et du rôle géographique du Danube supérieur, que l'historien considérait comme inhabitable à cause du froid, d'autres auteurs, comme Apollon de Rhodes, ont confirmé certaines informations, mêlées à des éléments légendaires. La culture grecque, on le sait, à l'époque archaïque et classique, n'avait que des connaissances rares et peu sûres sur ce qui concernait l'intérieur du continent ; de ce fait, il nous est difficile de déceler les raisons d'une présence aussi rare d'objets grecs, par exemple la *hydria* laconique en bronze du tombeau de Artand, sur la Tisza. Dans l'ouvrage déjà mentionné de Kruta, Miklós Szabó, dans son essai *Les Celtes danubiens et l'expansion balkanique*, pense que la voie de pénétration de *l'hydria* a été l'Adriatique, point sur lequel je me permets de nourrir des doutes : de la Laconie, le récipient peut avoir suivi d'autres routes, et les chances qu'il provienne de Thrace sont très faibles, d'autant plus qu'une étude de linguistique comparée montrerait les diversités avec les idiomes dacique et thracique. Si l'on part de cette reconstruction, que je considère d'ailleurs assez remarquable, faite par mon jeune collègue, il semble assez difficile de pouvoir établir des définitions précises. La pénétration celtique dans le cours moyen du Danube a commencé à partir de la fin du Ve siècle av. J.-C. Il est difficile de comprendre le pourquoi de cette attraction exercée sur les Celtes par le bassin karpatique, d'autant plus qu'ils avaient déjà gravité dans cette direction et y avaient fait face à des conflits dont nous ont informé Tite-Live pour l'époque préchrétienne et Justin, au IIIe siècle ap. J.-C., pour l'époque plus tardive, et auparavant Arrien. Arrien, dans son exposition rétrospective des faits, situe en 335 une ambassade des Celtes auprès d'Alexandre, les indiquant comme "des Celtes de la mer Ionienne" ; c'est une donnée importante, surtout si l'on tient compte du silence sur l'implantation des Celtes en Pannonie de la part d'autres sources. Dans la région au-delà du Danube, le pouvoir celtique se consolide dans la seconde moitié du IVe siècle, comme cela est confirmé par les découvertes et les fouilles, auxquelles il convient de se référer à défaut de références littéraires. Les différentes typologies d'objets se répandent à la Bosnie et à la Hongrie, après une expansion précédente déjà à la fin du IVe siècle, et même plus au sud, lorsque les souverains helléniques interviennent pour régler leur compte aux tribus celtes, comme le fit par exemple Cassandre en 310, à une époque pleine de conflits qui intéressaient toute la région s'étendant de la Macédoine à la Thessalie et à l'Asie Mineure, époque qui vit les Grecs de Kerethrios envahir les pays des *Triballi*, la Thrace et la Péonie au commandement d'un *brenno* – nom de fonction, et pas de personne – et de Bolgios. Ces Celtes sont désormais dénommés *Galatai* par les différentes sources ; ils vainquirent Ptolémée Kéraunos en 279, un siècle après l'emploi de troupes celtiques mercenaires à la solde de Denys de Syracuse dans la guerre de Corinthe. En 279, il faut aussi ajouter l'expédition des Celtes, guidés par un *brenno*, dont nous a déjà parlé Tite-Live, expédition qui a entre autres provoqué une fragmentation des forces, due au fait qu'un gros contingent s'était détaché. Mais le commandant grec Sosthenes ne parvient pas à empêcher le pillage de la Macédoine par des Celtes. Le chef celte révèle des qualités stratégiques exceptionnelles, et les Celtes attaquent Delphes, où la mise à sac du sanctuaire leur rapporte un butin considérable d'objets d'art. Polybe permet de fixer en 277 le retour en Thrace d'un groupe commandé par Kommontorios, et dit qu'après avoir vaincu les Thraces les Celtes construisirent un royaume près de Byzance, ville qui leur payait 80 talents par an. Lutario et Leonorio étaient les chefs de ces groupes qui passèrent plus tard en Asie Mineure, au service de Nicomède de Bithynie. Nicomède accorde aux Galates un territoire entre son royaume et celui d'Antiochos, mais, se trouvant mêlés dans les différends qui opposent entre eux les potentats hellènes, ils sont vaincus en 275-274 par Antiochos Sôtêr dans une grande bataille et doivent se soumettre à la puissance des Séleucides alors que, dit-on, ils s'apprêtaient à rejoindre les Portes de Cilicie. L'art statuaire hellénique de l'époque d'Attale Ier a célébré les succès remportés sur les Galates, lesquels d'ailleurs continuaient à opposer une vive résistance. Les Galates devinrent un élément perturbateur et d'incertitude dans le milieu hellénique, causant des changements d'alliances durant les dernières décennies du II^er siècle av. J.-C. En 168, une réaction des Galates provoqua une intervention de la part des Romains, qui assurèrent l'autonomie aux communautés galates. Ainsi, l'histoire des Celtes d'Asie se mêle à celle des Romains, lesquels interviendront en leur faveur lors de la guerre contre Mithridate. En

125, à la mort d'Amyntas, souverain celte au nom grec, la Galatie devient province romaine. La communauté galate se divisait, au Ier siècle av. J.-C., en différents groupes : *Tolistobogi, Tectosages, Trocmii* ; le noyau principal était localisé autour d'Ankyra, dans les *Tectosages*. Le *koinón* galate avait une structure particulière, comme une tétrarchie, et le tétrarque comme les autres membres composant les diverses organisations portaient des noms grecs, signe que l'hellénisation était profonde. La communauté prend fin avec la concentration du pouvoir entre les mains d'une seule personne, mais cet aspect de l'hellénisation couvrait en réalité un tissu strictement celtique, ayant de nombreux traits communs avec l'organisation européenne correspondante. Les peuples galates ont subi des transformations, des accroissements ethniques. Les *Bastarni* sont présents dès 250 environ, mais, sur la notion d'ethnie, il y avait dans l'Antiquité nombre de controverses : pour Diodore, Tite-Live et Plutarque, les Galates étaient des Celtes ; Strabon les considérait comme des Germains ; Tacite comme un mélange de Sarmates et de Germains ; tandis que pour Appien il s'agissait de Gètes. Les monuments et les objets retrouvés indiquent une composante celtique prépondérante, mais le caractère celtique s'atténue et disparaît entre la fin du IIe siècle et le siècle suivant. Soulignons l'importance de l'inscription de Prôtogenês, célébré pour avoir sauvé Olbia-de-Pont, sa patrie, menacée par les populations barbares, dont faisaient partie les Galates. Les groupes celtiques reculent après le pillage de Delphes. Nous pouvons tenir compte de l'inscription de Prôtogenês en tant que référence chronologique, parce que contemporaine et expression des faits, donc plus précise que les vagues références des sources auxquelles il convient toujours d'adhérer sous réserve étant donné leur tendance à la généralisation. Toujours dans son essai publié dans l'ouvrage de Venceslas Kruta, Miklós Szabó cite, à propos de ces faits, le souvenir tardif de Justin, qui reconnaît les *Tectosages* en Pannonie, et l'on peut rapprocher l'appellation des *Volcae paludes* à l'identification ethnique de la tribu, sur la base de la mention faite par César de *Volcae* dans la *Selva Hercynia* : il s'agit là d'un témoignage précieux sur la mobilité de ces peuples et sur les groupes résidus restés en divers points de leur aire de rayonnement, et dont la présence a été attestée. Les témoignages archéologiques confirment soit cette mobilité, soit les mélanges ethniques qui sont à la base des "imprécisions" des mentions littéraires. Une telle documentation est confirmée par les caractères stylistiques des objets trouvés éparpillés çà et là en Hongrie, dans l'ex-Yougoslavie et dans l'aire karpato-danubienne ainsi que dans d'importants rapports d'extraction étrusco-italique. César, dans le livre V, chapitre 5 de *De Bello Gallico*, souligne l'usage, de la part des populations celtiques, avant d'effectuer des migrations en masse, de détruire par le feu leurs *oppida*, villages et maisons isolées. (Cela explique la non-conservation de sites urbains et monumentaux.) César le dit à propos des Helvètes, mais il s'agissait très probablement d'une coutume commune à l'époque, et dans toutes ces contrées. Le cas des Helvètes, comme nous l'avons déjà vu, a également eu des précédents dans le vaste espace euro-asiatique, ce qui est très instructif pour la compréhension de toute situation analogue. Le discours sur les *oppida* a des précédents avant même l'époque mentionnée par César, et se dilate dans un processus qui va des cas cisalpins du IIIe siècle av. J.-C. aux nouvelles perspectives du IIe siècle av. J.-C. Les formes artistiques sont caractérisées par une graduelle prédominance des images, surtout monétaires, en partie abstraites et "symboliques", en partie réalistes, mais toujours de remarquable valeur décorative. Le chapitre sur la monétisation celtique est l'un des plus vastes et des plus développés.

Toujours dans le livre V, chapitre 2 de *De Bello Gallico*, César, fort de ses expériences et de ses études comparatives à l'occasion de son séjour en *Britannia*, a pu entreprendre un nouveau chapitre sur cette composante celtique différente, et a trouvé que les Bretons avaient des idées leur appartenant en propre quant à leur vie et à leurs caractères, idées qui lui ont entrouvert un monde nouveau et desquelles nous pouvons aussi faire notre point de départ pour élargir notre horizon. L'expérience "britannique" nous permet d'élargir la problématique au-delà des limites de l'époque romaine, qui se concluait avec César. Cette nouvelle perspective nous permet d'approfondir l'étude des diverses vicissitudes non seulement de la Bretagne jusqu'à l'époque d'Antonin le Pieux, c'est-à-dire de la plus grande expansion des connaissances, déjà bien au-delà de l'ère chrétienne, mais aussi d'y ajouter des connaissances sur l'Irlande, où les problèmes du celtisme dépassent grandement l'ère antique elle-même pour pénétrer profondément dans celle du Moyen Age. On pourrait dire que la documentation de l'Irlande établit le point de liaison entre la sphère de la romanité connue et la sphère d'une Europe à l'extérieur des confins de l'empire. Les Romains, on le sait, n'ont en fait jamais obtenu le contrôle de la Bretagne du Nord, n'ont jamais influencé l'Irlande, aire celtique que n'ont pas fréquentée les éléments appartenant à l'empire. L'Irlande (*Ierne*, *Ibernia*), que déjà au Ve siècle av. J.-C. les Massaliotes avaient fait connaître au monde classique, demeurera la seule aire intégralement celtique, et ce jusqu'au Moyen Age, bien que l'origine de sa population celtophone reste encore mal connue. On suppose que la langue de l'Irlande a eu des rapports étroits avec les districts septentrionaux de l'aire gauloise et on connaît très mal la façon dont elle s'est formée. La documentation, constituée surtout d'objets, a été étudiée seulement à partir de textes médiévaux, en tant que résultat de la christianisation et de conversions en masse toujours plus étendues. L'histoire de l'île a été reconstruite seulement de façon marginale à partir de ces informations, mais le monde romain ignora totalement la richesse des légendes locales de ses nombreux souverains, personnages dont on connaît les noms et, hypothétiquement, la date : par exemple

Conchobor, qui a vécu entre les années 21 et 33 ap. J.-C. Bien qu'échappant à toute comparaison, la formation du patrimoine légendaire de l'Irlande, fondé sur le merveilleux et le fantastique, se révèle extrêmement différente de l'épopée classique, homérique, que l'on peut rappeler ici seulement comme fait analogue, de même que l'on est tenté de rapprocher les légendes se rapportant aux bandes de guerriers irlandais, les *fiana*, à celles des groupes de guerriers tels que les Gésates, auxquels s'opposèrent les Romains durant la bataille de Talamone. Mais ici on risque d'échapper à l'analyse concrète des faits, propre aux historiens.

Sommaire

La redécouverte
des anciens Celtes

19 L'art des Celtes
   P.M. Duval
22 La redécouverte des
   anciens Celtes
   V. Kruta
30 Les sources littéraires
   G. Dobesch
39 Les sources archéologiques
   L. Kruta-Poppi
50 Langue et écriture
   des premiers Celtes
   A.L. Prosdocimi
61 L'image des Celtes
   dans le monde antique :
   l'art hellénistique
   B. Andreae

L'époque des princes :
VIe siècle av. J.-C.

80 Les premiers
   "princes celtes"
   O.H. Frey
103 Les Celtes de Golasecca
   R.C. De Marinis
116 Les tombes princières
   de Bourgogne
   J.-P. Mohen
123 Les princes celtes
   du Bade-Wurtemberg
   J. Biel

La formation
de la culture laténienne :
Ve siècle av. J.-C.

135 La formation de la culture
   de La Tène
   O.H. Frey
165 Le faciès marnien
   de la Champagne
   P. Roualet

173 Les tombes princières
   de Rhénanie
   A. Haffner
191 Hallstatt et les mines
   de sel gemme
   F.E. Barth
195 Le site du Dürrnberg
   F. Moosleitner

La première expansion
historique : IVe siècle av. J.-C.

206 Les Celtes de la première
   expansion historique
   V. Kruta
225 Les Alpes à l'époque
   des premières migrations
   celtiques
   L. Pauli
230 Les Celtes en Italie
   D. Vitali
248 L'Armorique
   M.-Y. Daire
265 La Champagne
   J.-J. Charpy
275 Le Plateau suisse
   G. Kaenel - F. Müller
283 La Rhénanie
   H.E. Joachim
288 La Bavière
   H.P. Uenze
294 La Bohême
   P. Sankot
297 La Moravie
   M. Čižmář
302 Le bassin des Karpates
   J. Bujna - M. Szabó

Le temps des guerriers :
IIIe siècle av. J.-C.

315 Les Celtes et leurs
   mouvements au IIIe siècle
   av. J.-C.
   M. Szabó
339 L'armement
   A. Rapin

Le symbole • suivi
du n° de page renvoie
à l'illustration en couleurs

353 Mercenariat
   M. Szabó
357 Les Scordisques
   B. Jovanović - P. Popovič
385 L'or
   C. Eluère

Les Celtes de l'Ibérie

394 Les Celtes
   dans la péninsule
   Ibérique
   M. Almagro-Gorbea

*Le temps des villes :
IIᵉ-Iᵉʳ siècles av. J.-C.*

423 Les oppida celtiques
   F. Maier
440 L'agriculture
   H. Küster
444 L'élevage
   S. Bökönyi
460 L'artisanat
   *S. Sievers - R. Pleiner
   N. Venclova -
   U. Geilenbrügge*
475 La monnaie
   H.J. Kellner
485 Les Transpadans
   E. Arslan
496 Les Taurisques
   D. Božič
503 Les Celtes et les Balkans
   O.H. Frey - M. Szabó
509 La société celtique
   au Iᵉʳ siècle av. J.-C.
   A. Duval
516 L'écriture
   V. Kruta
533 La religion
   V. Kruta
543 La romanisation
   de la Gaule
   C. Goudineau
548 La romanisation
   des pays danubiens
   M. Szabó

Les Celtes des Iles

557 Les Celtes pré-chrétiens
   des îles
   B. Raftery
579 Le trafic maritime entre
   le continent et la Grande-
   Bretagne
   B. Cunliffe
589 Les forteresses sur hauteur
   B. Cunliffe
605 La culture d'Arras
   I.M. Stead
610 Les peuples belges
   de la Tamise
   I.M. Stead
616 Religion et mythologie
   celtiques
   P. Mac Cana
628 Les tourbières
   B. Raftery

Les Celtes chrétiens

633 Les Celtes chrétiens
   M. Ryan
654 L'émail
   G. Haseloff
658 La musique et les Celtes
   J.V.S. Megaw
674 Le cycle épique irlandais
   P. Mac Cana
684 Le droit celtique
   F. Kelly
687 Les missions irlandaises
   D. O'Cróinin
692 Le cycle d'Arthur et son
   héritage dans la culture
   européenne
   A. Breeze
703 Les Celtes contemporains
   G. Mac Eoin

708 *Bibliographie générale*

L'art des Celtes
Paul-Marie Duval

Les Celtes ? On ne peut pas parler d'eux ni, particulièrement, de leur art, sans définir ce qui les distingue des Méditerranéens, dont ils étaient les contemporains. Leur origine, qui s'est perdue dans la nuit des temps, était sans doute européenne, puisqu'ils parlaient une langue très ancienne de nature "indo-européenne" : le celtique, qui est encore vivant dans les îles britanniques (en Irlande, en Ecosse et au pays de Galles), et sur le continent (en Bretagne). Leur unité et leur vaste extension avaient vu apparaître et fleurir leur art original, depuis le Ve siècle avant notre ère, dans toute l'Europe moyenne, entre les plaines nordiques et le littoral méditerranéen.

Ces pays tempérés ont gardé des souvenirs plus ou moins nets de la civilisation celtique : des noms de ville, de fleuve, ou de montagne, des traces d'architecture, des armes, des œuvres d'art ; et des objets d'usage domestique. L'importance des quantités est inégale : *intense* dans les Iles Britanniques et la France, où les druides sont les maîtres, la Belgique et les Pays-Bas, l'Italie du Nord, l'Allemagne et l'Autriche ; *forte* dans les Pays Danubiens : ex-Tchécoslovaquie, Hongrie, Roumanie, ex-Yougoslavie ; *moyenne* dans le nord de l'Espagne, mais de façon de plus en plus révélatrice. Cette culture est représentée aussi par des travaux d'art qui ont pu être apportés dans les pays scandinaves (Danemark, Suède), la Pologne et même, sporadiquement, le sud-ouest de la Russie. Mais on ne trouve pas (ou l'on n'a pas encore trouvé) d'œuvres celtiques là où les Celtes, ayant marqué leur puissance de mercenaires ou même de conquérants, ne se sont pas créé une installation vraiment durable : le centre de l'Italie, la Grèce, la Sicile, et, en dehors de l'Europe, l'Asie mineure, l'Egypte, et l'Afrique du Nord.

Au contraire, lorsqu'ils étaient rentrés chez eux ou s'étaient fixés dans des endroits qui devenaient alors celtiques, ils y apportaient de leurs conquêtes des objets de prix, des monnaies, des instruments, toutes nouveautés qui devenaient bientôt des exemples imités d'après le savoir, et transformés en suivant le goût. C'est pour cela que les œuvres d'art, surtout si quelques inscriptions les accompagnent, sont devenues indispensables aux études historiques. Le caractère donné par les Celtes aux constructions et aux objets matériels est intéressant par les moyens dont ils disposaient et les choix particuliers qu'ils en ont faits. Avant d'avoir le contact avec les techniques utilisées par les Romains, ils ignoraient le mortier, comme les anciens Grecs. Leurs matériaux majeurs étaient la pierre peu travaillée et surtout les bois de qualité. Argile des céramiques, verre, bronze, émail, ambre et corail vinrent peu à peu, et l'or et l'argent ne manquaient pas. Ce qui nous échappe, c'est la peinture, le tissage (pourtant développé), la vannerie et la paille, et le cuir. En revanche, nous connaissons le vêtement ennemi du froid, qui est devenu le nôtre – pantalon, laine, souliers – et aussi le... tonneau, inventé en Belgique. La gravure du fer, si riche en Europe moyenne, est aussi le fait des Celtes, ainsi que la statuaire minuscule, abstraite et mystérieuse.

L'originalité des Celtes, par rapport aux peuples méditerranéens, se manifeste, sur le plan de l'urbanisation, de deux façons. Par l'usage de *l'oppidum*, sorte de vaste forteresse, siège principal à la fois civil, militaire et politique. Il est installé sur une hauteur peu accessible à l'ennemi, et, plus rarement, à terre, sous la protection d'une rivière. Et non moins personnel est le sanctuaire celtique, carré ou rond, qui sera, connu sous le nom latin de *fanum*, employé dans les îles et dans la Gaule romaine.

Mais la religion des Celtes ne se connaît pas par les textes transmis oralement: l'enregistrement écrit était interdit par les druides. Pourtant, nous possédons le Calendrier annuel en langue celtique, gravé pour cinq années, en lettres latines sur une grande plaque métallique dont les morceaux avaient été enterrés en Gaule. Il date au plus tôt du IIe siècle de notre ère. C'est un système complet, de loin l'exemple le plus savant, le plus précis et le plus sûrement utilisable du calendrier à demi lunaire employé en Europe jusqu'à la création du système solaire imposé par César. Sa mise au point presque parfaite avait dû demander de très nombreuses années, peut-être plusieurs siècles, de travail scientifique effectué par les druides.

Parmi les œuvres d'art antique européen, les sujets purement celtiques ne manquent pas. Ils se sont développés sous un climat qui favorisait les mystères de la forêt et de ses puissants animaux, à travers les richesses de l'agriculture et de l'élevage, les bienfaits des eaux, les ressources du fer et de la pierre. Le goût des déesses collectives, des puissances bestiales, des monstres imaginaires ou des caricatures d'animaux, et de la souplesse des végétaux, l'emporte sur la représentation du corps des hommes. On voit alors reproduire abondamment le lotus, les palmettes, le gui double aux feuilles toujours vertes, qui vit sur les arbres et dont les fruits sont blancs et visqueux; la garance, racine qui fournit du rouge; la guède et ses feuilles bleuissantes; l'if au feuillage persistant, aux baies rouges, et dont la vie peut être plusieurs fois séculaire. Et l'on sait quelle importance avait chez les Gaulois la cueillette annuelle et solennelle du gui par les druides: c'était le symbole de la valeur quasi religieuse des plantes dans la vie des hommes. Tous ces goûts sont propres aux Celtes, qui les ont manifestés de plus en plus pendant le demi-millénaire av. J.-C.

A ces particularités, les plus anciennes du paganisme celtique, s'ajoute peu à peu la représentation humaine, pendant l'autre millénaire, qui est dominé par les Romains. Il naît alors un style que l'on peut appeler celto-romain, car les sujets choisis dans l'art celtique et dans l'art romain inspiré des arts étrusque, grec et hellénistique se mélangent finement. Des noms de divinités celtiques apparaissent dans des inscriptions, des textes et des images: *Epona, Rosmerta*, et *Taranis, Esus, Teutates...* Les portraits sont les premières nouveautés qui nous font connaître les sujets qui se sont imposés dans un monde religieux gréco-romain, riche en apports celtiques. Bianchi Bandinelli a montré que les Celtes, dont le goût pour la souplesse concorde avec l'emploi du compas propice aux formes incurvées, ont peu à peu

Garniture de bronze en forme de tête de cheval provenant peut-être d'un char de guerre de Stanwick (Yorkshire)
Ier siècle
Londres
British Museum
• *p. 65*

adopté tantôt l'assouplissement, tantôt le changement quasi géométrique (mais plutôt curviligne) de toutes les formes quelles qu'elles soient, et notamment les plus simples et les plus vivantes. Décomposition des données naturelles, recomposition en éléments abstraits, allusion résultant du changement, juxtaposition de sujets différents – humain ou animal, végétal ou abstrait: ainsi peut-on trouver dans toute l'Europe tempérée, du Ve siècle avant au Ve après notre ère, le talent qu'avait toujours l'art celtique de transformer en créations originales les motifs nombreux et variés de l'Antiquité classique.

Enfin, un intérêt particulier doit être porté aux monnaies celtiques, dont les sujets vivants sont transformés jusqu'à devenir un triangle géométrique. Les plus nombreuses viennent de la Gaule, les autres, de tous les pays celtisés, sauf l'Irlande. Elles sont maintenant étudiées du IIIe siècle avant notre ère au Ier siècle au moins, pour leurs styles variés suivant les tribus qui les frappaient différemment, et pour les noms et les mots qu'on peut déchiffrer grâce à la photographie et au fac-similé.

Non moins intéressant est le fait que ces images monétaires, dont les plus curieuses commencent à être expliquées, sont en fait la seule propagande que les chefs de tribus réussissaient à se donner, en échappant ainsi à la chaîne attachée par les druides à l'écriture.

L'art des Celtes est aujourd'hui nettement défini : il nous offre des œuvres différentes de celles des autres arts de cette Antiquité qui s'est cristallisée dans l'Occident. Cet art présente une unité que se partagent les différents pays de l'Europe tempérée. Curieusement, nous pouvons reconnaître son goût de l'allusion, des formes courbes, et de l'ambiguïté, parce que nous trouvons l'équivalent dans l'art contemporain. Mais le Celte ne nous a pas encore livré tous ses trésors. Il en est qui sont toujours sous terre, il en est d'autres qui ne sont pas encore assez étudiés pour être identifiés. Nous nous étonnons bien de savoir que de très nombreux noms de nos villes modernes sont d'origine celtique : Londres et Dublin, Paris et Milan... Nous ne devons donc pas douter que d'autres œuvres d'art celtique puissent attendre nos recherches dans le sol de la longue Europe, et peut-être même au-delà des mers les plus proches.

L'intérêt de la présente exposition est de nous éclairer sur ce délicat problème plein d'avenir, et de nous aider à le résoudre. Elle doit être alors un bienfait pour la compréhension des arts pour l'enrichissement de la culture, et pour l'histoire de la nouvelle Europe.

La redécouverte des anciens Celtes
Venceslas Kruta

Les langues celtiques ne sont plus parlées aujourd'hui que par quelque deux millions d'habitants de certaines régions de la façade atlantique de l'Europe : la Bretagne armoricaine, le pays de Galles, une partie de l'Ecosse et de l'Irlande. Les langues de souche celtique qu'ils sont les derniers à pratiquer – l'irlandais, le gallois, le gaélique d'Ecosse et le breton – se trouvent partout en concurrence directe avec une grande langue nationale – le français sur le Continent et l'anglais dans les Iles.

Ce type de bilinguisme ne favorise pas la création littéraire dans les anciennes langues vernaculaires, accessibles uniquement à un nombre limité de personnes. Les grands écrivains modernes et contemporains d'ascendance celtique produisent donc dans les deux langues à diffusion internationale. Les langues celtiques ne se maintiennent que grâce à la volonté farouche de conserver et de perpétuer cet aspect essentiel d'une identité culturelle, héritage d'une histoire qui remonte aux racines mêmes de l'Europe.

La conscience de l'importance de cet héritage commun et de la menace qui pèse sur lui a conduit à rechercher dans ces pays d'autres manifestations qui puissent être considérées, à tort ou à raison, comme spécifiquement celtiques. Le milieu rural ayant joué un rôle déterminant dans la préservation des parlers celtiques, l'intérêt accru pour le folklore, encore vigoureux et riche en couleurs, constitue aujourd'hui un des aspects les plus spectaculaires de la volonté des celtophones à affirmer leur existence et leur originalité.

Particulièrement bien accueilli par le public, à un moment où le besoin de retrouver ses racines compense l'aliénation, résultat inévitable de l'essor rapide et souvent anarchique des villes, cet intérêt a toutefois également une conséquence moins heureuse : l'impression que l'essentiel de la culture et de l'héritage celtiques est constitué aujourd'hui par un folklore qui, malgré sa richesse et son authenticité, peut difficilement se prétendre l'équivalent des grandes cultures littéraires de l'Europe. Cette impression est évidemment fausse, car l'héritage celtique ne comporte pas seulement une tradition populaire, vigoureuse et toujours inventive, mais de nombreux autres aspects, plus ou moins apparents et encore largement ignorés, surtout en dehors des actuels pays celtiques.

Ainsi, la littérature à caractère épique et mythologique, irlandaise et galloise, reste bien moins connue que celles de la Grèce, de Rome, des peuples germaniques de l'aube du Moyen Age ou même que celle de l'ancien Orient. A l'exception des pays anglo-saxons, où les grandes séries de poche offrent d'excellentes versions des principaux titres, les pays européens d'ancienne souche celtique n'accordent qu'une faible attention à ce legs.

Pourtant, les anciennes littératures celtiques représentent, par leur originalité et le fait qu'elles sont issues d'une tradition pluriséculaire de littérature orale dont nous ne possédons plus aucune autre trace cohérente, un des éléments les plus précieux dont nous disposons pour l'étude du monde spirituel et de la pensée d'un groupe de populations qui joua un rôle déterminant dans la gestation préhistorique et historique de l'Europe. Revenue au Moyen Age des îles britanniques avec la "Matière de Bretagne" et les cycles de chevalerie, cette forme de l'imaginaire celtique marquera profondément la mentalité de l'homme médiéval, de même que au XVIIIᵉ siècle, alors que débute une nouvelle métamorphose de l'Europe, le pastiche ossianique de James Macpherson alimentera l'esprit du mouvement romantique.

Tête en pierre de divinité des environs du sanctuaire de plan quadrangulaire de Mšecké Žehrovice (Bohême) IIᵉ-Iᵉʳ siècle av. J.-C. Prague Národní Múzeum • p. 66

L'expression figurative des Celtes est également le fruit d'une évolution tout à fait originale. Nourrie par des emprunts continus au monde méditerranéen, elle atteint son point d'équilibre au IIIᵉ siècle avant J.-C., lorsque les populations celtiques se trouvent au maximum de leur extension historique. Cet art spécifiquement celtique disparaît presque sans traces sur le Continent, avec la conquête romaine et l'écrasement des Celtes par les Germains et par les Daces, dans le courant du Iᵉʳ siècle av. J.-C. Il survit toutefois dans les îles britanniques et trouve un prolongement dans l'art chrétien du Haut Moyen Age irlandais dont le rayonnement atteignit peut-être même, grâce à la vocation missionnaire des moines insulaires, les régions anciennement celtiques du coeur de l'Europe, restées en dehors de l'Empire romain. Sans que l'on puisse établir de lien direct, on retrouvera la sensibilité qu'expriment les œuvres de l'âge d'or de l'ancien art celtique dans l'art gothique, où les mêmes courbes d'essence végétale se peuplent d'êtres fabuleux ou monstrueux, créant ainsi un univers multiforme qui se transforme au gré de l'éclairage, de l'humeur ou de l'imagination du spectateur.

Ce n'est donc pas un hasard si le début de la redécouverte de l'art celtique coïncide au siècle dernier avec la réhabilitation de l'art gothique, méprisé par les inconditionnels de la tradition classique, mais doté de nouvelles lettres de noblesse par les partisans du mouvement romantique. Le "renouveau celtique" du siècle dernier, particulièrement vivace en Irlande où il constitua un des signes extérieurs de la montée du sentiment national, puisa son inspiration surtout dans l'art d'époque chrétienne, bien connu alors grâce aux œuvres exceptionnelles qui avaient pu échapper aux pillages et aux destructions.

Certains de ses aspects, notamment l'entrelacs d'origine végétale, associé souvent à des motifs animaliers, ainsi que le goût affirmé pour les lignes flexueuses, s'intègrent parfaitement dans les tendances des arts décoratifs européens de la fin du siècle qui réagissent à l'ordonnance rigoureuse des formes classicistes. De frappantes analogies peuvent être trouvées entre des créations de l'"Art nouveau" et certaines œuvres celtiques de l'Age du Fer, mais il ne s'agit presque jamais, du moins sur le Continent, d'une influence exercée par ces dernières. Comme pour l'art gothique, l'origine de cette similitude du répertoire et du traitement des formes doit être cherchée dans une préoccupation commune pour l'aspect dynamique des compositions et un goût similaire pour le foisonnement d'éléments divers, empruntés généralement au monde naturel, mais le plus souvent transformés, quelquefois jusqu'à l'abstraction, et imbriqués sans logique évidente.

Cette apparente communauté d'esprit de l'art celtique avec les courants considérés, à tort ou à raison, comme "anti-classiques" pourrait permettre de le considérer comme le premier grand représentant de cette tendance dans l'art européen. Effectivement, cette idée a connu (et connaît toujours) un certain succès : les Celtes et leur art, victimes du conquérant romain, deviennent ainsi les champions d'une alternative de liberté à toute forme d'ordre opprimant. En réalité, s'il existe une différence conceptuelle fondamentale entre l'art antique méditerranéen et l'art celtique, ce dernier est inconcevable sans une symbiose étroite avec le premier, auquel il emprunta non seulement la quasi-totalité de son répertoire, mais sans doute également certaines des idées qui, à l'origine, lui étaient associées. Le tout fut cependant complètement intégré dans un système de pensée proprement celtique, de sorte à engendrer un langage d'images dont l'authenticité est incontestable.

Mettre l'art celtique en opposition avec l'art antique ne peut que l'appauvrir, car différence ne signifie pas nécessairement contraire, et les subtiles interconnexions qui existent entre ces deux manifestations complémentaires ne peuvent être réduites à une formule binaire. Ce que l'on peut affirmer aujourd'hui pour l'art est vrai également pour les autres aspects de la culture des anciens Celtes. Il a fallu toutefois parcourir un long chemin pour arriver à cette vision des faits, contestée d'ailleurs encore aujourd'hui par ceux qui veulent maintenir à tout prix une hiérarchie rigide entre les grandes cultures du passé, et qui oublient que la diversité de l'Europe constitua depuis toujours un facteur essentiel de son évolution dynamique. Ainsi, l'art celtique continental ne fut reconnu qu'une dizaine d'années avant la fin du siècle dernier, peu après que l'identification des vestiges attribuables aux Celtes historiques de la seconde moitié du premier millénaire av. J.-C. eut rendue possible l'exploitation systématique des sources archéologiques.

La mise en évidence d'un passé celtique commun aux régions d'Europe qui s'étendent, au sud des grandes plaines du Nord, entre l'Atlantique et les Carpates, est chose faite au début de ce siècle. Généralement non sans fierté et dans certains cas avec quelques arrière-pensées, car les racines celtiques faisaient remonter les origines nationales de tel ou tel pays à une population qui, après une période de grandeur, fut victime de la colonisation romaine et des invasions germaniques. Il a fallu toutefois encore beaucoup de temps pour que l'idée d'une contribution des anciens Celtes à la culture européenne fasse son chemin et que les Celtes ne constituent qu'une introduction "barbare" à la véritable culture, arrivée, selon les régions, soit avec l'occupation romaine, soit avec le christianisme.

*Phalère
de bronze ajouré
de la sépulture
à char
de Somme-Bionne
(Marne)
Ve siècle av. J. -C.
Londres
British Museum*

L'attitude vis-à-vis de l'art est encore une fois tout à fait révélatrice à cet égard : ce n'est que vers la seconde guerre mondiale que sera définitivement établie la spécificité de l'art pré-roman des Celtes continentaux, qu'il sera systématiquement répertorié et que sera étudiée pour la première fois de manière systématique, la nature de ses relations avec l'art méditerranéen. Il faudra toutefois encore plusieurs décennies pour que la conviction que l'art celtique représente une des manifestations les plus importantes de l'Europe ancienne, particulièrement intéressante, indispensable même, pour comprendre l'évolution ultérieure, ne soit pas partagée uniquement par un nombre très limité de spécialistes en la matière, mais aussi par une fraction au moins du public non initié. Malgré les nombreuses études déjà consacrées à ce sujet, certains spécialistes de l'art antique continuent cependant de considérer l'art celtique comme une simple dérivation de l'art de l'Antiquité classique, donc une manifestation secondaire, plus ou moins maladroite et sans aucune personnalité propre.

La situation n'est pas tellement différente pour tout ce qui peut être considéré comme la contribution des Celtes de la deuxième moitié du dernier millénaire av. J.-C., bien connus aujourd'hui surtout grâce à l'archéologie, à la formation et à l'évolution de l'Europe. Il est aujourd'hui généralement admis, mais souvent oublié, que les diverses provinces créées par les

Romains dans les pays celtiques bénéficièrent au départ d'un artisanat et d'une agriculture parfaitement performants et adaptés aux conditions locales, qui ne furent remplacés qu'en faible partie par des techniques introduites à la suite de la colonisation.

Ainsi, l'architecture traditionnelle en bois, adaptée à des plans importés et associée quelquefois à des éléments en pierre, resta certainement largement

Avers et revers d'un statère d'or des Parisii Fin IIᵉ-Iᵉʳ siècle av. J.-C. Brno, Moravské Muzeum

prédominante pour les édifices privés. Les autres métiers du bois et le travail des métaux étaient déjà avant la Conquête d'un remarquable niveau, attesté non seulement par les produits mais également par l'outillage, si parfaitement adapté à ces travaux qu'il resta pratiquement le même jusqu'à l'introduction des machines. Les changements que l'on peut constater sous l'influence romaine concernent principalement le volume de la production et l'organisation de la distribution, mais seulement exceptionnellement l'amélioration des produits.

Il en est de même pour l'agriculture, où l'outillage préromain, utilisé par les paysans jusqu'à la toute récente introduction des machines, permettait des cultures bien adaptées aux conditions climatiques non méditerranéennes, inconnues des Romains avant qu'ils n'aient occupé, au début du IIᵉ siècle av. J.-C., les territoires alors celtiques de la plaine du Pô.

Un héritage celtique est donc commun à l'ensemble des régions de l'Europe qui s'étendent entre l'Atlantique, les grandes plaines du Nord et de l'Est et la bordure septentrionale de la Méditerranée. Il a marqué la vie quotidienne de leurs habitants de génération en génération et, même s'il n'est plus soutenu depuis longtemps par l'appartenance à la même communauté linguistique, continue à exercer son influence occulte jusqu'à nos jours.

Il suffit de rappeler à ce propos que l'organisation de l'année celtique, avec les principales fêtes qui en rythment le déroulement, se retrouve dans le calendrier religieux de la chrétienté occidentale. Mieux connaître le monde des anciens Celtes, c'est donc mieux nous connaître nous-mêmes. C'est peut-être aussi le moyen de prendre conscience des racines de certaines sensibilités communes à différents peuples de l'Europe actuelle.

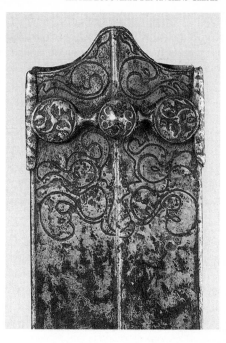

*Entrée
d'un fourreau
de fer décoré
en relief du site
de La Tène
(Neuchâtel)
Fin du IIIᵉʳ siècle
av. J.-C.
Bienne
Musée Schwab*

*Entrée
d'un fourreau
de fer au décor
gravé, du site
de La Tène
(Neuchâtel)
IIIᵉ-début IIᵉ
siècle av. J.-C.
Neuchâtel
Musée cantonal
d'Archéologie*

L'appartenance au même groupe linguistique constitue aujourd'hui un lien d'autant plus fort entre les peuples de souche celtique qu'ils sont tous dans l'obligation de défendre leur identité menacée. On a donc aujourd'hui généralement le sentiment que cette parenté linguistique implique une parenté culturelle, transmise de génération en génération.

C'est oublier que la langue ne constitue que l'un des aspects, primordial certes mais non unique, d'une culture, où la religion, l'organisation sociale et le système économique, eux-mêmes indissociables des contextes géographique et historique, jouent un rôle déterminant. De fait, si nous examinons le passé, même relativement récent, des populations celtophones, nous devons conclure que la notion immuable de "civilisation celtique", conçue comme illimitée dans le temps et dans l'espace, indépendante de tout environnement temporel et spatial, ne peut constituer qu'un concept artificiel. Le terme de "civilisation celtique", tout comme celui de civilisation égyptienne, grecque ou romaine, n'a de sens que s'il se réfère à un phénomène historique cohérent. Ainsi compris, il reste évidemment indissociable de l'aspect linguistique, mais la correspondance ne saurait être absolue ni dans le temps ni dans l'espace.

Fondées sur des types de matériaux différents, les deux approches principales des anciens Celtes, celle des linguistes et celle des archéologues, n'aboutissent donc pas toujours aux mêmes conclusions. Il faut bien admettre aujourd'hui qu'il existe une "identité linguistique" qui peut correspondre à une multiplicité de cultures archéologiques et une "identité culturelle" qui peut cacher des populations de langue différente. L'histoire de l'identification archéologique des anciens Celtes continentaux illustre

remarquablement bien ces divergences. Elle commence dans la seconde moitié du siècle dernier, après une période où à peu près tous les vestiges préromains étaient considérés comme celtiques. Les premières tentatives d'établir un rapport entre les données fournies par les textes et le matériel archéologique ne furent pas toujours couronnées de succès. Ainsi, lorsqu'on découvrit en 1860 sur le site d'Alésia, haut-lieu de la résistance gauloise à la conquête de la Gaule par César, un dépôt d'armes de l'Age du Bronze, elles furent attribuées, sans hésitation aucune, aux "héroïques défenseurs" de l'an 52 av. J.-C. C'est là qu'il faut chercher l'origine d'une iconographie "gauloise", aussi anachronique que persistante, qui fleurit encore aujourd'hui sur des supports aussi divers que des paquets de cigarettes et des bandes dessinées à succès.

Garniture en tôle de bronze avec la silhouette têtes d'oiseaux aquatiques du site de La Tène (Neuchâtel) IIIe-IIe siècle av. J.-C. Bienne Musée Schwab

Le tournant décisif se produisit en 1871 à Bologne, lors du Congrès international d'anthropologie et d'archéologie préhistorique. Deux savants, le Français Gabriel de Mortillet et le Suisse Emile Desor, reconnurent parmi les matériaux qui avaient été découverts sur le site étrusque voisin de Marzabotto, des objets qu'ils connaissaient bien de leurs pays d'origine : des armes et des fibules semblables à celles que l'on avait trouvées alors en quantité dans les nécropoles de l'Age du Fer de la Champagne, de même que dans le gisement lacustre de La Tène, connu et exploité déjà depuis une quinzaine d'années. Ils attribuèrent donc ces objets aux envahisseurs celtiques du début du IVe siècle av. J.-C., dotant ainsi les Celtes historiques d'une physiognomie archéologique.

L'année suivante, Hans Hildebrand proposait une subdivision de l'Age du Fer préromain en deux périodes : la première était nommée d'après la grande nécropole de Hallstatt en Autriche, la deuxième – celle à laquelle appartenaient les armes et les parures de Marzabotto –, d'après le site de La Tène. C'est ainsi que s'établit l'équivalence Celtes = civilisation de La Tène (on préfère utiliser aujourd'hui l'adjectif "laténienne", moins équivoque) qui marqua profondément, pendant près d'un siècle, ce domaine de recherche. Positivement, car il permit l'identification des traces archéologiques de l'expansion historique des Celtes dans les pays danubiens, mais aussi négativement, car il empêcha pendant longtemps de reconnaître les populations celtiques, plus anciennes ou même contemporaines, qui se situaient en dehors de ce cadre culturel.

Ce n'est que progressivement qu'a pu être dressé un tableau plus complet et plus nuancé de l'ancien peuplement celtique de l'Europe. On tenta tout d'abord de remonter dans le temps, en admettant la celticité des groupes culturels hallstattiens à partir desquels se forma la civilisation laténienne des Celtes historiques. Assez solidement fondé pour le VIe et même VIIe siècle av. J.-C., cet élargissement de l'identité archéologique des Celtes devient de plus en plus spéculatif au fur et à mesure que l'on s'éloigne des repères sûrs fournis par les textes. L'accord est général pour faire remonter la formation des langues celtiques au plus tard à l'Age du Bronze, donc au IIe millénaire av. J.-C., mais rien ne permet aujourd'hui de les identifier dans la mosaïque de cultures anonymes de cette période.

L'acceptation de la celticité des groupes hallstattiens qui occupaient les territoires qui s'étendent au nord des Alpes, de la Champagne à la Bohême, ne modifiait toutefois pas sensiblement l'idée que c'est à partir de ces régions que s'effectua, principalement pendant le dernier demi-millénaire av. J.-C., la celtisation des autres régions où les Celtes sont attestés, directement ou indirectement, par des textes ou des témoignages linguistiques. Ce furent ces derniers qui apportèrent récemment un élément nouveau au dossier et obligèrent les archéologues à reconsidérer l'ensemble de la question.

Le déchiffrement des inscriptions en caractères empruntés à l'alphabet étrusque, provenant de l'aire de la culture nord-italique dite de Golasecca, révéla en effet qu'elles étaient rédigées dans une langue indiscutablement celtique. Les plus anciens de ces textes étant nettement antérieurs à l'invasion historique du début du VIe siècle av. J.-C., on doit conclure à la celticité d'une population dont le faciès archéologique s'intègre parfaitement dans le cadre péninsulaire.

Nous commençons tout juste à mesurer les conséquences de cette découverte: elle doit nous inciter à la prudence mais elle ouvre probablement aussi la voie qui permettra d'associer sans des *a priori* générateurs d'images déformées, les données textuelles, linguistiques et archéologiques. On entrevoit dès maintenant combien peut s'en trouver enrichie la compréhension du rôle joué par les peuples celtiques dans la formation de l'Europe ancienne.

Tête en pierre de divinité de Heidelberg (Bade-Wurtemberg) Ve siècle av. J.-C. Karlsruhe Badisches Landesmuseum

Les sources littéraires

Gerhard Dobesch

Il en est des Celtes comme de tous les autres peuples "barbares" de l'Europe: les traces vagues et ternes des découvertes préhistoriques se colorent, prennent vie et sortent de l'anonymat seulement lorsque ces peuples entrent dans le rayon émanant d'une culture écrite de l'aire méditerranéenne. Puisque nous n'avons rien conservé de la littérature punique et étrusque, tout ce que nous savons de certain, nous le devons aux témoignages des Grecs puis des Romains; cette tradition écrite est complétée seulement par quelques inscriptions.

La géographie et l'ethnographie commencèrent à se développer en Ionie dans la seconde moitié du VIe siècle av. J.-C. C'est à cette période qu'on peut faire remonter aussi le premier témoignage sur les Celtes, mentionnés par Hécatée vers 500 av. J.-C. *(FGr. Hist.* 1, frag. 56). Il est possible que celui-ci connaissait les Celtes de l'intérieur depuis la côte ligure de Marseille (frag. 54). Au VIe siècle av. J.-C., nous avons également la citation du poète de l'Antiquité tardive, Avienus, selon laquelle les Celtes sont les ennemis des Ligures, établis plus à l'occident *(Ora maritima*, 4, 132-134). On ne conserve d'Hécatée que quelques brèves et fragmentaires citations ; toutefois, on peut affirmer que cette œuvre ne contenait aucune description ethnographique des Celtes : à cette époque, un tel peuple était encore considéré comme un simple phénomène marginal, un peuple parmi tant d'autres qui ne méritaient pas une attention particulière. On peut en dire autant d'Hérodote, dont l'œuvre historique fut terminée vers 430 av. J.-C. Il rapporte, peut-être d'après Hécatée, que le Danube prend sa source dans le territoire des Celtes. Ce territoire s'étendait jusqu'aux rives de l'Océan, où il confinait aux terres des Cynètes (les *Cunesei*, sud de l'Espagne). Cela suggère l'existence de peuples celtes dans la péninsule Ibérique ou sur la côte atlantique française (Hérodote 2, 33, 3 ; 4, 49, 3). A proximité de la source du Danube se trouvait, selon ce texte, aussi la ville de Pyréné. Ce serait une injustice envers Hérodote que de vouloir lui attribuer une confusion avec la chaîne des Pyrénées. Dans l'ensemble, son texte révèle une bonne connaissance du cours du Danube à travers l'Europe. Ce n'est pas un hasard qu'à travers son indication on rejoigne le centre de la zone hallstattienne occidentale. Les rapports commerciaux des peuples de la Méditerranée, en particulier les Grecs si actifs de Marseille, aboutirent à une connaissance des Celtes depuis le VIe siècle av. J.-C. En outre, on peut penser aussi à l'ancienne route commerciale qui suivait le Danube jusqu'à la mer Noire, pour y atteindre la zone de colonisation grecque. Enfin, il n'est pas absolument à exclure que la vallée du Danube autrichienne ait constitué une des premières zones d'installation celtique. En tout cas, Hérodote n'est pas en mesure de fournir des informations ethnographiques sur les Celtes. A la fin du VIe siècle, ils n'étaient donc qu'un peuple de la périphérie du monde hellénique. Et les Grecs ne connaissaient que leur nom et leur aire d'installation.

Pourtant, le monde celtique se rapprocha du monde grec. De la fin du Vᵉ siècle datent les dernières vagues importantes d'immigration dans la vallée du Pô. L'Italie septentrionale devient la Gaule Cisalpine, qui coïncide avec la fin des villes étrusques dans cette région. La connaissance du sac de Rome par les Gaulois en 387 av. J.-C. nous provient également d'historiens grecs (par exemple Théopompe, *Frag. Hist.* 115, frag. 317). En Gaule, les Celtes commencèrent à presser vers le sud, étendant progressivement leur culture jusqu'en Gaule méridionale. Marseille même est menacée mais réussit à maintenir de bons rapports avec les Celtes. Ceux-ci, à partir du IVᵉ siècle av. J.-C., acquièrent la réputation de soldats valeureux et très combatifs et sont enrolés comme mercenaires par les Carthaginois, les Etrusques et les Grecs d'Occident. En 371 av. J.-C., le tyran de Syracuse, Denys Iᵉʳ, après la bataille de Leuctres envoie aux Spartiates un corps expéditionnaire composé de mercenaires celte s et ibère s (Xénophon, *Helléniques*, 7, 1, 20, 31). Il s'agit du premier témoignage de l'apparition des Celtes en Grèce métropolitaine.

En conséquence, chez les auteurs grecs du IVᵉ siècle se trouvent les premières ébauches de description ethnographique. Platon décrit les Celtes comme belliqueux, mais aussi comme consommateurs immodérés de vin *(Nomoi*, 1, 637 d)* ; Aristote encore fait l'éloge de leur témérité et de la stricte discipline dans laquelle ils sont élévés depuis leur enfance *(Politica*, 7, 2, 5, p. 1324 b 12 ; 7, 17, 2, p. 1336 a 18)*, les citant comme des exemples du plus grand courage sans beaucoup d'intelligence *(Ethique à Nicomaque, 3,* 10, 7, p. 1115 b 28 ; *Ethique à Eudême*, 3, 1, 25, p. 1229 b 28)*. On trouve dans l'œuvre historique de Théopompe (frag. 40) le plus ancien témoignage de leur présence en Illyrie. L'historien Ephore les mentionne comme habitants de l'Europe occidentale *(FGr. Hist.* 70, frag. 30, 131) et souligne leur valeur militaire et leur absolue témérité. Il les présente comme des amis des Grecs (frag. 131) grâce à leurs bons rapports avec Marseille; son œuvre d'historien – qui ne nous est pas parvenue – contenait sans doute la première description ethnologique des Celtes; elle reste toutefois caractéristique de lieux communs bien enracinés à propos des peuples barbares du Nord en général, c'est-à-dire d'une connaissance encore lacunaire et vague. A cette image du IVᵉ siècle correspond par exemple l'opinion de l'historiographe de l'Occident Timée, qui considère que les Celtes (en grec, les Galates) descendent de Galatos, fils du sauvage et sanguinaire cyclope Poliphème, et de la nymphe Galatée *(FGr. Hist.* 566, frag. 69). Malheureusement on n'a pas conservé le récit du voyage de Pythéas, qui fit dans la seconde moitié du IVᵉ siècle le tour de la Gaule, de l'île de Bretagne et de l'Europe du Nord.

La pression expansionniste des Celtes se dirigea non seulement vers l'ouest et le sud, mais aussi vers l'est et le sud-est. Les événements de l'année 355 av. J.-C. font supposer que les Celtes de l'aire danubienne, à travers l'ancienne voie commerciale du Danube, entrèrent en contact avec les peuples balkaniques, les Thraces, les Macédoniens et les Grecs. Déjà, vers 380 av. J.-C., ils se heurtent au peuple des Ardiaioi, installés dans la Dalmatie méridionale

· (Théopompe, frag. 40). Après de tels événements, et au vu de la présence de mercenaires celtes en Grèce et des contacts des Grecs occidentaux avec les Gaulois, l'opinion selon laquelle Philippe II de Macédoine aurait été assassiné avec un poignard de forme et d'origine celtiques, la *keltichè machaira* (Diodore, 16, 94, 3), pourrait donc correspondre à la réalité. En 335, son fils et successeur, Alexandre le Grand, engagé dans une campagne militaire dans les Balkans et dans le haut Danube fut rejoint par une délégation de Celtes qui devait être installée dans l'actuelle Slovénie ou à l'intérieur de la Dalmatie. Cette délégation, selon le rapport du contemporain Ptolémée, donna à Alexandre la fameuse réplique selon laquelle les Celtes ne craignent rien dans le monde si ce n'est que le ciel ne s'écroule *(Frag. Hist.* 138, frag. 2 ; *Arrien, Anab.* 1, 4, 6-8). Un peu plus tard à partir de cette période, sinon dès 380 av. J.-C., commence donc la progressive celtisation des vallées des Alpes orientales et de la Pannonie. Mais de ces événements, aucune relation ne nous est parvenue. Dans les décennies suivantes, toute l'attention des Grecs se tourne vers la découverte de l'Orient à travers les campagnes d'Alexandre, qui parvient jusqu'en Inde. Toutefois, très rapidement, les Celtes se signalent toujours plus à travers leur pression vers le sud-est. Déjà à l'époque des Diadoques, des batailles ont lieu avec des hordes de Gaulois itinérants, et en 280 av. J.-C. se produit une terrible

Fragment d'une frise en terre cuite de Civitalba (Marches) représentant les Gaulois fuyant après le sac d'un sanctuaire Début du IIe siècle av. J.-C. Ancône Museo Nazionale Archeologico delle Marche

incursion des Barbares galates en Thrace, Macédoine et Grèce. Une partie d'entre eux rejoignirent l'Asie Mineure et occupèrent la zone appelée ensuite Galatie, et pendant des décennies furent des ennemis redoutés des cités grecques. La menace dangereuse représentée par ces téméraires et terrifiants prédateurs (la *furor gallicus* précéda la *furor teutonicus*) conditionna longtemps l'image que le monde hellénique eut des Celtes. Le poète grec Callimaque les considère comme un peuple incapable de penser et de réfléchir et va outre la légende de Timée sur leur descendance mythique du Cyclope en les mettant directement en relation avec les Titans, les géants rebelles et ennemis des Olympiens, dieux de la Lumière et de l'Ordre *(Hymne* 4, 173 f, 184). C'est la même idée qui inspira les souverains de Pergame qui, célébrant leur victoire sur les Galates, illustrent sur la grande fresque de l'autel de Pergame le combat des Titans. Malheureusement, à l'exception des quelques fragments de Polybe, nous avons perdu toute trace de texte ethnographique et géographique utilisable pour l'histoire. Ont disparu la *Geographica* du grand scientifique Eratosthène, qui s'occupa aussi de l'Europe occidentale et du Nord, et la monographie en trois volumes de Démétrios de Byzance *(FGr. Hist.* 162) sur le passage des Celtes en Asie. Manque encore le poème de Simonide de Magnésie *(FGr. Hist.* 163, fin du IIIe siècle) sur la guerre du roi Antioche Ier contre les Galates. Il est possible que, toujours pendant le IIIe siècle, Philarcos dans son œuvre historique ait fourni une ethnographie celtico-galatique (cf. *FGr. Hist.* 81, frag. 2). Du IIe siècle ou plus tard datent les *Galatika* d'Eratosthène le Jeune, racontés en plusieurs volumes et également perdus *(FGr. Hist.* 745). A titre de curiosité,

on peut rappeler aussi que l'auteur de comédie Poseidippe écrivit au
IIe siècle av. J.-C. une pièce intitulée *les Galates,* également disparue. Le poète
Euphorion, toujours au IIIe siècle, fait mention des *Gesati* (frag. 42 Gronin-
gen). La tradition hellénistique rapporte l'histoire de la cité d'Héraclée, sur
la mer Noire, écrite par Memmon à l'époque impériale et dont subsiste une
partie dans un extrait du patriarche Phocion *(FGr. Hist.* 434) ; il contient de
précieuses indications sur les Galates d'Asie Mineure. En général, de toute
façon, l'image des Celtes transmise par l'hellénisme se forme dans un contexte de guerre et d'obsession permanente d'une brutale agression. La représentation est donc celle d'un peuple barbare, sauvage, intrépide et implaca-
ble. La géographie les considère essentiellement comme habitant l'Occident,
mais aussi l'Europe centrale et du Nord jusqu'au territoire des Scythes. Les
groupes germaniques qui habitaient le long de cette "ceinture celtique"
demeurèrent en grande partie inconnus, et lorsque quelque indication filtre
jusqu'en Méditerranée, ils sont considérés comme celtes. Cela dura jusqu'à
l'époque des Cimbres et des Teutons, et encore au-delà.

Ainsi, pour les autres peuples, depuis le IVe siècle les Celtes constituèrent un
péril constant, et leur nom devint synonyme de menace et de bande barbare
et destructrice. Parmi d'autres questions se pose le cas des Italiques et de
Rome. Celle-ci avait fondé sa propre grandeur en tant que poste avancé pour
la protection des paysans italiques contre la menace continuelle des attaques
militaires et des raids des Gaulois. La puissance déchaînée du monde celtique, incarnée en particulier par la force brutale des *Gaesati,* fut retenue par
Rome. La cité sur le Tibre passe de la défense à l'attaque, et à partir du milieu
du IIe siècle débute la conquête de la Gaule Cisalpine. La naissance de l'historiographie latine commence à la fin du IIIe siècle. Nous disposons des premiers témoignages écrits sur l'image que les Romains avaient des Celtes.
Toutefois, hormis quelques fragments, les annales préliviennes sont perdues.
On peut citer par exemple la description du duel entre Titus Manlius
Torquatus et un Gaulois rapportée par Claudius Quadragarius (frag. 10 a et
b Peter, cf. aussi frag. 12 qui est peut-être à attribuer à Valerius Antias).
L'œuvre historique de Caton l'Ancien, au IIe siècle, est également perdue.
Dans cette œuvre, on peut suivre les traditions des peuples et des cités
d'Italie, et pour autant que le permette la lecture des fragments, des cités de
l'Italie septentrionale. Sa façon de caractériser les Celtes est fameuse : les
deux seuls idéaux poursuivis par les Celtes avec grande ferveur sont la vertu
guerrière et le sage discours (frag. 34 Peter). Mais il reste possible de retrouver l'image ancienne que les Romains se faisaient des Celtes en se rapportant
à Tite-Live, à l'époque augustéenne et à la tradition rapportée par Polybe.
L'œuvre de cet historien grec du IIe siècle av. J.-C., qui vécut longtemps à
Rome, est conservée en grande partie en original. Nous lui devons non seulement une série de comptes rendus véridiques, comme la grandiose description de la bataille de Télamon en 225 av. J.-C. (Polybe, 2, 27-31), mais encore une brève et intéressante description ethnographique des Celtes d'Italie
(2, 17, 3-12). Il fournit une courte mais utile description du système hiérarchique, dans laquelle il manifeste une tendance à une certaine exagération en

attribuant aux Celtes des villages non fortifiés et des habitations sans meubles ni ustensiles. Une telle description n'est pas valable assurément pour les Celtes d'Italie méridionale du IIe siècle av. J.-C. Il est vraisemblable qu'il s'inspire d'une littérature plus ancienne (Fabius Pictor ou d'autres). Dans son exagération primitive se reflète en fait l'image du Celte pillard et barbare diffuse dans la mentalité des paysans italiens. Il est possible qu'il se soit inspiré de quelques stéréotypes de la littérature grecque.

Rome mit un frein au pouvoir des Celtes. Cela vaut pour l'Italie septentrionale, pour les Galates d'Asie Mineure, pour les Celtibères et enfin pour la Gaule dans son ensemble. Après la victoire sur les Allobroges en 121 av. J.-C., Rome détruisit le royaume des Arvernes du roi Bituitos, qui s'étendait des Pyrénées au Rhin. Les Arvernes demeurèrent libres, mais la vallée du Rhône et la côte méditerranéenne française devinrent province romaine. Dans le discours *Pro Fonteio* (69 av. J.-C.), en un langage fleuri de rhétorique, Cicéron fournit une intéressante description de celle-ci : cinquante ans après la conquête, la nouvelle province était économiquement soumise et exploitée par les Romains. Très élevé est le nombre des marchands romains qui y exercent, aucun Gaulois ne pouvait conclure une affaire sans la présence d'un citoyen romain (11). Dans le même discours, Cicéron ne ménage pas les jugements péjoratifs sur les caractéristiques des Gaulois.

La guerre contre les Arvernes et la conquête de la Gaule Narbonnaise avaient réveillé l'intérêt d'un rapprochement avec le monde celtique, et la colonisation de la nouvelle province offrit de nombreuses nouvelles occasions de connaissance. Peu après, un danger mortel rappela de façon violente aux consciences le poids de la barbarie européenne. Vers la fin du IIe siècle, les tribus germaniques des Cimbres et des Teutons envahirent la Gaule Narbonnaise et l'Italie même. A cette époque, les Romains et les Grecs ne connaissaient pas encore le concept du "germain" et ne possédaient pas de nom spécifique pour dénommer une telle population. Ces peuples migrants furent ensuite considérés comme celtes, et cette menace représenta à leurs yeux une continuation des raids gaulois des IVe et IIIe siècles.

Cet intérêt accru atteint son summum dans l'œuvre du grand érudit Posidonios (vers 131-50 av. J.-C.), qui fut non seulement un grand philosophe stoïcien et un historien subtil, mais aussi un des plus importants ethnographes de tous les temps. Il connaissait les Celtes par ses propres voyages, qui l'avaient conduit en Gaule Narbonnaise, et se référait à son expérience directe (*FGr. Hist.* 87, frag. 15, 16, 17, 18, 33, 55). Nous conservons quelques fragments de sa description ethnographique des Celtes. En outre, des extraits de ses récits se retrouvent dans les descriptions transmises par Strabon et Diodore. Posidonios est particulièrement attentif aux spécificités ethniques et culturelles. Il décrit leur caractère réceptif et courageux, leur audace et leur certaine manière vaniteuse, leur passion pour les parures, leur obsession des honneurs, leurs habitudes de banquets, leurs croyances outre-terre, leur facile excitabilité, leurs prêtres, leurs bardes qui chantent les exploits des rois et des seigneurs en vers improvisés. Il attire encore l'attention sur l'importance que l'aristocratie celtique attribue à l'habitude de conserver comme trophées les crânes des ennemis tués à la bataille (frag. 55 ; Strab., 4, 4, 5 ; Diod., 5, 29, 4-5). Posidonios transforme l'ancienne image, pleine de lacunes, des Celtes en en créant une différente, plus riche, qui par de nombreux aspects resta l'image classique des Celtes diffusée dans l'Antiquité. La description précieuse de Posidonios illumine les obscurs débuts de l'histoire des Celtes. A travers son œuvre, les tombes, les objets inanimés et les découvertes de la dernière période laténienne reprennent vie. A travers lui, derrière les trouvailles archéologiques, nous retrouvons des êtres humains vivants.

A titre de curiosité, rappelons ici le témoignage de Cicéron, qui rapporte comment l'Eduen Dividiacos, lui-même druide, séjourna en 61 av. J.-C. à Rome, où il entra en contact avec Cicéron et avec son frère, avec qui il s'entretint de la doctrine druidique.

A partir de 61 av. J.-C., probablement en provenance de la Gaule du Nord, commence à se diffuser à Rome le nom de "Germains" pour désigner les tribus non celtiques de l'est du Rhin. Toutefois cette innovation romaine fut difficilement admise par les Grecs, pour qui encore à des époques tardives les Germains furent définis comme des Celtes. On ne doit pas oublier ici le fait que, par exemple, Arioviste fut défini comme celte par Dion.

Une approche toute nouvelle de cette recherche sur les Celtes apparaît avec la campagne militaire de César en Gaule (58-51 av. J.-C.). Avec elle, aussi bien politiquement qu'économiquement, la Gaule devient partie du monde romain, et l'armée romaine s'enfonce dans la presque légendaire île de Bretagne et dans les régions outre-Rhin. Les Germains sont alors reconnus dans leurs diversités par rapport aux Celtes, devenant un facteur politique bien défini. Cette nouvelle connaissance se reflète avant tout dans le récit guerrier des *Commentarii* de César, qui nous sont heureusement parvenus. A côté d'une série de notices isolées, il faut mentionner la digression du livre VIe, dans laquelle César, afin de distinguer les deux peuples, propose une comparaison entre Gaulois et Germains (*De Bel. Gal.*, VI, 11-24, le passage sur la forêt hercynienne n'est pas authentique). A César revient le mérite d'avoir introduit le concept de "germain" dans la littérature scientifique de l'Antiquité. Il consacra aussi une description aux Bretons (*De Bel. Gal.*, V, 12-24, dont l'authenticité apparaît néanmoins en partie douteuse). Mais les plus grandes connaissances, César les possède sur la Gaule, et dans ses récits il révèle d'excellentes qualités ethnographiques qui ne craignent pas la confrontation avec les plus grands maîtres de cette discipline. La recherche moderne est en général portée à croire que César a puisé dans les sources littéraires de ses prédécesseurs, et en particulier de Posidonios. Mais cela ne me paraît en aucun cas démontré. L'exposé de César relève d'une grande originalité. Les thèmes qu'il traite ne se recontrent que très peu dans l'œuvre de Posidonios ; de même, des notices précieuses et détaillées de Posidonios on ne trouve aucune trace dans l'œuvre de César. Eut-il l'intention de donner, avec sa propre ethnographie gauloise, un complément à l'œuvre du grand érudit ? L'apport de César est triple: politique, social et religieux. Quant à ce qui touche le champ politico-sociologique, ses réflexions et ses informations sont les plus précises et les plus importantes que nous possédions sur les Celtes. Sa description du système de clientèle et de la quasi-dépendance de la masse populaire par rapport à l'aristocratie est considérée comme incohérente et en contradiction avec ce qui est communément admis sur l'organisation de la société celtique. Mais César, qui en d'autres parties décrit les institutions de clientèles sur un mode tout à fait objectif, n'a pas l'intention de fournir une description générale : il se limite à une période précise de l'histoire de la Gaule, et plus précisément de la Gaule centrale. Dans le IIe siècle et au début du Ier siècle av. J.-C. eut lieu un bouleversement lourd de conséquences : l'infanterie, qui avec le char de guerre avait tenu précédemment le rôle principal dans la bataille, avait perdu une grande partie de son importance au profit de la cavalerie. En conséquence, le poids politique de l'assemblée populaire se modifia, et le pouvoir militaire, politique et économique passa à l'aristocratie des cavaliers, qui à l'intérieur de la plus grande partie de la communauté réussit aussi à renverser le vieux système monarchique concentrant tout le pouvoir entre ses propres mains. César décrivit la dégénérescence de l'antique forme de la clientèle, une situation extrême qui se révéla un mélange particulièrement explosif du point de vue politico-social ; les républiques aristocratiques gauloises étaient en fait en partie caractérisées par une grande instabilité interne. Particulièrement en ce qui concerne de tels aspects, les descriptions de César apparaissent tout à fait dignes de foi dans leur pénétrant esprit de synthèse.

Nos connaissances du monde celtique se fondent donc sur trois sources principales : Posidonios, César et ses résumés ; ces derniers, du moment que la Gaule était romaine, étaient devenus facilement réalisables, et leurs échos se retrouvent dans les différents auteurs successifs. Sur ces trois sources se fonde encore l'ethnographie celtique de l'époque impériale, et pour nous il est important de savoir que leurs notices sont dignes de confiance.

Mentionnons surtout ici les historiens de l'époque augustéenne. L'œuvre du Grec Timagène est malheureusement perdue, mais on en trouve un large résumé dans les écrits de l'historien de l'Antiquité tardive Ammien Marcellin (*Frag. Hist.* 88, frag. 2). Timagène pourrait de toute façon avoir joué un role important dans la révision et dans la trasmission de l'héritage de Posidonios. Des descriptions détaillées du point de vue ethnologique et géographique de la Gaule et de la Bretagne sont rapportées par l'historien Diodore (5, 21-22, 24-32) et le géographe Strabon (4, 1-4 ; 4, 5, 1-4). Les deux œuvres sont conservées (Diodore du moins en partie), et tous les deux s'inspirent directement ou indirectement – en partie peut-être à travers Timagène – de Posidonios, enrichissant cette matière, en particulier Strabon, d'observations sur la Gaule contemporaine. Il s'agit de toute façon des plus longues et des plus complètes ethnographies transmises par l'Antiquité. Aux chroniqueurs romains appartient aussi Denis d'Halicarnasse pour sa narration de l'attaque des Celtes contre Rome (*Ant. Rom.*, 13, 6-12 ; voir aussi la description de la Gaule 14, 1). La partie la plus importante de la tradition annalistique romaine est constituée toutefois des fragments conservés de la monumentale œuvre historique de Tite-Live (seulement pour les années qui vont de la fondation de Rome jusqu'à la fin de 293 et pour la période allant de 218 à 167 av. J.-C.). On y trouve le récit détaillé de tous les combats de Rome contre les Gaulois de l'Italie septentrionale, mais aussi quelques épisodes particuliers, comme l'invasion celtique de la Vénétie à partir des Alpes orientales en 186 av. J.-C. En ce qui concerne la bataille des Romains contre les Grecs d'Asie Mineure, il est vraisemblable que sa source ait été Polybe. Les récits de l'invasion gauloise sont d'un intérêt particulier (Tite-Live, 5, 33, 2-35, 3); on y trouve des influences de César, mais la partie essentielle remonte au contraire très vraisemblablement à des informations détaillées d'auteurs plus anciens, peut-être Caton l'Ancien. Après Tite-Live, une grande histoire du monde fut écrite par Trogue Pompée, lui-même un Celte de la Gaule Narbonnaise, dont nous ne gardons malheureusement qu'un résumé transmis par Justin (IIIe siècle ap. J.-C.). Il fournit quelques indications intéressantes sur la Gaule, puisées en partie dans une histoire de la ville de Marseille. Sa légende de l'invasion celtique (Justin, 24, 4, 1-25, 11 ; cf. aussi 20, 5, 4-9 ; 32, 3, 6-12 ; 43, 4, 1-2) est le produit de spéculations abstraites, peut-être développées par lui-même, ou tirées d'une source de la fin de l'époque hellénistique ou de la fin de la république, ou encore des premières années de l'époque impériale (Timagène ?).

Datant de l'époque post-augustéenne, Ier siècle de notre ère, on peut citer le passage sur la Grèce que le géographe romain Pomponius Mela écrivit dans son œuvre. Valerius Massinus rapporte les croyances des Celtes dans une vie outre-tombe (2, 6, 10). Au poète épique Lucain nous devons des informations sur quelques cultes gaulois dédiés à différentes divinités (1, 444-465). Pline l'Ancien a consacré des notices importantes aux Celtes : nous lui devons des informations sur la pratique druidique *(Hist. Nat.* 16, 249-251). Nous pouvons ici rendre compte de la matière détaillée dont les auteurs antiques pouvaient disposer après la conquête de la Gaule et de la Bretagne. L'empereur Claude avait commencé en 43 apr. J.-C. la conquête de l'île de Bretagne, tandis qu'Agricola, le beau-père de l'historien Tacite, conduisait les armées romaines dans le Nord, aux confins de l'Ecosse. A la fin du Ier siècle, Tacite écrit une biographie d'Agricola, que nous avons conservée, il retrace l'histoire de la conquête romaine avec d'importantes notices sur les Celtes des îles.

Pour le IIe siècle, il faut citer aussi Plutarque, dont l'œuvre contient épisodiquement quelques indices sur les Celtes (comme dans la *Vie de Camille*, 15-16). Nous devons aussi quelques annotations isolées à l'écrivain militaire Polyen (par exemple 7, 50 ; 8, 7, 2). Dans sa *Géographie*, le Grec Ptolémée cite un grand nombre de toponymes des terres habitées par les Celtes. Des informations similaires sont contenues encore dans la *Table de Peutinger*, dont le noyau de base remonte probablement à l'époque augustéenne. La description de la Grèce faite par Pausanias quatre siècles après les événements contient une matière importante sur l'incursion des Celtes en 279 av. J.-C. Ses connaissances sont issues de travaux d'historiens grecs antérieurs qui ne nous sont pas parvenus. Une position particulière est celle d'Appien, auteur d'une histoire romaine subdivisée en monographies particulières. Dans la partie consacrée aux Celtes, il offre un panorama des batailles des Romains contre les peuples celtes et germaniques ; toutefois, son œuvre n'est conservée qu'en fragments. Elle contient de nombreux renseignements précieux, dont la superbe description d'un chef laténien, dans le fragment 12, qui remonte directement ou indirectement à Posidonios.

Des terres habitées par les Celtes, seules d'Irlande et l'Ecosse restèrent libres, mais ces pays ne suscitèrent pas un grand intérêt de la part des auteurs antiques, hormis peut-être de Ptolémée, et nous ne possédons que quelques notes sporadiques (la première mention des *Picti* est de 300 apr. J.-C., dans *Laterculus Veronensis, Geographi Latini minores*, éd. A. Riese, p. 128). Toutes les autres régions ont été absorbées par l'Empire romain, et leur histoire devient partie de l'histoire romaine. Il n'est pas possible d'énumérer ici toutes les sources littéraires ni de rapporter toutes les citations ethnologiques particulières. Mais, par exemple dans l'œuvre d'Elien ou d'Athénée, auteurs de la première moitié du IIIe siècle, de grand interêt dans les confrontations de l'Antiquité, se trouvent quelques notices isolées. Les *Ethniques* de Stéphane de Byzance (VIe siècle ap. J.-C.) ont conservé de nombreuses citations d'auteurs plus anciens. Un autre historien de l'Antiquité tardive, déjà mentionné, Ammien Marcellin (seconde moitié du IVe siècle ap. J.-C.), montre de l'intérêt pour les descriptions ethnographiques : dans son œuvre historique, il insère une digression sur les Celtes, digression reprise par Timagène et d'autres auteurs suivants, peut-être contemporains. Mais à un certain moment, l'intérêt pour les Celtes se déplace sur les Germains. Ce changement de perspective est déjà annoncé du reste dans la *Germanie* de Tacite.

Dans l'ensemble donc, la tradition antique, malgré ses sources lacunaires et partielles, nous offre une grande quantité de matériaux sur l'histoire et l'ethnographie celtiques.

A la fin de l'Antiquité, comme cela a été dit, l'intérêt pour les Germains a remplacé celui porté aux Celtes. L'antique tradition méditerranéenne s'essouffle, peut-être relayée par celle du haut Moyen Age avec des chroniques sur l'Ecosse, le pays de Galles, la Bretagne et surtout l'Irlande. Pour la première fois, les Celtes forgent leurs propres récits, sans dépendre d'histoires partielles issues de témoignages de seconde main de peuples étrangers. Nous savons aussi que les anciens Celtes avaient une riche tradition poétique qui englobait des récits religieux, des légendes, de la doctrine philosophico-mythique et des poésies de circonstance. Mais tout cela était confié à la tradition orale, fondée sur la mémoire, dont rien malheureusement ne nous est parvenu. A travers le christianisme, toutefois, à coté des Celtes se diffuse la culture écrite qui préserve la matière de ces anciennes traditions.

Les sources archéologiques
Luana Kruta-Poppi

Les vestiges archéologiques du deuxième Age du Fer constituent dans les régions que les sources historiques nous disent habitées par les anciens Celtes la mémoire matérielle de leur histoire. Témoignage direct mais muet, préservé par le sol que ces peuples ont habité, cultivé, construit, par les eaux qu'ils ont naviguées, les différentes sources : nécropoles, habitats, forteresses, ateliers, lieux de culte, routes, ponts, ports fluviaux, monnaies et matériaux isolés, nous transmettent de la réalité de leur époque des images partielles à des niveaux différents, qui ne permettent pas de saisir la globalité de la culture mais seulement certains de ses différents aspects. Elles peuvent encore moins, en général, se relier à des événements précis, à des personnages déterminés, et l'histoire qu'elles contribuent à tracer, est par définition anonyme sans le soutien précis d'une source écrite. Variable est aussi la valeur des différentes sortes de vestiges, conditionnée par leur nature, par les circonstances de la découverte, par le type de sol et même par les divers degrés de perception et de considération qu'en a eu l'archéologue dans l'évolution de la discipline. Les progrès de l'archéologie, en effet, finissent par être le reflet du mûrissement de la mentalité des archéologues.

Ce fut dans l'Europe barbare, dans des régions moins riches de restes monumentaux par rapport aux civilisations méditerranéennes ou moyen-orientales où l'usage de l'écriture s'imposa tardivement, que l'archéologie perdit le

Vue aérienne du tumulus de Grossmugl (Basse-Autriche) hauteur 16 m diamètre 55 m N'a pas encore été fouillé et recouvre probablement une sépulture princière du VIᵉ siècle av. J.-C.

caractère d'illustration de l'histoire pour devenir une source autonome, à la méthode et aux concepts bien particuliers. Dans l'intervalle d'à peine un siècle, on arrivera d'une archéologie antiquaire teintée de nationalisme à une archéologie taxonomique, classifiant synchroniquement et diachroniquement les artefacts par matière, par famille, par type. Ces liens avec les procédés des sciences naturelles, apanage surtout de la pré-protohistoire, sont restés une des composantes fondamentales de la tendance actuelle d'une archéologie conçue comme une histoire anthropologique globale fusionnant les sciences de l'environnement aux sciences anthropologiques, économiques, technologiques, informatiques, sémiologiques et linguistiques.

Les applications de ces sciences auxiliaires s'étendent à tous les cycles d'activité de l'archéologie, de la prospection à la fouille, de l'analyse des matériaux aux procédés de datation, de restauration et de conservation.

On identifie généralement la recherche à la fouille. Cette simplification, partiellement irrationnelle à cause de la fascination qu'exerce par son côté aventureux et imprévisible la découverte de ce qui est enseveli, est justifiée quand même par la réelle prééminence de la fouille qui reste l'unique moyen pour arriver à une connaissance complète. Mis à part les trouvailles fortuites, le problème que l'archéologue se pose lors de l'ouverture d'une fouille est de trouver une méthode, une stratégie, la plus adaptée à la finalité de la recherche.

Complémentaires et préliminaires à la fouille sont donc les techniques de prospection archéologique qui permettent de guider l'exploration à partir de toutes les informations accessibles. Une partie des témoignages archéologiques ne nous vient pas du sous-sol mais de la surface. Ce sont des monuments isolés, parfois encore *in situ*, comme certains cippes en granit bretons, parfois intégrés ou récupérés dans des ensembles chrétiens, dans certains cas connus déjà anciennement, comme le pilier de Pfalzfeld en Rhénanie qui figure déjà sur un dessin de 1608. D'autres monuments consistent en d'épaisses murailles en pierres sèches qui s'élèvent en barrage de promontoires sur l'Atlantique ou en enceintes de villages fortifiés caractéristiques de l'habitat de l'âge du Fer irlandais. Ailleurs, c'est le paysage entier qui est modelé par les empreintes du passé, remparts, forteresses, tertres funéraires qui conservent le souvenir des princes hallstattiens, comme c'est le cas à la Heuneburg sur le Danube et au Hohenasperg près de Stuttgart. Même le paysage agraire conserve quelquefois la trace des anciennes partitions. Dans les campagnes de Grande-Bretagne, des Pays-Bas, de l'Allemagne, jusqu'au Danemark, on peut en effet reconnaître des subdivisions parcellaires fossiles, caractérisées par un microrelief qui sépare les champs, nommés "celtic fields".

Dans la prospection du territoire, on obtient la transition entre vestiges visibles et invisibles par la photographie aérienne. Les prises de vues, perpendiculaires au sol ou obliques, permettent de fixer, de sélectionner et d'éclaircir en les développant, les traces de surface qui, par leur caractère fragmentaire ou par les accidents du sol, apparaissent, lors d'un examen rapproché, incohérentes et confuses. En faisant ressortir les changements de coloration du terrain et les différentes intensités de développement de la végétation – provoquées par les différentes capacités d'absorption de l'humidité – elles permettent de reconnaître sous le niveau du sol diverses structures en pierre, des cavités, des fosses, des pavements, des remblais. Cette méthode a permis la découverte de nombreux vestiges d'époque celtique. Les analyses chimiques et géophysiques peuvent à leur tour guider la reconnaissance et déterminer l'extension des anciennes agglomérations, les premières en mesurant le pourcentage d'éléments organiques, surtout la teneur en anhydride phosphorique, les secondes en signalant les différences de résistivité électrique entre les couches de terrain meuble et les roches compactes, ou les variations de champ électromagnétique des différents corps. Ces méthodes sont particulièrement utiles à cause de leur rapidité et de la fiabilité de leurs résultats dans l'exploration des grandes surfaces, où on pratiquait traditionnellement une campagne de sondages et d'exploration préliminaire à la pelle mécanique, avant de commencer la fouille détaillée d'un secteur. Les techniques d'analyse s'appliquent pratiquement à tous les matériaux dans toutes les classes d'objets, utilitaires ou décoratifs (tissus, terres cuites, métaux et leurs alliages, ambre, ivoire, corail, verre), aux restes végétaux et animaux. Le but n'est pas uniquement d'arriver à une identification générique, mais à l'acquisition de données essentielles du point de vue historique et économique: la matière d'un objet peut éclaircir sa provenance, indiquer des routes, des courants commerciaux, définir son appartenance culturelle... De la même façon, les restes végétaux et animaux ne permettent pas seulement de distinguer entre une espèce sauvage et une espèce domestique mais de lire comment était gérée la culture des champs, comment était organisé l'élevage, s'il s'agissait d'animaux de trait ou d'abattage, s'il y avait une sélection des espèces et des races.

Un autre secteur d'analyse qui dans les dernières années a eu un énorme développement est représenté par les techniques de datation. Leur nouveauté est d'opposer un concept de chronologie absolue à une estimation du temps qui était jusqu'ici toujours relative.

Le monde romain datait à partir de la fondation de Rome, *ab Urbe condita*. Les égyptologues remontaient en suivant les listes de pharaons jusqu'à l'an 3100 av. J.-C. En s'appuyant sur ces sériations, Flinders Petrie pouvait établir à la fin du siècle dernier, en partant des importations égyptiennes trouvées à Mycènes, le cadre chronologique de l'âge du Bronze égéen. A son tour Montelius, en 1906, établissant une chronologie croisée entre les matériaux de Eli Amarna en Egypte, ceux de Mycènes, du Tyrol, de la Poméranie et de la Suède, pouvait dater vers l'an 2000 av. J.-C. les débuts de l'âge du Bronze européen. Ce procédé devenu classique en archéologie qui consiste à dater un ensemble par la date d'une importation qui devient son *terminus post quem*, a, entre autres, le défaut que les éléments qui fondent la datation s'affaiblissent progressivement en s'éloignant de la zone méditerranéenne. Les nouvelles techniques de datation absolue permettent finalement de le controler.

La méthode du radiocarbone, qui mesure la différence entre la quantité constante d'un isotope rare du carbone (C 14) absorbé par les organismes

pendant leur cycle vital et sa désintégration, lente et régulière après leur mort, nous offre pour la période qui nous intéresse, une approximation d'à peu près un siècle, trop large donc pour nous être utile. Au contraire, la dendrochronologie nous fournit des points d'appui précis. Cette méthode, élaborée au début du siècle par Douglass, est fondée sur l'observation des séquences d'anneaux plus ou moins réguliers qui peuvent être observés sur la section transversale d'un tronc ou d'une branche. Chaque anneau correspond à une croissance annuelle, variable selon l'humidité ou la sécheresse de l'année. Les séquences d'anneaux de différentes épaisseurs qui doivent être datées

Enclos de la nécropole de La Perrière à Saint-Benoît-sur-Seine (Aube) en cours de fouille IIIe siècle av. J.-C.

*Vue aérienne
des fouilles
de la nécropole
du Dürrnberg
près de Hallein
(Salzbourg)*

sont comparées à des étalons de référence. Toutefois, la largeur des anneaux varie selon les espèces d'arbres et les lieux. Pour reconstituer donc des observations enchaînées dans le temps, il faut se limiter au même milieu et à la même espèce. La sériation de la chronologie centre-européenne du chêne remonte actuellement jusqu'à l'an 7683 av. J.-C. Cette analyse ne nous fournit pas seulement l'année d'abattage des arbres, mais aussi des informations sur les variations du climat. La datation obtenue constitue pour l'archéologue un *terminus ad quem*. Quelques dates montrent l'intérêt de la méthode : 430 av. J.-C. pour un bois de la sépulture d'Altrier, 251 av. J.-C. pour une poutre du pont Vouga à La Tène, 229 av. J.-C. pour un bouclier du même site, 224 av. J.-C. pour le troisième pilier du pont de Cornaux, de 120 à 116 av. J.-C. pour le deuxième pilier du même pont, de 225 à 65 av. J.-C. pour les bois des salines de Bad Nauheim, 123 av. J.-C. pour le coffrage du puits du Fellbach-Schmiden, 105 av. J.-C. pour une structure découverte dans l'entrée orientale de l'*oppidum* de Manching, 33 ap. J.-C. pour l'une des sculptures des sources de la Seine.

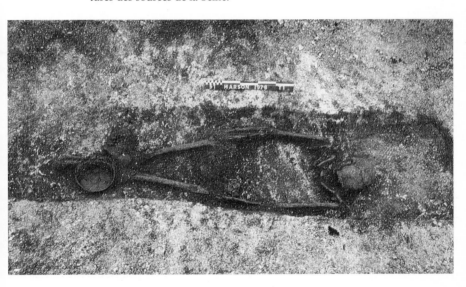

*Tombe
à inhumation n° 1
de la nécropole
Les Vignettes
à Marson (Marne)
en cours de fouille
Ve siècle av. J.-C.*

La majeure partie des indications chronologiques, bien que de type relatif, nous vient de la fouille, lorsqu'elle a été conduite selon les principes de la méthode stratigraphique. Ce concept, emprunté aux sciences naturelles et utilisé depuis la naissance de l'archéologie scientifique, repose sur la constatation que les vestiges de la vie et des cultures humaines s'accumulent de manière progressive et aboutissent à la formation de couches, d'une épaisseur plus ou moins grande, selon la durée dans le temps et la nature des dépôts. En simplifiant, on peut dire que, lorsque ces couches sont horizontales, les vestiges plus anciens correspondent aux couches plus profondes et

Tableau chronologique

		Champagne	Suisse	Europe centrale	
600 av. J.-C.		Hallstatt final I		Hallstatt D1	
500 av. J.-C.	Période hallstattienne récente	Hallstatt finale IIa	Hallstatt II	Hallstatt D2	
		Hallstatt final IIb		Hallstatt D3	
–460/440 av. J.-C.		La Tène ancienne Ia			
400 av. J.-C.		La Tène ancienne Ib	La Tène Ia	La Tène A	
	Période laténienne ancienne	La Tène ancienne IIa		La Tène B1	Phase pré-Duchov
		La Tène ancienne IIb	La Tène Ib		
300 av. J.-C.		La Tène ancienne IIIa	La Tène Ic	La Tène B2	Phase Duchov-Münsingen
		La Tène ancienne IIIb			
–270/250 av. J.-C.	Période laténienne moyenne	La Tène moyenne	La Tène IIa	La Tène C1	
200 av. J.-C.			La Tène IIb	La Tène C2	
–160/140 av. J.-C.	Période laténienne récente	La Tène finale I	La Tène III	La Tène D1	Civilisation des oppida
100 av. J.-C.					
		La Tène finale II		La Tène D2	
–50/10 av. J.-C.			Époque gallo-romaine	La Tène D3	

Art celtique	Événements historiques

Premier Style

Thèmes et motifs orientalisants, empruntés au répertoire étrusque, décors au compas. Compositions à symétrie axiale (par rabattement suivant une ligne). Fibules "à masques", torques d'or, garnitures de char et phalères, agrafes de ceinturon, fourreaux, cruches à vin, sculptures de pierre.

450 av. J.-C. Hérodote évoque les Celtes établis en Europe occidentale et à proximité des sources du Danube.

Style végétal continu

Dit également de Waldalgesheim. Au fond déjà constitué s'ajoutent des éléments inspirés par le répertoire italiote : vogue du rinceau et de la "pelte" (palmette celtique).
Aux compositions à symétrie axiale s'ajoutent les compositions à symétrie par rotation autour d'un point.
Vogue du corail et premiers émaux de couleur rouge.
Casques, fourreaux, garnitures de char, torques et bracelets, fibules à décor végétal, cruches à vin, vases peints à "figures rouges".

vers 400 av. J.-C. Les Celtes transalpins envahissent l'Italie du Nord.
387/386 av. J.-C. Bataille sur l'Allia. Les Celtes occupent Rome.
369/368 av. J.-C. Mercenaires celtiques en Grèce.

335 av. J.-C. Alexandre reçoit sur le Danube une ambassade celtique.

Style plastique et Style des épées

Apogée de la "métamorphose plastique" (mélange de formes humaines, animales, végétales et abstraites).
Influences hellénistiques.
Compositions complexes qui associent différents types de symétrie.
Apogée de la fonte "à cire perdue", du "faux filigrane" et du "pastillage" (imitation en bronze de la granulation), bracelets et perles de verre polychrome.
Fourreaux, torques, bracelets et anneaux de cheville, fibules, garnitures de char, cruche de Brno-Malomeřice, chaudron de Brå.
Premières images monétaires directement inspirées de modèles macédoniens ou hellénistiques.

298 av. J.-C. Expédition celtique en Thrace et défaite sur le mont *Heamus* (Stara Planina en Bulgarie).
295 av. J.-C. Défaite des Sénons et de leurs alliés à *Sentinum*.
283 av. J.-C. Victoire définitive des Romains sur les Sénons.
279 av. J.-C. Les Celtes à Delphes.
278/277 av. J.-C. Des Celtes passent en Asie Mineure.
275 av. J.-C. Victoire d'Antiochos Ier sur les Galates d'Asie Mineure.
233/232 av. J.-C. Guerres d'Attale Ier de Pergame contre les Galates.
225 av. J.-C. Victoire romaine sur les Boïens, les Insubres et les Gésates à Télamon.
vers 213 av. J.-C. Fin probable du royaume celtique de Tylis en Thrace.
191 av. J.-C. Défaite définitive des Boïens cispadans. Certains d'eux reviennent en Europe centrale.

Art celtique continental de l'époque des *oppida*

Influences de l'art et de l'artisanat romains.
Vases peints, sculptures du sud de la Gaule, sculptures de bois, statuaire gauloise en tôle de bronze, bassin de Gundestrup.

125 av. J.-C. Création de la *Provincia* (Gaule narbonnaise).
vers 120 av. J.-C. Les Cimbres germaniques et les Teutons traversent les territoires celtiques.
101 av. J.-C. Défaite des Cimbres à Verceil.
vers 85 av. J.-C. Victoire romaine sur les Scordisques danubiens.
vers 70 av. J.-C. Les Germains d'Arioviste à l'est de la Gaule.
58-51 av. J.-C. La Gaule conquise par César.
vers 50 av. J.-C. Victoire des Daces sur les Boïens de Pannonie.
15 av. J.-C. Expédition alpine de Drusus.
Rome conquiert les territoires celtiques au sud du Danube.
9 av. J.-C. Conquête romaine du Norique.

que la présence de différents vestiges dans une même couche prouve leur contemporanéité. La méthode stratigraphique nous fournit donc deux sortes d'information, l'une diachronique, l'autre synchronique.

L'idée de la contemporanéité (synchronisme) s'est affinée au fur et à mesure de l'évolution de la discipline. A une même couche archéologique peut correspondre une durée importante, des années, des décennies et parfois des siècles. Au contraire, il est possible d'isoler dans certains cas des ensembles chronologiquement ponctuels, correspondant à un unique passage, à une fréquentation limitée dans le temps: quelques heures, quelques jours, quelques mois. C'est le cas des "sols d'occupation temporaire" et des "ensembles clos".

Une sépulture individuelle est un ensemble clos par excellence, c'est-à-dire une association d'éléments – le mobilier et les offrandes funéraires – que l'on peut considérer comme une entité homogène. Les objets funéraires et les parures qui les accompagnent, même s'ils n'ont pas été fabriqués au même moment – comme ce fut au contraire le cas des objets d'or de la sépulture princière de Hochdorf, où furent trouvées sur la place même les traces de l'atelier –, ils sont toutefois déposés simultanément. Pour cette raison, les sépultures constituent pour l'archéologue le point de départ d'un système chronologique fondé sur l'évolution des formes des objets associés dans les mobiliers, qui se modifient dans le temps selon la mode et la succession des générations, nous permettant de reconstruire, du moins en théorie, le développement des nécropoles, en y décelant les rythmes et la durée de vie du groupe humain qui les avait utilisées. En réalité, la fiabilité de cette reconstruction est limitée pour plusieurs raisons : incertitude sur la durée d'utilisation de certains objets, parfois peu sensibles aux variations des modes, difficulté à saisir les différences dues aux artisans ou ateliers de celles qui reflètent l'évolution chronologique. L'application de la chronologie typologique est limitée cependant par la variabilité inégale dans le temps des formes des objets, qui évoluent pendant certaines périodes plus rapidement que dans d'autres. Les changements que les archéologues traduisent par des coupures chronologiques ne se répartissent donc pas nécessairement de façon régulière sur l'axe du temps. On peut considérer avoir à faire à une nouvelle phase lorsque le changement est suffisamment marqué et évident sur différentes catégories d'objets. L'élaboration de systèmes chronologiques fondés sur les variations typologiques commença naturellement par les distinctions les plus évidentes : ainsi, la matière utilisée pour la fabrication des objets principaux, notamment des outils. A partir de cette idée, Christian Jurgensen Thomsen, conservateur du Musée national de Copenhague, classa à partir de 1816 les collections archéologiques nationales selon trois grandes périodes: Age de la Pierre, Age du Bronze, Age du Fer.

La nécropole de Mannersdorf (Basse-Autriche) en cours de fouille

Le groupe de tombes celtiques à inhumation de Bologne-Arcoveggio en cours de fouille (hiver 1987-1988) Première moitié du IIIe siècle av. J.-C.

46

Ce dernier fut attribué, à partir du milieu du siècle, aux Celtes. Sa première subdivision était fondée sur la différence entre les matériaux de la nécropole de Hallstatt en Autriche, publiés pour la première fois en 1868 et ceux du site lacustre de La Tène en Suisse, exploré à partir de 1858. Ainsi, l'archéologue suédois Hans Hildebrand distingua en 1872 un premier Age du Fer qui prit le nom de Hallstatt, et un deuxième Age du Fer qui reçut celui de La Tène. Ce site suisse avait déjà été associé l'année précédente aux Celtes historiques, lors du Congrès international d'anthropologie et d'archéologie préhistorique de Bologne.

Otto Tischler subdivisa ensuite, en 1885, la période de La Tène en trois phases – La Tène ancienne (I), moyenne (II), récente (III) – en s'appuyant sur la succession des principaux types de fibules et d'épées. La première phase était caractérisée par des fibules à pied libre et par des épées relativement courtes à bouterolle ajourée, la deuxième par des fibules au pied fixe sur l'arc et des épées plus longues à bouterolle pleine, la troisième par des fibules à porte-ardillon ajouré et par des épées très longues, souvent à pointe arrondie et au fourreau renforcé par de multiples barrettes horizontales.

Vue aérienne de la nécropole à enclos quadrangulaires d'Orgeval à Sommesous (Marne) Première moitié du IIIe siècle av. J.-C.

Le système, valable dans ses lignes générales, malgré les nombreuses exceptions, fut adopté par tous et amélioré ultérieurement par plusieurs savants en fonction de réalités régionales. Il put s'adapter sans grandes modifications aux matériaux de la France (Joseph Déchelette en 1914) et de la Suisse (Jacob Wiedmer-Stern en 1908 et David Viollier en 1911). Dans ce pays, l'exploration de la nécropole de Münsingen permit de subdiviser ultérieurement les deux premières phases (La Tène Ia, Ib, Ic, IIa, IIb). La situation était différente en Bavière où l'existence de deux groupes bien distincts de matériaux de la première phase de Tischler – un groupe plus ancien, provenant de tumuli, et un autre plus récent, de sépultures plates à inhumation d'un type bien connu en Champagne, en Suisse et en Bohême – inspira à Paul Reinecke la définition d'une phase initiale, datable au Ve siècle av. J.-C. (La Tène A). Les phases suivantes – La Tène B, C et D – correspondent à peu près au développement typologique de Tischler. Ce schéma chronologique, utilisé par les savants allemands, fut affiné par Werner Krämer (1964), Hartmut Polenz (1971) et d'autres. La situation particulière de certaines régions ou de certaines nécropoles – par exemple la Champagne (Hatt-Roualet 1971), l'Italie (Kruta 1980) ou la nécropole de Jenišuv Újezd en Bohême (Kruta 1976) – suggéra l'élaboration d'autres chronologies détaillées. Le rattachement de ces systèmes à la trame historique conduit actuellement à un dépassement de la schématisation des phases typologiques au profit des datations absolues.

Bien que le classement chronologique nous fournisse le schéma obligé pour ordonner les phénomènes archéologiques, il n'épuise cependant pas les possibilités de la recherche. Une sépulture n'est pas seulement une unité individuelle, mais également la partie d'un ensemble – la nécropole – qui est le reflet de la communauté sociale à une époque déterminée. Les habitudes vestimentaires et ergologiques d'un groupe humain ne sont pas nécessairement illustrées de façon exhaustive dans le mobilier de la sépulture. Celle-ci représente un choix symbolique dont les critères de sélection nous échappent. Par exemple, le torque, cité dans toutes les sources anciennes comme élément distinctif de la parure masculine, n'a été retrouvé dans presque aucune des sépultures de guerrier celtiques du IVe-IIIe siècle av. J.-C. Les seules exceptions, très peu nombreuses, concernent des tombes avec des torques atypiques de fer.

Fouilles de l'oppidum de Staré Hradisko (Moravie)

Cependant, les informations que nous pouvons tirer des nécropoles sont multiples : l'organisation et l'utilisation des terrains occupés par les cimetières, le développement chronologique, la typologie des tombes, les rites funéraires, les données anthropologiques et démographiques. L'observation statistique de la discontinuité dans l'utilisation des nécropoles dans certaines régions du monde celtique, telles la Champagne, la Bohême, la Bavière, entre la fin du Ve et le début du IVe siècle av. J.-C., peut être mise en relation avec les grandes migrations vers l'Italie et les Balkans. Dans ces régions, où l'expansion est documentée par les sources historiques, la question qui se pose est de savoir comment arriver à distinguer archéologiquement les sépultures des nouveaux venus de celles des indigènes. Mis à part quelques cas isolés et anciens, où les sépultures des envahisseurs sont nettement différenciées de celles des autochtones, l'insertion des groupes immigrés est accompagnée de leur acculturation.

Les habitats nous offrent une source d'information aussi riche que les nécropoles mais exploitée dans le passé de façon inégale et peu systématique. Toutefois, du point de vue archéologique, ils sont le résultat d'un mécanisme contraire. Tandis que les tombes, de même que les dépôts, sont des enfouissements simultanés, donc des ensembles clos, le site d'habitat est le produit de la sédimentation et de l'accumulation d'éléments successifs, d'objets perdus, abandonnés, jetés. L'agglomération celtique ne laisse au sol que de faibles traces : fossés remplis de détritus, foyers détruits, trous de poteaux. Leur déchiffrement se révèle particulièrement délicat sur les sites où la continuité de l'habitat entraîne des reconstructions, des superpositions, des changements d'orientation. Ces traces, conservées à un même niveau, fournissent aux archéologues une stratigraphie dite horizontale qui permet de déterminer la succession des édifices uniquement lorsqu'ils sont superposés. Cependant, les situations de stratigraphie verticale sont rares sur les habitats celtiques. Même des grands oppida comme Manching ou Staré Hradisko présentent une couche d'occupation très mince qui recouvre le sol vierge où peuvent être observées les traces enchevêtrées des constructions successives. Des générations d'archéologues négligèrent dans le passé, à cause de ces difficultés, la fouille des habitats protohistoriques. Les sites fortifiés, en particulier les oppida, constituaient une exception. La facilité avec laquelle pouvaient être repérées leurs défenses, la concentration certaine de vestiges qui favorisait des découvertes intéressantes et plus particulièrement l'abondance de monnaies attirèrent sur eux non seulement l'attention des archéologues mais également celle des amateurs, des collectionneurs et des marchands, au point que parfois, comme dans le cas de l'oppidum de Stradonice en Bohême, on courut le risque de les bouleverser complètement.

La méthode de fouille des habitats changea radicalement après la dernière guerre, à la suite de l'exploration de vastes surfaces à l'aide d'engins mécaniques. Les différences de couleur et de consistance du terrain sous la couche arable, au contact avec le sol vierge, permirent de reconnaître ainsi les agglomérations rurales et leur organisation sur le territoire.

Les implantations situées hors des habitats, à caractère technique – ports fluviaux, routes, ponts – ou industriel – mines, salines, extractions à ciel ouvert de sapropélite –, même si elles ne sont pas très repandues, commencent à être mieux connues.

L'identification des lieux de culte reste un des problèmes les plus délicats, car elle ne peut être sûre que lorsque les traces d'une activité religieuse sont explicites. L'adjectif "cultuel" masque en fait souvent l'ignorance ou l'incapacité de trouver une autre interprétation.

Vue aérienne de l'oppidum à plan circulaire dit Camp de la Cheppe (Marne) IIe-Ier siècle av. J.-C.

A la lumière des découvertes récentes commencent à apparaître les caractéristiques des lieux de culte celtiques : sanctuaires à ciel ouvert délimités par des enclos quadrangulaires, puits sacrificiels, sources sacrées, temples à *cella* entourée d'un portique.

Les dépôts d'objets – notamment de monnaies, de parures et d'armes – peuvent être interprétés de façons différentes: cachettes, offrandes votives, pertes accidentelles. Leur contexte et la nature du lieu peuvent quelquefois guider l'interprétation, comme dans le cas du "trésor" de Duchcov en Bohême, où les 2 500 fibules, bracelets et bagues déposés avec un chaudron dans une source thermale nous suggèrent un acte votif. Par contre, les armes trouvées en grand nombre sur le site éponyme de La Tène restent encore d'une interprétation incertaine : lieu de culte ou de péage, ateliers détruits par une alluvion ?

Les trouvailles isolées ont souvent un intérêt qui dépasse leur valeur intrinsèque, car elles peuvent indiquer des parcours, des échanges et des fréquentations.

Langue et écriture des premiers Celtes
Aldo Luigi Prosdocimi

Définir la "celticité", c'est en fixer les points de repère historiques, linguistiques, archéologiques et culturels ; je parle ici d'un point de vue linguistique, et j'énonce donc des raisons sectorielles qui ne sont pas pour autant tout à fait arbitraires : je dois ajouter que le point de vue que j'ai choisi est bien loin de s'écarter de l'histoire générale que tous ceux qui abordent l'étude des civilisations ont non seulement le droit, mais surtout le devoir d'envisager.

S'il est désormais assuré que, comme je l'affirme depuis longtemps, il existait en Italie des peuplades sédentarisées qui parlaient la langue des Celtes – bien avant la date fatidique (390 av. J.-C. environ) où Brennus pilla Rome, il en découle des répercussions innombrables non seulement pour la "celticité" en Italie, mais pour la "celticité" tout court, pour son existence, c'est-à-dire, à mon avis, pour son évolution. A partir de la fin des années quarante, surtout au cours de ces vingt dernières années, il y a eu des nouveautés très importantes, bouleversantes pour certains aspects venant de zones qui ne sont pas celles de la "celticité canonique".

Je rappelle en passant que le breton de la Bretagne française est habituellement considéré comme insulaire, car on croit qu'il y a eu un reflux des Celtes venant d'Angleterre (mais sur ce point l'unanimité n'est pas totale). Avant de passer aux nouveautés je crois que, pour les apprécier comme il se doit, il faut présenter la doctrine courante, axée principalement sur le celtique insulaire – c'est-à-dire récent – avec des apports du celtique continental, entendez le gaulois (ancien), tel qu'on le connaissait au début du siècle. Cette doctrine remonte en effet au commencement du siècle et est fondée sur deux oeuvres d'une valeur exceptionnelle: il s'agit de la *Vergleichende Grammatik der keltischen Sprachen* de Holger Pedersen et du *Handbuch des Altirischen* de Rudolph Thurneysen. La *Langue Gauloise* (Dottin 1920) et les *Dialects of Ancien Gaul* (Whatmough 1950 sgg.) n'ont rien modifié, ni ne pouvaient peut-être le faire. Par contre c'est ce qu'on peut faire aujourd'hui grâce aux nouveautés de ces quarante dernières années. Mais parlons tout d'abord de la doctrine officielle. Du point de vue linguistique, on divise le groupe celtique en insulaire, que l'on parle encore de nos jours, et en continental, ne comprenant que des langues mortes, transmises par des témoignages épigraphiques et onomastiques. En réalité la linguistique traditionnelle a fondé cette classification presque exclusivement sur les langues appartenant au celtique insulaire ; ce qui a amené à une subdivision des langues celtiques en deux groupes, selon l'évolution de la labiovélaire sourde indo-européenne *kw. Celle-ci a évolué soit en vélaire (q) soit en labiale (p). D'où la distinction entre un "q-celtique" (ou goïdelique) et un "p-celtique" (ou brittonique).

Au groupe goïdelique appartient tout d'abord l'irlandais qui compte, au nombre des documents les plus anciens, les inscriptions que l'on appelle oghamiques (d'après l'alphabet utilisé) et que l'on peut faire remonter au IVe siècle av. J.-C. ; on distinguera par la suite trois étapes : celle de l'ancien irlandais (jusqu'au xe siècle), celle du moyen irlandais (du xe au xve siècle), celle de l'irlandais moderne (du xve siècle jusqu'à nos jours); le goïdelique écossais, porté en Ecosse au xvie siècle par des émigrants venant de l'Irlande et la langue de l'île de Man, aujourd'hui éteinte, sont des langues goïdeliques. Le groupe brittonique comprend le gallois ou kymrique et le cornique de Cornouailles (éteint au xviiie siècle) ; en outre, le breton que l'on parle dans l'extrême nord-ouest de la France, appartient lui aussi à ce groupe (on suppose qu'il a été introduit par les habitants de la Grande-Bretagne, qui chassés par les Saxons, avaient franchi la Manche).

A cause de la disproportion des témoignages relatifs au celtique continental – très peu nombreux et difficiles à interpréter – et de ceux concernant le celtique insulaire – qui ont leur source en grande partie dans des langues vivantes et – quant au reste – dans une tradition bien étoffée – on a axé la grammaire comparée surtout sur le celtique insulaire, qui est devenu ainsi le celtique tout court ; mais il est évident que toutes les tentatives de reconstruction reposant exclusivement sur de telles bases ne peuvent être que partielles et que, en tout cas, il faut prévoir à priori qu'on ne peut pas classer, sans esprit de critique, le reste des variétés linguistiques selon des critères axés exclusivement sur le celtique insulaire (sauf quelques apports gaulois) – comme l'opposition q ~ p, par exemple – ni que, à plus forte raison, de tels critères peuvent être considérés comme fondamentaux pour assigner telle ou telle variété au groupe celtique. Voilà pourquoi, même dans ce panorama traditionnel, on ne devrait pas considérer le celtique continental que comme une série de données complémentaires, mais comme une raison qui devrait nous amener à revoir et à reconsidérer la définition elle-même du mot celtique. Dans le domaine des études traditionnelles, les spécialistes identifiaient le celtique continental au gaulois dont on a des témoignages très rares et très obscurs ; au cours de ces dernières décennies de nouvelles recherches et de nouvelles découvertes ont permis de trouver de nombreuses sources gauloises et de (re)découvrir de fait deux autres zones où l'on a retrouvé, grâce à l'épigraphie, à l'onomastique et à la toponymie des variétés de celtique : l'Ibérie, surtout pour ses inscriptions gravées par les Celtibères, et le nord-ouest de l'Italie pour ses inscriptions "lépontiques" (et gauloises). C'est de ces zones que nous viennent les nouveautés les plus importantes : il ne s'agit pas, dans la plupart des cas, de nouvelles connaissances purement linguistiques, car même si elles ont été puisées dans des documents linguistiques, il faut en peser les données, en tenant compte des répercussions historiques qui en découlent : c'est le cas de la datation de la présence des premiers Celtes en Italie qu'on a dû avancer par rapport à celle que donnait la doctrine officielle.

Les dernières nouveautés du "gaulois" ne concernent apparemment que les documents, grâce à la découverte de nouveaux matériaux exceptionnels par leur quantité et par leur qualité tels que l'inscription de Chamalière et surtout celle du Larzac.

Les véritables nouveautés sont celles qui nous viennent de ces dernières découvertes, découlant de la révision de ce que l'on connaissait déjà, de la "gallicité" indirecte et d'autres éléments de ce genre: ce sont des nouveautés concernant la théorie et les méthodologies, mettant en regard une langue gauloise compacte et une autre langue celtique non-gauloise. Le gaulois n'est pas compact au point de vue linguistique, mais diversifié, comme on devait s'y attendre, étant donné les prémisses historiques – que les linguistes ont, hélas, sous–évaluées, sinon ignorées : d'où il s'ensuit que les Gaulois étaient subdivisés en familles (ou en tribus) dans une mesure qui n'était pas exceptionnelle pour l'époque, mais que ne prévoyaient ni ne pouvaient prévoir ceux qui emploient pour les étiqueter le mot "Gaulois" tout court. Et encore : non seulement les Gaulois étaient subdivisés, mais les unités de ces subdivisions se dispersèrent à leur tour en raison de leur mobilité et de leurs déplacements. Malgré ce cadre historique et malgré la variété des dialectes telle qu'elle apparaît à partir de l'analyse des documents nouveaux et de la révision de ceux que nous avons déjà, à l'intérieur de l'aire linguistique gauloise, les linguistes ne sont pas encore près de découvrir le concept de variété : ce serait là un tournant important qui porterait à ramener les recherches concernant la variété linguistique dans l'aire du celtique et non pas à les fonder sur les unités celtiques que l'on a considérées à tort comme compactes, pas plus que sur d'autres variétés que l'on a considérées aussi, également à tort, comme compactes.

Sur la "celticité" en Italie

D'après les historiographes les plus célèbres, l'expression "Celtes en Italie" est synonyme de Gaulois, désignant par là un groupe ethnique transalpin qui, à la suite d'une série d'invasions, est arrivé vers l'an 400 av. J.-C. Ce tableau chronologique est tout à fait inexact, mais le cadre historique sous-tendant les nouveautés, qui sont exclusivement linguistiques, n'est pas encore très clair. Le "lépontique" – par ce nom (à demi) conventionnel on désigne la langue d'inscriptions, qui ne sont pas écrites en caractères latins, antérieures à l'époque romaine, que l'on trouve surtout au bord des lacs de la Lombardie – est sans aucun doute celtique (cf. Prosdocimi 1967 ; Lejeune 1971 ; on est en train de procéder à une série de révisions : cf. Prosdocimi, passim). Cette "celticité" qu'on attribue traditionnellement aux Gaulois, date du Ve siècle environ : c'est ce qui découle de l'antériorité de l'inscription de Prestino et que confirme le mot χosioiso du VIe siècle av. J.-C. appartenant à l'inscription de Castelletto Ticino[2] ; si l'on tient compte de l'inscription de Sesto Calende[3] on peut remonter aussi jusqu'au VIIe siècle. av. J.-C. Compte tenu des restrictions qu'il est possible d'y apporter, le lépontique est, quoi qu'il en soit, la preuve à l'appui de l'existence d'un celtique remontant au moins à la fin du VIe siècle qui n'appartient pas à l'aire gauloise historique laténienne. Voici quelques exemples qui mettent en relief l'importance de cet aspect non seulement en raison de la découverte de nouveaux matériaux et d'éléments linguistiques concernant spécifiquement ce domaine, mais aussi en raison de la possibilité qui en découle de revoir les prémisses historiques d'approche par rapport au cadre général de la "celticité" ainsi rénové.

UVAMO-KOZIS dans l'inscription de Prestino est considéré, du point de vue étymologique, comme un dérivé de *upamo ; ce qui (p> h 0 ; St> tˢ) me fournissait la preuve fondamentale de la nature celtique de l'inscription de Prestino. *Upamo appartient au domaine des virtualités de "langue" concernant toutes les langues indoeuropéennens ; pourtant, c'est là un terme qui révèle l'existence d'un "stratus" celtique en Italie, marquant aussi l'absence de toutes les autres langues celtiques connues et la présence de l'Italie antique dans les autres langues indo-européennes. On peut attribuer la présence de – GHOSTI – à un emprunt à d'autres langues

Les deux faces de la stèle en travertin avec inscription bilingue en celtique et latin de Todi IIᵉ siècle av. J.-C. Rome, Museo Gregoriano

indo-européennes antérieures à st> t : mais si on envisage que le modèle du celtique s'est formé sur les dialectes précédents des indo-européens, on peut aussi considérer – GHOSTI – comme appartenant à l'aire des dialectes indo-européens d'Italie qui ont pris part, en partie, au phénomène de la formation du celtique. En Italie aussi on a utilisé l'alphabet dit "lépontique" pour marquer le gaulois du IIᵉ-Iᵉʳ siècle av. J.-C. ; c'est là un aspect qui a été repris par Lejeune dans la dernière édition de son œuvre qui vient de paraître (1988, RIG II, 1) : il a présenté, sous l'étiquette de "Gaulois d'Italie" cinq inscriptions qu'il définit *"sublépontiques"* (Briona, Vercelli, Gropello Cairoli, Garlasco) et l'inscription venant de Todi en Ombrie. Par contre les monnaies ne sont pas envisagées dans son œuvre ; il est pourtant évident que leurs légendes ne peuvent être écartées quand on parle d'alphabet d'un point de vue idéologique (d'alphabet national, par exemple) parce que les légendes qui sont gravées en alphabet "lépontique" sur des monnaies qui n'appartiennent pas à l'aire du lépontique sont à cet égard très significatives. Cela entraîne des questions très importantes : par exemple l'automatisme de l'acquisition de l'alphabet lépontique de la part des Gaulois, quand ils veulent écrire dans différentes conditions culturelles et le moment entraîne aussi un automatisme de dépistage ethnique et culturel : ce qui ne peut pas ne pas se refléter sur la séparation du lépontique et du gaulois, à moins qu'on ne justifie la séparation par des raisons qui dépassent de beaucoup la perspective historiographique (qu'on ne doit pas confondre avec la perspective "historique"), qui remonte bien loin dans le temps, mais qui aujourd'hui s'étaye sur des assises modernes.

Il y a encore des témoignages concernant directement la présence de la "celticité" directe, mais qui utilise un alphabet appartenant à une tradition différente, témoignages que l'on peut caractériser de la façon suivante:

– inscriptions dans un contexte culturel autonome.

Ex. "ligure épigraphique" (qu'il faut distinguer du ligure "onomastique" dont je parlerai plus loin) : c'est ainsi que je désigne conventionnellement la langue des inscriptions sur des stèles de la Lunigiana, qu'il faut situer vers l'an 500 av. J.-C. en caractères étrusques qui n'avaient pas été adaptés, inscriptions qui révèlent, malgré leur nombre restreint et l'illisibilité de quelques-unes d'entre elles, des traits sans aucun doute celtiques (Maggiani, Prosdocimi 1976 ; Prosdocimi 1983 ; Maggiani 1987).

– inscriptions isolées dans un contexte culturel non autonome.

Ex. : DUBNI DANAUBI (Negau A ; alphabet vénète : Prosdocimi 1976)

Ex. : ÚLÚVERNA (ou bien ÚLÚGERNA ; alphabet subpicénien de la fin du IIIᵉ siècle av. J.-C. : Marinetti 1978)

Il y a encore des témoignages indirects à différents degrés:
a) langue non celtique (avec l'alphabet correspondant) ayant une onomastique celtique :

– Etrusque : ex. MI NEMETIES'

– Vénète : ex. MEGO DOTO VERONDARNA TIVALEI BELLENEI ; PADROS POMPETA-GUAIOS ;

b) emprunts lexicaux à des langues de l'Italie antique, surtout (mais non exclusivement) au latin.

c) onomastique celtique dans la tradition grecque ou latine (auteurs, inscriptions).

d) toponymie celtique dans la tradition grecque ou latine (auteurs, inscriptions).

e) toponymie celtique dans la toponymie du moyen âge et moderne.

Il faut remarquer que la diversité des pièces que nous possédons exige que l'on examine attentivement chaque cas d'un point de vue historique et culturel, surtout pour savoir quel est le sens de la présence des éléments celtiques: que veut dire une telle "celticité" ? qui l'a importée ? dans quel contexte ?

Ces mots d'introduction concernant la méthode que j'entends suivre sont particulièrement importants, ou, pour mieux dire, indispensables pour les témoignages – vrais ou présumes – de l'existence de la langue celtique dans un contexte qui, anterieurs à l'an 390 av. J.-C., n'appartiennent pas à la langue celtique de la conception traditionnelle.

Il existe encore des cas douteux pour lesquels, en raison de l'état actuel de nos connaissances, on ne peut ni exclure, ni affirmer définitivement qu'ils appartiennent à l'aire celtique.

Tel est le cas, par exemple, de KATAKINA e de VERCENA/VIRCENA dans l'Orvieto du VIe siècle[5], de TRUTITIS dans la dédicace du Mars de Todi (Vetter 230), vers le milieu du Ve siècle[5] av. J.-C.[6], ou de MI CELOESATRA, gravé sur un vase de bucchero de la fin du VIe siècle, de la zone urbaine de Caere[7].

Laissons de côté le reste des pièces qui ne nous concernent pas directement (et pour lesquelles on est en train d'élaborer un projet : voir, en attendant, *I Celti in Italia* de 1981) ; je crois pourtant, qu'il est souhaitable, sinon nécessaire, de fixer notre attention sur les pistes qui mènent aux langues que je définirais "paracel-tiques". En Italie, nous avons ce que j'ai défini le "ligure onomastique" (le "lépon-tique" de Devoto)[8].

Le "ligure onomastique" comprend la langue ou les langues de l'antique Ligurie (qui était bien plus étendue, surtout au nord, que la Ligurie actuelle). Les pièces que nous possédons ne nous informent qu'indirectement et concernent surtout l'onomastique ou la paraonomastique (géonymes et microtoponymes) ; en tant que tels ils appartiennent à la langue parlée et, par certains aspects, font encore partie du lexique. Le "ligure onomastique" peut avoir des aspects celtiques (du genre *gw > b) mais n'a certainement pas des aspects non celtiques (du genre p stable). Il est possible que dans ce ligure – étant donné sa chronologie (la *Sententia Minuciorum*, pièce fondamentale, date de l'an 117 av. J.-C.) et les sources historiques qui attestent l'intégration aussi bien que la superposition de Gaulois – se trouve du celtique d'origine gauloise : sauf dans des cas exceptionnels comme la possibilité d'une labialisation *g[w]h, en principe, quelques aspects de nature celtique, en tant qu'attribuables à des Gaulois qui sont survenus par la suite, ne veulent rien dire, au cas où on voudrait prouver la "celticité" de ce ligure avant l'arrivée des Gaulois. Il ne reste donc que les aspects qui ne sont pas celtiques (du genre p) ; il est toutefois important d'ajouter qu'il n'existe aucun aspect qui prouverait l'absence d'éléments celtiques. Je ne m'arrête pas sur ce point, qui, pourtant, serait essentiel, ici et ailleurs quand il y a des questions de classification où le "temps" est une fonction déterminante en raison de laquelle on envisage les réalités de l'histoire comme le résultat d'un devenir précédent et non pas comme tout simplement une continuation de réalités qui existaient déjà à l'origine : je renvoie donc, pour cet aspect et, en général, pour les critères que j'ai choisis pour dépister la "celticité", la "non-celticité" et l'"anticelticité" à Prosdocimi 1985 "Celti in Italia prima e dopo il V secolo a.C.". L'évolution d'une présence celtique dans la Gaule cisalpine, comme l'exemple d'une évolution plus vaste de la présence celtique à l'échelon européen, n'est pas prouvée ; mais c'est là une hypothèse de travail qui est suffisamment motivée du point de vue spéculatif et qui pourrait avoir un point d'appui dans la réalité (Rober). Un précédent logique, c'est le modèle de la "celticité" en tant que devenir, et c'est non seulement un point de vue spéculatif : c'est un *a priori* logique de l'évolution dans le temps ; les preuves matérielles de l'ordre séquentiel de l'apparation des phénomènes consistent dans le fait que ceux-ci ne se trouvent pas dans tous les dialectes ; mais ce ne sont pas là de véritables preuves parce que l'*a priori,* nécessaire du point de vue logique, n'a pas besoin de preuves ; par contre, c'est en raison de cet *a priori,* et d'un modèle convenable qui le représente, qu'on peut expliquer la phénoménologie qui pose la question non pas, comme autrefois, axée sur l'opposition "celticité" "non-celticité", mais sur les "isoglosses celtiques existantes" qu'il faut entendre comme degré de "celticité" et/ou comme chronologie de "celticité" (sur ces points-là aussi cf. Prosdocimi 1987).

Le celtibère est sans aucun doute une langue celtique, mais le fait qu'il ne participe pas des phénomènes phonétiques panceltiques, ou qu'il les associe d'une façon différente des autres variétés (ou de leur classification envisagées par la doctrine officielle), remet en question la définition de "celticité" non en tant qu'elle a toujours existé, et qu'il s'agit donc d'une langue archaïque, mais en tant d'une façon différente et/ou alternative.

Galet avec inscription sinistroverse TIVALEI BELLENEI *de la nécropole du Piovego (Padoue) V* siècle *av. J.-C. Padoue, Museo Archeologico del Liviano*

Il s'agit donc de revoir quelques points de repère relatifs aux classifications courantes : il est possible que, vis-à-vis de certains aspects archaïsants, il y ait aussi des aspects innovateurs qu'on n'envisage pas, parce qu'ils n'ont pas été mis au point pour autant.

Tout cela se rattache, en ce qui concerne l'Ibérie, à la question de savoir si le lusitanien est celtique ou non ; c'est là une question, qui, à mon avis, se situe dans le cadre d'une question plus vaste. Les données que nous avons pour comprendre si le lusitanien appartient à l'aire celtique peuvent amener à des interprétations différentes et les spécialistes ne sont pas d'accord là-dessus. Dans un article récent[9] j'ai apporté un argument, que j'estime solide, sinon irréfutable, pour soutenir l'appartenance à l'aire celtique. Le problème se pose à l'origine. L'incertitude, sur ce sujet, révèle l'existence d'un problème méthodologique qui précède la "celticité" en général et qui concerne: il s'agit en effet de savoir ce que signifie la "celticité", si on peut appliquer pour la déterminer un critère axé sur l'opposition par rapport à un point de repère linguistique, en ne considérant que la présence/absence, ou s'il n'est pas préférable et plus rentable d'appliquer un critère axé sur un système fixant des échelons, en raison desquels – après avoir indiqué certains points de repère – on arrive à parler non pas de présence ou d'absence de celtique, mais de tel ou tel degré de présence de celtique.

C'est la même question que j'ai posée au sujet du "ligure onomastique" (voir ci-dessus) en tant qu'aire marginale, qui n'a pas été délimitée par les isoglosses phonétiques marquant les aires où la "celticité" a droit de cité, mais non l'absence absolue de celticité. Le lusitanien, tel qu'il se présente, fait partie du groupe des dialectes indo-européens, dont quelques-uns ont évolué par la suite de telle façon qu'on les a à bon droit catalogués sous l'étiquette "celtique".

Perspectives

Il faut procéder à des révisions radicales, et non pas à de simples arrangements : 1) tout d'abord à l'échelon italien ; 2) ensuite à l'échelon européen et, à l'intérieur de celui-ci selon les différents points de repère : a) historiographiques, b) archéologiques, c) linguistiques. Je me rends compte que les points 1 et 2 n'ont qu'une fonction pratique et forcent la réalité, mais je crois qu'ils sont utiles parce qu'ils permettent de montrer que la présence du celtique en Italie implique de toute façon la "celticité" en Europe ; les point a, b, c sont nécessaires pour qu'on puisse s'opposer à l'unité de l'"histoire" qui les englobe parce que nous n'avons pas l'histoire, mais des conceptualisations et des constructions historiques fondées sur des points de repère qui fournissent l'apparence d'un cadre historique unitaire qui n'est en fait qu'un assemblage de constructions partielles et subjectives.

Il y a en Italie une "celticité" qui remonte à une époque antérieure à La Tène. Ce qui implique la nécessité de revenir sur le rapport entre la culture matérielle et l'identité ethnique dont la langue est la composante fondamentale.

La question se pose en termes clairs et péremptoires : ou la "celticité" antérieure à La Tène a été introduite dans les zones cisalpines par les invasions, moyen que l'archéologie ne permet pas de découvrir ; ou l'archéologie ne peut découvrir un tel moyen parce qu'il n'y a pas eu d'invasion (ou d'expansion, ou d'arrivée, ou autre chose) ou qu'il n'y a eu que des invasions impropres ; et alors il faut tout revoir de fond en comble, en tenant compte de cette condition nécessaire, par exemple en imaginant l'arrivée d'une culture-langue sans expansions ni invasions. Mais cela veut dire qu'il s'agit d'un processus de "celtisation" linguistique et culturelle, non pas d'une "celticité" accomplie, mais d'une "celticité" en évolution : dans cette perspective est-ce une évolution italienne et cisalpine d'une "celticité" qui existait déjà ailleurs ? ou n'est-ce pas peut-être, tout simplement, une évolution en marge d'une "celticité", c'est-à-dire sans que les Alpes aient provoqué d'interruption ? Même s'il en était autrement, et plus qu'en d'autres cas, le phénomène italien ne peut pas être limité qu'à l'Italie ; en outre, il y a des chances pour qu'il fournisse des éléments essentiels au cadre général et, surtout en ce cas, à l'appareil conceptuel.

Avant l'an 400 av. J.-C., la langue des Celtes et le gaulois que l'on connaît ont des caractères communs. On a pris comme modèle pour expliquer cela une double stratification, d'abord lépontique, ensuite gauloise qui s'est partiellement superposée (Lejeune) ; ce n'est pas là une explication en termes véritablement linguistiques, mais c'est une reification historique, selon un modèle bien connu par les spécialistes des langues indo-européennes, d'une dichotomie à l'intérieur de l'appartenance linguistique. Mais c'est précisément cet esprit de dichotomie linguistique qui, le premier doit être mis à l'épreuve pour qu'on puisse en mesurer l'épaisseur. Par exemple : si l'on prend certains traits caractérisants dans le lépontique, est-ce que ces traits sont les mêmes par rapport à un gaulois compact ? Si le gaulois n'est pas compact, de quel droit l'oppose-t-on au lépontique au lieu de procéder à une révision radicale et revoir l'importance dialectale de tout ce secteur du celtique continental ? Quelle que soit la réponse, le problème italien se fond avec le problème général.

Je voudrais bien exorciser aussi un modèle d'interprétation relatif à l'expansion gauloise ; c'est celui que j'appelle le "modèle Brennus". Il s'agit de l'opinion selon laquelle les Gaulois en Italie, aussi bien que d'autres Celtes ailleurs (par exemple les Galates) sont des hordes de guerriers. Certes, le sac de Rome a frappé l'historiographie ancienne et moderne, tout entière et les guerres que Rome a engagées dans le nord de l'Italie au IIIe siècle av. J.-C. ont fait apparaître encore une fois les Gaulois comme de formidables guerriers ; mais c'est là peut-être une perspective à l'envers ; si nous observons par l'onomastique et la prosopographie la réalité quotidienne relative à l'expansion de la "celticité" dans des habitats différentes – Rétiques et Vénètes – non seulement elle est bien loin de sembler violente, mais encore elle se manifeste dans ses nombreuses ramifications, s'intégrant pacifiquement, sans qu'aucune secousse culturelle se produise, et cela à partir de l'époque antérieure aux Gaulois jusqu'à la veille de la romanisation (ce qui est conforme à ce que dit Tite-Live à propos d'une guerre entre Vénètes et Gaulois : il s'agirait d'un état de guerre entre des unités politiques et non pas entre des unités ethniques).

Il y aurait un chapitre tout entier, ou mieux encore un livre, à écrire non seulement sur cette inversion de perspective mais aussi sur le fait qu'on peut arriver par là, peut-être d'une façon déterminante, à marquer, de la part des Gaulois, une prise de conscience de leurs caractères ethniques (celtiques) même du point de vue politique. Anna Marinetti[10] a montré que les légendes des monnaies gauloises de la Narbonnaise ne sont pas en caractères grecs, mais en caractères lépontiques, de même que celles du Noricum ne sont pas en caracteres vénètes (le Vénètes étaient pourtant leurs voisins) mais en caracteres lépontiques ; j'ai suivi ce chemin en montrant que dans les insciptions gauloises d'Italie on a employé non pas l'alphabet latin mais l'alphabet lépontique : évidemment parce que c'était cet alphabet-là qu'on avait élevé idéalement à une dimension nationale. Le problème concerne aussi l'hostilité présumeé : une telle hostilité, s'il y avait de l'hostilité, n'était pas naturelle mais acquise, dérivant d'un mouvement intérieur qui poussait à refuser les alphabets appartenant à des civilisations étrangères. Pourtant il est hors de doute que les Celtes, bien qu'ils soient entrés en contact avec des civilisations qui employaient un alphabet (grec en Gaule et en Ibérie, ibérique en Ibérie) ne l'utilisèrent que bien tard et – sauf les Celtes d'Italie au VIe siècle av. J.-C. – l'adoptèrent à l'époque de la romanisation ; on n'emploie pourtant pas l'alphabet latin, évidemment parce qu'il faut refuser la romanité : il s'agit là d'une affirmation idéologique relevant d'un mouvement intérieur qui les amène à affirmer d'eux-mêmes leur identité politique et culturelle. Le dernier cas concerne la création de l'alphabet oghamique au IVe siècle apr. J.-C. : elle est, évidemment, provoquée par la connaissance de l'alphabet latin, mais c'est une création tout à fait originale (peut-être parallèle à un co-modèle runique) ; tout cela révèle qu'il existe une volonté, du point de vue idéologique, de chercher une identification à l'échelon national.

TIVALEI BELLENEI de Padoue et SEKENEI de Bagnolo San Vito

TIVALEI BELLENEI est une formule onomastique bimembre (nom personnel-appositif) au datif ; on peut exclure la juxtaposition de deux noms personnels (Prosdocimi 1982). Venant d'un contexte, elle ne devrait pas être postérieure au Ve siècle av. J.-C., elle peut être attribuée à l'aire celtique pour un côté négatif (restriction) aussi bien que pour un côté positif (indices spécifiques).

1) Côté négatif.

a) Les deux termes sont formellement "difficiliores" en ce qui concerne le vénète: b de BELLENEI est improbable en raison de la phonétique du vénète à cause de certains phonèmes héréditaires : ie. *bh-, *g^w- ont d'autres issues ; nous ne connaissons pas celle de ie. gh^w- mais à priori elle ne devrait pas aboutir à b- ; ie. *b- qui est le seul à pouvoir donner b- du vénète est, comme on le sait, un phonème très rare dans les langues indo-européennes. tiv- est inconnu au vénète ; -al- existe, mais apparaît plus tard ; il est rare et dans certains cas il sert à former des supports étrangers (BOIALNA dans une inscription inédite).

b) La formule est irrégulière parce que l'élément appositif n'est pas en -io-, ce que l'on constate dans un autre exemple du VIe-Ve siècle av. J.-C. (PUPONEI RAKOT : Pa1). On peut supposer, comme explication, qu'un étranger emploie un élément appositif de ce genre, ne pouvant employer celui de la langue indigène, parce qu'il n'en a pas le droit. C'est là une possibilité qui se transforme en probabilité pour une prosopographie que, dans un cas tel que celui-ci, exceptionnel, on peut reconstruire et qui (par la suite) désigne l'introduction d'un élément étranger dans la zone du vénète. Aucun de ces arguments, par eux-mêmes, n'est probant, mais ce n'est pas là une concentration qui est due au hasard.

2) BELLEN- correspond au premier membre des noms en Bello- auxquels appartient Bellovèse, nom d'un roi de légende (cf. Schmidt 1965, p. 147). Nous trouvons ce rapport dans une inscription de Bagnolo (publiée par R. De Marinis in REE in "SF", LI 1984, pp. 202-204) où on lit SEKENE.I : d'après la ponctuation elle devrait appartenir à la langue des Vénètes. Luciano Agostiniani a rapporté ce SEKEN- aux noms celtiques en Sego/Seco- parmi lesquels Sigovèse, frère légendaire de Bellovèse. Malgré des problèmes d'écriture, l'identification est considérée comme sûre, même s'il reste à brosser un tableau précis de la situation sociolinguistique où se situe cette forme, concernant les Celtes, les Vénètes et les Etrusques dans la ville de Bagnolo au Ve siècle av. J.-C.

Une histoire tirée d'une prosopographie?

*Pa 25 avec TIVALEI BELLENEI n'est pas un cas isolé, mais il se rattache à d'autres inscriptions de telle façon qu'il est possible de bâtir une prosopographie, d'ébaucher par là, dans le cadre de l'histoire générale une (micro) histoire événementielle. Je renvoie pour ce qui concerne les institutions à Prosdocimi 1982 (et à des écrits successifs) ; mais je reprends ici ma suggestion concernant l'histoire événementielle axée sur les inscriptions suivantes (dates fondées sur l'interprétation de la graphie et sur la disposition de la chronologie relative et – où cela est possible, même approximativement, – avec les indications d'une chronologie objective) :

*Pa 25 : TIVALEI BELLENEI (Ve siècle av. J.-C.)

*Pa 26 : FUGIOI TIVALIOI ANDETIAOI VKU EKUPETARIS EGO (V^e-VIe siècle av. J.-C.)

*Pa 28 : VOLTIGEN(E)I ANDETIAIOI EKUPETARIS FREMAISTOI - (KV)E VOLTIGENEIOI (V^e-VIe siècle av. J.-C.)

*Pa 21 : FUGIAI FUGINIAI ANDETINAI EPPETARIS (?)

Bl 1 : ENONI ONTEI APPIOI SSELBOISSELBOI ANDETICOBOS ECVU-PETARIS (IIe-Ier siècle av. J.-C.)

D'où la possibilité d'une reconstruction événementielle.

1) TIVAL- BELLE- arrive à Padoue de l'extérieur (Andes ?) ; venant de l'étranger elle ne contient pas la formule onomastique habituelle soit parce qu'on n'a pas pu avoir la formule ono-mastique locale, soit parce que cela n'avait pas d'importance (naturellement il faut tenir compte, en ce qui concerne les dif-férences, des institutions locales par rapport aux attitudes per-sonnelles que l'on peut prendre).

Galet avec inscription VOLTIGE[e]I ANDETIAIOI... de Trambache Veggiano (Padoue) Fin V^e-début IVe siècle av. J.-C. Este, Museo Nazionale Atestino

2) FUGIO-TIVALIO – fils de Tival – prend la formule onomastique locale, en tant qu'expression d'un "status" juridique (accordé/acquis ou intentionnellement exprimé) ; voilà pourquoi le nom patronymique (Tivalio), en tant qu'élément appositif d'une formule binominale n'est pas suffisant ou n'est pas considéré comme tel, parce qu'il s'agit d'une personne juridique qui n'appartient pas à la catégorie des ayants droit (entant qu'etranger citoyen *non optimo iure*) à un patro-nymique de la même valeur que "manus" (= *illius iuris*, donc *sui iuris*) et, en rai-son de cela, il prend (de son aire d'origine, Andes?) un deuxième élément appo-sitif, au point de vue morphologique, ANDETIO- (ce qui fait supposer, comme on l'a déjà dit, que, à côté du nom patronymique en fonction d'apposition, il y a déjà, en fonction d'apposition, le titre de noblesse).

3) FUGIO TIVALIO ANDETIO a un fils d'une esclave (*Andetia: nom de celui qui a la "manus") qu'il appelle du nom vénète (et "aristocratique") de *Voltigenes : signe qu'il s'est fait une situation dans la société, cause/effet de sa formule onomastique.

4. a. VOLTIGENES ANDETIAIO- fils(-io) d'une esclave (Andetia-) de Fugio, a, à son tour, un fils qui prend l'élément appositif (-io-) du nom personnel de son père (Voltigene-) ne pouvant avoir le nom de la personne qui était (probablement) son grand-père, Andetio-, parce que l'intermédiaire d'une esclave ne le permet pas.

b. A Ca' Oddo une FUGIA née Fuginia entre dans la "manus" d'un Andetio- : donc, d'après la chronologie elle est l'épouse d'un descendant de Fugio, avec -ina qui désigne la "manus" de la "gens" où elle est entrée ; si, à ce qu'il paraît, il s'agit de l'épouse d'un Andetio- appartenant aux générations venant après Fugio Tivalio, on a la preuve qu'Andetio est déjà anobli, car il est peu probable qu'on propose de nouveau le nom d'une personne ; d'où les éléments appositifs. On arrive donc à l'arbre généalogique suivant :

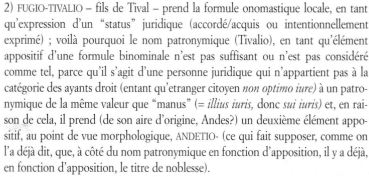

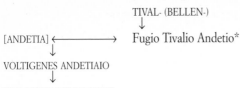

TIVAL- (BELLEN-)
↓
[ANDETIA] ←————————→ Fugio Tivalio Andetio*
↓
VOLTIGENES ANDETIAIO
↓
FREMAISTO VOLTIGENEIO

*A partir du nœud Fugio Tivalio Andetio on peut avoir:
1) une épouse légitime (ce qui semble exclu en raison de la chronologie) :

FUGIA (ANDETINA) FUGINIA ←→ FUGIO TIVALIO ANDETIO

2) FUGIO TIVALIO ANDETIO
↓
FUGIA (Andetina) FUGINIA ←————→ x (descendante)
(Entre AND- de Es 17 et les ANDETICO- de Bl 1 il y a sans aucun doute un lien
onomastique mais on ne peut supposer de là qu'il existe un lien historique, quel
qu'il soit, en raison de l'écart concernant le temps et le lieu.

Notes

1.   L'édition des inscriptions gauloises à laquelle travaillent depuis trente ans des auteurs tels que Paul-
Marie Duval, Michel Lejeune, J.-B. Colbert de Beaulieu va bientôt paraître (trois volumes ont déjà paru) ;
œuvre monumentale qui n'aborde pas la présence du celtique en Italie, mais qui rapporte six inscriptions
gauloises en provenant. Je parlerai ailleurs des critères de compartimentation. Ici je me bornerai à annon-
cer le projet d'une édition intégrale et intégrée des inscriptions celtiques d'Italie, dans le but aussi de
reprendre tous les éléments celtiques qui ne sont qu'indirectement attestés (inscriptions vénètes, rétiques,
latines, gloses, toponymie, lexique latin, lexique romantique, etc.).
2.   Colonna a vu personnellement l'inscription. Je renvoie donc à son illustration qui est on ne peut plus
exhaustive, dans *St. Etr.* LIV, 1988, pp. 130-164. Voir aussi mes "Note sul celtico in Italia".
3.   L'inscription transpadane la plus ancienne est celle de Sesto Calende qui remonte à la fin du VIIe siècle
av. J.-C. et que Colonna reprend à bon escient (p. 140 de l'article cité note 2) après l'avoir d'abord mise
en valeur in *St. Etr.* XLIX, 1981, p. 91 note 37, pl. XXIIIa (voir là la bibliographie précédente). Cf. aussi
mes "Note sul celtico in Italia".
4.   Cas semblables à celui de *dhug(h)Hter, exemple typique d'un nom indo-européen désignant la fille
(par rapport à ses parents), inconnu au celtique continental, qui est aujourd'hui attesté par une inscription
venant de la Gaule (publiée dans les *Etudes celtiques,* 1985).
5.   J'ai montré ailleurs (Prosdocimi 1986 in *Atti del Secondo Convegno Archeologico Lombardo,* Como)
que, à mon avis, De Simone (1978 *Un nuovo gentilizio etrusco di Orvieto (katakina) e la cronologia della
penetrazione celtica (gallica) in Italia,* pp. 370-395) n'a pas prouvé la nature celtique de ces deux termes
dans la Orvieto du VIe siècle. av. J.-C.
6.   Sur le Mars de Todi, on peut consulter Roncalli 1973, *Il Marte di Todi, Bronzistica etrusca e ispirazio-
ne classica,* Mem. pont. Acc. XI; voir aussi A.L. Prosdocimi in "Celti in Italia prima e dopo il V secolo
a.C.", *Celti ed Etruschi nell'Italia settentrionale dal V sec. a.C. alla romanizzazione,* Bologna 1987.
7.   Colonna, au cours du congrès consacré à "Il commercio etrusco arcaico", Rome en 1983 *(Quaderni
del centro studi per l'Archeologia etrusco-italica* 9, Roma, 1985, pp. 270-271) a proposé de reconnaître la
transposition d'un grec χελτὸς en *mi kelestra,* interprétation que contesta Cristofani d'abord au cours du
congrès, ensuite, dans la *Rivista di epigrafia etrusca* de "Studi Etruschi" ; voir aussi A.L. Prosdocimi 1987.
8.   G. Devoto "Leponzi", *Scritti Minori,* 11, Firenze, 1967, pp. 324-335 = Pour l'histoire de l'indo-euro-
péanisation de l'Italie septentrionale : Quelques étymologies lépontiques, *Rev. de phil.* LXXXVIII (1962)
pp. 197-208.
9.   *Idg. Forsc.* 94, 1989.
10.   La contribution de A. Marinetti paraîtra dans les actes du congrès "Numismatica e archeologia nel
celtismo padano" qui a eu lieu à Saint-Vincent en septembre 1989.

L'image des Celtes dans le monde antique :
l'art hellénistique
Bernard Andreae

Les Gaulois, comme ils se dénommaient eux-mêmes les Celtes, non seulement avaient une stature de colosse, mais encore donnaient par l'aspect particulier de leur chevelure une image effrayante d'eux-mêmes.

L'auteur ancien Diodore (5, 28, 2-3) rapporte ce témoignage : "Les Gaulois s'arrosent continuellement les cheveux d'une eau de plâtre puis tirent leur chevelure vers l'arrière, du front vers les tempes et la nuque, si bien qu'ils ressemblent aux satyres et au dieu Pan. Leur tignasse est si épaisse après ce traitement qu'on peut la comparer à une crinière de cheval."

Les Grecs, les Etrusques, les Romains, trois peuples qui ont eu à souffrir des incursions des Gaulois ont fait œuvre d'art en transposant tel quel le monde de leur temps et en particulier les représentations des Gaulois avec leur corpulence et leur chevelure hirsute. Commençons par les Etrusques, qui furent chassés dès le VIe siècle av. J.-C. par les Celtes de la plaine padane. Cette région fut appelée ensuite Gaule

Cisalpine par les Romains, ce qui signifie la "Gaule-en-deçà des Alpes". Au début de l'art étrusque, on ne trouve aucune représentation des Celtes. Des distinctions de phénotypes raciaux n'étaient pas envisageables dans le cadre de l'art archaïque. La plus ancienne représentation connue des Gaulois se trouve sur un vase falisque, c'est-à-dire du sud de l'Etrurie, un stamnos (vase pansu à deux anses verticales) du premier quart du IVe siècle av. J.-C., conservé à l'Akademisches Kunstmuseum de Bonn (J.D. Beazley, *Etruscan Vase Painting* 1947, p. 96). Entre un guerrier étrusque (ou romain ?) à pied et un cavalier, vraisemblablement un Gaulois, attaqué par la droite, on perçoit un autre guerrier dénudé. Il porte juste à mi-corps une ceinture à laquelle pend du côté droit un long fourreau d'épée. Il tient un bouclier ovale et brandit une épée de sa main droite. Le Gaulois suit à pas souples le cavalier, lorsqu'il remarque soudain un adversaire venant par

tèle funéraire trusque en grès e Bologne Dans le panneau nférieur n cavalier trusque ombattant vec un fantassin aulois e siècle av. J.-C. ologne Iuseo Civico p. 68

derrière et le regarde en tournant brusquement la tête. Le dessin figurant les deux adversaires du groupe des Gaulois de droite est abîmé suite à une cassure du vase. Il est toutefois possible de reconnaître la position d'attaque et de défense derrière le croquis de bouclier. Sous le cavalier gît sur le sol un guerrier nu. Sur sa poitrine perche un vautour qui lui déchire les entrailles. Le guerrier qui gît à terre et celui qui porte une chaîne d'épée ont les caractéristiques évidentes des Gaulois : leur chevelure raide, peinte, tirée vers l'arrière. Même chose chez le cavalier imberbe, qui, comme les deux autres, porte une chevelure hirsute, tandis que l'attaquant venant de gauche est barbu et porte une chevelure bouclée comme c'est la coutume chez les Italiens de cette époque. Cette peinture sur vase donne une représentation vivante des combats de cette époque, au cours desquels les Gaulois, sous la direction de Brennus, poussèrent jusqu'à Rome et assiégèrent la ville en 387-386 pendant sept mois. Ils ne purent s'emparer du Capitole et durent se contenter du paiement d'une forte rançon. Le deuxième événement mémorable de la confrontation entre les Gaulois et les peuples méditerranéens fut l'attaque du sanctuaire d'Apollon à Delphes, que les Gaulois, après avoir tourné la position des Thermopyles en 279, attaquèrent par surprise et pillèrent. Mais les Phocéens et les Etoliens, qui avaient la garde du sanctuaire, purent apporter rapidement des renforts et expulsèrent les Gaulois. Plus tard, la rumeur se répandit selon laquelle Apollon lui-même, sa sœur Artémis et Athéna Pronaia étaient venus au secours du sanctuaire pour en chasser les envahisseurs. Cette exagération mythique d'un événement historique est à l'origine de l'interprétation de la fresque en terre cuite de Civitalba, maintenant au Musée archéologique de Bologne. Cette localité se trouve à proximité de *Sentinum,* où une armée romaine conduite par les consuls Q. Fabius Maximus Rullianus

Détail d'un stammos falisque à figure rouge combats entre guerriers gaulois et italiens IVe siècle av. J.-C. Bonn Akademisches Kunstmuseum • p. 69

et P. Decius Mus, en 295 av. J.-C., l'emportèrent sur les Etrusques, les Ombriens et les Samnites, alliés aux Gaulois. La frise de terre cuite, avec ses figures de 43 cm de haut, provient d'un temple italique, érigé certainement après le triomphe de Publius Cornelius sur les Gaulois Boïens en 191 au plus tôt, après le retour de l'expédition de Manlius Vulsio contre les Galates en Asie Mineure en 189-187 au plus tard, et vraisemblablement seulement vers 160 av. J.-C. Elle évoque, à une époque de nouveaux affrontements avec les Gaulois, qu'on appelle en Orient grec les Galates, un événement qui s'est produit cent ans plus tôt, mais qui n'est pas pour autant tombé dans l'oubli. On voit les Gaulois en fuite, effrayés par l'apparition victorieuse des dieux, dont nous n'avons conservé qu'Artémis et Athéna Pronaia, mais sans aucun doute Apollon devait être lui aussi représenté. Les dieux attaquent avec leurs armes menaçantes, Athéna s'élançant à gauche avec sa lance, Artémis avec son arc tendu à droite. Elle a touché un Gaulois, qui s'effondre dans les bras d'un camarade, figure qui rappelle la mort de Patrocle dans le groupe dit de Pasquino (B. Andreae, *Antike Plastik*, 14, 1974, p. 87-95), qui fut produit à Pergame vers 170 av. J.-C. Derrière elle, un Gaulois, portant une peau de bête, tente de fuir avec sous le bras une amphore en or. Il tourne la tête parce que visiblement il se sent poursuivi. Vraisemblablement, on doit ajouter Apollon à l'extrémité droite de la frise. A gauche s'enfuient deux Gaulois nus, clairement désignées : le torque sur le cou, la ceinture autour de la taille, les boucliers ovales et allongés avec une arête centrale, les cheveux hirsutes et de longues moustaches. Au milieu de la frise, on voit des Gaulois à pied et leur chef sur un char de guerre à deux roues attaqués des deux côtés. L'assaut des deux déesses les a fait choir. Il est bien établi par les sources historiques que le chef Brennus fut lessé lors des combats de Delphes et se donna la mort au cours de sa fuite.

Par rapport à cet intéressant monument, on peut avancer l'hypothèse selon laquelle un monument gaulois érigé à Delphes vers 200 av. J.-C. par le roi de Pergame, Attale Ier, aurait servi de modèle. Cette hypothèse ne peut être démontrée pour l'instant ; toutefois, l'influence de l'art de Pergame sur ce monument italien est évidente.

Avant de s'intéresser à l'art pergamien, dans lequel les représentations impressionnantes de Gaulois apparaissent vers 230 av. J.-C., il faut rapporter l'épisode de

*Partie de la frise
de terre cuite
de Civitalba
(Marches)
représentant
des Gaulois
en fuite
après le saccage
d'un sanctuaire
Début du IIe siècle
av. J.-C.
Ancône
Museo Nazionale
delle Marche
→ p. 67*

l'année 275 av. J.-C. dans lequel l'image particulièrement caractéristique des Gaulois trouve son inspiration. Cette année-là, quatre mille mercenaires, enrôlés par Ptolémée II d'Egypte dans une guerre contre le vice-roi Magas de Cyrène, se mutinèrent contre le pharaon. C'étaient des survivants de l'armée de Brennus, qui avait été anéantie en Grèce. Pausanias affirme qu'ils avaient voulu faire main basse sur l'Egypte ; selon un commentateur de Callimaque, ils avaient voulu s'emparer du trésor royal. Vraisemblablement, le roi ne leur avait pas versé leur solde, puisqu'ils n'avaient pas participé au combat contre Magas. Le roi Ptolémée réussit à cerner les mutins dans une île sur un bras sébennytique du Nil, il les y enferma et les laissa mourir de faim. Cet événement fut célébré par le poète de cour Callimaque dans son hymne à Délos. Le poète compare l'action du pharaon égyptien contre les mutins à l'intervention d'Apollon contre les hordes de Brennus à Delphes trois ans auparavant. Il appelle les Gaulois "le peuple audacieux des derniers-nés des Titans", faisant sienne la confusion fréquente entre les Titans et les Géants. Il utilise en effet un jeu de mot avec Titanos : blanc de titan (dans l'Antiquité vraisemblablement blanc de plâtre) avec lequel les Gaulois enduisaient leurs cheveux pour les transformer en une masse de touffes rigides.

L'écrasement de cette révolte ne fut pas seulement célébré par un hymne poétique, il fut aussi représenté sur un monument dont il ne nous reste qu'une tête de Gaulois monumentale en marbre, conservée au Musée du Caire (P. Laubscher, *Antike Kunst*, 30, 1987, p. 131-154). Cette sculpture montre de façon saisissante le phénotype racial des Gaulois, qui devait encore être plus évident lorsque la peinture supposée soulignait leur teint clair, leurs cheveux de teinte blonde encore éclaircis par le plâtre, leurs yeux bleus. Les cheveux hirsutes, tombant bas dans la nuque et débordant de tous côtés en touffes raides au-dessus d'un front fuyant, les orbites très marquées, saillantes et profondes, aux arcades presque horizontales, la lèvre supérieure portant moustaches montrent de façon catégorique qu'on a affaire à un Celte. Cette sculpture représente le plus ancien document d'art plastique conservé illustrant ce type racial, amorce d'une longue série de représentations identiques.

Le répertoire imagé des Celtes, ou, selon les Grecs, les Galates, trouve sa source dans l'art de Pergame. La célèbre lettre de l'apôtre Paul aux Galates s'adresse aux descendants de la tribu celte qui, en 287-286, à l'appel du roi Nicodème le de Bithynie passèrent en Asie Mineure et s'établirent en Phrygie orientale, c'est-à-dire dans la région du centre de l'Anatolie, entre Ankara et Pessinus, entre le fleuve Halys à l'est et Sangarios à l'ouest. De là, ils menèrent jusqu'à la côte des expéditions de brigandage et de pillage. Ils furent d'après Polybe (18, 41) un "fléau pour tous". De différents côtés, ils furent enrôlés comme mercenaires, et les Etats voisins durent leur payer un tribut. A la même époque se développa en Lydie, dans le voisinage des Gaulois, la ville de Pergame, capitale d'un royaume. Après la bataille de Couroupédion en 281 av. J.-C., l'officier macédonien Philétairos de Tios, qui devait garder le trésor de guerre du Diadoque Lysimaque dans la ville de Pergame, peu à peu prit son indépendance et fonda le dynastie des Attalides, nommée ainsi du nom de son père, Attale. Dans un premier temps, Pergame fut aussi soumise au tribut par les Gaulois ; toutefois, vers 230 av. J.-C., le deuxième descendant du fondateur de la dynastie, Attale Ier, osa affronter, le premier, les Gaulois dans une bataille rangée. Il fut vainqueur dans plusieurs batailles, l'une d'entre elles, aux sources du Caïque, dont le cours inférieur arrose Pergame, acquit une renommée mythique. Au plus tard en 223 av. J.-C., Attale Ier fit ériger un grand monument à la victoire sur l'acropole de Pergame dont quelques figures nous sont parvenues sous forme de copies romaines en marbre (N. Mattei, *Il Galata Capitolino*, 1987). Elles illustrent les représentations significatives de la stature gigantesque et de la coiffure caractéristique de ces Barbares, en aucune manière civilisés. Il s'agit des figures conservées intégralement, bien connues : le Galate mourant, du musée du Capitole ; le groupe du chef gaulois qui tue sa femme et se suicide, au Musée national romain ; une tête de Gaulois des musées du Vatican ; un torse de Dresde. Les adversaires des habitants de Pergame ne sont pas traités avec mépris mais sont figurés avec attention et sens de l'observation. Le chef, qui voit sa cause perdue, a tué sa femme d'une entaille dans la carotide et enfonce son épée dans le creux de sa clavicule, du haut vers son cœur. En tendant la jambe gauche pour offrir un dernier soutien à sa compagne, qu'il retient de son bras gauche tandis qu'elle s'effondre en sens contraire, il redresse son corps appuyé sur les orteils du pied droit vers le haut jusqu'à la main tournée dans une puissante torsion tandis qu'il détourne furieusement la tête, pour éloigner de son regard ardent un possible poursuivant. Le mouvement de torsion constitue l'élément essentiel du tableau qu'on ne peut isoler de l'ensemble. Dans une antithèse saisissante apparaissent le corps sans vie complètement détendu de la femme qui s'écroule, la tête penchée face au spectateur, et le corps athlétique, musclé, tendu jusqu'à son dernier ressort de l'homme. La cage thoracique se contracte jusqu'à faire ressortir les côtes au-dessus l'abdomen, les muscles se tendent : c'est le dernier sursaut de vie chez ce chef qui se consacre lui-même à la mort. La chlamyde qui pend aux épaules ne flotte pas en arrière mais souligne un blocage sur place, la violence du geste de l'homme en pleine action de mort, la tête et le bras droit se meuvent d'une façon dissonante dans la composition générale. Chez ce couple aux formes corporelles exubérantes, avec leurs cheveux hirsutes, le visage distendu, quelque chose de géant introduit le sens de la révolte contre la prépondérance des ennemis et la notion d'un abandon sauvage à la mort, qui impressionnent profondément.

Au même monument, dont les grandes figures étaient vraisemblablement érigées sur un socle rond de 2,75 m de haut, au milieu du sanctuaire d'Athéna sur l'acropole de Pergame, appartient aussi le célèbre Galate mourant du Capitole. Il est mortellement blessé au foie et, assis, il attend la mort, sur son bouclier déposé à terre. La partie supérieure du corps menace de s'effondrer vers l'avant, mais, de ses dernières forces, l'homme bien bâti se retient avec le bras droit sur le sol. De même, le bras gauche et la main qu'il a mise sur la cuisse droite, allongée sur le sol, empêchent le corps de tourner sur lui-même. Le genou est plié et la jambe gauche est légèrement pliée, le pied est à plat. Elle forme un pont au-dessus du pied droit et au-dessus de la trompette courbée que le Galate protège, tout comme ses armes, de son corps mourant. La jambe allongée est un contrepoids à la tête lourde qui s'effondre, dont le regard est dirigé vers le sol. Le trompettiste porte un torque torsadé, ses cheveux se dressent en touffes raidies, décoiffées, qui descendent derrière la nuque. Son large visage sur un cou massif porte des sourcils rétrécis par la douleur. Les

Garniture de bronze en forme de tête de cheval provenant peut-être d'un char de guerre de Stanwick (Yorkshire) Ier siècle Londres British Museum

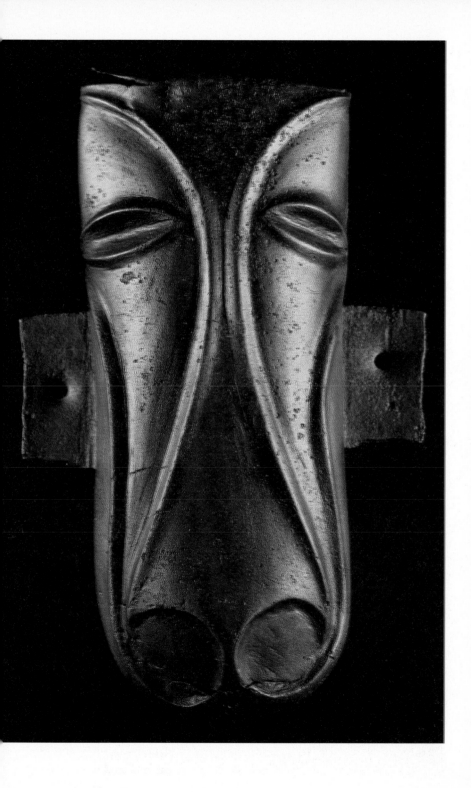

Tête en pierre de divinité des environs du sanctuaire de plan quadrangulaire de Mšecké Žehrovice (Bohême)
IIe-Ier siècle av. J.-C. Prague, Národní Múzeum

Partie de la frise de terre cuite
de Civitalba (Marches) représentant
les Gaulois en fuite après le saccage
d'un sanctuaire
Début du IIe siècle av. J.-C.
Ancône
Museo Nazionale delle Marche

Fragment d'une frise en terre cuite
de Civitalba (Marches)
représentant les Gaulois fuyant
après le sac d'un sanctuaire
Début du IIe siècle au. J.-C.
Ancône, Museo Nazionale
delle Marche

*Stèle funéraire étrusque
en grès de Bologne
Dans le panneau inférieur
un cavalier étrusque combattant
avec un fantassin gaulois
Vᵉ siècle av. J.-C.
Bologne, Museo Civico*

*Détail d'un stammos falisque
à figure rouge: combats entre
guerriers gaulois et italiens
IVᵉ siècle av. J.-C.
Bonn, Akademisches
Kunstmuseum*

"Galate se suicidant avec sa femme"
du groupe votif d'Attale Ier
dans le sanctuaire d'Athéna
Nikêphoros à Pergame
Copie en marbre
d'un original en bronze
de la seconde moitié
du IIIe siècle av. J.-C.
Rome
Museo Nazionale Romano

Sphinx en os au visage d'ambre
provenant de la tombe princière
du tumulus dit Grafenbühl,
près d'Asperg (Bade-Wurtemberg)
Ouvrage gréco-italique
de la fin du VIIe siècle av. J.-C.
Stuttgart
Württembergisches Landesmuseum

71

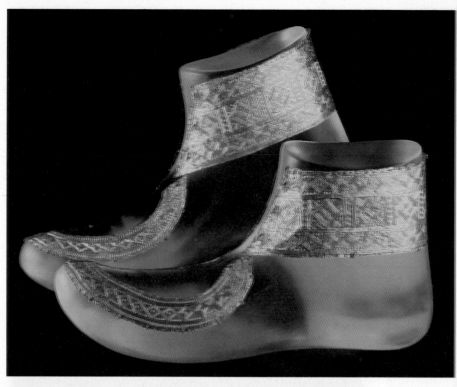

Revêtement en
feuilles d'or
décorées au repoussé
des chaussures
du prince enseveli
dans le tumulus
d'Eberdingen-
Hochdorf
(Bade-Wurtemberg)
Deuxième moitié
du VIᵉ siècle
av. J.-C.
Stuttgart
Württembergisches
Landesmuseum

Bracelet et fibules
en or provenant
de la tombe princière
d'Eberdingen-
Hochdorf (Bade-
Wurtemberg)
Deuxième moitié
du VIᵉ siècle
av. J.-C.
Stuttgart
Württembergisches
Landesmuseum

"Bataille de Galates" du bas-relief en marbre du sarcophage "Amendola" IIe siècle av. J.-C. Rome, Musei Capitolini

moustaches sont soigneusement coupées et encadrent de grosses lèvres ; les joues ovales sont parfaitement rasées. La beauté virile de ce type de race est mise en valeur par l'artiste qui glorifie ses adversaires dans la défaite pour accroître la portée de la victoire des siens. Celui-ci, blessé assis par terre, dans son épanouissement plastique forme, avec les autres Gaulois s'affaissant ou tombés, un groupe de vaincus autour de la figure dressée de leur chef. Les lignes étirées d'un pentacle construit au milieu d'un cercle concentrique, qui est gravé sur la base du Galate mourant, est vraisemblablement un indice sur la disposition des figures copiées au début du IIe siècle av. J.-C.

Deux générations après ce monument aux Gaulois, de grandes dimensions, les Pergaméens, victorieux une fois pour toutes des Gaulois à l'issue d'une guerre acharnée qui dura de 168 à 166 av. J.-C., érigèrent un autre monument, cette fois sur l'Acropole d'Athènes (B. Palma, *Il piccolo donario pergameno, Xenia*, 1, 1980, p. 56 s.). On y voyait l'anéantissement des Gaulois en Asie Mineure, suite à une série de victoires légendaires et historiques des Grecs sur les forces barbares. Pausanias (1, 25, 2) vit ce monument vers 140 apr. J.-C. et le décrivit ainsi : "Sur le mur sud, Attale fit représenter le combat contre les Géants qui jadis habitaient en Thrace et dans la péninsule de Pallène, le combat des Athéniens contre les Amazones, la bataille de Marathon contre les Perses et l'anéantissement des Galates en Mysie, chaque figure haute de deux aunes."

Puisque dans le combat des Géants, douze dieux menaient la lutte en compagnie d'Héraclès avec au moins autant d'adversaires, et qu'on doit supposer que les quatre différents groupes combattants (les Géants, les

Tête d'un Gaulois Marbre Rome, Musei Vaticani

Amazones, les Perses et les Gaulois) étaient pratiquement aussi importants, on arrive à plus de cent figures. Ce grand nombre explique le choix du format particulier des statues d'environ 1,20 mètre, c'est-à-dire deux aunes philétaïriques. Comme il est rapporté que la statue de Dionysos fut arrachée par une tempête de la gigantomachie et qu'elle tomba sur le théâtre qui lui est dédié sur le versant méridional de l'Acropole, on doit supposer que le grand nombre de figures étaient rangées sur la couronne du mur sud de l'Acropole. De loin et principalement du bas, où les figures, par la perspective, apparaissaient en grandeur nature, toute la gigantesque composition devait faire l'effet d'un véritable champ de bataille. Le dernier conflit entre les Pergaméens et les Galates poussés contre eux par Rome fut un combat de vie et de mort, que les Pergaméens remportèrent finalement par la levée de toutes les forces de leur propre énergie. Ils étaient parvenus eux-mêmes presque au bord de leur ruine. Polyen rapporte dans ses *Stratagemata* (4, 8, 1) la situation désespérée du roi Eumène II à laquelle il échappa presque par miracle. Le roi fut handicapé par un attentat de l'année 172 av. J.-C. et dut être laissé dans une chaise à porteurs sur le champ de bataille. Lors d'une bataille défensive, son armée en fuite fut vaincue par les Gaulois. Les poursuivants approchaient toujours plus de la chaise du roi. Celui-ci se soumit à son destin et ordonna que sa chaise fût déposée sur une hauteur à l'écart du chemin. Quand les Gaulois le découvrirent, la crainte les saisit soudainement : ils crurent qu'il s'agissait d'un stratagème, d'une embuscade préparée par des troupes auxiliaires cachées dans les environs. Alors, ils abandonnèrent la poursuite.

Eumène II, après la victoire définitive sur les Galates, a témoigné de cet événement dans la représentation de la grande frise de l'autel de Pergame (conservée à Berlin), où Zeus, Athéna et les autres dieux chassent les Géants. La comparaison avec les Gaulois, que Callimaque (*Hymne* 4, 184) avait déjà désignés comme "le peuple audacieux des derniers-nés des Titans", reste ici limitée aux Géants. A Athènes, Eumène II et son frère et successeur Attale II donnèrent à la victoire définitive contre les Gaulois une valeur historique universelle. La mythologie et l'histoire étaient sollicitées pour placer dans une juste lumière la puissance des Pergaméens. Il est particulièrement intéressant de comparer le monument, connu à cause de la grandeur des statues comme le petit trésor des Attalides (en réalité de grandes dimensions), avec la grande offrande d'Attale Ier sur l'acropole de Pergame. Sur plus de cent figures du monument plus récent, nous n'en connaissons malheureusement plus que dix, et à la vérité uniquement des représentations de vaincus en marbre copiées à l'époque romaine : un Géant et une Amazone à Naples ; trois Perses, dont un à Naples, un au Vatican et un à Aix-en-Provence ; enfin cinq Gaulois, un à Naples, un au Louvre à Paris, et trois à Venise. Les dix figures proviennent de Rome. Elles représentent une sélection seulement de l'ensemble du monument qui, selon les indications de Pline (34, 84), fut créé par les artistes Eisigonos, Phyromachos, Stratonikos et Antigonos.

La comparaison avec la grande offrande de Pergame, permet d'apprécier combien le style du sculpteur et la vision des commanditaires et des artistes ont changé dans les soixante-dix années qui séparent l'édification des deux monuments. Le caractère grandiose de la représentation de la chute des grands adversaires a laissé place à un réalisme impitoyable et une expressivité accentuée. La corpulence gigantesque des Gaulois est mise en évidence seulement par les muscles hypertrophiés, les cheveux, toujours embroussaillés et hérissés, encadrent des visages raidis par le

Gaulois nu agenouillé Marbre Paris, Musée du Louvre

masque de la douleur. Il est intéressant d'observer comment on peut différencier clairement les phénotypes raciaux des Gaulois, des Géants, des Amazones et des Perses.

La typologie des Géants est celle de l'autel de Pergame : elle met en évidence ceux nés de la Terre, à travers un mélange des traits propre à l'iconographie gauloise et des divinités grecques, Zeus, Pluton, Poséidon et Asclépios, comme lignée opposée à la divinité. L'Amazone est un puissant androgyne avec le sein bien formé et les cheveux soigneusement coiffés. Les Perses ont des membres plus fins que les Gaulois, des visages singulièrement larges et courts, des cheveux frisés sur le front. Deux d'entre eux sont vêtus, l'un est nu. Les Gaulois sont nus et rasés de près, à l'exception de leur chef, qui s'écroule. Celui-ci, en raison de son âge, est barbu et porte un chiton à une seule manche, qui pend librement à son épaule. Son bras droit est mal restauré ; vraisemblablement, à l'origine il s'enfonçait l'épée dans la gorge. Dans cette sculpture, on peut reconnaître particulièrement et clairement l'amplification des volumes imposés aux spectateurs : vues du bas, ces images alignées au sommet d'un mur se détachent presque comme des silhouettes.

Le monument des Gaulois de Pergame sur l'Acropole d'Athènes, qui éternise leur anéantissement, n'est en aucune façon la dernière représentation des Celtes dans l'art antique. Sous l'influence des figurations de combats de Pergame, on élabore vers 160 av. J.-C. à Ephèse une frise sur le même sujet (W. Oberleitner, *Ein hellenistischer Galaterfries aus Ephesos, Jahrbuch der Kunsthistorischen Sammlungen in Wien* 77, 1981, p. 57-104). De qualité artisanale, elle ne nous est parvenue qu'en fragments, mais elle nous montre dans une mêlée sauvage l'exaspération de la lutte entre les Pergaméens et les Gaulois. Surtout, l'art de Pergame a marqué de son empreinte la présentation des luttes en influençant

"Galate blessé" Marbre Naples, Museo Nazionale

largement les figurations de combats à Rome et en Occident. Quand, vers 120 ap. J.-C., les Romains durent soudainement se défendre contre les attaques des Germains du Danube, ils utilisèrent pour exprimer ces événements un cycle de peintures de Pergame (B. Andreae, *Rendiconti della Pontificia accademia romana di archeologia*, 41, 1968/69, p. 145-166) et le transposèrent sur une série de sarcophages romains de généraux qui avaient combattu sur le front du Danube : il s'agit vraisemblablement des peintures de Pergame, illustrant les combats contre les Gaulois, que décrit Pausanias (1, 4, 6). Ainsi, trois cent trente ans après les événements, les combats des Pergaméens contre les Gaulois, homme contre homme, ont gardé leur actualité. Ce sont les mêmes types de guerriers gigantesques, dénudés, aux cheveux hirsutes, leur torque torsadé au cou, que l'on connaît sur les monuments votifs des Attalides. Comme sur ceux-ci, on y trouve aussi le chef qui, voyant sa cause perdue, se donne la mort. La figure de celui-ci est tellement semblable à celle du "Galate s'effondrant" de Venise que l'on doit considérer que le créateur d'une partie de la petite offrande des Attalides, Phyromachos, à la fois sculpteur et peintre, pourrait être aussi le créateur des peintures représentant les Gaulois copiées ensuite sur les sarcophages romains. Ainsi, il faut reconnaître que les sarcophages romains évoquent encore une fois la force et le courage des guerriers celtes qui tinrent en haleine tout le monde méditerranéen, de la plaine padane à Rome, du Danube à Delphes et Pergame, et jusqu'en Egypte. Le *metus gallicus*, la crainte des Gaulois, était devenue proverbiale à Rome, et il fut un temps où les Romains, par mesure préventive contre ce danger, sacrifiaient un Gaulois et une Gauloise en les enterrant vivants sur le *Forum Boarium* (H. Bellen, *Metus Gallicus-Metus Punicus, Zum Furchtmotiv in der römischen Republik, Abhandlungen der Akademie der Wissenschaften und der Literatur*, Mayence, 1985, n° 3, 12 f.).

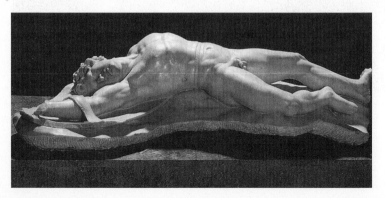

"Galate mort"
Marbre
Venise, Museo
Archeologico

"Galate barbu à genoux"
Marbre
Venise, Museo Archeologico

"Galate s'effondrant"
Marbre
Venise, Museo Archeologico

Les Jogasses

Hohen Aspe
Hochdorf
Hirschlanden

Wi

Heu
Hochmichele
Magdalenenberg Vils

Vix

Camp du
Château
Chassey
Bragny

Rhein

Ins
Grächwil
Châtillon sur Gläne

Bourges

Golasecc

Le Pègue

Massalia

Seine
Loire
Rhône
Ebro
Meuse
Rhein
Rhein

L'époque des princes
VIe siècle av J.-C.

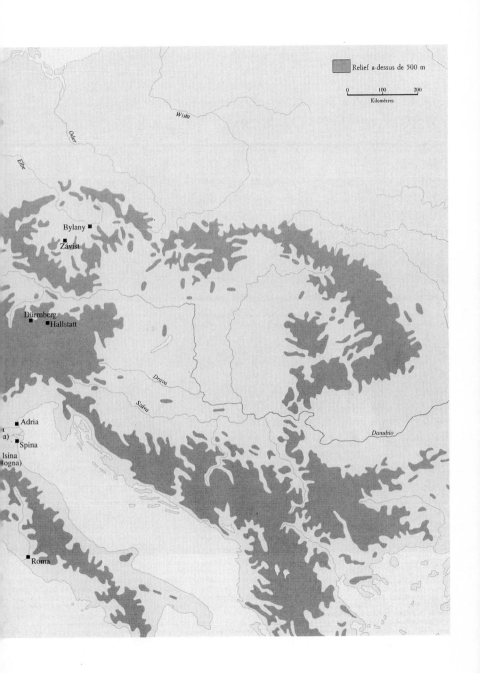

Les premiers "princes celtes"
Otto Hermann Frey

Les objets les plus anciens se distinguent nettement, notamment dans le domaine des œuvres d'art. Il manque les décorations curvilignes typiques, à la place desquelles figurent, sur les céramiques et sur les ouvrages en métal, de simples motifs géométriques et les rares figuratives, disséminées çà et là, ne présentent pas de traits communs avec les œuvres des époques postérieures. Si l'on considère la production artistique en tant qu'expression caractéristique des traditions communes d'un peuple, susceptibles d'éclairer également d'autres aspects de sa vie, on peut se demander si les matériaux du VIe siècle av. J.-C. doivent vraiment être attribués aux Celtes. La question est donc : les princes du VIe siècle av. J.-C. étaient-ils déjà celtiques ? Pour y répondre, on a souvent avancé l'hypothèse que les Celtes n'ont pénétré en Europe centrale qu'aux Ve-IVe siècles av. J.-C., en provenance de l'Occident (quant à savoir de quelle zone exactement, il n'était pas possible de l'établir). Au VIe siècle av. J.-C., en Europe centrale, il se serait donc agi d'autres populations. En revanche, de nos jours, nous estimons que, malgré des changements manifestes qui se sont produits dans les expressions culturelles, en Allemagne de l'Ouest, en Suisse et dans certaines régions de la France, on peut présumer une forte continuité ethnique. En confirmation de ce fait, il y a la persistance de fixations indépendamment de l'orientation culturelle, l'identité des coutumes relatives à l'habillement, les analogies dans les rituels funéraires et autres.

Mais alors, pourquoi précisément les expressions culturelles du VIe siècle av. J.-C. ont-elles tant d'importance ? Différents rapports de continuité ne remontent-ils pas bien plus loin dans le temps ? Ainsi, la formation de la langue celtique doit avoir commencé à une époque beaucoup plus ancienne. En évoquant le développement culturel, ne devrait-ont pas partir d'époques préhistoriques bien plus lointaines ? Certes, dans une tentative de ce genre, divers facteurs qui caractérisent les Celtes successifs perdraient complètement leurs contours, déjà assez vagues. Toutefois, si nous remontons au VIe siècle, nous sommes à même de mettre en évidence plusieurs racines de la "celticité" successive.

Les échanges de biens de plus en plus intenses entre une classe dominante riche et la zone méditerranéenne peuvent, déjà à l'époque, avoir assuré aux Etrusques et aux Grecs une connaissance précoce des populations transalpines. Il est donc probable qu'alors des Etrusques et des Grecs se soient fait une certaine idée sur les Celtes, bien que les traditions sûres les plus anciennes parvenues jusqu'à nous – consignées par des géographes et des historiens classiques – ne remontent qu'au Ve siècle av. J.-C. C'est la raison pour laquelle

Sphinx en os au visage d'ambre provenant de la tombe princière du tumulus dit Grafenbühl près d'Asperg (Bade-Wurtemberg) Ouvrage gréco-italique de la fin du VIIe siècle av. J.-C. Stuttgart Württembergisches Landesmuseum
• *p. 71*

cette époque, qui à bien des égards représente une fracture et un nouveau début, doit être considérée plus attentivement en tant qu'introduction au sujet.

Hallstatt, un nom pour une époque

En archéologie, on parle de la période de Hallstatt. La dénomination dérive d'une nécropole de plus de mille sépultures reconnues, qui contenaient de très riches mobiliers funéraires. Déjà vers le milieu du XIXe siècle, des fouilles furent effectuées précisément à proximité de Hallstatt (en Haute-Autriche, dans une vallée alpine, la Salzbergtal, qui domine le lac de Hallstatt). C'était alors le sel qui attirait les hommes vers ce lieu caché parmi les monts, situé à une altitude d'environ 1000 mètres, malgré la longueur de l'hiver, les difficultés d'accès, l'activité agricole impossible et bien qu'on ne puisse y garder le bétail que pendant les mois d'été. Des dépôts de sel gemme sont présents dans différentes zones alpines ; rappelons, outre celui de Hallstatt, le Dürrnberg près de Hallein, au sud de Salzbourg, ou, toujours dans les alentours, celui de Bad Reichenhall. Même si ces deux localités sont des sites archéologiques importants, Hallstatt semble être le plus ancien.

L'importance que revêtait le sel pour les hommes d'alors est démontrée par le fait qu'un établissement à caractère permanent, destiné à des mineurs, peut être fixé dans une zone alpine éloignée des grands cols et d'accès difficile. Il devait s'agir d'une communauté assez dense, dont le travail était varié : les activités comprenaient, outre le travail véritable de la mine, le creusement et le transport, ainsi que celui des menuisiers chargés de placer les armatures de soutien des galeries. La région fournissait le bois, non seulement pour les travaux que l'on vient de citer, mais également pour l'énorme quantité de torches indispensables pour l'éclairage souterrain. En outre, des types spéciaux de bois étaient nécessaires pour fabriquer les manches d'outils, dont l'entretien requérait aussi des forgerons. Il y avait ensuite les différentes tâches relatives au transport. Il fallait transporter le sel extrait à de grandes distances, le long de sentiers difficiles à travers les Alpes. Enfin, l'activité minière et le transport du matériel imposaient d'avoir des défenses appropriées.

D'après les vêtements et les armes de plusieurs défunts, il a été établi sans conteste qu'à Hallstatt arrivaient des hommes provenant de lieux fort éloignés, par exemple des zones préalpines orientale, septentrionale et nord-occidentale. Certains objets du mobilier funéraire prouvent l'existence de contacts encore plus éloignés, voire avec l'Italie septentrionale, faisant ressortir de manière évidente le caractère transrégional du centre minier. Le sel était un produit indispensable pour les êtres humains de l'époque : non seulement pour assaisonner les aliments, mais également, et à plus forte raison, pour la conservation de ces derniers. A cela, il convient d'ajouter le travail du cuir, pour lequel il fallait beaucoup de sel. Dans ce contexte, particulièrement important est le fait que l'extraction et le commerce de ce minéral requéraient une organisation très complexe. Quel en fut chacun des moments et comment les tâches furent-elles réparties reste encore ignoré en grande partie, et seules des hypothèses peuvent être avancées à ce propos. Des recherches précises devaient être effectuées avant même de pouvoir commencer l'extraction du sel. Ce travail nécessitait certainement des années, et il fallait tout d'abord percer des couches de roche de plusieurs mètres d'épaisseur. Sans nous perdre dans d'autres détails, il suffit de dire que la solution de ces problèmes lors de cet établissement si ancien prouve combien l'initiative économique de l'époque avait déjà atteint des niveaux surprenants.

Détail de la coupe d'or de la tombe princière à char n° *de Bad Cannstatt (Bade-Wurtemberg) VI* *siècle av. J.-C. Stuttgart Württembergische* *Landesmuseum*

La définition d'époque de Hallstatt, généralement divisée en une phase plus ancienne et une autre plus récente, correspond au cadre de la nécropole de Hallstatt. La seconde phase est elle-même subdivisée ; de ce fait, nous pouvons donc parler d'un Hallstattien ancien, récent et final (les archéologues ont recours aux désignations de Hallstatt C, Hallstatt D1 et Hallstatt D2-3). Seules ces deux dernières périodes seront ici traitées plus en détail.

Si la nécropole a donné un nom à l'époque, les vestiges ont permis de parler d'une "culture hallstattienne". Toutefois, très vite on a pu constater des différences régionales très marquées : on a cru notamment pouvoir distinguer un milieu hallstattien oriental, ayant son propre centre dans le territoire alpin oriental, et un milieu occidental ; ce n'est que dans ce dernier que l'on s'efforce de cerner les cellules génératrices des successions de Celtes. En ce qui concerne la période de Hallstatt en Europe centrale, nous devons donc croire plutôt à "un goût d'époque" qu'à une grande culture compacte dans le sens archéologique.

La localité de Hallstatt est située presque aux confins des milieux occidental et oriental. Les matériaux de la nécropole doivent être attribuées essentiellement à l'Ouest, toutefois les contacts avec l'Est sont assez nombreux. Considérons d'abord le milieu occidental, en essayant de cerner plus exactement le rôle qu'il a joué dans la genèse de la culture celtique.

Le noyau originel territorial des Celtes

Le cadre dit hallstattien occidental s'étend de la Bohême au Massif central et des Alpes aux Mittelgebirge. A l'intérieur de ce grand territoire avec ses nombreuses régions, on distingue habituellement une "zone centrale", dans laquelle, au cours du VIᵉ siècle av. J.-C., un groupe social se détache de la masse par sa richesse. Comme en cette période, richesse et rang ne font qu'un, il est probable que ce groupe ait eu une influence décisive sur le développement culturel.

Dans le domaine des matériaux funéraires, on reconnaît nettement ce groupe par la présence dans les tombes de divers objets en or, notamment les torques typiques en feuille d'or, qui devaient être une sorte de signe distinctif des chefs. L'un des complexes les plus importants provient de Hundersingen, sur le haut Danube. Les riches sépultures de la localité, déjà fouillées vers 1870, furent alors définies comme "tombes princières", terme qui, bien entendu, ne servait pas à indiquer avec exactitude la condition sociale des défunts ; toutefois, cette définition a été conservée. On peut remarquer qu'à proximité de ces tombes ont été retrouvés des établissements fortifiés qui, de ce fait, sont indiqués comme "sièges princiers".

La plupart des "tombes princières" connues avaient déjà été fouillées au siècle dernier, à la recherche de précieux mobiliers funéraires, alors qu'après la Seconde Guerre mondiale les établissements auxquels elles étaient associées ont fait l'objet d'examens plus approfondis. Contrairement aux sépultures que l'on savait par avance contenir un mobilier avec de précieux objets destinés à la "survivance" du défunt dans l'au-delà, on pouvait ne s'attendre qu'à un matériel de hasard et pratiquement sans valeur : des os d'animaux, des fragments de récipients en terre cuite, de petits objets décoratifs. Toutefois, dans le cas d'une destruction violente, de grandes quantités d'objets encore intacts ont été conservées.

La Heuneburg et ses "princes" défunts

Les fouilles les plus étendues dans un "siège princier", commencées dans les années 50, ont été effectuées sur le site de Heuneburg, près de Hundersingen, qui se rattache aux riches tumuli funéraires déjà cités. La forteresse a été habitée durant toute la période hallstattienne récente et finale, c'est-à-dire pendant plus de cent cinquante ans. Après une première fortification du site conforme à la tradition locale, au cours du Hallstatt récent (Ha D1), on procéda de plus en plus à la construction d'un mur significatif en brique crue, bâti sur une fondation en pierre, avec des bastions carrés en saillie vers l'extérieur. Il s'agit d'un rempart de vastes dimensions, jusqu'alors sans égal en Europe centrale. Il est indubitable que ce genre de construction prit pour modèle les fortifications grecques et que les connaissances à ce sujet arrivèrent aux seigneurs hallstattiens par l'intermédiaire de la colonie grecque de Massalia, une fondation phocéenne près des bouches du Rhône, l'actuelle ville de Marseille. En revanche, les remparts de l'Italie du Nord, datant approximativement de la même époque, n'avaient pas de tours.

L'établissement dense à l'intérieur de la Heuneburg n'a pu être étudié de

*Carte
de répartition
des amphores
massaliotes*

manière approfondie que dans la partie méridionale. Ici, on n'a pas trouvé de
quartier résidentiel du groupe dominant, mais une zone destinée à la production métallurgique, avec des bâtiments disposés sur le terrain selon des
règles bien précises. A l'époque faisait partie de cette implantation un établissement extérieur dont l'étendue dépassait la zone fortifiée. Après environ
deux générations, tout le complexe fut détruit par un gigantesque incendie.

Au cours du Hallstatt final (Ha D2-3), le site fut fortifié selon une technique
répandue en Europe centrale, qui utilisait le bois, la pierre et la terre. Les
innovations furent nombreuses à cette époque. Puis cette seconde phase
de construction subit, elle aussi, une destruction violente, et la nouvelle
muraille fut abattue par un incendie. La réédification interne fut alors modifiée
dans ses plans, mais là non plus les fouilles n'ont révélé
aucune "demeure seigneuriale". Il est impossible d'établir
de manière certaine quelle était l'étendue de l'établissement
à l'extérieur des fortifications.

*Site du tumulus
de Magdalenenberg
près de Villingen
(Bade-
Wurtemberg)*

Des rapports étroits avec la colonie grecque de Massalia
sont révélés par des amphores à vin phocéennes et par la
poterie grise, elle aussi phocéenne ; les fouilles ont aussi livré
un certain nombre de fragments de poterie attique à figures
noires tardives. Certes, les liens avec le monde méditerranéen n'étaient pas uniquement le fait de Massalia.
Plusieurs objets importés ou qui imitaient ceux de Massalia,
provenant de l'Italie du Nord étrusque, appartiennent

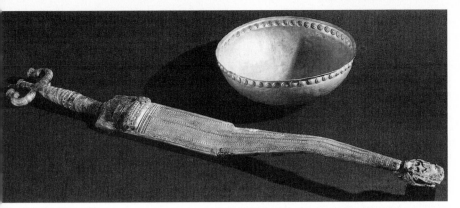

Poignard en fer recouvert d'une feuille d'or et coupe d'or provenant de la tombe princière d'Eberdingen-Hochdorf (région de Hohenasperg Bade-Wurtemberg) Seconde moitié du VIᵉ siècle av. J.-C. Stuttgart Württembergisches Landesmuseum

précisément à la dernière phase du Hallstatt. Les fouilles du site ont livré de nombreuses traces d'activités artisanales différenciées ; on travaillait aussi les matières premières étrangères provenant de lieux très éloignés, telles que l'ambre et le corail. De toute évidence, les "princes" avaient à leur service des artisans hautement spécialisés et des artistes.

Les trouvailles funéraires nous ont mieux renseignés sur le rôle tenu par les princes hallstattiens. La Heuneburg est entourée d'une couronne de grands tumuli funéraires qui se dressent isolés ou en groupes, parfois sur un terrain nu, ce qui les rend visibles de loin. Il est intéressant de noter que les "tombes princières" contenant des anneaux d'or appartiennent toutes au Hallstatt final. On ne trouve pas de sépultures ayant ce genre de symboles de classe dans la forteresse la plus ancienne avec son enceinte en brique crue. Ainsi, comment peut-on distinguer, dans cette période, les sépultures des membres de la classe dominante ?

Il est incontestable que dans les grands tumuli funéraires, renfermant de vastes pièces construites avec de grandes planches de bois, comme le tumulus de Hochmichele ou celui de Rauhen Lehen, étaient ensevelies des personnes appartenant au cercle des chefs. Examinons Hochmichele un peu plus en détail. La pièce centrale en bois a été saccagée, ce qui n'est pas rare pour le Hallstatt récent et final, et cela permet déjà de constater combien le mobilier funéraire était précieux. La galerie creusée par les anciens pilleurs de tombes a été identifiée dans toute sa longueur grâce à la présence de petites perles de verre dont le fil s'était cassé alors que celui qui les transportait y rampait. La vaste chambre centrale d'un autre grand tumulus de l'Allemagne méridionale, approximativement de la même époque, a aussi été saccagée ; il s'agit du Magdalenenberg, près de Villingen, aux confins orientaux de la Forêt-Noire. Les structures et autres objets en bois étaient parfaitement conservés grâce à la forte humidité du lieu. Dans cette chambre, on a trouvé trois bêches en bois abandonnées par les voleurs. D'après le calcul des cercles annuels de croissance du bois (on a donc effectué un examen dendrochronologique), il ressort que ces outils avaient été fabriqués quarante-sept ans, ou à peine plus, après la construction de la chambre. Nous avons donc là un élément valable permettant d'établir la date à laquelle les pilleurs ont pénétré dans la chambre, encore intacte à l'époque. Cela a également révélé que les défunts n'avaient trouvé la paix que pendant quelques années avant la visite des pilleurs. Dans un tumulus funéraire plus récent, tout proche de la Heuneburg, on a découvert les os d'un cadavre profané et jeté sur le bas-côté et dont la putréfaction ne s'était pas encore produite, si bien que les os étaient dans leur position anatomique originelle. Dans ce cas, doit-on supposer que le pillage a été contemporain de la seconde destruction de la forteresse ?

Mais revenons à la sépulture du Hochmichele. Très probablement, la grande chambre qui mesurait bien 5 mètres sur 3,50, était destinée à deux défunts. Du précieux mobilier funéraire, il ne restait que quelques résidus, tels un morceau de courroie d'or tressée dans une ceinture. Les murs de la chambre étaient tendus d'étoffe, et il n'y avait plus que de menus vestiges d'un char ayant fait partie du mobilier.

Outre un grand nombre de dépositions secondaires, avec des mobiliers funéraires plus simples, en partie des incinérations à même le sol, cuit par le brasier, ou des tombes avec des caisses en bois entourées de pierres, le Hochmichele contenait une seconde grande chambres, située de manière un peu excentrique par rapport au tumulus et que nous avons trouvée intacte. Dans ce cas aussi, les spécialistes ont découvert deux défunts, un homme et une femme, gisant l'un à côté de l'autre sur des peaux étendues à même le sol de la chambre. Leurs vêtements étaient fermés par des fibules dites à arc serpentant, forme typique de l'époque, présente également dans de nombreuses tombes simples. Fait remarquable, la femme ne portait aucun ornement sur la tête, ni torques ni bracelets ou autres bijoux, si ce n'est un long collier faisant plusieurs fois le tour du cou, et dont les éléments étaient en verre et ambre, qui la distinguait des autres défunts. On a aussi retrouvé un morceau de corail. L'homme portait un collier de fer, et sa ceinture était ornée d'une feuille plate en bronze, comme celles que portaient les hommes pendant tout le Hallstatt récent, et plus particulièrement encore les femmes, qui en avaient des exemplaires richement décorés. Un grand couteau complétait l'équipement de l'homme pour l'au-delà, outre un carquois rempli de flèches, faisant supposer un long arc ; de fait, à côté du mort on pouvait reconnaître une cordelette, sans doute le reste de la corde de l'arc. Il s'agissait probablement d'un équipement de chasse plutôt que de guerre. Le corps de la femme reposait sur un char à quatre roues, somptueusement orné de garnitures en bronze et en fer, une composante typique du mobilier des tombes de la classe dominante. Les défunts devaient être portés à leur dernière demeure sur le char, à l'instar de la tradition grecque, comme il ressort des vases à décorations géométriques tardives. Certains détails techniques de ces chars hallstattiens peuvent avoir été importés directement d'Italie, où les chars, toutefois essentiellement à deux roues, faisaient souvent partie du mobilier de riches défunts, si bien que dans ces deux cadres culturels nous nous trouvons face à

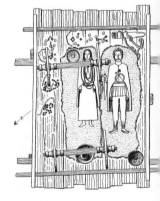

Reconstruction de la tombe à chambre n° VI à double déposition du tumulus de Hochmichele près de Heuneburg (Bade-Wurtemberg) Seconde moitié du VIᵉ siècle av. J.-C.

Bijoux et coupe d'or provenant de la tombe princière à char de Bad Cannstatt (Bade-Wurtemberg) VIe siècle av. J.-C. Stuttgart Württembergisches Landesmuseum

une similitude de conception. Outre le char, la chambre du Hochmichele contenait de nombreux récipients en bronze, un gros chaudron avec des attaches de poignées en fer et des anneaux pour le transport, un petit pot pour boire et une tasse qui, le long du bord, présente un double grènetis. Aux pieds de l'homme, on avait déposé une corbeille en osier, dont on retrouve encore les traces, qui devait contenir des fruits. Les grands chaudrons sont typiques des mobiliers des "tombes princières" du monde hallstattien occidental. On retrouve des récipients analogues aussi en Etrurie, d'où venait sans doute la coutume de déposer auprès du défunt un objet de ce genre avec son contenu. Même la tasse avec son bord à double grènetis trouve des équivalences dans l'Italie centrale, sans lesquelles les pièces au nord des Alpes seraient inconcevables. En revanche, le troisième petit récipient correspond, quant à sa forme, à des récipients hallstattiens en terre cuite, et il confirme l'existence d'une activité locale du travail du bronze d'un très haut niveau.

Pour conclure, deux mots à propos d'une autre trouvaille faite dans cette même tombe. Un reste de tissu appartenant au vêtement de la femme était brodé de fils de soie d'origine chinoise, ce qui mène immédiatement à la constatation que les seigneurs de la forteresse devaient, déjà à l'époque, entretenir des relations importantes avec des zones fort éloignées, au-delà de toute expectative. Ce qui confirme d'autant plus l'appartenance à la classe dominante des défunts ensevelis avec des objets de ce genre.

Le tumulus de Hochmichele a été exploré peu de temps avant la Seconde Guerre mondiale en suivant un programme de fouilles bien précis, ce qui explique qu'on ait pu en tirer des observations si nombreuses et si détaillées. Contrairement à ce qui s'est passé pour les tumuli funéraires plus récents des alentours de la Heuneburg, déjà ouverts au XIXe siècle. Parmi ces derniers on distingue surtout quatre grands tumuli : le groupe Giessübel-Talhau, construit juste à côté de la forteresse, au-dessus de l'établissement extérieur détruit, et qui remonte à l'époque de la muraille en brique crue. Dans ce cas

aussi, on a découvert au centre du tumulus de vastes chambres faites de grandes planches en bois avec, à côté, des sépultures plus tardives, placées dans le tumulus à un niveau supérieur, contenant des mobiliers funéraires moins somptueux, et pour finir des sépultures secondaires plus modestes. Des "lignées" entières trouvèrent donc ici leur dernier repos. Dans ces "tombes princières" ont également été trouvés des chars de parade, ainsi que de grands chaudrons en bronze et d'autres récipients du même métal, parmi lesquels des tasses ayant une simple bordure à grènetis. Il devrait s'agir, sans l'ombre d'un doute, d'objets importés d'Italie.

Tumulus avec stèle biface de Tübingen-Kilchberg (Bade-Wurtemberg), reconstruit dans l'état originel du VIe siècle av. J.-C.

Auprès des défunts de sexe masculin, des armes avaient été déposées, et plus précisément de nombreuses lances et des poignards. Ces derniers provenaient de l'industrie métallurgique locale et étaient d'un niveau difficile à atteindre en raison de la somptuosité de la fabrication et de la décoration. Dans le cas présent, il est impossible de les considérer comme de simples armes de guerre. Dans le cadre hallstattien occidental, on n'avait guère l'habitude de déposer auprès des défunts toute la panoplie des guerriers pour leur vie dans l'au-delà ; ces précieux poignards doivent plutôt être interprétés comme signes distinctifs du rang de l'homme, tant de son vivant qu'après sa mort. Pour l'archéologue, les poignards sont chronologiquement indicatifs du Hallstatt récent et final. Important est le fait qu'en Allemagne sud-occidentale, au cours de la première de ces phases, ils sont encore assez largement distribués, alors que plus tard on les trouve presque exclusivement dans les "tombes princières".

Dans la période finale (Ha D2-3), les fibules présentent de nombreuses variations. C'est l'ornement qui plus que tout autre subissait les fluctuations de la mode, et qui de ce fait, une fois encore, offre à l'archéologue des éléments très valables d'attribution dans le temps et l'espace. Auprès des fibules à arc serpentant les plus récentes, avec pied modifié, on trouve différentes formes de fibules "à tympan" avec pied décoré, des objets qui font tous partie du mobilier funéraire, aussi bien de tombes riches que d'autres plus modestes. Il n'est pas rare de trouver également du corail sur ce bijou. On a aussi d'autres ornements de ce même matériau, ajouté à l'ambre. Des éléments pour l'ornementation de la personne, des plaques pour ceintures, les bracelets, les anneaux de cheville et autres bijoux du même genre. Les bagues d'or, que l'on a trouvées plusieurs fois dans ces tumuli, doivent toutefois être interprétées exclusivement comme caractéristiques des "tombes princières", alors que les torques creux en or représentaient le signe distinctif des hommes.

La Heuneburg, avec les tumuli funéraires qui l'entourent, est le "siège princier" du Hallstatt récent et final le mieux étudié ; toutefois, il n'est pas isolé.

Hommes de haut rang du Hallstatt récent

En ce qui concerne le Hallstatt récent (Ha D1), d'autres centres présentent de riches tombes. Nous avons déjà mentionné le Magdalenenberg, près de Villingen. Il s'agit d'un imposant tumulus ayant plus de 100 mètres de diamètre et qui, à l'origine, avait 8 mètres de haut. Les dimensions de la chambre centrale, faite de troncs de chêne équarris, sont de 8 mètres sur 5 et d'environ 1,50 mètre de hauteur. La chambre était englobée dans un amas de pierres d'un diamètre de près de 30 mètres, sur lequel s'appuie le tumulus de terre où, au cours de brèves recherches collatérales, ont été découvertes cent vingt-six autres inhumations secondaires (à l'origine, elles devaient être environ cent quarante). Ainsi, également dans ce cas, toute une communauté a été ensevelie dans le tumulus, avec les défunts les plus importants déposés dans la grande chambre boisée. Malheureusement, comme nous l'avons déjà souligné, cette dernière avait été pillée, et seuls quelques objets épars, parmi lesquels les restes d'un char et des harnais de chevaux, révèlent que la nécropole appartient à l'époque de la fondation de la Heuneburg. En outre, le squelette d'un petit cochon indique que le défunt était accompagné d'offrandes alimentaires. Les ornements et les armes des sépulcres secondaires caractérisent bien le Hallstatt récent. Il convient de mentionner notamment une agrafe de ceinture, car il s'agit d'un objet typique provenant des régions septentrionales de la péninsule ibérique ; sans doute est-il arrivé en Allemagne sud-occidentale avec son propriétaire d'origine. Intéressante aussi est une plaque de ceinture décorée provenant d'une autre tombe : elle présente des rosettes pointillées imitant des produits d'origine grecque ou étrusque.

A 4 kilomètres du tumulus se trouve le *Kapf,* un établissement fortifié situé sur une hauteur. Les fouilles effectuées se sont toutefois limitées à de très petites surfaces. D'après les restes de poterie récupérés, on peut considérer l'établissement comme étant contemporain des sépultures du Magdalenenberg, d'où l'hypothèse d'une simultanéité entre l'établissement et le tumulus funéraire.

*Carte
de répartition
des chaudrons
en bronze
VIIe-VIe siècle
av. J.-C.*

Formes analogues ○

Néanmoins, pour ce dernier, nous manquons de trouvailles spécifiques indiquant qu'il s'agit d'une résidence "princière". Nous ne pouvons donc pas définir de manière claire le rapport entre la construction d'une forteresse de ce genre et ce qui représente certainement la plus grande structure funéraire d'un homme hallstattien appartenant incontestablement à la classe dominante.

Un autre exemple d'une riche déposition est constitué par le tumulus dit Heiligenbuck, près de Hügelsheim, dans la vallée du Rhin, à proximité de Rastadt, dont les fouilles ont été effectuées sans enregistrer de manière détaillée les observations faites. C'est une sépulture qu'on peut attribuer à une période un peu plus tardive ; dans ce cas aussi, le grand tumulus abritait une chambre boisée qui, malgré sa protection de pierres, avait elle aussi été pillée. D'après les rares objets qui restaient du mobilier, on a pu reconstruire la présence d'un char ainsi que d'un "service" en bronze : là encore, un grand chaudron et une tasse à double grènetis, analogues à ceux du Hochmichele, ainsi qu'un cruchon de production locale et une ciste dit "à cordon". Les armes de l'homme sont attestées par le fragment d'un pommeau de poignard. Une fibule à arc serpentant a aussi été conservée. Le mobilier important, le char et le "service" en bronze font aussi supposer qu'il s'agit de la sépulture d'un

*Carte
de répartition
des bassins en
bronze de type
Hochmichele (●)
de formes
analogues
avec bordure
à grenetis (○) et
des cruches à vin
en bronze (▲)
provenant
de la Grande
Grèce
VIIe-VIe siècle
av. J.-C.*

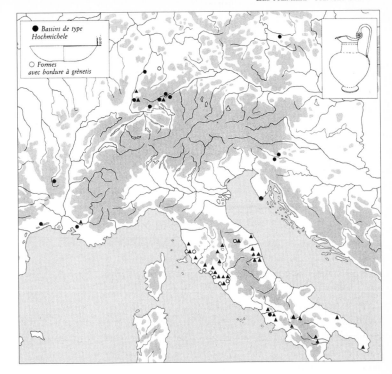

homme appartenant à la classe dominante de l'époque ; et de ce fait, on peut ici parler de "tombe princière".

La riche sépulture n'était pas du tout isolée : à seulement 800 mètres de distance, près du village de Söllingen, les fouilleurs du siècle dernier ont trouvé dans un autre tumulus un bracelet d'or ainsi qu'un torque de bronze, deux fibules à arc serpentant et une perle d'ambre. Le bracelet d'or distingue nettement la défunte des autres femmes. Dans ce cas, on n'a pas découvert d'établissement pouvant se rapporter aux sépultures.

Enfin, rappelons l'imposante trouvaille funéraire de Vilsingen, dans la zone de sigmaringen, à proximité du Danube, autre exemple typique de cette phase ; là non plus nous n'avons pas de documentation satisfaisante sur les fouilles effectuées au siècle dernier, et il ne nous est plus possible d'établir avec précision s'il s'agit d'un "ensemble" de trouvailles provenant vraiment toutes d'une seule et unique tombe, ou bien d'objets de diverses provenances confuses, ou encore s'il ne s'agit pas, par hasard, d'une double déposition. Néanmoins, il est certain qu'un char de parade avait été déposé dans le tumulus avec des décorations caractéristiques de l'époque, ainsi qu'un chaudron énéen, deux tasses typiques ourlées d'un double grènetis et autres récipients en bronze, parmi lesquels une cruche, probablement étrusque mais exécutée sur des modèles grecs.

Des cruches de ce genre sont nombreuses en Italie centrale, et jusqu'à présent, au nord des Alpes, elles sont représentées par deux autres exemplaires, associés à d'autres éléments du mobilier caractéristiques de cette période en Allemagne sud-occidentale.

Au siècle dernier, dans le proche voisinage furent mises au jour d'autres tombes dont les matériaux, parmi lesquels des éléments de char, ont été pour la plupart confondus. L'établissement relatif est peut-être l'Amalienfels, près d'Inzigkofen, hypothèse qui, toutefois jusqu'à présent, n'a été étayée que par quelques tessons hallstattiens trouvés en surface.

Presque toutes les fouilles sont d'ancienne date et mal documentées, et ce n'est qu'en des termes relatifs que l'on reconnaît une des constantes régulières dans les mobiliers de ces grandes tombes à chambre avec ornements précieux, des chars de parade et des services en bronze pour le banquet et le symposium. Pourtant, le rapport avec les établissements fortifiés semble caractéristique, sans qu'il soit néanmoins possible d'en définir clairement les termes. Il est intéressant de noter que les défunts de ce type, d'une position sociale certainement élevée, ne se trouvent en quantité qu'en Allemagne sudoccidentale, où les sépultures relatives étaient distribuées sporadiquement.

Les racines de ce développement plongent dans la phase la plus ancienne du Hallstatt, dans laquelle on trouve également des tombes à char avec de riches services pour symposium. Toutefois, ce qui caractérise particulièrement la période dont nous nous occupons, c'est l'apparition des forteresses, souvent accompagnée de la fondation de nouveaux établissements. On en a un excellent exemple avec la Heuneburg aux alentours de laquelle il manque des vestiges de la période la plus ancienne du Hallstatt. En outre, les contacts avec l'Italie prirent alors des dimensions bien différentes, comme on peut le constater dans le costume.

Comme en Italie, l'emploi de fibules pour fermer les vêtements se répand ; nous avons déja mentionné d'autres aspects. Ce cadre sera illustré de manière plus exacte d'après les informations relatives aux transformations économiques et les aspects qui y ont trait.

Au cours du Hallstatt récent (Ha D1), les structures politiques et sociales que nous avons mentionnées furent de courte durée. Quant à la Heuneburg, cette époque se termina par un gigantesque incendie. L'établissement suivant, appartenant au Hallstatt final, présente des fortifications d'un autre type, ainsi qu'une structure urbaine et d'autres aspects

divers. L'aire de l'établissement extérieur, par exemple, est maintenant utilisée pour une nécropole. De même, d'autres centres de l'Allemagne sud-occidentale disparaissent. Le pouvoir, tel qu'il est illustré dans les forteresses et dans les tombes, est concentré sur quelques sites seulement, dont les débuts remontent essentiellement au Hallstatt final (Ha D2-3).

Carte
de répartition
des tombes à char
de la phase
hallstattienne
moyenne

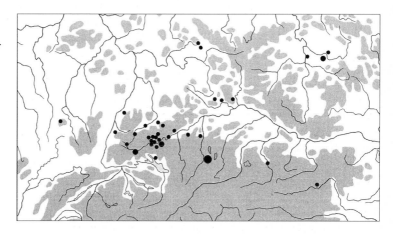

L'or des "princes" du Hallstatt final

Un nouveau centre se forme à proximité de la Heuneburg, près du Hohenasperg, dans le district de Ludwigsburg (Wurtemberg septentrional). Le Hohenasperg est une hauteur isolée qui a incontestablement abrité un "siège princier", même si les traces protohistoriques ont pratiquement été effacées par la ville médiévale et par la forteresse de la Renaissance. Ce qui plaide en faveur d'une telle hypothèse est la présence de plusieurs "tumuli funéraires princiers" disposés en une vaste couronne autour de la colline.

La sépulture la plus ancienne de l'ensemble est la tombe, parvenue intacte jusqu'à nous, d'Eberdingen-Hochdorf, laquelle fut explorée de manière systématique en 1978-79. Le grand tumulus contenait une double chambre à revêtement en bois, dont l'intérieur mesurait 4,70 × 4,70 × 1,20 mètre. Le sol était recouvert de tissus, et d'autres étoffes étaient tendues sur les murs, unies par des fibules en bronze. Le long d'un des murs, il y avait un sofa en bronze, sur lequel était déposée la dépouille du mort, dont la tête reposait sur un coussin rempli d'herbes ; certaines parties du vêtement ont été conservées, ainsi que des tissus et des peaux qui le recouvraient ; un couvre-chef conique en écorce de bouleau doit certainement être interprété comme une sorte de signe distinctif social. Le rang du défunt est révélé notamment par le typique torque d'or. Dans un sac, on a trouvé des objets de toilette et trois hameçons de pêcheur. Un carquois avec des flèches était suspendu au mur, au-dessus de lui. Le mort portait aussi un poignard dont la partie supérieure était recouverte d'or ; cet objet serait aussi un signe distinctif. La ceinture et les souliers à pointe recourbée étaient également recouverts d'or. En outre, on a trouvé un large bracelet d'or et deux fibules du même métal. Comme l'attestent les restes d'atelier trouvés dans le tumulus, les parures en or – à part le torque – furent exécutées expressément pour le mobilier funéraire. Le sofa, très insolite dans le milieu hallstattien, est pourvu d'un dossier dont la forme rappelle celui des chaises étrusques. L'allusion la plus valable à une localisation est constituée par les détails de décoration de ce même dossier, qui se réfère certainement à la région du sud des Alpes ; il est loisible de supposer une importation de ce meuble somptueux ou, plutôt, la présence d'un artisan étranger dans cette zone. En outre, la tombe contenait un char de parade et un "service" de banquet et de symposium : neuf cornes à boire étaient suspendues au mur de la chambre, et sur le char il y avait neuf assiettes en bronze et trois grands plateaux de ce même métal. Un banquet funèbre pour neuf personnes avait donc été préparé. En revanche, la boisson – l'analyse a révélé qu'il s'agissait d'hydromel – était contenue dans un chaudron gréco-énéen, sur le bord duquel reposent trois lions. Deux d'entre eux sont indubitablement d'origine méridionale alors que le troisième est une imitation exécutée par un artiste local. Par la suite, sur l'épaule de ce même chaudron ont été appliquées de manière assez grossière, avec des clous en fer, trois anses ayant appartenu, de façon évidente, à un autre récipient importé en bronze. Il y avait, en outre, auprès de ce bassin, une tasse (à libation ?). D'après la liste de ce mobilier extrêmement important, il ressort qu'il s'agissait incontestablement du mobilier hallstattien le plus riche parvenu jusqu'à nous. Quant aux fibules qui retenaient les étoffes tendues sur les murs de la chambre, ce sont des fibules à arc serpentant et une fibule "à tympan", en fonction desquelles il a été possible de dater l'ensemble à la phase de transition du Hallstatt final. Il est impossible d'établir de manière univoque le rapport pouvant exister entre cette tombe et l'hypothèse du "siège princier" sur le Hohenasperg, situé à environ 9 kilomètres. Ici aussi se pose la question de savoir si la résidence des "princes" devait être ou non dans un établissement fortifié : ne peut-on supposer qu'un siège de ce genre ait pu se présenter sous

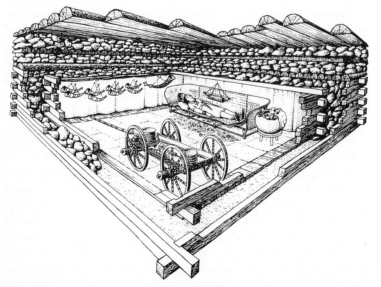

Reconstruction de la sépulture princière à char sous le tumulus d'Eberdingen-Hochdorf (région de Hohenasperg Bade-Wurtemberg) Seconde moitié du VIe siècle av. J.-C.

Détail de la décoration du dossier du lit en bronze de la tombe princière d'Eberdingen-Hochdorf (Bade-Wurtemberg) Seconde moitié du VIᵉ siècle av. J.-C. Stuttgart Württembergisches Landesmuseum

quelque autre forme ? Une question restée jusqu'à présent sans réponse satisfaisante. D'autres riches tombes des alentours avaient malheureusement déjà été partiellement pillées à des périodes anciennes, ou bien fouillées autrefois de manière fort peu systématique. Nous nous arrêterons ici sur une découverte qui remonte aux années 60.

Il s'agit du Grafenbühl, juste au pied du Hohenasperg. Les pilleurs de l'Antiquité ont laissé si peu de choses du mobilier funéraire de la tombe centrale qu'il est désormais bien difficile d'avancer une hypothèse quant à l'importance de la richesse de ce complexe. Quelques fils d'or du vêtement du défunt font supposer une étoffe de brocart. De la ceinture, recouverte d'or, il ne reste plus que l'agrafe ; il y a aussi deux fibules plaquées d'or, ce qui laisse supposer que l'or passé aux mains des pilleurs devait être très abondant. Ici aussi, le mobilier funéraire comprenait un char de parade, un "service" pour symposium et banquet, qui n'est attesté toutefois que par un fragment de chaudron, et un trépied importé du Sud avec des éléments de support en fer sur pattes de lion en bronze qui, placé dans la chambre basse, s'était enfoncé dans le sol. A l'époque du pillage, le fer était tellement corrodé qu'en sortant de la tombe deux pieds se sont cassés et sont restés dans la terre. L'aspect du trépied nous est révélé par un exemplaire fort bien conservé, provenant d'une autre "tombe princière" datant à peu près de la même époque, celle de La Garenne/Sainte-Colombe près de Châtillon-sur-Seine.

La trouvaille la plus surprenante est celle de la décoration en os et ivoire d'un lit marqueté de palmettes et d'autres éléments décoratifs d'ambre. Sans aucun doute, cette *kliné* (lit de table) a été importé du milieu grec. On en trouve un équivalent provenant d'une tombe de la nécropole du Céramique, à Athènes. Un meuble de ce genre était fort apprécié par les "princes hallstattiens", si bien que, grâce aux fragments qui ont permis une bonne reconstruction du lit du Grafenbühl, on a pu retrouver des lits de ce type parmi les rares vestiges de deux autres tombes, l'un provenant d'un des "tumuli princiers" les plus récents de la Heuneburg, l'autre de celui dit Römerhügel, également situé à proximité du Hohenasperg. En outre, il reste deux sphinx, l'un en ivoire, l'autre, parvenu intact jusqu'à nous, en os, dans lequel est incrusté un visage d'ambre. Deux grands clous, enfoncés dans les ailes et munis d'une tête d'or, attestent qu'un artiste hallstattien les a réutilisées pour décorer un objet non mieux identifié. Une hypothèse a été avancée, selon laquelle ces intailles en relief proviendraient d'un atelier de l'antique Tarente. On a aussi un disque en ivoire, peut-être le reste d'un manche de miroir, un ouvrage oriental pouvant être d'origine syriaque.

Même si ces objets d'importation remontent à la fin du VIIe-première moitié du VIe siècle, d'après l'ensemble des fibules à pied décoré, la sépulture ne daterait que de la fin du Hallstatt tardif, vers 500 av. J.-C. ; ces précieux objets ont donc été conservés bien plus longtemps. Il convient également de rappeler un autre tumulus funéraire du Wurtemberg septentrional, qui toutefois ne contenait que de modestes vestiges et qui se dresse à une plus grande distance du Hohenasperg. C'est le tumulus de Hirschlanden, dans la région du Leonberg, où l'on a conservé, exceptionnellement, une stèle en pierre, comme celles qui, très probablement, couronnaient de nombreux tertres. L'image, une figure grandeur presque nature, est celle d'un homme en nudité héroïque avec phallus en érection. Sur la tête, il porte un casque ou un chapeau conique, semblable à celui du défunt de Hochdorf. De la tombe voisine "princière" 2 de Stuttgart-Bad Cannstatt proviennent des restes du même genre, signe évident de position sociale. On doit interpréter de manière analogue le torque lourd, qui fait incontestablement allusion à un objet d'or, et le poignard. Impossible d'établir avec précision si le visage de l'homme était masqué. Il s'agit certainement de l'image d'un défunt héroïsé, orné des insignes typiques d'un "prince". Quant à l'aspect formel, il s'inspire des modèles étrangers, et plus précisément de la plastique italique, telle qu'on la connaît dans les Abruzzes, ou même de Nesazio en Istrie.

Nous avons déjà dit qu'en Allemagne sud-occidentale le nombre global de centres pouvant se rattacher à la classe dominante semble diminuer par rapport à l'époque précédente. En revanche, la richesse des mobiliers funéraires en or et des biens de luxe importés du monde méditerranéen augmente. Christopher Pare a interprété le phénomène comme une "concentration du pouvoir".

Dans les établissements, les céramiques attiques et les amphores à vin appartiennent, pour la plupart, à cette phase tardive et attestent, elles aussi, l'augmentation des relations avec le Sud. Tandis que les complexes équivalents de découvertes de la période précédente se limitaient presque exclusivement à l'Allemagne sud-occidentale, au cours du Hallstatt tardif ils se répandent au-delà de cette zone, en direction est, nord et ouest. La carte des tombes à char et celle des trouvailles en or, qui appartiennent pour la plupart uniquement à cette période tardive, en sont la preuve. Un torque d'or typique provient d'Uttendorf, en Haute-Autriche. Désormais on connaît aussi des tombes à char dans la basse vallée de la Meuse. Le long du cours supérieur du Rhin et

en Suisse occidentale, dans des centres qui se forment durant cette phase, on trouve des tombes avec des chars et des torques d'or.

Quant à l'Alsace, il suffit de rappeler Hatten et Ensisheim et, pour la Suisse, les tombes de Allenlüften et de Hermrigen dans le canton de Berne, de Châtonnay dans le canton de Fribourg et de Payerne dans le canton de Vaud. Des "sièges princiers" avec des biens d'importation méditerranéenne ont été reconnus, entre autres, sur le Münsterhügel près de Breisach ou bien à Châtillon-sur-Glâne.

Dans la France orientale, on connaît maintenant des complexes archéologiques aussi riches que ceux de l'Allemagne sud-occidentale, et il suffit de rappeler les tombes avec des torques d'or d'Apremont, de Mercey-sur-Saône et de Savoyeux, toutes dans la Haute-Saône.

L'exemple le plus significatif est sans aucun doute fourni par l'établissement du mont Lassois, à proximité de Châtillon-sur-Seine, avec les tombes voisines "princières" de Vix, Sainte-Colombe et probablement Cerilly. L'établissement du mont Lassois, une hauteur isolée dans la vallée de la Seine, remonte au passage du Hallstatt récent au Hallstatt final. Les tombes ont restitué de nombreux fragments de poterie grecque de haute qualité, précisément attique à figures noires, ainsi que, et tout aussi typique, de la poterie grise au tour provenant de Massalia, et des amphores à vin de même origine. Les recherches ne fournissent pas un cadre très clair en raison du mauvais état du terrain, mais nous pouvons néanmoins affirmer qu'il s'agit d'un établissement comparable à celui, plus récent, de la Heuneburg.

On a déjà cité le trépied de la "tombe princière" de La Garenne/Sainte-Colombe, auquel se réfère un chaudron à protomés de griffons. Il s'agit vraisemblablement d'un travail étrusque. Mais le meilleur exemple de riche mobilier funéraire d'une femme de classe sociale supérieure nous est offert par la tombe de Vix, découverte en 1952 ; la femme était somptueusement parée, et il convient d'accorder une attention particulière au lourd torque d'or orné de petits chevaux ailés, ouvrage évident d'un artiste qui s'est formé au sud. Cette défunte était, elle aussi, accompagnée d'un char. Mais il faut surtout signaler le précieux service pour banquet et symposium, de provenance partiellement grecque et partiellement étrusque. Ce qui suscite toutefois le plus grand étonnement est l'énorme cratère en bronze, le plus grand de l'Antiquité.

Les cartes de répartition des tombes à char permettent de conclure que, du moins en partie, la poussée à la dilatation du cadre hallstattien final est venue du territoire allemand sud-occidental, où peuvent s'être créées des formes de stratification sociale, voire peut-être de pouvoir politique, qui ont déterminé le cadre de la période la plus tardive. Il s'agit probablement d'un événement complexe présentant bien des facettes. S'il est vrai que l'ensemble paraît devoir se situer dans un horizon chronologique unitaire, il est certain, d'autre part, que l'articulation du matériel archéologique dans l'espace propose des associations répétées d'objets déterminés, qui sont de ce fait considérés comme contemporains et qui sont également présents dans d'autres associations. Ainsi, nous classons le matériel disponible en niveaux chronologiques, bien que souvent il faille tenir compte de développements complexes, avec des combinaisons croisées entre elles en des termes très divers.

Le cadre temporel

Les limites temporelles précises des événements que nous avons mentionnés se prêtent toujours à être déterminées au mieux par les objets importés du monde classique, même si, comme nous l'avons déjà dit, les objets en question étaient souvent longuement conservés avant d'être déposés dans la tombe. Les objets les plus anciens remontent au VIIe siècle av. J.-C., et les plus récents au début du Ve. Le chaudron de la tombe de Hochdorf, représentatif du début du Hallstatt final, pourrait avoir été fabriqué en 540-530 av. J.-C. Partant de ces valeurs, on ne peut qu'avancer l'hypothèse de la situation dans le temps des produits indigènes qui l'accompagnaient et de l'époque de leur déposition dans la tombe. Lorsque le bois est bien conservé, on peut établir la période de la construction d'un établissement en se basant sur le calcul des cercles annuels. Malheureuseuement, et précisément en ce qui concerne l'époque du Hallstatt, nous ne disposons jusqu'à présent que de très rares analyses. La meilleure découverte nous est offerte par le Magdalenenberg, près de Villingen, dont la chambre centrale en bois permet de remonter au Hallstatt récent. Les troncs de chêne employés

pour la construction sont maintenant datés par la dendrochronologie de 622 av. J.-C.

Fragments de statues de pierre provenant de Nesazio Pola, Archeološk Mușej Istre

Les rapports avec le Sud

Les objets de luxe provenant du monde classique que nous trouvons dans les tombes hallstattiennes ne constituent qu'un petit choix des biens de prestige. Ceux-ci sont indicatifs, plus que d'un commerce évoluée, d'une provenance, comme dons arrivés jusqu'aux mains de la catégorie dominante hallstattienne, aux fins d'obtenir des avantages par l'échange de cadeaux. Au sud, un point de rayonnement de liens de ce genre était la colonie grecque de Massalia, l'actuelle ville de Marseille, fondée vers 600 av. J.-C., à proximité de l'embouchure du Rhône, par des Phocéens provenant de l'Asie Mineure. Par la suite, d'autres petites sous-colonies grecques prirent naissance sur la côte de la France méridionale, où il se produisit également une intégration avec la population indigène, en d'autres termes, une forte grécisation de la zone. Déjà vers la fin du VIIe siècle et dans la première moitié du VIe siècle av. J.-C. on trouve dans cette région de grandes quantités de produits étrusques. Peu après le milieu du VIe siècle av. J.-C., il y eut de fortes frictions, et par conséquent un partage des zones d'influence grecque et étrusque.

Au cours de cette période tardive, ces liens sont attestés notamment par des fragments d'amphores à vin massaliotes, peut-être une indication précoce de la proverbiale tendance à boire des Barbares celtes, documentée par des témoignages plus tardifs. Le fait que les habitants de l'Europe centrale aient fait leur entrée assez tôt dans la sphère grecque, au-delà de la vallée du Rhône, est déjà confirmé par la première muraille en brique crue de la Heuneburg, rempart dressé vers 600 av. J.-C., et qui dérive sans équivoque, et comme il a déjà été souligné, des fortifications grecques.

Les contacts de l'espace hallstattien avec l'Etrurie sont encore plus anciens. Toutefois, au VIIe siècle et dans la première moitié du VIe siècle av. J.-C., l'Italie septentrionale, avec ses groupes culturels régionaux, s'était insérée, véritable filtre, entre les deux territoires ce qui n'a pourtant pas empêché un échange culturel animé qui, sans aucun doute, présente dans bien des traits les caractères estompés de cette zone intermédiaire.

Ce n'est que dans la seconde moitié du VIe siècle av. J.-C. que commença une pénétration des Etrusques centro-italiques, appartenant à une civilisation beaucoup plus développée, en direction du nord, au-delà des Apennins ; à ce propos, il suffit de rappeler Bologne, l'Etrusque Felsina et d'autres centres mineurs, parmi lesquels des villes portuaires telles que Adria et Spina, peuplées également par des Grecs. Le commerce et la production de biens de

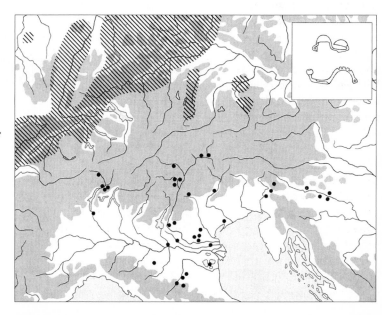

Carte
de répartition
de deux types
de fibules
hallstattiennes
de la fin
du VIe-début
du Ve siècle
av. J.-C.
La principale zone
de diffusion
au nord de Alpes
est indiquée
par des hachures

grande valeur, dans ces villes assez proches du monde hall-stattien, impliqua une recrudescence de l'activité d'échange, et des récipients étrusco-énéens restitués par les "tombes princières" déjà citées de Hatten, Conliège, Mercey-sur-Saône, Vix et autres en sont un témoignage éloquent.

On est frappé par le fait que ce soit surtout du matériel découvert dans la France actuelle qui mette en évidence ces contacts. Dans la direction opposée, presque comme une réponse à l'arrivée des biens de luxe au nord, au-delà des Alpes, en Italie du nord et en partie aussi dans les villes étrus-ques, on a trouvé des fibules typiques du hallstattien tardif. Néanmoins, les fibules ne constituent pas un "bien commercial", et il serait plus exact de supposer que ceux qui les portaient étaient arrivés en Italie provenant de l'Europe centrale. A ce propos, il est difficile de croire à une invasion militaire ; la découverte de matériels toujours isolés dans le cadre de cultures étrangères laisse plutôt présumer une cer-taine mobilité de personnes avec des rencontres qui rappro-chent toujours davantage le monde hallstattien du Nord de l'Italie. Comment ces contacts se rattachent-ils aux autres cultures antiques présentes dans l'espace intermédiaire de l'Italie centrale?

Il est bien évident que les habitants hallstattiens de l'Europe centrale entretenaient aussi d'autres rapports, par exemple avec les régions du nord dont ils recevaient de l'ambre. Qu'ils se soient également procuré de la soie d'Extrême-Orient, nous l'avons déjà constaté à propos d'un résidu de tissu du Hochmichele.

Il existait aussi des contacts avec la péninsule Ibérique qui, à l'époque plus ancienne, disposait d'importantes réserves de métaux précieux, ce qui, par conséquent, avait donné lieu à une production artistique. Le large bracelet d'or avec cinq cordons décorés provenant de la tombe de Hochdorf trouve un bon équivalent dans un torque d'or du trésor d'El Carambolo (Séville). De même, des ouvrages en or prove-nant des "tombes princières" voisines du mont Lassois sont comparables à d'autres, fabriqués au sud des Pyrénées. Toutefois, dans l'ensemble, tous ces liens ne semblent avoir eu qu'une influence limitée sur les développements culturels de l'Europe centrale. Il en va tout autrement des rapports avec le monde méditerranéen. Nous avons déjà mentionné le fait que ces relations, au début du Hallstatt récent, ont eu pour effet une transformation du costume. Les vêtements sont maintenant fermés non plus par de grosses broches mais par des fibules, dont les formes rappellent sans équivo-que le milieu italique. Avec le Hallstatt final, l'évolution des

Dans la colonne de gauche des motifs provenant d'objets hallstattiens décorés au repoussé et à droite leurs prototypes sur des céramiques et des bronzes d'Este Padoue et Bologne. En bas, cerf d'un vase de bucchero étrusque

fibules prend un aspect plus particulier. Toutefois, certains détails, tels que les incrustations de corail dans l'arc, attestent l'existence dans cette phase de tendances de la mode analogues au nord et au sud des Alpes.

De même, dans cette phase tardive, le symbolisme de l'oiseau aquatique revient sous forme de tête de canard pour orner des fibules dans le cadre hallstattien occidental.

En ce qui concerne les motifs imprimés sur les plaques richement décorées des ceintures, les contacts transalpins ressortent de manière bien évidente. Dans ce cas, il ne s'agit pas de simples éléments décoratifs, car on a également des représentations figuratives, et il est intéressant de noter qu'elles remplacent d'autres symboles traditionnels ; il y a des images d'animaux et d'êtres humains, ces derniers de face, jambes écartées, avec les pieds tournés vers l'extérieur, comme ceux que l'on voit sur la céramique de Bologne à décor moulé. Parmi les animaux est présent le cerf, qui marche à pas lent, la tête bien relevée et les andouillers à l'arrière, parallèles au dos. Il n'est pas rare de voir encore une plante qui lui pend de la gueule. Nous avons ici un schéma iconographique caractéristique pour le début de l'orientalisant en Etrurie, dont dérivent les modules rapetissés et moulés.

Le cadre hallstattien adopte aussi les innovations techniques. Il suffit de citer, comme exemple du Hallstatt final, l'introduction du tour de potier. Il est important de remarquer que la poterie produite au tour, de haute qualité, n'a été jusqu'à présent trouvée que dans les "sièges princiers", sur le site de la Heuneburg, à Châtillon-sur-Glâne ou sur le mont Lassois : une situation dont nous pouvons déduire que ces techniques avancées étaient liées à la classe dominante, à même d'avoir à son service des artisans spécialisés et de contrôler le commerce sur de grandes distances.

D'autres découvertes avaient également confirmé que, notamment dans le milieu des "princes", s'était constituée une tradition artisanale de haut niveau ; il suffit de rappeler les produits d'orfèvrerie. Il convient aussi de citer d'autres témoignages fort éloquents : à propos de la tombe de Hochdorf, on a déjà attiré l'attention sur le fait que, sur le grand chaudron, les deux lions grecs étaient accompagnés d'un troisième lion, exécuté par un artiste hallstattien. Du point de vue technique, il s'agit d'un chef-d'œuvre nettement supérieur, quant à l'exécution, aux deux pièces importées. Pour ce qui est de la forme, en revanche, la tentative d'imiter les modèles grecs n'est guère réussie. Il manque une stylisation qui puisse être évaluée de manière positive et laisse transparaître une intervention artistique autonome et sûre.

Nous avons déjà vu que l'insolite sofa de la tombe de Hochdorf ne peut que dériver de meubles d'origine italique, comme l'atteste la décoration du dossier. En revanche, pour les éléments portants – huit figures de femme placées sur les roulettes, ce qui permettait de déplacer le meuble vers l'avant ou l'arrière –, une origine d'Europe centrale est probable. La question a déjà été soulevée, dans ce cas spécifique, de savoir s'il ne s'agirait pas d'un artiste étranger qui travaillait sur place, au service du "prince" de Hochdorf.

Une matrice pour fusion de la Heuneburg avait servi à produire, sur imitation d'une cruche étrusque, les attaches à tête de satyre. Du fait que la matrice avait certainement été fabriquée avec de l'argile locale, nous pouvons supposer l'intégration ou la reconstruction de produits méditerranéens qui, une fois encore, font ressortir la tendance de l'artisanat local à reprendre des modèles étrangers.

Tout cela prouve combien les commanditaires de la classe dominante hallstattienne appréciaient les produits du monde classique. Dans ce contexte, il convient de rappeler à nouveau le rempart de brique crue de la Heuneburg qui, avec des tours sur modèle grec, avait non seulement une valeur défensive importante, mais aussi et incontestablement de remarquables fonctions de représentation.

Nous avons plusieurs fois attiré l'attention sur divers objets d'importation particulièrement prestigieux provenant des "tombes princières", de même que sur des traces de marchandises de luxe dans les établissements, par exemple des fragments de coupes grecques, des récipients pour le mélange de vin et d'eau, et des amphores à vin. Dans ce cas aussi, il faut tenir compte d'autres facteurs, à savoir d'une adaptation sûre à des coutumes méditerranéennes relatives à la boisson. Nous en avons la preuve dans la poterie locale produite au tour, dans laquelle figurent de nouvelles formes de pots, qui étaient jusqu'alors étrangères au monde hallstattien, par exemple des cruches sur modèle grec ou étrusque.

Fibule en bronze en forme d'oiseau de la tombe n° 70/ d'Heisfeld Dürrnberg près de Hallein (Salzbourg) Vᵉ siècle av. J.-C. Hallein Keltenmuseum

Les Celtes de Golasecca

Raffaele Carlo De Marinis

Depuis que, dans les années 60 et 70 du siècle dernier, les recherches scientifiques sur la culture de Golasecca ont été entreprises, les spécialistes n'ont pas manqué de formuler des hypothèses d'attribution ethnique, une tâche loin d'être simple car, pour ce qui est de l'espace géographique intéressé par la diffusion de cette culture, les sources anciennes ne sont ni riches ni très explicites. L'orientation des archéologues s'est immédiatement polarisée sur deux hypothèses schématiquement opposées : certains reconnaissaient dans les porteurs de la culture de Golasecca des populations celtiques, d'autres y voyaient des populations ligures de souche méditerranéenne antérieures à la grande invasion gauloise du IVe siècle.

Parmi les défenseurs de la première thèse, citons le linguiste Bernardino Biondelli, à qui l'on doit la publication de la tombe de guerrier découverte à Sesto Calende, Alfonso Garovaglio, les experts français Alexandre Bertrand et Salomon Reinach, et, parmi les partisans de la seconde thèse, en premier lieu Pompeo Castelfranco et Luigi Pigorini.

Carte des découvertes de la culture de Golasecca (IXe-Ve siècle v. J.-C.) En hachures es zones aménagées proto-urbaines de Sesto Calende-Golasecca-Castelletto Ticino et de Côme

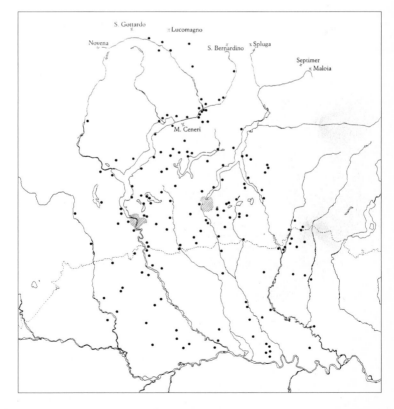

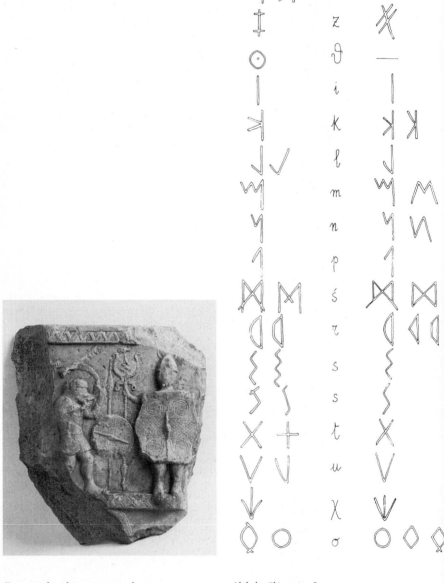

Fragment de stèle en pierre avec figures
provenant de Bormio (Sondrio)
Vᵉ siècle av. J.-C.
Côme, Museo Civico Archeologico Giovio

Alphabet "lépontique"
de la culture de Golasecca
A gauche : alphabet du VIᵉ- Vᵉ siècle
A droite: alphabet du IIIᵉ-IIᵉ siècle

L'attribution aux Ligures a généralement été acceptée et partagée par la suite, même par des spécialistes tels que Randall Mc Iver, Giovanni Patroni et Pia Laviosa Zambotti.

Néanmoins, même les tenants de la thèse ligure ont fréquemment adopté des positions plus nuancées, avec des motivations très diverses que nous ne jugeons pas nécessaire d'examiner dans le détail. En 1892 déjà, Pigorini avançait l'hypothèse qu'il s'agissait de populations celtiques et non ligures, alors que Castelfranco exprimait l'opinion que les Golasecciens n'étaient autres que les Insubres, une population celto-italique installée depuis longtemps dans le territoire du Tessin, quand eurent lieu les premières invasions gauloises de l'époque historique. Patroni aussi soutiendra que dans la race ligure, vaste et largement répandue, les populations de Golasecca constituait un *"ethnos* particulier et localisé, avec sa propre individualité" à identifier avec les Insubres ; et Laviosa Zambotti, qui en un premier temps avait souligné l'importance de l'*ethnos* ligure dans la culture de Golasecca, admettra plus tard de devoir examiner la possibilité de sa transformation lente en *ethnos* celtique.

Entre-temps, une documentation épigraphique devenait peu à peu disponible pour une partie du territoire intéressé par le phénomène culture de Golasecca, qui, bien que limitée, peu fructueuse et tardive (IIe-Ier siècle av. J.-C.), constituait un point de repère inévitable pour aborder ce problème. Les inscriptions dites lépontiques, rédigées dans l'alphabet de Lugano et réunies organiquement dans un corpus par Joshua Whatmough (1933), présentaient, avec des éléments d'une couche non indo-européenne attribuée au Ligure, de nombreux éléments indo-européens, et pour cette raison on avait l'impression de reconnaître une langue dans laquelle le processus d'indo-européisation n'était pas encore complètement affirmé et on avait donc créé pour ces populations l'étiquette de "Celto-Ligures", qui trouvait des correspondances dans certaines sources antiques (Strabon, VI, 6-3).

Comme on le sait, on doit à Devoto la définition d'une couche indo-européenne singulière, appelée lépontique, qui aurait constituée le premier processus d'indo-européisation du monde ligure, et certains spécialistes ont proposé de rattacher ce phénomène à la culture de Canegrate et à celle de Golasecca, qui en constitue le développement ultérieur dans l'Age du Fer. Le concept de lépontique a pris peu à peu des significations diverses, se rattachant toujours plus aux inscriptions rédigées dans l'alphabet de Lugano et répandues notamment dans la région de Côme, dans le Val d'Ossola et dans le canton du Tessin. M. Lejeune a pu établir l'appartenance de cette langue à la famille des langues celtiques, tandis que les phénomènes phonétiques qui constituaient la singularité du lépontique de G. Devoto, et qui ne sont documentés qu'au niveau onomastique et toponomastique, doivent être attribués au ligure.

Les développements de la question lépontique dans le domaine linguistique ont tardé à se répercuter sur le problème ethnographique de la culture de Golasecca en raison de la conviction erronée qu'aucune inscription lépontique n'était antérieure au IVe siècle av. J.-C., et que l'inscription de Prestino présentait même, quant à la graphie, des innovations par rapport au plus ancien alphabet de Lugano. S'il en avait été ainsi, rien n'aurait empêché de voir dans

la "gallicité" des inscriptions "lépontiques" un reflet de l'installation des Gaulois dans la plaine du Pô à la suite de l'invasion de 388 av. J.-C.

Mais il n'en était pas ainsi. Au cours des dix dernières années, grâce à la révision des contextes des anciennes découvertes et grâce aux nouvelles trouvailles dans l'habitat protohistorique des alentours de Côme et à Castelletto Ticino, des témoignages évidents se sont accumulés, selon lesquels les inscriptions lépontiques les plus anciennes remontent au IVe et au Ve siècle av. J.-C. et doivent être rattachées aux populations de la culture de Golasecca. Actuellement, on peut distinguer deux alphabets, l'un plus ancien, du VIe-Ve siècle, l'autre plus récent, datable du IIIe-Ier siècle av. J.-C. Le premier est caractérisé par la présence du digamma et du thêta pointé ainsi que par la lettre A avec une barrette transversale qui unit les deux tiges de gauche à droite, comme dans l'alphabet étrusque. Dans l'alphabet le plus récent, le digamma ayant disparu, la lettre A ressemble désormais à un digamma plus ou moins incliné. Dans les deux alphabets, trois signes coexistent pour les sifflantes : sigma à quatre traits, sigma à trois traits et san à papillon. La disparition du digamma doit avoir eu lieu assez tôt car dans une inscription gravée sur une *Schnabelkanne* en bronze provenant de Giubasco, de fabrication locale et datable de la seconde moitié du IVe siècle av. J.-C., la nouvelle graphie du A est déjà attestée. Les inscription du IVe et IIIe siècle av. J.-C. sont très rares, et de ce fait les deux groupes de témoignages épigraphiques "lépontiques" sont séparés par un laps de temps assez long.

Le fait que les populations de Golasecca du IVe et Ve siècle av. J.-C., c'est-à-dire des deux périodes G. II et III A, parlaient un dialecte de type celtique étant acquis, on peut s'interroger sur la date d'introduction dans l'Italie nord-occidentale de ce dialecte: a-t-elle eu lieu vers l'an 600 av. J.-C. ou à une époque plus ancienne ? Le premier cas confirmerait l'information de Tite-Live (V, 34) sur une première invasion gauloise *Prisco Tarquinio Romae regnante*. Certains sont enclins à reconnaître dans les influences hallstattiennes décelables à Golasecca vers la fin du VIIe et le début du VIe siècle la preuve d'une immigration de populations celtiques. La documentation décisive dans ce sens serait fournie par les deux tombes de guerrier de Sesto Calende.

D'autres soutiennent que la documentation archéologique ne présente aucune césure dans la continuité du développement culturel, en particulier entre le VIIe et le VIe siècle, et par conséquent rien ne justifierait l'hypothèse d'une immigration de populations transalpines à ce moment-là. Ainsi, le dialecte cel-

Char provenant de la Ca' Morta (Côme) e siècle av. J-C. Côme Museo Civico Archeologico Giovio

tique de la culture de Golasecca serait la preuve d'une celticité prégauloise en Italie nord-occidentale, pouvant être attribuée a des populations que les sources anciennes appellent *Insubres*, *Oromobii* (ou *Orumbovii*) et *Lepontii*, et dont le processus de formation devrait remonter bien plus loin dans le temps, jusqu'à l'Age du Bronze. S'il existe une période où l'on perçoit une solution de continuité dans le développement culturel de l'aire en question, c'est plutôt dans le cours du XIIIe siècle av. J.-C., lors de la mise en place de la culture de Canegrate.

L'aspect novateur n'est pas représenté, comme on l'a cru parfois, par le rite d'incinération qui s'était déjà affirmé avec la culture précédente de Scamozzina-Monza, mais plutôt par une orientation culturelle entièrement nouvelle, que l'on décèle dans la poterie et les bronzes. Les formes des vases, en particulier les petites urnes biconiques lenticulaires, aussi bien que le style décoratif, caractérisé par les cannelures légères disposées en série continue, horizontales, obliques ou verticales, le long de l'épaule et sur l'expansion maximale du vase, font de Canegrate une manifestation occidentale typique du complexe culturel des Champs d'Urnes, en particulier des groupes à céramique cannelées, précurseurs de la culture Rhin-Suisse-France orientale.

Par ailleurs, de la poterie du type Canegrate a été également retrouvée au-delà des Alpes, notamment dans le Valais, en Savoie-Dauphiné et en Haute-Provence.

Même les objets de bronze (grosses broches du groupe Yonne, grosses épingles à tête vasiforme, armilles type Reventin-La Poype et Canegrate, couteaux type Mels, agrafes discoïdales de ceinture, colliers ouverts du type Wangen) confirment les liens étroits entre l'Italie nord-occidentale et la zone Rhin-Suisse-France orientale.

Au cours du Bronze Final (XIIe-Xe siècles av. J.-C.), l'évolution successive s'effectue dans le sens d'une intégration progressive du groupe de Canegrate dans le cadre du monde culturel sud-alpin, un fait qui détermine des développements totalement divergents par rapport à la culture des Champs d'Urnes du groupe Rhin-Suisse-France orientale.

Entre le XIIe et le IXe siècle av. J.-C., les éléments culturels communs au nord et au sud des Alpes ne manquent pas, de même que les preuves d'échanges, mais ce n'est qu'à partir du VIIIe siècle av. J.-C., avec l'intensification des rapports entre l'Etrurie et les territoires au nord du Pô et au nord des Alpes, que la culture de Golasecca commence à assumer le rôle de pont entre la Méditerranée et l'Europe centrale grâce au contrôle des voies d'accès à des cols alpins importants, tels que le Saint-Gothard et le Petit-Saint-Bernard.

Ainsi, les rapports entre "Celtes de Golasecca" et Celtes transalpins devinrent de plus en plus étroits, alors que l'importance croissante des échanges constituait la base même d'une différenciation sociale plus marquée et de l'apparition d'une classe aristocratique dominante.

Il est vraisemblable que le rôle joué par la culture de Golasecca dans les échanges nord-sud fut favorisé non seulement par l'exploitation de la vocation naturelle du territoire, mais aussi par l'affinité ethnique avec les Celtes transalpins, et que par conséquent des influences culturelles intenses et réciproques accompagnèrent le phénomène purement commercial.

Au VIIe siècle av. J.-C., le rôle principal dans les commerces étrusques vers le nord est tenu par Vetulonia, alors que Bologne est le centre d'où rayonne le réseau de relations avec les territoires transpadans, alpins et transalpins. Durant cette période, les importations dans les cultures de Hallstatt et de Golasecca ne sont guère nombreuses, mais leur qualité est significative de biens de prestige : des coupes de bronze godronnées (Ca' Morta, Poiseul-la-Ville, Appenwhir, Frankfurt-Stadtwald), des situles avec attaches en demi-lune (Golasecca, Frankfurt-Stadtwald, Brasy, Oberempt), une pyxide en bronze avec couvercle à prise florale (Appenwhir), un bassin en double tôle de bronze avec des figures de sphinx et de lions (Castelletto Ticino), un *kýathos* en *bucchero* décoré en relief de frises d'animaux (Sesto Calende), des perles d'or au décor à granulation (Iegenstorf et Ins), une ciste à cordons de type Arnoaldi (Magny Lambert), des louches à manche ajouré (Ca' Morta, Magny Lambert). Retrouver les mêmes objets manufacturés provenant des mêmes centres, notamment Vetulonia et Bologne, tant au nord des Alpes que dans l'aire de Golasecca confirme que les échanges entre le monde méditerranéen et les Celtes transalpins passaient déjà à cette époque à travers les cols alpins contrôlés par les populations de la culture de Golasecca.

Les développements de la culture hallstattienne occidentale et de celle de Golasecca semblent fortement influencés par leurs contacts déterminés depuis l'ouverture des échanges avec le monde étrusque. On peut observer des influences réciproques dans divers aspects de la culture matérielle et elles sont encore plus manifestes dans les tombes les plus riches.

Comme l'ont démontré les récentes études de Christopher Pare, les chars à quatre roues des tombes hallstattiennes ont une origine locale et s'insèrent dans une tradition qui remonte au début des Champs d'Urnes. Toutefois, les jantes de fer, les moyeux, les clavettes, les garnitures métalliques de la caisse dénotent une influence technologique provenant d'Italie centrale. La voie par laquelle s'est établi ce rapport est indiquée par le char de la seconde tombe de guerrier de Sesto Calende, qui, par la forme des moyeux, trouve des analogies ponctuelles au nord des Alpes dans les chars du type 5 de Christopher Pare.

En revanche, les mors des chevaux indiquent une influence en sens inverse : les mors du type Platènice de la tombe au petit char de la Ca' Morta (vers 700 av. J.-C.) et ceux avec éléments latéraux en forme de U de la seconde tombe de guerrier de Sesto Calende (début du VIᵉ siècle av. J.-C.) appartiennent à des types répandus en Europe centrale, mais non au sud des Alpes, excepté dans le cas de la culture de Golasecca.

Un autre aspect de ces échanges culturels est illustré par la diffusion, au cours de la période G. I C (VIIᵉ siècle av. J.-C.), tant à Golasecca qu'à Côme, de la poterie à surface rouge avec motifs peints en noir, un type bien connu dans la culture hallstattienne contemporaine.

L'armement constitue une évidence de premier ordre pour enquêter sur les rapports culturels instaurés entre les Celtes transalpins et les Celtes de Golasecca. Les épées courtes et les poignards de la culture de Golasecca au cours des VIIᵉ, VIᵉ et Vᵉ siècles av. J.-C. sont toujours de type hallstattien ou, après le milieu du Vᵉ siècle, de type La Tène A. Dans la période I C (VIIᵉ siècle av. J.-C.), nous avons à Golasecca deux types d'épée à antennes : l'une avec poignée cylindrique d'une seule pièce, un type répandu notamment sur le Plateau suisse, en Allemagne sud-occidentale et en Bourgogne, l'autre avec poignée composée, que l'on retrouve uniquement en Bavière et à Hallstatt. Dans le G. II, les épées courtes et les poignards de type Neuenegg de la seconde tombe de guerrier de Sesto Calende et de la Ca' Morta confirment encore une fois les liens étroits avec la Suisse, alors qu'au début du G. III A (env. 480/475 - 450/440 av. J.-C.) les épées sont encore du type hallstattien tardif, comme le montrent les épées à poignée pseudo-anthropoïde de la Ca' Morta (tombe du casque), de Brembate Sotto et de provenance inconnue au musée de Côme, qui ont un équivalent extraordinairement précis dans l'épée de la tombe n° 4 du tumulus de Champberceau, au sud de Langres, dans la région des sources de la Marne. Toujours dans le G. III A 1, qui correspond à la phase la plus récente du Ha D 3 (horizon 8-a de Parzinger 1988), la tombe avec char à quatre roues de la Ca' Morta nous oriente à nouveau vers le monde hallstattien occidental, notamment vers la région du haut cours de la Seine et de la Marne : si les détails techniques et formels rapprochent ce char de celui de la tombe princière de Vix, dans ce cas il y a surtout eu une adhésion, dans le domaine des rites funéraires, à la coutume hallstattienne du char à quatre roues pour les tombes de personnages de haut rang et l'abandon du char à deux roues d'origine méridionale.

Vers 480-475 av. J.-C., au début du G. III A, le grand habitat protohistorique des alentours de Côme, qui s'étend sur plus de 100 hectares, devient le centre des échanges avec les Celtes d'au-delà des Alpes, qui s'intensifient au cours de la dernière phase du Hallstatt tardif (horizon 8-a de Parzinger) et pendant La Tène A, notamment avec les territoires qui s'étendent de la Bourgogne au Berry, de la Champagne aux vallées de la Moselle et du moyen cours du Rhin. Les parcours utilisés par ces trafics traversent les cols du Petit-Saint-Bernard et du Saint-Gothard.

La dispersion d'objets de Golasecca (fibules, pendentifs en forme de seau, anneaux à globules) dans ces territoires témoigne des parcours utilisés. De récentes trouvailles ont révélé la présence de poterie du G. III A sur le site de Bragny-sur-Saône.

Des situles et des cistes à cordon de l'aire de Golasecca sont répandues sur un vaste espace géographique allant du Berry, à l'ouest, jusqu'en Allemagne septentrionale, mais il est intéressant de noter que c'est surtout dans les territoires au nord-ouest du Jura que se trouvent de nombreux témoignages de relations avec la culture de Golasecca. Il s'agit de cette zone qui, au Ier siècle av. J.-C., apparaîtra occupée par les Bituriges, les Eduens et les Sénons, certaines des populations qui d'après Tite-Live (V, 34) contribuèrent à la première invasion gauloise de l'Italie septentrionale.

Bien des situles dites du type rhénan-tessinois doivent être considérées comme des importations de l'aire de Golasecca (par exemple Kärlich, Irlich, Malsbach, Pernant, Saint-Denis de Palin). L'argument opposé par Ludwig Pauli d'une diversité quant au matériau utilisé pour le renfort du bord (essentiellement du fer en Europe centrale, et du plomb à Golasecca) tombe face à la constatation qu'aucun des plus de vingt exemplaires de situles du type rhénan-tessinois découvertes dans l'aire de Golasecca et datables du G. II B et III A 1-2 (525-400 av. J.-C.) n'a de renfort en plomb ; ce dernier ne se répandra qu'au IVe siècle dans le cadre du haut Tessin et pour des situles de type différent.

Quant aux cistes à cordon du type tessinois de Stjernquist, les nouvelles trouvailles de Garlasco et de la tombe 294 de la Ca' Morta contribuent à en définir l'origine et la chronologie. La vaste circulation d'objets de la culture de Golasecca au nord des Alpes est en relation étroite avec l'expansion et l'augmentation du volume des commerces de l'Etrurie padane avec d'une part la Grèce, de l'autre les Celtes. Nous connaissons surtout de ce commerce les produits de luxe et les biens de prestige qui parvenaient aussi bien dans la zone de la culture de Golasecca que dans celle de la culture celtique transalpine, mais il est certain que le réseau complexe des trafics comprenait des matières premières (des métaux, notamment l'étain qui est à l'origine des rapports entre la Méditerranée et l'Europe centro-septentrionale, de l'ambre, du corail, de l'encens) et des biens comestibles (vin, huile, céréales, viande salée). Sur ces aspects, les découvertes de Forcello di Bagnolo San Vito ont commencé à fournir certaines données significatives. Des échanges systématiques et organisés sont mis en évidence par le fait que les mêmes types de vaisselle étrusque en bronze parviennent dans l'aire de Golasecca et au nord des Alpes, et qui plus est à la même cadence chronologique. Dans le Ha D 3 et dans le G. III A 1, nous trouvons les cruches à bec avec des attaches à serpents (Brembate t. XI, Ca' Morta, Molinazzo, Mercey-sur-Saône, Franche-Comté) et

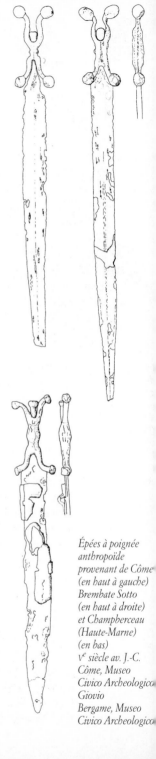

Épées à poignée anthropoïde provenant de Côme (en haut à gauche) Brembate Sotto (en haut à droite) et Champberceau (Haute-Marne) (en bas) Ve siècle av. J.-C. Côme, Museo Civico Archeologico Giovio Bergame, Museo Civico Archeologico

*Détail
de la poignée
anthropoïde
de l'épée de fer
de Brembate Sotto
(Bergame)
Vᵉ siècle av. J.-C.
Bergame, Museo
Civico
Archeologico*

des situles stamoïdes avec des attaches à palmette stylisée (Ca'
Morta t. V/1926 ; Brembate t. VIII ; Gourgy). Un peu plus
tard, pendant La Tène A et dans le G. III A 2, nous trouvons
des cruches avec des attaches à spirales et des décors à fleur
de lotus, boutons de rose et palmettes gravées sur le col et
à la base, et des figures d'animaux sur le bord (Ca' Morta
t. 114, Cerinasca t. 118 ; Eygenbilsen, Hermeskeil, Besseringen, Rascheid, Berschweiler).

Un autre exemple nous montre l'importance du rôle de la
population de Golasecca dans les trafics transalpins. La gourde en bronze de la tombe de Rodenbach renvoie à un type
caractéristique des ateliers de l'aire de Golasecca, formé de
deux disques décorés avec bossette centrale et cordons
concentriques, réunis par une bande de bronze de 8-10 cm de
large et encastrée aux bords des disques. Un exemplaire du
même genre, fragmentaire, a été découvert à Rebbio, près de
la Villa Giovio, dans une tombe du G. III A 1, et un autre,
sans décor, dans la nécropole de Castione dans le canton du
Tessin.

Au Vᵉ siècle av. J.-C., l'organisation du territoire de Golasecca
subit des changements et des développements importants. A
un modèle axé sur deux grandes "zones aménagées proto-
urbaines", tels Golasecca-Sesto Calende-Castelletto Ticino et
ses environs, succède une articulation plus complexe. Les croisements des
voies parcourues par les trafics entre l'Etrurie padane et les Celtes transalpins
deviennent le siège d'habitats qui deviendront d'importants *oppida* gaulois, et
par conséquent les principales villes romaines de la région : Côme, Milan, Lodi,
Bergame et Brescia.

Les fouilles effectuées au cours de la dernière décennie à Milan et à Bergame
ont établi que la phase la plus ancienne d'implantation remonte au G. III A,
alors qu'à Brescia, qui a connu une occupation significative dès le début de
l'Age du Fer, la phase du Vᵉ siècle représente un moment décisif pour le développement urbain. Dans tous ces sites, des importations ont été mises au jour,
en particulier de la poterie attique. A Milan, par exemple (un minuscule fragment, appartenant probablement à un *kantharos*, provenant de la via Moneta ;
un fragment de coupe à figures rouges de la bibliothèque Ambrosienne) ;
à Bergame (un fragment de *skyphos* à chouette du couvent de San Francesco) ;
à Brescia (une coupe à vernis noir, du type sans pied et avec moulure interne,
provenant du Capitole ; un petit fragment de vase de forme fermée à figures
rouges provenant de la via A. Mario ; d'autres fragments, parmi lesquels celui
d'un *skyphos* dans la via Musei).

Au début de l'Age du Fer, Brescia ne faisait pas partie du territoire de
Golasecca. Ses caractéristiques ethnico-culturelles au Vᵉ siècle av. J.-C. restent
encore à définir, car les niveaux de cette époque ont restitué aussi bien de la
poterie étrusco-padane que de celle du G. III A. Il se peut donc que Brescia ait
constitué un point de rencontre entre Celtes de Golasecca et Etrusques, une

sorte d'*emporium*. Néanmoins, il convient de signaler qu'en provenance du collège Arici nous avons un bol avec incription sur le fond extérieur rédigée en alphabet de Lugano : elle se lit *takos*, un terme incontestablement lépontique et gaulois, déjà connu dans l'inscription plus récente sur pierre de San Bernardino di Briona (*takos toutas*), où il désigne une fonction de "soutien de la communauté", et qui atteste la présence de populations de Golasecca bien organisées à Brescia.

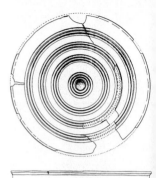

En définitive, les Celtes de Golasecca apparaissent comme les premiers fondateurs de villes en Lombardie, ou du moins de centres qui recouvraient certaines des fonctions typiques de la ville. Si Côme, à la lumière de la documentation disponible, apparaît comme le centre le plus important au Ve siècle av. J.-C., les nouvelles découvertes démontrent le rôle de Milan, dont le nom est incontestablement celtique.

Vers 480-475 av. J.-C., au déclin de la vaste région de Golasecca-Sesto-Castelletto correspond la naissance d'un nouveau centre très étendu à Milan. Les trouvailles de poterie et de bronzes qui se réfèrent au G. III A ont été faites dans la cour du Palais Royal, via Moneta, à la bibliothèque Ambrosienne, via Meravigli et Cordusio, alors que celles de l'hôpital Sant'Antonino, à l'extérieur du cercle médiéval des Navigli, doivent se rapporter à une aire de cimetière. Les découvertes se situent sur un axe nord-ouest–sud-est, sur une longueur de 750 mètres et une largeur maximale de 300 et semblent donc indiquer un habitat de grande étendue (environ 20 hectares contre les 90 hectares de la ville romaine du Ier siècle av. J.-C.).

Gourde en bronze (fragments) de Rebbio (Côme) Ve siècle av. J.-C. Côme, Museo Civico Archeologico Giovio

Au cours du G. III A 2-3, correspondant à La Tène A (env. 450-440 – premières décennies du IVe siècle av. J.-C.), continue la dépendance traditionnelle de la population de Golasecca des modèles transalpins en ce qui concerne l'armement offensif. Toutes les épées de cette époque retrouvées dans le milieu de Golasecca sont du type LT A (Gravellona Toce t. 15 ; Cerinasca d'Arbedo t. 108 ; Castione d'Arbedo), et à Molinazzo il y a aussi un casque La Tène en fer. Mais l'aspect le plus intéressant des rapports avec les Celtes transalpins est sans aucun doute celui des agrafes ajourées et des anneaux avec fixation mobile (*Koppelringe*). Une agrafe en bronze ajourée avec motif floral, découverte à Melegnano, est certainement une importation de la région de la Marne. Les agrafes ajourées et les *Koppelringe* sont fréquents aussi dans le milieu paléovénète (Este III tardif) et dans la culture hallstattienne tardive de la Slovénie. Leur diffusion à commencé vers le Ve siècle av. J.-C. et a continué pendant tout le premier quart du IVe siècle.

D'après Frey, l'origine de ces objets se situe en Europe centrale, et leur apparition en Italie est considérée comme une preuve possible du début de l'invasion gauloise, un processus long et complexe qui ne peut être fixé uniquement dans une période d'un ou deux ans.

Les modèles d'agrafes ajourées répandus au nord et au sud des Alpes sont cependant fort différents. Dans le milieu celtique transalpin, il y a deux types principaux : à l'ouest, les agrafes en bronze à fleur de lotus, notamment en

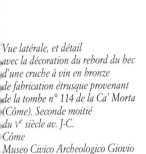

Vue latérale, et détail
avec la décoration du rebord du bec
d'une cruche à vin en bronze
de fabrication étrusque provenant
de la tombe n° 114 de la Ca' Morta
(Côme). Seconde moitié
du Vᵉ siècle av. J-C.
Côme
Museo Civico Archeologico Giovio

Champagne ; plus à l'est, surtout dans l'aire de la culture Hunsrück-Eifel, les agrafes à palmette stylisée.

Au sud des Alpes, dans l'horizon G. III A 2, les agrafes de fer avec ajours circulaires (type Gazzo) sont répandues dans l'aire de la culture de Golasecca (Brembate t. VI), dans le monde paléovénète (Gazzo Veronese, Este-Benvenuti 110 et 116 et Capodaglio 31) et dans la culture hallstattienne slovène tardive. En outre, à Este, il y a des agrafes en bronze, ajourées et avec des motifs de griffons (Rebato 512, Benvenuti 116) ou d'oiseaux opposés (tombe Palazzina), qui au nord des Alpes apparaissent comme des importations (Somme-Bionne) ou comme des imitations (Hauviné, Saint-Rémy-sur-Bussy, Saint-Denis de Palin). Dans la culture de Golasecca, l'agrafe ajourée en bronze, avec motif de dragons face à face, présente deux variétés, l'une avec au centre une figure humaine, dite le "Maître des animaux" (Castenada 75, Sesto Calende), l'autre avec au centre une sorte de croix de Lorraine (Giubasco, Castione, Molinazzo). Ce type est daté du G. III A 3 (début du IVᵉ siècle) d'après un seul contexte, celui de la tombe 75 de Castenada.

Cependant, à Este, les agrafes ajourées à figures peuvent être plus anciennes, comme semble l'indiquer la tombe Palazzina, celles de Benvenuti 116 et 117 ;

en raison de la typologie des fibules, elles peuvent être datées de la seconde moitié du Ve siècle av. J.-C.

Récemment, un fragment d'agrafe de type tessinois, comparable à celle de Castaneda 75, a été découvert à Bozzolo, à proximité du confluent de l'Oglio et du Pô, dans un contexte de tombes à inhumation avec des mobiliers de céramique attique et étrusco-padane. Le site avait déjà restitué un fragment de poterie avec inscription étrusque. Malheureusement, les tombes ont été bouleversées par les travaux d'extraction d'une carrière, et les restes des mobiliers ont été récupérés grâce à une intervention "d'urgence". Ainsi s'est évanouie une précieuse occasion de pouvoir mieux préciser la chronologie des ces objets.

Fragment de bol avec des inscriptions en caractères nord-étrusques provenant de Brescia (fouilles de 1974)

En conclusion, seules les agrafes ajourées à fleur de lotus provenant de Melegnano et de Bologne (nécropole Arnoaldi) parlent en faveur de la venue de populations gauloises au sud des Alpes, alors qu'en ce qui concerne la coutume des agrafes ajourées et des *Koppelringe* dans son ensemble, nous n'avons pas suffisamment d'éléments pour affirmer la priorité d'une aire culturelle par rapport à l'autre.

Néanmoins, de nombreux faits prouvent que les Celtes transalpins avaient l'habitude de fréquenter l'Italie, notamment pour le négoce. Le premier est la diffusion, entre 500 et 450-440 av. J.-C., de fibules hallstattiennes occidentales tardives. Si pour les fibules avec pied à tête d'oiseau et incrustations de corail on peut supposer une origine dans le milieu italique du nord de l'Italie ou, dans d'autres cas, penser à des réélaborations locales, dans de nombreux autres cas il s'agit certainement de fibules fabriquées au nord des Alpes. Dans le centre étrusque de Forcello di Bagnolo San Vito, rien que dans le secteur R-S 17-18 en cours de fouilles, on a déjà retrouvé au moins six fibules hallstattiennes tardives et trois autres provenant de

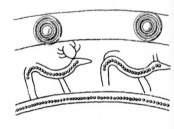

trouvailles superficielles. L'exemplaire le plus ancien, une double *Paukenfibel* de type Mansfeld dP 1/2, provient de la phase E, datable de 500-480 av. J.-C. ; les cinq autres provenant des phases D et C, du second quart ou du milieu du Ve siècle av. J.-C. Du fait qu'un fragment de fibule en fer de La Tène A provient de la phase B, on pourrait conclure que les Transalpins ont fréquenté régulièrement le centre de Forcello.

Détail développé de la décoration au repoussé de la situle de bronze de Trezzo d'Adda. Fin du VIe-début du Ve siècle av. J.-C. Milan Civiche Raccolte Archeologiche del Castello Sforzesco

Certaines considérations à caractère plus général peuvent nous aider à mieux situer la culture de Golasecca dans le cadre des civilisations voisines et contemporaines. Le rayonnement de la civilisation étrusque vers le nord transforma de manière sensible les cultures protohistoriques de l'Italie septentrionale et de l'Europe centrale, avec des résultats différents selon l'époque, l'intensité des contacts et, bien entendu, la capacité réceptive et la disponibilité au changement de la part des populations locales.

C'est la raison pour laquelle s'est formé un cadre régionalement différencié, dans lequel certains phénomènes sont uniques ou bien communs à deux ou

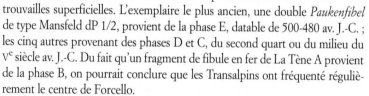

plusieurs groupes, en un jeu de ressemblances et de divergences qui rend difficile la définition des frontières de groupements plus généraux. Toutefois, dans ce cadre, la culture de Golasecca présente des rapports très étroits et des affinités fort importantes avec la culture hallstattienne occidentale, bien que ce soit avec des différences parfois fondamentales. L'exemple le plus net des divergences culturelles entre des territoires du nord et du sud des Alpes est celui de l'écriture, adoptée à partir du VIe siècle av. J.-C. par les populations de Golasecca, les Paléovénètes et les populations rhétiques. Les cultures d'Este et de Golasecca sont plus voisines, à partir du VIIIe siècle av. J.-C., à cause d'une organisation du territoire assez similaire, avec la formation de quelques grandes zones "proto-urbaines".

Après le VIIIe siècle, à Este, les personnages de haut rang ne sont plus ensevelis avec leurs armes, et la coutume des tombes à char est totalement inconnue, de même que dans l'aire hallstattienne slovène. En revanche, à Golasecca et dans la culture hallstattienne occidentale, les guerriers sont ensevelis avec leurs armes, mais on note des différences significatives : à Golasecca, les armes offensives sont accompagnées aussi d'équipements défensifs (casques, jambières) selon un usage bien attesté dans la péninsule italienne, et le char à deux roues souligne encore davantage la condition de guerrier du défunt. Dans la culture hallstattienne occidentale, le char est toujours à quatre roues et n'a donc pas de rapport avec le rôle de guerrier du défunt ; dans la période hallstattienne tardive, les armes de guerre ne seront même plus déposées : seuls des poignards élaborés indiqueront le rang social du défunt. Ce n'est qu'avec La Tène A que sera généralement adoptée, pour les guerriers, la tombe à char à deux roues et le mobilier d'armes offensives et défensives.

A Este, dans le monde centre-alpin et alpin sud-oriental, les influences provenant de la péninsule italienne transforment profondément l'expression artistique, conduisant à la naissance d'un langage figuratif et narratif qui culminera dans l'art des situles du Ve siècle av. J.-C. Ces mêmes influences auront moins d'effet à Golasecca, où se maintiendra la technique de souligner les figures par un pointillé et des bossettes au repoussé, typique de l'époque des Champs d'Urnes, et où subsisteront longtemps, encore en plein siècle Ve J.-C., les anciens symboles solaires et de l'oiseau aquatique, tels les pendentifs caractéristiques à canetons. Dans le domaine religieux, les différences semblent tout aussi profondes, du fait que l'on ne connaît jusqu'à présent aucun témoignage comparable à celui des sanctuaires paléovénètes ou centre-alpins dans le cadre des cultures de Golasecca et hallstattienne occidentale. Ici, les influences méditerranéennes semblent avoir agi moins en profondeur. Comme l'a récemment observé Hermann Parzinger, il n'est même pas certain que la coutume méridionale de boire le vin en utilisant cratères et *stámnoi,* cruches et coupes ait été comprise et adoptée par les Celtes de Golasecca et les Transalpins, comme semble l'indiquer la composition des mobiliers. Dans les deux territoires, la précieuse vaisselle de bronze importée d'Etrurie est souvent déposée dans les tombes, isolée et en tant que récipient pour les os incinérés.

Les tombes princières de Bourgogne

Jean-Pierre Mohen

Ancienne province de l'est de la France, la Bourgogne réunit aujourd'hui les départements de l'Yonne, de la Côte-d'Or, de la Saône-et-Loire et de l'Ain ; elle couvre une région de contacts importants : la vallée de la Saône facilite les relations avec l'Alsace, la Suisse et l'Allemagne, au nord, mais aussi avec la vallée rhodanienne et le monde méditerranéen au sud. La vallée de la Seine est une ouverture sur le Bassin parisien et la zone atlantique. Ces grands axes sont essentiels au développement, pendant le Premier Age du Fer, d'une grande civilisation bourguignonne dont les tombes princières sous tumulus restent la manifestation la plus brillante. Il semble que ces princes, qui aiment s'entourer de vaisselles grecques et

Le site du mont Lassois (Côte-d'Or)

étrusques, soient dénommés "Celtes" dans les premières sources littéraires antiques vers 500 avant J.-C. Ils jouent un rôle décisif dans la constitution de la *koiné* celtique qui se manifeste à partir du IVe siècle avant J.-C.

Les premières découvertes spectaculaires eurent lieu dès la fin du XIXe siècle: le tumulus du Monceau-Laurent à Magny-Lambert (Côted'Or) a été fouillé en 1872 sous le patronage de la Commission de la topographie des Gaules et sous la direction d'Alexandre Bertrand. Une autre tombe importante, voisine de la Bourgogne, a été explorée à Apremont (HauteSaône) en 1879. Tout l'éclat des offrandes funéraires de ces sépultures est apparu en 1953 quand R. Joffroy et M. Moisson dégagèrent en plein hiver la chambre du tumulus de Vix à côté de Châtillon-sur-Seine (Côte-d'Or) avec entre autres mobiliers son cratère grec, son char et son

collier en or. Des études poussés furent alors menées pour mieux connaître cette civilisation des tombes princières de Bourgogne qui possède des liens étroits avec d'autres tombes de la Franche-Comté, de Lorraine, d'Alsace, d'Allemagne du Sud et de Suisse. De nouvelles trouvailles importantes sont dues à R. Joffroy et son équipe qui, dans les années 1970, fouillèrent les tumulus de la nécropole de Poiseul-la-Ville (Côte-d'Or). Trois grandes étapes peuvent être distinguées dans l'évolution des tombes princières de Bourgogne.

La première étape, la plus ancienne, va de la fin du VIIIe siècle au début du VIIe siècle ; elle comprend des tumulus faits d'une accumulation de pierrailles et, au centre, un coffre rectangulaire limité par des dalettes verticales ; un corps inhumé y est placé allongé avec des offrandes. Le tumulus de Magny-Lambert est caractéristique ; ses dimensions sont importantes : 32 mètres de diamètre et près de 6 mètres de haut. Le défunt est un homme, un guerrier auprès duquel on a déposé la grande épée de fer. Derrière sa tête, on a réuni des objets en bronze, un rasoir, une coupe à boire et un grand récipient cylindrique appelé "ciste à cordons" à l'intérieur duquel se trouve une louche ou puisoir. L'épée et le rasoir constituent à cette époque les attributs classiques du personnage de haut rang. Son prestige est accentué par la présence du service à boire auquel se rattachent toutes les vaisselles de la tombe, le grand récipient étant destiné à préparer la boisson en mélangeant le vin concentré et épais avec l'eau. Si les éléments de ce service ont pu avoir été chaudronnés localement, ils s'inspirent de productions italiques: ceci est manifeste pour la ciste à cordons. Ainsi vers 700 avant J.-C., l'homme riche et puissant a-t-il adopté la coutume méditerranéenne du "symposium" funéraire, banquet accompagné de boisson enivrante, de vin surtout qui était alors exporté en terre celtique. Les quatre tumulus de Poiseul illustrent la même situation. Chacun d'eux recouvre le squelette d'un guerrier avec un bracelet en fer ou en bronze et une longue épée en fer qui dépasse un mètre et qui est considérée par certains comme une épée de cavalier. Trois rasoirs en bronze proviennent de trois sépultures ; dans l'une d'elles, on a trouvé une phalère en bronze ; les deux autres contiennent aussi des vaisselles en tôle de bronze: un chaudron globulaire à deux anses mobiles et une grande situle associée à une coupe particulière dite "phiale à décor côtelé". Alors que les sépultures riches de la fin de l'Age du Bronze, du type de celles de Saint-Romain-de-Jalionas (Isère) sont rares, les tumulus riches ou princiers du début de l'Age du Fer, plus nombreux, se concentrent dans certaines régions clés comme la Bourgogne et le Jura ; ces guerriers-cavaliers maîtrisent le nouveau métal, le fer, dont ils font le symbole de la puissance sociale et les échanges lointains avec la Méditerranée.

La deuxième étape de l'évolution des tombes princières de l'est de la France se situe vers 600 avant J.-C. ; elle est illustrée par la tombe d'Apremont (Haute-Saône) qui domine la vallée de la Saône et fait partie d'une série de tumulus érigés dans la région qui entoure la citadelle de Gray. Le tertre de 70 mètres de diamètre et de 4 mètres de haut a été fouillé en 1879 par E. Perron. En son centre, la chambre funéraire est coffrée de planches retenues par des madriers de 15 centimètres d'épaisseur; son plan est un rectangle de 3,20 mètres sur 2,80 mètres ; la hauteur du plafond effondré n'a pu être déterminée. Les fouilleurs firent un relevé assez précis des trouvailles, ce qui permit en 1985 de proposer une reconstitution des objets de la tombe, à la suite d'une étude systématique et de restaurations partielles : le squelette est allongé la tête au nord-est. Il porte un grand collier en or à décor estampé. A proximité de cette parure, se trouvent quatre perles d'ambre. Au niveau de la poitrine du prince, sont réunis de petits ornements en or, trois éléments cruciformes, et deux appliques circulaires. Vers la ceinture sont disposés trois annelets en ivoire et sur le côté un bâtonnet de même matière ; deux fragments de plaque de ceinture en fer estampé proviennent sans doute de cette zone. Vers les pieds et à côté du corps, E. Perron identifie dans un amas de cendres et de fragments osseux une longue épée ployée, en fer et un rasoir en même métal. Cet ensemble de trouvailles était déposé sur le plateau de la caisse d'un char à quatre roues où le défunt était exposé. Toutes les pièces fonctionnelles et décoratives métalliques du char sont en fer. Grâce à l'étude minutieuse par H. Masurel des tissus pris dans la rouille, qui enveloppaient les pièces du char, grâce à l'examen de chacun des fragments métalliques, et grâce à l'identification des traces de bois adhérant au fer minéralisé, une reconstitution grandeur nature du char a été proposée par J.-M. Bouard. La caisse a la forme d'un lit, elle est fixée sur les deux axes de quatre grandes roues cerclées de fer, dont les rayons et les longues boîtes de moyeu sont aussi garnis de tôle de fer forgé.

Le timon, orné aussi d'un cerclage en fer, démonté, avait été glissé sous la caisse. Il ne semble pas avoir été articulé. Entre les roues du char du côté nord-ouest de la tombe, un grand bassin en bronze muni de trois anses en fer contient une coupe en or à léger ombilic. Le mobilier de la tombe d'Apremont semble de peu antérieur à celui de la tombe de Hochdorf en Allemagne du Sud en raison de la présence de l'épée qui est remplacée à Hochdorf par un poignard. Les deux ensembles funéraires ont par ailleurs de nombreux caractères communs : char à quatre roues, coupe en or, chaudron à préparer la boisson, plaque de ceinture, rasoir, petites parures en or, perles en ambre et large collier en feuille d'or estampée. Dans les deux cas, l'élément celtique indigène est dominant. Ce ne sont pas les importations méditerranéennes qui déterminent à Apremont la richesse du prince mais elles sont présentes à Hochdorf avec deux des trois lions qui décorent le chaudron. On pressent aussi le rite funéraire du symposium avec les vaisselles à boire même si à Hochdorf ce ne sont pas des traces de vin que le laboratoire a identifiées au fond du chaudron, mais celles d'une autre boisson alcoolisé tout à fait celtique, l'hydromel fabriquée avec le miel d'Allemagne du Sud. La contenance du chaudron de Hochdorf est de 500 litres et celui d'Apremont à peine moins. Les boissons enivrantes sont préparées pour des cérémonies collectives comme le montre bien le service de cornes à boire de Hochdorf dont la plus grande, en fer, mesure plus d'un mètre ; elle était peut-être réservée au prince défunt. La coutume méditerranéenne du symposium peut-être plus ou moins déformée, est imposée comme privilège du prince. L'épée en fer reste aussi à Apremont l'emblème du pouvoir social masculin. L'or devient alors critère de richesse. Le matériau lui-même est princier et les orfèvres qui œuvrent pour parer le prince de Hochdorf, défunt, laissèrent dans les remblais du tumulus les déchets de feuille d'or issus de leur travail. Les colliers d'or sont alors des emblèmes non équivoques.

La troisième étape de l'évolution des tombes princières de Bourgogne, vers 500, est représentée par le tumulus de la princesse de Vix. En janvier 1953, les conditions de fouilles du tertre arasé de 40 mètres de diamètre ne sont pas faciles sous la neige et dans un terrain inondé à faible profondeur. R. Joffroy rassemble un maximum d'informations et publie un relevé des vestiges réunis dans une chambre cubique de 3 mètres de côté, creusée dans le sol. Celle-ci est coffrée de planches, le plafond est constitué de poutres qui ont cédé sous le poids des pierres du tumulus. Dans l'angle nord-ouest, un cratère en bronze avec son couvercle est le vase orné antique le plus imposant que l'on connaisse : il mesure 1,64 mètre de hauteur et pèse 208,600 kilogrammes. Les deux anses opposées sont constituées d'une double volute qui encadre le buste d'une gorgone anguipède : deux serpents sortent du corsage et leur tête s'appuie sur l'épaulement du vase ; deux autres serpents se dressent de dessous les bras. Entre la volute de l'anse et le col du cratère, un lion se dresse et tourne la tête vers l'arrière. La frise du col est constituée de statuettes d'applique représentant en alternance des hoplites et des auriges. La cuve d'une contenance de 1100 litres a été chaudronnée dans une feuille de bronze sans impuretés. Le pied coulé est mouluré. Le couvercle-passoire possède deux poignées opposées ; en son centre, il est orné d'une statuette de femme vêtue d'une longue robe et coiffée d'un long châle qui tombe jusqu'à la ceinture. Ce grand vase servait à mélanger le vin, l'eau et les herbes aromatiques qui étaient filtrées par le couvercle-passoire. Sur lui, on avait déposé une coupe en argent à ombilic doré, deux coupes attiques en céramique peinte dont l'une à figures noires représente le combat entre guerriers grecs et amazones, et sans doute l'œnochoé en bronze ou vase à anse et bec verseur. L'ensemble de ces vaisselles est destiné à la boisson consommée collectivement lors d'un symposium. Le long de la paroi ouest, sont rangés un grand bassin à ombilic et deux bassins à anses droites décorées en bronze. Le centre de la chambre est occupé par les éléments décoratifs en bronze de la caisse du char sur laquelle la princesse était étendue. Les roues démontées sont appuyées le long de la paroi est. Le timon a sans doute été glissé sous la caisse. La femme défunte est parée de bijoux : un grand collier ouvert en or terminé par deux tampons volumineux décorés d'un petit cheval ailé a été trouvé autour de la tête qui avait basculé à l'arrière ; sur la poitrine, un grand anneau en bronze est un autre collier ; un troisième est fait de perles d'ambre, de diorite et de serpentine. Huit fibules de petite taille accrochaient des vêtements fins ; plusieurs d'entre elles sont ornées de corail. Un bracelet en lignite et un autre en bronze ornent chaque bras; un anneau en bronze est passé autour de la cheville.

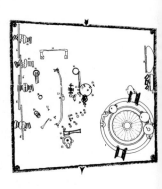

Outre l'étonnement causé par la découverte d'objets uniques comme le cratère et le collier en or appelé alors "diadème", l'émotion provoquée par la tombe de Vix est double : elle est celle d'une femme et elle contient un grand nombre de pièces importantes importées de Méditerranée. La présence d'une tombe princière féminine n'est pas une exception à cette époque puisque le tumulus de Sainte-Colombe, voisin de celui de Vix, avait aussi été érigé pour une princesse aux bracelets et aux boucles d'oreille en or, étendue sur un char à quatre roues.

Plan de la tombe princière de Vix (Côte-d'Or) Fin VIe-début Ve siècle av. J.-C.

D'autres femmes semblent présentes dans le tumulus de La Motte-Saint-Valentin (Haute-Marne) et dans celui de La Ronce (Loiret). L'étude anthropologique de la Dame de Vix réalisée par R. Langlois a permis de retrouver les traits du visage de cette femme de 35 ans environ qui avait souffert de mauvaises dents. Les éléments méditerranéens de la tombe de Vix sont le cratère en bronze de travail grec, les coupes attiques en céramique peinte, les bassins et l'œnochoé étrusques en bronze et le corail italique des fibules. Le collier en or avec ses petits chevaux ailés en forme de "Pégase" est considéré depuis l'étude récente de C. Eluère comme une œuvre d'orfèvrerie inspirée de la Méditerranée mais de travail local probable. Vers 500 avant J.-C., les objets importés de Grèce ou d'Italie se multiplient dans le domaine celtique et concernent surtout les services de boisson enivrante donc, à nouveau, les ustensiles du symposium. L'inventaire des tessons grecs à figures noires puis à figures rouges montre leur présence non seulement dans les tombes mais aussi dans les habitats de plaine comme Bragny (Saône-et-Loire) et Bourges (Loir-et-Cher) et

Reconstitution du char de Vix (Côte-d'Or) Mayence, Römisch-Germanisches Zentralmuseum

dans les promontoires fortifiés comme la Heuneburg (Bade-Wurtemberg), le Camp du Château (Jura) et Le Mont-Lassois (Côte-d'Or), la citadelle de la Dame de Vix. Ces fragments de vaisselle de luxe accompagnent souvent dans les habitats les tessons d'amphores grecques ou massaliotes qui étaient acheminées remplies de vin méditerranéen (le vignoble bourguignon est planté plusieurs siècles plus tard). L'impression de richesse n'est pas donnée par les seules importations : il existe aussi des imitations locales de vaisselles étrusques comme les splendides œnochoés de Basse Yutz en Moselle, ou de pièces d'orfèvrerie comme le collier de Vix. Des produits tout aussi précieux sont aussi acheminés vers la Bourgogne depuis les régions nordiques, l'ambre et sans doute des fourrures dont nous avons quelques traces, depuis l'Europe centrale, le sel exploité à Hallstatt et des chevaux, depuis les zones atlantiques, le fameux étain de Cornouailles anglaise ou de Bretagne. Les facilités de relations à longue distance ont favorisé l'épanouissement de la civilisation des Celtes anciens auquel la Bourgogne participe complètement. Un autre facteur favorable au développement culturel de cette région est l'ambiance pacifique qui règne alors. Les tombes masculines les plus récentes ne contiennent plus la grande épée en fer mais un poignard plus symbolique : celui-ci est présent dans les tumulus de Hochdorf. L'arme disparaît même dans les tombes de La Garenne à Sainte-Colombe (Côte-d'Or) et de Klein Aspergle (Bade-Wurtemberg). Nous pouvons même nous demander si le retrait de la fonction guerrière des princes n'a pas permis l'ascension sociale des princesses. La citadelle fortifiée comme le Mont-Lassois reste le point de ralliement traditionnel de la population et des marchands. Certains centres, véritables comptoirs commerciaux, s'installent en plaine près de la rivière comme Bragny, sur les rives de la Saône.

121

Vers le milieu du Ve siècle, la situation change ; il semble que l'aristocratie des Celtes anciens s'effondre et que de nouveaux centres de développement apparaissent à la périphérie de la zone princière des environs de 500 avant J.-C. C'est ainsi que des tombes riches ont été trouvées dans l'Yonne à Gurgy dans une nécropole d'un type nouveau et que les tombes d'Altrier au Luxembourg et de Dürrnberg à Hallein en Autriche présentent de nouveau des armes, épées, pointes de lance et casque (Dürrnberg), armes des Celtes classiques qui commencent alors une expansion guerrière à travers toute l'Europe, dont nous parlent les textes antiques. La Bourgogne n'est plus alors ce foyer exceptionnel de synthèse culturelle et de création des formes et du style celtiques qu'elle a été vers 500 av. J.-C. avec l'est de la France, la Suisse occidentale et l'Allemagne du Sud.

Les princes celtes du Bade-Wurtemberg
Jörg Biel

Hohenasperg est un plateau appartenant au Trias supérieur qui domine d'une centaine de mètres la plaine de lœss environnante de la moyenne vallée du Neckar, entre Stuttgart et Heilbronn. Aujourd'hui, le sommet est couronné par une imposante forteresse Renaissance. Auparavant, la ville médiévale d'Asperg occupait le site, et les vestiges plus anciens ont été en grande partie détruits ; à Hohenasperg, les fouilles archéologiques restent vaines. Là, cependant, au Hallstatt final, devait se trouver la résidence d'un grand chef qui pouvait rivaliser avec les citadelles de la Heuneburg et du mont Lassois, près de Châtillon-sur-Seine, en Bourgogne ; comme cette dernière, le Hohenasperg commandait la plaine environnante. Sur le sommet, maintenant remanié par les extensions modernes, la zone occupée à l'origine couvrait probablement une surface de 6 hectares, deux fois plus qu'à la Heuneburg. Aucune trace d'installation extérieure précoce, analogue à celle de la Heuneburg, n'a été mise au jour jusqu'ici. Il y a bien des restes d'habitat ancien dans le secteur est d'Asperg, mais sans comparaison possible avec les constructions du faubourg de la forteresse de la Heuneburg.

Les tombes

Au sud du Hohenasperg se trouve toute une série de tumuli et de riches tombes: le "Grafenbühl", au pied oriental de la colline, le "Kleinasperg", un autre tumulus complètement arasé et deux grands tumuli non fouillés sur le plateau entre Asperg et Möglingen ; enfin le "Römerhügel" à 4 kilomètres de Ludwigsburg. Il se peut que, à 10 kilomètres plus loin, les riches tombes de Cannstatt, Schöckingen et Hochdorf soient à mettre aussi en relation avec Hohenasperg, d'où elles sont clairement visibles. On doit remarquer que, au nord de Hohenasperg, aucune tombe d'une richesse comparable n'a encore été découverte, et que, là, les sépultures ont fourni un mobilier funéraire plutôt pauvre.

Le Grafenbühl

Tout près du Hohenasperg, dans le secteur est de la ville, entre les n°s 10 et 16 de la Teckstrasse, il y avait autrefois un tertre artificiel connu sous le nom de "Grafenbühl", détruit depuis par des travaux de construction. En 1964-1965, ce tertre fut fouillé par H. Zürn. Le tumulus devait mesurer à l'origine 40 mètres de diamètre et 2,50 mètres de hauteur. La chambre funéraire centrale dépassait de 0,70 mètre au-dessus du sol originel et s'enfonçait d'environ 0,80 mètre. Le plancher de la chambre, qui mesurait $4,50 \times 4,50$ mètres, reposait sur trois poutres, et le plafond était soutenu par un poteau central. Il est malheureusement trop tard pour évaluer la hauteur initiale de la chambre. La tombe fut pillée dans l'Antiquité, peu de temps après le dépôt des corps, et il ne reste du mobilier d'origine que quelques débris épars. Dans l'angle sud-ouest de la chambre gisait le squelette très perturbé d'un homme âgé d'environ trente ans. Les pilleurs ont apparemment agi avec hâte, brisant les plus grands objets dans la chambre. Par chance, quelques pièces ont échappé à leur attention et nous sont parvenues. Des vêtements du défunt devaient provenir de fins fils d'or insérés dans l'étoffe en une sorte de brocart. De la

Revêtement en feuilles d'or décorées au repoussé des chaussures du prince enseveli dans le tumulus d'Eberdingen-Hochdorf (Bade-Wurtemberg) Deuxième moitié du VIe siècle av. J. -C. Stuttgart Württembergisches Landesmuseum • p. 72

ceinture, il reste une boucle de fer plaqué d'or ; les voleurs n'ont pas remarqué non plus une paire de fibules en bronze plaqué d'or qui constituent tout ce qui reste de la parure du mort ; les autres objets de parure en or, qui devaient certainement être présents, manquent totalement. Le service à boire, qui fait de même partie du mobilier funéraire, n'est représenté que par un fragment de l'anse d'un récipient de bronze de production locale et par une partie d'un support importé : deux solides pattes de lion en bronze fondu provenant d'un trépied haut d'à peu près 80 centimètres, apparemment fabriqué dans le Péloponnèse. De nombreux fragments, principalement en fer, attestent la présence d'un char : ce sont des fragments de moyeux en fer, chapeau et clavette, et de bandages de roue. Dans un carré de 0,40 × 0,40 mètre se trouvaient des fragments d'os et de bronze qui sont interprétés comme les restes d'un siège. Diverses formes en ambre, en ivoire et en os représentent des décors de meubles importés. Une patte de lion en ivoire sculpté appartenait sans doute à un coffret ou à quelque boîte, peut-être orné de rosettes en os, tandis que la palmette d'ambre incrusté a dû appartenir à une *kliné*. Avec les nouvelles trouvailles de Hochdorf, cette hypothèse devient vraisemblable. Autre importation, sans doute de Syrie: un fragment de manche de miroir en ivoire. Les plus belles pièces sont deux sphinx en os sculpté avec les visages incrustés d'ambre et des rivets de bronze doré pour les fixer. Ces pièces doivent aussi provenir d'un meuble et ont été fabriquées à Tarente.

En dépit du pillage radical de la tombe, ces quelques restes constituent des trouvailles extradinairement riches, qui laissent imaginer le mobilier original. La tombe du Grafenbühl doit avoir été aussi richement dotée que celle de Vix. Grâce à une fibule, la tombe peut être datée de la phase tardive du Hallstatt (Hallstatt D II-III). Les objets importés, par contre sont nettement plus anciens (le manche de miroir a été exécuté au VIIe siècle av. J.-C.), et ils furent ajoutés au trésor comme des antiquités, déjà. Ils sont la preuve des liens commerciaux étendus qu'entretenaient les princes du Hohenasperg. Le "Grafenbühl" contenait aussi trente-trois tombes secondaires, datant du Hallstatt récent et de La Tène ancienne, renfermant l'habituelle abondance d'objets avec des parures de bronze.

Le Römerhügel ou Belle Remise à Ludwigsburg

Dans la partie sud de la ville se trouve une autre butte, connue sous le nom de "Römerhügel", un tumulus qui mesurait autrefois 6 mètres de haut et

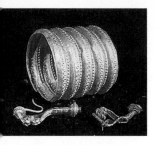

Bracelet et fibules
n or provenant
le la tombe
rincière
l'Eberdingen-
Iochdorf (Bade-
Wurtemberg)
Deuxième moitié
lu VIe siècle
v. J.-C.
Stuttgart
Württembergisches
Landesmuseum
p. 72

60 mètres de diamètre, aujourd'hui complètement détruit. Un peu plus loin à l'ouest se trouve un tumulus plus petit, encore inexploré. En 1877, quand un réservoir fut creusé dans le tumulus, on a rencontré une chambre, apparemment secondaire, creusée dans la terre végétale et recouverte de pierres. Le plancher, un carré de 3,50 mètres de côté, était renforcé sur le pourtour par des poutres supportant les madriers des murs. Le squelette était allongé parallèlement au mur ouest, la tête en direction du sud. Près du crâne se trouvait un torque d'or ; à la hanche, un poignard et une pierre à aiguiser ; près du pied droit, un fragment de feuille d'or. Aux pieds du défunt, il y avait quatre récipients de bronze : une ciste à cordons, un grand chaudron, une coupe et un plat à bords perlés. La partie orientale de la chambre était occupée par les restes d'un char à quatre roues, partiellement décoré de lamelles de bronze. Des restes du harnais correspondant sont conservés un mors en fer et 4 disques en bronze.

La deuxième chambre, qui s'est avérée être la chambre funéraire principale, était contiguë à la première chambre découverte, à une profondeur de 1,20 mètre. Elle ne fut fouillée que superficiellement. Les trouvailles ont consisté en bandelettes d'or, un manche de couteau, de petites plaquettes d'ambre qui, de toute évidence, décoraient un objet de bois, peut-être une pièce de meuble ou quelque coffret.

En 1926, quand le réservoir fut agrandi vers le sud, quinze tombes secondaires annexes furent découvertes ; toutes contenaient des inhumations, quelques-unes sans objets funéraires, les autres avec les parures de bronze habituelles au Hallstatt tardif. Aux torques et aux bracelets s'ajoutent quelques fibules et une pointe de lance ; mais un flacon en céramique tournée suggère une datation à La Tène ancienne.

Le tumulus funéraire d'Eberdingen-Hochdorf

A l'est de Hochdorf, dans la campagne du "Biegel", se trouve un grand tertre funéraire isolé, qu'on peut atteindre à partir du parc de stationnement du cimetière par la route en direction de Schwieberdingen. Le tumulus fut exploré entièrement en 1978-1979 et fournit une quantité extraordinaire de données nouvelles sur le mode de construction du tumulus lui-même. La chambre principale, inviolée, renfermait un riche trésor funéraire. La restauration des trouvailles et leur interprétation scientifique ne sont pas encore terminées ; de sorte que, pour le moment, on peut seulement en donner un aperçu provisoire.

Le tertre mesure 60 mètres de diamètre et il est entouré d'un parement de pierres renforcé par des poteaux de bois. Au nord, la maçonnerie est plus massive et plus haute ; deux structures de pierres dirigées vers le centre du tumulus accompagnent une rampe pavée. Il est possible que par cette voie le défunt ait été conduit à la chambre funéraire ; l'ensemble fut plus tard recouvert par le tumulus, composé dans sa partie la plus profonde de grosses mottes de gazon rapportées, avec par-dessus de la terre de remblai mêlée au lœss jaune superficiel. La tombe elle-même au centre du tumulus est aménagée dans une fosse de 11 mètres de côté et de 2 mètres de profondeur. La terre excavée a été répandue en cercle autour du trou à mesure que le travail avançait. La chambre fut conçue, pour résister aux incursions des pilleurs, à l'aide d'un procédé de construction qu'on ne retrouve nulle part dans la zone hallstattienne occidentale : la chambre interne, en madriers, de 4,70 mètres de côté, est emboîtée dans une chambre plus grande, mesurant 7,40 mètres sur 7,50 mètres également construite en poutres. Le vide entre les deux chambres est comblé par un blocage de grosses pierres ; de plus, le plafond était renforcé par des solives croisées. Ainsi, la tombe était en sécurité, comme dans un coffre-fort. Ce plafond, qui n'avait pas d'étai, s'effondra probablement très rapidement sous l'énorme poids de la terre. Grâce à des circonstances particulièrement favorables, les matières organiques dans la chambre furent

trouvées en excellent état de conservation : les émanations toxiques dégagées par la corrosion des divers métaux se sont opposées au processus de décomposition bactériologique ; et le tassement des couches de couverture semble avoir protégé des infiltrations d'eau. De ce fait, une bonne part des poutres de la chambre ainsi que d'autres éléments, en bois, en peau et particulièrement en tissu, furent miraculeusement conservés. Dans des circonstances normales, la plupart de ces objets seraient disparus depuis longtemps.

Chaudron de bronze de fabrication grecque provenant de la tombe princière d'Eberdingen-Hochdorf (Bade-Wurtemberg) Seconde moitié du VIe siècle av. J.-C. Stuttgart Württembergisches Landesmuseum

On avait enterré là un homme âgé d'environ quarante ans, haut de 1,83 mètres, ce qui est une taille exceptionnelle pour un homme de ce temps. Outre le riche déploiement d'objets et de parures, la chambre renfermait trois ensembles majeurs : un grand service à boisson, un service de table et ses accessoires, un char à quatre roues et les harnais pour deux chevaux. Il y avait en outre une banquette en bronze (ou *kliné*), longue d'à peu près 3 mètres, sur laquelle le corps était étendu, addition tout à fait inattendue au mobilier funéraire traditionnel. Couvert de ses parures d'or, le défunt avait été présenté à son peuple sur ce meuble exceptionnel. Au cou, il portait un torque d'or, symbole habituel du statut social propre à ces princes celtes qui nous est connu par d'autres tombes riches. Les autres objets d'or, au contraire, sont inhabituels, et, comme l'ont révélé des recherches approfondies, ils ont été exécutés spécifiquement pour l'enterrement même. Ce sont deux fibules serpentiformes en or (*Schlangefibeln*), un large bracelet porté au bras droit, une grande plaque en feuille d'or appartenant à une ceinture de cuir, un poignard recouvert d'une feuille d'or, et des appliques en or sur des chaussures ; d'après la forme des bandes, on peut déduire que le mort portait des chaussures à pointes légèrement relevées.

Parmi les effets personnels du défunt, il subsiste un chapeau en forme de cône très ouvert, composé de deux disques en écorce de bouleau cousus ensemble et décoré finement de petits cercles et autres motifs poinçonnés. Un couteau-rasoir en fer et un coupe-ongles appartenaient à un nécessaire de toilette ; trois hameçons trouvés dans une poche montrent que ce Celte était un passionné de pêche. Malgré l'absence de l'arc, un carquois avec son contenu de flèches doit être vu comme un équipement de chasse. Il n'est plus possible de reconstituer le vêtement en détail, cependant les examens des échantillons de tissus et de cuir peuvent permettre quelques conclusions.

Le service à boire est exceptionnellement riche. Sur la paroi sud de la chambre étaient suspendues au total neuf cornes à boire, dont une en fer (d'un mètre environ) richement ornée de bagues d'or et munie d'une anse, de laquelle pendaient diverses perles d'os. Des huit autres, en corne sans doute, sont conservées seulement les poignées de bronze et les lamelles d'or de l'embouchure, ainsi que les grosses boules d'os décorées pour garnir les pointes. Au même service appartient aussi un grand chaudron de bronze installé dans l'angle nord-ouest de la chambre sur un support de bois. Ce chaudron est orné sur l'épaule de trois grands lions placés entre trois anses massives. Il provient d'un atelier grec, et donc il s'agit d'une importation du sud. Les analyses des restes trouvés au fond du bassin ont révélé des pollens, en d'autres termes les traces d'un breuvage à base de miel ou hydromel. Dans le chaudron se trouvait une coupe hémisphérique de 15 centimètres de diamètre, en tôle d'or, qui a dû servir pour boire ou pour puiser. Aux neuf cornes à boire correspondaient neuf plats en bronze qui, avec trois grands bassins, en bronze également, étaient empilés sur la plate-forme du char ; ils s'assimilent aux plats à bords perlés trouvés dans d'autres tombes. A inclure dans ce service de banquet, une hache de fer avec un manche de bois bien conservé, qui servait pour abattre les animaux, une pointe de lance et un grand couteau de fer à découper la viande. Le char à quatre roues avait une plate-forme longue et étroite, quatre roues avec des moyeux massifs et un long timon.

L'ensemble du véhicule était plaqué de lames de fer décorées, si bien qu'on a pu reconstruire le char en toute certitude jusque dans ses détails techniques. Sur la plate-forme était posée une partie du harnais pour deux chevaux : un joug double en bois richement décoré de bronze, deux harnais de tête avec des mors en fer, dont les solides courroies de cuir étaient garnies de disques de bronze, et pour finir un aiguillon en bois long de 1,90 mètre avec une pointe de bronze pour stimuler les chevaux. Encore une fois, dans des conditions normales, il ne serait resté de ces trouvailles que les parties métalliques.

L'objet le plus remarquable semble être toutefois le lit de bronze (*kliné*) sur lequel reposait le mort. La banquette et son dossier sont composés de six plaques de bronze rivetées ; les parois latérales sont incurvées comme dans un sofa de Biedermeier. Le dossier est orné de scènes dessinées en pointillés repoussés vers l'extérieur : à chaque extrémité est représenté un char à quatre roues tiré par deux chevaux attelés par un double joug ; sur

le char se tient un homme avec un bouclier et l'aiguillon ou une lance. *Char à quatre roues*
Entre les deux chars, trois groupes de deux hommes s'affrontent, bran- *avec des appliques*
dissant très haut en arrière une épée, et en avant un objet encore non iden- *de fer*
tifié. Les figures ont de longs cheveux tombants, d'étranges robes ou des *princière*
tabliers, et ils ne semblent pas se combattre mais plutôt danser. *d'Eberdingen-*
Huit figures de bronze en fonte pleine portent le lit sur leurs mains levées. *Hochdorf*
Ces figures sont montées sur des roulettes qui permettaient de déplacer le *Wurtemberg)*
meuble d'avant en arrière. Les figures sont reliées entre elles par un tirant *Seconde moitié*
en fer qui devait assurer stabilité et tenue. Le plan et le dossier du meuble *du VIᵉ siècle*
étaient garnis de peaux de bêtes, de cuir et d'étoffes, et la tête du défunt *av. J.-C.*
reposait sur un coussin de paille tressée. *Stuttgart*
Ce meuble de bronze est une pièce unique, pour lequel nous ne connais- *Württembergisches*
sons pas de confrontation possible. Il révèle de fortes influences venues *Landesmuseum*
du sud-est des Alpes, bien qu'on ne puisse non plus exclure une origine
locale.
Les parois et le sol de la chambre funéraire étaient recouverts de tentures
fixées au bois par des pitons de fer ; elles étaient assemblées ou drapées
par une vingtaine de fibules de bronze. La datation de cette tombe est
indiscutablement la phase de transition du Ha D1 au Ha D2, c'est-à-dire
vers 530 av. J.-C.
Dans le tumulus de Hochdorf, les aménagements ultérieurs au mobilier, plutôt pauvre, ont été en grande partie détruits par les travaux agricoles.
Seulement trois sépultures secondaires ont été trouvées ; deux d'entre elles
avaient été creusées dans le terrain durant la construction même du tumulus.
La tombe de Hochdorf, à 10 kilomètres de distance du Hohenasperg, est
certainement à mettre en relation directe avec cette résidence princière.
Jusqu'à présent, c'est la sépulture la plus ancienne de la zone de
Hohenasperg et elle atteste la richesse de la classe princière locale.

Ditzingen-Schöckingen

En 1951, au cours de travaux de restauration d'une grange au milieu du
village, à 100 mètres environ au sud du château, furent découverts les

restes d'une tombe féminine et de son riche mobilier. A une faible profondeur sous la fondation du mur, le squelette d'une femme de vingt-cinq ans environ est allongé nord-sud, avec la tête au sud. Près du crâne se trouvaient neuf petits anneaux d'or, six petites épingles de bronze avec la tête en bronze ornée d'une feuille d'or, quatre têtes d'épingles en corail, ainsi qu'un torque lisse et fermé, lui aussi de bronze, un collier de trois perles de corail plus une grosse boule de corail formée de morceaux assemblés. A chaque avant-bras, la défunte portait trois bracelets d'or décorés de nervures, et à la cheville droite un anneau de bronze. Durant la fouille, on trouva encore trois bracelets en spirale avec des extrémités en têtes de serpents, les débris d'autres anneaux semblables, deux perles de corail et un fragment de tête d'épingle en or.

Ditzingen-Hirschlanden

En 1963-1964, au cours d'une opération de remembrement, à 2 kilomètres environ à l'ouest–sud-ouest du village, on explora un tumulus déjà très usé (1,20 mètre encore de haut et 32 mètres de diamètre). Un second tumulus à 80 mètres du premier fut également fouillé ; bien qu'il ait été complètement détruit, sa structure causa la surprise générale. Le tertre artificiel de terre était délimité par un cercle de pierres de 19 mètres de diamètre, formé par des dalles fichées verticalement dans le sol, à environ 1 mètre l'une de l'autre ; entre elles s'élevait un mur en pierre sèche qui formait un tout continu. Probablement le bas de la pente du tumulus était recouvert de dalles de pierre.

Le mur était construit en une pierre qui s'apparente au calcaire coquillier de la région. Dans le tumulus, on a découvert seize autres tombes ; certaines d'entre elles devaient être des sépultures annexes. Autour de la tombe centrale (n° 1), les tombes secondaires sont disposées en deux cercles concentriques (tombes 2-7 et 9-11). Une sépulture secondaire (13) a été creusée postérieurement au centre du tumulus; elle est à son tour entourée d'un cercle, incomplet certes, de tombes secondaires (14 à 16). Evidemment, la plupart de ces dépositions étaient faites dans des chambres en bois, longues

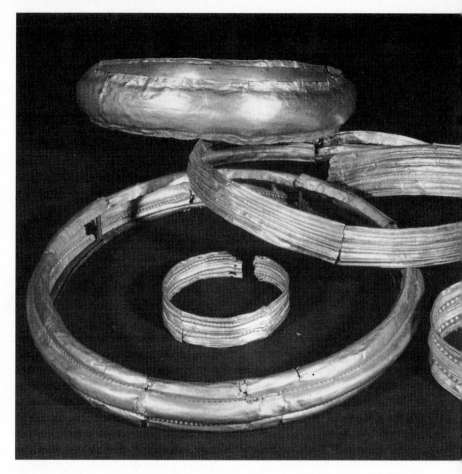

de 1,80 mètre à 2 mètres, larges de 0,40 mètre à 0,80 mètre. Il s'agissait exclusivement d'inhumations, avec un mobilier funéraire médiocre. La tombe la plus ancienne (n° 1) fut creusée au Ha D1, vers 550 av. J.-C. ; les sépultures les plus récentes, secondaires, doivent être datées de la période de transition à La Tène ancienne, vers 450 av. J.-C.

La trouvaille la plus importante est de loin la stèle de pierre travaillée en ronde bosse représentant un guerrier hallstattien. Grandeur nature, elle mesure encore 1,50 mètre, après avoir perdu ses pieds. Sculptée dans du grès, elle représente un homme nu.

Sur la tête il porte un chapeau pointu sans rebord, et au cou un gros anneau, peut-être un torque d'or. La figure portait sans doute un masque, car le bas du visage est fortement déformé. La ceinture, composée de deux anneaux, retient un poignard à une poignée à antennes. Les jambes, surtout par la face postérieure, font fortement penser aux représentations classiques des *Kouroi*. La stèle gisait juste au nord du cercle de pierres ; autrefois, elle couronnait le tumulus ; mais, les pieds s'étant cassés, elle roula et se cassa en deux.

Colliers et bracelets d'or provenant des tumuli des environs de la Heuneburg (Bade-Wurtemberg) Seconde moitié du VIe siècle av. J.-C. Stuttgart Württembergisches Landesmuseum

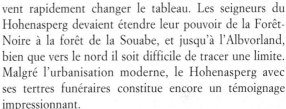

Cariatide de bronze incrusté de corail un des huit supports de la kliné de la tombe princière d'Eberdingen-Hochdorf (Bade-Wurtemberg) Seconde moitié du VIᵉ siècle av. J.-C. Stuttgart Württembergisches Landesmuseum

Conclusion

Comme dans le cas de la Heuneburg, à Hohenasperg, les tumuli les plus récents sont plus proches de l'établissement que les plus anciens tertres. Le Grafenbühl et surtout le Kleinaspergle appartiennent à une phase plus récente que la forteresse ; par contre, les tombes plus éloignées de Ludwigsburg-Römerhügel et de Hochdorf sont nettement plus anciennes. Toutefois, jusqu'à présent, il manque les couches les plus anciennes pour les tombes, comme celles de Hohmichele ou bien du fief de Etingen-Rauher ; si bien qu'on doit probablement attribuer le début de l'installation sur le Hohenasperg à une phase plus tardive que sur la Heuneburg. Bien entendu, il ne faut pas oublier que beaucoup de tumuli n'ont pas encore été fouillés systématiquement et que de nouvelles découvertes peuvent rapidement changer le tableau. Les seigneurs du Hohenasperg devaient étendre leur pouvoir de la Forêt-Noire à la forêt de la Souabe, et jusqu'à l'Albvorland, bien que vers le nord il soit difficile de tracer une limite. Malgré l'urbanisation moderne, le Hohenasperg avec ses tertres funéraires constitue encore un témoignage impressionnant.

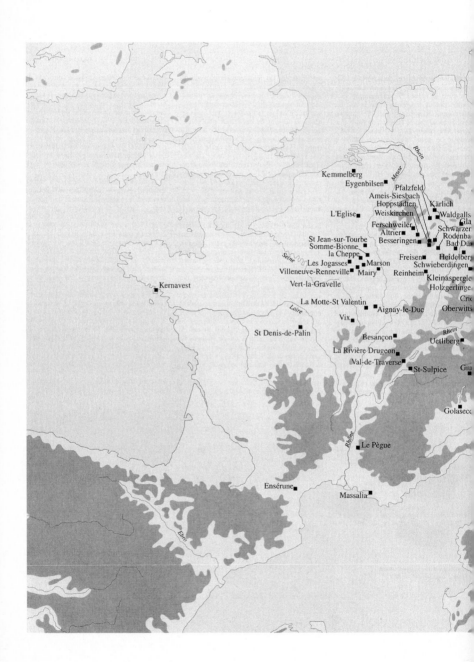

Kemmelberg
Eygenbilsen
Pfalzfeld
Ameis-Siesbach
Hoppstädten
Kärlich
L'Eglise
Weiskirchen
Waldgalls
Gla
Ferschweiler
Schwarzer
Altrier
Rodenba
St Jean-sur-Tourbe
Besseringen
Bad Dü
Somme-Bionne
la Cheppe
Freisen
Heidelber
Les Jogasses
Marson
Schwieberdingen
Villeneuve-Renneville
Mairy
Reinheim
Kleinaspergle
Vert-la-Gravelle
Holzgerlinge
Kernavest
Cri
La Motte-St Valentin
Aignay-le-Duc
Oberwitti
Vix
Rhein
St Denis-de-Palin
Besançon
Uetliberg
La Rivière Drugeon
Val-de-Traverse
St-Sulpice
Giu
Golaseco
Le Pègue
Rhône
Ensérune
Massalia
Ebro

Seine
Meuse
Rhein
Loire

La formation de la culture laténienne
Vᵉ siècle av. J.-C.

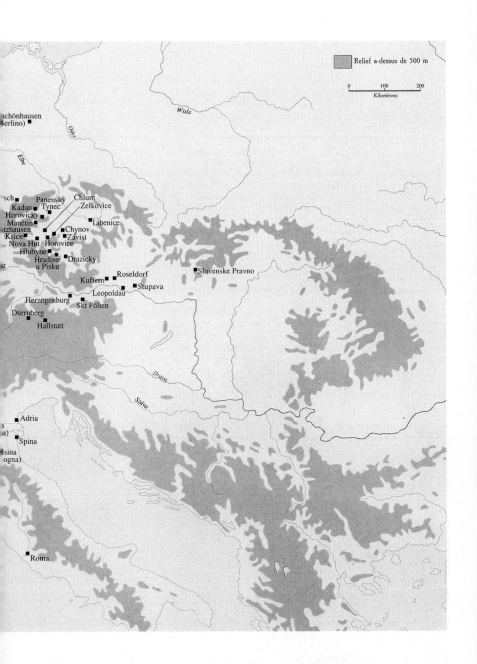

Relief a-dessus de 500 m

0   100   200
Kilomètres

schönhausen
Berlino) ■

Wisla

Oder

Elbe

-sch ■   Panensky   Chlum
  Kadan ■ Tynec   Zelkovice
Horovicky ■
Manětin ■   ■ Libenice
tzhausen   ■ Chynov
Ksice ■   ■ Závist
Nova Hut Horovice
  Hlubyne ■
    Hradiste ■ Drazicky
    u Pisku
g   ■ Slovenske Pravno
        Kuffern ■ ■ Roseldorf
              ■ ■ Stupava
        Leopoldau
  Herzogenburg ■
Dürrnberg   Skt Pölten
  ■ Hallstatt

Drava

Sava

■ Adria
a)
  ■ Spina
sina)
ogna)

■ Roma

La formation de la culture de La Tène

Otto Hermann Frey

La nouvelle époque porte le nom d'un célèbre site archéologique de la Suisse. Une fois de plus, ce sont surtout les trouvailles dans les nécropoles qui nous fournissent une image des Celtes. A ces découvertes, il convient d'ajouter les habitats, dont cependant aucun n'a été exploré d'une manière qui soit, même de loin, comparable à celle de la Heuneburg du Hallstatt final. Il faut également rappeler le matériel déposé dans les eaux ou dans d'autres dépôts cultuels. Toutefois, les témoignages écrits manquent. La caractéristique de cette époque est une production artistique une fois encore sujette à d'évidentes influences du milieu méditerranéen, qui cependant ne menèrent pas seulement à des imitations, plus ou moins bien réussies, de modèles grecs ou étrusques, comme certaines œuvres du "monde des princes" de l'époque de Hallstatt, mais qui ouvrirent la voie à de nouvelles créations à l'intérieur d'une production artistique incomparable et originale.

Là encore, il s'agit uniquement d'art mineur, de parures, de récipients d'armes, d'éléments de char et d'objets analogues. Des sculptures en pierre de dimensions majeures, des stèles pour la plupart, ne nous sont parvenues que sporadiquement, mais elles aussi, par la manière de rendre les têtes ou par les bras à peine ébauchés, ne doivent pas être interprétées comme de véritables représentations plastiques, mais plutôt, comme le démontre le pilier de Pfalzfeld, essentiellement et uniquement comme les supports d'une décoration.

Il est bien évident que parmi les matériaux on a aussi d'autres indices d'un tournant de vaste envergure qui délimite cette époque. De nouveaux centres d'importance régionale se forment. Dans les tombes d'hommes, un armement de type nouveau fait son apparition, et l'on observe également un rituel funéraire nouveau, qui reflète un changement conceptuel. Dans les tombes, on ne déposait plus seulement, comme à l'époque de Hallstatt, quelques armes typiques, à interpréter surtout en tant que symboles d'une certaine position sociale ; maintenant, le défunt fait son entrée dans l'au-delà comme un guerrier tout équipé.

De même, les "chars de guerre" à deux roues remplacent les chars funéraires à quatre roues du Hallstatt lorsqu'il s'agit d'hommes riches, et assez fréquemment aussi, sous forme de véhicules plus légers, de femmes.

Plus tard, on arriva à un changement dans le costume : un ceinturon avec des agrafes caractéristiques fait partie du costume de l'homme ; ainsi que les fibules, si sensibles aux modes, qui présentent des formes nettement différentes. Il ne peut s'agir que d'une manifestation extérieure de la première période de La Tène ; pourtant, même dans le cadre territorial plus vaste, on constate des signes de nouvelles idées ou de changements politiques et sociaux.

Vue du tumulus du Kleinaspergle Bade-Wurtemberg) ᵉ siècle av. J.-C.

135

Destin historique des "princes" du monde hallstattien occidental

Comment ce changement s'est-il manifesté dans le territoire qui avait été le centre du monde hallstattien occidental et qui avait déterminé d'une si large mesure le développement culturel de l'Europe centrale? Au seuil de la nouvelle époque, un incendie catastrophique avait détruit la Heuneburg, et les nécropoles des alentours n'ont pas restitué de vestiges appartenant à la première période de La Tène.

Il en est bien autrement dans la région du Hohenasperg. A environ un kilomètre au sud de la forteresse se trouve le Kleinaspergle, également "tombe princière" à tumulus typique, explorée dès le siècle dernier. La chambre principale avait été pillée, mais une grande chambre latérale était restée intacte et l'on y avait trouvé, comme mobilier funéraire d'un ou du plusieurs défunts, deux coupes grecques du milieu du Ve siècle, un *stámnos* étrusque en bronze, une

cruche de production locale sur modèle étrusque, deux cornes à boire, une ciste à cordons et un grand bassin, qui composaient donc un important service pour le banquet. A ces objets venaient s'ajouter des parures en or, une agrafe de ceinturon en fer et d'autres encore. L'inventaire de la tombe fait immédiatement penser aux "tombes princières" hallstattiennes voisines.

Là aussi, les vases à boisson importés de l'étranger jouent un rôle important ; toutefois, il s'agit, dans le cas de la cruche, d'une production centre-européenne, et les objets de parure sont des produits typiques du début de La Tène.

Cruche et détail de cette même cruche à vin en bronze d'origine étrusque avec décoration celtique finement gravée Début du VIe siècle av. J.-C. Provenance inconnue Besançon Musée des Beaux-Arts et d'Archéologie

*Flasque céramique à décoration
estampillée et gravée provenant
de Hlubyně (Bohême)
seconde moitié du Ve siècle av. J.-C.
Prague, Národní Múzeum*

age ci-contre
léments de ceinture ajourés
a fer du tumulus n° 1 de
Pochscheid (Rhénanie)
econde moitié du Ve siècle
v. J.-C.
rêves, Rheinisches Landesmuseum

ibule de bronze à "masques"
u tumulus n° 2
e Bescheid (Rhénanie)
econde moitié du Ve siècle
v. J.-C.

Garniture d'une coupe en feuille
d'or ajourée et travaillée
au repoussé provenant
de la tombe princière
du tumulus n° 1
de Schwarzenbach (Rhénanie)
Seconde moitié
du Ve siècle av. J.-C.
Berlin
Staatliche Museen
Antikensammlung
Preussischer Kulturbesitz

Fibule à masques
en bronze provenant
de Kšice (Bohême)
Seconde moitié du
Ve siècle av. J.-C.
Pilsen
Zapádočeské
Mùzeum

Fibule à masques
en bronze
provenant
da Nová Hut'
(Bohême)
Seconde moitié du
Ve siècle av. J.-C.
Pilsen
Zapádočeské
Mùzeum

Fibule à masques
en bronze
avec incrustations
de corail provenant
de Chýnov
(Bohême)
Seconde moitié du
Ve siècle av. J.-C.
Prague, Národní
Múzeum

Fibule en bronze
à double tête d'oiseau
avec applications
de corail provenant du
Val de Travers
(Neuchâtel)
Seconde moitié
du Ve siècle av. J.-C.
Neuchâtel
Musée cantonal
d'Archéologie

Fibule en bronze
en forme
de chaussure
provenant
de Wien-Leopolda
(Autriche)
Seconde moitié
du Ve siècle av. J.-C
Vienne
Naturhistorisches
Museum

140

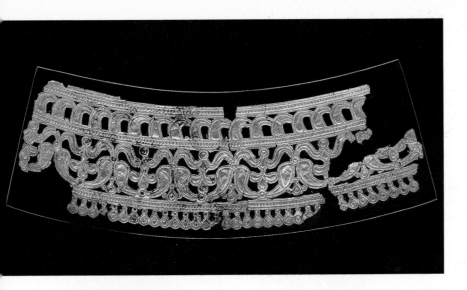

en haut
*Garniture de corne à boire en
feuille d'or ajourée et travaillée
au repoussé provenant
de la tombe princière
d'Eigenbilzen (Limbourg) Seconde
moitié du Vᵉ siècle av. J.-C.
Bruxelles
Musées royaux d'Art et d'Histoire*

en bas
*Phalères de bronze ajouré
de Ville-sur-Retourne (Ardennes)
Seconde moitié
du Vᵉ siècle av. J. -C.
Reims
Musée Saint-Rémi*

*Phalère en bronze, cerclée de fer
décorée au repoussé provenant
de la tombe à char de Hǒrovičky
(Bohême)
Seconde moitié du Vᵉ siècle av. J.-C.
Prague, Národní Múzeum*

*Fibule "à masques" de bronze
trouvée dans le lit de la Marne
près de Port-à-Binson (Marne)
Seconde moitié
du Vᵉ siècle av. J.-C.
Collection particulière*

Grand gobelet en terre cuite portant
un décor gravé de paire de monstres
au corps serpentiforme de La Cheppe (Marne)
Seconde moitié du Ve siècle av. J.-C.
Saint-Germain-en-Laye
Musée des Antiquités nationales

*Casque de bronze avec décoration
gravée, provenant de la tombe
à char de Berru (Marne)
Début du IVᵉ siècle av. J.-C.
Saint-Germain-en-Laye
Musée
des Antiquités nationales*

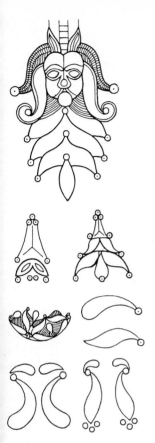

*Détails
ornementaux
des objets
du Kleinaspergle
(zone du
Hohenasperg
Bade-Wurtemberg)
Seconde moitié
du Ve siècle av. J.-C.
Stuttgart
Württembergisches
Landesmuseum*

Le nouveau langage artistique est bien dévoilé par la cruche qui imite une cruche à bec étrusque (*Schnabelkanne*), comme celles que nous connaissons de la tombe hallstattienne de Vix en France ou d'inhumations du début de La Tène. Cependant, la forme est totalement différente, les proportions sont modifiées, donnant ainsi un caractère dynamique : l'épaule est presque horizontale, la partie inférieure est allongée et présente une légère courbure. Mais c'est surtout l'anse qui révèle les différences par rapport aux modèles étrusques. La tête au point d'attache de l'anse pourrait faire penser, à cause des oreilles pointues, à un satyre comme celui qui se trouve aux points d'attache du *stámnos* étrusque de la même tombe ; toutefois les oreilles, au lieu d'être placées latéralement, se dressent au-dessus de la tête. Les yeux, mais aussi le front, les joues, le nez et le menton se décomposent en volumes sphériques et la barbe déferle, sans délimitations nettes, en un ornement de feuilles de palmettes superposées. Des visages déformées de la même manière au moyen d'une accentuation excessive de chacun des éléments se trouvent à la partie supérieure de l'anse. Alors que la déformation des têtes d'animaux dans les prolongements latéraux de l'anse est moins évidente, la "tête humaine" placée au milieu est une représentation grotesque que l'on ne peut plus interpréter, dans son exagération, comme reproduction de quoi que ce soit de réel.

Des têtes fantastiques de ce genre, qui nous introduisent dans le monde singulier de la figuration celtique, sont présentes sur divers produits de la culture artistique laténienne ancienne. La cruche elle-même trouve des équivalents très proches dans des cruches du Dürrnberg près de Hallein, de Borscher Aue près de Salzungen et de Basse-Yutz sur la Moselle. Quant aux proportions et décorations, elles se distinguent nettement de leurs modèles méridionaux. Le travail difficile du repoussé et les procédés de fusion employés montrent, dans ce cas spécifique, le niveau de qualité le plus élevé du travail du bronze de l'époque et nous font supposer d'excellents ateliers. Si l'on se réfère aux splendides ouvrages en métal des "tombes princières" de l'époque de Hallstatt, malgré le changement de style, on pourrait avancer l'hypothèse d'une tradition artisanale sans solution de continuité.

Les deux coupes grecques doivent avoir semblé aux Celtes extrêmement précieuses, du fait que d'anciennes cassures ont été réparés avec des agrafes de bronze et que les lignes de cassure sont partiellement recouvertes de plaquettes d'or façonnées de manière à composer une ornementation complémentaire. On reconnaît des feuilles seules ou des éléments en forme de feuille enchaînés l'un à l'autre, mais également des éléments en forme de fleur composés entièrement de feuilles de ce genre, qui ressemblent à la barbe de la tête du point d'attache inférieur de la cruche en bronze. Les artisans qui travaillaient le bronze et les orfèvres s'inspiraient donc du même répertoire de prototypes. Les éléments à forme de feuille doivent incontestablement se référer à la décoration phytomorphe classique. Pourtant, ils sont désormais indépendants des motifs originels. En revanche, l'"image en forme de fleur" présente ses feuilles reliées d'une façon nouvelle en arcs de cercle exacts. D'autres objets d'or restitués par la tombe répondent à des principes de composition analogues.

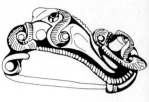

Actuellement, la chambre latérale du Kleinaspergle représente la seule "tombe princière" trouvée dans la zone du Hohenasperg qui appartienne déjà à l'époque de La Tène ancienne. Elle est vraisemblablement l'expression de la dernière phase de la dynastie qui régnait sur l'Asperg. De fait, le complexe peut être difficilement séparé par une longue période de temps des tombes hallstattiennes tardives, comme celle du Grafenbühl ou du Römerhügel. Le nouveau style décoratif, proposé par les ouvrages en bronze et en or, apparaît à l'improviste, sans que – du moins pour ce qui concerne ce territoire – l'on puisse déceler une phase expérimentale prolongée. Une mutation si rapide serait-elle due à certains artistes de génie formés dans l'excellente tradition artisanale locale ? Ou bien doit-on rechercher la genèse du nouveau style dans une autre région, peut-être dans le territoire du Rhin moyen ?

Nous ne pouvons approfondir ici ces questions. Toutefois, dans le territoire central de ce qui avait été le territoire hallstattien occidental, on trouve des "tombes princières" plus tardives, ce qui prouve bien qu'un arrêt dans le développement ne s'était pas produit partout, mais que d'autres centres hallstattiens avaient continué à vivre au cours de la première période de La Tène. Il y a seulement quelques années, on a trouvé sur l'Uetliberg qui domine Zurich, dans une grande tombe à tumulus pillée, deux petits disques ornementaux en or dont la décoration phytomorphe s'avère étroitement liée à celle du Kleinaspergle. Deux "tombes princières" avec des objets de mobilier d'importation méditerranéenne, dont une était la sépulture d'un homme armé et l'autre une tombe de femme contenant, entre autres choses, un miroir en bronze analogue, lui aussi, aux prototypes classiques, ont été découvertes dans le grand tumulus de "La Motte-Saint -Valentin", près de Courcelles-en-Montagne, dans le département de la Haute-Marne. Plus à l'est, des inhumations individuelles du Dürrnberg dans les alentours de Hallein, alors le centre le plus important d'extraction du sel, dans lequel il y eut également de différentes et nombreuses branches d'activité industrielle, peuvent être désignées comme "tombes princières". Un peu plus loin, la nécropole de Hallstatt a elle aussi restitué une "tombe princière" de La Tène ancienne. Le fait que dans diverses localités les structures sociales, que nous reconnaissons par les "sépultures princières", aient continué à exister encore à l'époque La Tène ancienne est démontré par d'autres produits, de niveau artistique particulièrement élevé, provenant de tombes plus modestes ou même d'habitats.

Décoration anthropomorphe

Parmi les produits qui apparaissent le plus fréquemment, il faut rappeler en premier lieu les fibules ornées de têtes humaines, d'animaux ou de créatures fantastiques semblables à celles qui décorent la cruche en bronze du Kleinaspergle. Pour les têtes humaines ou les images de fantaisie, on a eu recours au terme de "masques". Par conséquent, on parle de fibules à masques. Bien que ressorte continuellement la tendance à décomposer les visages humains en formes simples, en accentuant, par exemple, fortement les sourcils, en gonflant les yeux, les nez et les joues et surtout la bouche – ajoutant souvent une barbe – il y a néanmoins de nombreuses œuvres où la déformation est moins importante. La richesse du répertoire est considérable, toutes les pièces s'avèrent avoir été coulées individuellement avec les finitions successives de leurs surfaces. Les barbes et chevelures sont fréquemment transformées en compositions phytomorphes, bien que les allusions à de véritables coiffures ne manquent pas. Très souvent, les têtes présentent de grandes boucles sur les côtés. Les oreilles, qui ne sont que rarement indiquées, peuvent, transformées en oreilles pointues animales, se déplacer au-dessus de la tête. Les grands motifs en forme de feuilles d'acanthe ou au-dessus de la tête – parfois semblables à de gigantesques oreilles – sont typiques de l'époque et devaient avoir une signification symbolique particulière sur laquelle nous ne pouvons formuler que des hypothèses. Certains visages apparaissent glabres, mais la plupart ont des moustaches telles que celles qui deviendront une caractéristique des Celtes. La barbe complète est le cas le plus fréquent. Les figures humaines entières sont très rares. Un bon exemple nous est fourni par l'agrafe de Mañětín près de Plgeň en Bohême. Le corps, surmonté d'une tête on ne peut plus expressive, est à peine ébauché. Les bras sont ratatinés et petites cavités dans la poitrine contenaient, autrefois, des incrustations de corail ou d'ambre. A l'instar d'un Etrusque, l'homme représenté porte un pantalon court décoré de creux destinés à accueillir des incrustations. Aux pieds, la figure porte des souliers à pointe recourbée d'influence étrusque. Plus intéressante encore, une fibule du Dürrnberg sur laquelle apparaît un homme tout habillé. On reconnaît un dessous de robe recouvert d'un vêtement dont les bords, devant, sont légèrement superposés, auxquels s'ajoute un large pantalon à plis, un exemple des célèbres *bracae* gauloises que nous connaissons, à une époque plus tardive, grâce aux témoignages romains. On ne voit pas très bien si cet homme a aux pieds les souliers à pointe recourbée. Seuls quelques autres ouvrages fournissent de cette époque des images détaillées des Celtes. En provenance du nord du territoire étudié jusqu'ici, et notamment d'une tombe de Kärlich près de Coblence, on a un petit élément en forme de cavalier, découpé dans une plaque de bronze. Les cheveux et la barbe sont accentués grâce à un poinçonnage fin dont toutes les lignes ne sont pas clairement interprétables. D'autres lignes devraient souligner la musculature. On y voit également un phallus en érection. Un léger grossissement de l'avant-bras indique probablement un bracelet. La main tient les rênes. Les jambes, excessivement courtes, sont reconnaissables sur le corps du cheval. Le cavalier porte en bandoulière une épée typique de La Tène

ancienne. Un autre objet, de forme ronde et qui pend à son poignet, est extrêmement intéressant. Il s'agit vraisemblablement de la tête tranchée d'un ennemi, un signe typique de victoire dont de nombreux historiens de l'Antiquité font état pour les époques plus tardives. Ainsi, par exemple, Strabon (IV, 4, 5) rapporte, en citant Posidonius : "Au retour de la bataille, ils suspendent les têtes des ennemis tués au cou des chevaux et les rapportent avec eux pour les clouer à l'entrée de leur propre maison".

Sans doute, les représentations les plus intéressantes des premiers Celtes sont-elles celles qui sont sur le fourreau de la célèbre épée provenant de la nécropole de Hallstatt. La tombe a également restitué deux lances, un casque de fer et un coutelas. Parmi les vases à boisson, nous est parvenu un entonnoir muni d'une passoire qui servait à filtrer une boisson enivrante produite avec des herbes aromatiques, ou peut-être du vin importé du sud. Des entonnoirs analogues sont largement attestés en Italie centrale.

L'épée offre une réprésentation scénique complexe, unique dans le monde celtique, du début et qui ne s'explique que sur le fondement d'influences par la toreutique de l'Italie septentrionale et du milieu alpin sud-oriental, l'art dit des situles, qui en dernière analyse se rattache à la production artistique étrusque. Dans le champ principal du fourreau apparaît un cortège de guerriers, incontestablement celtiques. Trois fantassins chaussés de souliers à pointe recourbée, armés de la lance et du typique bouclier ovale, sont suivis de quatre cavaliers, dont le second transperce d'une lance un ennemi gisant au sol. Les cavaliers appartiennent vraisemblablement à la classe dominante, comme le révèle leur armement. Outre sa lance, l'un d'eux est aussi équipé d'une épée caractéristique. De plus, les cavaliers portent des casques tout à fait semblables à l'exemplaire en fer trouvé dans la même tombe. On ne voit pas très bien si la partie supérieure des corps est protégée par une cuirasse d'un tissu à carreaux ou en cuir – protection indispensable pour les cavaliers sans bouclier – sous laquelle apparaît une chemise plus longue, si toutefois – comme il ressort du second cavalier – il ne s'agit pas simplement d'un seul et même vêtement avec ceinture. Le pantalon est caractéristique, et là encore on note les souliers à pointe recourbée. Remarquable, enfin, un étendard sur l'épaule du premier cavalier qui signale ce dernier comme étant commandant. Des enseignes de ce genre nous sont connues, même dans ce cas, en Italie ; les rênes sont ornées de disques ; l'arrière-train des chevaux est traité dans le typique style ornemental celtique.

La représentation exceptionnelle, où sont mêlés des éléments étrangers et celtiques, offre donc l'image la plus ancienne d'une de ces armées celtiques qui inspiraient tant de crainte, comme il ressort des récits plus tardifs.

Partie centrale du fourreau de bronze à décoration gravée provenant de la tombe n° 99 de Hallstatt (Haute-Autriche) Seconde moitié du Ve siècle av. J.-C. Vienne Naturhistorisches Museum

Contrairement au monde méditerranéen, où à cette époque encore ceux qui décidaient du sort de la bataille étaient généralement les fantassins lourdement cuirassés et en formation serrée (la phalange), ici les fantassins apparaissent avec un armement léger et sont de ce fait plus mobiles. Les cavaliers bien armés semblent particulièrement efficaces et sont les prédécesseurs évidents des redoutables chevaliers sur lesquels César appelle l'attention dans sa chronique de guerre contre les Gaulois.

En revanche, il n'y a que peu de choses à dire sur les autres scènes représentées sur le fourreau de cette épée. Dans les scènes de fond qui encadrent le défilé des guerriers sont représentés deux hommes, richement vêtus et portant une roue entre eux. Peut-être s'agit-il d'un symbole divin ? Il est tout aussi difficile d'interpréter le groupe des trois hommes en train de combattre entre eux dans la scène figurant sur la pointe du fourreau.

Animaux et êtres fantastiques

Au cours de cette phase initiale, les images zoomorphes entières sont encore rares. Il n'y a que les fibules en forme de petits chevaux qui sont relativement fréquentes et qui, particulièrement en Italie, ont une longue tradition. Elles sont déjà présentes en Europe centrale dans le milieu hallstattien. Toutefois maintenant, leur structure formelle est adaptée aux temps nouveaux, comme il ressort de l'accentuation de chacune des parties du corps. Jusqu'à présent, comme fibules dont l'arc présente la forme d'un sanglier, nous ne connaissons que celles provenant du Dürrnberg. Parmi les riches trouvailles de ce site, on compte plusieurs fibules en forme d'oiseau en vol. Une fibule avec un coq provient de la "tombe princière" de Reinheim, dans la Sarre. Dans une autre fibule de Langenlonsheim (Rhénanie moyenne) on pourrait sans doute reconnaître un lion dont la tête présente des traits humains. De grands animaux de proie ornent les cruches à bec déjà citées du Dürrnberg, de Borscher Aue et de Basse-Yutz.

Dans ces dernières représentations, le caractère méditerranéen des images de lion est incontestable, et il en est de même pour d'autres animaux fabuleux empruntés au milieu méditerranéen. Certains animaux de proie se présentent ailés, comme par exemple les lions sur le fermoir de ceinturon de Stupava en Slovaquie occidentale. Sur l'objet analogue de Weiskirchen, dans la Sarre, deux paires de sphinx barbus encadrent une tête humaine. Enfin, sur les fermoirs de ceinture de la Champagne sont représentés deux griffons.

Auprès de ceux-ci apparaissent des figures fantastiques qui semblent appartenir exclusivement au répertoire celtique. Il suffit de rappeler, outre la fibule déjà citée au lion à visage humain de Langenlonsheim, le cheval à visage humain barbu qui orne le couvercle de la cruche provenant de la tombe de Reinheim dans la Sarre. Des chevaux à tête humaine apparaissent aussi plus tard sur des monnaies celtiques.

Fibule anthropomorphe de bronze provenant de la tombe n° 71/1 de l'aire de l'Eisfeld Dürrnberg près de Hallein (Salzbourg) Seconde moitié du Vᵉ siècle av. J.-C. Hallein Keltenmuseum

*Fibule en bronze
à double tête
d'oiseau avec
applications
de corail provenan
du Val de Travers
(Neuchâtel)
Seconde moitié d*
Ve siècle av. J.-C.
*Neuchâtel
Musée cantonal
d'Archéologie*
• *p. 140*

*Fibule en bronze
en forme
de chaussure
provenant
de Wien-Leopold*
*(Autriche)
Seconde moitié d*
Ve siècle av. J.-C.
*Vienne
Naturhistorisches
Museum*
• *p. 140*

*Fibule à masques
en bronze
provenant
de Slovenské
Pravno
(Slovaquie)
Seconde moitié d*
Ve siècle av. J. -C.
*Nitra,
Archeologický
ústav SAV*

Ce n'est que très rarement que l'on rencontre dans le cadre oriental de La Tène ancienne des représentations zoomorphes comparables aux scènes du fourreau de l'épée de Hallstatt. Le meilleur exemple est offert par le flacon en terre cuite de Matzhausen dans le Haut Palatinat, sur l'épaule duquel est gravé une frise d'animaux sauvages. Il s'agit probablement de quatre couples : un sanglier et une laie, un cerf et une biche, deux chevreaux et deux oies de sexe opposé. A quoi il faut ajouter un animal de proie en train de chasser un lièvre. La plupart du temps, ce ne sont que des têtes d'animaux qui ornent les fermoirs pour vêtements et autres objets. Les plus fréquentes sont les têtes d'oiseau. Très souvent, elles sont rendues de manière synthétique, au point qu'une interprétation exacte devient impossible. Néanmoins, il est plusieurs fois possible de distinguer avec exactitude des oiseaux aquatiques, symbole antique souvent utilisé dès la fin de la période de Hallstatt dans le milieu occidental de cette culture. Toutefois les oiseaux de proie – jusqu'ici ignorés – à bec crochu, sont plus fréquents. Quant aux autres têtes d'animaux, seules celles de bélier sont largement documentées. De plus, des motifs à lyre viennent souvent s'ajouter aux têtes de griffons.

Les animaux fabuleux sont souvent flanqués de masques humains. Une fois de plus, il suffit de rappeler le fermoir de ceinture de Stupava, l'agrafe de ceinturon de Weiskirchen, ou bien la bague d'or de Rodenbach dans le Palatinat. On trouve également sur les fibules des combinaisons de masques humains et de têtes de créatures fantastiques, mais les masques associés à des têtes d'oiseaux ou de béliers ne manquent pas non plus. Ainsi, le point d'attache supérieur de l'anse de la cruche de Reinheim est orné d'une tête de bélier sous un masque humain, motif qui revient, mais en plus petit, sur la cruche provenant de la tombe de Waldalgesheim et, à une époque ultérieure, sur les ornements en argent de Manerbio (Brescia). En revanche, le torque d'or de la tombe de Reinheim présente des têtes de faucons surmontant des têtes humaines. Sans aucun doute, ces représentations, qu'elles soient seules ou

combinées, sont des parties intégrantes du répertoire complexe d'images magiques du monde celtique. Nombreuses ont été les tentatives pour expliquer certains motifs à la lumière de la documentation qui nous vient d'époques successives, en voyant par exemple chez les animaux des attributs de divinités précises, voire les dieux mêmes. Le cheval à tête humaine de Reinheim pourrait être Taranis ; les motifs à forme de bélier seraient à attribuer à Teutatès, et ainsi de suite. De toute manière, en raison du long intervalle qui sépare ces images de la documentation plus tardive, au cours duquel bien des choses peuvent avoir changé, ces rapports directs ne peuvent que rester hypothétiques au point de rendre impossible une détermination plus précise.

Cependant, la signification que les Celtes attribuaient à ces petites œuvres d'art figuratif, telles les fibules à masques, devient évidente du fait qu'en Allemagne, un nombre considérable de pièces provient d'habitats. On peut difficilement supposer qu'il s'agit de pertes accidentelles de ces éléments relativement précieux de l'habillement. S'ils ne sont pas tombés dans le terrain au cours de destructions de l'habitat, on peut penser à des dépôts volontaires, pour motifs religieux.

Les produits figuratifs de cette phase précoce de la culture de La Tène se prêtent à être organisés par groupes régionaux, dans le cadre desquels travaillaient les ateliers, et les fibules rendent ce fait particulièrement évident. Ainsi, par exemple, les formes symétriques à double masque sont concentrées dans le territoire du Rhin moyen, alors que l'arc asymétrique et l'arc allongé se trouve plus à l'est. Non seulement des motifs déterminés, tels que le sanglier ou l'oiseau en vol – il y a également des fibules non figuratives en forme de chaussure – mais aussi la disposition de la décoration figurative démontrent que ces œuvres étaient fabriquées dans le site central déjà plusieurs fois cité du Dürrnberg. Une fibule à masque restée inachevée a été retrouvée sur le Kleiner Knetzberg en Basse Franconie et atteste l'activité artisanale de cet habitat fortifié sur un promontoire. Si l'on prend comme exemple les masques humains, on peut facilement constater que les pièces ornementales et autres objets à décoration figurative ne sont pas uniquement concentrés dans le territoire hallstattien précédent en Allemagne sud-occidentale, mais également et surtout dans la zone du Rhin moyen, et plus à l'est. En revanche, en Suisse et en France, il n'y en a presque pas, comme on peut le remarquer

Agrafe
de ceinturon
en bronze
provenant
de Stupava
(Slovaquie)
Seconde moitié du
Iᵉ siècle av. J.-C.
Bratislava
Slovenské
Národní Múzeum

Agrafe
de ceinturon
en bronze
provenant
de Želkovice
(Bohême)
Seconde moitié du
Iᵉ siècle av. J.-C.
Prague
Národní Múzeum

sur la carte de localisation des fibules à masques. Ce n'est qu'au cours de la période ultérieure que ce motif ornemental est distribué de manière capillaire même a l'ouest, et il en est de même pour la décoration à têtes d'animaux et avec animaux entiers. Une exception est toutefois constituée par les griffons, que l'on trouve en Champagne.

Influences de l'Italie

Au cours de la première période de La Tène, le Nord de l'Italie fut le plus important lieu de contact entre les Celtes et les cultures méditerranéennes. Déjà à partir de la seconde moitié du VIe siècle av. J.-C., il y avait dans la région une forte présence d'Etrusques qui y avaient fondé de nombreuses colonies. En outre, dans le territoire vénète, dans la haute vallée de l'Adige et plus à l'est encore, jusqu'en Slovénie, s'était développée une production artistique, dite "art des situles", dont les représentations scéniques à figures dévoilent des rapports étroits avec les créations artistiques gréco-étrusques.

Il a été largement démontré que les Celtes n'empruntèrent qu'exceptionnellement des scènes entières au riche langage figuratif du sud, et qu'au contraire l'ornementation figurative de leurs œuvres allait d'un réalisme décoratif au symbolisme magique. Certains cas particuliers s'expliquent par des suggestions provenant de l'art des situles. Qu'il y ait eu des rapport avec ce dernier est dévoilé sans l'ombre d'un doute par l'exécution formelle de chacun des motifs, notamment les levrauts estampés sur une poterie de Libkovice en Bohême, analogie au lièvre qui figure sur une plaque de ceinture de Vače en Slovénie. De même, l'ornement en os à forme d'oiseau du Dürrnberg peut être comparé à l'oiseau volant de la situle de Vače.

Des contacts ultérieurs à travers les Alpes sont mis en évidence par exemple par la forme de nombreuses fibules à masques, dont l'arc rappelle celui des fibules nord-italiques. Les miroirs des riches dames celtiques ne peuvent que remonter aux modèles étrusques. On a déjà plusieurs fois attiré l'attention sur les vases étrusques de bronze importés et sur leurs imitations celtiques. Même dans le rendu de chacune des figures, on trouve le reflet irréfutable de prototypes étrusques. Il suffit de citer quelques exemples : les nombreux visages humains où les cheveux sont délimités par une ligne horizontale ont des analogies exactes en Etrurie. Un exemple nous est offert par la garniture en or de la "tombe princière" de Schwarzenbach dans la Sarre, où en correspondance avec cette ligne apparaissent encore des bouclettes. Que les grandes boucles pendantes sur les côtés aient la même origine, nous l'avons déjà dit, et il en est de même pour les carnassiers d'aspect léonin. Leur langue qui

Fibule en bronze avec oiseau et tête ovine, provenant de Panenský Týnec (Bohême) Fin du Ve siècle av. J.-C. Prague, Národní Múzeum

pend, comme par exemple sur le fermoir de ceinture de Stupava – mais les lions du rebord de la *Shnabelkanne* du Dürrnberg ont aussi des langues ou des vrilles qui sortent de leur gueule – constitue, de ce point de vue, un détail éloquent. Un fragment de fibule provenant de Weiskirchen présente un lion muni d'un double corps, et en Etrurie des figures doubles de ce genre sont fréquentes. On pourrait multiplier les comparaisons de ce genre, pour démontrer que les Celtes se laissèrent surtout influencer par le lexique figuratif provenant d'Italie, en en élaborant les formes, afin d'atteindre expression spécifique de leur monde figuratif.

Influences orientales possibles
C'est surtout le grand archéologue Jacobsthal qui a avancé l'hypothèse qu'outre les racines étrusques du lexique formel celtique, il y en avait d'autres

*Carte
de répartition
des fibules
téniennes
à masques
du Vᵉ siècle
av. J.-C.*

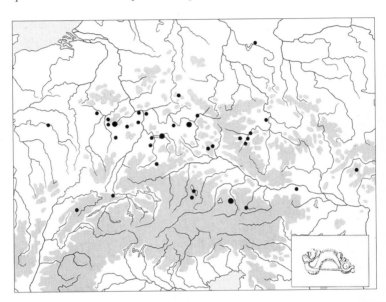

d'origine orientale, appartenant au milieu thraco-scythe qui à son tour révèle des influences persanes. Cependant, dans l'ensemble, on attache de nos jours peu d'importance à ces contacts.

*Ci-contre
Motifs
zoomorphes
De haut an bas
objet en os
provenant
du Dürrnberg
situle en bronze
de Vače ; plaque
de bronze de Vače
estampille
sur céramique
provenant
de Libkovice
Vᵉ siècle av. J.-C.*

Toutefois, il est incontestable qu'il existe un certain nombre de convergences entre les Celtes et les peuples cavaliers orientaux. Chez les Celtes, mais aussi chez les Scythes, était répandue la chasse aux têtes, siège de la force vitale, et Hérodote en témoigne (IV, 65-66). Il suffit de citer l'exemple d'une ceinture très ancienne, provenant du territoire caucasien, sur laquelle est représenté un guerrier à cheval. Des rênes de son cheval pend la tête tranchée d'un ennemi. Le cavalier de Kärlich revient immédiatement à la mémoire.

Les cornes à boire, que les Celtes aimaient tant, sont aussi caractéristiques des Scythes et d'autres populations orientales, comme les Thraces, alors qu'en Grèce elles appartiennent uniquement au monde mythique, aux centaures et à Bacchus accompagné de ses satyres. En Italie, on les connaît à peine. Dans les kourganes scythes, on en a trouvé de nombreux exemplaires en métal noble avec des têtes d'animaux, exécutés pour les Barbares par des artisans gréco-orientaux de la région pontique. En raison de la riche décoration en or des cornes à boire du Kleinaspergle, on ne peut penser qu'à des ouvrages celtiques, mais les têtes de bélier ne doivent-elles pas se rattacher aux œuvres gréco-scythes de la Russie méridionale ?

Il est peu probable que les Celtes aient instauré avec leurs voisins orientaux un véritable système d'échanges commerciaux de produits de luxe, comme ce fut le cas avec l'Italie qui eut une forte influence sur l'activité artistique. Mais à cause de cette corne à boire, ne peut-on supposer un contact fondé sur les dons d'hospitalité, si importants chez les populations de l'Antiquité? Les animaux qui ornent l'anse de la cruche de Basse-Yutz présentent des oreilles recroquevillées, et dans de nombreuses fibules zoomorphes les lèvres apparaissent elles aussi rentrées comme dans les représentations scythes. D'autres animaux présentent des griffes comme les fabuleux fauves orientaux. Ne devrait-on pas supposer que les oiseaux de proie sont aussi arrivés de l'Orient ? Tout ceci prouve que, au niveau des groupes dominants il restait des contacts, et que l'on doit également tenir compte de certains parallélismes en matière d'expression "artistique" engendrés par des aspects communs de leur mode de vie.

Garniture d'une coupe en feuille d'or ajourée et travaillée au repoussé provenant de la tombe princière du tumulus n° 1 de Schwarzenbach (Rhénanie) Seconde moitié du Vᵉ siècle av. J.-C. Berlin Staatliche Museen Antikensammlun Preussischer Kulturbesitz • p. 139

Le changement du Vᵉ siècle

On a déjà dit que dans le territoire occidental de la culture hallstattienne, que nous considérons comme l'une des aires d'origine des Celtes, peu de "tombes princières" du début de La Tène sont reconnaissables. D'autres centres caractérisés par des inhumations de ce type subirent une forte crise précisément à la limite de cette phase. Quelques-unes seulement semblent avoir survécu pour disparaître à leur tour au cours de la première phase de La Tène.

Dans de vastes zones, les trouvailles signalent une crise des habitats. Non seulement des centres fortifiés situés sur des hauteurs, mais aussi les villages qui existaient à l'époque hallstattienne disparaissent au cours de cette phase. En outre, dans les tombes à tumulus hallstatiennes de l'époque, les sépultures secondaires sont fréquentes. Ce n'est que pendant ou à la fin de la première phase de La Tène, que l'on remarque un changement des aires funéraires. Le nombre des "tombes plates" augmente et de nouvelles et vastes nécropoles se forment, utilisées jusqu'à La Tène moyenne.

Les tombes d'hommes de ces premières nécropoles restituent des mobiliers uniformes d'armes, avec l'épée et une seule lance. Même la qualité du travail artistique, auquel on devait des produits splendides tel que les fibules à masque, semble en un premier temps subir un certain déclin. Est-il loisible de supposer qu'il y ait eu une transformation sociale de vaste envergure, ce qui expliquerait la disparition des "tombes princières" ? Ou bien ces

Détail et reconstruction relative *de la garniture à figures sur feuille d'or travaillée au repoussé provenant de la tombe princière du tumulus n° 1 de Schwarzenbach (Rhénanie) seconde moitié du Ve siècle av. J.-C. Berlin, Staatliche Museen Antikensammlung Preussischer Kulturbesitz*

manifestations dans le cadre hallstattien occidental doivent-elles se rattacher aux désordres qui menèrent à la dilatation du territoire culturellement celtique vers l'est et le sud, que nous rattachons aux mouvements migratoires historiquement attestés ? A ce point, il convient de retracer brièvement les événements complexes qui présentent des nuances régionales importantes et qui requièrent une interprétation très différenciée.

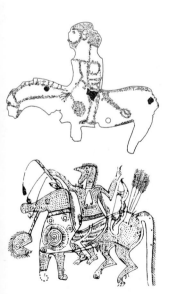

En haut : Plaque en bronze représentant un cavalier provenant de Kärlich (Rhénanie)
En bas : Cavalier représenté sur un ceinturon provenant de la nécropole de Tli (Caucase)

Protocelles aux confins orientaux de l'Europe centrale

Comme nous l'avons souligné à plusieurs reprises, le cadre hallstattien occidental est considéré comme étant une importante aire d'origine des Celtes. Le développement du cadre hallstattien oriental a suivi des chemins différents, ce que l'on a tenté d'expliquer par l'hypothèse d'un substrat ethnique différent et d'autres thèses semblables. Des résultats surprenants ont toutefois été obtenus par de nouvelles fouilles, menées notamment en Slovaquie occidentale et en Basse-Autriche, qui ont multiplié de manière décisive le nombre de trouvailles celtiques du Ve siècle, antérieures au début des grandes nécropoles à "tombes plates".

Ainsi ont vu le jour des chefs-d'œuvre du tout premier art de La Tène, comme par exemple une clavette d'essieu trouvée dans les alentours de Sankt Pölten, dont la tête présente un masque humain entre des lyres qui se terminent par des têtes d'oiseaux. De la même zone proviennent une fibule en forme d'être fabuleux, une épée ornée d'un masque sur le pommeau et d'autres objets. Si l'on ajoute à cela les trouvailles faites précédemment dans la même région, on dispose aujourd'hui d'un horizon archéologique très riche, dont les nécropoles dans la plupart des cas se terminent à la fin de cette phase initiale. Il s'agit donc d'un phénomène semblable à celui que nous avons déjà rencontré en Allemagne méridionale.

Chacun des éléments du mobilier funéraire de ces tombes offre encore de nettes réminiscences hallstattiennes, comme par exemple les tasses avec anses à corne qui néanmoins présentent déjà des décorations estampées typiques de l'époque de La Tène. Très intéressante s'avère être la seule grande nécropole publiée, celle de Bucany en Slovaquie, dans laquelle, comme en occident, on constate une continuité absolue entre la période hallstattienne tardive et le tout début de La Tène.

Serait-il possible que le développement du peuplement de cette zone ait été mal interprété ? Peut-être devrions-nous la considérer comme faisant partie des aires d'origine du monde celtique, contrairement à la Slovénie où, dans une culture hallstattienne qui a survécu sans solution de continuité jusqu'au IVe siècle, n'ont pu être reconnus que dans le domaine de l'armement certains aspects isolés d'une culture celtique considérée comme étrangère ?

Coupe de céramique à anse provenant de la tombe n° 18 de la nécropole de Bučany (Slovaquie) Seconde moitié du Ve siècle av. J.-C. Nitra Archeologický ústav SAV

Les tombes princières du Ve siècle

Peu nombreuses sont les "tombes princières" appartenant au territoire hallstattien occidental qui atteignent l'époque de La Tène initiale. Il en va différemment dans une vaste zone du nord, qui s'étend de la Champagne à la Bohême, où l'on trouve des sépultures dans de grandes chambres boisées, souvent isolées des tombes simples, caractérisées par un service pour le banquet qui contient fréquemment des produits de la région méditerranéenne, par la présence d'un "char de guerre" et assez souvent aussi par des parures en or.

La diffusion de ces tombes est exactement parallèle à celle des chars qui, néanmoins, en Champagne apparaissent aussi dans des sépultures moins nettement caractérisées. En revanche, des objets d'importation étrusque, dont on a un exemple dans les *Schnabelkanne* en bronze, sont nombreux dans la zone du Rhin moyen.

Coupe de céramique à anse provenant de la tombe n° 2 de la nécropole de Bučany (Slovaquie) Deuxième tiers du Ve siècle av. J.-C. Nitra Archeologický ústav SAV

En Champagne, on déposait auprès du char aussi les harnais des chevaux, ce qui n'est pas dans la coutume de la région du Rhin moyen. Le fait que cette dernière ait aussi utilisé des harnais semblables n'est venu à notre connaissance que grâce à quelques exemplaires déposés dans l'eau pour des motifs clairement religieux. Au Dürrnberg, les harnais sont également absents, toutefois nous les retrouvons dans les "tombes princières" de Bohême. Il en est de même pour les casques métalliques. De fait, dans la zone de la Marne, les tombes qui en contiennent sont nombreuses, alors qu'ils manquent en Allemagne occidentale et méridionale. Cependant, une trouvaille fluviale de la Basse Franconie confirme que les casques étaient bien connus. Ils sont de

*Casque
de bronze
avec décoration
gravée, provenant
de la tombe
à char de Berru
(Marne)
Début
du IVe siècle
av. J.-C.
Saint-Germain-
en-Laye
Musée
des Antiquités
nationales*

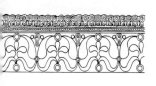

*Frises
de palmettes
et fleurs de lotus
sur une hydrie
ceretana
sur la garniture
d'Eigenbilzen
sur une garniture
de Shwarzenbach*

nouveau présents au Dürrnberg, à Hallstatt et en Slovaquie, et absents, en revanche, dans les tombes de Bohême.

Le choix des autres armes déposées dans les tombes est loin d'être uniforme. Typique est le fait qu'auprès des "princes", on déposait, outre l'épée, de nombreuses lances, y compris des javelots qui, évidemment, étaient lancés depuis les chars de guerre. Même des tombes simples de la région ont restitué des armes qui permettent de penser qu'il s'agissait plus de combattants isolés que de guerriers organisés en formations compactes. En Bohême, où l'on a des sépultures masculines dans lesquelles on ne trouve que l'épée, dans les "tombes princières" connues, seules sont présentes, en tant qu'armes offensives, de lourdes lances.

Orfèvres du Rhin moyen

Les "tombes princières" les plus importantes arrivées jusqu'à nous sont celles de la région comprise entre le Rhin et la Meuse. Si dans l'hallstattien tardif les tombes riches sont plus fréquentes dans les alentours du Rhin, au début de la période de La Tène leur aire de diffusion s'étend dans le territoire très différencié situé plus à l'ouest. Dans de nombreuses vallées, on a un établissement fortifié sur un promontoire, que nous pouvons définir "siège princier", avec les tombes correspondantes.

Les ouvrages en or sont caractéristiques de ces "tombes en or" ; la reprise de l'ornementation phytomorphe méditerranéenne par les artistes celtes y est particulièrement évidente. Bien entendu, il y a aussi des ouvrages décorés de la même manière en bronze et même en fer. Certains exemples illustrent bien l'évolution du processus de transformation. De Dörth "Waldgallscheid", à proximité du Rhin, proviennent deux bandes en feuille d'or ajourée, qui constituaient la décoration du bord de deux cornes à boire. On y voit de grandes vrilles en S, entre lesquelles sortent les palmettes.

Si le schéma décoratif peut certainement être décrit comme grec, le langage formel est néanmoins nettement différent. Il ne s'agit pas de rinceaux continus, mais plutôt de simples formes statiques, charnues. Les palmettes sont réduites à trois feuilles. Plus caractéristique encore, un élément du même type, provenant de Eigenbilzen dans le Limbourg belge. Sans doute s'agit-il d'une frise avec palmettes et fleurs de lotus, comme nous en connaissons d'après les nombreuses œuvres anciennes. Mais dans ce cas aussi, le rinceau n'a pas une progression linéaire, avec des segments renflés qui sont unis l'un à l'autre au moyen de petits disques au lieu de l'être avec des spirales enroulées. De plus, les palmettes sont réduites à trois feuilles et il manque le pétale central des fleurs de lotus. A la place de ce dernier est incorporé, entre les grands pétales, un élément en forme de trou de serrure.

Une des plus belles œuvres est le bol d'or de Schwarzenbach. Ce qui nous intéresse ici, ce sont uniquement les deux bandes ornementales ajourées, qui se présentent comme une résille de formes végétales entrecroisées. Fondamental est le fait que les bandes se présentent tellement recouvertes de lignes et de feuilles, que cela élimine presque totalement la différence entre le décor et le fond ? Ici aussi, dans la zone inférieure, on a des fleurs de lotus, plus proches toutefois de modèles classiques, grâce aux petits sépales, que dans le cas d'Eigenbilzen. Entre l'une et l'autre, suspendues aux pointes des sépales, il y a des palmettes pleines à trois feuilles. Le rinceau de liaison, indispensable dans une composition classique, est ici entièrement coupé. Dans la zone supérieure, on voit des fleurs de lotus partagées en deux : les petits sépales ne laissent aucun doute à ce propos. Un dessin des deux bandes fait mieux ressortir la composition typiquement celtique de ce décor phytomorphe.

Garmiture de corne à boire en feuille d'or ajourée et travaillée au repoussé provenant de la tombe princière d'Eigenbilzen (Limbourg) Seconde moitié du Ve siècle av. J.-C. Bruxelles Musées royaux d'Art et d'Histoire • p. 141

On a trouvé dans le reste du territoire rhénan toute une série de décorations du même genre. Il s'agit d'ornements en or et en bronze, et la richesse que peuvent avoir ces décorations "à tapis" est révélée de manière évidente par la cruche à bec cylindrique de Waldalgesheim. Ces ouvrages sont caractérisés non pas par un module continu, mais par un ensemble de feuilles indépendantes ou d'éléments en forme d'S suspendus à de petits disques, disposés de sorte à composer des lyres, des motifs giratoires à trois ou quatre bras, des festons de feuilles et autres décors similaires. Par ailleurs, on peut facilement se rendre compte que de nombreux éléments sont disposés dans des demi-cercles exécutés au compas.

Nous avons ici une technique de composition qui eut une grande signification chez les Celtes. Avec d'autres acquisitions techniques, l'emploi du compas devient courant au Ve siècle av. J.-C. On élabore grâce à lui dans tout le territoire de La Tène les ornements les plus divers, tels que des frises composées de cercles et d'arcs qui se superposent jusqu'à former des motifs étoilés fort complexes. Le fait que le travail au compas ait été exécuté directement sur des objets métalliques et même sur la céramique est révélé par la présence de petits trous au centre des cercles, parfaitement

Schéma de l'ornementation construite au compas de la phalère en bronze de Somme-Bionne (Marne) Seconde moitié du Ve siècle av. J.-C. Londres British Museum

visibles par exemple sur les revêtements en bronze de la tombe de Chlum en Bohême et sur la gourde du Dürrnberg. Très souvent, seule l'ébauche était exécutée au compas, puis le métal était ensuite gravé à l'aide d'un autre instrument.

Les plus belles compositions au compas, qui par la suite développent en toute liberté les images obtenues en des formes florales, sont celles des disques ornementaux de harnais de cheval. Il s'agit d'objets peu fréquents dans le cadre du Rhin moyen car, comme on l'a dit, ils n'étaient pas déposés dans les tombes. Par contre, ils sont largement attestés dans d'autres régions du monde celtique. Il suffit de rappeler, pour cette décoration à cercles, les deux disques de Cuperly et de Somme-Bionne, tous deux provenant de la région de la Marne.

Motifs de l'art celtique rhénan du Ve siècle av. J.-C. De haut en bas trois motifs provenant des garnitures de Schwarzenbach décoration gravée provenant de la cruche de Waldalgesheim da la passoire de Hoppstädten du fourreau de Bavillier deux motifs provenant des garnitures de Schwarzenbach un autre motif du fourreau de Bavilliers de la cruche de Reinheim

Revenons maintenant aux œuvres du type Schwarzenbach, dans lesquelles chacune des feuilles ainsi que les autres éléments de la décoration sont disposés en rangées généralement reliées par des disques. Grâce à ces composition, on peut déterminer tout un cadre artistique, dont le centre est constitué par la région du Rhin moyen avec des prolongements dans ce qui était l'aire hallstattienne jusqu'au Jura suisse. On en a également des manifestations à l'est. Ce n'est que dans le cadre oriental de La Tène ancienne que l'on emploie, sur la poterie, la décoration estampée dont les modèles comportent parfois des éléments à feuille d'une tradition dont le centre de diffusion est situé plus à l'est. Cette toute première manifestation de l'activité artistique celtique n'a eu qu'un développement limité dans la décoration de la céramique et en général, on en constate la disparition, dans ce territoire, au cours de la période successive. Les créations originales des artistes celtes sont sans aucun doute étroitement liées à la production méditerranéenne, notamment étrusque, que ce soit dans la dérivation des formes individuelles que dans la reprise de compositions entières, bien qu'ils se soient rapidement éloignés des prototypes classiques. La grande quantité d'objets en provenance d'Etrurie trouvés dans les tombes princières révèle clairement d'où les orfèvres au service des cours ont tiré leurs modèles. Il s'agit exclusivement d'objets importés au Ve siècle av. J.-C., de sorte que, même si nous ignorons pendant combien de temps ces précieux ouvrages étrangers avaient été conservés, cette phase stylistique de l'art celtique ne va guère au-delà du Ve siècle av. J.-C.

"Princes" celtes en Champagne

La province artistique que nous venons d'évoquer eut peu de rayonnement vers l'occident où, au début de la période de La Tène, le développement est différent bien que pas entièrement autonome. Nous avons déjà mentionné l'absence de l'ornementation figurative typique sur des fermoirs et autres objets ; il y a toutefois des exceptions avec les représentations de griffons, typiques de cette région. Cependant, les mobiliers funéraires font ressortir de manière évidente un contact avec l'Italie non moins intense. Ici aussi, nous avons des récipients étrusques en bronze et certains rites provenaient également du milieu méditerranéen. Ainsi, par exemple, selon la coutume italique, les défunts "princiers" étaient ensevelis avec des broches à rôtir en fer afin qu'ils disposent de tout le nécessaire pour accueillir des hôtes dans l'au-delà : une coutume qui est inconnue à l'époque précédente de cette région. Mais ce sont surtout les ouvrages en métal artistiquement décorés, en bronze pour la plupart, qui confirment une ouverture vers le monde méditerranéen, car eux aussi dévoilent une imitation initiale de l'ornementation phytomorphe classique qui, une fois encore, sans égard pour la signification originelle, est décomposée en éléments uniques qui sont ensuite incorporés dans de nouvelles compositions. Les vrilles se gonflent en formes lourdes, éléments en positif et d'autres, analogues mais en négatif, lisibles uniquement sur le fond aux contours bien tracés, deviennent interchangeables. Il convient également de mentionner que les motifs, contrairement à ce qui se passe dans le cadre rhénan, ne sont pas simplement juxtaposés l'un à l'autre, mais plutôt unis en modules continus. A ce sujet, S. Verger a proposé la désignation de *"premier style continu"*. Le principe de composition différent est évident si l'on compare les modules à lyres qui s'enchaînent l'un dans l'autre d'un revêtement de joug provenant de Somme-Tourbe, "La Bouvandeau", à ceux d'une bande ornementale en or du Kleinaspergle, dans laquelle chacune des images est reliée aux autres par des cercles.

Une frise compliquée avec des palmettes à trois feuilles orientées vers le bas et vers le haut par une "vrille" ondulante orne le bord inférieur d'un casque de la "tombe princière" de Berru, dans le département de la Marne. Même si les "segments de vrille" et les palmettes ne confluent pas directement les uns dans les autres, néanmoins, les palmettes inscrites dans un contour semi-circulaire composent une image continue avec les feuilles latérales.

D'autre part, que les Celtes aient donné un nouveau rythme à l'ornementation est fort bien illustré par le couvre-nuque, où la feuille centrale des palmettes est éliminée et les feuilles latérales, plus ondulées et disposées toutes sur la même hauteur, expriment un mouvement d'un genre différent. Le meilleur exemple de ce style décoratif nous est offert par la décoration d'une cruche à bec en bronze étrusque conservée au musée de Besançon, entièrement recouverte de motifs gravés exécutés par un Celte. La décoration consiste en un labyrinthe dans lequel le premier plan et le fond ont la même valeur. Le col de la cruche est recouvert d'une palmette qui se développe en partant d'une double volute. Le modèle étrusque correspondant, repris du col d'une amphore en bronze similaire, met en évidence la décomposition et la transformation que les artistes "barbares" ont fait subir au motif. Le corps ample de la cruche offre un riche développement de la même composition de base que nous avons trouvée dans le casque de Berru. Une particularité importante est néanmoins constituée par le fait que les grandes feuilles sont remplies de petits motifs à feuille. Le fait que les motif à vrille les plus grands soient comblés par d'autres, devient un élément caractéristique dans le développement ultérieur de l'art celtique.

Un détail fort intéressant est constitué par une feuille enfermée dans un triangle formé de segments sphériques, qui vient s'ajouter à la feuille centrale de la grande palmette. Dans ce cas, il s'agit du fond d'une palmette à trois feuilles encadrée, détaché du contexte et élevé au niveau d'un nouveau motif. Ce qui frappe surtout dans ce détail,

Phalère en bronze cerclée de fer décorée au repoussé provenant de la tombe à char de Hőrovičky (Bohême) Seconde moitié du Ve siècle av. J.-C. Prague Národní Múzeum • p. 142

Cruche à vin en bronze provenant de la tombe princière de Waldalgesheim (Rhénanie) IVe siècle av. J. -C. Bonn Rheinisches Landesmuseum (dessin de Kimming)

A gauche : garniture d'or de Kleinaspergle A droite : plaque ajourée provenant de La Gorge-Meillet Somme-Tourbe (Marne) Vᵉ siècle av. J.-C.

c'est l'imagination extraordinaire que révèle l'artiste dans l'exécution de son œuvre. Enfin, la partie de l'épaule de la cruche mérite une certaine attention : on y voit sur un fond lisse des palmettes à trois feuilles, droites ou pendantes, groupées en demi-cercles. On a ici un prélude à l'"éventail" celtique, un leitmotiv du style dit de Waldalgesheim qui caractérise la phase suivante du développement de l'art celtique. L'importance que ce "premier style continu" a eu dans le développement ultérieur de l'activité artistique celtique – qui dans cette région a eu une continuité absolue – acquiert de ce fait une évidence exemplaire.

Des compositions analogues sont attestées par de nombreuses œuvres provenant de tombes de Champagne, même si dans ce cas il ne s'agit pas d'un cadre artistique bien délimité, mais il y a également des contacts et des contaminations avec des créations de zones situées plus à l'est du territoire celtique. Que d'étroits rapports aient existé avec des modèles classiques est illustré par une plaque ornementale en fer ajouré, provenant de la tombe princière de La Gorge-Meillet dans la Marne, qui présente un rinceau ondulé avec des des surgeons latéraux.

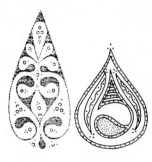

L'invasion de la péninsule italique par les Celtes au Vᵉ siècle avant J.-C.

On a déjà mentionné le fait que, avec le début de la période La Tène, apparaissent des agrafes servant de fermoirs pour la ceinture qui portait les armes. Elles comportaient en général deux ou quatre anneaux auxquels les armes étaient suspendues, qui pourtant quelquefois pouvaient se transformer en simples éléments ornementaux.

Même si ces agrafes sont présentes – rarement toutefois – dans certaines tombes féminines il s'agit d'un accessoire typique du guerrier celte.

Il est surprenant que l'on ait également retrouvé des agrafes de ce genre en dehors du territoire central celtique. Dans les tombes d'Ensérune dans le Languedoc furent découverts de nombreux exemplaires qui correspondent exactement à ceux de la Champagne. Doit-on en déduire qu'au sein d'une autre population, des guerriers celtes s'étaient installés dès le Vᵉ siècle av. J.-C., hypothèse qui serait étayée par certains aspects de l'armement et d'autres objets ? Des agrafes de ceinturon ajourés de ce genre ont été mises au jour, en assez grande quantité, associées à des ensembles archéologiques typiques de La Tène tardive en Slovénie, où l'on constate également la présence d'épées celtiques. Du fait que l'on peut considérer normale l'adoption, par les guerriers de haut rang, d'un armement étranger meilleur (ainsi, par exemple, en Slovénie sont aussi arrivés des éléments de la panoplie des peuples cavaliers orientaux), on doit en conclure que les guerriers celtes, dès le Vᵉ siècle, étaient connus et craints dans cette région et que l'on imitait leur armement.

Mais c'est surtout dans le Nord de l'Italie qu'ont été retrouvés des agrafes de ceinturon ajourées du même genre. On y a aussi trouvé les épées typiques de La Tène ancienne, mais elles sont extrêmement rares, car selon les usages traditionnels on ne déposait pas d'armes près du défunt dans sa tombe. Les agrafes de ceinturon prouvent néanmoins de manière irréfutable que l'armement typique du guerrier celte était connu. Ces agrafes sont nombreuses, notamment dans les sépultures du territoire vénète, même si, d'après les affirmations des historiens classiques, ce territoire n'a jamais été occupé par les Celtes.

Il n'en reste pas moins que les Vénètes, dans bien des domaines, ont adopté les habitudes de leurs voisins celtes. Les agrafes de ceinturon, bien qu'on les

Ornementations gravées sous le bec de la cruche de provenance inconnue du musée de Besançon et son prototype gréco-étrusque Début du IVᵉ siècle av. J.-C.

Décoration gravée sur une des garnitu… de bronze de Comacchio (à gauche) et détail de la décoration gravée sur la cruche de provenance inconnue du musée de Besançon (à droite) Début du IVᵉ siècle av. J.-C.

Schéma de l'ornementation ajourée de la garniture de bronze d'un char provenant de La Bouvandeau à Somme-Tourbe (Marne) Fin du Vᵉ- début du IVᵉ siècle av. J.-C. Saint-Germain-en-Laye Musée des Antiquité… nationales

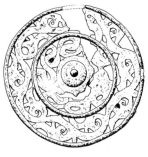

*Agrafe
de ceinturon
en bronze ajouré
provenant
de San Paolo
d'Enza
(Reggio Emilia)
Ve siècle av. J.-C.
Reggio Emilia
Museo Civico
Archeologico*

*Phalère en fer
ajourée provenant
de la tombe
à char de
La Gorge-Meillet
à Somme-Tourbe
(Marne) Début
du IVe siècle
av. J.-C.
Saint-Germain-
en-Laye
Musée
des Antiquités
nationales*

trouve plus fréquemment dans des tombes de femmes, impliquent la connaissance de l'armement des adversaires.

Les agrafes sont répandues dans tout le Nord de l'Italie, notamment dans les zones alpines méridionales, mais également dans des centres étrusques tels que Felsina (Bologne). Certaines ont des parallèles précis en Champagne. Devons-nous en déduire qu'elles y furent apportées par des Celtes qui auraient pénétré dans ce territoire en venant d'au-delà des Alpes occidentales ? D'autres furent fabriquées sur place, et comptent parmi les produits particulièrement réussis, avec des représentations de griffons, parfois domptés par un homme, ou bien d'oiseaux sur les côtés d'un Arbre de vie. Elles peuvent avoir été fabriquées selon le goût celtique par des artisans locaux pour des guerriers étrangers. De cette première production de goût celtique dérivent les impulsions qui aboutissent à la production laténienne initiale de l'Europe centrale, comme par exemple les agrafes avec des lyres se terminant par des têtes de griffons, et d'autres motifs. Dès le tout début de La Tène, on a donc dans le Nord de l'Italie, une zone de contacts extrêmement importante. Ces documents celtiques nord-italiens les plus anciens sont datables entre la moitié du Ve et le début du IVe siècle av. J.-C. De toute façon, ces agrafes ne se trouvent plus dans les sépultures du IVe siècle, que nous avons l'habitude de rattacher aux invasions celtiques. Mais alors, quelle interprétation donner à ces trouvailles plus anciennes ? Chez Polybe et chez d'autres historiens classiques, les vicissitudes de la migration celtique semblent concentrées dans une brève période de temps. Mais ne s'agit-il pas d'une simplification ? N'avions-nous donc pas déjà au Ve siècle des groupes de mercenaires, appelés d'au-delà des Alpes par des potentats nord-italiens pour les employer en Italie ? D'autre part, ces mercenaires ne furent-ils pas attirés par le mode de vie qu'ils trouvèrent dans la plaine du Pô, au point d'y affluer de plus en plus nombreux, de changer les rapports de pouvoir et de provoquer pour finir la migration de tribus entières ? Ou bien la présence du typique ceinturon celtique dans ce territoire constitue-t-elle la confirmation que déjà au Ve siècle des groupes de Celtes y agissaient comme brigands, bien qu'ils ne fussent pas encore en mesure de s'emparer des villes fortifiées ?

De toute manière, ces matériaux signifient que le cadre des invasions celtiques, qui avaient répandu la terreur dans des zones de plus en plus vastes du monde classique, ne peut être conçu en termes trop simplistes.

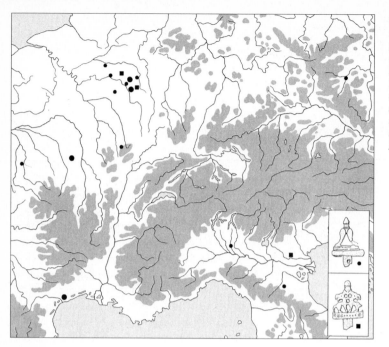

*Carte
de distribution
des agrafes
de ceinturon de la
seconde moitié du
Vᵉ siècle av. J.-C.
en forme de fleur
de lotus
et de griffons
en disposition
héraldique*

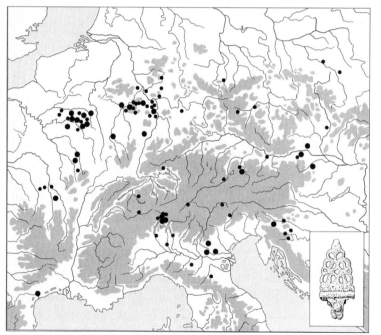

*Carte
de distribution
des agrafes
de ceinturon de la
seconde moitié du
Vᵉ siècle av. J.-C.
en forme
de palmette*

Le faciès marnien de la Champagne

Pierre Roualet

Choix de formes céramiques du faciès marnien Seconde moitié du Vᵉ siècle av. J.-C. Épernay Musée municipal

Flasque céramique à décoration estampillée et gravée provenant de Hlubyně (Bohême) Seconde moitié du Vᵉ siècle av. J.-C. Prague, Národní Múzeum

Des tombes celtiques par milliers

Aucune région du monde celtique n'a livré autant de vestiges que la Champagne. Les trouvailles ont été particulièrement denses dans le département de la Marne, et à un degré moindre dans deux départements voisins, le sud des Ardennes et l'est de l'Aisne. Dans cette région, les sites découverts peuvent se compter par centaines et les sépultures par milliers. Faciles à repérer, un grand nombre de tombes ont été fouillées par les paysans, à toutes les époques. Au début du XIXᵉ siècle, par exemple, on ouvrait des tombes à Bergères-les-Vertus pour recueillir et vendre le bronze qu'elles contenaient. On ignorait alors leur âge et la civilisation à laquelle elles pouvaient appartenir.

Il fallut attendre 1865 pour que l'on comprenne qu'il s'agissait de vestiges de l'époque celtique pré-romaine. A partir de cette date et jusqu'en 1914, les fouilles se succédèrent à une cadence frénétique, réalisées de manière le plus souvent anarchique par des paysans pour le compte de collectionneurs bien connus des protohistoriens : F. Moreau dans l'Aisne, L. Morel, E. Fourdrignier, J. de Baye et A. Nicaise dans la Marne.

La fouille consistait alors en une collecte sélective d'objets, armes et bijoux, avec une préférence pour ceux qui paraissaient exceptionnels. Les sites peu susceptibles d'en livrer, habitats, cimetières à incinération, étaient laissés de côté. Cette première archéologie fondée sur l'étude de l'objet considéré en raison de sa valeur documentaire intrinsèque n'était pas sans intérêt. Elle reste une des bases de la recherche actuelle. Elle a permis de dresser en quelques années un cadre chronologique très général et d'établir des comparaisons fructueuses avec d'autres régions. C'est ainsi que la découverte d'œnochoés étrusques à Somme-Bionne, Somme-Tourbe et Sept-Sauls a mis en évidence les relations entre la Champagne et l'Italie bien avant la conquête de César. Mais on se souciait peu de fouille exhaustive, d'intégrité des mobiliers funéraires et les comptes rendus, lorsqu'on en publiait, étaient des plus laconiques.

Les fouilles effectuées depuis une quarantaine d'années dans plusieurs cimetières permettent heureusement de combler certaines lacunes. Parmi celles qui ont été publiées, on peut citer Pernant dans l'Aisne, Marne et Aure dans les Ardennes, Beine "l'Argentelle" et Villeneuve-Renneville dans la Marne.

Qu'il s'agisse des fouilles anciennes ou récentes, une constatation s'impose à l'évidence, c'est l'abondance exceptionnelle des vestiges du Ve siècle av. J.-C. Ils représentent à eux seuls beaucoup plus que tout ce que l'on a reconnu, dans la région, pour les siècles suivants, jusqu'à la conquête. Ils constituent une culture originale à laquelle on a avec raison donné le nom de Marnien.

Les cimetières marniens

Le rite général pratiqué au Ve siècle av. J.-C. est celui de l'inhumation en tombe plate. Les cimetières sont très souvent situés sur de légères éminences dominant la plaine crayeuse, en limite de communes ou à proximité de chemins antiques. Le nombre des sépultures est variable, en général compris entre 20 et 100. Leur organisation spatiale varie considérablement d'un site à l'autre. Elles peuvent être rapprochées (Pernant) et même alignées en rangées assez régulières (Villeneuve-Renneville). Elles sont le plus souvent très dispersées, quelques dizaines de tombes occupant un espace d'un hectare ou plus.

On a depuis longtemps constaté dans de nombreux cimetières la présence de groupes de sépultures séparés par des espaces libres. Ils ont généralement été interprétés comme des groupes familiaux. Cette hypothèse qui paraît plausible à Beine "l'Argentelle" est loin d'être évidente dans la plupart des autres sites connus.

Les fosses contenant les corps, taillées avec soin dans la craie du sous-sol, ont des dimensions assez constantes. De forme rectangulaire, elles mesurent en moyenne 2 mètres de longueur, 0,70 mètre de large et 0,60 mètre de profondeur. On remarque parfois la présence de banquettes, de niches taillées dans les parois ou de trous de poteaux.

Les corps ont été déposés en décubitus dorsal, les mains le long du corps ou croisées sur l'abdomen. Leur orientation est assez constante, les pieds tournés vers l'est, avec variations entre le nord-est et le sud-est. Les fosses sont comblées non pas avec la craie extraite lors de leur creusement, mais avec une terre noire fine ressemblant à du terreau.

Grand gobelet en terre cuite portant un décor gravé de paire de monstres au corps serpentiforme de La Cheppe (Marne) Seconde moitié du Ve siècle av. J.-C. Saint-Germain-en-Laye, Musée des Antiquités nationales
• *p. 143*

Vase de forme tronconique portant le décor gravé d'une frise de griffons de Suippes (Marne) Seconde moitié du Ve siècle av. J.-C. Saint-Germain-en-Laye, Musée des Antiquités nationales

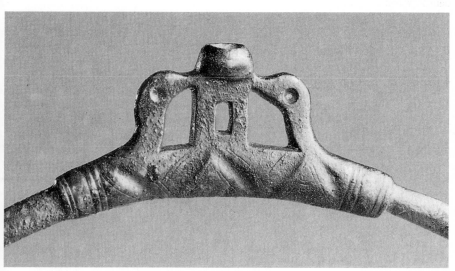

*Torque de bronze portant le motif
des oiseaux disposés autour de
l'Arbre de vie de Breuvery (Marne)
Seconde moitié
du Xᵉ siècle av. J.-C.
Saint-Germain-en-Laye
Musée des Antiquités nationales*

*Torque de bronze orné d'une paire
d'oiseaux disposée de part et d'autre
d'un motif symbolique de la
sépulture n° 13 de Sarry (Marne)
Seconde moitié du Vᵉ siècle av. J.-C.
Châlons-sur-Marne
Musée municipal*

*Fibule de bronze incrustée
de corail à tête de bélier
de Suippes (Marne)
Seconde moitié
du Vᵉ siècle av. J.-C.
Saint-Germain-en-Laye
Musée des Antiquités nationales*

Les mobiliers funéraires

Parmi les objets découverts dans les sépultures, il convient de distinguer ceux qui constituent l'équipement personnel des défunts et les offrandes, identiques pour les deux sexes. Ces derniers consistent en dépôts alimentaires révélés par des os d'animaux (porc, mouton...) et en récipients en terre cuite. Ces vases constituent le type d'objet le plus fréquent dans les tombes. Leur dépôt ne devait cependant pas être une obligation absolue. On constate en effet que 15 à 20% des sépultures en étaient dépourvues. La grande majorité des autres ne contenaient qu'un ou deux exemplaires.

Les ensembles céramiques importants de cinq vases ou plus étaient réservés à certaines sépultures présentant un caractère exceptionnel. Les vases ont été modelés sans l'aide du tour et lissés avec soin. Certains présentent un décor géométrique gravé ou peint. Les formes les plus fréquentes semblent avoir été inspirées par des modèles italo-grecs, cratères, amphores, situles, cistes, utilisés généralement pour le transport et la consommation du vin.

L'équipement féminin est constitué par des éléments de parure, certains ayant un rôle utilitaire, pour maintenir les vêtements (agrafes de ceintures, fibules), d'autres constituant des sortes d'insignes (torques, bracelets). Portés par la moitié des femmes dès l'adolescence, les torques semblent avoir eu une importance particulière. Leur variété, dans l'ensemble des sites, ne correspond pas à des origines ethniques différentes comme ce sera le cas à la fin du IVe et au IIIe siècle avant J.-C. La composition des mobiliers permet de distinguer une hiérarchie parmi les tombes féminines. Certaines ont livré une parure complète,

torque, bracelets et parfois boucles d'oreilles et pendeloques. D'autres ne comportaient qu'un élément, en général une paire de bracelets. D'autres enfin ne contenaient aucun bijou.

On peut de la même manière relever une hiérarchie dans les tombes masculines. Le groupe le plus riche est constitué par des sépultures de guerriers inhumés sur leur char. Plus de 150 ont été découvertes, surtout dans le nord-est de la Champagne dont cinq à Recy et 14 à Mairy-Sogny. Elles ne représentent cependant qu'une très faible proportion des tombes découvertes, de l'ordre de 0,5%. Presque toutes ont été pillées à des époques anciennes et seulement quelques-unes ont été retrouvées intactes à la fin du XIXe, ou au début du XXe siècle. Les guerriers sont enterrés avec leurs armes, épée, javelots, couteau et parfois un casque en bronze finement décoré (Berru, Somme-Tourbe, Prunay...). Les vases sont en général nombreux et peuvent comporter des exemplaires en bronze : situle, bassin et passoire à Pernant, œnochoés étrusques à bec à trèfle à Somme-Tourbe, Somme-Bionne et Sept-Saulx. Du char, il ne reste que quelques éléments en fer, bandages des roues, clavettes, garnitures d'essieu. Les éléments les plus riches appartiennent souvent au harnachement des chevaux avec de

Fibule "à masques" de bronze trouvée dans le lit de la Marne près de Port-à-Binson (Marne) Seconde moitié du Ve siècle av. J.-C. Collection particulière
• p. 142

magnifiques disques ou phalères en bronze décorés (Cuperly, Somme-Tourbe, Saint-Jean-sur-Tourbe, Somme-Bionne...).

On peut ensuite reconnaître une seconde catégorie composée de fantassins armés d'une épée ou d'un poignard et de lances et de javelots. Plus fréquentes que les précédentes, ces tombes représentent cependant moins de 5% de la population enterrée dans les nécropoles.

Plus nombreux sont les individus armés seulement d'armes de jet souvent groupées par deux (javelots) ou par trois (une lance et deux javelots).

Il existe enfin de nombreuses tombes présumées masculines ne contenant aucun armement.

Monde des morts, monde des vivants

L'étude des cimetières constitue la seule source de documentation utilisable pour l'étude de la population marnienne du Vᵉ siècle av. J.-C. Les quelques données fournies par les rares fouilles d'habitats publiées à ce jour ne peuvent être d'un grand secours. D'autre part, ce que nous pouvons apprendre des auteurs grecs et latins concerne une période plus récente et, à l'évidence, une société très différente.

Les données des fouilles des nécropoles doivent cependant être utilisées avec prudence. Les indications anthropologiques proviennent presque toutes de fouilleurs et non de spécialistes qualifiés. De plus, nous ignorons tout des règles très strictes et des interdits qui devaient régir les funérailles. Une anomalie évidente illustre parfaitement cette constatation, c'est le faible nombre des sépultures d'enfants, 13% à Manre et à Pernant par exemple, qui ne correspond pas du tout à ce que devait être alors la mortalité infantile.

Une autre anomalie apparaît dans les sites les mieux documentés, Pernant, Manre, Aure, Villeneuve-Renneville : la surabondance des tombes féminines par rapport aux tombes masculines.

Un certain nombre de constatations peuvent néanmoins ressortir de l'étude de l'ensemble des sites connus.

1. Pendant une période de trois quarts de siècle, entre 475 et 400 environ, soit pendant quatre générations, la population a connu une grande stabilité.

2. Il existe une grande identité culturelle dans toute la région de la Marne, de l'Aisne et des Ardennes où ont été découverts des cimetières du Vᵉ siècle av. J.-C. Les disparités que l'on peut constater entre sites éloignés ne sont pas plus importantes que celles qui peuvent exister entre deux sites voisins. Elles résultent vraisemblablement du particularisme d'artisans locaux.

3. La société marnienne paraît assez égalitaire. S'il existe une hiérarchie dans les tombes, celle-ci n'implique pas nécessairement l'existence de classes sociales bien tranchées. Dans les cimetières, les sépultures les plus

Choix de formes céramiques du faciès marnien Seconde moitié du Vᵉ siècle av. J.-C. Épernay, Musée municipal

modestes sont intimement mêlées aux plus riches. Aucun élément ne révèle d'autre part la présence d'une caste aristocratique comme il a pu en exister dans d'autres régions du monde celtique.

4. Si l'on considère l'ensemble des cimetières marniens, on doit constater une prédominance certaine des riches tombes féminines qui peut s'expliquer, du moins en partie, par le déficit en tombes d'hommes signalé plus haut. On ne doit cependant pas exclure, *a priori*, l'existence d'une société de type matriarcal.

5. On doit admettre, au moins comme hypothèse vraisemblable, que la société marnienne était constituée à partir de cellules familiales. Chaque cimetière était celui d'une communauté villageoise composée de plusieurs familles liées entre elles par des liens contraignants et privilégiés, et établie sur un territoire pouvant s'étendre sur plusieurs centaines d'hectares.

Quelle que soit l'abondance des trouvailles, ceci ne représente qu'une faible densité de population.

Origine et évolution du Marnien

Jusqu'à une époque récente, on admettait généralement que les Marniens de Champagne étaient des envahisseurs venus de l'est qui se seraient fixés au début du Vᵉ siècle avant J.-C. On ignorait alors l'existence d'une population autochtone installée là depuis plusieurs siècles, à partir de la fin de l'Age du Bronze. C'est dans ce milieu qu'est apparue, vers 530 av. J.-C., une culture étrangère, sans doute apportée par de petits groupes venus du sud et présentant des affinités évidentes avec la culture de Vix-le-Mont-Lassois. Le groupe le plus important a été découvert dans le cimetière des Jogasses, près d'Epernay, d'où le nom de Jogassien donné à cette culture qui constitue un véritable "proto-Marnien". On peut considérer que le Marnien résulte de l'assimilation de cette culture étrangère par la population locale. Les cimetières marniens portent d'ailleurs très souvent les traces d'une utilisation antérieure. C'est ainsi que la plupart de ceux dans lesquels on a retrouvé des enclos circulaires ont servi de lieux de sépulture dans les deux premiers tiers du VIᵉ siècle avant J.-C. ou à une époque antérieure. On peut

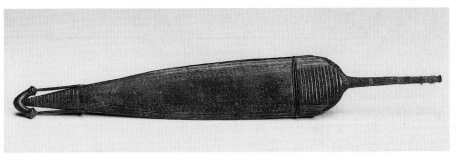

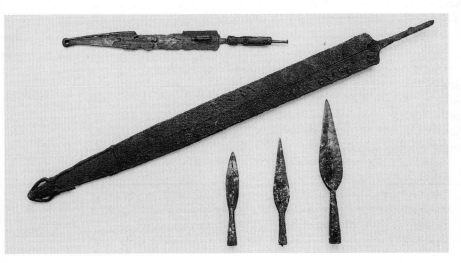

Poignard de fer dans un fourreau de bronze, fer et bois, décoré de gravures au compas, de Bony (Marne) Deuxième tiers du Ve siècle av. J.-C.
Saint-Germain-en-Laye Musée des Antiquités nationales

Poignard de fer dans un fourreau de bronze, décoré de gravures au compas, de Vraux (Marne) Deuxième tiers du Ve siècle av. J.-C.
Châlons-sur-Marne Musée municipal

Armes de fer, de la sépulture n° 6 bis de Vert-la-Gravelle (Marne) Seconde moitié du Ve siècle av. J.-C.
Épernay, Musée municipal

Choix de formes caractéristiques de torques de bronze du faciès marnien Seconde moitié du Ve siècle av. J.-C. Épernay Musée municipal

le constater par exemple à Manre, Acy-Romance, Dormans, Vert-la-Gravelle "Charmont" et "Le Moulin". Beaucoup d'autres se sont développés à partir d'un noyau primitif jogassien. Il en est ainsi dans le cimetière des Jogasses qui a connu une extension au Marnien, mais aussi à Prosnes "Les Vingt de Bruyères", Bouy "Les Varilles" et des dizaines d'autres sites.

Si l'époque marnienne a connu une grande stabilité, l'étude des objets conservés permet cependant d'observer une évolution lente et continue. Cette évolution se manifeste selon deux tendances. On peut tout d'abord constater une standardisation des formes qui aboutit à des modèles uniques ou largement dominants pour certains types d'objets : petits torques à tampons, fibules dites de "Marzabotto", épées longues dans des fourreaux à bouterolles ajourées. L'autre tendance, concernant surtout la céramique, consiste en une interprétation de plus en plus libre des modèles exotiques aboutissant à des formes originales souples et élancées.

Il est difficile de reconnaître dans les mobiliers des tombes de la fin du Ve siècle av. J.-C. les signes prémonitoires d'une crise. On ne peut donc pas expliquer ce qui a pu provoquer le départ massif et à peu près simultané d'une partie de la population vers 400 av. J.-C. ou peu après, événement majeur dans l'histoire de la Champagne celtique.

Choix de formes caractéristiques de fibules de bronze du faciès marnien Seconde moitié du Ve siècle av. J.-C. Épernay Musée municipal

Les tombes princières de Rhénanie
Alfred Haffner

Depuis le siècle dernier, les tombes du VIe au IVe siècle av. J.-C., contenant un mobilier funéraire d'objets en or et de services à boisson en bronze, ont été qualifiées comme "tombes princières". Toutes les tentatives pour remplacer ces termes : "tombes de chefs", "tombes aristocratiques, "tombes somptueuses", ou "tombes riches" ont échoué, les premières formules parce que, également connotées, elles n'éclairent pas le concept "princier", les secondes, parce qu'elles ne tiennent pas compte, ou ne le font que partiellement, des réalités concrètes. Ici même on parlera de "tombes princières", bien que depuis la recherche archéologique ait seulement montré que les hommes, les femmes et enfants enterrés dans de telles tombes appartenaient à un groupe social qui dominait dans le domaine militaire, politique, économique et probablement religieux. Ce groupe a forcément influencé l'art et l'artisanat, soit par le moyen des commandes d'œuvres, soit par ses propres créations. Si l'on cherche des références littéraires pour mieux interpréter la domination de cette classe, ce n'est pas vers la noblesse médiévale ni vers l'époque moderne qu'il faut regarder, mais vers la classe aristocratique décrite par Homère dans l'*Iliade,* pour trouver un maximum de relations plus ou moins directes. Ceci ne vaut pas seulement pour la classe dominante qui s'est exprimée dans les tombes princières de la Rhénanie, mais pour tous les centres protoceltiques.

La zone centrale de la Rhénanie, les *Schiefergebrige* qui s'étendent entre la Lorraine, le Luxembourg et le Rhin, est particulièrement riche en sites des époques de Hallstat et de La Tène. Les tombes à tumulus du VIIIe au IIIe siècle av. J.-C. ont attiré l'attention des chercheurs amateurs et des archéologues professionnels depuis le début du XIXe siècle. La découverte de tombes, ordinairement signalées par un grand tumulus, contenant un mobilier particulièrement riche en objets d'or, récipients de bronze et restes de char, a suscité des discussions longues et passionnées sur la date, le statut social, et l'appartenance ethnique de leurs défunts. C'est seulement

Carte de distribution des tombes princières au VIe et début du Ve siècle av. J.-C.

Carte de distribution des tombes princières laténiennes des Ve-IVe siècles av. J.-C.

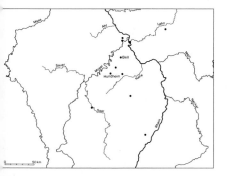
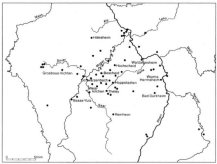

depuis les dernières années du XIXe siècle que des chercheurs comme Ernst aus'm Weerth et Paul Reinecke ont réussi à identifier les défunts des tombes aux membres de l'aristocratie celtique des Ve et IVe siècles av. J.-C., à reconnaître comme étrusques ou au moins italiques la majeure partie des récipients de bronze, et dans la riche ornementation des nombreuses trouvailles, l'expression d'un style artistique autochtone soumis à des influences gréco-étrusques.

Cette opinion a toujours cours bien que les nouvelles générations de chercheurs aient notablement contribué à élargir les connaissances et à préciser la notion de "tombe princière". Ceci a été possible grâce à l'étude systématique et à la documentation des structures funéraires nouvellement découvertes. De ce fait, les tombes princières ont cessé d'être isolées, et reçoivent des ensembles funéraires contemporains, un éclairage nouveau.

Ainsi, on a prêté attention aux établissements et au mode de distribution des tombes par rapport aux habitats, en se limitant à des unités territoriales naturellement définies, pour enfin se reporter aux tableaux d'ensemble des données archéologiques dans les divers groupes culturels.

Reconstitution du char de Bell (Rhénanie) Ve siècle av. J.-C. Bonn Rheinisches Landesmuseum

Jusqu'à présent, des tombes princières du Hallstat final, des VIe et début Ve siècles av. J.-C., comparables à celles de l'Allemagne sud-occidentale et de la Bourgogne (Asperg, Hochdorf, Vix, etc...), n'ont pas encore été mises au jour, et de telles découvertes ne sont pas envisagées. Dans le contexte de la *culture de l'Hunsrück-Eifel*, un groupe culturel de la phase finale du Hallstat avec beaucoup de caractères locaux a bien été identifié, à la limite septentrionale de la zone culturelle du Hallstat final du nord-ouest des Alpes ; mais on n'en connaît que le petit groupe de tombes proche du cours du Rhin : le mobilier et les méthodes de construction suggèrent que vers la fin du VIe siècle av. J.-C. un groupe social émergeant ait tenté d'imiter le grand modèle de classe dominante représenté par la culture de son voisin nord alpin ; remplaçant les simples cercueils de bois, les chambres funéraires et les tumuli luxueux avec chars à quatre roues et parfois aussi à deux roues, et situles de bronze de type rhénan, caractérisent cet ensemble de tombes princières, les plus anciennes de la Rhénanie.

Ce qui va différencier les tumuli princiers tardo-hallstattiens de ceux de la période suivante c'est qu'ils sont le plus souvent intégrés dans de vastes nécropoles de tumuli à mobilier funéraire simple, utilisées sur une période plus longue. Pour autant que les données archéologiques permettent de le savoir, les corps inhumés dans les tombes princières sont le plus souvent de sexe masculin.

Deux tombes princières des environs de 500 av. J.-C. furent fouillées d'une manière exemplaire et bien documentée. En 1938, dans la nécropole de Bell im Hunsrück, fut découverte, au centre d'un des tumuli de 22 mètres de diamètre, une chambre en bois de 2,50 mètres × 1,80 mètre, orientée approximativement ouest-est ; le mort, accompagné de sa lance et d'une situle en bronze, était déposé sur un char à quatre roues dont il restait seulement

Fermoir de ceinture en bronze ajouré
et incrusté de corail de la tombe princière n° 1
de Weiskirchen (Rhénanie)
seconde moitié du Ve siècle av. J.-C.
Trèves, Rheinisches Landesmuseum

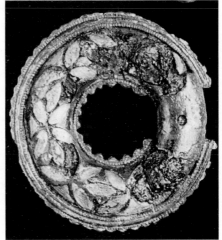

Fibule à masques en bronze et anneau de ceinture
en bronze avec des incrustations de corail de la tombe
princière n° 1 de Weiskirchen (Rhénanie)
seconde moitié du Ve siècle av. J.-C.
Trèves, Rheinisches Landesmuseum

les appliques décoratives en fer. Une reconstitution convaincante en a récemment été faite par Hans-Eckart Joachim.
Comme la tombe de Bell, une tombe à char, à Hundheim
im Hunsrück, appartient aussi à une nécropole de tumuli
dont la principale période d'utilisation se place sûrement à
La Tène ancienne. Dans les tumuli 1 et 2, les fouilles faites
en 1937 ont mis au jour deux chambres funéraires en pierre et en bois, de 2 mètres × 4 mètres ; les deux contenaient
des squelettes masculins et des chars à deux roues. Selon
les sources archéologiques, littéraires et numismatiques,
durant toute la période laténienne (environ 475 à 20
av. J.-C.), ce véhicule léger et rapide est resté un des plus
importants symboles de statut aristocratique pour les
Celtes, dans la vie comme dans la mort.
Au début de La Tène ancienne, on constate que, entre la
Meuse et le Rhin, les tombes princières gagnent du terrain.
La principale zone touchée par cette diffusion rentre ainsi
dans la phase récente de la *culture de Hunsrück-Eifel* ; dès
la première phase, qui appartenait au Hallstat final, dans
le secteur occidental, entre Sarre et Moselle, d'après des

*Couteau de fer
coupe et kyathos
étrusques
en bronze
du tumulus n° 9
de Bescheid
Fin V^e - début
IVe siècle av. J.-C.*

signes évidents, un centre important avait commencé à émerger. Les
fouilles ont révélé en grand nombre les plus importantes tombes princières
pour la période allant de 475 à 350 av. J.-C.
Les torques, les bracelets, les fibules et les fragments de ceintures, ainsi que
les revêtements de char en bronze ou en fer, et les appliques d'or sur les
cornes à boire, tout porte les riches décorations qui caractérisent le début
du style celtique. Aujourd'hui encore, la genèse de l'art celtique reste obscure. L'interprétation qui semble à l'auteur la plus convaincante est celle de
F. Fischer et W. Kimmig : le style laténien s'est développé dans l'Allemagne
sud-occidentale, un des domaines de la culture hallstattienne tardive : là,
depuis longtemps, les contacts avec l'Etrurie étaient particulièrement
intenses, et la phase initiale de La Tène s'est développée dans ce cadre : les
conditions sociales offraient un terrain favorable à la constitution d'un langage artistique qui s'est exprimé essentiellement dans les biens de prestige
de la classe dirigeante. Dans toutes les techniques, que ce soit de l'or, du
bronze ou du fer, des chefs-d'œuvre témoignent de la créativité des artisans
dans la zone centrale des massifs rhénans. De plus, les trouvailles de
Weiskirchen appuient la thèse de l'influence directe de motifs figuratifs et
décoratifs des récipients d'importation greco-étrusque sur les ornements
des boucles de ceinture locales en bronze ; on peut en déduire l'existence
d'un atelier fonctionnant en ce lieu. Selon toute probabilité, c'est cet atelier qui créa aussi les cruches à bec de Basse-Yutz.
Bien qu'on ne puisse mettre plus longtemps en doute l'existence d'un
centre de production artisanale du style laténien précoce dans la zone de la
culture de l'Hunsrück-Eifel et dans les régions voisines, Lorraine et sud du
Palatinat, il faut toutefois se garder des interprétations trop hâtives du

*Disque en or du tumulus n° 6
de Bescheid (Rhénanie)
Seconde moitié
du Vᵉ siècle av. J.-C.
Trêves, Rheinisches Landesmuseum*

*Garnitures de cornes à boire en feuille d'or travaillée
au repoussé de la tombe princière de Reinheim (Sarre)
Seconde moitié du Vᵉ siècle av. J.-C.
Sarbrücken, Landesmuseum
für Vor-und- Frühgeschichte*

*Cruche à vin en bronze
et détail des attaches
de l'anse
Tombe n° 112
du Dürrnberg près
de Hallein (Salzbourg)
Début du IVᵉ siècle av. J.-C.
Salzbourg
Museum Carolinum
Augusteum*

*Détail du support de l'anse d'une cruche
à vin inspirée d'un modèle étrusque
de la tombe princière de Kleinaspergle
(district de Hohenasperg, Bade-Wurtemberg)
Seconde moitié du Ve siècle av. J.-C.
Stuttgart, Wüttembergisches
Landesmuseum*

*Statuette en bronze
d'un chien dévorant
une tête de bélier
provenant de
l'habitat
de Droužkovice
(Bohême)
Seconde moitié du
Ve siècle av. J.-C.
Prague
Archeologický
ústav SAV*

*Plaque de bronze, dont une face est recouverte d'argent ciselé et l'autre d'une feuille d'or
estampillée, rehaussée de perles de corail et d'ambre, provenant de la tombe princière
de Chlum, en Bohême
Seconde moitié du Ve siècle av. J.-C. Prague, Národní Múzeum*

*Paire de cruches à vin, en bronze avec incrustations de corail
et d'émail rouge, de Basse-Yutz (Moselle)
Début du IVᵉ siècle av. J.-C.
Londres, British Museum*

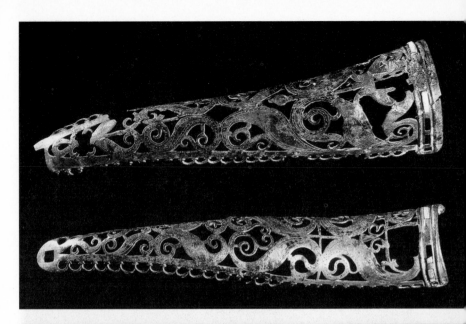

Paire de garnitures de joug ou
de timon de char, en bronze ajouré
incrusté de corail, de la sépulture
à char de "La Bouvandeau"
à Somme-Tourbe (Marne)
Début du IVe siècle av. J.-C.
Saint-Germain-en-Laye
Musée des Antiquités nationales

Disque de bronze plaqué d'une feuille
d'or travaillée au repoussé et rehaussée
d'incrustations de corail et d'émail
à l'intérieur du bouton central,
d'Auvers-sur-Oise (Val-d'Oise)
Début du IVe siècle av. J.-C.
Paris, Bibliothèque nationale
Cabinet des Médailles

Phalère en bronze ajouré dessinée
au compas, de la sépulture à char
de Cuperly (Marne)
Début du IVe siècle av. J.-C.
Saint-Germain-en-Laye
Musée des Antiquités nationales

*Casque de fer et bronze travaillé
au repoussé et ajouré, rehaussé
d'incrustations de corail
de Canosa di Puglia (Bari)
Première moitié du IVe siècle av. J.-C.
Berlin, Staatliche Museen
Antikensammlung Preussischer Kulturbesitz*

*léments de
*inture ajourés
*a fer du tumulus
*° 1 de Hochscheid
*Rhénanie)
*econde moitié du
*e siècle av. J.-C.
*rêves, Rheinisches
*andesmuseum
p. 138

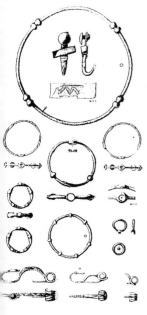

*ibules, torques
*racelets, anneaux
*t éléments
*e ceinture en fer
*t en bronze
*u tumulus n° 9
*e Bescheid
*in V^e - début IVe
ècle av. J. -C.

schéma de distribution des objets portant ce type de décor : ces régions n'ont pas forcément joué un rôle de guide, puisque la carte de distribution reflète avant tout la fréquence d'un type particulier de sépultures, précisément celle des tombes princières des Ve et IVe siècles av. J.-C. La diffusion effective de ce premier style laténien a pu être dès l'origine beaucoup plus large, en pénétrant profondément en Gaule et dans toute la partie sud de l'Europe centrale.

Malgré le grand nombre de tombes princières dans les massifs rhénans, et malgré les efforts des générations d'archéologues, les recherches effectuées laissent encore beaucoup de questions sans réponse. Les raisons en sont bien connues ; plus de la moitié des tombes princières ont été découvertes au XIXe siècle ; elles ont été fouillées de manière non orthodoxe, et les trouvailles n'ont pas été documentées ou de façon insuffisante. En conséquence, l'inventaire et la cohérence des mobiliers sont loin d'être garantis ; en outre, les premières tentatives de restaurations furent sources plus souvent de dommages que d'heureux résultats. Cependant, même les tombes découvertes durant notre siècle n'ont apporté que des progrès limités : beaucoup ont été détruites ou pillées. Pour seulement quelques nécropoles ou quelques ensembles de tumuli, par exemple ceux d'Hillesheim dans l'Eifel, de Reinheim dans la Sarre méridionale, de Bescheid ou de Hochscheid dans l'Hunsrück, on dispose d'une bonne documentation sur les fouilles et de mobiliers restaurés de manière satisfaisante.

En dépit des insuffisances, par la datation, la situation, la structure de la tombe, le mobilier funéraire, les rapports avec les établissements voisins et les autres champs de tumuli, les tombes princières des Ve et début du IVe siècles présentent des caractéristiques communes. Pour les évaluer et les interpréter, il faut tenir compte du fait qu'il n'existait pas de système de règles supra-régionales pour les rites funéraires de sorte que, même si certaines absences ou des anomalies semblent affecter le mobilier ou la position d'une tombe, l'appartenance au groupe des tombes princières n'est pas remise en cause.

La majorité des tombes princières sont en forme de tumuli isolés ou par petits groupes de deux ou trois. On a pu reconnaître des tombes princières incluses dans quelques nécropoles, mais jusqu'à ce jour seulement 5 (peut-être plus à l'origine) à Hochscheid, 11 à Hoppstädten et 16 à Bescheid. Dans tous les cas, ce sont des sépultures séparées, nettement en dehors de l'aire funéraire utilisée par le reste de la population, et ordinairement, leurs tumuli sont situés en un point élevé d'où l'on voit loin et à proximité de voies commerciales anciennes et importantes. Dans beaucoup de cas, les liens topographiques avec les établissements fortifiés contemporains du voisinage sont clairs ; ceci est particulièrement vrai pour les nécropoles de grandes dimensions, du VIIe au IIIe siècle av. J.-C. Les zones de Theley et de Schwarzenbach-Otsenhausen offrent de bons exemples de ces associations d'avantages géographiques favorables aux communications, aux positions fortifiées et aux établissements d'une population relativement dense.

Dans les environs de Schwarzenbach – et ceci est typique de nombreux autres groupes de tombes princières –, fut trouvé un énorme dépôt de minerais ferreux propres au forgeage, J. Driehaus et R. Schindier ont amassé quantité d'indices d'une activité sidérurgique probablement intense

Reconstitution de la plaque d'or du tumulus n° 1 de Weiskirchen (Rhénanie) Fin V[e] - début IVe siècle av. J. C.

dans l'Hunsrück et l'Eifel durant La Tène ancienne. Les recherches paléobotaniques ont fourni des indications complémentaires sur une importante réduction de la superficie des forêts, évidente depuis le début du Ve siècle av. J.-C.

Comparés à la masse des tombes simples, les tumuli des tombes princières se distinguent par leurs grandes dimensions : les diamètres varient de 25 mètres à 50 mètres et les hauteurs de 2,50 mètres à 6 mètres, sans doute en fonction du statut du défunt à l'intérieur de la classe dominante. Les mêmes différences se retrouvent dans les chambres funéraires, tantôt en bois tantôt en pierres, ordinairement placées au centre des tumuli ; leurs superficies vont de 8 à 20 mètres carrés.

Fibule de bronze à "masques" du tumulus n. 2 de Bescheid (Rhénanie) Deuxième moitié du Ve siècle av. J. • p. 138

Sauf de rares exceptions, ces tombes renfermaient des inhumations. Les quelques cas assurés de tombes à crémation – Schwarzenbach 1, Besseringen, Hillesheim – correspondaient, quant à la structure et au mobilier, aux tombes à inhumation. On ne peut pourtant exclure qu'on ait affaire à des sépultures doubles, c'est-à-dire l'une après crémation, l'autre par simple dépôt du corps ; mais l'acidité ordinaire du Massif Schisteux Rhénan a pu détruire complètement le squelette et par conséquent la nature de la tombe ne peut plus être identifiée. Il est au

contraire certain que, dans les nécropoles à tombes princières de Bescheid et de Hochscheid, il y avait des sépultures à incinération plus récentes. Le défunt était déposé sur le bûcher avec ses offrandes funéraires ; ensuite, sur le lieu même de la crémation, on élevait le tumulus funéraire. A Bescheid, c'est seulement grâce aux résidus d'or, d'argent et de bronze fondus qu'on a pu avec certitude attribuer les restes de bûcher au groupe des tombes princières. Ils doivent être datés de la phase tardive de La Tène ancienne, approximativement entre 320 et 250 av. J.-C., période durant laquelle, en l'état actuel des recherches, il semble qu'on ait cessé de construire des tombes princières, à l'exception de Waldalgesheim. Une importante évolution des coutumes funéraires, le passage au rite de la crémation, avec la "tombe plate" et le dépôt des cendres, ou avec la tombe simple établie sur le lieu de la crémation (telle qu'on la trouve dans la culture de l'Hunsrück-Eifel), rend encore plus difficile la reconstitution des rites funéraires propres aux tombes princières.

Fibules et bouton de chaussure en bronze, nécessaire de toilette couteau en fer vase peint et cruche étrusque en bronze des tumuli de Hochscheid

Disque en or du tumulus n° 6 de Bescheid (Rhénanie) Seconde moitié du V° siècle av. J. -C. Trêves Rheinisches Landesmuseum • p. 177

Le groupe des tombes princières des pays rhénans moyens comprend des tombes masculines, féminines, et plus rarement d'enfants. Mais il est intéressant de noter que, à part Waldalgesheim, il n'y a pas de tombes féminines identifiées avec certitude dans la phase récente de la *culture de l'Hunsrück-Eifel*, tandis qu'immédiatement au sud, dans la culture de La Tène ancienne du *Palatinat*, avec les tombes féminines au mobilier somptueux de Bad Dürkheim, Reinheim et Worms-Herrnscheim, le nombre des tombes féminines s'élève à 50% du total des tombes princières connues. Les causes de ces différences de traitement entre homme et femme après la mort ne sont pas encore éclaircies. Il est possible que, dans le domaine du groupe méridional de tombes princières rhénanes, les femmes de la classe dominante aient pu remplir des fonctions politiques et religieuses qui, dans la phase récente de la culture de l'Hunsrück-Eifel, furent au contraire réservées aux hommes.

Encore une fois, il faut rappeler qu'il n'y avait pas de règle unifiée dans les usages funéraires. Le penchant celtique pour l'individualisme, qui donne aussi leur cachet aux chefs-d'œuvre de l'art celtique, se reconnaît aussi là, et peut-être a pu affecter d'autres domaines de la vie quotidienne qui n'ont pas laissé de trace archéologique.

Durant des fouilles en 1979, à Bescheid, les fouilleurs eurent la grande surprise de tomber sur la sépulture d'une fillette âgée d'environ 8 ans, orientée ouest-est. Le corps portait de riches parures de bronze (anneaux de cheveux, collier, deux bracelets assortis), un brassard en fer, une ceinture avec un petit fermoir en fer et deux jolis anneaux. Sur la poitrine, le vêtement était fermé avec trois fibules de bronze. Aux pieds étaient déposés un couteau, une coupe à pied en céramique fine et une coupe étrusque en bronze de la fin du V° siècle, dont la typologie n'est pas courante au nord des Alpes. La variété des récipients importés d'Etrurie a largement dépassé ce qu'on pouvait prévoir. La tombe d'enfant de Bescheid est, jusque-là, seule de ce genre, et date de peu après 400 av. J.-C. Le fait que parfois des enfants aient pu être enterrés avec un somptueux mobilier est confirmé par un ancien compte-rendu de la fouille du tertre 1 de Hoppstädten où un enfant était accompagné d'une épée, d'une pointe de lance et de flèches, ainsi que d'une cruche étrusque en bronze, du type *Schnabelkanne*. A Hochscheid, en 1975-1976, quatre tombes masculines de la période 450-400 av. J.-C. furent découvertes au centre de tumuli très aplatis avec des diamètres de 20 à 25 mètres. Deux des tumuli étaient entourés par un large cercle de tombes. Les trouvailles comprennent les ensembles de parures typiques des tombes princières : des fibules de bronze à doubles têtes d'oiseaux, "à masques" avec de riches incrustations de corail, des agrafes de ceinture, ajourées en fer et des plaques de ceinture en bronze, des boutons décoratifs pour chaussures de cuir, une fibule discoïdale en or avec incrustations de corail, un disque d'or, type *Weiskirchen,* utilisé comme ornement de manteau ou de cape, ainsi qu'un jeu de bracelets. Quant au disque d'or, une version plus somptueuse de même type a été trouvée dans le tumulus n° 1 de Weiskirchen dans la Sarre. Parmi les armes de Hochscheid, l'épée du tumulus 2 mérite une attention particulière : la lame de fer, avec une poignée incrustée de corail, est engainée dans un fourreau de bronze orné de motifs floraux et zoomorphes de style ancien, et incrusté de corail. Deux des guerriers de Hochscheid étaient accompagnés, outre des céramiques locales de haute qualité, chacun par une cruche à bec étrusque en bronze. Ces *Schnabelkannen* d'importation sont les objets qui se rencontrent le plus fréquemment dans le mobilier funéraire ; elles étaient utilisées pour verser et mélanger une boisson importante, probablement, le plus souvent, du vin italien, durant les grandes occasions profanes et religieuses ; elles avaient une valeur particulière dans les usages funéraires de la noblesse celtique ; devenues le symbole du banquet et des beuveries, elles furent déposées dans les tombes pour représenter le service complet. Seuls récipients importés, leur prestige est souligné par les imitations qui en ont été faites en argile ou en bois, et aussi par le fait que d'autres types de récipients en bronze ont été transformés en *Schnabelkann,* comme c'est le cas à Schwarzenbach 2 et Weiskirchen 1.

La plus grande nécropole de tombes princières avec 16 tumuli a été fouillée entre 1977 et 1979 dans la zone de Bescheid près de Trèves. Bien que plusieurs tumuli aient été saccagés au XIXe siècle, les découvertes ont été abondantes. On a déjà fait mention de la tombe de la fillette dans le tumulus 9, et des tombes à incinération comprenant tout le matériel du bûcher, ceci à une date étonnamment basse (IVe et IIIe siècle av. J.-C.). Bescheid fournit la preuve qu'une communauté locale a conservé sans interruption l'usage des tombes princières, approximativement de 475 à 250 av. J.-C.

Intact, le tumulus n° 6 était particulièrement significatif, avec un défunt couché sur le dos, tête à l'ouest, dans une chambre funéraire de 2,50 m × 4 m. Le sol et les parois étaient recouverts de tissus. Le mort était vêtu et portait une ceinture avec un fermoir en fer incrusté de corail et deux petits anneaux décorés d'un motif floral incisé. Les chaussures de cuir étaient ornées de boutons de bronze décorés et pouvaient être fermées par de petites agrafes de fer. A droite du corps, une pièce de vêtement avait été déposée, dont il reste seulement le disque d'or qui la décorait. Toujours à droite se trouvait une épée dans son fourreau orné de corail ; sa poignée se terminait, comme pommeau, par une tête

Cruches étrusques en bronze des tumu[lus] n° 1 et 4 de Hochscheid en arrière plan : imitation en terre cuite de Sien (Rhénanie) Seconde moitié du Ve siècle av. J.-C. Trèves, Rheinisches Landesmuseum

Pommeau de bronz[e] en forme de tête humaine d'une épée trouvée dans le tumulus n° 6 de Bescheid (Rhénanie) Fin du Ve siècle av. J.-C. Trèves, Rheinisches Landesmuseum

humaine en ronde bosse, représentation probable d'un dieu de la guerre ou d'un héros celtique. La panoplie était complétée par trois lances à grands fers, et trois pointes de flèches à douille ; l'arc qui les accompagnait devait être en bois ; il est donc disparu, comme aussi sans doute le bouclier. Les objets les moins ostentatoires sont là, peut-être, les plus dignes d'attention ; c'est le cas des pointes de flèches isolées parmi les armes du tumulus 6 ; alors qu'elles sont absentes des tombes humbles, elles sont au contraire fréquentes dans les tombes princières. En déduire que, pour la guerre, les archers se recrutaient dans les rangs de l'aristocratie, serait pour le moins simpliste ; mais les pointes de flèches semblent plutôt suggérer que la chasse tenait un rôle important dans la vie des aristocrates, pas seulement comme ressource alimentaire, mais bien comme sport et peut-être aussi comme privilège social.

Les offrandes de nourritures et boissons étaient déposées aux pieds du mort ; elles sont attestées par un petit couteau en fer à un seul tranchant, et par la feuille d'or, décorée dans le style ancien, qui recouvrait le bord d'une corne à boire. Il devait vraisemblablement y avoir aussi une cruche en bois. La déposition de cornes à boire, le plus souvent associées à de la vaisselle de bronze étrusque, était réservée aux membres de la classe dominante. Chez les barbares, Scythes, Thraces, Illyriens, et Celtes, les cornes à boire remplaçaient les tasses et les coupes qui étaient au contraire les pièces essentielles du service du banquet méditerranéen. L'iconographie scythe confirme l'importance particulière des cornes à boire dans le culte. A la différence des sépultures de Hochscheid, le tumulus 6 de Bescheid renfermait un char. Plus de 40 plaques de fer décoraient le timon, la caisse et les roues d'un véhicule à axe unique ; un tel modèle convenait également à la guerre et au voyage. J. Metzler a récemment tenté, avec l'apport des nouvelles données de Grosbous-Vichten au Luxembourg, de reconstituer un char sans suspension semblable à celui de Bescheid. En plus de la version simple trouvée dans ce dernier site, on connaît aussi un modèle grand luxe, décoré principalement de bronze, avec incrustations de corail. Au-delà de cette carrosserie inhabituelle, le char était un symbole social important.

Avant de conclure ce bref survol des tombes princières de La Tène ancienne, il faut mentionner une particularité de la nécropole de Bescheid, où les groupes de tumuli sont reliés par une levée de terre longue de 250 mètres, large de 4 mètres, avec une hauteur d'environ 1 mètre ; elle commence près du tumulus 4 et finit près du tumulus 6, les deux contenant des tombes à char presque identiques. Des terre-pleins semblables dans des nécropoles de tombes à tumuli ne sont pas rares dans la *culture de l'Hunsrück-Eifel*, mais leur signification n'a pas encore été établie. A Bescheid, plusieurs éléments

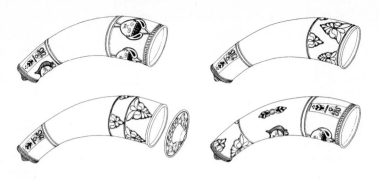

Reconstitution des cornes à boir avec appliques de feuille d'or de la tombe princière de Schwarzenba (Rhénanie) Seconde moitié du Ve siècle av. J. Berlin, Staatlich Museen Antikensammlu Preussischer Kulturbesitz

font penser que le terre-plein doit être mis en rapport avec les deux tombes à char ; il se présenterait comme une chaussée reliant les tumuli, sans doute une voie processionnelle.

Conclusion

A la fin du Hallstatt final, vers 500 av. J.-C., les recherches archéologiques ont fait apparaître une classe noble qui manifeste les privilèges de sa position jusque dans la mort par la construction des tombes et dans le mobilier funéraire, en subissant l'influence de la culture hallstattienne tardive du nord des Alpes occidentales. Deux générations ont suffi pour que le même phénomène gagne toute la Rhénanie. Les nécropoles de la classe dominante se sont alors séparées pour conserver, même dans la mort, la distance avec le reste de la population. Les nécropoles à tombes princières sont établies dans le voisinage de zones jouissant de bonnes conditions géographiques et commerciales, de places fortifiées, de ressources en métaux ferreux, et d'une densité de population relativement élevée. La position dominante sur le plan militaire, économique et politique, des défunts ensevelis dans ces tombes se marque dans la construction coûteuse des structures funéraires, ainsi que par une série de symboles comme les disques d'or du type Weiskirchen, les récipients étrusques en bronze, les cornes à boire, les chars, les armes décorées avec art, des éléments de vêtements... qui témoignent tous d'un style de vie autonome même s'il est touché par des influences idéologiques méditerranéennes.

Hallstatt et les mines de sel gemme
Fritz Eckart Barth

Le petit centre de commerce de Hallstatt se trouve totalement isolé au cœur de Salzkammergut, en Haute-Autriche. La ville, qui n'est pas favorisée par le climat, s'étend sur les rives escarpées du lac qui porte son nom. A l'origine, elle n'était accessible que par bateau. Néanmoins, à partir de la deuxième moitié du IIe millénaire av. J.-C., elle devint le lieu d'activités intenses, lorsque les gisements de sel gemme commencèrent à être exploités abondamment. Dans un premier temps, les habitants se contentèrent d'utiliser les sources d'eau salée, puis ils entamèrent l'extraction de l' "or blanc", au début du Ier millénaire.

Les traces de cette activité minière protohistorique, profondément enfouies, sont appelées "Heidengebirge", c'est-à-dire "les montagnes des païens". On y fait référence dans la littérature dès 1311. Ces restes sont concentrés dans trois zones : le groupe de mines de l'Ouest, le groupe du Nord, et le groupe de l'Est. Ce sont là les vestiges d'activités minières indépendantes entre elles, et successives dans le temps, qui utilisaient des technologies résolument différentes. Le groupe du Nord est le plus ancien

Vue aérienne
du site
de Hallstatt
Photo Beckel

(1000-800 av. J.-C.), tandis que le groupe de l'Ouest est le plus récent, datant à peu près du début de l'ère chrétienne. Chronologiquement parlant, le groupe de l'Est se situe entre les deux autres, et rassemble les vestiges d'une activité qui s'est développée avec succès et profit pendant plusieurs siècles, comme le montre l'existence d'un grand cimetière qui a donné son nom à toute une période de l'histoire de l'Europe centrale : la période de Hallstatt (VIIe-Ve siècle av. J.-C.).

La nécropole fut découverte en 1846 par Johann Georg Ramsauer, alors directeur de la mine. Pendant les vingt ans qui suivirent, on explora les parties les plus importantes du sous-sol. Nous devons aux travaux de Ramsauer la découverte de presque mille tombes richement équipées. C'était un expert des mines et un observateur remarquable, qui savait utiliser toute son expérience et qui était largement en avance sur ses contemporains, sur le plan des techniques d'excavation et de documentation. Il décrivit la disposition des fouilles et fit reproduire à l'aquarelle les tombes et les objets les plus importants. Le cimetière de Hallstatt connut sa plus grande période d'utilisation entre les VIIe et VIe siècles av. J.-C. La richesse des découvertes prouve que c'était une période de grande prospérité économique. La recherche archéologique a défini comme "culture de Hallstatt" le contexte auquel elles appartiennent. En revanche, il y a peu de tombes qui datent du Ve siècle av. J.-C. On remarquera surtout qu'il

Une des planches du dit "Protokoll Ramsauer" avec des peintures des fouilles du cimetière de Hallstatt menées par Georg Ramsauer entre 1846 et 1862 Vienne Naturhistorisches Museum

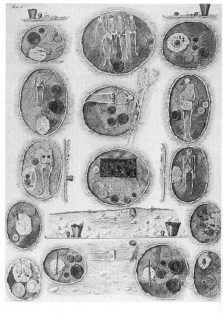

Torche provenant des mines de sel de Hallstatt en Haute-Autriche VIIe-VIe siècle av. J.-C. Vienne, Naturhistorisches Museum

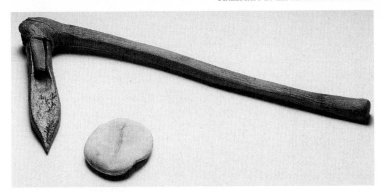

Pic et pierre
à aiguiser
provenant
des mines de sel
de Dürrnberg
(Salzbourg)
I^e- Ve siècle
av. J.-C.
Salzbourg
Museum Carolino
Augusteum

Chaussure en peau
de veau provenant
des mines de sel
de Dürrnberg
(Salzbourg)
VIe- Ve siècle
av. J.-C.
Salzbourg
Museum Carolino
Augusteum

manque les riches tombeaux de chefs des périodes précédentes. La seule exception vient de la tombe n° 994, qui a livré un service à boisson, un casque, une lance de fer et son fourreau de bronze orné de motifs. Nous avons l'impression d'un déclin économique à partir du Ve siècle av. J.-C., probablement dû au développement de la mine du Dürrnberg-Hallein, mieux située et d'un accès beaucoup plus facile.

L'exploitation minière fut brusquement interrompue par un important glissement de terrain qui dévasta toute cette région, obstruant les entrées des tunnels et les galeries. En de nombreux endroits du groupe de mines de l'Est, des moraines arrachées au glacier sont entrées dans les puits jusqu'à 120 mètres de profondeur. Des souches, des arbres entiers déracinés et d'énormes blocs de calcaire y sont également visibles.

La mine du groupe de l'Est avait été mise en service au VIIIe siècle av. J.-C., et elle assura plus que les autres la richesse de ceux qui sont enterrés dans le cimetière. Des puits profonds et obliques furent creusés à partir de la surface, afin d'atteindre la roche saline couverte d'un épais dépôt alcalin. Là, des tunnels horizontaux furent percés en suivant la couche de sel gemme, puis des galeries secondaires qui repartaient vers la surface, de sorte que plusieurs groupes de mineurs pouvaient travailler en même temps. En fait, l'excavation ne se faisait pas en profondeur, mais vers la surface, ce qui ouvrait un espace en gradins dans le sous-sol. Les petites chutes de sel gemme survenues pendant le travail étaient abandonnées sur place, pour combler les galeries qui restaient en arrière. L'outil utilisé était le pic de bronze muni d'une pointe à ailettes : elle était déjà apparue, tardivement, à l'Age du Bronze. Le manche en forme de L était fait à partir d'un tronc d'arbre, le pin, taillé au niveau de l'attache des branches. La pointe effilée évitait un retour du pic lorsque le coup était porté. Comme le montrent les traces sur les manches (probablement causées par un maillet), la technique du maillet était déjà en usage. Autrement dit, on plaçait la pointe de l'outil contre la paroi, puis on frappait le pic à l'aide du

maillet. On creusait ainsi dans le minerai des pains en forme de cœur, qui étaient directement mis sur le marché.

L'avantage des découvertes faites dans les mines de sel gemme vient de ce que les objets de nature organique y sont préservés. A côté du grand nombre de pics découverts se trouvent aussi des restes intéressants de vêtements. A ce jour, plus d'une centaine d'échantillons de tissus ont été analysés, et ils nous ont permis de voir que le tissage était particulièrement développé. En dehors des tissus tressés, les tissus sergés étaient également très répandus, parce qu'ils permettaient d'obtenir des étoffes aux motifs colorés, en utilisant des fils de différentes couleurs. Il est intéressant de préciser que les pièces de tissu étaient d'abord découpées puis cousues par un tailleur pour former le vêtement.

Parmi les fourrures et les cuirs retrouvés, il faut citer les deux chaussures trouvées dans le groupe de mines de l'Est, qui sont particulièrement intéressantes. Ces chaussures sont faites d'une seule pièce de cuir retourné, simplement replié et cousu au talon. Les couvre-chefs, quant à eux, existent en deux modèles : les coiffes pointues dont la fourrure reste à l'intérieur, et les bérets dont la fourrure borde le contour.

Nous savons que pendant le IVᵉ siècle av. J.-C., les mines du groupe de l'Est virent une fin tragique, lors du glissement de terrain qui fit sûrement beaucoup de victimes. En 1734, dans la mine de Kilbwer fut retrouvé le corps d'un mineur protohistorique, habillé et conservé par le sel. Il a été enterré dans le cimetière de Hallstatt.

Le site du Dürrnberg

Fritz Moosleitner

La vieille ville de Hallein, ancien centre d'extraction du sel gemme, se trouve sur la rive gauche de la Salzach, à 15 kilomètres au sud de Salzbourg. Le plateau du Dürrnberg s'étend à l'ouest de la ville, jusqu'à la frontière bavaroise. Il est parsemé de petites vallées qui descendent brusquement vers la rivière, et fait désormais partie du tissu urbain de Hallein. Les riches dépôts de sel gemme de la région étaient déjà exploités pendant la préhistoire.

Le sel : une source de richesse

Les plus riches dépôts de sel gemme sont concentrés au nord des Alpes, dans les régions de Salzbourg et du Salzkammergut. Les mines de Hallstatt, de Hallein-Dürrnberg et de Reichenhall sont assez proches : chacune d'entre elles possède une histoire plusieurs fois millénaire. Les noms de tous ces sites comportent le mot "Hall", qui était probablement l'appellation celte du sel.

Les dépôts de sel sont en partie couverts d'une épaisse couche calcaire. Seuls les endroits où ce calcaire avait érodé étaient plus accessibles, quoiqu'ils fussent encore couverts de 30 ou 40 centimètres d'argile. Les dépôts de sel sont généralement signalés par des sources d'eau salée qui étaient exploitées depuis le Néolithique, mais qui ne fournissaient qu'une faible quantité de sel.

Des recherches récentes nous ont appris que l'exploitation des mines à Hallstatt avait commencé à la fin du IIe millénaire av. J.-C. Des travaux de grande envergure devaient être menés avant de pouvoir travailler dans la roche. Après avoir retiré le calcaire, les mineurs devaient creuser à travers la roche ; les tunnels percés étaient inclinés à 45° et mesuraient entre 50 et 70 mètres de longueur.

Les mineurs de Hallstatt s'appuyaient d'ailleurs sur l'expérience acquise dans les mines de cuivre, comme le montrent les outils et les méthodes qu'ils employaient.

Dans les Temps modernes, alors que les mines de Hallstatt étaient toujours exploitées, on a découvert les traces d'excavations préhistoriques, à 240 et 350 mètres de profondeur. Sous la pression des couches supérieures, les tunnels se sont refermés lentement et tous les objets qui s'y trouvaient (des outils endommagés, des torches, des vêtements) ont été engloutis par le sel qui les a merveilleusement préservés. En 1576, puis en 1616, les corps intacts de mineurs préhistoriques, avec leurs vêtements, furent retrouvés dans les mines de Dürrnberg. Un autre corps fut retrouvé à Hallstatt. Mais il n'y a, hélas, pas de description précise de ces découvertes, ni même un seul dessin.

Sur les trois mines mentionnées, celle de Hallstatt est la plus isolée de toutes. Comme je l'ai déjà dit, l'exploitation des gisements a commencé à la fin de l'Age du Bronze, pour atteindre son apogée pendant le début de l'Age du Fer (750 à 480 av. J.-C.) ; cette période est aussi connue sous le nom de "période de Hallstatt", qui lui fut attribué après les grandes découvertes de cimetières de Salzberg au-dessus de Hallstatt. L'extraction à Dürrnberg ne semble avoir commencé qu'à la fin de la période de Hallstatt (600 av. J.-C.). Toutefois, sa position privilégiée sur les axes d'échanges lui permit de supplanter rapidement sa rivale, Hallstatt. En dépit de cet avantage évident, les deux mines coexistèrent pendant deux siècles, jusqu'en 400 av. J.-C. environ. A cette date, Hallstatt déclina, pour sombrer enfin à la suite d'une catastrophe naturelle.

Pendant les siècles suivants Dürrnberg fut pourvoyeur d'une grande partie de l'Europe centrale : les découvertes faites dans les tombeaux reflètent la richesse qu'apportait le commerce du sel. Le premier signe de déclin n'apparaît qu'à la fin de la période de La Tène (vers 100 av. J.-C.). La production est ensuite déplacée à Reichenhall, et semble reprendre à Hallstatt.

Cruches à vin en terre cuite provenant du cimetière du Dürrnberg (Salzbourg) Vᵉ siècle av. J.-C. Hallein Keltenmuseum

La topographie du Dürrnberg

Le mont Hahnrainkopf est le plus élevé du Dürrnberg : il domine tout le centre minier préhistorique. Son sommet de 1026 mètres d'altitude se trouve en réalité dans la Bavière toute proche. Autour de ce mont se

Objets en métal: "sceptre" en fer
et bronze, bracelets et boucles
d'oreilles en or, fibules en bronze
recouvertes d'étain, chaînette
et phalère en bronze, perle d'ambre
provenant de la sépulture n° 59
du Dürrnberg près de Hallein
(Salzbourg)
fin VIe - début Ve siècle av. J.-C.
Hallein, Keltenmuseum

197

regroupent les entrées des tunnels, reconnaissables aux amoncellements des gravats extraits et aux canaux ou bassins qui se sont formés à la suite des effondrements souterrains.

Au début, les mineurs vivaient près des mines. Au VIe siècle av. J.-C., les habitations se regroupaient sur le Moserstein et les collines avoisinantes. Les tombeaux de cette période sont tous situés sur les parties élevées du Dürrnberg, près des mines, notamment sur les collines d'Eisfeld et de Simonbauerfeld. Accompagnant le développement d'un centre industriel au Dürrnberg, les habitations et les tombes du Ve siècle sont réparties sur une plus grande étendue. Vers 500 av. J.-C., un village fortifié fut construit sur les hauteurs du Ramsaukopf, pointe rocheuse entièrement cernée de précipices. On ne pouvait y accéder que par le plateau inférieur, lui-même protégé par de véritables murailles de pierre sèche. De par son importance stratégique (ce fort permet de voir toute incursion sur le Dürrnberg), le Ramsaukopf a été considéré comme la résidence princière de la région. On peut supposer qu'il abritait le "Seigneur du Dürrnberg" et sa cour.

Ramsautal est une petite vallée au pied de la résidence seigneuriale, où se trouvaient les habitations et les ateliers des forgerons, des ciseleurs, des potiers et des tanneurs.

La région de Moserstein était également habitée au Ve siècle av. J.-C. Les fouilles y ont aussi révélé l'existence d'activités artisanales : poterie, fonderie de métaux, et verrerie.

Un soudain accroissement de la population vers 500 av. J.-C. réclama la création de nouveaux cimetières, sur des terres inutilisables pour l'habitat. On trouve des tombes sur des terres relativement inclinées, comme celles de Grubermuhle, de Moserstein et de l'est de la région de Dürrnberg. Chaque groupe possédait sa propre nécropole, et les tombes étaient proches des habitations.

Cruche à vin en bronze et détails des attaches de l'anse Tombe n° 112 du Dürrnberg près de Hallein (Salzbourg) Début du IVe siècle av. J.-C. Salzbourg Museum Carolinum Augusteum • p. 178

Les ensembles funéraires du Dürrnberg

La prospérité qu'apportait le sel se reflète dans l'aménagement des ensembles funéraires. Le bien-être matériel que procurait le commerce n'était pas l'exclusivité d'une élite sociale, mais était bel et bien partagé entre les différentes classes de la société.

Les Celtes du Dürrnberg enterraient leurs morts dans des tombeaux de bois, ils étaient rarement incinérés (on peut parfois trouver côte à côte des corps enterrés et des corps incinérés). Les chambres funéraires étaient fabriquées à l'aide de rondins, et étaient peu profondes. Des planches couvraient l'ensemble, au niveau du sol (elles étaient parfois légèrement enfouies), puis fermées par des blocs de pierres et recouvertes du tumulus. On peut encore apercevoir les monticules de ces tumulus dans la région. La taille des chambres funéraires variait de 1 mètre sur 2, à 3 mètres sur 3.

On trouve parfois plusieurs personnes enterrées dans le même tombeau, mais il est impossible de déterminer si elles ont été enterrées ensemble ou si la chambre funéraire a été rouverte à un autre moment (peut-être a-t-elle été ouverte plusieurs fois).

Les défunts étaient enterrés avec leurs vêtements et leurs bijoux. Les hommes emportaient leurs armes. Ils recevaient tous de la nourriture pour affronter le voyage dans l'au-delà. Toutes les tombes contiennent des ossements, qui sont probablement les restes d'offrandes de viande, comme des côtes de veau, des pieds de porc, du mouton ou du chevreau. On trouve même des porcs entiers rôtis à la broche. On déposait toujours un couteau en fer pour couper la viande. Les boissons étaient mises dans des flacons ou de grands vases en métal. Le "citoyen moyen" devait se contenter de jus de mûres, tandis que les "princes" recevaient des vins spécialement importés du sud. On n'oubliait jamais le moindre ustensile nécessaire au repas. A ce jour, 320 tombeaux contenant quelque 700 corps ont été découverts au Dürrnberg. La plupart d'entre eux datent de la période comprise entre 550 et 300 av. J.-C. Peu de tombes de la première moitié du VIe siècle av. J.-C. ou des IIIe et IIe siècles av. J.-C.

Le travail des artisans

Les nombreuses parures et les armes trouvées dans les tombeaux sont les témoins d'un artisanat de grande qualité. La plupart des objets ont été fabriqués (cela est plus particulièrement vrai pour la grande quantité de têtes d'animaux dans l'os et les masques retrouvés). Les artisans qui travaillaient pour les "seigneurs du sel", perpétuaient le style celtique qui était apparu dans la première moitié du Ve siècle av. J.-C.

La "Schnabelkanne" en bronze, ou cruche munie d'un bec verseur, est considérée comme l'une des plus grandes découvertes d'artisanat celtique faites en Autriche. Elle fut trouvée en 1932 dans le tombeau n° 112, dans un tumulus qui avait déjà été pillé à l'âge préhistorique, près des ornements des moyeux d'un char de guerre à deux roues. La cruche est en tôle de bronze martelée, tandis que l'anse et le bec étaient coulés séparément sur l'anse, puis fixés au corps. Le bec était soudé, et l'anse rivetée. Le seul ornement de la cruche se trouve sur l'anse : une tête de proie ressemblant à un lion tient dans sa gueule une tête d'homme appuyée sur le rebord arrière de l'embouchure. Les deux autres bêtes soudées sur le bord sont des reproductions à plus petite échelle de l'animal qui se trouve sur l'anse ; les deux semblent dévorer une proie, dont la queue est serrée dans leurs mâchoires.

Détail du support de l'anse d'une cruche à vin inspirée d'un modèle étrusque de la tombe princière de Kleinaspergle (Bade-Wurtemberg) Seconde moitié du Ve siècle av. J.-C. Stuttgart Wüttembergisches Landesmuseum • p. 179

La taille de la cruche rappelle certains modèles étrusques. Elle ressemble non seulement à l'art étrusque, mais aussi à celui que produisaient les peuples des steppes. La cruche de Dürrnberg doit dater de la seconde moitié du Ve siècle av. J.-C.

Une seconde tombe princière (n° 44) fut découverte en 1959, lors d'excavations de sauvetage sur le sommet du Moserstein. Elle contenait toute la panoplie du guerrier et notamment son char à deux roues. Les garnitures en bronze d'une cruche en bois, munie d'un goulot cylindrique, et notamment l'applique en forme de masque représentant un Celte barbu sont particulièrement remarquables. Une gourde de pèlerin contenait 17 litres de vin importé du sud. La gourde est faite de deux compartiments séparés, mais reliés entre eux, posés sur quatre jambes humaines stylisées. Cette tombe renfermait aussi un seau de presque 200 litres de capacité, dans lequel fut retrouvée une *kylix* fabriquée à Athènes vers 470 av. J.-C.

Aux pieds du défunt reposaient un beau casque en bronze, une épée en fer, un arc et ses flèches, et trois lances. Une petite embarcation était prévue pour le voyage de l'âme dans l'au delà. La barque était en feuille d'or.

Dans la tombe n° 46, d'autres supports en bronze pour cruches en bois ont été trouvés, dont le goulot se termine par une sorte de tête de crocodile.

Parmi les tombes découvertes sur le Moserstein, les restes d'un homme et d'une femme sont à remarquer (tombe n° 145). Les paires d'anneaux en bronze sur le torse de l'homme montrent qu'il portait une armure en cuir. A côté de l'épée et de la lance habituelles se trouvait un casque orné de corail. La femme qui était à ses côtés portait une riche parure de fibules. Depuis 1964, les fouilles du grand cimetière d'Eisfeld, à la frontière de la Bavière, ont amplement contribué à la connaissance du site de Dürrnberg. La tombe d'une prêtresse (n° 59) contenait des bracelets, des peignes en or, trois superbes fibules travaillées et une sorte

de sceptre (un disque en bronze muni d'un manche en fer). Une autre prêtresse était accompagnée d'un symbole de la dignité de son statut : une sphère en bronze (tombe n° 118). Il y a un nombre incroyable de tombes d'enfants, dans lesquelles se trouvent des amulettes et des ornements. Les objets retrouvés dans les tombes des guerriers de la région de Simonbauerfeld, en 1984, renfermaient tous des poignards.

A côté des objets produits localement, les tombes de Dürrnberg contenaient aussi un certain nombre de choses importées de contrées éloignées. A part le *kylix* grec déjà mentionné, il y a une cruche munie d'un bec verseur et une amphore. Un anneau en or richement orné a dû venir d'Etrurie. D'autres objets importés ne nous sont sans doute pas parvenus mais leur existence est certaine, puisqu'on en trouve des imitations locales. Prenez par exemple les deux flacons dont les goulots et les pieds rappellent de récipients grecs ou étrusques. La décoration d'une coupe en terre correspond trait pour trait à la décoration intérieure des coupes qui étaient fabriquées dans le monde classique vers 450 av. J.-C.

Parmi la grande quantité de matières premières importées, l'ambre de la Baltique mérite d'être signalé. Les fouilles de Dürrnberg montrent qu'il y avait aussi un contact étroit avec les gens du sud des Alpes, notamment les Vénètes. Ces relations étaient particulièrement importantes et impliquaient plusieurs groupes de population. Non seulement des produits étaient importés, mais leurs motifs étaient également reproduits sur métaux, poteries et vêtements. Les fibules qui sont typiques du sud des Alpes, et surtout les formes dites "Certosa", ou les fibules en forme de tête de canard étaient largement répandues chez les Celtes qui vivaient au nord des Alpes. Les "fibules à masques", dont on a retrouvé un grand nombre à Dürrnberg, ont la même forme générale que les "Certosa". Les fibules à tête de canard provenant de Vénétie furent le prototype pour les formes celtiques analogues.

Les agrafes de ceinture que portaient les guerriers, de la Champagne à l'Autriche du Sud étaient réalisées à partir de modèles provenant du piémont des Alpes méridionales. Les relations avec la Vénétie ne se limitaient pas au simple échange de produits ; des artisans vénètes travaillaient pour les "seigneurs du sel" celtes. Un fourreau d'épée de Hallstatt porte une décoration exécutée de toute évidence par un artisan vénète ; il représente les guerriers celtes du nord des Alpes. La forme du fourreau est celtique, mais la figuration est tout à fait vénète, proche aussi du style de la culture de Hallstatt, en Carnie. Une coupe en bronze trouvée à Dürrnberg montre une scène de chasse au cerf, et nous fait supposer qu'il y avait un artisan vénète qui travaillait dans la région. Ce type d'objet n'a jamais été trouvé au sud des Alpes, mais le décor, si.

La présence d'artisans et de marchands vénètes dans la région est également prouvée par les tombes du Dürrnberg. Les Vénètes ont leurs propres tombes, qui se distinguent non pas par leur structure, mais par les objets qui s'y trouvent : ils sont tous d'origine vénète. Si ces étrangers sont enterrés dans les cimetières celtes, c'est qu'ils ont vécu suffisamment longtemps au Dürrnberg.

Le Hellbrunnerberg

A 10 kilomètres du Dürrnberg se trouve le site important du Hellbrunnerberg, près de Salzbourg. Ce plateau rocheux aux flancs escarpés s'étend au centre du bassin de Salzbourg. Il fut une résidence princière à la fin de la période de Hallstatt (IVe siècle av. J.-C.). Il est probable que les seigneurs de Hellbrunnerberg contrôlaient le commerce du sel de Dürrnberg. Les découvertes faites sur ce site, comme les poteries importées du sud et de l'est des Alpes, montrent que les liaisons commerciales étaient très étendues. Une petite coupe en verre trouvée au Hellbrunnerberg devait provenir du sud-est des Alpes. Une comparaison avec d'autres poteries nous donne à croire qu'elle vient de la région de Santa Lucia, dans la vallée de l'Isonzo. Sept de ces coupes ont été découvertes au cimetière de Santa Lucia, et trois autres à Hallstatt. La coupe de Hellbrunnerberg est la seule à être apparue dans des fouilles d'habitat et non dans une tombe. Un poids en bronze trouvé à Hellbrunnerberg nous éclaircit sur les liaisons commerciales entre Celtes et Méditerranéens. Il a la forme d'un disque, de 5 centimètres de diamètre et de 1,6 centimètres d'épaisseur. Il pèse 295,15 grammes.

Le poids de référence semble être apparu vers 500 av. J.-C.

Il provenait sans doute du sud-est des Alpes, plus particulièrement de la région de Vénétie.

Par faute de moyens de recherche archéologique, aucune étude n'a été

Tête d'oiseau en os provenant de la tombe n° 102 du Dürrnberg (Salzbourg) Ve siècle av. J.-C. Salzbourg Museum Carolino Augusteum

menée sur les poids et mesures de cette région. Il faut rappeler que la "mine" corinthienne, équivalente à cent drachmes, pesait 291 grammes. Vers 500 av. J.-C., Corinthe dominait le commerce dans tout le nord de l'Adriatique. Des disques de pesage semblables ont été trouvés en Grèce, et il est possible que les Vénètes aient utilisé ce système pour commercer avec les Celtes du nord des Alpes.

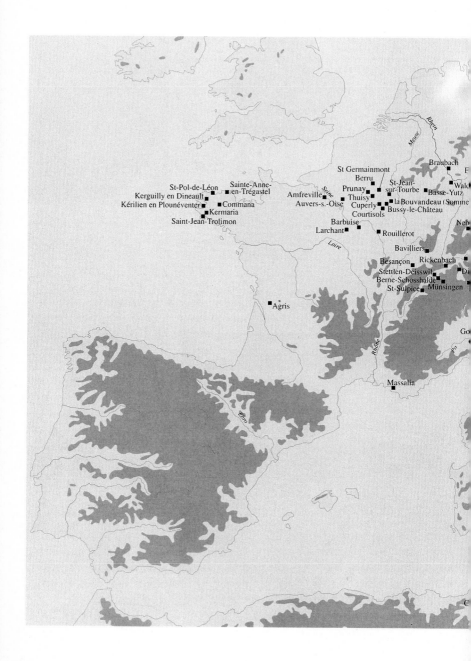

La première expansion historique
IVe siècle av. J.-C.

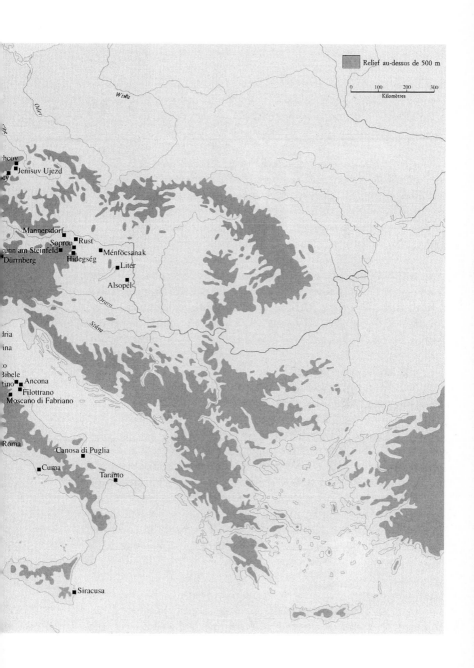

Relief au-dessus de 500 m

0   100   200   300
Kilomètres

Wisła

Odra

Łaba

hcov

Jenisuv Ujezd

ty

Mannersdorf
Sopron ■Rust
unn am Steinfeld■
Dürnberg   Hidegség   ■Ménföcsanak
■Liter
Alsopél

Drava

Száva

Iria
ina

o
Bibele
tino■ ■Ancona
■Filottrano
Moscano di Fabriano

Roma

Canosa di Puglia
■Cuma
Taranto

Siracusa

Les Celtes de la première expansion historique
Venceslas Kruta

Le début du IVe siècle av. J.-C. est marqué par l'entrée définitive des populations celtiques de l'Europe intérieure dans l'histoire écrite, avec l'événement que constitue l'arrivée en Italie septentrionale de Celtes transalpins. Ils s'y installent à demeure, pénètrent jusqu'à Rome et l'occupent après avoir infligé une défaite sanglante à l'armée romaine.

Orientées sur les conflits romano-celtiques, les sources ne fournissent malheureusement que très peu d'informations sur les relations que les Celtes, eux-mêmes divisés, entretenaient alors avec les autres forces en présence dans la Péninsule : cités étrusques et grecques, peuples italiques. On peut toutefois au moins pressentir, ci et là, les liens que leurs entreprises pouvaient avoir avec les desseins hégémoniques de puissances locales. Ainsi, un passage de Trogue Pompée évoque l'alliance militaire offerte par les Gaulois, après la prise de Rome, à Denys Ier de Syracuse. Tout permet de croire qu'elle fut conclue, et le comptoir syracusain d'Ancône, au contact direct des Sénons, fut sans doute un des principaux points de recrutement des troupes celtiques enrôlées à son service. Elles guerroyèrent non seulement dans la Péninsule, mais même en Grèce. Xénophon y mentionne leur présence en 367 av. J.-C., aux côtés de mercenaires ibériques, dans le corps expéditionnaire syracusain engagé contre les Thébains.

Paire de cruches à vin, en bronze avec incrustations de corail et d'émail rouge de Basse-Yutz (Moselle) Début du IVe siècle av. J.-C. Londres British Museum • p. 181

Ces bribes d'information indiquent clairement que, contrairement à l'impression que peuvent donner les textes des historiens romains qui réduisent l'histoire des Celtes en Italie presque exclusivement à celle de leurs rapports avec Rome, les nouveaux venus s'intégrèrent parfaitement, dès leur arrivée, dans le jeu complexe et subtil des luttes pour le pouvoir sur l'échiquier politique péninsulaire. On peut même se demander dans quelle mesure leur immigration ne fut pas suscitée par un des antagonistes en présence, dans le but d'introduire dans ce jeu un nouvel atout, libre de toute attache locale antérieure et redoutable par sa puissance militaire.

Le contexte archéologique de l'invasion

Deux phénomènes complémentaires reflètent dans la documentation archéologique l'invasion historique du début du IVe siècle av. J.-C. : d'une part les nombreux indices d'une perturbation soudaine de la situation en Italie septentrionale, due à des causes extérieures et imprévues, particulièrement évidente quand on compare la situation au IVe siècle à celle du siècle précédent, d'autre part l'apparition parallèle d'éléments

laténiens d'origine transalpine et leur diffusion, apparemment rapide, dans les régions de la Péninsule où les textes signalent l'installation stable ou temporaire de groupes celtiques.

Les objets laténiens les plus anciens dont l'apparition en Italie peut être mise en relation avec l'invasion historique du début du IVe siècle av. J.-C., sont des fibules très caractéristiques dont l'arc présente une courbure régulière, généralement presque parfaitement semi-circulaire, ou un sommet angulaire. Les exemplaires de cette forme trouvés en Italie sont parfaitement comparables à ceux qui constituent, de la Champagne et la Bourgogne actuelles jusqu'à la limite occidentale de la cuvette karpatique, l'élément le plus caractéristique d'une phase chronologique bien définie. Les spécialistes s'accordent à la dater, indépendamment de la situation italienne, du premier tiers du IVe siècle av. J.-C.

Ils donnent quelquefois à cette phase le nom de "pré-Duchcov", pour souligner le fait que les formes de parures qui la caractérisent constituent les antécédents directs de celles qui sont représentées par centaines dans le dépôt votif de Duchcov en Bohême. Fait important, cette phase semble correspondre, dans différentes parties du monde transalpin, à des changements très significatifs : elle suit en Champagne l'abandon de la majorité des nécropoles, jusqu'ici très nombreuses dans cette région, elle marque en Europe centrale, notamment en Bohême, le début des cimetières à inhumations en tombes plates qui remplacent les nécropoles de la phase laténienne initiale. Ces dernières, souvent tumulaires, étaient généralement à incinération, plus rarement birituelles.

Le lien vraisemblable entre l'apparition de matériaux de cette phase en Italie et l'intrusion massive de groupes transalpins dans la région indique donc que cet événement n'est pas un fait isolé, mais qu'il s'intègre dans le contexte plus général de mouvements qui concernent non seulement la France actuelle, foyer principal signalé par la tradition textuelle, mais également des territoires de la partie centre-orientale de l'aire de formation de la civilisation laténienne.

L'émigration vers l'Italie constitue aujourd'hui la meilleure explication de l'indiscutable et brutal fléchissement démographique que l'on peut observer dans le zone marnienne, jusqu'ici très densément peuplée, vers la fin du Ve siècle av. J.-C. C'est une hypothèse d'autant plus plausible que cette zone fournit pour cette période des indices particulièrement nombreux et significatifs de contacts avec l'Italie septentrionale.

Le cas des Boïens, qui arrivèrent apparemment en Italie avec le rite majoritairement crématoire qui distingue au Ve siècle av. J.-C. la Bohême et les régions circonvoisines, montre toutefois que les envahisseurs du début du IVe siècle ne provenaient pas d'un foyer unique et qu'ils franchirent sans doute les Alpes par des chemins différents. Les indices de relations privilégiées qui se développèrent au IVᵉ siècle av. J.-C. entre les Celtes immigrés dans la Péninsule et leurs régions d'origine supposées confirment *a posteriori* pleinement l'hypothèse de leur double ascendance, nord-occidentale et centre-européenne. En effet, le contact direct entre les Celtes établis au sud du Pô et le milieu étrusque et grec eut rapidement pour conséquence

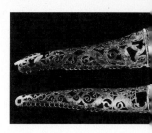

l'assimilation de nouvelles impulsions culturelles, particulièrement bien observables dans le domaine de l'art. Elles n'atteignirent pas dès le début d'une façon uniforme l'ensemble du monde transalpin. Au contraire, elles ne semblent toucher d'abord d'une manière significative que certaines régions, à partir desquelles elles connaissent ensuite une plus large diffusion.

C'est justement le cas de la Champagne, où les quelques noyaux de peuplement restés en place se distinguent par l'apparition d'œuvres de qualité qui ne possèdent pas d'antécédents locaux et présentent des liens indéniables et étroits avec le répertoire gréco-étrusque. Une situation comparable peut être observée également en Bohême, où ces nouveautés sont à l'origine d'un faciès artistique très original. Quant à la Suisse, elle joue alors le rôle de plaque tournante entre le monde celtique transalpin et cisalpin, ce qui explique la richesse et la diversité des matériaux livrés par ses nécropoles, ainsi que l'étroitesse de leurs liens avec ces deux milieux.

Paire de garnitures de joug ou de timo de char, en bron ajouré incrusté de corail de la sépulture à char de "La Bouvandeau" à Somme-Tourb (Marne) Début du IVᵉ siècle av. J.-C. Saint-Germain-en-Laye, Musée des Antiquités nationales • p. 182

L'art laténien du IVᵉ siècle av. J.-C. et l'Italie

On admet généralement aujourd'hui qu'il existe une relation entre l'installation des Celtes au sud du Pô et le renouveau de l'art celtique qui se produisit au IVᵉ siècle av. J.-C. Son aspect le plus remarquable est un style végétal très original, fondé principalement sur des rinceaux et des palmettes, partiellement transformés et associés dans des compositions à enchaînement continu. C'est le "Style végétal continu", appelé jadis par Paul Jacobsthal "Style de Waldalgesheim", d'après le lieu de découverte rhénan d'un ensemble de somptueuses parures. Particulièrement représentatives de ce courant artistique, mais tout à fait isolées dans le milieu local, elles furent malgré cela considérées par certains spécialistes comme le point de départ du nouveau style.

Phalère en bron ajouré dessinée au compas de la sépulture à char de Cupert (Marne) Début du IVᵉ siècle av. J.-C. Saint-Germain-en-Laye, Musée des Antiquités nationales • p. 183

Fait significatif, le type de fibule le plus ancien sur lequel figurent, en Suisse, mais également en Champagne, des décors de cette veine est précisément celui, évoqué précédemment, qui peut être considéré comme caractéristique de la phase initiale du peuplement celtique de la Cispadane. La diffusion, associée à sa transformation progressive, du répertoire décoratif des luxueuses fibules campaniennes en métal précieux illustre particulièrement bien le phénomène. On peut la suivre depuis les prototypes

jusqu'à de lointaines dérivations, très schématisées, mais indiscutables, sur de modestes exemplaires laténiens en bronze, fabriqués en série dans la seconde moitié du IVe av. J.-C. dans des régions aussi éloignées que la Bohême.

Fait significatif, la diffusion de ce genre de décors semble être liée principalement à un type de fibule au pied discoïdal conçu pour porter un cabochon de corail. Cette matière colorée, chargée sans doute par les Celtes de vertus magiques, constituait déjà anciennement une des richesses du golfe de Naples et son trafic devait nécessairement passer par l'intermédiaire cisalpin. Sa relative abondance est d'ailleurs un des aspects qui distinguent les matériaux laténiens du IVe siècle av. J.-C. de ceux du siècle précédent, où elle est plutôt rare et utilisée avec parcimonie. Le succès des cabochons ou incrustations de corail, sur des fibules ou d'autres objets – torques, fourreaux d'épée, casques –, fut tel qu'on les imita bientôt, principalement en Suisse, par une sorte d'émail rouge d'invention celtique. On façonna même en Bohême des cabochons en tôle de bronze qui reproduisaient fidèlement les prototypes de corail, y compris les rivets qui servaient à leur fixation.

Le nombre d'objets laténiens décorés datables du IVe siècle av. J.-C. qui furent trouvés à ce jour en Italie est malheureusement peu élevé et leurs contextes sont en plus généralement peu représentatifs, incertains ou inédits.

Le plus méridional est un casque d'apparat richement décoré et incrusté de corail, découvert dans un hypogée de Canosa en Apulie, une région où la présence celtique est bien attestée par les textes dans la première moitié du IVe siècle av. J.-C. Les enchaînements compliqués des palmettes qui ornent ses deux registres principaux sont plus proches des prototypes méditerranéens que les motifs comparables que l'on peut trouver sur quelques rares objets transalpins, tel un vase peint de Prunay en Champagne réalisé dans la seconde moitié du IVe siècle av. J.-C. en suivant une démarche qui s'inspira de la technique des "figures rouges". Rien ne permet d'envisager la production de ce casque en dehors de la Péninsule, car les deux exemplaires d'apparat transalpins que l'on peut lui comparer – le casque trouvé au siècle dernier dans un bras mort de la Seine à Amfreville et l'exemplaire prestigieux découvert récemment dans une grotte d'Agris en Charente – n'ont aucun antécédent local qui permette d'expliquer leur apparition autrement que par leur importation ou leur fabrication sur place par des artisans qui auraient été formés dans le milieu celto-italique. Trois autres objets importants proviennent des nécropoles sénones des Marches. Ils furent probablement tous fabriqués avant le milieu du IVe siècle av. J.-C. Le premier, le torque en or de Filottrano, appartient à une série de colliers rigides laténiens en métal précieux qui est caractérisée par un décor principal ordonné symétriquement autour d'une ou plusieurs palmettes médianes, associées à des

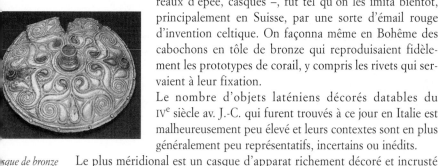

rinceaux entrelacés, et un décor secondaire – feuilles ou frise de palmettes – qui orne les extrémités en forme de tampons. Cinq exemplaires en sont connus actuellement : deux furent trouvés hors contexte, à Rauris-Maschalpe (Autriche) et Oploty (Bohême), un troisième figurait dans le mobilier, d'une richesse et d'une qualité exceptionnelles, de la sépulture "princière" à char de Waldalgesheim (Rhénanie) ; enfin, le quatrième, accompagné comme le précédent d'une paire de bracelets de même forme, un type de parure féminine qui était au Ve siècle av. J.-C. propre à la zone marnienne, est malheureusement d'origine inconnue et fut acheté en Belgique par le British Museum.

L'exemplaire de Filottrano occupe une place particulière dans la série, car la composition principale n'est pas identique sur les deux extrémités, probablement parce que l'artisan avait suivi deux modèles légèrement différents et qu'il avait eu du mal à les adapter au support. Considéré jadis comme dérivé de modèles transalpins, tels que le torque de Waldalgesheim, il nous paraît au contraire représenter une des tentatives d'adaptation des motifs grecs au goût celtique. C'est également le cas pour la parure du British Museum, où la source d'inspiration est révélée par l'imitation maladroite du filigrane et de la granulation, des techniques inconnues des orfèvres celtiques, mais caractéristiques de la production gréco-étrusque.

Les bijoux de Waldalgesheim correspondraient donc à un stade ultérieur d'assimilation accomplie. Tout à fait isolés et sans filiation possible dans le milieu local, ils furent probablement importés, comme le seau, de fabrication tarantine ou campanienne, qui figure dans le mobilier de la sépulture.

L'hypothèse de la diffusion du nouveau style à partir du milieu celto-italique est confortée par le cas des fourreaux d'épée de Filottrano et Moscano di Fabriano : ils constituent apparemment le point de départ d'une série transalpine à plaque de droit en tôle de bronze ornée au repoussé qui comporte actuellement plusieurs exemplaires de la moitié septentrionale de la France (Larchant, Epiais-Rhus, Saint-Germainmont, Bussy-le-Château) et un fourreau de Bohême (Jenišův Újezd).

L'œuvre celtique la plus remarquable trouvée jusqu'ici en Italie est un ensemble de garnitures de bronze qui recouvraient à l'origine un objet bombé en matière organique (une cruche à vin en bois ?). Disparu malheureusement pendant la dernière guerre, il aurait été découvert vers 1910 dans les environs de Comacchio, donc probablement dans l'une des nécropoles du comptoir gréco-étrusque de Spina. Délicatement ornées d'enchaînements flexueux de rinceaux et de palmettes, ces pièces marquent une étape décisive dans l'assimilation des motifs végétaux empruntés au répertoire gréco-étrusque. On y trouve, de même que sur les œuvres découvertes en milieu celto-italique, les premières versions

*Torque
de bronze orné
de cabochons
d'émail rouge
de Beine (Marne)
Seconde moitié
du IVe siècle
av. J.-C.
Saint-Germain-
en-Laye, Musée
des Antiquités
nationales*

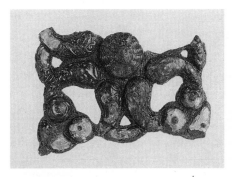

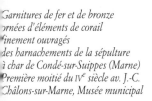

*Garnitures de fer et de bronze
ornées d'éléments de corail
finement ouvragés
des harnachements de la sépulture
à char de Condé-sur-Suippes (Marne)
Première moitié du IVe siècle av. J.-C.
Châlons-sur-Marne, Musée municipal*

parvenues à maturité de formes qui sont aujourd'hui considérées comme les plus originales et les plus représentatives de l'art celtique laténien.

Leur introduction aboutit non seulement à un renouvellement du répertoire végétal, largement dominant désormais, mais également à l'invention de variantes anthropomorphes de la palmette, qui résultent de la fusion totale du visage de la divinité, si fréquemment représenté au siècle précédent, avec son attribut. Ce type de figuration allusive et polyvalente, où signes abstraits, éléments végétal et humain se confondent totalement, connaîtra un remarquable succès vers le début du IIIe siècle av. J.-C. Les plus anciens exemples connus à ce jour de ce type de représentation, auquel les spécialistes ont donné le nom de "métamorphose plastique", proviennent d'Italie : le plus éloquent est constitué par les palmettes transformées qui ornent le fourreau de Filottrano.

Les influences issues du milieu celto-italique, déterminantes pour l'évolution de l'art celtique et symptomatiques de contacts intellectuels dont l'essentiel nous restera sans doute toujours inconnu, ne se limitèrent pas à la première moitié du IVe siècle av. J.-C., mais se maintinrent jusqu'au début du siècle suivant. La diffusion de la mode du "nœud d'Hercule" chez les Celtes transalpins est particulièrement significative à cet égard : il connaît alors une vogue remarquable dans les régions qui s'étendent de la partie occidentale de la cuvette karpatique jusqu'à l'Atlantique ; il apparaît même en Irlande, sur

un torque d'or de Clonmacnoise où l'on retrouve aussi l'imitation du filigrane italiote.

L'empreinte du milieu péninsulaire n'est pas uniquement perceptible sur les parures les plus prestigieuses. On peut la discerner également sur les objets en bronze produits en grandes séries, dont l'apparition est une des caractéristiques frappantes de la métallurgie celtique du IVe siècle av. J.-C. : le renouveau du répertoire décoratif commun, employé notamment sur les fibules, s'appuie en effet sur l'héritage ornemental et technique des anciens bronziers de l'Italie septentrionale. La chronologie des matériaux indique que sa transmission s'est faite après l'invasion de l'Italie, sans doute par l'intermédiaire des Celtes de la culture de Golasecca.

Ainsi que l'illustrent ces quelques exemples, l'analyse comparative des matériaux transalpins et cisalpins indique clairement le rôle essentiel joué au IVe siècle av. J.-C. par l'Italie celtique : non seulement en tant que foyer culturel alimenté par les contacts directs avec le milieu gréco-étrusco-italique, mais également en tant qu'élément polarisateur des courants qui fondèrent alors l'unité du monde laténien. Que ce rôle soit encore largement méconnu est dû principalement à l'appréciation foncièrement quan-

Vase peint suivant le procédé des "figures rouge" de Prunay (Marn Seconde moitié d IVe siècle av. J.-C. Reims, Musée Saint-Rémi

Développement partiel du décor du vase de Pruna (en haut) et développement partiel de l'ornementatio du registre supérieur du casq de Canosa di Pug (en bas)

titative de phénomènes qui ne peuvent être compris qu'à partir d'une approche qualitative.

Les peuples transalpins

Il n'existe dans les textes aucune allusion sûre, pour l'ensemble du IVe siècle av. J.-C., à la situation des Celtes qui habitaient les territoires transalpins. En effet, les seules indications dont nous disposons concernent les antécédents et les circonstances de l'invasion de l'Italie et elles n'apparaissent que tardivement, chez des auteurs du Ier siècle av. J.-C. L'histoire légendaire de Bellovèse et Ségovèse, neveux d'un roi des Bituriges nommé Ambigat, qui est rapportée par Tite-Live (V, 34), situe l'arrivée des Celtes dans la Péninsule dans le contexte de mouvements de populations d'une grande ampleur, provoqués par le surpeuplement du centre de la Gaule et dirigés non seulement vers le sud, mais également vers la "forêt Hercynienne", donc les territoires danubiens. L'événement aurait toutefois précédé de deux siècles l'invasion historique, puisqu'il remonterait à l'époque du règne de Tarquin l'Ancien et de la fondation de Marseille. Ce serait d'ailleurs grâce à l'armée de Bellovèse que les colons phocéens auraient pu s'installer et se fortifier sur la côte, malgré l'hostilité des peuples indigènes. Cette coïncidence incite à la méfiance quant à la validité des indications chronologiques fournies par le récit. Elles sont d'ailleurs en désaccord complet avec les conclusions que permet actuellement la documentation archéologique. L'apparente cohérence du texte est trompeuse, et il représente sans doute l'aboutissement d'une manipulation qui avait pour but de relier entre eux des éléments disparates. Leur

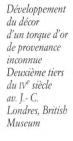

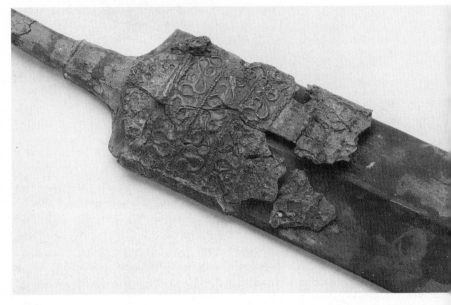

éventuel fondement historique est donc déformé à la suite d'interpolations anachroniques et masqué par une part de fiction, très difficile à séparer du reste. L'idée d'une migration ancienne des Celtes qui aurait eu pour foyer originel le centre de la Gaule paraît aujourd'hui peu vraisemblable, mais il n'en est pas de même pour la double direction de la première vague historique de l'expansion celtique. Cet élément du récit mérite un examen attentif et une confrontation avec la documentation archéologique. On le retrouve d'ailleurs, sous une forme quelque peu différente, chez d'autres historiens plus ou moins contemporains de Tite-Live. Ainsi, selon l'abrégé que nous a laissé Justin de l'œuvre de Trogue Pompée (*Histoires Philippiques*, XXIV, 4), 300 000 Celtes se seraient mis en mouvement à la suite d'un *ver sacrum,* un type d'émigration sacrée décrit chez les anciens peuples pastoraux d'Italie, où une fraction de la population – une ou

*Fourreau d'épée
de fer, orné
d'appliques
en tôle de bronz
travaillée
au repoussé de
sépulture n° 39
d'Épiais-Rhus
(Val-d'Oise)
Guiry-en-Vexin
Musée
archéologique
départemental
du Val-d'Oise*

étail du fourreau de fer et de tôle
· bronze ornée au repoussé
· la sépulture n° 22 de la nécropole
· Santa Paolina de Filottrano (Ancône)
euxième quart du IVe siècle av. J.-C.
ncône
uséo Nazionale delle Marche

Garnitures de bronze ajouré
de Čížkovice (Bohême)
IVe siècle av. J.-C.
Litomêřice, Okresnì Múzeum

Torque de bronze à décor
en creux
de Pierre-Morains
(Marne)
Deuxième tiers
du IVe siècle av. J.-C.
Épernay
Musée municipal

Fibule en bronze au pied discoïdal à cabochon de corail et à l'arc orné d'une variante celtique du "nœud d'Hercule", de la sépulture des "Commelles" à Prunay (Marne) Seconde moitié du IVe siècle av. J.-C. Reims, Musée Saint-Rémi

plusieurs générations consacrées dès leur naissance aux dieux dans cette perspective – se lançait à la recherche d'un nouveau territoire.

Une partie de ces Celtes se serait installée en Italie, l'autre aurait pénétré, guidée par des oiseaux, jusqu'en Pannonie. L'invasion de la Péninsule coïnciderait donc cette fois avec les débuts de l'expansion danubienne qui aboutira, un siècle après la prise de Rome, à la grande expédition de l'armée conduite par un autre Brennos contre la Grèce. Le parallélisme qui apparaît ainsi trahit, cette fois encore, la volonté d'établir des correspondances, même artificielles, entre des événements qui, du point de vue méditerranéen, pouvaient assumer une valeur emblématique. Il s'agit donc probablement d'un montage d'érudit, rassemblant des éléments qui appartenaient à l'origine à des récits différents.

Cette impression est confirmée par le texte du Plutarque (*Vie de Camille*, 3), où est évoqué le départ de myriades de Gaulois d'un pays originel surpeuplé, malheureusement non précisé, et leur expansion, d'une part vers "l'Océan boréal", d'autre part vers l'Ouest, où ils se seraient établis "entre les Pyrénées et les Alpes... près des Sénons et des Bituriges". C'est là que, plus tard, ils auraient connu le vin d'Italie et, séduits par cette boisson, auraient décidé d'envahir la terre qui la produisait.

Ces textes, divergents et apparemment peu compatibles, possèdent tout de même en commun l'idée que l'invasion de l'Italie, provoquée par le surpeuplement des terres ancestrales des Celtes, ne constitue pas un événement isolé, mais seulement l'épisode le plus marquant pour le monde méditerranéen de mouvements de populations de grande ampleur, ayant apporté des modifications substantielles à la situation ethnique des territoires transalpins.

Bracelet de bronze orné d'une version celtique du "nœud d'Hercule" La Croix-en-Champagne (Marne) Seconde moitié du IVe siècle av. J.-C. Saint-Germain-en-Laye, Musée des Antiquités nationales

Le témoignage de l'archéologie

La documentation archéologique indique toutefois clairement que, dans le cas où l'invasion de l'Italie se situerait effectivement dans un contexte

orque de bronze
la sépulture
s "Commelles"
Prunay (Marne)
conde moitié
IVᵉ siècle
. J.-C.
eims
usée Saint-Rémi

orque de bronze
ec représentation
un visage humain
Witry-les-Reims
Marne)
euxième moitié
IVᵉ siècle
. J.-C.
ancy, Musée
storique lorrain

éveloppement
décor du torque
bronze
la sépulture
s "Commelles"
Prunay

plus général de déplacements humains d'une certaine importance, un tel phénomène ne devrait pas être antérieur, du moins dans l'état actuel de nos connaissances, à la fin du Vᵉ siècle av. J.-C., après une période qui semble être placée, dans l'ensemble du monde laténien, sous le signe d'une remarquable stabilité. Les indices archéologiques de ces mouvements éventuels doivent donc être cherchés dans l'intervalle relativement court qui est caractérisé par la vogue des types de matériaux laténiens dont l'apparition signale en Cispadane l'arrivée des Transalpins, dans le courant des premières décennies du IVᵉ siècle av. J.-C.

Les plus représentatifs parmi ces objets – notamment les fibules qui appartiennent aux formes particulières qualifiées quelquefois de "pré-Duchcov ou pré-Münsingen" – permettent de distinguer sans trop d'incertitudes, dans les différentes parties de l'aire laténienne, les ensembles funéraires de cette période. Leur quantité proportionnellement faible, même dans les régions ou dans les nécropoles où ils sont le mieux représentés, doit être le reflet statistique de sa durée limitée. Malgré son caractère spéculatif, l'étude du rythme d'ensevelissement dans les cimetières les plus complètement connus fournit une estimation sans doute proche de la réalité : elle indique une durée maximale de deux

générations, c'est-à-dire au plus d'une quarantaine d'années. Comme le début de cette phase parait coïncider à peu près avec l'invasion historique de la Péninsule, sa limite inférieure ne devrait probablement pas dépasser le milieu du IVe siècle av. J.-C.

Relativement courte, cette période représente un des tournants décisifs de la civilisation laténienne : elle correspond en effet à la réduction en nombre et à l'uniformisation des formes d'objets de la période initiale. Les nouveaux types s'imposent rapidement à l'ensemble de l'aire occupée par les Celtes historiques, reflétant ainsi l'intensité des courants qui en assurent la diffusion. C'est aussi la période où l'on assiste, dans la plupart des régions où le phénomène des tombes "princières" florissait encore au Ve siècle av. J.-C., à sa disparition. On voit se développer, au contraire, les sépultures de chefs militaires, nettement moins prestigieuses et bien intégrées dans les nécropoles des petites communautés qui constitueront dorénavant, pendant près de deux siècles, l'unité de base du peuplement celtique.

Le métal n'apparaît plus que sporadiquement, généralement sous la forme de bagues. On peut toutefois constater un accroissement proportionnel significatif de l'argent, jusqu'ici rarissime par rapport à l'or. C'est, avec la diffusion accrue du corail, un des indices les plus évidents de la banalisation des échanges avec l'Italie, région où ce métal est alors largement répandu et où les nouveaux débouchés qu'ouvre l'installation des Transalpins – mercenariat, razzias contre les riches cités – viennent s'ajou-

*Développement
du décor du tampon
d'un torque
de bronze
de provenance
champenoise
seconde moitié
du IVᵉ siècle
av. J.-C.
Nancy, Musée
historique lorrain*

ter aux commerces traditionnels, d'autant plus florissants qu'ils peuvent s'effectuer désormais sans intermédiaires étrangers.

La quasi-disparition des catégories d'objets de prestige du Vᵉ siècle av. J.-C., du moins dans les mobiliers funéraires, ne s'accompagne toutefois pas d'une régression de l'effort décoratif. Bien au contraire, l'ornementation laténienne, rénovée à ce moment par l'assimilation directe d'éléments du répertoire gréco-étrusque, apparaît couramment sur des parures communes de bronze qui ne portaient jusqu'ici que de simples décors géométriques.

Le même phénomène se produit certainement aussi pour les armes – fourreaux, casques, pointes de lances –, mais nous le connaissons presque exclusivement sur les exemplaires en bronze, très largement minoritaires, car les décors sur fer restent difficiles à identifier, à la suite des dégâts causés par l'oxydation.

D'une manière générale, les mobiliers funéraires expriment désormais surtout la distinction entre la classe militaire et les autres : les hommes équipés de leurs armes – l'épée, d'une longueur de lame désormais fixée à une soixantaine de centimètres, avec les anneaux de suspension de son ceinturon, la lance, exceptionnellement un casque métallique ou les garnitures d'un bouclier en bois – et ceux qui n'ont pas ce privilège. L'élément féminin de l'élite est constitué par les femmes qui portent à

*Carte
de diffusion
en Bohême des
séries principales
de fibules
de même fabrique
représentées
dans le dépôt
de Duchcov
À titre
de comparaison
répartition
des bracelets
de fil ondulé
produits par des
ateliers différents
seconde moitié
du IVᵉ siècle
av. J.-C.*

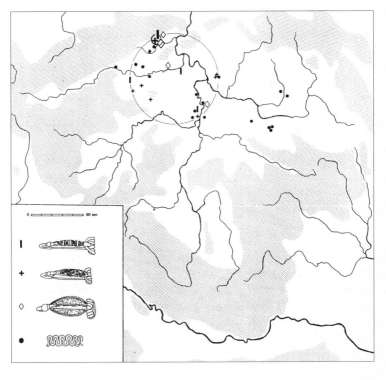

l'âge adulte la parure complète, différente selon les régions, insigne de leur rang à l'intérieur du groupe.

Le processus d'uniformisation des objets décorés les plus communs est probablement la conséquence du développement de leur production en série par des ateliers spécialisés qui puisent leur inspiration dans un répertoire relativement limité et très largement répandu dans l'ensemble du monde laténien. Il aboutit, vers le milieu du IVe siècle av. J.-C., à des formes qui ne présenteront désormais, pendant plus d'un demi-siècle, que de faibles variations. Les deux types principaux de fibules qui caractérisent cette nouvelle phase laténienne ont reçu leurs noms d'après le site de Duchcov en Bohême, connu par un dépôt votif d'environ 2 500 fibules et parures annulaires de cette époque, et le cimetière de Münsingen près de Berne, où sont particulièrement fréquents les exemplaires au pied discoïdal orné d'un cabochon de corail ou d'émail rouge. L'étude de la répartition de certaines formes particulièrement significatives montre clairement que la Suisse a joué un rôle essentiel dans leur diffusion, d'une part vers l'Ouest, d'autre part vers l'Europe centrale.

Associée dans beaucoup de régions au développement des nécropoles à tombes plates, le plus souvent à inhumation, considérées depuis le siècle dernier comme caractéristiques des Celtes historiques, cette affirmation d'une culture laténienne très uniforme semble ouvrir vers le milieu du IVe siècle av. J.-C. une période de relative stabilité et de consolidation du peuplement. La diversité des usages vestimentaires régionaux, grâce à laquelle peuvent être décelées les intrusions allogènes et recherchées leurs origines, permet toutefois de constater que les déplacements de groupes humains continuent pendant toute la seconde moitié de ce siècle. Certains sont internes et ont pour théâtre l'ancienne aire laténienne du Ve siècle av. J.-C., d'autres conduisent à son extension. C'est ce qui se produit apparemment sur la périphérie orientale, où se créent ainsi les conditions de la grande expansion danubienne du début du IIIe siècle av. J.-C.

Habitat, société et économie

Notre connaissance de l'habitat laténien du IVe siècle av. J.-C. est encore très lacunaire. Aucun des sites fortifiés du siècle précédent ne semble avoir été occupé, sinon, comme c'est le cas à Závist, en Bohême, par de petites communautés rurales qui ne font qu'exploiter les ressources agricoles de son environnement immédiat. Leur attitude est apparemment la même que celle des Celtes qui s'installèrent sur les ruines de la ville étrusque de Marzabotto : ils enterrent leurs morts dans son périmètre, sans trop se soucier des vestiges, certainement encore bien visibles, de l'ancienne agglomération.

Développement partiel du décor "en réserve" (en haut) du vase peint des "Flogères" à Berru (Marne Reims, Musée Sain Rémi) et du vase peint de la tombe n° 46 de Caurel (en bas) Seconde moitié du IVe siècle av. J.-(

Vase peint suivant le procédé des "figures rouges" de la sépulture n. 4 de la "Fosse Minor à Caurel (Marne) Seconde moitié du IVe siècle av. J.-(Saint-Germain-en-Laye, Musée des Antiquités nationales
• *p. 250*

Le réseau assez bien connu des nécropoles paraît correspondre à un habitat rural très dispersé dont l'unité de base est la ferme avec dépendances qu'illustre bien le site de Bílina en Bohême : elle comporte une grande construction à poteaux, probablement l'habitation et, à une distance de dix à trente mètres, plusieurs constructions excavées – fonds de cabane, silos, fours –, ainsi que les fosses d'extraction de l'argile, utilisée notamment pour les enduits des bâtiments ; un fond de cabane creusé dans le sol et équipé d'un silo se trouvait à une soixantaine de mètres du groupe principal ; enfin, une petite nécropole était disposée au-dessus de l'habitat. Elle ne comporte que trois sépultures, un nombre qui confirme la durée relativement courte de l'occupation du site et la petitesse du groupe humain qui résidait dans la ferme. Il est estimé à une douzaine de personnes, d'après les ressources alimentaires qu'indique la capacité des silos où était conservé le grain pour les semailles. Evidemment, la part certainement très importante de l'élevage, non seulement de bovins et d'ovins, mais surtout de porcs, renforce le caractère fortement hypothétique de cette estimation.

A défaut d'informations plus précises sur la productivité agricole, une indication indirecte est fournie par le remarquable développement de l'artisanat, impensable sans l'existence de surplus alimentaires suffisants pour nourrir tous ceux qui ne se consacraient plus au travail de la terre. En effet, l'étude des matériaux montre clairement que la plupart des catégories essentielles d'objets sont désormais fabriquées par des artisans spécialisés qui les produisent en série et alimentent un marché relativement étendu.

Cette situation est remarquablement bien illustrée en Bohême, grâce aux séries de fibules du dépôt votif de Duchcov : la plus nombreuse ne comprend pas moins d'une quarantaine d'exemplaires qui ne se distinguent entre eux que par de très légères variations, dues à la mise en forme manuelle, tandis que les parties moulées sont rigoureusement identiques. On ne connaît dans les mobiliers funéraires de Bohême que moins d'une demi-douzaine de fibules de cette série, découvertes toutes à l'intérieur d'un cercle au rayon d'une cinquantaine de kilomètres. Il serait d'autant plus tentant de chercher l'atelier qui avait produit ces objets au centre de ce cercle, quelque part à l'ouest de Prague, que c'est justement dans cette région, riche en gisements de sapropélite – une matière fossile utilisée pour confectionner des parures annulaires – qu'est attestée à partir du siècle suivant une concentration exceptionnelle d'activités artisanales. Il n'existe cependant aujourd'hui aucun autre indice qui permette de localiser avec précision les centres où étaient fabriquées les fibules du IVe siècle av. J.-C.

La masse d'objets conservés dans le dépôt de Duchcov et leur comparaison avec les découvertes en contexte funéraire permettent d'apprécier le volume important de la production de parures en bronze: deux ou trois objets identiques découverts dans des mobiliers funéraires peuvent correspondre à la production initiale d'une série de plusieurs dizaines ou même peut-être centaines de pièces, diffusées par un réseau qui alimentait une aire de plusieurs milliers de kilomètres carrés.

Les constatations que l'on peut faire pour d'autres séries, bien évidentes mais représentées uniquement dans le mobilier des nécropoles, ne sont évidemment pas aussi éloquentes. Elles confirment toutefois pleinement l'activité d'ateliers hautement spécialisés dont les produits étaient diffusés dans un cadre régional. Ainsi, en Champagne, les vases peints en réserve selon le principe des "figures rouges" grecques furent fabriqués par un nombre très limité de potiers, localisés probablement dans les environs de Reims, mais ils sont parvenus jusqu'à des sites qui en sont éloignés d'une cinquantaine de kilomètres.

Le fait de fabriquer localement, en quantité suffisante, des produits qui correspondaient pleinement au goût de la clientèle et aux particularismes propres à chaque groupement ethnique, notamment dans le domaine vestimentaire, explique sans doute le manque d'intérêt pour la commercialisation à longue distance des objets d'usage courant : quand ils voyageaient, c'était avec leurs propriétaires. Seuls les objets de prestige – cruches à vin, armes et chars de parade, parures en métal précieux – ont pu peut-être quelquefois avoir été transportés par les mêmes circuits qui assuraient la diffusion des autres denrées de luxe : corail, vin, ambre, tissus précieux... Toutefois, le cas des tombes de Waldalgesheim et de Mannersdorf, où la meilleure explication du caractère exceptionnel du mobilier par rapport au milieu local est finalement l'origine étrangère et lointaine de la défunte, indique que, même pour les objets de prestige, le déplacement de leur propriétaire reste sans doute la meilleure hypothèse pour expliquer leur présence en dehors des foyers de production supposés.

Il serait naturellement très souhaitable de pouvoir interpréter l'apparente mutation de la société celtique au IVe siècle av. J.-C. Les indications dont nous disposons sont malheureusement insuffisantes pour dépasser le domaine de la spéculation. Le changement le plus évident, la prédominance exercée désormais par une classe militaire à l'intérieur de laquelle les mobiliers funéraires ne révèlent aucune différenciation ostentatoire, s'est sans doute effectué au détriment des anciennes dynasties, mais rien ne permet d'en préciser les conditions.

Les modalités du peuplement ou repeuplement de certaines zones montrent que cette classe militaire était constituée par une petite noblesse

terrienne d'"hommes libres", regroupée sans doute dans les confréries guerrières intertribales qu'avait à l'esprit Polybe (*Histoires*, 11, 17) quand il évoquait la propension des Celtes immigrés en Italie à former des "hétairies". C'est la capacité d'échapper, grâce à ces confréries, au cadre tribal et de pouvoir constituer ainsi à partir d'éléments disparates de nouveaux groupements ethniques, qui explique probablement l'étonnant dynamisme de cette élite militaire, dont les membres semblent avoir sillonné pendant tout le IVe siècle av. J.-C. l'Europe laténienne dans tous les sens, seuls avec leurs proches, par groupes ou par vagues de dizaines de milliers d'individus.

Le monde des idées : l'art et la religion
A première vue, tout inciterait à croire que les Celtes historiques ont connu au début du IVe siècle av. J.-C. un bouleversement religieux : d'anciens sanctuaires se trouvent subitement laissés à l'abandon, et les éléments figurés de l'art de la phase laténienne initiale cèdent leur place à un répertoire végétal d'où les anciennes divinités et leurs compagnons monstrueux semblent avoir totalement disparu.

En réalité, l'abandon des sanctuaires, attesté pour l'instant en Bohême, semble pouvoir être la conséquence normale de l'émigration subite de ceux qui les avaient construits et fréquentés. Leur sort n'est peut-être pas le même dans les régions où il n'y a pas de rupture du peuplement. Quant à l'art, s'il est vrai que certains thèmes iconographiques semblent se raréfier ou même disparaître, c'est parce qu'ils n'apparaissent plus sur les mêmes objets – c'est le cas de la paire de monstres, gardiens de l'Arbre de vie, réservée désormais presque exclusivement aux fourreaux d'épée –, parce qu'ils sont rendus souvent méconnaissables à la suite d'une schématisation très poussée – les paires de "dragons" des fourreaux sont des signes plutôt que des figurations – ou parce qu'ils ont été remplacés par des formes du nouveau répertoire qui présentent la même valeur symbolique.

Ainsi, au visage divin associé à la palmette ou au motif de la "double feuille de gui", se substitue généralement la

Détail du torque de bronze des "Jogasses" à Chouilly (Marne) fin du IVe siècle av. J.-C. ou début du siècle suivant Châlons-sur-Marne Musée municipal

Développement du décor principal du torque des "Jogasses" (à gauche) et restitution schématique de la composition de palmettes qui l'a inspiré

version celtique de la palmette à laquelle les spécialistes ont donné le nom de "pelte", à cause de sa ressemblance avec cette forme de bouclier antique. Elle est le résultat de la fusion des feuilles du motif originel avec la paire de volutes sur laquelle elles s'appuient. Cette fusion peut concerner la totalité des éléments de la palmette, ou en épargner certains. C'est ce qui se produit quelquefois pour la grande feuille médiane, qui se trouve ainsi inscrite dans la forme semi-circulaire de la "pelte".

Il est impossible de savoir dans quelle mesure le fait que ce motif, vu à l'envers, évoque irrésistiblement un visage très schématisé – le nez est suggéré par la feuille médiane en forme de goutte d'eau, les joues par les deux triangles qui l'encadrent, les yeux par les volutes simplifiées – guida la démarche de ceux qui modifièrent ainsi pour la première fois la palmette méditerranéenne. L'ambiguïté du motif ne leur échappa pas, comme en témoignent le fourreau de Filottrano ou la composition qui orne le torque d'Oploty, deux objets datables vers le milieu du IVe siècle av. J.-C. Ce jeu d'allusions, qui confirme pleinement l'équivalence établie entre le visage divin et la version celtique de la palmette, reste toutefois limité à cette époque à un nombre relativement restreint d'objets. Il ne connaîtra une vogue généralisée qu'au début du siècle suivant.

Détail du torque d'or de Waldalgesheim (Rhénanie) Seconde moitié du IVe siècle av. J-C. Bonn Rheinisches Landesmuseum

Commencée dans le milieu celto-italique dès la première moitié du IVe siècle av. J.-C., la métamorphose de la palmette et des quelques motifs végétaux qui l'accompagnent s'est poursuivie dans les foyers transalpins, particulièrement en Champagne. Le savant assemblage d'éléments découpés dans des chaînes de palmettes et modifiés pour se plier aux exigences de la forme du support et à la volonté de l'artiste de susciter des lectures équivoques, y donne naissance à d'étonnants enchaînements de lignes flexueuses, où des silhouettes caricaturales ou monstrueuses apparaissent et disparaissent au gré de l'angle de vue, de l'éclairage et même de l'humeur du spectateur.

Les Alpes à l'époque des premières migrations celtiques
Ludwig Pauli

Vue sur le lac de Hallstatt (Autriche)

De nos jours, avec nos moyens modernes de communication, nous nous faisons une image faussée de ce que nos ancêtres connaissaient des pays lointains. La raison tient dans la particularité des chroniques, surtout en ce qui concerne les Celtes. Ces derniers n'ont pas laissé de témoignages écrits sur les événements, ni même de littérature, de sorte que nous devons nous contenter d'informations dispersées chez les auteurs ou historiens grecs et romains. Ils avaient naturellement une perspective méditerranéenne et leurs écrits ne sont conservés souvent qu'en extraits ou citations postérieures.

Par conséquent, il n'est pas étonnant que nous ne sachions rien des motifs et de l'organisation de la traversée des Alpes par les Celtes, ce qui dépasse les chroniques légendaires de l'Antiquité. Même quand elles se sont conservées, elles ne remontent pas plus loin que le IIe siècle av. J.-C. Cependant, lorsque les premiers groupes de Celtes se dirigèrent dans les années 400 av. J.-C. à travers les Alpes vers l'Italie, ils ont dû savoir exactement dans quelle intention ils le faisaient.

"On raconte que la Gaule enfermée jadis par l'enceinte de protection jugée insurmontable des Alpes s'imagina d'envahir l'Italie après avoir appris que l'Helvète Helicon qui séjournait comme artisan à Rome avait rapporté des figues séchées et du raisin, ainsi que des échantillons d'huile et de vin. Pour cette raison, on pardonna cette tentative de s'approprier ces produits même au prix d'une guerre." Même si cette histoire de Pline l'Ancien paraît simpliste, elle prend tout son sens lorsqu'on la considère comme schéma et qu'on la compare avec les données archéologiques. Les Alpes sont perçues comme "enceinte de protection" et manifestement uniquement contre l'invasion d'importantes populations ou armées. Les personnes à titre individuel pouvaient cependant voyager sans problème du nord au sud et inversement ; elles pouvaient même travailler comme artisans en Italie centrale et rapporter à leur retour de nouvelles expériences. Au nord, on savait apprécier les délicatesses du midi. Ainsi, il existait des contacts sous plusieurs formes déjà bien avant les grandes migrations celtes.

Néanmoins, les populations méditerranéennes étaient mal à l'aise face à la montagne. Ainsi écrit Tite Live (à son point de vue naturellement) dans sa description concise de la première invasion des Celtes conduits par Bellovèse en Italie : "Maintenant les Alpes se présentaient devant lui. Je ne m'étonne point de ce que les montagnes leur semblaient insurmontables car jusqu'alors personne ne les avait traversées, du moins c'est ce que l'histoire

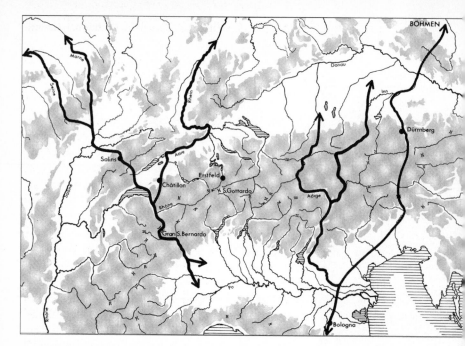

nous en raconte, si nous ne voulons pas croire la légende d'Hercule. L'altitude des montagnes encerclait les Gaulois telle une étreinte. Ils ne pouvaient décider par quel chemin ils allaient passer les sommets touchant le ciel pour rejoindre l'autre partie du monde."

Citons encore Tite Live, qui était originaire de Padoue, ville située non loin des Alpes, à l'occasion de la traversée des Alpes occidentales par Hannibal (218 av. J.-C.). Il présente le général carthaginois minimisant les dangers des Alpes lorsqu'il encourageait son armée à résister aux difficultés attendues, en présence des chefs celtes: "Que sont les Alpes sinon des sommets ? Même si ceux-ci sont plus hauts que les Pyrénées, aucune terre ne touche le ciel et reste inaccessible à l'homme. Les Alpes sont même habitées et on y trouve des constructions. Elles produisent et nourrissent des êtres vivants. Les cols sont franchissables même pour une armée. Les délégués présents ici n'ont pas survolé les Alpes. Même les ancêtres des Gaulois ne sont pas des indigènes, ils ont traversé les montagnes comme paysans et ont de maintes fois en grand nombre franchi les Alpes sans danger avec femmes et enfants comme des populations qui émigrent. Qu'est-ce qui est impraticable et insurmontable pour un guerrier qui n'a sur lui que ses armes ? "

Toutefois, ensuite réapparaissent les anciens préjugés attribués aux Carthaginois avec leurs troupes auxiliaires d'Afrique et d'Espagne : "... Mais l'altitude des montagnes que l'on percevait maintenant à proximité, les hauteurs de neige qui atteignaient le ciel, les misérables huttes construites sur les saillies rocheuses, les troupeaux et les bêtes de trait saisies par le froid renforçaient l'effroi. Les hommes hirsutes et sauvages, toute la nature sans vie, raidie par le gel et toutes ces apparitions qui à proximité paraissaient

Carte des principales routes reliant le nord de l'Italie et les territoires au nord des Alpes aux Ve et IVe siècles av. J.-C.

encore plus horribles que dans la description, y contribuaient."

Il nous faut nous imprégner de ces citations auxquelles on devrait en ajouter d'autres d'époques ultérieures, pour comprendre comment on considérait les Alpes de l'extérieur avant l'époque romantique et l'essor du tourisme au XIXe siècle: impraticables, froides, étranges, repoussantes, horribles. Il n'y a pas de raison de croire que ceci correspondait aussi à la majorité des Celtes de l'Europe centrale, lorsque les premiers groupes importants partaient en direction de "la terre promise". Mais néanmoins la situation était différente.

Les Alpes étaient déjà habitées, même de façon clairsemée à l'époque paléolithique, depuis la fonte des glaciers de la dernière glaciation. De nombreux sites de l'époque mésolithique (avant tout près des cols des Alpes du Sud) attestent que les chasseurs ont recherché les régions au-dessus des zones forestières où ils pouvaient chasser le gibier plus facilement. L'élevage du bétail fut introduit à l'époque néolithique alors que l'agriculture ne jouait qu'un rôle réduit en raison des conditions géographiques et climatiques.

A l'époque du Bronze commença une période de grande prospérité économique et culturelle après la découverte des gisements de cuivre, presque partout de petits gisements, les plus importants étant dans la région de Salzbourg, en Tyrol du Nord et du Sud et aussi dans les Alpes occidentales. A l'époque avait lieu une intense colonisation des grandes vallées creusées par les glaciers et des vallées latérales, qui ne s'est pas modifiée considérablement depuis lors : principalement des fermes isolées ou de petits villages, des habitats plus importants comme les marchés ou les villes ne sont nés qu'à l'époque romaine ou au Moyen Age. Les fonds des vallées étaient presque partout marécageux ou sujets à des inondations. En outre, lorsque les vallées n'étaient pas orientées nord-sud, elles étaient mal ensoleillées. Pour cette raison, les habitats étaient pour la plupart situés sur des terrains plus

hauts, sur les versants ensoleillés des vallées, souvent même à plusieurs centaines de mètres au-dessus de la rivière quand le terrain n'est pas trop abrupt. Chacun connaissait son voisin ; à la chasse au-dessus de la zone forestière, on rencontrait quelqu'un de la vallée voisine. Dans la montagne, le contact avec les voisins n'était pas plus difficile qu'ailleurs, dans un sens même plus facile (à cause de la vue dégagée) que dans les paysages de l'Europe centrale couverts de forêts immenses où habitaient les Celtes.

Ceci a profité à tous ceux qui voulaient traverser les Alpes, non seulement à Hannibal, mais aussi aux vagues d'immigrants celtes qui ont pris vers 400 av. J.-C. le chemin du Sud. Il n'existe pas jusqu'alors d'indices du caractère guerrier de ces entreprises ; des couches d'incendie ou des traces équivalentes dans les habitats ne peuvent être datées précisément de façon à reconstituer un "horizon de destruction" dans la région alpine vers 400 av. J.-C. Sans doute, il a existé au cours de la seconde moitié du Ve siècle une phase durant laquelle s'est produite une infiltration paisible de petits groupes de Celtes, peut-être seulement de quelques familles en Italie du Nord et manifestement comme suite de liens culturels plus soutenus avec les Etrusques qui s'étaient avancés à la fin du VIe siècle dans la vallée du Pô. Dans ce climat d'un amical va-et-vient, mais qui n'exerçait pas une grande influence sur les tribus des Alpes, se sont formés les connaissances et les liens entre le Nord et le Sud qui ensuite ont culminé dans les grandes migrations.

Les chemins choisis d'abord par les marchands, d'autres voyageurs et plus tard par des tribus entières restent mal connus. On ne peut les restituer à l'aide des données géographiques et des éléments topographiques. Ainsi par exemple, existe une route qui mène du Nord-Ouest en passant par le Grand-Saint-Bernard (2 469 mètres) à la vallée occidentale du Pô. Une branche provient de la région Seine-Marne et de la Bourgogne, traverse le Jura probablement près de Salins-les-Bains et utilise ensuite le lac Léman et le Rhône comme voie navigable jusqu'à Martigny. Une autre branche vient du système fluvial du Rhin, suit ensuite l'Aare et ses affluents jusqu'à un habitat connu par les fouilles près de Fribourg, au confluent de la Sarine et de la Glâne. A partir d'ici il fallait à nouveau emprunter le chemin terrestre en passant par le col des Mosses de moyenne altitude (1 445 mètres) pour arriver à la vallée du Rhône près de Martigny. Les observations chronologiques prennent ici tout leur poids. Les habitats fortifiés de Salins et de Châtillon-sur-Glâne furent construits vers 550 av. J.-C., à une époque où se développèrent les relations transalpines. Châtillon-sur-Glâne fut abandonné déjà vers 400 alors que Salins était encore habité au IVe siècle. Ceci pourrait tenir au fait que l'habitat servait comme protection des sources salines dans la vallée de la Furieuse et par conséquent n'exerçait pas exclusivement le rôle d'une station de contrôle sur un chemin d'importance internationale. Néanmoins, il paraît, et ceci concerne d'autres régions des pré-Alpes septentrionales, qu'avec les migrations celtes vers 400 av. J.-C., cet ancien réseau de communication très fréquenté fut détruit ou perdit beaucoup de son importance. Cela ne signifie point que plus personne n'emprunta ces chemins et que les tribus alpines perdirent tout contact avec le Sud comme avec le Nord. Mais cela indique que l'époque d'un réseau de communication organisé se servant fréquemment des rivières en dehors des gorges dangereuses dans la montagne était révolue au IVe siècle av. J.-C. Lorsque les Celtes émigrèrent en Italie, ils le connaissaient et l'utilisaient encore. Mais après leur fixation dans le Sud, il ne fut plus d'un grand intérêt. D'ailleurs cette même observation concerne aussi d'autres chemins importants : du lac Majeur et du lac de Côme dans la vallée alpine du Rhin à travers la vallée de l'Etsch vers le Tyrol et la Bavière ainsi que par les montagnes de Tauern aux mines de sel de Hallstatt et de Hallein-Dürrnberg et de là jusqu'en Bohême. Avec ceci, on doit évoquer à partir du Ve siècle av. J.-C. dans les Alpes centrales (du Tyrol du Nord jusqu'au Trentino) la genèse d'un groupe culturel très autonome (groupe de Fritzens-Sanzeno) qui, à l'abri de toute influence

*Trésor de torques
et bracelets d'or
d'Erstfeld (Uri)
Fin du Ve-
début du IVe
siècle av. J.-C.
Zurich
Schweizerisches
Landesmuseum
p. 251*

du Nord ou du Sud, survécut jusqu'à la conquête des Alpes par les Romains (15 av. J.-C.). Dans les Grisons, l'influence celte du Nord est plus sensible par exemple pour les bijoux de femmes ou dans la décoration des récipients de terre avec des poinçons. Ici, il ne s'agit donc que de la reprise de certains modèles mais pas de l'invasion de tribus celtes dans la région alpine. Il faut considérer de façon différente la trouvaille d'un trésor de sept torques et bracelets d'or découverts près de Erstfeld entre le lac des Quatre-Cantons et les gorges de Schöllenen sur le chemin d'Andermatt et du Saint-Gotthard (2 108 mètres). Ces produits de haute qualité de l'artisanat celte datant des environs de 350 ou peut-être plus tard, sont manifestement étrangers à ces contrées. Il est également peu probable qu'un "prince" indigène de la Suisse intérieure eût disposé de telles richesses pour qu'il pût faire transformer 640 grammes d'or en un unique ensemble de bijoux féminins – et ceci dans un style étranger. Le trésor dut donc être apporté du Nord et tout indique qu'il fut enterré intentionnellement près d'un grand rocher : non comme cachette face à une menace mais en tant qu'offrande à une puissance supérieure des montagnes. Ce n'est pas un hasard si Erstfeld est situé sur un passage alpin qui à l'époque ne jouait qu'un rôle mineur, car les gorges de Schöllenen étaient impraticables avant les constructions importantes du Moyen Age (pont du Diable). Avec un guide local, on pouvait les contourner par un long détour en altitude (à l'est par la Fellilücke – 2 479 mètres – à l'ouest, par le Bäzberg), mais les autres chemins d'approche étaient si difficiles que même les Romains ne voulurent pas établir les liens permanents. Il est possible néanmoins qu'un groupe de Celtes sur le chemin vers le Sud aient choisi intentionnellement un chemin plus court et moins praticable mais aussi moins surveillé que les routes principales à l'ouest et à l'est. S'agit-il de chefs de tribus avec leur famille, d'aventuriers avec une bande de compagnons incontrôlables, d'ambassadeurs avec des cadeaux précieux pour un prince en Italie ? Nous l'ignorons. Un guide était toujours disponible et lorsque celui-ci décrivait les dangers qui attendaient le lendemain, n'était-il pas conseillé d'obtenir le bon vouloir du dieu avec un cadeau précieux pour pouvoir passer sain et sauf "dans l'autre partie du monde" ?

Les Celtes en Italie
Daniele Vitali

Avant-Propos

Les études et les découvertes des années 70 ont redonné vigueur à l'archéologie des Celtes en Italie, un sujet resté pendant environ un siècle en marge de la recherche officielle, orienté vers d'autres peuples et d'autres civilisations de l'Italie ancienne.

L'exposition sur "Les Gaulois et l'Italie" (Rome, 1978) et les colloques sur "Les peuples et les *facies* culturels celtiques au nord et au sud des Alpes" (Milan, 1980) et sur "Les Etrusques et les Celtes dans l'Italie centre-septentrionale du Ve siècle av. J.-C. jusqu'à la romanisation" (Bologne, 1985), ont renové de manière idéale, l'héritage de la Ve session du Congrès international d'anthropologie et d'archéologie préhistorique de Bologne 1871, qui, en reconnaissant le caractère celtique de certains matériaux découverts à Marzabotto et à Bologne, avait ouvert la première discussion scientifique sur l'archéologie celtique en Italie.

Entre les deux extrêmes – 1871 et nos années 70 – il y a eu de nouvelles découvertes archéologiques et des analyses critiques de teneur différente, qui ont cerné les caractères des peuples celtiques de l'Italie péninsulaire et continentale, montré le potentiel de cette nouvelle aire de la recherche archéologique, favorisé la convergence dans un même contexte des données de l'historiographie, de l'archéologie, de l'épigraphie et de la linguistique relatives aux Celtes. Aujourd'hui plus que jamais, on ressent la nécessité de disposer d'autres sources pour étoffer les situations politiques et culturelles des Boïens, des Sénons, des Cénomans, des Insubres, des autres peuples celtiques de l'Italie inconnus de l'archéologie et pour avoir un tableau plus précis des relations entre les Celtes d'Italie, les autres peuples italiques et les Celtes transalpins.

Fibules en bronze de type La Tène ancienne provenant de la nécropole Arnoaldi de Bologne Première moitié du IVe siècle av. J.-C. Bologne Museo Civico Archeologico

Celtes et peuples italiques au Ve siècle av. J.-C.

Les découvertes de Castelletto Ticino et les nouvelles acquisitions relatives au contenu de l'inscription de Prestino sont décisives pour reconnaître la "celticité" totale des populations de la culture de Golasecca, implantées en Italie nord-occidentale à partir de la fin de l'Age du Bronze, c'est-à-dire bien avant l'invasion des Ve-IVe siècles av. J.-C.

Le rôle d'intermédiaire dans les échanges entre le monde étrusque et les peuples celtiques transalpins joué par les Celtes de Golasecca, favorisa le développement économique et politique de centres tels que Côme ou Sesto Calende-Castelletto Ticino, nés en correspondance de lignes directrices et de cols qui permettaient un passage facile de marchandises, par l'intermédiaire des populations montagnardes. Plus à l'est, les Etrusques, seuls ou avec les Vénètes, jouèrent un rôle analogue en utilisant les populations rhétiques de la vallée de l'Adige et des Alpes centre-orientales ; de fait, c'est dans cette logique que s'expliquent les poussées étrusques en zone transpadane, attestées par l'épigraphie ou par des centres habités tels que Forcello di Bagnolo San Vito, près de Mantoue.

Le panorama des peuples des VIᵉ-Vᵉ siècles installés entre les Apennins et les Alpes ressort donc mieux défini, même si certaines aires – notamment le secteur entre les franges orientales de la culture de Golasecca et l'aire paléovénète – exigent de nouvelles données il en ressort nettement la perméabilité de ces peuples, qui absorbent des individus d'origine différente, qui s'intègrent et se fondent avec les coutumes locales. Tout cela fait ressortir les limites d'une historiographie antique – voire souvent moderne – qui tend à simplifier et à raidir des processus historiques entre *éthne* et cultures différentes, qui en réalité furent très complexes. L'Italie, dans laquelle à la fin du Vᵉ siècle av. J.-C. des centaines de milliers de Celtes transalpins commencèrent à déferler, était une réalité connue au nord des Alpes en raison de la qualité des produits, de la douceur du climat et de la fertilité des terres ; les relations commerciales et politiques entre les peuples italiques – en premier lieu les Etrusques – et les familles transalpines de haut rang (princes ou aristocrates) avaient favorisé l'arrivée de matières premières importantes (l'étain, l'ambre, le sel) mais elles avaient également réduit les distances et mis à portée de main un pays, considéré par qui était en quête de terres ou de fortune et de richesse (les Celtes du nord) trop vital pour être épargné. Les figues et le vin avec lesquels l'Etrusque Arruns aurait attiré les Celtes dans sa ville, à Chiusi, pour se venger d'un tort qu'un jeune noble du lieu lui avait fait, laissent transparaître le mobile économique de la grande migration (Tite-Live, 33, 2-4), le même mobile économique qui – avec une perspective renversée – est décelable dans l'épisode de *Helico,* un Celte du peuple de Helvètes qui au Vᵉ siècle av. J.-C. aurait séjourné à Rome comme forgeron : les figues, l'huile et le vin d'Italie rapportés dans sa patrie auraient provoqué l'invasion (Pline, *Hist. Nat.*, XII, 5). Avec les invasions du IVᵉ siècle, les rapports entre l'Europe et l'Italie changent: il ne s'agit plus de commerce de produits et de biens entre des entités politiques et des cultures autonomes, mais d'une circulation et d'une mobilité d'individus et de groupes à l'intérieur d'une zone nord et sud-alpine devenue – en l'espace de deux siècles – de plus en plus homogène (laténienne) du point de vue culturel et linguistique.

Les données de l'histoire

L'invasion gauloise du début du IVᵉ siècle a profondément marqué l'histoire de Rome, du monde étrusque et d'autres entités de l'Italie antique.

L'expédition des Sénons contre la ville de Chiusi, qui possédait plus de terre qu'elle n'en pouvait cultiver – et devait donc en laisser une partie aux envahisseurs – fut détournée vers Rome (Diodore de Sicile, XIV, 113 ; Tite-Live, V, 36 ; Denys d'Halicarnasse, XIII, 10-11).

La défaite tragique subie par l'armée romaine sur le fleuve Allia à sa

confluence avec le Tibre à quelques milles de Rome, l'incendie et la destruction partielle de la ville, pillée et occupée pendant sept mois, le siège du
Capitole défendu par les Romains et presque conquis par les Celtes – s'il n'y
avait eu l'avertissement des oies – sont les événements de 386 av. J.-C.
L'historiographie moderne démasque les falsifications des sources de
l'Antiquité qui devaient couvrir l'incapacité de Rome à se rétablir sur le plan
militaire et politique au lendemain de la catastrophe : les personnages ou les
actions héroïques sont des inventions, telles la légende de Camille, artisan
d'une revanche immédiate sur les Gaulois et de la récupération de l'or versé
par Rome pour sa rançon.

L'irruption des Celtes dans la plaine du Pô occupée par les Etrusques avait
conduit à la destruction de *Melpum* – une ville importante dont on ignore
l'emplacement – qui tomba l'année de la prise de Véies par les Romains, la
même où Denys l'Ancien, tyran de Syracuse, assiégeait Reggio (388-387).
Pour chasser les Grecs également de l'Adriatique, Denys avait imposé un
contrôle sur le port étrusco-vénète d'Adria, et fondé sa propre colonie à
Ancône. Vers l'an 385, pour ramener le pouvoir des Etrusques à de plus
justes proportions, il aurait conclu une alliance avec les Celtes qui avaient
incendié Rome. Un projet commun contre la puissante ville de Caere
(aujourd'hui Cerveteri) auraient été – d'après M. Sordi – l'incursion man-
quée de Gaulois remontés de l'Italie méridionale (Diodore, XIV, 117, 6 ;
Strabon, V, 2, 3) et l'expédition navale de Denys sur les côtes de l'Etrurie,
qui mena au pillage de Pyrgi et de son sanctuaire (384-383).

Pendant environ trente ans, les Gaulois furent, à l'égard des tyrans de
Syracuse, leurs alliés, leurs mercenaires ou fournisseurs de soldats, avec,
comme carrefour, le port d'Ancône.

En 332, un traité de paix fut conclu entre les Sénons et Rome (Polybe, II,

18, 9) ; il favorisa le développement du commerce entre les Celtes et l'Etrurie et facilita la reprise de la puissance romaine le long du Tibre vers la plaine du Pô, à l'abri de l'Adriatique.

Les hostilités qui s'ouvrirent entre les Gaulois et les Romains pour bloquer l'expansionnisme de ces derniers, se concrétisèrent en une vaste coalition italique des Sénons, Etrusques, Ombriens et Samnites, laquelle, au début, après quelques succès, fut lourdement vaincue à *Sentinum,* en Ombrie, en 295 av. J.-C. (IIIe guerre samnite (Polybe, II, 19,6 ; Tite-Live, X, 27,3 ; 29,17-18 ; 30,8 ; 31,13 ; Diodore, XXI, 6). Néanmoins, l'état conflictuel avec les Sénons, les plus proches des visées des Romains, reprit en 284. Ils assiégèrent Arezzo, alliée de Rome, détruisirent deux légions dont ils tuèrent le consul.

Toutefois, les Romains reprirent le contrôle de la situation, furent vainqueurs des Sénons et à l'embouchure du torrent Misa, fondèrent la colonie romaine de *Sena Gallica* (283 av. J.-C.). A ce moment-là, les Boïens tentèrent une réaction au harcèlement de Rome dans la région padane ; s'étant alliés aux Etrusques, ils subirent néanmoins une lourde défaite près du lac Vadimon en 283. Boïens et Romains signèrent alors un traité de paix qui dura quarante-cinq ans (Polybe, II, 21,1). Lorsque les Romains fondèrent en 268 la colonie de droit latin d'*Ariminum* (Rimini) qui constituait la tête de pont pour les plans futurs de conquête en zone padane et qui décrétait la fin de la domination gauloise sur le versant adriatique, les Boïens n'eurent aucune réaction. En 266, même le centre ombrien de Sarsina est assujetti, ce qui permet le contrôle des accès à la vallée du Tibre qui avaient représenté les points faibles du siècle précédent. Le territoire des Sénons (*l'Ager gallicus),* confisqué et partagé en lots, fut attribué en 232 à des citoyens romains qui devinrent la nouvelle composante stable du territoire. En 220, une voie consulaire fut ouverte pour relier Rome à Rimini (*via Flaminia).*

D'autres plans de conquête amenés dans l'Apennin occidental – au cœur du territoire de Ligures et derrière celui des Boïens – déclenchèrent vers 240 (après que Rome eut conclu avec succès la première guerre punique) une série de campagnes qui obligèrent les Boïens à reprendre les actions d'auto-défense (Peyre). La crise culmina en 225 à Télamon, lorsque les Boïens, les

Insubres et les mercenaires que l'on avait fait venir du Rhône (*Gaesati*) furent vaincus par les Romains et par leurs alliés italiques, parmi lesquels figuraient les Vénètes et les Cénomans (Polybe, II, 24-33). Les Boïens furent soumis en 224 (Polybe, II, 31,9) et dans les deux années qui suivirent, furent également assujettis les Insubres auxquels les Romains avaient pris la capitale *Mediolanium* et le centre d'*Acerrae* (222 av. J.-C., bataille de *Clastidium*, Casteggio) (Polybe, II, 35,1). Deux colonies latines – *Placentia* dans le territoire des *Anares*, *Cremona* dans celui des Cénomans – avec six mille colons chacune, marquent l'accomplissement de la conquête des populations gauloises de la plaine du Pô, en 218.

En cette même année 218, l'incursion d'Hannibal en Cisalpine redonna espoir aux derniers irréductibles. La destruction de *Placentia* et d'autres opérations militaires en 216 (l'anéantissement de deux légions dans la *Silva Litana)* montrent un nouvel élan des Boïens.

Cependant, les défaites subies par Hasdrubal au Métaure près de Senigallia (207) et par Hannibal à Zama (202) laissèrent les Romains libres d'agir contre les Boïens, les Insubres et les Ligures, restés sans alliés carthaginois ; en 196, la ville de Côme est conquise et en 189 est fondée la colonie latine de *Bononia* (Bologne) dans l'aire ancienne *Felsina*. L'année auparavant, avaient été rétablies les colonies de Plaisance et de Crémone.

Les peuples celtes les plus importants de la Cisalpine (IVe-IIIe siècle av. J.-C.)

Les Insubres

Les différentes populations celtiques qui, au IVe et IIIe siècles av. J.-C. habitèrent la vaste région appelée *Insubrium*, se présentent donc comme les descendants directs des communautés antérieures de la culture de Golasecca.

La reconstruction de Tite-Live qui relate brièvement l'arrivée de Bellovése avec "des Bituriges, Arvernes, Sénons, Eduens, *Ambarri* – peuple de la Gaule lyonnaise–, Carnutes, Aulerques" (Tite-Live, V, 34) en Italie nord-occidentale où, de temps immémorial, la région était appelée *Insubrium* (comme un *pagus* des Eduens, jusqu'alors Celtes transalpins), exprime bien la conscience d'une stratigraphie du peuplement de longue date, parallèle à celle des régions au sud du Pô habitées par des Etrusques, Ombriens et Ligures. Le bon augure mena à la fondation de *Mediolanium*. Les fouilles urbaines de Milan prouvent de manière surprenantes l'ancienneté du centre qui, dans son

Torque en bronze provenant de Gambara (Brescia) Première moitié du IIIe siècle av. J.-C. Brescia, Museo dell'Età Romana

Torque en bronze provenant de la nécropole de Carzaghetto - Canneto sull'Oglio (Mantoue) Première moitié du IIIe siècle av. J.-C. Asola Museo Civico Archeologico Goffredo Bellini

ibule d'or
e type La Tène
rovenant
Este (?)
conde moitié
u IIIᵉ siècle
v. J.-C.
adoue
Iuseo Civico
rcheologico
p. 253

nom même, cache son rôle de pivot politique des Insubres. Le processus de superposition des nouveaux arrivés aux communautés pré-existantes échappe encore pour ce qui est de ses termes archéologiques exacts. Les nécropoles et les tombes isolées les plus anciennes, différentes de celle de la culture de Golasecca, remontent aux IVᵉ-IIIᵉ siècles av. J.-C. et elles sont situées entre le Tessin, l'Oglio et le Chiese. La maigre documentation archéologique des phases les plus anciennes (du IVᵉ au IIᵉ siècle av. J.-C.) ne permet pas encore de connaître quel était le rite funérarire des Insubres alors qu'un élément du costume caractéristique de l'aire insubre – même s'il est présent chez d'autres communautés cisalpines – est constitué par des parures annulaires à oves creux et lisses, articulées en deux morceaux, ressemblant par la forme aux types danubiens. L'association de ces objets en paires a fait supposer qu'il s'agissait d'anneaux de cheville des femmes insubres, probablement inhumées (De Marinis).

Les Cénomans

La partie de plaine qui s'étend de l'Oglio-Chiese jusqu'au Mincio et au-delà, jusqu'au territoire véronais, et au sud jusqu'au Pô, constitue une région avec des traits archéologiques fortement laténien, sans racines dans les cultures locales, avec le peuplement étrusque transpadan centré sur Mantoue, avec celui des *facies* Remedello-Sant'Ilario, avec celui plus occidental des Vénètes, avec d'autres substrats pré-celtiques devant encore être focalisés.

Les sources historico-littéraires et le caractère celtique des matériaux permettent d'identifier les Cénomans comme étant les habitants de la région. Ils seraient arrivés à l'époque qui suivit l'expédition de Bellovèse, guidés par Elitovius (Tite-Live, V, 35). On leur attribue la fondation de *Brixia* (Brescia) capitale du peuple (*caput gentis*), *à* laquelle les fouilles stratigraphiques du *Capitolium* confirment l'ancienneté attribuée par les sources. Parmi les nombreuses nécropoles explorées plus ou moins systématiquement, la plus riche en données est celle de Carzaghetto (province de Mantoue), une nécropole de cinquante-six tombes à inhumation datables approximativement entre 320 et 250 av. J.-C. : des tombes de guerriers avec leur épée, fourreau, ceinturon laténiens et lance, et de femmes qui présentent un attribut typiquement celtique – le *torquis* (torque) – un collier aux extrémités grossies, à tampons discoïdaux, associé à des bracelets et des bagues, souvent en argent et souvent coudées, ou avec un fil serpentant plus ou moins large. En général, ils se portaient de manière asymétrique : ceux en argent au bras droit et ceux en bronze ou d'un autre matériau au bras gauche. La nécropole contenait également des sépultures de chevaux. Une autre caractéristique des mobiliers cénoman (non seulement à Carzaghetto, mais aussi à Rivalta sul Mincio, à Vho di Piadena lieudit Campagna) sont la rareté de la vaisselle en terre cuite, et les formes typiquement celtiques, de cette dernière "élancées, avec un corps au profil sinueux épaule large et marqué... avec un cordon placé entre le cou et l'épaule" (De Marinis).

Une autre nécropole dont malheureusement on ne peut plus évaluer l'importance, est celle de Castiglione delle Stiviere, détruite par les travaux d'une carrière de gravier et d'où proviennent de nombreux et différents matériaux métalliques. Sortis sans contrôle scientifique et récupérés a posteriori – et seulement partiellement – les objets qui sont présentés comme un mobilier unitaire donnent lieu au soupçon qu'ils aient fait en réalité partie d'ensembles différents ; l'ensemble présenté actuellement comme mobilier est – à mon avis – très probablement fictif.

Particulièrement important, le groupe de plaques de bronze décorées au repoussé avec des motifs végétaux, interprétées comme faisant partie d'un vase en tôle (Jacobsthal) ou du corps de trompette celtique de guerre (*carnyx*) avec un pavillon discoïdal (De Marinis). De cet ensemble font partie les éléments en tôle travaillée au repoussé d'un objet qui, par les ailes et les pattes figurées sur un disque est certainement identifiable comme un oiseau, et qui aurait pù être un élément décoratif analogue à celui du casque de Ciumeşti.

Dans tout le territoire cénoman, un seul casque est documenté (provenant de Gottolengo, lieu-dit Cascina Lumaghina) d'un type très répandu chez les Boïens et les Sénons.

Au IIe siècle, les différences entre Cénomans et Vénètes apparaissent encore davantage atténuées. Le voisinage avec les Vénètes – qui souvent obligeait certaines villes telles que Padoue à vivre en état permament de guerre avec les Gaulois voisins (Tite-Live, X, 2,9) – avait favorisé une *koiné* vénéto-cénomane qui concernait essentiellement la partie occidentale du monde paléovénète, notamment Este et en moindre mesure, Padoue. L'intégration entre les communautés est décelable dans les données épigraphiques, dans la circulation et la production locale d'objets laténiens, dans l'adoption d'un langage artistique inédit, illustré par les exemples de plusieurs séries de fibules décorées trouvées à Este ou par certaines stèles padouanes à figures. Cette intégration entre *ethnoi* différents s'exprima par transfert de familles ou de groupes, par des mariages (on en a un exemple avec *Frema* la Vénète mariée avec **boialos*, un Celte boïen – Este, tombe Benvenuti 123, V^e-IVe siècle – ou le déjà cité *Tivale Bellene* chef de souche d'une nouvelle *gens* en Vénétie).

Les Boïens

Le territoire des Boïens arrivait à l'ouest jusqu'à Parme, au nord jusqu'au Pô, au nord-est au territoire des Lingons. A l'est et au sud-est, le confin était marqué par le torrent *Utens* (Tite-Live, V, 35), à identifier peut-être avec le *Vitis* de Pline (*Nat. Hist.* III, 115), un des fleuves du territoire de Forlì : l'Uso – au nord de Rimini – le Montone ou le Ronco-Bidente. A propos de la Cisalpine, Caton écrivait que les Boïens étaient divisés en cent douze tribus (*les Origines,* chez Pline, *Nat. Hist.,* III, 116) et cette fragmentation de l'organisation politique et des circonscriptions "administratives" se situe bien dans le vaste territoire, articulé en zones de haute et basse plaine, avec des forêts et des marécages, dans des régions pieds des collines et dans des vallées des Apennins, qui précédemment avait été dominé par des Etrusques, des Ombriens et des Ligures. Le centre des Boiens correspond à l'aire

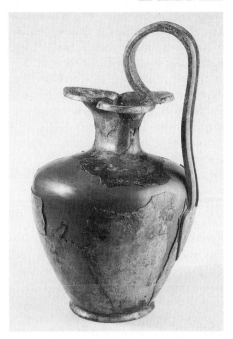

Casque en bronze
et cruche
en bronze
à embouchure
trilobée et anse
surélevée
provenant de la
tombe n° 953
de la nécropole
Benacci
de Bologne
fin du IVᵉ-début
du IIIᵉ siècle
av. J.-C.
Bologne
Museo Civico
Archeologico

Passoire et tasses
(kyàthoi) en
bronze provenant
de la tombe n° 953
de la nécropole
Benacci de Bologne
fin du IVᵉ-début
du IIIᵉ siècle av. J.-C.
Bologne, Museo
Civico
Archeologico

de la Felsina étrusque partiellement abandonnée ou du moins déchue par rapport au rang de chef-lieu de l'Etrurie padane qu'elle avait eu jusqu'au Vᵉ siècle av. J.-C. Aucune source ne revendique pour elle la suprématie de *caput gentis* qui est mentionnée pour d'autres centres celtiques de la Cisalpine (*Mediolanium* des Insubres, *Brixia* des Cénomans) et ceci pourrait dépendre du fait que de la région de Parme à la Romagne, il existait d'autres réalités ayant le même poids que *Bononia*. En effet, la documentation connue indique que Bologne ne se distingue pas d'autres centres par sa richesse et le niveau culturel de ses mobiliers funéraires. Le territoire boïen semble articulé dans un réseau de *vici, tecta* et *castella* d'habitats de plaine, de fermes isolées et de centres de hauteur en position stratégique, et la carte archéologique nous offre une première possibilité d'appréhender cette organisation (Tite-Live, 32, 31, 1-3; 33, 36, 8). De l'habitat boïen de Bologne, il n'existe pas de vestiges monumentaux ; de modestes structures, peut-être encore en usage au IVe siècle, trouvées au pied de la colline, dans l'aire de Porta Saragozza, ainsi que des matériaux sporadiques dans le centre historique, n'indiquent que la fréquentation de l'aire comme habitat.

En revanche, de plus amples informations nous viennent de la nécropole située a l'ouest de la ville, où l'on a plus de deux cents tombes presque toutes à inhumation ; en contrepartie le rite de l'incinération est rare. Les tombes des IVe et IIIe siècle étaient comprises entre une couche plus profonde de tombes villanoviennes (des VIIIe-VIIe siècles av. J.-C.) et une couche supérieure de tombes romaines. Seule le quarante pour cent d'entre elles possède un mobilier, en continuité parfaite avec les modes étrusques enracinées dans l'Etrurie padane ou, au contraire, avec des éléments de nouveauté liés a l'habillement ou à des usages spécifiques du monde celtique. Un des éléments d'innovation est constitué par l'épée laténienne parfois rituellement sacrifiée, comme c'est le cas dans l'aire transalpine. Parmi les tombes de guerrier – qui a Bologne sont au nombre de sept – on remarque une hiérarchie de richesse et de rang militaire. Deux tombes très riches (Benacci 953 et Benacci Caprara I/1887) avec casque de bronze, couronne d'or, service de vases métalliques et en céramique pour le banquet et pour la consommation du vin, le strigile et les indices d'activités athlétiques, les dés et les pions pour le jeu, s'opposent à d'autres de guerriers vraiment pauvres (Benacci 138 ou 176) avec épée et fourreau et presque sans vases métalliques. Elles se distinguent toutefois des autres tombes masculines telle que la Benacci 968, qui contient un vase à vernis noire avec, gravée, l'inscription étrusque *mi titles* ("je suis le vase de Title"), indiquant un Etrusque résidant à Bologne au début du IIIe siècle av. J.-C. et enseveli dans la même partie de la nécropole occupée par les Boïens. Ce fait exprime bien la duplicité d'âme de la communauté boïenne qui se greffa sur le tissu de l'Etrurie padane allant jusqu'à cohabiter avec les descendants de populations locales. Du côté femme, on retrouve le même dualisme que pour les tombes masculines comme par exemple la tombe Benacci 960, avec des vases étrusques, des boucles d'oreilles d'or, un miroir de bronze décoré, et la tombe 114, une inhumation de femme avec une seule fibule de fer sur la poitrine et un bracelet celtique au poignet gauche décoré de motifs en relief qui le rattachent à l'aire de la Bohême. La somptuosité de certains mobiliers bolonais – et du territoire oriental, Monte Bibele, la Romagne – s'aligne sur le standard que l'on retrouve dans le monde des Sénons variété des composants, provenant de zones diverses; seule différence, les aires d'origine : des céramiques grecques figurées, des vases dits de Haute-Adriatique, des bijoux et de la vaisselle en métal provenant de l'Italie méridionale (Tarente, Campanie) chez les Sénons, et du matériel presque exclusivement étrusque dans l'aire des Boïens.

D'autres éléments boïens proviennent du territoire a l'ouest de Bologne, du lieu-dit Ceretolo, où une nécropole découverte en 1878 et fouillée sans contrôle scientifique a fourni un mobilier insolite de l'authenticité duquel il convient de douter. Plus à l'ouest, dans le territoire modénais, une vaste boïenne est suggérée par les nécropoles ou par des matériaux de surface de Cognento, Saliceta San Giuliano et Magreta ; on trouve d'autres ensembles laténiens dans les bracelets de verre provenant de Bibbiano (près de Reggio Emilia), dans des mobiliers plus modestes de la région de Parme, dans l'inhumation de guerrier de Casaselvatica. Cette dernière, qui offre peu de poterie et dont les armes laténiennes ont été rituellement sacrifiées, présente un casque en bronze avec une corne de tôle de bronze décorée au repoussé ; elle est datable des premières décennies du IIIe siècle av. J.-C. et atteste l'intérêt des Boïens pour une voie occidentale qui, à travers le territoire des Ligures, pénétrait, à partir de la plaine du Pô, à travers la Lunigiana jusqu'à la haute région Tyrrhénienne.

Sur le versant ligure ressortent les trouvailles importantes d'Ameglia, où les incinérations en coffre de pierres de type local, qui ont restitué des panoplies et des ensembles analogues à ceux du territoire boïen, documentent soit l'adoption de l'armement celtique par les Ligures soit l'intégration de Celtes dans le milieu local, ou les deux choses à la fois. Derrière Bologne, l'Apennin qui va de Marzabotto au Monte Bibele jusqu'aux vallées de la Romagne, est riche en mobiliers souvent liés à des guerriers, datables de la période comprise entre la fin du IVe et la seconde moitié du IIIe siècle av. J.-C. Ces ensembles doivent se référer aux *castella* (ou habitats de hauteur) présents dans les vallées des Apennins. Jusqu'à présent les fouilles les plus complètes ont été faites au Monte Bibele et Monterenzio Vecchia dans la vallée de l'Idice, où deux centres analogues, à 5 kilomètres de distance, documentent un bref tronçon d'un *limes* plus long qui allait de l'Adriatique à l'Emilie occidentale, pour le contrôle armé des lignes directrices transapennines.

Les Boïens réutilisent souvent des centres qui existaient auparavant ; ceci est manifeste dans l'aire de Marzabotto, où deux petites nécropoles occupent les rues de la ville étrusque ainsi que les cours et les puits des maisons du Ve siècle désormais abandonnées. L'habitat celtique n'occupait qu'une partie de l'aire urbaine ; le matériel jeté ou tombé dans les puits à eau des maisons indique la continuité de la fréquentation, aux IVe et IIIe siècles. Les tombes ont un caractère laténien marqué et ne contiennent pas de poterie de Volterra à peinture noire ni de la vaisselle de type ligure attestée dans l'habitat. Les tombes de la nécropole gauloise de Marzabotto sont à inhumation, aussi bien celles des guerriers que celles des femmes ; jusqu'à présent, aucun élément ne permet d'affirmer la présence d'incinérations.

A une vingtaine de kilomètres plus à l'est, dans la vallée de l'Idice, se trouve le complexe du Monte Bibele. Cent trente-quatre tombes de la nécropole ont été explorées, presque toutes individuelles, la plupart à inhumation, et à

...uronne ...feuilles d'olivier ...de myrte ...feuille d'or ...ovenant la tombe n° 953 la nécropole ...nacci de Bologne ...IIIe siècles ...J.-C. ...logne, Museo ...vico Archeologico ...249

incinérations pour quelques-unes. Au début, les inhumations étaient placées au sommet d'une colline, et lorsque cette dernière fut entièrement occupée, elles furent disposées le long des pentes, l'une à la suite de l'autre dans le sens des courbes de niveau. Il s'avère que les incinérations n'étaient pas liées de manière aussi rigoureuse à la succession dans l'espace, puisque des incinérations tardives sont même déposées dans des secteurs d'inhumations plus anciennes. La régularité de la stratigraphie horizontale permet donc de suivre dans l'espace et dans le temps la succession des ensevelissements, c'est-à-dire l'ordre des morts appartenant à la communauté du Monte Bibele.

Les tombes les plus anciennes ont des mobiliers typiques du monde étrusque ; certaines inscriptions avec des noms de famille gravés sur la vaisselle fournissent la preuve que le centre a été fondé par des Etrusques.

Après quelques dizaines de sépultures apparaissent celles d'adultes inhumés, caractérisées par des armes de fer et des fibules de production celtique. Ce fait s'explique par l'arrivée au Monte Bibele d'une nouvelle composante, qui s'identifiait avec l'usage et la possession des armes et qui devint partie intégrante et stable de la communauté. Il est donc indéniable que certaines coïncidences entre les données archéologiques et celles des sources historico-littéraires justifient l'identification de ces soldats avec armement celtique avec les Boïens installés dans les territoires de l'Emilie Romagne.

En outre, le poids de l'élément celtique ressort également d'un autre facteur qui atteste le rapport étroit et la continuité de contacts et d'échanges avec le monde transalpin ; du Monte Bibele on peut suivre pendant à peu près un siècle – de 350 à environ 250 av. J.-C. – l'évolution de la culture La Tène (c'est-à-dire celtique) sur la base des types d'armes, des formes de fourreaux et de ceinturons, du développement des fibules.

Dés en ivoire et tessères à jouer en pierre colorée, provenant de la tombe n° 9 de la nécropole Benacci de Bolog IVe-IIIe siècles av. J.-C. Bologne, Museo Civico Archeolog

Bracelet en bronze à charnière avec décoration plastique, provenant de la tombe n° 114 de la nécropole Benacci de Bologne IIIe siècle av. J.-C. Bologne, Museo Civico Archeologico

Vase à forme de toupie en pâte grise provenant de la tombe de femme n° 921 de la nécropole Benacci de Bologne Moitié du IIIe siècle av. J.-C. Bologne, Museo Civico Archeologico

Dans la tombe d'un commandant avec armes celtique et casque de fer (tombe n° 14) a été déposé un service de vases pour deux personnes: pots en céramique sur lequel est gravé le nom de famille d'une femme étrusque (*Petnei*) qui eut des liens de parenté avec le défunt. Il est donc naturel de penser à des mariages d'alliance entre personnes de haut rang de partis opposés de sorte à marquer la fin d'une situation de contrastes. Certaines armes à la fois défensives et de parade, telles que les casques métalliques, décorés avec de l'émail celtique rouge, attestés par seulement six exemplaires sur la quarantaine de tombes avec des armes, indiquent l'existence d'une hiérarchie militaire avec des chefs guerriers. Le niveau élevé des mobiliers, féminins et masculins, de guerriers et d'hommes non guerriers, indique l'existence d'un potentiel économique considérable et, notamment, des rapports étroits et continus avec les centres de la plaine du Pô et de l'Etrurie tyrrhénienne (en particulier avec Volterra). Dans les mobiliers les plus riches, on trouve un service de vases liés à la consommation du vin et de viandes animales. En outre, est également attesté un aspect qui concerne plutôt la sphère idéologique, lié aux activités athlétiques et à la palestre : le dépôt d'un strigile métallique et d'un pot à onguents qui documentent le succès des modes de vie urbains, d'origine hellénistique, adoptés avec le même intérêt également par les Sénons et par d'autres populations italiques.

...acelet en verre ...elé clair ...ec bande jaune ...intérieur ...ovenant de la ...nbe de femme ...921 de la ...cropole Benacci Bologne ...lieu du IIIe *siècle ...J.-C. ...logne, Museo ...vico Archeologico*

Les Lingons

C'est une population celtique mentionnée uniquement par Polybe (11, 17,7) et Tite-Live (V, 35,2), située vers l'Adriatique, entre le Pô et les Apennins, dans le voisinage des Boïens. Peut-être est-ce à eux que se réfère le Pseudo-Scilax (entre 350-300 av. J.-C.) lorsqu'il décrit la côte du Moyen-Adriatique,

...mes et ceinturon à chaîne provenant ...obablement d'une même tombe ...la nécropole de Ceretolo (Bologne) ...emière moitié du IIIe *siècle av. J.-C. ...logne, Museo Civico Archeologico*

Fibule en bronze avec décoration plastique et bracelet massif provenant de la nécropole de Ceretolo (Bologne) Première moitié du IIIe *siècle av. J.-C. Bologne, Museo Civico Archeologico*

et fait état de Celtes, dans le delta du Pô, coincés entre le territoire des Vénètes et celui des Etrusques. C'est encore les Lingons que l'on devrait reconnaître dans "une grande troupe de barbares" qui harcelait les habitants de Spina et obligea ces derniers à abandonner la ville (Denys d'Halicarnasse, I, 18, 4-5).

Quant à la documentation archéologique, on ne connaît rien, à part un ensemble important de trente petites appliques de tôle de bronze à surface courbe, décorées au repoussé et ajourée avec motifs végétaux continus, dont la provenance serait "de la zone de Comacchio". Ces appliques qui recouvraient un ou plusieurs objets (des vases ?) avec corps en matériau organique, constituent un témoignage importants de l'art des Celtes en Italie.

Les Sénons

D'après Tite-Live (V, 34, 5), les Sénons furent les derniers à arriver en Italie. Pour trouver un territoire libre, ils furent contraints à traverser les terres déjà occupées par d'autres Celtes pour s'arrêter tout au sud, au sud de ces derniers, dans la région des Marches. Ce qui ressort des sources archéologiques contredit partiellement l'hypothèse d'un caractère plus récent de ce peuple. De fait, c'est dans les Marches que sont localisés les mobiliers les plus anciens de toute la période des invasions et c'est pour cette raison que l'explication de Tite-Live est inacceptable ; elle dépend d'une source grecque (Polybe, II, 17, 7) qui décrivait la succession des peuples en sens géographique et dans l'espace, ce que Tite-Live a mal interprété dans le sens du temps. Leurs frontières auraient été delimitées au sud par le fleuve *Aesis* (l'Esino) et au nord par l'*Utens* (l'Uso ou le Montone) en Romagne (Tite-Live, V, 35, 3).

*are-joue
a bronze décoré
ec motifs
égétaux
triscèles
ppartenant
u casque de la
mbe n° 116
u Monte Bibele*

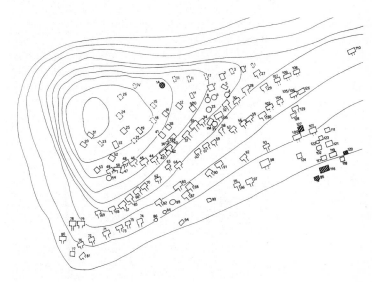

*an
la nécropole
u Monte Bibele*

243

Les indices de relations avec le monde transalpin documentés à partir du Ve siècle av. J.-C. rapprochent l'aire du Picenum des problèmes de l'Etrurie padane, de la Vénétie et de l'aire de Golasecca, le témoignage sûr de contacts et d'échanges n'exclut pas l'intégration de Celtes transalpins dans les communautés du Picenum de la période antérieure à l'invasion.

Dans le cadre des informations souvent contradictoires des sources, nous savons qu'au début du IVe siècle, les Sénons jouèrent effectivement un rôle important dans la guerre contre Rome et les villes alliées ; ils furent certainement les principaux artisans de l'occupation de Rome en 386 avant notre ère. Actuellement, nous en connaissons des nécropoles et des tombes isolées, mais avons identifié peu d'habitats, inconnus pour ce qui est de la structure et de l'organisation. Le matériel d'habitat récupéré à Mondolfo, à Cessapalombo et à Pesaro date du IVe-IIIe siècle av. J.-C., phase de la suprématie des Sénons dans l'aire du Moyen-Adriatique. L'occupation stable d'une région-charnière pour les liaisons avec le Centre-Italie de l'Adriatique et du nord le long du Tibre, et les liens avec Denys de Syracuse plaçait ce peuple dans une position de premier plan par rapport aux autres Celtes d'Italie.

Moscano di Fabriano, dans la haute vallée de l'Esino, a restitué une riche tombe de guerrier, datant de 350-330 av. J.-C. avec une panoplie de haut rang : un casque de bronze, une épée laténienne avec fourreau à plaque de bronze décorée dans le style dit "végétal continu", autrefois défini "style de Waldalgesheim", et des éléments métalliques pour le harnachement d'un cheval ; un somptueux service à vin comprenant de la vaisselle en bronze de fabrication étrusque et campanienne et des vases attiques à figures rouges et vernis noir, un strigile et le col d'un pot à onguents lié aux exercices athlétiques, une fibule laténienne en bronze avec décoration plastique et disque pour l'incrustation de corail (Landolfi).

Santa Paolina di Filottrano dans la vallée du Musone (où se trouve également la nécropole de San Filippo d'Osimo) a restitué des tombes à inhumation, dont deux remarquables pour leur mobilier: la n° 2, de femme, avec une riche parure d'or et un torque à tampons décoré dans le "style végétal continu", un miroir en bronze décoré et un service de vases en bronze et céramique, ces derniers de production attique et Haut-Adriatique, utiles pour dater la tombe de 350-330 av. J.-C. ; la n° 25, masculine appartenant à un guerrier avec épée laténienne et fourreau à deux plaques de fer et de bronze décoré dans le style végétal continu (Landolfi).

C'est à Montefortino d'Arcevia que l'on a trouvé la nécropole la plus consistante et la plus riche de l'aire des Sénons, fondamentale pour la connaissance de ces derniers ; la cinquantaine de tombes à inhumation, explorées entre 1894 et 1899 et dont les travaux ont été immédiatement publiés par Brizio, indique le développement de la communauté de Montefortino, sur une période d'au moins cinq générations, allant des dernières décennies du IVe à la fin du IIIe siècle avant notre ère. Ce qui caractérisait la population comme étant celtique était essentiellement l'armement : les épées laténiennes associées à des casques de fer ou de bronze. Les tombes contenant des armes, attestées sur presque cinquante pour cent de la totalité, soulignent le rôle primordial que jouaient les guerriers dans la société des Sénons.

Dans toute la nécropole, l'association de deux torques produits par des orfèvres de la Grande Grèce avec des bracelets portés en même nombre à chacun des bras (tombes 8 et 23, alors qu'un troisième torque au bras gauche est associé à trois bracelets de verre, ivoire, argent, dans la tombe 30) a été rapportée au costume féminin des Sénons de l'aire marnienne (Kruta) ; de toute manière, il exixte un déséquilibre entre l'énorme quantité de tombes de femmes sans cette association "symétrique" et l'analogie avec le monde transalpin. Plus inexplicable encore est le fait que ce costume "celtique" se serait manifesté dans deux tombes (la n° 8 et la n° 23) que l'on date précisé-

...acelet en bronze
...oves lisses
...ovenant
*   Saliceta San*
...iuliano (Modène)
...emière moitié
...IIIe siècle
*   J.-C.*
...odène, Museo
...vico Archeologico
...nologico

...acelet en verre
...ovenant
*   Saliceta*
...n Giuliano
...(odène)
...0-200 av. J.-C.
...odène, Museo
...vico Archeologico
...nologico

ment à la fin de la période active de la nécropole (fin IIIe-début IIe siècle) alors que – contrairement à ce à quoi l'on devrait s'attendre – elle n'apparaît jamais dans les tombes qui remontent aux premières phases d'implantation de la nécropole.

Les objets de parure, provenant de l'Italie méridionale (Tarente) ou de l'Etrurie, la présence de services de toilette liés aux soins du corps ou à la palestre (miroirs décorés, strigiles, pots à onguents), le rôle prépondérant attribué à la vaisselle de métal et de céramique d'importation (étrusque, campanienne ou grecque) destinée à la consommation du vin, les couteaux, les broches, les chenets et le chaudron destinés au banquet indiquent la forte assimiliation des coutumes et de la culture qui sont bien attestées dans les aires de l'Etrurie et de l'Italie centre-méridionale, influencées par les modes de vie de l'hellénisme.

La présence de mobiliers analogues à ceux de Montefortino à Pérouse (nécropole de Monteluce) ou à Todi (La Peschiera) – mais également au nord dans le territoire des Boïens – donne à peine une idée de l'ampleur des relations des Sénons après leur installation dans les Marches et exprime bien le rôle clé joué par cette population avant la défaite de *Sentinum* (295) et même après 232 lorsque l'*ager gallicus* eut été partagé entre les colons romains.

Les Celtes en Italie méridionale
Les sources historiques et littéraires, notamment Tite-Live (livres VI et VII) insistent sur la présence de communautés celtiques en Italie méridionale, en particulier en Apulie, où, entre 367 et 349 av. J.-C., furent installées les bases d'où partirent les incursions de Gaulois sur Rome. La documentation archéologique connue actuellement, ne nous fournit guère d'informations à ce sujet. Certes, les communautés gauloises installées au sud semblent avoir une mobilité – qui dépend du rôle de mercenaires – qui s'accorde mal avec un enracinement dans un territoire. Par ailleurs, si ceci s'avéra, ce fut certainement avec des caractères différents de ceux que l'on retrouve en Italie du nord et de toute manière cela eut peu d'effet sur les populations italiques autochtones.

C'est sans aucun doute à la présence de guerriers celtiques que se réfère le riche mobilier avec casque de fer, appliques en bronze et incrustations de corail trouvé dans le territoire de Canosa di Puglia et datant vraisemblement de 330-300 av. J.-C.

Celtes et celtisation de l'aire alpine
On trouve de précieux témoignages sur l'archéologie celtique dans l'aire alpine, un secteur de l'Italie continentale qui est souvent pris en considération en raison de la viabilité de ses routes et des caractéristiques qui permettaient les liaisons entre le nord et le sud. La composante la plus connue est celle des Rètes, dont le monde, intermédiaire entre Celtiques nord-alpins et ceux d'Italie, ont été soumis à des influences dont témoignent de nombreux objets laté-

niens. Les études de Ulrich Schaaf sur la diffusion des casques celtiques ont démontré que dans la vallée de l'Adige il y a une grande quantité d'exemplaires dont une partie se réfèrent aux types des nécropoles de Montefortino et du Monte Bibele et l'autre se rattache à la categorie des casques celtiques "avec pare-nuque rapporté", caractéristiques de l'aire au nord des Alpes. Pour rester dans le domaine de l'armement, on a de nombreuses épées de type laténien qui, dans les tombes à incinération de Vadena, sont pliées plusieurs fois sur elles-mêmes ou brisées pour des motifs rituels manifestes. Une production caractéristique qui s'inspire de modèles laténiens est celle des fibules avec arc à nodules ou avec rainure longitudinale, qui à l'origine étaient incrustées de corail ou d'émaux et dont le pied se termine par un disque surmonté d'une petite tête humaine casquée. A partir de cette classe d'objets et de leur aire de diffusion, Anne-Marie Adam et Raffaele De Marinis ont souligné la vitalité et l'ampleur des relations à

l'intérieur de la région alpine à la fin du IVe et au IIIe siècle av. J.-C. La fibule de San Lorenzo di Sebato, lieu-dit Lothen (à proximite de Bolzano) dont l'arc est décoré de deux séries de triscèles entrelacés dans le style végétal continu indique cependant que l'on peut supposer dans la région l'activité d'ateliers celtiques.

Migrations du IIIe siècle

La confiscation du territoire des Boïens fut tellement vaste et radicale qu'à ceux qui survécurent ne resta que la partie la plus mauvaise. Les nouvelles villes et les routes, les centuriations et les nouveaux colons ôtaient aux Boïens tout espoir de reconstituer l'unité de ce peuple qui, plus que tout autre, avait résisté à la conquête. A la fin du IIIe-début du IIe siècle av. J.-C. il y eut donc une nouvelle migration, cette fois de l'Italie vers le nord. Strabon nous informe que les Boiens, chassés par les Romains, tentèrent de s'installer dans les régions danubiennes auprès des Taurisques, un autre peuple celtique, jusqu'à ce qu'ils disparaissent, vaincus et repoussés par les Daces (Strabon, *Geografia*, V, 1,6).

La constatation de Pline *(Nat. Hist.*, III, 116) que les Boïens étaient un des peuples disparus de la plaine du Pô peut constituer une confirmation du texte de Strabon ; toutefois il est difficile de croire à l'expulsion totale d'une population implantée en Cispadane depuis deux siècles ; de toute manière, le texte de Pline rend compte de la perte d'initiative politique ou d'identité nationale des Boïens, même en tant que communauté celtique survecue.

L'Armorique

Marie-Yvane Daire

Le breton armoricain est considéré comme la seule langue celtique encore parlée en Europe continentale et il faut voir là une preuve de l'appartenance culturelle de l'Ouest péninsulaire au vaste domaine celtique. Mais, qu'en est-il de la réalité archéologique et quels sont les témoignages de l'influence de la civilisation celtique sur les populations armoricaines du second Age du Fer ? Les résultats des recherches montrent que l'Ouest armoricain du début du second Age du Fer témoigne à la fois de traits classiques du monde celtique, équivalents à ceux que l'on peut observer en Europe centrale et de spécificités régionales très marquées, dont les plus spectaculaires sont les stèles funéraires et les souterrains.

L'Armorique dans le domaine celtique au IVᵉ siècle

Au Vᵉ siècle avant notre ère, le navigateur carthaginois Himilcon, voguant jusqu'aux îles Oestrimnides, reconnut la route de l'étain britannique et armoricain au cours de son voyage, qui est relaté par Pline l'Ancien et par Avienus. Le voyage d'exploration de l'Océan, entrepris par Pythéas à la fin du IVᵉ siècle avant notre ère (et rapporté par Strabon) lui permit de reconnaître la presqu'île de *Ostimioi* (probablement l'Armorique). A travers ces deux exemples, c'est la fréquentation de l'extrême occident par

Fourreau de bronze d'un poignard de fer, du tumulus de Kernavest (Morbihan) Vᵉ siècle av. J.-C. Vannes, Société polymathique du Morbihan

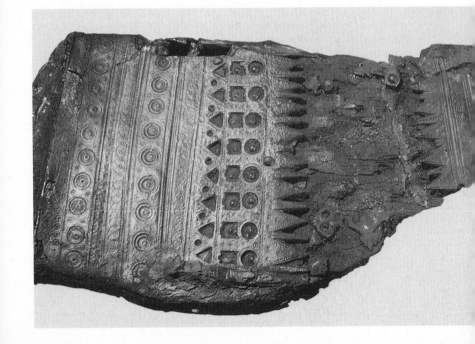

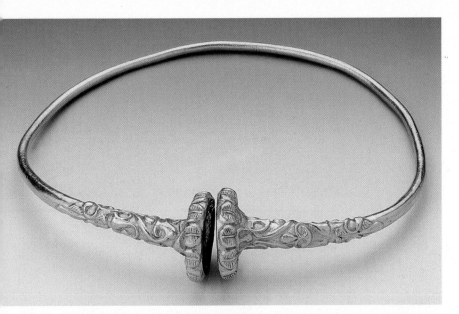

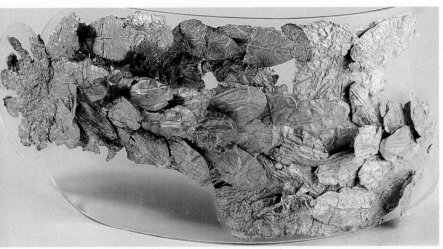

Torque d'or à tampons
de la sépulture n° 2 de la nécropole
de Santa Paolina de Filottrano
(Ancône). Deuxième quart
du IVe siècle av. J.-C. Ancône,
Museo Nazionale delle Marche

Couronne de feuilles d'olivier
et de myrte sur feuille d'or provenant
de la tombe n° 953 de la nécropole
Benacci de Bologne
IVe-IIIe siècles av. J.-C.
Bologne, Museo Civico Archeologico

Vase peint suivant le procédé des "figures rouges"
de la sépulture n° 46 de la "Fosse Minore"
à Caurel (Marne)
Seconde moitié du IVᵉ siècle av. J.-C.
Saint-Germain-en-Laye, Musée des Antiquités nationales

Trésor de torques et bracelets d'or
d 'Erstfeld (Uri)
Fin du Vᵉ-
début du IVᵉ siècle av. J.-C.
Zurich, Schweizerisches Landesmuseum

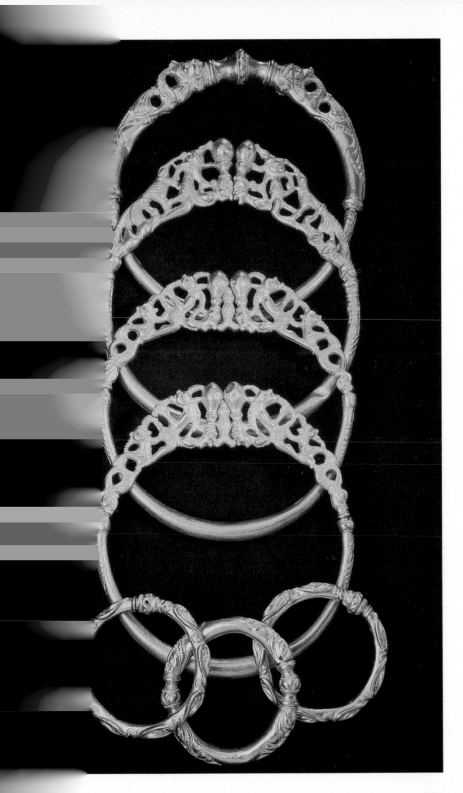

Fibule d'or de type La Tène
provenant d'Este (?)
seconde moitié
du IIIe siècle av. J.-C.
Padoue
Museo Civico Archeologico

Paire de bracelets en ruban
d'or avec extremités à tête
de serpent, provenant de la
tombe n° 23 de Montefortino
d'Arcevia (Ascoli Piceno)
Ancône
Museo Archeologico
Nazionale delle Marche

Paire de boucles d'oreilles
en or à disque avec pendentif
provenant de la tombe n° 23
de Montefortino d'Arcevia
(Ascoli Piceno)
fin du IIIe siècle av. J.-C.
Ancône
Museo Archeologico
Nazionale delle Marche

Ci-contre
Cruche étrusque
en bronze avec anse figurée
provenant d'une tombe
de guerrier de la nécropole
de Ceretolo (Bologne)
première moitié
du IIIe siècle av. J.-C.
Bologne
Museo Civico Archeologico

Collier de perles d'ambre et de verre
de la tombe n° 48 de Saint-Sulpice (Vaud)
Seconde moitié du Ve siècle av. J.-C.
Lausanne, Musée cantonal d'Archéologie et d'Histoire

Collier de perles d'ambre et de verre
de la tombe n° 40 de Saint-Sulpice (Vaud)
Seconde moitié du Ve siècle av. J.-C.
Lausanne, Musée cantonal d'Archéologie et d'Histoire

Bracelets, torques et pendeloques de bronze
de la tombe n° 48 de Saint-Sulpice (Vaud)
seconde moitié du Ve siècle av. J.-C.
Lausanne, Musée cantonal d'Archéologie et d'Histoire

Pointe de lance de fer portant le décor gravé
d'une paire de monstres, de la tombe n° 57
de Saint- Sulpice (canton de Vaud)
Première moitié du IVᵉ siècle av. J. -C.
Lausanne
Musée cantonal d'Archéologie et d'Histoire

Détail du fourreau de fer décoré de la tombe n° 7
de Saint-Sulpice (canton de Vaud)
Seconde moitié du IVᵉ siècle av. J.-C.
Lausanne
Musée cantonal d'Archéologie et d'Histoire

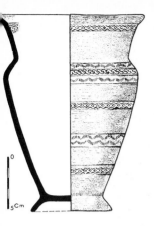

des marchands méditerranéens, en quête d'étain, qui est évoquée. L'étude des géographes de langue grecque (Pythéas et Timée, puis Polybe, Posidonios, ...) témoigne de l'existence, à l'époque de La Tène, d'échanges entre les péninsules occidentales (Cornouaille anglaise et Armorique) et les ports méditerranéens. Outre les textes, quelques trouvailles archéologiques, telles qu'une monnaie en or de Cyrène frappée à la fin du IVe siècle avant notre ère et retrouvée sur une plage de la côte nord-armoricaine, attestent de ces voyages. Des relations entre la péninsule armoricaine et les régions d'Europe continentale, et plus particulièrement le berceau de la civilisation de La Tène se manifestent à travers l'apparition, dans l'occident atlantique, de traits de civilisation du domaine celtique, et cela pendant le Hallstatt final et La Tène ancienne.

En effet, outre l'apport linguistique évoqué, les traces de ces relations se manifestent par l'existence de quelques objets archéologiques remarquables. Des éléments d'oenochoé et d'un casque ont été retrouvés dans la nécropole-sanctuaire de Tronoën. Les fragments du casque (partie sommitale et paragnathide) en feuille de bronze sont décorés de motifs géométriques agrémentés d'incrustations de perles de corail ; cet objet témoigne de nettes influences italiques. Un collier, constitué de douze perles d'or, provient de la fouille d'un souterrain à Tréglonoun ; chaque perle se compose de deux coques d'or embouties, décorées de motifs géométriques repoussés et ciselés. Ces perles sont comparables à certaines

oterie à décor
tampé
souterrain
Kerveo
Plomelin
inistère)
siècle av. J.-C.

Poterie au décor
finement incisé
du tumulus de Kernevez
près de Saint-Pol-de-Léon
(Finistère)
IVe siècle av. J.-C.
Morlaix, Musée

Poterie à décor estampé
de Lann-Tinnikei-
en-Plomeur (Morbihan)
Ve siècle av. J.-C.
Saint-Germain-en-Laye
Musée des Antiquités
nationales

Promontoire fortifié de Castel-Meur
à Cléden-Cap-Sizun (Finistère)
VIe-Ier siècle av. J.-C.

têtes d'épingles des régions rhénanes du Bronze final ou du Hallstatt.

Il faut enfin citer le beau poignard de Kernavest-Quiberon dont le fourreau, en fer couvert de tôles de bronze, porte des bandes décorées de motifs estampés caractéristiques du domaine celtique oriental, motifs du style curviligne que l'on retrouvera abondamment sur les céramiques armoricaines pendant le second Age du Fer.

La présence des différents objets décrits s'explique par l'existence sinon d'échanges du moins de contacts, à partir des pays méditerranéens vers l'Europe centrale, et de là vers l'Europe septentrionale et occidentale ; ces objets ont vraisemblablement circulé de proche en proche. Des idées, des techniques ont fort bien pu suivre de telles routes, nous mettant en présence d'une culture que l'on peut qualifier de "celtoarmoricaine". Outre ces quelques objets, c'est surtout à travers les influences artistiques, en particulier dans le domaine de la céramique et, plus accessoirement, dans le travail de la pierre (les stèles) que se manifestent des influences culturelles continentales.

Les expressions artistiques

Certains auteurs s'accordent à dire que la région marnienne, d'une part, et l'Armorique, d'autre part, sont les deux foyers artistiques les plus importants de cette vaste région qui deviendra la Gaule. En Armorique, contrairement à d'autres régions, peu d'œuvres d'art en métal ont été retrouvées. En revanche, on peut parler d'une véritable école de céramistes. Les premières manifestations dignes de l'art celtique apparaissent dans l'Ouest à partir du début du Ve siècle avant notre ère à travers des vases globulaires à haut pied creux finement décorés de motifs estampés (nécropole de Bagatelle à Saint-Martin-des-Champs, Kergoglé à Plovan) : alternance de bandeaux de croix de Saint-André, de motifs circulaires et de motifs en "clochette" renversée. Les artisans potiers du début du second Age du Fer ont largement puisé leur inspiration, au départ, dans les prototypes métalliques importés, qui circulaient dans la péninsule : l'influence des situles en bronze, des chaudrons, est manifeste dans les formes des céramiques (figurations des replis de la tôle, carènes marquées, ...). Si les potiers armoricains se sont assez vite affranchis des prototypes métalliques pour les formes des vases (qui s'assouplissent très vite), toute la gamme des décors estampés aux poinçons, issus de la toreutique, a été adoptée par ces artisans. S'inspirant de quelques objets métalliques d'origine celto-italique, c'est à la fin du Ve siècle qu'apparaissent, sur des poteries, tels décors d'arceaux pointillés et de palmettes ; plus rares sont les décors zoo-

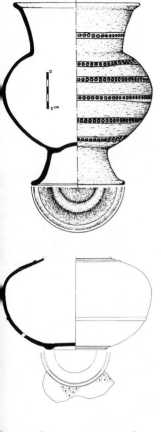

Poterie à décor estampé de la tombe de Kergoglé-en-Plovan (Finistère) Ve siècle av. J.-C.

Poterie au décor réalisé en relief et par estampage de l'habitat du Braden près de Quimper (Finistère) IIIe-IIe siècles av. J.-C.

morphes. Dans la gamme de ces ornementations estampées ou incisées sur céramiques, de somptueux vases (Saint-Polde-Léon, Plouhinec, ...) constituent les remarquables témoignages de ces grands décors du style curvilinéaire libre, d'inspiration végétale. Un aboutissement de cet art est trouvé dans les remarquables décors curvilignes plastiques, aux grandes volutes en relief (Quimper). Ces artisans maîtrisent également la polychromie comme en attestent les poteries agrémentées d'enduits colorés que sont le graphite (gris métallescent) et l'hématite (rouge). Ces expressions artistiques prenant la céramique pour support ont été fécondes jusqu'au IIe siècle avant notre ère, période à partir de laquelle l'esthétique cède le pas à l'aspect fonctionnel des récipients et au perfectionnement technologique.

Urne en terre cuite, au décor estampé et incisé de Kélouer-Plouhinec (Finistère) IVe siècle av. J.-C. Saint-Germain-en-Laye, Musée des Antiquités nationales

Une autre forme d'expression artistique est manifeste chez les tailleurs de pierres qui réalisent de remarquables stèles décorées des motifs celtiques que l'on rencontre sur d'autres types de supports, tels que les céramiques : frises d'esses, de feuilles, cupules, triangles et svastikas sur la stèle de Kermaria à Pont-l'Abbé (datée du IVe siècle avant notre ère) ; frises de losanges, de grecques et doubles spirales sur celle de Plounéour-Trez ; doubles spirales superposées pour celle de Trégastel. Ces stèles du second Age du Fer, qui ne comportent pas forcément de décors, témoignent d'une grande maîtrise dans le travail de la pierre. Plusieurs centaines de ces monolithes sont connues dans la région ; ils se caractérisent par une partie supérieure taillée et une partie inférieure, ou embase, laissée brute de taille car destinée à être plantée dans le sol. Les deux principaux types de stèles correspondent, d'une part, à celles dites "basses", dont la partie taillée a une forme hémisphérique ou ovoïde et, d'autre part, aux stèles dites "hautes", pouvant atteindre plusieurs mètres ; pour ce second type de stèles, la partie supérieure présente soit des faces taillées (le nombre de faces variant entre 4 et 16), soit des cannelures longitudinales à la manière de fûts de colonnes, soit encore une forme tronconique. Ces abondantes stèles en pierre constituent une spécificité armoricaine, à la fois dans le domaine des expressions artistico-artisanales et dans celui des pratiques funéraires.

Le cadre de vie et les activités

Les études des paléo-environnements du second Age du Fer armoricain montrent un paysage largement déboisé dans lequel on remarque, outre le développement de la lande, la multiplication des cultures de céréales ainsi que de fèves. Des découvertes archéologiques vont dans le sens de ce paysage largement agricole, et notamment les nombreuses meules à céréales en granite retrouvées dans les souterrains ou les habitats proprement dits, ainsi que les fosses-silos. Cette population d'agriculteurs s'établit dans des fermes, agencées au sein d'enclos dispersés dans les campagnes. Les sites fortifiés sur collines ou promontoires entre des rivières, et surtout les

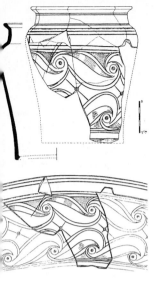

nombreux caps fortifiés sur falaises littorales (éperons barrés) ont sans doute servi de refuges provisoires, certains témoignant de séjours prolongés des populations. Sur le plan architectural, les habitats rectangulaires sont, dans l'Armorique du second Age du Fer, les plus fréquents, bien que des recherches récentes montrent l'existence d'habitats circulaires, très comparables à ceux de Grande-Bretagne, comme celui du Talhouêt à Pluvigner, dont l'édification pourrait remonter à La Tène ancienne ou moyenne. Bon nombre de ces bâtiments domestiques étaient construits en bois et torchis et devaient porter une toiture à charpente de bois et couverture végétale légère ; mais, en particulier sur le littoral armoricain, l'utilisation de la pierre fut également très importante dans l'architecture, puisque l'on rencontre de ces maisons aux épais murs de granite parementés.

Ces établissements ruraux du second Age du Fer présentent une spécificité régionale se manifestant par le creusement des abondants souterrains armoricains. On en connaît actuellement plus de 300 en Bretagne ; ces souterrains sont principalement localisés dans la partie occidentale du Massif Armoricain (à l'ouest des rivières de la Rance et de la Vilaine). Les plus anciens remontent au premier Age du Fer (vers 600 avant notre ère), mais ils sont, pour la grande majorité, datables des périodes de La Tène ancienne et de La Tène moyenne. Ces souterrains (généralement creusés dans le substrat granitique altéré) comprennent un ou deux puits d'accès verticaux de forme variable ; le souterrain proprement dit est composé de salles reliées par des galeries ou séparées par des chatières. La longueur totale des souterrains est très variable, de 3 à 40 mètres. Les différentes chambres, de formes variées, dépassent rarement 4 mètres de long chacune. L'ensemble des salles et les galeries sont, à quelques exceptions près, vides de mobilier archéologique alors que les puits d'accès, comblés volontairement et de manière systématique lors de l'abandon des établissements, sont en revanche très riches. Ces souterrains armoricains sont associés à des camps fortifiés, des enceintes ou à des habitats, mais leur fonction, qui n'est d'ailleurs peut-être pas unique, semble plus communément de nature domestique (stockage de denrées, utilisation comme silos) encore que l'on ne puisse exclure des utilisations rituelles et funéraires. Par exemple, sur le site de Prat, l'occupation de La Tène ancienne est marquée notamment par l'existence d'un enclos à palissade et d'un souterrain auxquels sont associées des céramiques à décors estampés (des motifs zoomorphes). De même, sur le site de Saint-Symphorien à Paule, l'établissement de La Tène ancienne voit la coexistence de fosses-silos à céréales et d'un souterrain, situés au sein d'un enclos à large fossé. Outre une population agricole, l'Armorique possède une importante quantité d'artisans dont les ateliers parsèment les campagnes et les côtes.

Les artisans potiers et les tailleurs de pierres nous sont essentiellement connus par leur abondante production. En ce qui concerne les autres activités artisanales, la métallurgie du fer se vulgarise en Armorique à partir du second Age du Fer. Sur la plupart des sites de cette période, on retrouve divers types d'objets utilisés, qu'ils soient liés à l'architecture (clous de charpente), aux travaux agricoles ou aux artisanats (outils et instruments divers).

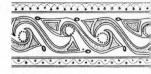

De plus, la plupart des établissements ruraux étaient dotés d'activités de fonderie ou de maréchalerie, que l'on retrouve sous la forme de bas-fourneaux et de scories associés à d'autres activités au sein des enclos agricoles. Le Massif Armoricain est très riche en minerais de fer superficiels, et l'approvisionnement en matière première ne devait donc pas poser de grands problèmes ; par ailleurs, on a retrouvé en Bretagne des dépôts de lingots de fer en forme de fuseaux, tels ceux qui servaient aux échanges de métal brut dans l'ensemble de l'Europe, dès le premier Age du Fer. Il ne fait aucun doute que l'Armorique n'a pas tardé à s'affranchir des importations en produisant le fer nécessaire à la consommation locale, exportant même des lingots vers la Grande-Bretagne.

Développement du décor du vase de Kélouer-Plouhinec

Région tournée vers la mer et les ressources littorales, l'Armorique l'était de tradition. Si l'exploitation du sel marin remonte au moins à l'Age du Bronze, c'est indéniablement à l'époque de La Tène qu'elle connaît un essor très marqué sur le plan archéologique ; les ateliers de bouilleurs de sel jalonnent les côtes armoricaines sous la forme d'amas de terre cuite ou briquetages, voire d'ateliers artisanaux structurés. Associée à des activités telles que la pêche ou l'élevage, la production de sel a certainement joué un rôle économique non négligeable, permettant notamment la confection et le commerce de salaisons.

Ces diverses productions armoricaines n'ont pas manqué d'entrer en ligne de compte dans le cadre des échanges commerciaux qui se sont progressivement mis en place entre l'Ouest atlantique et les autres régions du domaine celtique continental et insulaire. Parmi ces échanges, ce sont sans aucun doute ceux établis, par voie maritime, entre l'Armorique et les îles d'Outre-Manche qui sont les plus manifestes ; on sait aujourd'hui que l'Armorique exportait, vers la Grande-Bretagne actuelle, diverses de ses productions telles que du fer (sous forme de lingots), ou des céramiques et leur contenu ; l'exportation d'autres produits, tels que le sel ou l'étain armoricains, répondait aux demandes de contrées continentales.

Les pratiques funéraires et les lieux de culte
Les pratiques funéraires du second Age du Fer se caractérisent à la fois par la réutilisation de structures antérieures (et cela pendant des périodes assez longues) et par la diversité des modes sépulcraux : réutilisation des sépultures circulaires antérieures avec ajouts de tombelles, tombes plates à urnes cinéraires ou à petits coffres, cimetières à coffres avec inhumations.

L'élément caractéristique de ces nécropoles armoricaines est la présence de stèles en granite taillé. Ces dernières sont elles-mêmes très souvent confectionnées à partir de monuments mégalithiques antérieurs réutilisés (menhirs retaillés). Ainsi, la nécropole de Kerviltré à Saint-Jean-Trolimon aurait comporté 80 urnes cinéraires et autant de squelettes, auxquels étaient associées une demi-douzaine de stèles. La nécropole-sanctuaire de Tronoën en Saint-Jean-Trolimon, fouillée au siècle dernier, livrant un important dépôt d'objets, a été utilisée depuis la période de La Tène ancienne jusqu'à l'époque gallo-romaine. Pour le second Age du Fer, on dispose notamment d'un ensemble de 25 à 30 épées et fourreaux remontant à la fin du IVe-début IIIe siècle avant notre ère, ainsi que de fibules en bronze et surtout d'éléments de casque datés de La Tène ancienne. Ces découvertes montrent bien qu'il a existé, dans le grand Ouest, des sanctuaires semblables à ceux d'autres régions celtiques continentales, telles la Picardie et la Bourgogne. Les sépultures de La Tène ancienne (comme d'ailleurs celles du premier Age du Fer) sont généralement riches en céramiques ; mais il semble que ces vases funéraires (urnes cinéraires ou vases d'offrandes), même décorés, aient fort bien pu, à l'origine, faire partie d'ensembles domestiques.

Les populations armoricaines du second Age du Fer associaient volontiers l'espace réservé aux morts à celui des vivants ; ainsi, sur le site du Boisanne à Plouër-sur-Rance, c'est pendant le Hallstatt final ou La Tène ancienne que se sont trouvés associés un petit enclos agricole contenant un habitat rectangulaire et un autre petit enclos à usage funéraire ; cette enceinte carrée, de 10 mètres sur 10 mètres, contenait des fosses à inhumations sans mobilier.

Le domaine du sacré nous est relativement mal connu chez ces populations, en dehors de l'édification d'enclos quadrangulaires tout à fait

Stèle pyramidale de granit de Kermaria près de Pont-l'Abbé (Finistère) Ve siècle av. J.-C. Saint-Germain-en-Laye, Musée des Antiquités nationales

Développement du décor sur les quatre faces de la stèle pyramidale de Kermaria

*Stèle de granit
au décor d'esses
sculptées
de Sainte-Anne-
en-Trégastel
(Côtes-d'Armor)
V^e-IVe siècles
av. J.-C.*

comparables aux *Viereckschanzen* du sud de l'Allemagne notamment. Le début du second Age du Fer est l'une des phases de la protohistoire où l'identité des peuples armoricains est la plus marquée. Malgré la pérennité de certaines traditions régionales, dans le domaine funéraire notamment, l'Ouest armoricain s'ouvre aux influences continentales de la nouvelle culture laténienne, en adopte les expressions artistiques (en les adaptant parfois), voire linguistiques. L'Armorique est manifestement intégrée dans le réseau d'échanges qui relie différentes régions de l'Europe celtique ; mais, loin de subir une acculturation totale, les populations armoricaines développent dès cette époque des techniques, des traits de civilisation, qui se perpétueront jusqu'à la Conquête.

La Champagne
Jean-Jacques Charpy

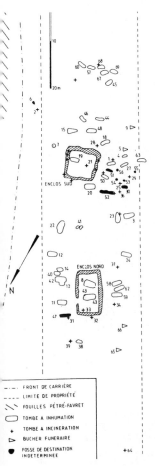

Plan
de la nécropole
des "Varennes"
à Dormans
(Marne)
Vᵉ et IIIᵉ siècles
av. J.-C.

L'aire géographique concernée par l'étude des populations celtiques en Champagne au cours des IVᵉ-IIIᵉ siècles avant notre ere est circonscrite à la zone crayeuse, tout comme cela était le cas pour le Vᵉ siècle. La connaissance archéologique de la région ne peut être abordée que par l'analyse des nécropoles à inhumation. L'étude des habitats a toujours été négligée par les fouilleurs.

A l'aide des documents archéologiques conservés dans les musées, on peut dresser un bilan fidèle de la situation et rapprocher certaines hypothèses de faits historiques connus par les textes antiques. La période des deux siècles que l'on présente ici traite d'un moment capital puisque c'est celui de l'apogée de la puissance celtique suivi d'une phase de déclin marquée par des mouvements de populations sur l'ensemble de l'Europe, mouvements tout à fait perceptibles au niveau de cette étude régionale.

L'étude des cimetières

L'analyse des plans des nécropoles et du mobilier des tombes permet de distinguer des groupes présentant des caractères particuliers dans certains secteurs de la région. Ainsi peut-on constater tout d'abord qu'un groupe humain, installé dès le Vᵉ siècle dans le secteur rémois, se développe d'une manière continue pendant ces deux siècles. Mais notons que le groupe voisin de la vallée de l'Aisne, tout comme ceux implantés au sud de la rive gauche de la Marne, voient une rupture d'un demi-siècle (moins 400 à moins 350) ou même plus dans la permanence de la population.

Les cimetières du secteur rémois

L'espace géographique est limité au nord et au sud par les vallées de la Suippe et de la Vesle et compris d'ouest en est entre Reims et Suippes. L'exemple du site de Beine "L'Argentelle" est ici significatif. On constate la présence de quatre groupes familiaux qui tous puisent leur origine au Vᵉ siècle et dont trois évoluent sans interruption jusque dans le courant du IIIᵉ. D'autres nécropoles comme Caurel "Fosse-Minore", Warmeriville "La Motelle" ou Witryles-Reims "La Voie-Carlat" présentent des situations peu différentes.

265

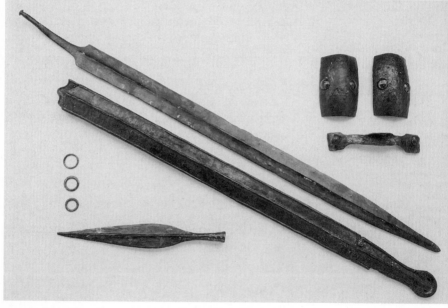

Panoplie de fer, composée
d'une épée avec chaîne de suspension
d'une lance avec talon, d'un umbo
et d'un orle de bouclier
d'une tombe de la nécropole
du "Faubourg de Connantre"
de Fère-Champenoise (Marne)
Deuxième tiers du IIIe siècle av. J.-C.
Épernay, Musée municipal

Panoplie de fer, composée
d'une épée avec ses anneaux
de suspension, d'une pointe de lance
et d'un umbo de bouclier
avec son manipule, d'une tombe
de la nécropole du "Crayon" d'Écury
(Marne). Première moitié
du IIIe siècle av. J.-C.
Épernay, Musée municipal

Les cimetières du sud de la rive gauche de la Marne

Cette région fortement peuplée au début de l'époque de La Tène voit brutalement sa population décroître et disparaître à la fin du Ve siècle et dans les premières décennies du IVe siècle. On peut citer les cas de Villeneuve-Renneville "Le Mont-Gravet" et Avize "Les Hauts-Nemerys" pour les nécropoles qui ne dépassent pas le Ve siècle et Chouilly "Les Jogasses" pour celles qui durent un peu plus longtemps. Cette situation n'est pas caractéristique de la seule zone du sud de la Marne. On peut dire qu'elle concerne l'ensemble de la Champagne sauf le milieu rémois. Citons simplement pour illustrer le propos quelques autres cas : dans les Ardennes : Manre "Le Mont-Trote", Aure "Les Rouliers" ; dans la Marne : Etoges "Les Petits-Noyers", Dormans "Les Varennes".

A compter du milieu du IVe siècle, on constate une modification dans la répartition des populations que traduisent les lieux funéraires.

Les nécropoles des environs de Châlons-sur-Marne

Certes, il existe dans ce secteur des groupes d'inhumations parfaitement datables du Ve siècle. Mais ils sont abandonnés pendant deux à trois géné-

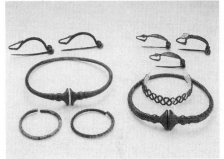

ibules de bronze
es nécropoles
es environs
Épernay
Marne)
^{e}-IIe siècle
2. J.-C.
pernay, Musée
unicipal

orques, bracelets
fibules
e bronze
es nécropoles
es environs
'Épernay
Marne)
^{e} siècle av. J.-C.
pernay, Musée
unicipal

rations puis sont à nouveau occupés par une population qui arrive vraisemblablement du milieu rémois par suite d'un accroissement de la population et d'un manque de terre. L'étude des parures plaide pour cette hypothèse et montre un saupoudrage sur ce secteur géographique. Les cimetières de Poix "Les Ecoutrets" et des Grandes-Loges "Les Mortes-Vaches" sont l'illustration même du propos.

Les nécropoles du sud-ouest du département de la Marne

Sur un espace géographique dont les Marais de Saint-Gond constituent le centre, on note la présence de petits groupes humains attestés par des cimetières comportant au plus quinze à vingt tombes en des lieux différents de ceux connus et datés du Ve siècle. Le site de Villeseneux constitue l'exemple type. Les parures féminines traduisent une liaison étroite avec les populations des régions limitrophes du sud-ouest de la Marne (le nord des actuels départements de l'Aube et de l'Yonne). On peut conclure ici à un phénomène autre que celui envisagé pour le milieu rémois puisqu'il n'y a pas ou peu d'antériorité de population celtique dans l'actuel Sénonais. Vers la fin du IVe siècle ou les débuts du IIIe siècle, on constate une nouvelle mutation dans les cimetières. Elle affecte l'ensemble de la Champagne et se manifeste par des nécropoles plus importantes qui dans certains cas viennent s'installer sur d'anciens sites du Ve siècle abandonnés entre-temps et se caractérisent par la présence d'enclos quadrangulaires.

Les nécropoles qui s'implantent sur d'anciennes

On peut ici citer de nombreux exemples comme Soude-Sainte-Croix "Le Champ-la-Bataille", Dormans "Les Varennes". Ces deux sites sont aussi caractérisés par la présence d'enclos.

Les nécropoles à enclos quadrangulaires

Elles affectent des formes très différentes et il est actuellement impossible de définir certaines règles par manque d'information notamment sur les fouilles anciennes. Il existe de petits enclos isolés comme à Pleurs "Les Buttes", des enclos espacés à Dormans "Les Varennes". Cernay-les-Reims "Les Barmonts" ou Saint-Benoît-sur-Seine "La Perrière" (Aube), enfin de grandes enceintes comprenant de petits enclos comme Fère-Champenoise "Faubourg-de-Connantre", Normée "Les Tempêtes" ou Ecury-le-Repos "L'Homme-Mort". Pour compléter ce panorama, il faut citer un cas qui reste assez rare en Champagne et qui concerne selon les auteurs soit la seconde moitié du IIIe siècle soit les débuts du IIe siècle.

Les premières nécropoles à incinération avec ou sans présence d'enclos

Actuellement deux d'importance sont connues, Montépreux "Le Cul-du-Sac" et Witry-les-Reims "La Neufosse". Elles sont en général assez pauvres en mobilier tout comme les inhumations de l'horizon final des nécropoles plates de Champagne. Elles paraissent attester un nouveau tournant de la civilisation celtique.

Certains faits mentionnés ci-dessus sont aujourd'hui mis en relation avec des événements historiques connus par les textes antiques. Tel est le cas du vide des populations masculines du début du IVe siècle que certains archéologues proposent de mettre en relation avec la conquête des territoires du nord de l'Italie par les Celtes dont l'un des aboutissements est la prise de Rome en 385 avant notre ère.

L'étude du mobilier

Si la structure des nécropoles permet de définir une première trame d'évolution géographique et chronologique des développements de la civilisation celtique en Champagne pendant les IVe-IIIe siècles, on peut approfondir la connaissance de cette région par l'analyse du mobilier des tombes. Il se compose, pendant cette période, d'éléments communs que l'on rencontre sur l'ensemble de l'Europe et de parures spécifiques qui permettent de discerner dans l'implantation des populations sur ce territoire, celles qui sont étrangères.

Torque de bronze au décor ternaire qui alterne des anneaux bouletés et le motif du "nœud d'Hercule" de Rouillerot (Aube) fin IVe-début IIe siècle av. J.-C. Troyes, Musée des Beaux-Arts et d'Archéologie

Torques de bronze ternaires caractéristiques des nouvelles nécropoles de la fin du IVe siècle av. J.-C. et des débuts du siècle suivant du sud de la Champagne Épernay, Musée municipal

Les éléments communs dans le monde celtique
Ce fond commun tient à l'identité et à la nature de la civilisation celtique. Dans les tombes masculines, il porte sur l'armement alors que, dans les féminines, ce sont les bijoux utilitaires qui sont concernés.

L'armement des IVe-IIIe siècles est le reflet des modifications techniques apportées par l'engagement des Celtes d'une part dans toutes les armées du monde antique, et d'autre part dans les mouvements d'expansion vers de nouvelles terres. En Champagne, comme ailleurs, la panoplie militaire se standardise. Elle est constituée de l'épée, d'un ceinturon pour la suspendre, du bouclier et de la lance. L'épée est longue, à double tranchant, rangée dans son fourreau en fer souvent orné à l'entrée et terminé par un bouterolle dont la forme varie selon quelques schémas codifiés. Le ceinturon évolue d'un modèle primitif composé d'anneaux métalliques et de parties en cuir de liaison, à celui de la chaîne articulée faite de longs maillons, pour aboutir enfin aux modèles composés de deux éléments faits de petits maillons. Le bouclier parachève l'équipement lourd. Fait en bois, il n'est attesté que par les pièces métalliques de renfort, l'umbo de protection de la main, d'abord bivalve puis monocoque accompagné de son manipule. Enfin, la lance ne se rencontre qu'en exemplaire unique, contrairement à la situation reconnue au Ve siècle. Elle est de types variables mais parfaitement adaptés à l'utilisation souhaitée : le maintien en main ou le lancer. Le casque n'est pas attesté en Champagne pendant la période concernée. Les objets utilitaires de parure sont constitués par les fibules. Elles caractérisent principalement les tombes féminines et sont rares dans les tombes masculines. Le métal de leur fabrication permet une première classification générale, le bronze pour les objets féminins et le fer pour les masculins. Le jugement doit être nuancé dès que l'on aborde le IIIe siècle. Le bronze, métal noble, va en se raréfiant, en passant par des alliages dont la qualité est décroissante. Les fibules constituent l'un des meilleurs critères de datation et aucun exemplaire champenois ne se distingue par son type de ceux trouvés dans le reste du monde celtique. Notons tout de même qu'en ce qui concerne leurs décors on peut isoler certaines importations comme le montrera le chapitre sur l'art.

Les éléments distinctifs en Champagne
Pour l'essentiel, ils caractérisent la parure féminine plus sensible aux

phénomènes de l'évolution des modes et reflets d'appartenance à des groupes humains. Au premier chef on trouve le torque, ensuite les bracelets et enfin les anneaux de cheville.

Le torque. Cette parure annulaire de cou est attestée dans les tombes de Champagne dès la fin du VIe siècle avant J.-C. Mais pour les périodes antérieures au IVe siècle, il

ne semble pas présenter le même caractère attributif de l'appartenance à un groupe ethnique. Au début du IVe siècle, ils sont de type à tampons coniques et décor finement incisé dans un style de tradition géométrique puis plus végétal dont l'élément de base est la palmette (Beine "L'Argentelle" tombe 2). Vers 350, la technique de la fonte à la cire perdue permet d'amplifier le relief (Beine "L'Argentelle" tombe 6). Dans le même temps apparaît le torque à gros tampons toriques sur lequel on retrouve des décors similaires ou dérivés (Hauviné "Verboyon" tombe 3). Ces exemplaires de parures sont caractéristiques du milieu rémois. Au sud-ouest de la Champagne, en limite des départements de la Marne, de l'Aube et de l'Yonne, les torques sont dits ternaires puisque ornés de trois éléments plastiques accompagnés le plus souvent d'un motif secondaire (rinceau ou *nodus herculeus*). On connaît plusieurs variantes de ce type de parures. Sur la frange orientale de la Champagne, le torque porté par les femmes est à tampons toriques suivi sur le jonc, de part et d'autre, par trois ou quatre nodosités. La concentration des points de découvertes permet ainsi de localiser des zones géographiques singularisées par la présence des exemplaires décrits ci-dessus. On peut ainsi détecter les cas intrusifs : le torque ternaire de Witry-les-Reims, le torque à tampons de Soudé-Sainte-Croix, le torque à tampons toriques et nodosités de Caurel "Fosse-Minore", le torque à cabochons d'émail de Beine "Les Bouverets". Ces analyses fines permettent aux archéologues de suivre et comprendre

Torque fragmentaire et bracelets de bronze de la tombe du "Mont-Desclus de Bussy-le-Château (Marne) Fin IVe-début IIIe siècle av. J.-C. Saint-Germain-en-Laye, Musée des Antiquités nationales

Parures de bronze et de verre des nouvelles nécropoles de groupes immigrés en Champagne dans le second tiers du IIIe siècle av. J.-C. Châlons-sur-Marne Musée municipal

les déplacements de population sur quelquefois de très longues distances. Citons le torque ternaire de Dobrnice (ex-Tchécoslovaquie) ou celui de San Polo d'Enza (Italie). Avec le tournant du IIIᵉ au IIᵉ siècle av. J.-C., le nombre des torques tend à diminuer. L'alliage est de moins en moins noble, le jonc devient filiforme et se termine par de petits tampons (Soudé-Sainte-Croix "Le Champ-la-Bataille" tombes 1 et 12, Montépreux "Le Cul-du-Sac" tombe 6).

Les bracelets. De même que les torques, ils sont le reflet d'une mode vestimentaire et sociale. Alors qu'au Vᵉ siècle, le port des bracelets se fait par paires avec un objet identique à chaque bras, au IVᵉ siècle avant notre ère, la paire devient dissymétrique. L'évolution de l'ornementation de cette série de parures évolue parallèlement à celle des torques. A la phase ancienne, ils sont gravés puis progressivement le décor prend de plus en plus d'ampleur. Certains exemplaires serpentiformes, à gros maillons ou à nodosités, ont une distribution étendue à toute l'Europe celtique. Dès les débuts du IIIᵉ siècle, ces parures de bronze se trouvent concurrencées par de nouvelles réalisées en lignite ou sapropélite. Dans un premier temps, elles sont utilisées comme brassard, puis dans un second, comme bracelet. Leur port est généralisé tant chez les hommes que chez les femmes. Cette nouvelle série paraît étrangère à la Champagne dans la mesure où elle n'y trouve pas d'antériorité.

Les anneaux de cheville. Cette parure exotique pour la Champagne y apparaît vers le milieu du IIIᵉ siècle. A l'origine, son port est indépendant de celui du torque mais lié à celui d'une paire dissymétrique de parures annulaires de bras. Cette observation permet à V. Kruta d'établir le lien direct avec les populations d'Europe centrale où les mêmes coutumes sont connues. En ce qui concerne les femmes dont le costume associe torque et

anneau de cheville, le même auteur envisage deux hypothèses, la première serait l'intégration des nouveaux venus, la seconde serait l'arrivée de populations issues de la frange orientale de la Champagne. Celle-ci se serait faite simultanément à la migration danubienne.

La céramique. Dans le courant du IVe siècle, les potiers du secteur rémois, mettant à profit l'innovation du tour lent et leur connaissance des schémas ornementaux de l'art grec d'Italie, ont produit une série céramique très particulière. Les formes sont sphériques sur pied creux, la panse est partiellement recouverte d'un engobe rouge sur lequel une peinture noire détoure ou crée le motif. Cette production augmentée principalement des formes situles

perpétue la tradition ancienne du dépôt dans la tombe du service vinaire. On note que celui-ci a tendance à se réduire au profit du dépôt de vases à caractère culinaire de formes plus basses.

Hors de la zone rémoise, la présence de la céramique dans les sépultures est tout à fait exceptionnelle. On y connaît quelques formes moyennes ornées au lissoir (Gourgançon "Les Poplainnaux" tombe 19 ou Marson "Montfercault") et des écuelles (Lenharrée "Le Chemin de Vassimont").

Fibule de fer au riche décor zoomorphe, de Conflans (Marne) IIIe siècle av. J.-C. Troyes, Musée des Beaux-Arts et d'Archéologie

L'art

Certains objets, par leur ornementation somptueuse et leur rareté, ont amené les spécialistes de l'art celtique à se pencher sur le problème de leur origine. En ce qui concerne le IVe siècle avant notre ère, les analyses traitent des pièces exceptionnelles comme les torques, la céramique engobée de rouge avec décor peint en noir. Tous admettent l'origine locale en secteur rémois. Pour le IIIe siècle, la recherche a porté sur des objets assez peu nombreux. Citons : l'épée de Cernon-sur-Coole, l'agrafe de ceinture de Loisy-sur-Marne, la fibule de Recy, les fibules de Conflans-sur-Seine.

Les auteurs sont unanimes quant à l'importance du foyer d'art qui se développe à cette période dans la zone danubienne. M. Szabo souligne la parenté de l'épée de Cernon-sur-Coole avec celle de Drna (Slovaquie) et Kruta propose son arrivée en Champagne lors de pérégrinations d'aventuriers gaulois. L'agrafe de Loisy-sur-Marne présente une singulière ressemblance avec l'une des garnitures métalliques de l'oenochoe de Brno-Malomerice (Moravie). La fibule de Recy, par son décor en faux filigrane, trouve, selon A. Duval, des comparaisons avec des objets de la moyenne vallée du Danube. Enfin, il convient de noter la similitude de décor de l'une des fibules de Conflans-sur-Seine avec celui du fourreau de l'épée de Cernon-sur-Coole. Ces pièces exceptionnelles pourraient avoir été introduites en Champagne par de simples échanges commerciaux. Il n'en est pas de même pour les anneaux de chevilles dont la présence régulière dans certains cimetières apparaît comme un rite canonique particulier à un groupe ethnique. Ces objets sont peut-être un commencement de la preuve d'une migration de populations venues d'Europe centrale passant par le sud de la Champagne pour se diriger vers des terres plus occidentales, la Picardie, les Flandres, la Grande-Bretagne, devenant partiellement le fondement des peuples que Jules César, quelque 150 ans plus tard, nous fera connaître.

Conclusion

La Champagne des IVᵉ-IIIᵉ siècles n'est pas une entité monolithique. On observe, par l'analyse des nécropoles et de leurs mobiliers funéraires au cours des diverses phases d'évolution, des constantes et des particularités locales auxquelles s'ajoutent des apports exotiques. Le début du IVᵉ siècle reste dans la tradition marnienne du Vᵉ siècle avec toutefois une grande modification dans la répartition des populations puisque seul un foyer important reste dans le secteur rémois. Si celui-ci s'accroît et prospère, un vide général est manifeste sur le reste de la Champagne, dû vraisemblablement à la conquête de nouveaux territoires en Italie du Nord. Dans la seconde moitié de ce même siècle, l'analyse de la répartition des parures féminines reflète une extension progressive à partir du milieu rémois par une réoccupation des terres laissées libres dans les environs. En ce qui concerne le sud de la Champagne, on note une remontée vers le nord des populations installées dans l'actuel Sénonais. La nécropole de Villeseneux en est une parfaite illustration. Cette période montre des changements sensibles dans le rite runeraire et il n'est pas encore possible d'en détinir les causes. Dans la période qui suit, les premiers sanctuaires se développent, soit en limite de cité (La Villeneuve-au-Châtelot, Aube) soit dans les nécropoles (Normée "La Tempête", Saint-Benoît-sur-Seine "La Perrière", Aube). La situation est donc particulièrement complexe au IIIᵉ siècle. On voit disparaître certaines petites communautés au profit d'autres plus importantes dominées par des hommes dont la panoplie militaire est

standardisée, accompagnés de leurs épouses richement parées. Ces populations s'installent sur des lieux abandonnés depuis longtemps, aménageant de nouveaux cimetières (Fère-Champenoise "Faubourg-de-Connantre") ou réutilisant d'anciennes nécropoles (Dormans "Les Varennes"). Dans cette phase apparaissent les premières incinérations et les objets de parure issus du foyer culturel danubien.

Dans le courant de la seconde moitié du IIIe siècle, la qualité ornementale des parures féminines s'appauvrit, tout comme la qualité des alliages de bronze. De plus en plus, la tendance est au dépôt d'objets en fer. On passe alors progressivement de l'inhumation à l'incinération. Ce changement s'accompagne de l'abandon du dépôt de mobilier de parure dans la sépulture. Sans que l'on ait pu encore en définir la raison, l'horizon des nécropoles à tombes plates de Champagne s'achève de manière uniforme sur tout le territoire géographique à la même période, le courant du IIe siècle av. J.-C. Période où l'on passe d'une société à mode de vie agricole sédentaire, divisée en clans sans doute de type patriarcal, à un mode de vie pré-urbain dont la conséquence est la division par tâches artisanales de spécificité de production où les agriculteurs n'ont plus qu'un second rôle à jouer. Les premiers se rapprochent du pouvoir politique et fondent les premières cités alors que les seconds se consacrent à la production céréalière, en petites communautés éparses de type familial.

Torque de bronze à décor ternaire de Barbuise (Aube) Début du IIIe siècle av. J.-C. Troyes, Musée des Beaux-Arts et d'Archéologie

Le Plateau suisse
Gilbert Kaenel et Felix Müller

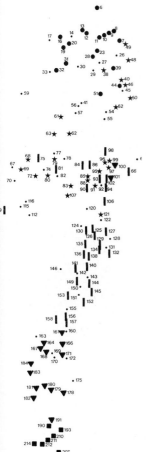

an
la nécropole
Münsingen-
ain (Berne)
ec indication
s différentes
ases
ébut du IVe-
but du IIe siècle
. J.-C.

L'histoire des recherches

En moins de vingt ans, de 1898 à 1914, les principaux documents servant à l'analyse des sépultures de La Tène sur le Plateau suisse vont coup sur coup être mis au jour. En 1898, Albert Naef, architecte et futur archéologue cantonal vaudois, fouille 29 tombes à Vevey-Saint-Martin. Il s'agit d'une intervention limitée au secteur menacé par l'extension du boulevard, et la nécropole n'est donc pas intégralement fouillée. Les travaux de Naef, publiés dans la foulée entre 1901 et 1903, remarquables en tous points, notamment sous l'angle de la précision des observations et de la réflexion visant à comprendre et expliquer la construction des cercueils, le costume ou la parure, font œuvre de pionnier.

De 1904 à 1906, le Musée historique de Berne procède à la fouille de la plus grande nécropole du Second Age du Fer connue sur le Plateau suisse, celle de Münsingen-Rain ; le nom de Jakob Wiedmer-Stern, vice-directeur du musée, est dès lors associé à la fouille et à la publication des résultats, parue dès 1908. Avec plus de 200 tombes, cette nécropole, quasi complète (quelques tombes ont dû être détruites au cours des travaux d'extraction du gravier), devient très vite un point de référence pour les recherches portant sur les sépultures de La Tène ancienne et moyenne dans l'ensemble de l'Europe celtique, et en particulier pour la question de la sériation interne de La Tène (voir ci-dessus).

En 1911, David Viollier, un Vaudois qui avait fait ses premières armes avec Albert Naef et travaillait alors au Musée national suisse à Zurich, fouille la petite nécropole d'Andelfingen avec 29 sépultures.

Enfin, de 1912 à 1914, Julien Gruaz fouille, ou plutôt surveille l'avance des travaux de la gravière de St-Sulpice-En Pétoleyres, pour le compte du Musée historique (le futur Musée cantonal d'Archéologie et d'Histoire de Lausanne). 88 tombes attribuables à La Tène sont mises au jour et, si quelques-unes ont été détruites ou mal observées, la nécropole peut être considérée comme exhumée dans sa totalité.

Nous avons mis l'accent sur ces quatre opérations principales, en négligeant les premières trouvailles du XIXe siècle, comme celles de Gempenach/Champagny dans le canton de Fribourg (où une vaste nécropole a été

progressivement détruite), ou la deuxième nécropole de Münsingen-Tägermatten avec 26 tombes, exhumées dès 1908 et entre 1930 et 1933. Un fait reste troublant: après cette période faste de début du XXe siècle, culminant avec la publication synthétique de Viollier en 1916, plus aucune nécropole d'une certaine ampleur ne sera mise au jour, jusqu'aux fouilles sur le tracé autoroutier de la Gruyère, une région qui avait été peu touchée, à Gumefens-Pra Perrey où 17 tombes ont été mises au jour en 1978 et 1979. Dans les années 50, un grand nombre de sépultures, organisées en petits groupes, confèrent à la ville de Berne et à ses environs une densité de trouvailles exceptionnelle sur le Plateau.

La chronologie

Si Naef, fort de ses connaissances et de ses contacts avec Salomon Reinach et Joseph Déchelette, avait pu attribuer à La Tène I et II (selon le système de Tischler) les sépultures de Vevey, Wiedmer-Stern avait bien reconnu un fait

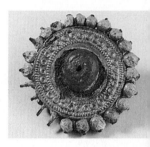

essentiel à Münsingen, à savoir que les tombes les plus anciennes étaient situées au nord et les plus récentes au sud de la nécropole ; on appellera "stratigraphie horizontale" la restitution d'un ordre spatial dans les inhumations qui se succèdent dans le temps : Wiedmer-Stern distingue pour La Tène ancienne La Tène Ia, Ib, Ic et La Tène IIa et IIb pour La Tène moyenne. L'argumentation principale repose sur le développement techno-morphologique des fibules et des parures annulaires, ainsi que sur leur ornementation. Viollier reprendra ces distinctions en les formalisant et en les précisant par la suite, en 1911, et dans son ouvrage de synthèse en 1916. C'est d'ailleurs le système qui est utilisé dans la publication de St-Sulpice en 1914 et 1915.

Une cinquantaine d'années plus tard, en 1968, Frank Roy Hodson reprend l'étude typologique et chronologique de Münsingen en proposant une sériation interne, très fine, selon un découpage en "Horizons" (de A à V) qui, regroupés, correspondent aux subdivisions LT Ia, Ib, Ic, IIa, IIb,

Bracelets, torques et pendeloques de bronze de la tombe n° 48 de Saint-Sulpice (Vaud). Seconde moitié du Vᵉ siècle av. J.-C. Lausanne Musée cantonal d'Archéologie et d'Histoire
• p. 255

Fibule de bronze au pied orné d'un cabochon d'émail rouge de la tombe n° 7 de Saint-Sulpice (Vaud) Seconde moitié du IVᵉ siècle av. J.-C. Lausanne, Musée cantonal d'Archéologie et d'Histoire

Fibule de bronze au pied orné d'une perle de corail, de la tombe n° 41 de Saint-Sulpice (Vaud). Première moitié du IVᵉ siècle av. J.-C. Lausanne, Musée cantonal d'Archéologie et d'Histoire

Fibule de bronze au pied orné d'un cabochon d'émail rouge de la tombe n° 57 de Saint-Sulpice (Vaud). Première moitié du IVᵉ siècle av. J.-C. Lausanne, Musée cantonal d'Archéologie et d'Histoire

Fibule de bronze ornée de corail, de la tombe n° 48 de Saint-Sulpice (canton de Vaud) Seconde moitié du Vᵉ siècle av. J.-C. Lausanne, Musée Cantonal d'Archéologie et d'Histoire

Pointe de lance de fer portant le décor gravé d'une paire de monstres, de la tombe n° 57 de Saint-Sulpice (canton de Vaud) Première moitié du IVᵉ siècle av. J.-C. Lausanne, Musée cantonal d'Archéologie et d'Histoire
• p. 256

Détail du fourreau de fer décoré de la tombe n° 7 de Saint-Sulpice (canton de Vaud) Seconde moitié du IVᵉ siècle av. J.-C. Lausanne, Musée cantonal d'Archéologie et d'Histoire
• p. 256

277

mais avec des phases de "transition" et "anciennes" ou "récentes" au sein de LT Ib et Ic notamment.

Pourtant, dans la plus grande partie du monde celtique on utilise le système de Reinecke ; les auteurs allemands ou suisses-alémaniques principalement et qui s'intéressent à Münsingen et aux tombes de La Tène du Plateau, établissent les équivalences LT Ia = LTA, LT Ib = LT B1, LT Ic = LT B2, LT IIa = LT C1, LT IIb = LT C2, avec quelques petites différences. Mentionnons les travaux les plus récents de Ulrich Schaaff en 1966, de Werner-E. Stöckli en 1975 (qui se réfère au Plateau, à Münsingen, dans son analyse des nécropoles du Tessin), de Christin Osterwalder qui publie Münsingen-Tägermatten en 1971-1972, de Bendicht Stähli qui publie les tombes de la ville de Berne en 1977, de Stephanie Martin-Kilcher qui republie Vevey en 1981 ou de Gilbert Kaenel pour St-Sulpice et les tombes de Suisse occidentale en 1990.

En ce qui concerne la chronologie absolue, une sorte de consensus s'est établi au cours des deux dernières décennies et l'on envisage que les inhumations à Münsingen ont débuté dans une phase avancée de LT A, à la fin du Ve siècle av. J.-C. ; St-Sulpice toutefois a fourni des éléments plus anciens (que l'on peut rapprocher des tombes secondaires en tumulus du Jura), au centre de la nécropole; c'est vers 400 que s'effectue la transition à LT B1, le passage à LT B2 dans le troisième quart du IVe siècle ; le début de LT est placé dans le deuxième quart du IIIe siècle, la transition à LT C2, vers 200 av. J.-C., période au cours de laquelle on assiste à l'abandon sur le Plateau de cette tradition de plus de deux siècles d'inhumer les morts en nécropoles ; de plus les sépultures s'y font dès lors rarissimes!

On a toujours insisté sur le phénomène de continuité de l'occupation du cimetière de Münsingen, sur la richesse de ses mobiliers (bien qu'elle varie dans le temps, voir ci-dessous) qui en font un témoin exceptionnel et unique du développement de la civilisation de La Tène sur le Plateau suisse.

Les pratiques funéraires

Bien que les exceptions ne manquent pas, la forme d'ensevelissement prédominante pendant La Tène ancienne et moyenne est le dépôt du corps dans des "tombes plattes" sans tertre funéraire. On avait l'habitude de placer le défunt dans un cercueil de bois dont on a pu relever quelquefois des traces, lorsque les fouilles avaient été menées avec un soin suffisant. A Andelfingen, David Viollier a relevé des "dépôts de cendres" qui couvraient et entouraient le défunt. Même dans ce cas là, il peut s'agir des restes de bois carbonisé de cercueils. En outre, la disposition dex extrémités indique que les cadavres étaient evenloppés d'un suaire. De temps en temps, les

acelet de bronze
Lausanne
anton de Vaud)
euxième tiers
IIIᵉ siècle av. J.-C.
usanne
usée cantonal
Archéologie
d'Histoire
. 321

acelet de bronze
Longirod
anton de Vaud)
euxième tiers
IIIᵉ siècle av. J.-C.
usanne
usée cantonal
Archéologie
d'Histoire

acelet de bronze
né de cabochons
émail rouge
la tombe n° 29
Andelfingen
anton de Zürich)
n du IVᵉ-début
IIIᵉ siècle
J.-C.
rich
bweizerisches
ndesmuseum
. 321

rques, bracelet
ule discoïdale
abochon
corail et épingle
la tombe n° 40
Saint-Sulpice
anton de Vaud)
conde moitié
Vᵉ siècle av. J.-C.
usanne
usée cantonal
Archéologie
d'Histoire

tombes étaient entourées de rangies ou de couches de pierres, destinées à empêcher le contact direct du cadavre avec la terre environnante. Les défunts, hommes, femmes et enfants, étaient ensevelis avec les vêtements et les parures qu'ils portaient dans la vie courante. Les fibules et les anneaux des femmes apparaissent ici et là réparés ou fortement usagés, attestant par là qu'ils ont été longuement portés. Les petites filles étaient parées d'ornements miniatures mais souvent aussi d'objets de qualité inférieure ou façonnés de manière approximative. L'armement complet du guerrier de La Tène moyenne comporte la "panoplie tripartite" composée d'une épée, d'un bouclier et d'une lance. Rarement, on constate le bris rituel de ces armes qui concerne surtout les épées, toujours mises au fourreau. Les récipients en céramique, contenant nourriture et boisson pour le voyage du défunt dans l'Au-delà, font défaut sur le Plateau pendant cette période. Par contre, on a pu prouver plusieurs fois la présence d'offrandes funéraires de viandes, quand le terrain permettait la conservation des os; ainsi, par exemple, à la droite de deux guerriers à Münsingen-Rain furent trouvé de gros quartiers postérieurs de viande de veau. En ce qui concerne Andelfingen, à l'intérieur des nécropoles, se trouvent des secteurs spécifiques réservés exclusivement aux femmes, aux hommes et aux enfants ; on constate des regroupements de ce type, avec peut-être un peu moins de netteté, également à Münsingen-Rain.

En ce qui concerne La Tène tardive (LTD), nos connaissances se réduisent notablement, parce qu'en cette époque les défunts étaient le plus souvent incinérés. A part le fait que les parures ne sont plus identifiables par la façon dont ils étaient portés, ils sont également abîmés par le feu. Enfin, les tombes à urne, relativement modestes, sont décidément plus rares que celles à inhumation, bien plus nombreuses, de La Tène ancienne et moyenne ; toutefois, les tombes à urne sont certainement présentes en quantité plus

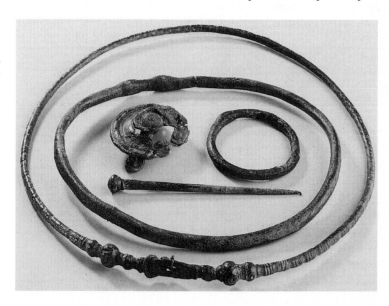

grande que ce qu'on supposait jusque-là. L'exemple le plus connu est fourni par la sépulture double de l'Engehalbinsel à Berne. Dans une petite fosse recouverte de galets, a été trouvée une urne de céramique couverte d'une écuelle. A l'intérieur, les restes réduits en cendres d'une vieille femme et d'un petit enfant, et en outre, cinq fibules du type Nauheim, enfin, les os de deux poulets et d'un porcelet brûlés sur le bûcher. Deux autres récipients contenaient bien évidemment des nourritures en guise de viatique.

Costume et parures des femmes

Puisque les tombes féminines sont plutôt nombreuses et souvent dotées de riches atours, elles se prêtent particulièrement bien aux recherches sur le costume. D'importants résultats ont été de ce fait obtenus dans ce secteur par l'examen de la nécropole de Münsingen-Rain. En résumé, on peut affirmer que les femmes de la phase LT A portaient un torque et deux bracelets et anneaux de cheville. A la LT B les torques n'étaient plus présents mais en revanche il y avait quatre anneaux aux chevilles ; un petit peu différentes, au contraire, les parures de Saint-Sulpice et du reste de la Suisse occidentale. Enfin, dans la période LT C, les bracelets de bronze furent remplacés par d'autres en verre ; disparaissent alors les anneaux de cheville et paraissent les lourdes chaînes de ceinture en bronze. Compte tenu du fait que les typologies de ces parures et leurs combinaisons changèrent avec une relative rapidité, il est fort probable qu'il était possible de distinguer une jeune femme de sa grand-mère. Parmi les femmes qui vivaient la même époque existent des variations notables dans la qualité de leurs parures, ce qui conduit à supposer une nette

Bracelets de ver coloré, provena de tombes de Berne et des environs IIe siècle av. J.-C Berne Historisches Museum
• *p. 321*

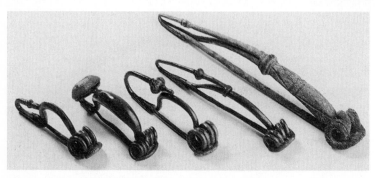

Fibules de bro provenant de tombes de Ber et des environs Du IVe siècle av J.-C. (à gauche) au début du IIe siècle av. J.-C. (à droi Berne Historisches Museum
• *p. 322*

différenciation sociale. Une femme avec la parure complète comprenant aussi du corail, l'ambre et peut être bien aussi de l'or était de condition plus aisée qu'une femme ornée seulement d'une fibule de bronze. Dans une large mesure la connaissance des tissus nous manque. Le peu que nous savons provient de fragments vestimentaires.

Toutefois on peut tirer des conclusions de la position des fibules qui étaient disposées sur l'épaule et sur la poitrine. On en déduit une typologie de

Ceinture féminine de bronze
de la tombe de Berne-Morgenstrasse
... siècle av. J.-C.
Berne, Historisches Museum

l'habit du type *peplum*, porté par les femmes du nord des Alpes jusqu'à l'époque romaine.

Structure du peuplement et des établissement

Bien que le Plateau suisse puisse être, selon les critères géographiques, traité tel un tout absolument unique, la diffusion de certains types de parures autorise une subdivision plus affinée en secteurs plus petits. Ainsi par exemple, les torques avec tampons à disque de La Tène ancienne de la Suisse orientale se placent à la lisière d'un territoire de diffusion plus vaste qui s'étend d'Andelfingen à Bâle et à Francfort-sur-le-Main. Les bracelets de verre de La Tène moyenne se retrouvent en densité exceptionnelle dans la région de Berne avec cent exemplaires environ. Les chaînes de ceinture de Suisse orientale, déjà citées, sont fines et légères, mais au contraire plus grossières et plus lourdes à l'ouest. La signification de ce cadre de répartition (qui respecte peut-être des groupes d'ateliers ou des groupes tribaux) est une interrogation qui, aujourd'hui comme hier, reste sans réponse. Notable est en outre la riche documentation de grande qualité, avec décoration du style de Waldalgesheim, dans la partie comprise entre Berne et le lac de Thoune, imputable peut-être au voisinage de l'Italie d'où devaient partir de notables impulsions à l'élaboration de ce style ornemental. Dans les limites de la ville de Berne, il y a un nombre notable de groupes plus petits de sépultures, créées dans une brève période de temps ; il faut supposer que cela correspondait à la nature temporaire de l'habitat. Il en résulte donc combien sont significatives les nécropoles dont il a été question au début, et qui sont constituées de plusieurs dizaines à une centaine de tombes. Toutefois, les nombreuses sépultures de Münsingen ne doivent pas faire perdre de vue qu'elles se rapportent à un groupe humain de dimensions modestes. Pour le moment, reste sans réponse l'interrogation sur l'entité d'un segment de ce groupe (comme celui retrouvé dans une nécropole) au sein de l'ensemble de la population: à Rain près de Münsingen fûrent ensevelis tous les membres d'une ferme ou s'agit-il du sommet de la pyramide sociale du groupe entier ? La réponse à cette question peut influer de manière décisive sur l'idée que l'on se fait du peuplement général du Plateau suisse.

Torque de bronze orné de cabochos d'émail rouge de Schönenbuch (canton de Bâle). Fin du IVe-début du IIIe siècle av. J.-C. Berne Historisches Museum
• *p. 322*

La Rhénanie

Hans-Eckart Joachim

Vaisselle en terre cuite du mobilier de la tombe de Hambuch (Rhénanie) Ve siècle av. J.-C. Bonn Rheinisches Landesmuseum • p. 323

Les effets de la "migration celte" dirigée du nord des Alpes vers le sud et sud-est sont difficiles à évaluer dans la Rhénanie des IVe et IIIe siècles av. J.-C. Ni l'invasion d'armées celtes en Italie du Nord vers 400 av. J.-C. ni leur avancée en passant par Rome jusqu'en Sicile et leur apparition en Asie Mineure en 276 av. J.-C. n'ont laissé de traces sûres en Rhénanie : on ne peut que deviner les séquelles de ces événements. Il est très peu probable qu'à la suite de l'émigration des territoires entiers se fussent dépeuplés ; il s'agirait plutôt d'une diminution du nombre des habitants celtes sur leur territoire d'origine. Les sources archéologiques ne suffisent pas pour l'affirmer avec certitude, par exemple à l'aide d'indices qui signalent une utilisation plus courte ou l'abandon des nécropoles ou habitats.

La Rhénanie, avec les montagnes schisteuses de son centre et ses zones marginales, forme, depuis l'époque des Champs d'Urnes, un ensemble culturel relativement homogène, qui s'étend du nord de la vallée du haut Rhin jusqu'au bas Rhin. La culture des Champs d'Urnes représente, malgré l'érosion du temps, la base essentielle pour les époques suivantes : Hallstatt et début de La Tène. Cela est important pour l'évaluation des formes qui apparaissent à l'époque de La Tène, car ce fait permet d'expliquer une force d'inertie culturelle particulière ainsi qu'une continuité ethnique.

Carte de diffusion de la céramique laténienne à décor stampillé du Ve au IIIe siècle av. J.-C.

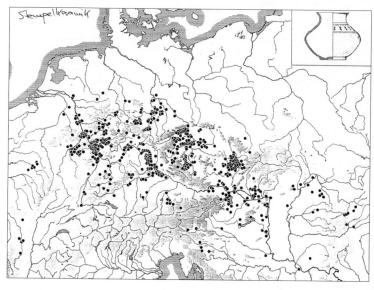

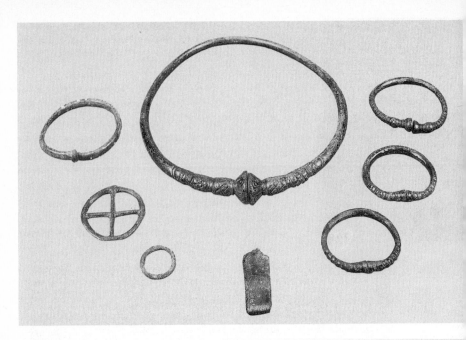

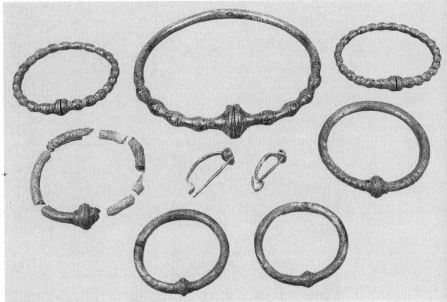

Torque, bracelets, anneaux
de cheville et objets de parure
en bronze de la tombe
de Hahnheim (Rhénanie)
IVe siècle av. J.-C.
Mayence
Mittelrheinisches Landesmuseum

Torque, bracelets, anneaux
de cheville et fibules en bronze
de la tombe de Mayence-Linsenberg
(Rhénanie)
IVe siècle av. J.-C.
Mayence
Mittelrheinisches Landesmuseum

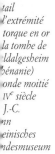

*...tail
...l'extrémité
...torque en or
...la tombe de
...ldalgesheim
...hénanie)
...onde moitié
IVe siècle
J.-C.
...nn
...einisches
...ndesmuseum*

*...ulture à char
...Hundheilm
...hénanie)
...cours
...fouilles
...siècle av. J.-C.*

A la fin de l'époque de Hallstatt (début du Ve siècle av. J.-C.) se cristallise de plus en plus une situation socioculturelle et économique particulière qui culmine avec la formation de la civilisation des tombes princières du début de La Tène. Tandis que celles-ci reflètent les relations méditerranéennes, le substrat conservateur survit plus ou moins dans les habitats et les nécropoles. A côté d'habitats dispersés et de l'installation de fortifications sur hauteurs, les sépultures à tumuli représentent le type funéraire le plus répandu. Bien que des tombes à incinération existent depuis l'époque des Champs d'Urnes et persistent pendant les périodes du Hallstatt tardif et du début de La Tène, les inhumations continuent à dominer.

La classe aristocratique qui se développa depuis le début

de La Tène (Ve siècle av. J.-C.) continue d'exister, parallèlement à la population "simple" de paysans et d'artisans, sans interruption jusqu'au IVe siècle av. J.-C. Malgré toutes les différences dans les zones de la Rhénanie, on constate, au cours du IVe siècle, de manière générale, une diminution considérable des sites, qui continuent cependant à occuper toute l'aire de répartition du siècle précédent. D'anciens lieux d'habitation ainsi que des nécropoles sont abandonnés : très peu de nouveaux voient le jour. Ce phénomène propre à toute la Rhénanie est dû moins à un changement des coutumes funéraires et domestiques qu'à la migration d'une partie de la population celte en direction du sud et du sud-est.

Au cours de cette migration, nombreux furent les hommes aptes à la guerre qui quittèrent leur habitat d'origine. Dans la région Rhin-Main, ceci est attesté par la diminution importante des tombes à armes, en particulier à épées (donc de leurs porteurs), à l'époque LT B. Par la suite, examinons plus en détail les différents types de découvertes.

En ce qui concerne la structure des sépultures, la construction de la tombe à tumulus subsiste dans un premier temps, mais perd sensiblement de son importance vers la fin de La Tène ancienne, donc après 300 av. J.-C. La tombe plate devient la forme la plus répandue. A la même époque, beaucoup de nécropoles utilisées depuis la période de Hallstatt sont désaffectées, ce qui devrait s'expliquer par la diminution de la population en raison de la migration, comme il a déjà été dit. Dans les deux catégories de sépultures - tombes à inhumation et incinération –, la qualité du mobilier continue – même si c'est a un niveau moins élevé – à témoigner du rang supérieur de certaines classes sociales. Parmi les tombes à inhumation, on doit avant tout mentionner celle de Waldalgesheim. Une princesse y fut enterrée, sous un imposant tumulus dont la chambre contenait un char à deux roues, le joug, le service à boisson, des vêtements et des bijoux. Au total, une inhumation conforme à la tradition telle qu'elle était suivie vers 400 av. J.-C. Les importantes tombes à bûcher de Bescheid, avec des morceaux de char et des récipients en bronze, probablement d'origine étrusque, étaient toutes aussi riches.

L'usage d'enterrer des chars dans la tombe, qui date d'une époque plus ancienne, persiste aux IVe et IIIe siècles av. J.-C., et même au-delà de cette date, comme symbole de statut, comme signe de prestige des couches élevées. Ces tombes sont peu nombreuses, en raison de la forte émigration des nobles celtes.

Les tombes de la population "commune" sont par contre représentées plus fréquemment et plus complètement. Ces couches de la population restèrent dans les régions d'origine en plus grand nombre que l'aristocratie dominante. La tombe à bûcher sous tumulus est un signe caractéristique de cette époque. Ainsi, en règle générale, le défunt était brûlé avec ses biens personnels et les offrandes sur le bûcher, ensuite un tumulus de terre recouvrait les restes incinérés. Ce mode d'ensevelissement correspond dans plusieurs cas à la fin des tombes à tumuli, dans le cadre de cimetières plus anciens. Parallèlement, il existe des nécropoles à tombes plates, ce qui atteste le double rite d'incinération et d'inhumation.

Dans la partie septentrionale de la vallée du haut Rhin, les femmes portent des torques, des bracelets et des anneaux de cheville ainsi que des fibules; un récipient en terre cuite peut être ajouté comme offrande. Les parures annulaires sont décorées, conformément à l'époque, avec des moulures et des ornements divers ; les fibules présentent un pied replié. Dans les régions septentrionales des montagnes schisteuses jusqu'au bas Rhin, la tradition des offrandes de poteries est plus importante qu'au Sud. Comme dans les époques précédentes, les bouteilles et coupes offertes doivent être considérées comme des services à boire pour l'au-delà. Les tombes contenant uniquement des éléments de parure ou vestimentaires sont ici beaucoup plus rares. Parmi les coupes domine une forme qui, du fait de son décor estampillé, est appelée type de "Braubach". Ce lieu de Rhin moyen a donné son nom à un type de céramique très répandu du Ve au IIIe siècle av. J.-C. au nord des Alpes qui présente une gamme variée de produits tournés et estampillés.

Même si les récipients découverts à Braubach sont les exemples particulièrement récents et originaux de leur catégorie, le site même figure parmi les rares lieux d'habitation déterminés avec précision comme appartenant à l'époque de La Tène B en Rhénanie. Le long d'un territoire étroit, au bord du Rhin et dans une vallée transversale, habitats et nécropoles du Ve siècle av. J.-C. se sont maintenus jusqu'au milieu du Ier siècle av. J.-C. L'activité productive intensive à cet endroit, pourtant très peu favorable par sa configuration, doit probablement s'expliquer par la présence de gisements locaux de fer, de cuivre et de minerai de plomb. Des découvertes de minerais et métaux bruts indiquent la production de fer et de cuivre. L'un comme l'autre étaient nécessaires pour la fabrication de parures, d'instruments et d'armes. Du plomb et de l'argent disponibles à Braubach, seul le plomb peut avoir joué un rôle important au début de La Tène, car il fut utilisé pour la purification de l'or. Par coupellation, adjonction de substances diverses et échauffement, on obtint un or rhénan laténien de grande pureté. L'argent, par contre, ne fut pas travaillé à l'époque. Le site de Braubach attirait certainement à l'époque laténienne, à cause de ses gisements de minerais, les exploitants de minerais et ceux qui s'en servaient (forgerons, fondeurs et marchands de métal), car les offrandes funéraires attestent que les habitants de Braubach étaient partiellement originaires de la région du haut Rhin et qu'ils ont toujours conservé des liens avec le Sud. Une certaine prospérité est prouvée, pour une courte période aussi, dans la production locale de la céramique.

Une autre branche économique importante s'est développée depuis l'époque néolithique : il s'agit de l'extraction de lave basaltique (téphrite) dans la région de Mayen et de Kottenheim, dans l'Eifel oriental. On fabriquait à partir de ce basalte poreux des meules en forme de bicorne qui ont été vendues en quantité, impressionnante, dans l'ensemble de la Rhénanie. Les bicornes furent pendant longtemps la forme optimale des meules utilisées pour la production de la farine. Elles jouèrent apparemment un grand rôle comme objet d'échange dans le négoce du sel, près de la côte et à l'intérieur du pays.

On n'observe avec la fin de La Tène ancienne, vers 250 av. J.-C., aucune interruption de l'activité domestique en Rhénanie. Les recherches actuelles permettent d'affirmer que les habitats se poursuivent et que l'on aménagea de nouvelles nécropoles à tombes plates à incinération. Celles-ci représentent le début de l'époque de La Tène finale, qui constitue un dernier sommet de civilisation et de culture de la protohistoire rhénane, correspondant à un accroissement de la population et aboutissant sans transition à l'époque romaine.

La Bavière
Hans-Peter Uenze

La Bavière fut occupée durant la période de La Tène, comme le reste de l'Allemagne méridionale, par une population celtique. Les Celtes qui y vécurent entre 500 av. J.-C. et l'occupation du pays par les Romains, en 15 av. J.-C., n'étaient pas de nouveaux arrivés mais les descendants des populations hallstattiennes. Vu l'extension et la situation de la Bavière, on comprend que la culture de La Tène n'ait pas eu partout le même impact et qu'il existe des différences significatives entre le nord et le sud du pays. C'est seulement sur la base d'une comparaison avec les autres régions celtiques qu'on peut définir l'identité propre de la Bavière. La période de La Tène en Bavière, qui dura environ 500 ans, peut se diviser en trois grandes périodes. Tout d'abord La Tène ancienne, qu'on appelle La Tène A et qui couvre la période de 500 à 400 av. J.-C. Elle montre encore une forte tradition hallstattienne : les sépultures sont recouvertes d'un tumulus comme à l'époque précédente.

Cette période est caractérisée par un nouveau style artistique figuré ainsi que par de nouvelles techniques artisanales dans le travail du métal, du verre et de la céramique. Vers 400 av. J.-C. commencent, avec l'époque des migrations celtiques de La Tène moyenne, les périodes de La Tène B et C, qui se limitent à 120 av. J.-C. Enfin La Tène finale, période de La Tène D, qui voit l'apogée des villes celtiques (*oppida*), dure jusqu'aux invasions germaniques (vers 40 av. J.-C.) et à l'occupation romaine.

Comme on l'a dit, la période de La Tène ancienne continue les fortes traditions de l'époque hallstattienne. Dans le Bade-Wurtemberg, à la fin de l'époque de Hallstatt, au VIe siècle av. J.-C., domine une classe supérieure qu'on pourrait qualifier dans le langage actuel de classe princière ou aristocratique. Comme exemple, on se rappellera la tombe de Hochdorf, découverte il y a peu de temps. En comparaison avec cet étalage de richesses, à la même époque les seigneurs de Bavière donnent l'impression d'être de "petits chefs" ou des "chefs de tribu". Leurs résidences ont été fouillées en Bavière ces dernières années : il s'agit de petites installations carrées de 50 à 60 mètres de côté, entourées de fossés et situées à une certaine distance des autres habitats. Comme on a pu le constater dans les fouilles, ces résidences ont dans certains cas continué d'exister après la fin de l'époque hallstattienne. Toutefois, au Ve siècle av. J.-C., elles ne possédaient plus le statut de résidence princière : après la destruction de l'ancienne fortification, devinrent de simples établissements ouverts. Cette observation est très éclairante, parce qu'elle correspond au schéma qui dérive de l'analyse des rites funéraires : à la fin de l'époque hallstattienne, on y observe une sorte de "révolution" dans la structure sociale, avec disparition, semble-t-il, de la couche supérieure de la population.

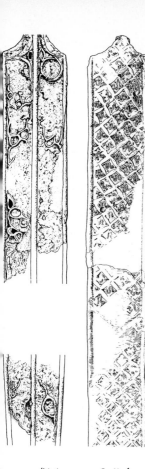

ourreaux d'épée
a fer avec
es appliques
ourées
à gauche)
poinçonnées
à droite)
es tombes
e Manching-
eibichel n° 26
à gauche) et
° 27 (à droite)
euxième tiers
u IIIe siècle
. J.-C.
unich
rähistorische
aatsammlung

Dans les tombes du VIIe et du VIe siècle av. J.-C, l'ancienne classe sociale dominante a été prouvée par la découverte de chars à quatre roues et par la présence d'une vaisselle luxueuse, destinée à permettre au défunt de faire oeuvre d'hospitalité outre-tombe. De même, dans les tombes contemporaines du "peuple", c'est-à-dire des fermiers libres, on trouve de grands services de vaisselle. Ces faits amènent à penser que l'époque hallstattienne fut une période de richesse et d'hospitalité, comme le montrent les décors de situles de la région alpine sud-orientale. Dans les tombes hallstattiennes, les armes sont extrêmement rares et n'ont qu'une fonction représentative. En revanche, dans les sépultures du début de La Tène, les guerriers pourvus de leur épée et de leur lance révèlent la présence d'une nouvelle classe sociale dominante, à côté des gens du commun enterrés sans aucune arme. Les chars de guerre à deux roues observés dans les tombes celtiques de l'est de la France, considérés comme le symbole du nouveau statut, manquent totalement en Bavière, de même que les vases en bronze étrusques et la céramique grecque. Cette situation peut s'expliquer par l'éloignement de la région par rapport aux grandes routes commerciales ainsi que par le manque de ressources minières. La cause de cette absence d'éléments qui sont l'apanage de la classe supérieure dans les autres régions est sans doute l'existence d'une structure sociale différente en Bavière. Il existait, au Ve siècle av. J.-C., de grandes agglomérations qui, dans le sud du pays, avaient l'aspect de villages sans système défensif, mais qui, dans le nord, étaient fortifiées, sur des hauteurs, avec un net caractère urbain. Ces dernières devaient très vraisemblablement contrôler les voies commerciales et les centres d'habitats régionaux ; en cela elles peuvent être comparées aux villes étrusques contemporaines. Il nous est permis de supposer que ces noyaux urbains, dont le site de Staffelberg, près de Staffelstein, sur le cours supérieur du Main, est particulièrement représentatif, jouaient le rôle de centres de production et d'activité artisanale. On a peut-être fabriqué en ces lieux les grandes perles de verre jaunes avec des "yeux" de teinte bleue et blanche typiques de la Bavière du Ve siècle av. J.-C.

Si les tombes du Ve siècle av. J.-C. contiennent encore de la céramique, celle-ci se résume à un seul récipient qui semble réservé à l'usage personnel du défunt et non plus aux réceptions dans le monde de l'au-delà. En conséquence, non seulement la structure sociale a changé mais aussi la conception de la vie dans l'au-delà. De plus, il est essentiel de signaler que la céramique du Ve siècle est pour la première fois fabriquée au tour, mais elle n'est plus aussi richement décorée qu'à l'époque hallstattienne.

Alors que la poterie hallstattienne nous apparaît comme le produit le plus luxueux de la protohistoire, la céramique du début de La Tène apparaît simple, et même austère. Elle ne comporte aucun décor peint mais seulement une ornementation imprimée de symboles "sacrés" : motifs en forme de S et cercles qui symbolisent évidemment le Soleil. On ne connaît qu'un seul cas de décor figuré, sur une bouteille de Matzhausen, dans l'arrondissement de Neumarkt (Haut-Palatinat) : il s'agit d'une représentation, très bien construite, de couples d'animaux qui comprennent pour la plupart mâles et femelles. Dans tous les cas, ces couples sont en position différente : deux sangliers se faisant face ; deux chevreuils placés de façon antithétique, la tête tournée vers l'arrière; une biche derrière un cerf, tous deux broutant de gauche à droite; un coq de bruyère en chaleur poursuivant une poule, allant de droite à gauche ; enfin, un chien ou un loup poursuivant un lièvre.

Cette représentation de scènes d'animaux doit être interprétée comme une variante bavaroise du style dit "au compas" connu chez les Celtes occidentaux. Le style du "compas" constitue pour cette région une caractéristique de l'art celtique ancien, et cela est d'autant plus digne d'intérêt qu'en Bavière il n'en existe pas d'exemples. Dans le nord du pays, en revanche, a été trouvé un des plus beaux exemplaires de fibule à masques du début de La Tène, à savoir celle de Parsberg. Il est intéressant de noter en outre que cette fibule, vue de profil, présente le même motif en S que celui qui décore la bouteille de Matzhausen.

Lorsque commencent les migrations celtes, au début de La Tène moyenne (après 400 av. J.-C.), les établissements fortifiés de la Bavière septentrionale sont abandonnés ; en même temps, on assiste au déclin de l'artisanat celtique en Bavière. C'est surtout valable pour la céramique, qui n'est plus produite au tour. Des décors géométriques et plus simples remplacent les motifs humains ou animaliers sur les fibules. Les sépultures, de conception plus austère, sont également révélatrices du changement. Les défunts ne sont plus inhumés sous des tumulus, ces monuments pour l'éternité, mais dans des "tombes plates". De petites nécropoles de quelques tombes nous indiquent bien que les installations du IVe siècle av. J.-C ne sont en Bavière que de petits villages, dont l'existence ne dura que quelques décennies ou même des fermes isolées.

Uniquement dans le nord de la Bavière, on trouve encore un site du IVe siècle, fortifié, sur une hauteur, le Vogelsburg près de Volkach, sur le Main, qui jouait pour la population celte de la région de Schweinfurt le rôle de centre et de chef-lieu. Ce n'est donc pas un hasard si l'art artisanal s'est bien développé dans cette région: les plus récentes productions sont représentées par la bouteille et la coupe de Schwebheim, du début du IIIe siècle av. J.-C. Par rapport à la pièce de Matzhausen, la céramique de Schwebheim paraît bien plus grossière. Elles ont en commun un décor incisé figurant de façon abstraite la roue solaire.

Fibule à masque en bronze de Parsberg (Haut-Palatinat). Seconde moitié du Ve siècle av. J.-C. Nuremberg Germanisches Nationalmuseum
• *p. 325*

Flacon de terre
cuite et détail
du décor incisé
d'une frise
d'animaux
de Matzhausen
(Haut-Palatinat)
seconde moitié
du Ve siècle
av. J.-C.
Berlin, Museum
für Vor- und
Frügeschichte

Alors qu'au début du IIIe siècle av. J.-C. la population celte de la région de Schweinfurt décroît, on assiste au contraire dans le sud de la Bavière à une consolidation du peuplement. L'accroissement de la taille des cimetières correspond au nouvel agrandissement des zones habitées. On peut conclure, à partir des parures trouvées dans les tombes, qu'à la fin du IVe siècle av. J.-C. près de Riekofen (arr. de Ratisbonne), et au IIIe siècle av. J.-C. à Klettham (arr. d'Erding) et à Straubing, sur le Danube, les immigrants venaient de Bohême. Il faut noter que le décor d'anneaux de cheville portés par une dame originaire de Bohême installée à Klettham constitue une imitation tardive de la décoration en S de La Tène ancienne.

Dans la région du futur *oppidum* de Manching, près d'Ingolstadt, sur le Danube, deux villages éloignés de 2 kilomètres voient le jour, comme en témoignent les nécropoles correspondantes datées de la première moitié du IIIe siècle av. J.-C. Lors de la fouille de l'une de ces deux nécropoles, on a trouvé, de manière surprenante, un grand nombre de bracelets de verre, bien plus que ne livraient les tombes des IIIe et IIe siècles av. J.-C. en Bavière. Ce type d'ornement est une invention purement celtique. Le grand nombre de ces découvertes de bracelets démontre que la population de cette région jouissait d'une certaine richesse. Nous devons donc considérer le fait que cette aisance était un signe de pouvoir politique, ce qui permit la fondation de la ville de Manching (*oppidum*). A la fin de la Tène moyenne, soit pendant la phase LT C (entre 250 et 125-115 av. J.-C.), on observe une suite d'innovations, dont la plus importante est la création d'agglomérations urbaines. Certains endroits qui furent occupés par des installations fortifiées au Ve siècle av. J.-C. sont à nouveau habités : c'est le cas au Staffelberg, près de Staffelstein. Il faut ajouter encore le fait que des *oppida* s'installent dans des zones vierges, comme Manching sur le Danube, ou celui qui se trouvait au confluent du Danube et de l'Altmühl, dans un secteur dont les gisements métallifères furent exploités pendant la période La Tène finale.

La genèse des *oppida* est sans doute une conséquence du renforcement des rapports économiques qui suivit la fin d'une période d'instabilité causée par les migrations celtiques. Un autre effet de cette prospérité économique fut l'essor de l'artisanat, marqué par la production de bracelets en verre et la réintroduction du tour de potier. L'enfouissement des corps avec les outils de travail, chez les artisans et d'autres métiers, a enrichi notre connaissance des classes sociales. On peut citer comme exemple la tombe du médecin de München-Obermenzing, dans laquelle se trouvaient non seulement des armes – épée, lance et bouclier –, mais aussi un rasoir et de nombreux instruments de médecine. Enfin, le développement de l'économie provoqua également, au IIe siècle av. J.-C., l'intro-duction en Bavière de l'économie monétaire, un phéno-mène déjà connu en Europe centrale au milieu du IIIe siècle av. J.-C. Vers la fin de La Tène moyenne, la popu-lation celte de Bavière abandonne les rites d'inhumation et d'incinération, connus des archéologues, au profit d'un mode d'enfouissement sans caractéristique. Il n'est pas impossible que ce soit en rapport avec l'urbanisation. La période de La Tène finale, qui commence vers 125-115 av. J.-C., constitue à tous points de vue la continua-tion de La Tène moyenne. C'est donc l'époque des *oppi-da*, cités fortifiées avec des enceintes construites selon la technique du *murus gallicus*. On ne sait pas encore si toutes ou seulement quelques-unes de ces installations sont apparues lors de la période ancienne de La Tène moyenne. Il est important de signaler que les *oppida* de Bavière se trouvent, sans exception, le long du Danube ou dans la partie septentrionale de la région, tandis qu'on ne connaît qu'un seul site au sud du pays, le Fentbachschanze. Dans le sud du pays, pendant le Ier siècle av. J.-C., la population aurait vécu dans des villages non fortifiés. Les *Viereckschanze* apparaissent probablement seulement à La Tène finale en Bavière ; elles sont particulièrement répandues dans la partie méridio-nale du pays, mais restent rares dans les contrées avoisinantes. Une carac-téristique importante de ces sanctuaires est leur conformation quadrangu-laire, presque carrée, qui atteint aujourd'hui encore par endroits une

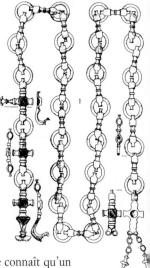

Développement d'une ceinture féminine en bronze avec applications d'émail rouge Tombe n° 37 de Manching-Steinbichel (Bavière) IIIe siècle av. J.-C

Paire d'anneaux de cheville en bronze de Klettham (Bavière) IIIe siècle av. J.-C. Munich Prähistorische Staatssammlung

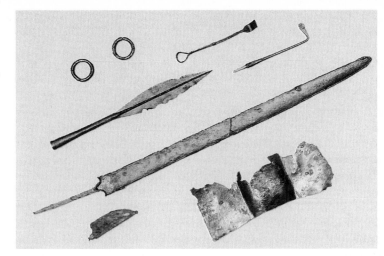

hauteur de plusieurs mètres. L'enceinte de Buchendorf, près de Gauting, dans l'arrondissement de Starnberg, en est un exemple avec ses côtés d'environ 100 mètres. L'entrée est typique: elle consiste en une interruption du rempart au milieu d'un côté, jamais sur la face nord. Là devait se trouver l'entrée d'origine qui comprenait un pont ou un pont-levis, car le fossé qui longe le rempart ne présente pas d'interruption dans la zone de la porte. Grâce aux fouilles de Holzhausen (arr. de Munich), on sait que dans l'espace intérieur se trouvaient un temple en bois à portique (*Umgangstempel*), une aire pour les sacrifices et des puits à offrandes.

La deuxième moitié du Ier siècle av. J.-C. voit la fin de la période celtique en Bavière. Les villes et les habitats ouverts sont abandonnés. La cause n'est probablement pas à rechercher dans l'occupation romaine du pays sous Drusus et Tibère (15 av. J.-C.), mais dans l'irruption des tribus germaniques dans les années entre 50 et 30 av. J.-C.

La Bohême
Pavel Sankot

Le nom latin de la Bohême, *Bohemia*, trouve son origine dans les textes des historiens antiques qui décrivaient le pays des Boïens celtes. L'apparition de cette tribu celte dans différentes parties de l'Europe n'est qu'un reflet des événements historiques du Ve au IIIe siècle av. J.-C. connus sous le nom "d'expansion historique des Celtes", qui modifièrent essentiellement les conditions culturelles politiques et sociales de notre continent.

Au Ve siècle av. J.-C., se termine l'époque des tombes à tumuli en Bohême méridionale et occidentale ainsi que les nécropoles contemporaines dites "à tombe plate" de divers groupes locaux. Les nécropoles du type Královice et Manětín dont le caractère archéologique est constitué par la présence de tombes de La Tène ancienne, caractérisées par le rite de l'inhumation, ont joué sans doute un rôle important dans la pénétration des éléments culturels de La Tène ancienne. L'analyse stylistique permet de dater les découvertes effectuées en Bohême de La Tène ancienne (fibules à tête d'oiseau, fibules à masque, objets luxueux décorés d'incisions ou ornementés par la technique du repoussé). Elles sont placées dans la deuxième moitié du Ve siècle av. J.-C. et les exemplaires les plus récents dans la première moitié du IVe siècle av. J.-C.

Paire d'anneaux de cheville en bronze de Plaňany (Bohême) IIIe siècle av. J.-C Prague, Národni Múzeum
• p. 324

Comme l'indique le mobilier des tombes, ces produits originaux et très variés étaient destinés à une clientèle restreinte, vu leur qualité et la technique élaborée de leur fabrication. Les résidences des classes aristocratiques au pouvoir à l'époque de La Tène ancienne doivent être cherchées du côté des habitats fortifiés, en altitude. Les résultats des longues recherches effectuées sur les remparts au-dessus de Závist nous fournissent d'amples renseignements sur ce sujet. Le centre fortifié très étendu qui occupait une position clé sur le bord méridional du bassin de Prague représente, avec ses installations, son évolution architecturale et le caractère de ses trouvailles, le développement de la culture du Hallstatt final et de La Tène ancienne comme une mutation du milieu hallstattien qui entrait en contact direct avec le monde étrusco-grec.

Comme le développement des nécropoles des différents faciès régionaux, hallstattiens à l'origine, l'accroissement du site de Závist a été interrompu brusquement et sans doute de façon violente, au tournant des premier et deuxième quarts du IVe siècle av. J.-C. Ce phénomène doit très probablement être mis en rapport avec l'intervention militaire d'un peuple caractérisé par ses inhumations à tombe plate. Exception faite de quelques réminiscences dans la présentation artistique et de la continuité de la culture matérielle contemporaine (par exemple, l'utilisation de mêmes types de structures d'habitat), le début d'une culture des "nécropoles à tombes plates" est l'expression d'un changement fondamental dans l'histoire du pays. La composition du mobilier et le nouveau rite d'inhumation excluent la possibilité d'une origine autochtone de ces porteurs d'une nouvelle culture qui est à chercher au contraire dans les régions de la Suisse centrale et occidentale et du Bade-Wurtemberg.

Ces nouveaux groupes occupaient déjà à l'époque du début de la phase dite "pré-Duchcov" trois régions dans les environs de l'habitat ancien. Leur intérêt se manifestait surtout pour les territoires connus par leur sol fertile, exploitable par l'agriculture et l'élevage et aussi pour les régions riches en gisements de matières premières (étain, cuivre, or, minerai de fer). Ainsi, à cette époque déjà, les parties nord-ouest, centrale et orientale de la Bohême étaient occupées et connaissaient un riche développement culturel qui conduit aux phases plus récentes de La Tène.

Le contenu des phases "pré-Duchcov" et Duchcov-Münsingen qui lui succède est constitué avant tout par le mobilier funéraire des classes dominantes de la société de l'époque : les tombes d'hommes avec un équipement uniforme d'armes (épée, lance, ceinture et bouclier) et les tombes richement garnies de leurs épouses. Ces tombes monopolisent la présence de tous les éléments précieux de l'équipement personnel et des parures (des bracelets fabriqués luxueusement, des torques, des ceintures et fibules en bronze). L'analyse structurale des nécropoles à tombes plates met en évidence, pour cette époque déjà, l'existence indubitable d'une forme initiale de différenciation sociale de la communauté celte qui, dans sa physionomie précise, a été décrite par les historiens antiques de l'époque des oppida.

Si l'horizon "pré-Duchcov" est caractérisé avant tout par les fibules à arc parabolique et à arête centrale, ainsi que les bracelets de forme simple, le contenu de l'horizon Duchcov-Münsingen est sensiblement influencé par le contact des Celtes avec le milieu étrusque, grec et indigène de l'Italie du Nord (trouvailles du style dit de Waldalgesheim ou Style végétal continu). Le développement ultérieur de la production artistique celte au cours du IVe siècle av. J.-C. conduisit à la création d'une série de produits typiques pour la Bohême : de bracelets moulés avec décoration plastique des extrémités des tampons terminaux et sur la partie centrale renflée, de fibules dont l'arc porte une décoration plastique, puis, plus tard, de parures annulaires à décor plastique, dites "en coquille d'escargot".

Les morts étaient inhumés en position anatomique comme en Moravie, avec une orientation du nord au sud et regroupés en majorité en de petites nécropoles, qui ne dépassent pas vingt à quarante tombes. A juger selon leur nombre, nous pouvons supposer la présence de petits groupes d'habitants d'à peu près dix membres, réunis en une unité sociale de base – la famille patriarcale – qui constituait le fondement de l'habitat rural. On trouve ces habitats à l'époque de La Tène ancienne ainsi qu'à des époques plus récentes, à des distances régulières, en altitude allant jusqu'à 350 mètres,

aire d'anneaux e cheville a bronze e Horní Kšely Bohême) e siecle av. J.-C. rague, Národní úzeum p.324

étail un anneau e cheville n bronze e Horní Kšely Bohême) e siecle av. J.-C. rague, Národní úzeum p. 324

dans des situations écologiquement favorables, permettant un approvisionnement d'eau durant toute l'année et avec des conditions optimales pour l'exploitation agricole et l'élevage. Les fermes comprennent les installations nécessaires aux fonctions liées à l'habitat, la production, le dépôt, l'évacuation des déchets : c'est-à-dire des fosses cylindriques ou coniques, des constructions en surface à poteaux, d'environ 10 x 5 mètres, des cabanes à une seule pièce qui s'inscrivent dans une évolution autochtone de l'architecture. Elles sont aux dimensions de 4 à 6 x 2 à 4 mètres, leur orientation est est-ouest. Partiellement enfoncées dans le sol, elles remplissaient manifestement, parallèlement à la fonction domestique, un rôle productif et économique.

Bracelet en bronze avec anneaux mobiles de Plaňary (Bohême) IIIe siècle av. J.-C Prague, Národn *Múzeum*

L'occupation de larges surfaces confirme la tendance à concevoir l'habitat selon une structure précise et ceci, probablement, par égard à une situation géographique concrète (signe d'une disposition en rangées ou légèrement incurvée). La variété du matériel retrouvé nous renseigne sur le large éventail des activités manuelles. A côté de l'agriculture hautement développée avec une production végétale et animalière riche, le travail du cuir, la production de textile et la fabrication de la céramique en faisaient partie. La gamme des produits sidérurgiques est déjà connue par la composition du dépôt de Chýnov. La production des bijoux est significative d'une fabrication en série. L'analyse de sa diffusion géographique indique que, parallèlement aux fermes rurales, qui assuraient les besoins quotidiens des populations locales, il existait des centres de production spécialisée qui ne sont pas encore attestés archéologiquement mais qui approvisionnaient des régions relativement étendues. Un exemple évident pour les rapports commerciaux est l'importation de coquillages de la région méditerranéenne (*Cypraecassis rufa*), qui étaient utilisés pour la décoration des fibules, et le commerce du corail. L'utilisation de celui-ci est sans doute à mettre en rapport avec le caractère général de l'art celte, défini comme une expression plastique de la religion celte.

Bracelet en bronze ajouré de Praha-Polbab (Bohême) IIIe siècle av. J.-C Prague Múzeum Hlavního města Prahy

Dans les sources archéologiques, la religion des Celtes est illustrée par le développement figuré de motifs artistiques (des motifs apotropaiques figuratifs ou végétaux), aussi par la fonction de quelques-unes des pièces d'ornements (torques, amulettes, etc.) ou par le mode inhabituel de leur utilisation (offrande de deux mille fibules, bracelets et bagues déposés dans un chaudron dans une source thermale à Duchcov) ou par des objets cultuels. Le sanctuaire de Libenice près de Kolín avec sa forme rectangulaire et son enclos marqué par un fossé annonce déjà les formes ultérieures de sanctuaires celtes des enceintes quadrangulaires (Viereckschanzen), dont l'utilisation date seulement de l'époque de La Tène moyenne et tardive.

La Moravie
Miloš Čizmář

On peut placer les débuts de l'occupation celtique en Moravie, en rapport avec la première expansion historique des Celtes, dans les premières décennies du IVe siècle av. J.-C.

Un des courants d'expansion se dirigeait vers l'est à travers la région du Danube et marqua de son empreinte le matériel archéologique de façon relativement homogène en Bavière, dans la Bohême du Sud et de l'Ouest, dans le Salzkammergut et dans la Haute Autriche. De nos jours, cette phase de l'occupation celtique la plus ancienne est attestée de manière convaincante dans les territoires directement voisins de la Moravie – en Basse-Autriche, en Hongrie occidentale, et en Slovaquie du Sud-Ouest. En outre, selon les sources archéologiques, on peut y adjoindre sans doute la région sud de la Moravie.

Sur ce territoire occupé à la période précédente de Hallstatt par la culture de Horákov, nous rencontrons déjà sporadiquement durant sa phase finale des objets significatifs du style de La Tène. Ces derniers temps, on met au jour de nombreux habitats celtes de l'époque LT A, caractérisés par la céramique fine ou graphitée enrichie surtout de décors estampillés. Outre cette céramique originale, les fibules en bronze à tête d'oiseau ainsi que la fibule en bronze connue à "globules" de Střelice sont typiques de cet horizon d'habitat. Jusqu'à ce jour, nous ne connaissons que quelques-unes des structures des habitats celtes anciens, souvent de plan irrégulier et

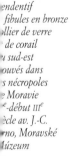

endentif
fibules en bronze
ollier de verre
de corail
u sud-est
ouvés dans
s nécropoles
Moravie
e-début IIIe
ècle av. J.-C.
rno, Moravské
lúzeum

partiellement enterrés ; nous n'avons pas d'idées précises sur la disposition des habitats. Ceux-ci situés surtout à des endroits propices aux bords de cours d'eau avaient sans doute un caractère agricole, ce qu'indiquent les découvertes d'ossements d'animaux domestiques. Le progrès notable du traitement des céréales à cette époque est démontré par la découverte de meules à bras en pierres plates et rectangulaires dont les prototypes se trouvent dans les meules grecques.

On prit connaissance de ces techniques dans les régions de l'Europe centrale, sans doute par l'intermédiaire de l'Italie du Nord. Des meules en pierre similaires de l'époque laténienne sont repérées ces derniers temps aussi dans les régions voisines de la Bohême, mais les découvertes moraves proviennent de sites datables et on connaît très probablement même l'endroit de leur fabrication. Cependant, il faut supposer aussi d'autres activités artisanales, mais nous ne disposons pas des preuves nécessaires. Citons néanmoins une exception : une matrice en os pour la fabrication de motifs en palmette, un élément décoratif pourtant curieusement absent de la poterie de Moravie.

Par opposition aux multiples habitats situés en plaine, on ne connaît avec certitude en Moravie aujourd'hui qu'une seule enceinte de l'époque de La Tène ancienne. Il s'agit du lieu dit "Černov" au bord sud du plateau de Drahany, d'une surface de 2,3 ha, fortifié sur le côté accessible par trois remparts importants. Les fouilles réalisées durant ces dernières années pour établir une chronologie ont confirmé la datation de l'occupation et de la

Bracelet en bronze de la tombe n° 31 de Brno-Maloměřice (Moravie) première moitié du IIIe siècle av. J.-C. Brno, Moravské Múzeum

Types de céramiques des cimetières de Moravie IVe-début IIIe siècle av. J.-C. Brno, Moravské Múzeum

fortification. On a repéré également en quelques endroits la construction d'un rempart édifié d'un seul jet, d'une largeur de 3 mètres environ, avec une façade régulière, qui fut détruite par le feu. Deux dépôts d'objets en fer provenant de l'intérieur de l'enceinte témoignent de la soudaine destruction du rempart. Ils contenaient des instruments agricoles (socs de charrue et faucilles), artisanaux (haches, un burin à douille et un marteau à douille), divers couteaux, une pince, une alène, un couteau de taille, des ferrures et une clef à crochet. Celle-ci de même qu'un poids en pierre avec un œillet en fer, découvert dans un site d'habitat, témoignent de la présence de serrures dans les constructions.

Par rapport aux nombreux habitats de La Tène A, il est étonnant que nous ne connaissions pas de nécropole contemporaine en Moravie où seuls de rares objets funéraires indiquent leur présence. Cependant il faut supposer leur existence, et leur découverte n'est certainement qu'une question de poursuite de recherches comme cela a été le cas dans les régions voisines de la Slovaquie et de la Basse-Autriche.

La première phase de l'occupation celte en Moravie correspond donc à peu près à la première moitié du IVe siècle av. J.-C. Après le milieu de ce siècle,

Matériel
de bronzier
provenant
d'habitats
de Moravie
IVᵉ-début IIIᵉ
siècle av. J.-C.
Brno, Moravské
Múzeum

une nouvelle vague celte atteint le sol morave, caractérisée par des nécropoles plates à inhumations. Elle touche maintenant non seulement la partie sud de la Moravie, déjà occupée auparavant par les Celtes, mais aussi la partie septentrionale, caractérisée jusqu'alors par la culture tardo-lusacienne de Platènice de l'époque de Hallstatt. Les habitats de cette phase LT B1 se trouvent souvent dans des emplacements favorables. Les nécropoles à tombes plates récentes et la destruction déjà mentionnée du rempart de Černov montrent cependant clairement qu'il s'agit d'une nouvelle vague d'occupation celte. Mais il nous faut constater que, dans l'état actuel des connaissances, il est impossible de dresser une typologie plus détaillée des habitats de cette phase. Sans doute s'agit-il de petits groupements analogues à ceux de l'époque précédente. Il semble cependant qu'à cette époque apparaît le plan de cabanes rectangulaires avec poteaux sur l'axe le plus long, qui fut typique également de l'évolution ultérieure de l'époque La Tène. Les découvertes d'ossements, en majorité d'animaux domestiques, nous permettent de déduire que la base de l'alimentation du peuple celte fut à nouveau avant tout l'agriculture, mais des trouvailles de scories attestent aussi une activité sidérurgique, de même que la découverte de creusets, d'un moule et d'un lingot pour la production d'objets en bronze. Nous connaissons une quantité relativement importante de nécropoles celtes de La Tène B1 sur le territoire morave, même s'il semble que le nombre des sites n'accroîtra qu'avec l'évolution future de la recherche.

Il s'agit de nécropoles à tombes plates avec inhumations, sauf quelques exceptions, avec des corps étendus la tête tournée vers le nord. Les différents types de tombes doubles proviennent de catégories sociales différentes, on a découvert une tombe exceptionnelle d'un guerrier, entourée d'un fossé quadrangulaire.

Les inhumations sont pourvues de fibules en bronze et en fer, pendant cette phase surtout des types dits de Duchcov et de Münsingen, de divers types de torques, de bracelets, d'anneaux de cheville et de bagues. On doit noter également de nombreuses trouvailles de récipients en terre cuite. Dans ces nécropoles, les tombes de guerriers avec épées, lances et boucliers sont fréquentes. En raison des découvertes et des éléments du rite d'inhumation, les nécropoles moraves de cette époque se rattachent de manière explicite au milieu occidental de la Bohême et de la Bavière mais elles contiennent aussi des objets dont l'origine remonte à des régions plus éloignées de l'Europe : la Suisse, la Rhénanie centrale et l'Italie septentrionale. D'un point de vue historique, ce sont les découvertes de colliers de perles en forme d'amphore et de coraux, ainsi que de rares types de fibules, tous en provenance des régions d'Illyrie méridionale, qui nous semblent les plus importantes, en confirmant la datation de la phase la plus ancienne des nécropoles à tombes plates dans la phase LT B1, dans la deuxième moitié du IVe siècle av. J.-C., à un moment où les Celtes entrèrent en contact avec les Illyriens, comme nous le rapportent les sources écrites.

éramique
provenant
habitats
e Moravie
°-IVe siècles
v. J.-C.
rno, Moravské
úzeum
° Archeologický
stav SAV

A la fin du IVe siècle av. J.-C. on peut supposer une relative stabilisation de l'occupation des Celtes qui avaient accaparé en Moravie presque la plupart des terres fertiles. Au cours du IIIe siècle av. J.-C., on assiste non seulement à un développement continu mais aussi à un accroissement qualitatif et quantitatif du matériel archéologique que nous pouvons attribuer partiellement à une autre vague celte, venant cette fois du sud-est, identifiée parfois aux Volques Tectosages.

Le bassin des Karpates
Jozef Bujna e Miklós Szabó

La majeure partie des territoires centraux et orientaux de la cuvette karpatique étaient peuplés pendant la période hallstattienne tardive, la seconde moitié du VIe siècle av. J. -C. et la première moitié du siècle suivant, par des populations appartenant au faciès septentrional de la culture thrace connu sous le nom de groupe de Vekerzug, d'après le site de Szentes Vekerzug dans le bassin hongrois de la Tisza. Elles s'étendaient à partir de cette région jusqu'au cours inférieur du Váh en Slovaquie du sud-ouest. La situation est différente dans la partie occidentale de la cuvette karpatique, où le substrat de la culture de Kalenderberg, ébranlé par l'intrusion du groupe de Verkerzug s'oriente vers l'aire culturelle occidentale. C'est dans ce contexte culturel complexe et dans ce milieu ethniquement disparate de la partie occidentale de la cuvette karpatique que pénètrent, à partir du Ve siècle av. J.-C., les premiers objets de type laténien, connus jusqu'à une époque récente

Paire d'anneaux de cheville de bronze de Pal'arikovo (Slovaquie) Seconde moitié du IIIe siècle av. J.-C. Nitra Archeologický ústav SAV

uniquement par des trouvailles isolées ou des sépultures bouleversées. Depuis la limite orientale du massif alpin, la partie septentrionale du Burgenland et de la Transdanubie, ainsi que la Slovaquie occidentale, constituent vers la fin du Ve siècle av. J.-C. et pendant la première moitié du siècle suivant, un faciès laténien ancien, attesté principalement par des nécropoles à inhumation. Les mobiliers funéraires comportent d'une part des objets de provenance est-alpine ou de tradition hallstattienne locale – celle-ci illustrée notamment par la poterie –, d'autre part des parures laténiennes d'origine occidentale, en augmentation progressive. La phase ancienne, datable du Ve siècle av. J.-C., est caractérisée par une tradition hallstattienne encore forte et correspond au début de la nécropole de Sopron-Krautacker.

La phase récente à prédominante laténienne, datable de la fin du Ve siècle av. J.-C. et de la première moitié du siècle suivant, est illustrée notamment par la nécropole du Bučany en Slovaquie occidentale. La majorité des défunts qui y furent inhumés étaient déposés en décubitus dorsal, la tête tournée vers le sud, comme c'est le cas dans les nécropoles celtiques plus récentes. Lorsque le mobilier funéraire comporte plusieurs poteries, elles sont disposées à la droite de la dépouille. Le port symétrique de bracelets identiques, caractéristique du costume féminin du IVe-IIIe siècle av. J.-C., est déjà attesté. Le port d'anneaux de cheville, typique de la parure féminine de la partie nord-occidentale de la cuvette karpatique au IIIe-IIe siècles av. J.-C., n'apparaît qu'exceptionnellement, avec de lourds anneaux de tradition hallstattienne. Les sépultures d'hommes armés, plus particulièrement avec l'épée, sont peu nombreuses. Un autre aspect caractéristique est l'absence de mobiliers d'une richesse nettement supérieure à la moyenne. On peut observer nombre de similitudes dans le domaine des rites funéraires entre ces tombes et les sépultures plates des Celtes historiques, cependant les offrandes de viande, fréquentes, ne comportent pas le porc, caractéristique de leurs nécropoles.

Cet ensemble de trouvailles de la partie occidentale de la cuvette karpatique, datable de la fin du Ve siècle et de la première moitié du siècle suivant et étroitement lié au peuplement de l'Autriche nord-orientale, ne peut être considéré uniquement comme le résultat d'influences liées au commerce du selle long du Danube. Toutefois, si les objets laténiens anciens y reflètent la première infiltration et pénétration des Celtes dans la cuvette karpatique, cette première vague semble avoir eu une orientation commerciale. Même si certains types de parures présentent une évolution postérieure et si certains aspects du rite funéraire possèdent des analogies dans les nécropoles plus récentes des Celtes historiques, aucun site n'atteste une continuité des ensevelissements entre la fin du Ve et le début du IIIe siècle avant J.-C.

Une vague bien plus importante, à proprement parler colonisatrice, arrive dans la seconde moitié du IVe siècle av. J.-C., avec l'expansion historique attestée par les textes. Cet afflux de populations qui suivait le cours du Danube, était lié cette fois à l'occupation de la partie centrale de la cuvette karpatique. Une concentration de peuplement se forma dans les territoires septentrionaux du Burgenland et de la Transdanubie, jusqu'au coude du Danube près de Vác. Des groupes d'immigrants celtiques franchirent le Danube vers le nord. Ils repoussèrent de la région entre les cours inférieurs du Váh et de l'Ipef les populations du groupe de Vekerzug et avancèrent successivement dans la Petite Plaine hongroise. Dans les régions montagneuses du nord de la cuvette karpatique continuait l'évolution du peuplement local de culture lusacienne. Des découvertes isolées d'objets laténiens constituent toutefois l'indice d'une pénétration, liée peut-être à la recherche de gisements de minerais. Depuis la deuxième moitié du IVᵉ siècle av. J.-C. furent fondées de nouvelles nécropoles, dont certaines furent utilisées jusqu'au IIᵉ siècle av. J.-C. Leur phase ancienne – La Tène B1-B2a – est caractérisée par la prédominance très nette de l'inhumation et de l'orientation de la tête vers le sud.

Les personnages importants sont ensevelis dans leur costume d'apparat avec de nombreuses offrandes, disposées dans de vastes chambres funéraires en bois qui rappellent celles de l'époque hallstattienne. La hauteur de la chambre correspond généralement à celle de la poterie la plus haute. Les sépultures riches à chambres funéraires se trouvent au centre d'enclos formés par des fossés peu profonds, de plan principalement quadrangulaire, du moins pendant la phase ancienne. La fonction de ces enclos, qui délimitent de grandes surfaces et sont souvent reliés entre eux, reste à éclaircir. Des enclos quadrangulaires atteignant jusqu'à 170 mètres carrés, avec en leur centre des chambres funéraires de 11 mètres carrés, une superficie correspondante à celle des habitations, furent découverts dans la nécropole de Dubnik, en Slovaquie occidentale. On connaît aussi des aménagements plus modestes des fosses funéraires, avec les dépouilles placées sur une plateforme en bois.

Les sépultures contenant deux individus sont assez fréquentes : ils sont généralement disposés côte à côte au même niveau, plus rarement superposés. Comme il s'agit de défunts de sexe différents et d'âges très variables, la sépulture commune s'explique plutôt par des liens familiaux que par une dépendance sociale.

Un grand nombre de sépultures des nécropoles celtiques furent perturbées dès une époque ancienne, probablement par les Celtes eux-mêmes, mais seulement dans de rares cas dans le but de récupérer des éléments de valeur du mobilier funéraire. Beaucoup de tombes furent ouvertes pour des raisons rituelles, comme l'indiquent les traces de feux sacrificiels, de dépôt de poteries supplémentaires entières ou sous forme de fragments.

La parure de la phase ancienne des nécropoles plates comporte des variantes de fibules des types dits de Duchcov et de Münsingen, des bracelets et des anneaux de cheville à la tige finement striée, aux extrémités profilées ou bien avec une fermeture comportant une partie mâle et femelle, des agrafes de ceinture analogues à celles connues du Vᵉ siècle av. J.-C. et des perles de verres à ocelles bleus sur fond blanc. Le costume féminin était complété par des colliers de perles de verre, parmi lesquelles figurent notamment des exemplaires vasiformes, mais aussi des morceaux de corail et des perles d'ambre. Un des colliers les plus riches, composé de 364 perles de verre, 50 perles d'ambre et quantité de morceaux de corail, provient de la nécropole de Ménföcsanak près de Györ en Hongrie. Les perles de verre vasiformes présentent une large diffusion et elles ont pu

Détail du fourreau de fer décoré de la tombe n° 2 d'Ižkovce (Slovaquie) IIIᵉ siècle av. J.-C. Michalovce Zemplínské Múzeum

arriver dans la partie nord-occidentale de la cuvette karpatique et la Moravie méridionale voisine à partir de l'aire de contacts celto illyriens, située sur la Save, dans l'ex Yougoslavie. C'est probablement par la même voie qu'arrivait le corail marin, ainsi que l'indique la fréquence élevée de présence de cette matière dans les colliers des territoires danubiens sud-occidentaux. il s'agit donc d'un axe commercial différent par rapport à celui de la fin de l'époque hallstattienne et du début de l'époque laténienne, où le corail arrivait en Europe centre-orientale à partir de l'Italie septentrionale. L'armement est constitué par la combinaison caractéristique de l'épée, de la lance et du bouclier. Les boucliers en bois commencent à être munis d'umbos bipartites de métal. L'équipement militaire de la phase ancienne comporte des ceinturons en cuir avec trois anneaux métalliques pour la suspension de l'épée. Un rasoir, un couteau et une pierre à aiguiser, objets d'usage quotidien, complètent l'ensemble. La proportion élevée de tombes avec armes dans les nécropoles de la fin du IVᵉ siècle et de la première moitié du siècle suivant témoigne du caractère militaire de l'expansion.

La phase ancienne des nécropoles plates de la partie occidentale de la cuvette karpatique peut être synchronisée avec la phase Ouchcov-Münsingen en Europe centrale et occidentale et la fin de l'époque hallstattienne – fin de la phase Čurug – dans l'ex Yougoslavie danubienne. La phase moyenne des nécropoles plates – La Tène 82b, env. 280-230 av. J.-C. – correspond à une évolution continue et à une croissance de la densité du peuplement, accompagnée d'une progression des populations celtiques dans les territoires périphériques de la cuvette karpatique. Des groupes celtiques d'une certaine importance s'installent dans la partie méridionale de la Slovaquie centrale et orientale, attirés probablement par les ressources en minerais.

C'est une phase caractérisée par l'apparition de la fibule au gros pied globulaire, souvent à décor en relief, et le remplacement des formes de parures annulaires légères par des formes massives à nodosités. On assiste à un relâchement du port symétrique des bracelets et à la vogue de parures annulaires de lignite associées à celles de bronze. L'armement voit le remplacement de la forme transitoire d'umbo en deux parties par l'umbo d'une seule pièce de forme rectangulaire. Autre élément significatif nouveau, les ceinturons métalliques.

On assiste dans le domaine des rites funéraires au creusement des différences entre les territoires nord-occidentaux de la cuvette karpatique, où domine toujours l'inhumation, et les territoires orientaux et méridionaux, à prévalence d'incinérations.

La partie nord-occidentale de la cuvette karpatique est atteinte pendant la phase récente des nécropoles plates – La Tène B2-C1 C1b, env. 230-120 av. J.-C. – par une nouvelle vague d'immigrants celtiques, mise en relation avec les peuples celtiques d'Italie après leur défaite face aux Romains.

De nouvelles enclaves coloniales se constituent également en Slovaquie centrale et orientale. Le peuplement celtique de la cuvette karpatique atteint sa densité maximale pendant la première moitié du IIe siècle avant J.-C.

La coutume de déposer dans les sépultures des assortiments de poteries perdure dans la cuvette karpatique depuis les sépultures tumulaires tardohallstattiennes jusqu'à la phase récente des nécropoles plates et représente un des traits qui distinguent ce faciès de l'aire occidentale. La combinaison de trois vases, généralement deux formes hautes et une basse, est le service céramique caractéristique. La combinaison de six poteries, ou plus,

à gauche
*Bracelet de bronze
à anneaux mobiles
de la tombe n° 14
de Chotín
(Slovaquie)
Première moitié
du IIIe siècle av. J.-
Komárno
Podunajské
Múzeum*

avec le plus souvent trois formes hautes et trois formes basses, caractérise les mobiliers riches.

La viande était un autre élément des mobiliers moyens et riches. Elle était déposée, avec les autres aliments, conservés dans des vases, à droite du défunt. Des morceaux de volaille ou un poisson étaient quelquefois disposés sur des plats. La viande était crue et choisie dans de jeunes bêtes, d'une qualité idéale pour la consommation. L'offrande de viande caractéristique était le porc, et les tombes particulièrement riches contenaient un animal entier. Les sépultures à mobilier moyen ne contenaient que des morceaux. La viande de bœuf n'apparaît que dans les sépultures à armement complet ou les riches tombes féminines.

*Vase de terre cuite
en forme
de soulier
de Pal'arikovo
(Slovaquie)
Première moitié
du IIIe siècle
av. J.-C.
Nitra
Archeologicky
ústav SAV*

Les nécropoles de la période laténienne ancienne et moyenne de la cuvette des Karpates témoignent d'une société avec une différenciation bien marquée, même si, en comparaison avec la période hallstattienne précédente, la composition des mobiliers funéraires apparaît comme plus homogène, sans l'équivalent des sépultures dites princières. La couche sociale nombreuse que caractérisent l'armement complet et les riches mobiliers féminins témoigne de la mutation qui se déroula entre l'époque hallstattienne et l'époque laténienne.

L'ancienne structure de la société celtique se modifia sensiblement lors de l'expansion, les liens familiaux et tribaux furent rompus, la possibilité d'acquisition de richesses par l'activité militaire et la répartition du butin selon des critères non traditionnels, favorisèrent le développement d'une classe privilégiée plus nombreuse. Bien qu'issue de l'ancienne aristocratie, elle s'adjoignit d'autres éléments et changea ainsi sa nature même. Elle se "démocratisa". Une des expressions de cette nouvelle situation politique et économique se révèle probablement dans les relations de dépendance des "soldurii" mentionnées par César *(Guerre des Gaules* III, 22), attestées par Polybe (II, 17) déjà à l'époque de l'expédition en Grèce.

L'occupation de nouveaux territoires, l'exploitation de nouvelles ressources de matières premières et l'activation des contacts commerciaux, favorisèrent l'essor économique et la consolidation de la société. La production devait s'accroître, malgré la diminution de l'apport constitué par le butin, car les sépultures de la phase récente contiennent toujours un grand nombre de parures et d'objets décorés. Ceux-ci n'atteignent toutefois pas la qualité des productions de luxe de la phase initiale.

J.B.

Ainsi que l'indiquent les textes anciens, en particulier un passage de Trogue Pompée, transmis par Justin, un grand mouvement migratoire aboutit au début du IVe siècle av. J.-C., presque simultanément, en Italie et en Pannonie. C'est le même auteur qui prétend qu'avant d'avoir envahi la Pannonie, les Celtes avaient atteint l'Illyrie. Or, Trogue Pompée ne disposait d'aucun renseignement sur l'itinéraire de l'invasion. Son indication est donc un *topos* qui ne repose sur rien. La distribution des trouvailles archéologiques suggère une route différente de pénétration : suivant le cours du Danube vers l'est, les Celtes ont atteint la Hongrie du Nord-Ouest à partir du bassin viennois. Leur progression est marquée par une concentration remarquable des sépultures dans la Petite Plaine Hongroise (Kisalföld). Il s'agit de l'apparition d'une série de nécropoles liée à la migration dite historique des

Paire de fibules de bronze reliées par un chaînette du même métal de Szentendre (Hongrie) Fin du IVe siècle - début du IIIe av. J.-C. Budapest, Magyar Nemzeti Múzeum p. 328

Celtes. Les sites les plus importants, ou plutôt les mieux explorés, sont Sopron-Bécsidomb et Ménfőcsanak. Mais pour avoir une idée de l'ampleur de l'immigration, il faudrait en énumérer encore beaucoup d'autres, comme Egyházasfalu, Fertömeggyes, Petőháza, Ordód-Babót, etc. Au cours du IVe siècle av. J.-C., la moitié septentrionale de la Transdanubie hongroise, délimitée *grosso modo* par le Balaton (voir les trouvailles d'Andráshida, de Cserszegtomaj, de Rezi-Rezicser, etc.) et par la ligne des montagnes Vértes - Budai hegység (vestiges des environs de Tata, les sépultures de Szomód-Kenderhegy, d'Almásfüzitö), est devenue complètement celtisée. Cette vague a dû franchir au moment de son arrivée la rivière de Zala en Transdanubie occidentale, conformément aux trouvailles récemment publiées de Felsörajk.

Il faut noter que, selon les découvertes faites à Sopron-Krautacker et Pilismarót-Basaharc, la civilisation laténienne avait, dans la région qui nous intéresse, des racines plus anciennes, datées de la deuxième moitié du

Vᵉ siècle av. J.-C., dont la continuité a été observée sur les deux sites. L'apparition des trouvailles celtiques sur la frange septentrionale de la Grande Plaine Hongroise remonte également au IVᵉ siècle av. J.-C. (voir les trouvailles de Vác, de Püskpökhatvan, de Hatvan-Boldog) et les Celtes ont atteint avant 300 la zone de Miskolc (nécropole de Muhi-Kocsmadomb). Il est probable que la même poussée est arrivée jusqu'à la partie occidentale de la Roumanie actuelle. Le témoignage en est avant tout la nécropole de Piscolt, dont les tombes les plus anciennes datent certainement du IVᵉ siècle av. J.-C. Des trouvailles quasi contemporaines proviennent de la région d'Arad, donc la partie sud-ouest de la zone frontalière près de la Hongrie. Selon une hypothèse, c'est l'empire macédonien qui fit remonter les Celtes vers la Transylvanie. La nécropole de Fîntînele, à l'intérieur de l'arc karpatique, si on peut croire les rapports sommaires publiés, appartiendrait à cette première phase du peuplement celtique en Roumanie occidentale. Les nécropoles de l'ex Yougoslavie, témoins les plus importants de l'époque de l'expansion balkanique, datent du tournant entre le IVᵉ et le IIIᵉ siècle av. J.-C. Il faut citer Osijek en Slavonie, Karaburma près de Belgrade et Pečine près de Kostoiac, comme des cimetières directement liés aux événements de cette période mouvementée.

D'après la classification archéologique, les types d'objets représentés dans les nécropoles du IVᵉ siècle av. J.-C. appartiennent à la phase Duchcov-Münsingen, dont les manifestations reflètent les conséquences des mouvements celtiques. La conquête d'une partie de l'Italie septentrionale a créé un nouvel axe de rapports culturels qui, reliant l'Italie et la Bohême,

Perles de verre corail et cristal de roche, coquillag marin utilisé comme pendeloqu de la tombe nᵒ 53 de Pilismaró Basaharc (Hongrie IVᵉ siècle av. J.-C. Budapest, MTA Régeszeti Intézete

ollier d'ambre
e la tombe n° 63
e Pilismarót-
asaharc (Hongrie)
e siècle av. J.-C.
udapest, MTA
égeszeti Intézete
p. 328

inte de lance
e fer décorée
ir gravure
origine hongroise
connue. Fin du IVᵉ -
ibut du IIIᵉ siècle
. J.-C.
udapest, Magyar
emzeti Múzeum

toucha certainement la bordure occidentale de la cuvette karpatique. La recherche a démontré depuis longtemps les éléments d'origine rhénane de la civilisation des Celtes arrivés sur le territoire hongrois au IVᵉ siècle av. J.-C. Il semble qu'une influence importante de la région marnienne se manifestait également. Cette documentation est constituée surtout par les trouvailles d'armes, mais il faut également citer le grand plat en terre cuite trouvé dans la tombe n° 377 de Pilismarót-Basaharc : son décor incisé a été copié sur un objet métallique, fabriqué très probablement dans la zone champenoise. Il est facile d'illustrer la connexion entre le faciès italien de la phase Duchcov-Münsingen et l'horizon contemporain de trouvailles celtiques de la Hongrie du Nord-Ouest. Citons à titre d'exemple le bracelet très caractéristique de la sépulture D de Carzaghetto et son parallèle d'Ordód-Babót ou la fibule de type Münsingen du mobilier 4 de Ménfőcsanak qui est particulièrement significative à cause de l'emploi du corail et de son décor présentant la métamorphose des motifs d'origine grecque. La situle en argile mise au jour dans la sépulture 18 de la même nécropole est sans doute l'imitation d'un vase de bronze de la zone de diffusion de l'art des situles.

Les objets que l'on peut considérer comme issus d'ateliers locaux témoignent d'un renforcement du pouvoir celtique dans la zone décrite à partir de la seconde moitié du IVᵉ siècle av. J.-C. Parmi eux, le plus important est sans doute la fibule à "anneau zoomorphe" (cf. la paire trouvée à Litér) qui correspond dans la cuvette des Karpates à une variante de tendance géométrique de la fibule zoomorphe de La Tène A occidentale. Son apparition est datée par son association à des fibules de type Duchcov. (Voir la trouvaille de Szentendre.) Il faut également évoquer la céramique estampée de décor à arceaux, lyres, triscèles, etc., particulièrement caractéristique pour la partie dite orientale de la civilisation laténienne, dont un atelier important a été découvert à Sopron-Krautacker.

En Transdanubie méridionale, les nécropoles dites pannones ont été encore utilisées au IVᵉ siècle av. J.-C. ; c'est sans doute à cet endroit que débuta le "voisinage" qui, d'après Trogue Pompée, obligea les Celtes conquérants à mener de longues guerres contre la population autochtone qui disposait également d'armes en fer. A l'est du Danube, sur le territoire de la Grande Plaine Hongroise, les Celtes s'étaient heurtés à la forte résistance d'une civilisation scythe, ou thraco-scythe, dont la couche dominante était sans doute d'origine iranienne.

Les nouvelles nécropoles du IIIᵉ siècle av. J.-C. sont en rapport avec l'invasion balkanique. Elles apparaissent partout sur le territoire hongrois,

dans les régions qui, selon nos connaissances actuelles, n'étaient pas peuplées par les Celtes au Vᵉ siècle. Dans le sud de la Transdanubie, de nom-
breux sites illustrent ce processus, comme par exemple Magyarszerdahely,
Cece, Kölesd-Lencsepuszta, Apátipuszta, Pécs-Köztemetö, etc. La
Hongrie du Nord-Est présente une concentration importante de nouvelles
nécropoles comme Vác-Kaviesbánya, Szob, Kosd, Mátraszöllös, Kistokaj-
Kültelek, Radostyán, Bodroghalom et, dans la Grande Plaine Hongroise,
on trouve partout des sépultures celtiques. Quelques sites importants :
Jászberény-Cseröhalom, Gyoma, Békéssámson, Körösszegapáti, Gáva-
Katóhalom. (Voir dans la zone limitrophe de Roumanie : Ciumeşti,
Sanislau, Curtuişeni, etc.) Le répertoire des trouvailles celtiques de la
Transylvanie et de la ex-Yougoslavie nous autorise à dire qu'au cours du
IIIᵉ siècle av. J.-C. la cuvette karpatique est celtisée dans sa totalité. Il ne
faut cependant pas oublier que l'apport des sources archéologiques est
limité et qu'on se heurte souvent à des difficultés dès que l'on tente de

savoir Si un ensemble de trouvailles est antérieur ou postérieur à 275 av. J.-C., c'est-à-dire s'il doit être rattaché au "rassemblement" qui précède dans l'arrière-pays la grande invasion des Balkans ou à la retraite qui succède à son échec. Car, d'une part, les trouvailles d'époque protohistorique ne peuvent être datées qu'avec une précision toute relative, à 25 ans près dans le meilleur des cas ; d'autre part, comme la période en question se situe à la transition entre La Tène ancienne et La Tène moyenne, le matériel archéologique présente aussi un caractère transitoire.

L'analyse des nécropoles du IIIᵉ siècle av. J.-C. montre très clairement que le renforcement du pouvoir celtique dans la cuvette karpatique s'effectue parallèlement à la formation d'une *koiné* culturelle et artistique.

M.S.

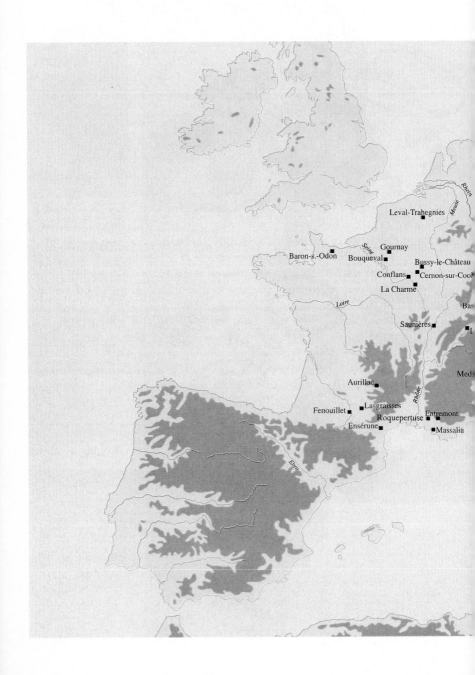

Le temps des guerriers
IIIᵉ siècle av. J.-C.

Relief au-dessus de 500 m

0   100   200   300
Kilomètres

Groitzsch

Křinec

Iwanowice

Planany
Kbel
Brno-Maloměřice
Uhrice
Ižkovce
raubing
Pilismarót
Bodroghalom
Lábatlan
Manching
Palárikovo Mana
Drňa Muhi
Ciumeşti Dipşa
Klettham
Halimba
Kosd
Curtuiuseni Piscolt
Apahida
nzing
Csabrendek
Chotin Szob
Oradea
Dürrnberg Potypuszta
Jutas
Jászberény Berettyoujfalu
Liter
Atel-Bratei
Tahándörögd
Kalocz Nagyhörcsök
Balatonderics
Bölcske-Madocsahegy
Silivas
Formin
Kakasd Bata
Rákos
Mokronog
Gasic Batina
Mihovo
Dobova
Istros
Novo Mesto
Gajič
Sremski Karlovci
Dalj Vrsac-At
Sremska Mitrovica
Karaburma (Beograd)
Šimanovci
Boljevci
Kupinovo
Pečine
Céretolo
Gorni Cibar
ntefortino
Apollonia Pontica
Sentinum
lamone
Mezek
Byzantion
Roma
Lysimacheia
Samothráke
Cuma
Taranto
Pergamon
Dodone
Thermopylai
Delphoi
Athenai
Korinthos
Delos
Finike
Siracusa

Vue du sanctuaire
de Delphes

Les Celtes et leurs mouvements au IIIe siècle av. J.-C.

Miklós Szabó

Le IIIe siècle av. J.-C. peut être caractérisé comme la dernière grande période de l'expansion celtique dont les conséquences se manifestent sur les vastes territoires compris, d'une part, entre les îles Britanniques et l'Anatolie centrale et, d'autre part, les plaines de l'Europe septentrionale et la Méditerranée ainsi que le littoral septentrional de la mer Noire.

Le nouveau phénomène qui devient le facteur déterminant dans l'histoire du monde celtique est le déplacement vers l'est de son centre de gravité à cause de la consolidation du pouvoir celtique dans la région du moyen Danube à partir de la seconde moitié du IVe siècle av. J.-C. Certains groupes celtiques ont atteint déjà à cette époque-là les régions illyriennes situées plus au sud et ont remporté leur premier grand succès militaire dans les Balkans en battant les Autariates. Nous avons une bonne raison de croire que les Celtes "adriatiques" en ambassade chez Alexandre le Grand, mentionnés par les sources anciennes, n'étaient pas des Gaulois d'Italie, mais bien des Celtes venus de l'arrière-pays pannonien qui fut le point de départ de leurs offensives contre le monde hellénistique.

Dès la dernière décennie du VIe siècle av. J.-C. la poussée celtique pèse de plus en plus fortement sur toute la partie nord-est des Balkans. Trogue-Pompée nous évoque très clairement la chronologie relative des événements : après l'installation en Pannonie et des guerres menées contre les voisins, est venue l'époque des invasions contre les Macédoniens et les Grecs. L'expansion celtique a été cependant longtemps contenue en Thrace par les héritiers d'Alexandre, d'abord Cassandre, puis Lysimaque. Après la mort de ce dernier à la bataille de Kouroupédion au début de l'année 281 la "barrière" macédonienne ne fonctionne plus et le chemin s'ouvre devant les Celtes vers la Grèce.

L'œuvre des historiens du IIIe siècle av. J.-C. étant presque totalement perdue, les sources plus récentes, comme l'abrégé de Justin ou le résumé de Pausanias, donc des récits rédigés à l'époque impériale, ne donnent de l'invasion celtique qu'une vision assez lacunaire, souvent même confuse. Les détails des opérations des trois armées celtiques nous échappent, ainsi que ceux de leur chronologie.

Il faut compter avec l'offensive simultanée de trois groupes celtes : en 280 av. J.-C. le territoire des Triballes et la Thrace sont envahis par les Celtes de Kérethrios, l'Illyrie et la Macédoine par les guerriers de Bolgios / ou Belgios et la Péonie par les troupes de Brennos et Akichorios. La percée décisive a été effectuée par l'armée de Bolgios qui a anéanti au début de 279 la troupe constituée d'une poignée d'hommes du jeune souverain de la Macédoine, Ptolémée Kéraunos. Les Galates, comme les Celtes désormais de plus en plus souvent nommés, ont capturé le roi blessé et l'ont décapité. La suite nous paraît surprenante : les vainqueurs avec leur chef, Bolgios, regagnent le territoire d'où ils étaient partis. Néanmoins la route vers la Grèce est ouverte et l'armée de Brennos l'emprunte pour se diriger vers le sud. Pourtant elle était obligée de surmonter beaucoup de difficultés : en Dardanie, selon Tite-Live, Léonnorios et Lutarios quittent avec 20 000 guerriers le gros de l'armée, après une rébel-

lion. Puis, en Macédoine, les troupes de Brennos et Akichorios subissent des pertes probablement lourdes. Après le passage aux Thermopyles, Brennos avec des guerriers d'élite se porte contre Delphes, dont la réputation depuis l'époque archaïque dépassait les frontières du monde grec. La situation du sanctuaire d'Apollon était désespérée. Pourtant l'attaque des Celtes échoue. La tradition parle d'un miracle d'Apollon, mais aussi du sac de Delphes et des trésors emportés en Gaule. En réalité, la fête de *Sôtéria* introduite à Delphes après l'échec des Celtes commémorait la délivrance et le salut du sanctuaire. Brennos, lui-même, était gravement blessé et bien qu'il ait réussi à effectuer la jonction avec les troupes d'Akichorios, il se suicide. A son tour, Akichorios se décide en faveur d'une retraite vers la Thrace. Son destin nous est cependant inconnu. L'armée de Kérethrios, donc le troisième participant des offensives, peut être probablement identifiée à celle qui a été battue par Antigonos Gonates en 278/277 av. J.-C. à Lysimacheia. Ainsi se termine la grande invasion celtique vers la Grèce où, après l'échec, la présence des Galates se prolonge sous la forme de mercenariat.

La question fondamentale qui se pose à propos des événements qui viennent d'être brièvement évoqués ci-dessus est la suivante. Comment faut-il considérer l'invasion celtique : est-ce une véritable migration, une tentative de colonisation ou plutôt une série d'actes de pillage ? Un élément important de la réponse est constitué par la situation générale du monde celtique au IIIe siècle av. J.-C. Etant donné qu'il était alors en pleine floraison, l'offensive vers le sud ne s'explique pas par une force externe, mais par le phénomène de l'explosion démographique. L'idée des mouvements colonisateurs concernant l'interprétation de l'invasion balkanique est corroborée par le fait que la population celtique en mouvement comprenait aussi des femmes et des enfants à côté des guerriers. Il s'agissait essentiellement de tentatives de prise en possession de nouveaux territoires, mouvements qui se trouvaient dans le prolongement des migrations dites historiques du IVe siècle av. J.-C.

La pauvreté des traces archéologiques de l'offensive en 280-279 av. J.-C. reflète une situation bien connue : la documentation matérielle de brefs passages des envahisseurs étrangers à travers une autre civilisation est en général bien maigre. Mais les rares objets sont importants car ils appartiennent aux types répandus dans la zone orientale du monde celtique, donc la cuvette karpatique avec la Moravie, la Bohême et la Bavière. Il se trouve ainsi confirmé l'idée, déjà évoquée, selon laquelle l'arrière-pays des mouvements était la région du moyen Danube. Après l'échec de l'invasion contre la Macédoine et la Grèce, plusieurs groupes de Celtes restent en mouvement.

Les fondateurs du royaume énigmatique de Tylis en Thrace faisaient probablement partie de l'armée de Brennos, sous le commandement de Komontorios.

Un autre groupe qui a également essayé de s'intégrer au monde hellénistique est celui des Galates d'Asie Mineure. Il s'agit du contingent, conduit par Léonnorios et Lutarios, séparé de l'armée de Brennos en Dardanie. Après avoir utilisé leurs services, Nicomède I de Bithynie les installe entre son propre royaume et celui d'Antiochos I de Syrie. Ainsi commencent les années noires pour l'Anatolie occidentale qui se terminent par la fameuse bataille des éléphants en 275/4 av. J.-C. Antiochos qui doit le surnom *Sôter* ("Sauveur") à ce succès, rétablit l'ordre et oblige les Galates à se retirer dans la région de plateaux située de part et d'autre du fleuve Halys (Lizilirmak). C'est la partie la plus pauvre de l'Asie Mineure et il n'est pas surprenant que des Galates continuent à terroriser le pays. Ils menacent d'abord les deux grandes villes de cette région, Gordion et la cité de Midas, dont le dépeuplement était la conséquence de leurs incursions. Puis, ils s'ingèrent dans les affaires des Etats hellénistiques vers 240 av. J.-C. Ensuite, ils se retournent contre Pergame, mais subissent plusieurs défaites d'Attale Ier qui essaie, avec peu de succès, de faire de la Galatie un pays vassal.

La civilisation matérielle des Galates est très peu connue ; elle a subi évidemment une hellénisation progressive. Séparée du milieu laténien, cette minorité étrangère n'a pas pu marquer la civilisation hellénistique beaucoup plus évoluée. La particularité dans la conservation de la langue et des traditions ne nous est parvenue que par les sources anciennes.

Les conséquences de l'échec de l'expansion celtique vers le sud ont été fondamentales pour la celtisation de la totalité de la cuvette karpatique. Le chemin des groupes celtiques qui se sont retirés vers la zone danubienne nous reste mal connu à cause du caractère imprécis et lacunaire des données respectives fournies par les auteurs grecs. Trogue Pompée parle dans un passage, dont la crédibilité fut souvent mise en doute, de l'établissement d'un groupe de la tribu des Tectosages en Pannonie du Sud. Le nom géographique, *Volcae paludes* (les marais Volques), dans le voisinage de la confluence du Danube et de la Drave, peut être mis en rapport avec l'appellation bien connue de la tribu, *Volcae Tectosages*. Nous savons, grâce à Justin, qu'un autre groupe de ce même peuple, retiré également des Balkans après l'invasion dite delphique, s'installa dans la région de Tolosa (Toulouse). Pour caractériser la nouvelle situation qui s'est créée après les offensives en 280/79 av. J.-C., il faut aussi évoquer la présence des Tectosages parmi les Galates d'Asie Mineure et, selon César, parmi les tribus de la forêt hercynienne. Tout cela peut montrer notre incertitude au moment de reconstituer l'histoire des peuples celtiques qui ont participé aux campagnes balkaniques à partir des récits des textes anciens. Mais, d'autre part, il ne faut pas négliger non plus les données relatives à l'établissement des groupes celtiques après la retraite, car ils peuvent nous aider à interpréter les rapports de nouveau type qui se manifestent à travers des trouvailles archéologiques mises au jour dans les zones bien éloignées d'Europe.

Nous sommes moins démunis d'informations concernant l'histoire des Scordisques, autre peuple celtique de la zone danubienne. Comme il ressort du récit de Justin, le nom des *Scordisci* couvre un groupe de l'armée de Brennos qui, reprenant la route de son avance vers le sud, finit par s'installer dans la région de la confluence du Danube et de la Save. Athénée nous indique que le chef de la retraite fut Bathanattos. Le nom de tribu dérive peut-être de *Scardus mons*, c'est-à-dire d'une montagne dans les Balkans. Le territoire que Justin leur attribue, d'après Trogue Pompée, ne doit se rapporter qu'à leur pays d'origine car, selon Strabon, ils vivaient entre les Thraces et les Illyriens et comptaient parmi les tribus les plus importantes du nord de la péninsule balkanique, au moins à partir du début du IIe

Partie inférieure du fourreau de fer décoré de Bölcske-Madocsahégy (Hongrie) IIIe siècle av. J.-C. Budapest, Magya Nemzeti Múzeur

siècle av. J.-C. Les sources historiques, souvent lacunaires et contradictoires, attestent de mouvements dirigés vers l'est au cours du IIIe siècle. C'est probablement vers la seconde moitié de ce siècle que les Bastarnes apparaissent. Ils seront les protagonistes de l'histoire du Bas-Danube et de la Moldavie aux siècles qui suivent. Selon Diodore, Plutarque, et Tite-Live, ils étaient Galates, c'est-à-dire Celtes. L'analyse de l'onomastique démontre que ces tribus étaient, au moins en partie, celtiques. Pourtant d'autres sources leur donnent différentes origines : par exemple Strabon les désigne comme Germains, Appien les appelle Gètes.

L'inscription de Protogène, datée de la fin du IIIe siècle av. J.-C., est un document contemporain de l'avance des Celtes. Olbie, ville grecque du littoral septentrional de la mer Noire, commémore les hauts faits de Protogène qui a défendu sa ville natale menacée par différents peuples, dont les Galates. Nous comprenons ainsi pourquoi les géographes grecs considèrent la Maïotis, c'est-à-dire mer d'Azov, comme l'extrême limite de la Celtique.

Comme nous l'avons déja signalé, les événements postérieurs à l'échec de l'invasion contre la Macédoine et la Grèce sont mal connus. Les sources font état de mouvements et de la retraite de divers groupes celtiques, de leur décomposition et de leur dispersion. Le théâtre de ces bouleversements était énorme, mais, hélas, des détails importants demeurent obscurs ou contradictoires. Il se pose donc toute une série de questions importantes dont la solution exige la participation de l'archéologie, car les auteurs anciens ne fournissent que très peu d'informations sur des événements qui ne concernent pas directement le monde hellénistique. L'histoire des régions danubiennes qui se situent plus au nord de la zone scordisque est basée sur l'examen des trouvailles archéologiques. Elles permettent de supposer que l'invasion balkanique avait des conséquences là-bas aussi. A ce propos, il est nécessaire de noter que les nécropoles dites scythes de la Grande Plaine Hongroise ne sont plus utilisées à partir de 250 av. J.-C., au moment où apparaissent en masse des vestiges celtiques. Le dernier tiers du IIIe siècle marque certainement l'apogée de la civilisation celtique sur un territoire allant de la Slovaquie à la Syrmie, du Burgenland à la Transylvanie. Certaines trouvailles permettent même de penser que l'échec de l'expédition celtique de Delphes avait des conséquences au-delà de cette zone où, à ce temps-là, se fixent des contingents celtiques venus des régions du sud-est. Il s'agit de la Slovénie, la Carinthie et la Moravie.

Les recherches récentes en France ont très clairement démontré l'arrivée de groupes danubiens en Gaule vers le milieu du IIIe siècle av. J. -C. Les nouvelles nécropoles champenoises s'installent quelquefois sur l'emplacement de cimetières abandonnés depuis la fin du Ve siècle av. J.-C. Des parallélismes surprenants entre la Champagne et la cuvette karpatique se manifestent

...ée et fourreau
...fer pliés
...développement
...décor
...la tombe n° 15
...Kosd (Hongrie)
...emière moitié
...IIIe siècle
...J.-C.
...dapest, Magyar
...mzeti Múzeum

non seulement par l'usage vestimentaire, comme par exemple le port d'anneaux de cheville par certaines femmes, mais aussi par la présence de petits enclos funéraires et la relative fréquence de la biritualité. Tous ces phénomènes constituent donc la conséquence d'une immigration celtique de la région du moyen Danube qui a dû modifier le peuplement de la France septentrionale et toucher même la Bretagne insulaire, comme l'attestent, entre autres, les fourreaux décorés de la paire de dragons mis au jour de la Tamise. Une autre poussée originaire également du milieu danubien a été identifiée en Gaule méridionale. La diffusion des objets laténiens caractéristiques des faciès centre-européens peut être mise en rapport avec l'installation des Volques dans la région de Toulouse, mentionnée par les auteurs anciens. L'armement laténien apparaît subitement dans de nombreux mobiliers funéraires languedociens.

Torque d'or de Fenouillet (Haute-Garonne) IIIe siècle av. J.-C. Toulouse, Musée Saint-Raymond

Tout ce qui a été brièvement évoqué ci-dessus montre, d'une part, les répercussions des invasions balkaniques partout en Europe celtique et, d'autre part, le dynamisme de ce monde au IIIe siècle. L'infiltration de groupes plus ou moins importants dans la partie occidentale de la Celtique n'était malheureusement pas enregistrée par les sources historiques anciennes, comme ce fut le cas avec l'invasion vers le sud-est. Le bilan qui repose sur l'analyse des vestiges archéologiques est nécessairement provisoire.

Il est très difficile d'interpréter la présence d'origine danubienne en Italie à partir du deuxième quart du IIIe siècle av. J.-C. Sont-ils liés aux groupes migratoires ou, plutôt, au rayonnement culturel du nouveau centre oriental de la civilisation laténienne ? En tout cas, au cours de cette période, les Boïens installés au centre de l'Émilie-Romagne rétablissent les coutumes laténiennes conformément au costume celtique danubien.

Mais c'est également en Italie que se manifestent dès le début du IIIe siècle av. J.-C. les signes de la régression celtique. Il faut très brièvement évoquer les étapes de la conquête romaine qui a duré à peu près un siècle, de 295 av. J.-C., la bataille de Sentinum, jusqu'à 191 av. J.-C., date de la soumission des Boïens. Les Sénons furent définitivement vaincus en 283 et leur territoire fut occupé et partagé. La nouvelle crise qui éclate après 240 s'explique sans doute par la politique offensive de Rome. Les Boïens font appel aux Transalpins, mais la coalition gauloise essuie une sanglante défaite en 225 près de Télamon et la guerre se termine en 222, après la victoire de Clastidium et la prise de *Mediolanum* (Milan), capitale des Insubres.

Une dernière chance s'est présentée pour les tribus cisalpines par l'entrée d'Hannibal en Italie, mais le soulèvement "national", calculé par les Carthaginois, n'a pas éclaté. L'aide fournie contre Rome, avant tout par les Boïens, était d'une efficacité douteuse. La soumission progressive des peuples celtiques fut donc la conséquence inévitable de l'échec de l'armée punique.

Pour décrire la société celtique de la période des grandes invasions du IIIe siècle av. J.-C., il faut d'abord présenter les données fournies par les sources

Bracelet de bronze de Lausanne
(canton de Vaud)
deuxième tiers du IIIe siècle av. J.-C.
Lausanne, Musée cantonal
d'Archéologie et d'Histoire

Bracelet de bronze orné de cabochons
d'émail rouge de la tombe n° 29
d'Andelfingen (canton de Zürich)
fin du IVe-début du IIIe siècle av. J.-C.
Zürich, Schweizerisches Landesmuseum

Bracelets de verre coloré, provenant de
tombes de Berne et des environs
IIe siècle av. J.-C.
Berne, Historisches Museum

Fibules de bronze provenant de
tombes de Berne et des environs
Du IVe siècle av. J.-C. (à gauche)
au début du IIe siècle av. J.-C.
(à droite)
Berne, Historisches Museum

Torque de bronze orné de cabochons
d'émail rouge de Schönenbuch
(canton de Bâle)
Fin du IVe-début du IIIe siècle
av. J.-C.
Berne, Historisches Museum

Vaisselle en terre cuite du mobilie
de la tombe de Hambuch
(Rhénanie)
IVe siècle av. J.-C.
Bonn, Rheinisches Landesmuseu

Paire d'anneaux
de cheville
en bronze
de Plaňany
(Bohême)
Iᵉ siècle av. J.-C.
Prague, Národní
Múzeum

Paire d'anneaux
de cheville
en bronze
de Horní Kšely
(Bohême)
Iᵉ siecle av. J.-C.
Prague, Národní
Múzeum

Détail
d'un anneau
de cheville
en bronze
de Horní Kšely
(Bohême)
Iᵉ siècle av. J.-C.
Prague, Národní
Múzeum

Fibule à masque
en bronze
de Parsberg
(Haut-Palatinat)
seconde moitié
du Vᵉ siècle
av. J.-C.
Nuremberg
Germanisches
Nationalmuseum

Collier de verre de Přítluky (Moravie)
IVᵉ siècle av. J.-C.
Brno, Moravské Múzeum

Flacon en terre cuite à décor estampé
de Vel'ký Grob (Slovaquie)
Première moitié du IIIe siècle av. J.-C.
Bratislava
Slovenské Národní Múzeum

Paire de fibules de bronze reliées
par une chaînette du même métal
de Szentendre (Hongrie)
Fin du IVe siècle-
début du IIIe av. J.-C.
Budapest, Magyar Nemzeti Múzeum

Collier d'ambre de la tombe n° 63
de Pilismarót-Basaharc (Hongrie)
IVe siècle av. J.-C.
Budapest, MTA Régeszeti Intézete

anciennes, surtout celles de Strabon sur des Galates d'Asie Mineure. Le plateau de la Phrygie du Nord a été occupé par trois peuples celtiques : les Tolistoages (Tolistoboge) ou Tolisto-Boïens, les Tectosages et les Trocmes (Trogmes). Les noms cités indiquent clairement qu'il ne s'agit pas de tribus indépendantes, mais de groupes humains qui se sont détachés au cours des migrations celtiques. Ces unités ethniques formaient en Anatolie une fédération appelée tardivement *koinön Galaton,* c'est-à-dire communauté galate. Selon Strabon, chacun de ces peuples était subdivisé en quatre et formait ainsi un tétrarchie. Ils avaient à leur tête un tétrarque ainsi qu'un juge (*dikastés*) et un chef militaire (*stratophylax*) flanqué de deux adjoints (*hypostratophylax*). La fédération galate était gouvernée par le conseil de douze tétrarques et une assemblée de trois cents personnes. Les délégués se réunissaient dans le sanctuaire commun (*Drynéméton*) des Galates. L'assemblée avait un pouvoir essentiellement judiciaire. Il faut, il est vrai, faire la part de l'influence hellénistique qui est présente dans cette description de la structure

sociale des Galates, coupés complètement du monde celtique européen. Mais cette organisation est, selon toute vraisemblance, un héritage celtique. Prenons d'abord le *Drynéméton :* César affirme qu'il existait en Gaule une fusion semblable des fonctions judiciaires et religieuses. Il existe également des analogies importantes avec l'Irlande, avec la différence que ce pays était gouverné par un roi suprême. Notons cependant que selon Strabon, le pouvoir exécutif se concentra plus tard aussi chez les Galates entre les mains d'un seul homme. Est-il légitime d'utiliser ces renseignements pour décrire la situation qui caractérisait le nouvel épicentre pannonien du monde celtique ou encore le territoire occidental de la Celtique ? La question est plutôt ouverte, car la partie orientale et méridionale de la cuvette karpatique, occupée par les Celtes après leur retraite de la Grèce, peut être caractérisée comme un territoire celtisé à fort substrat de souche différente. Autrement dit, la civilisation laténienne ne s'établit solidement que dans quelques zones réduites, à tel point que dans de nombreuses régions conquises, les Taurisques et surtout les Scordisques ne formaient qu'une classe dominante relativement peu nombreuse. Cela permet de comprendre pourquoi ces deux noms de tribus désignent parfois, chez les auteurs anciens, des populations non celtiques et sont attestés sous une forme celtique (*Tauristai, Scordistai*). C'est aussi pour cette raison que nombre d'auteurs antiques hésitaient à se prononcer sur l'origine et l'identité culturelle des peuples vainqueurs, étant donné leur intégration aux populations vaincues. La situation politique et culturelle dans la zone danubienne reflète assez bien le mélange de peuples d'origine différente qui dépasse les limites des territoires dominés par les Taurisques ou les Scordisques. Ainsi les rapports dus à la civilisation "scythe" de la Grande Plaine Hongroise se sont diffusés dans la culture de la couche dominante celtique à partir du milieu du IIIe siècle av. J.-C. Dans l'état actuel des recherches, ces diverses remarques soulignent avant tout la différence entre les régions "classiques" de la civilisation laténienne et celles

qui ont été occupées par les vagues successives de populations celtiques. Ces constatations demeurent cependant pour le moment des hypothèses de travail qui demandent à être vérifiées par de nouvelles données. Il faut s'abstenir de toute généralisation abusive, fortement suggérée par les descriptions anciennes pleines de *topoi*. Ainsi les Scordisques sont aux yeux des historiens antiques des barbares farouches et cruels qui pratiquaient le sacrifice humain et collectionnaient les têtes coupées comme les autres tribus du monde celtique. Ces lieux communs ethnographiques ne reflètent pas la structure sociale de la Celtique du IIIe siècle av. J.-C., y compris des territoires récemment celtisés.

Sur la structure sociale de l'époque de l'expansion celtique nous disposons de témoignages précieux, ceux des nécropoles. Le rite traditionnel et le plus répandu est l'inhumation sous tombe plate, mais l'incinération a été également pratiquée dans certaines régions. A partir du IIIe siècle, le rite funéraire dans la cuvette karpatique; accuse un changement de plus en plus important : l'incinération passe en premier plan, peut-être sous l'influence des peuples indigènes, soumis par les Celtes.

Des nécropoles laténiennes du IIIe siècle av. J.-C. comprennent deux types de sépultures ; particulièrement importantes pour l'analyse sociologique : les tombes de guerriers ensevelis avec toutes leurs armes et celles de femmes riches. Leur proportion, ainsi que la composition de leur mobilier, est variable selon les régions. C'est avant tout la sépulture féminine qui reflète sensiblement les variations régionales du costume, soulignant l'identité ethnique de l'individu. L'habitat au IIIe siècle est moins bien connu, mais une règle générale paraît claire : les Celtes abandonnent les centres fortifiés en faveur des agglomérations peu étendues de type rural. Dans les régions conquises à cette époque-là la situation fut semblable : leurs cimetières se trouvent dans les zones fertiles et ils ne créent pas d'habitat de hauteur, comme le montrent les recherches archéologiques.

Les données recueillies évoquent une société où la classe militaire constituait le facteur dynamique, une classe qui vivait en général bien dispersée dans des petites agglomérations rurales. L'analyse des nécropoles permet de supposer que les chefs étaient à peine plus riches que les autres

Armes de fer de la tombe de Batina (ex-Yougoslavie) IIIe siècle av. J.-C. Vienne Naturhistorische Museum • p. 364

Détails d'une épée et d'un fourreau du Szob (Hongrie) Première moitié du IIIe siècle av. J.-C. Budapest, Magya Nemzeti Múzeur

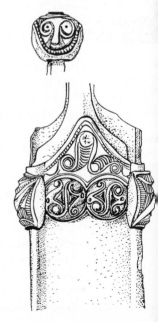

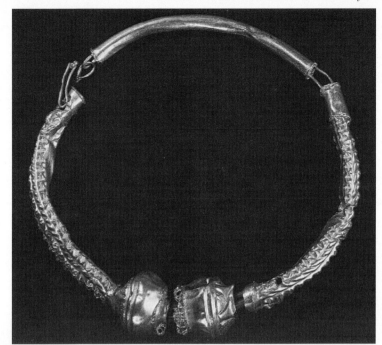

guerriers : la fameuse "tombe de chef" de Ciumeşti présente un cas pour le moment unique. Ce sont avant tout les sépultures à char du IIIᵉ siècle, répandues depuis la région parisienne jusqu'à proximité de la frontière turque en Bulgarie (Mezek) qui accentuent le caractère hiérarchisé de la société celtique de la période d'expansion balkanique. Sont-ils ces guerriers, en réalité, des paysans libres armés ? L'hypothèse semble bien fondée.

Il faut noter également que les foyers des expansions se trouvent toujours dans les régions où le peuplement était dense et où la terre commençait de manquer.

Les tombes à mobilier simple ou les sépultures pauvres dans les nécropoles celtiques du IIIᵉ siècle av. J.-C. doivent appartenir aux couches inférieures de la société celtique, au "plèbe" libre et aux pauvres qui peuvent être considérés comme des serviteurs. Contrairement aux *topoi* de l'historiographie grecque concernant la nature belliqueuse et cruelle des Celtes, les nécropoles découvertes dans la zone scordisque attestent le caractère potentiellement paisible des mouvements colonisateurs du IIIᵉ siècle qui se manifeste par le mélange des tombes et des éléments culturels des nouveaux venus et des indigènes. De plus il faut accorder la préférence à l'idée selon laquelle la coexistence pacifique, le mélange et, peut-être aussi l'alliance des Celtes et de certaines tribus balkaniques – richement documentés par les sources anciennes – sont forgés presque simultanément avec l'arrivée des Celtes au cours de la première moitié du IIIᵉ siècle av. J.-C. Ces observations soulignent

Ceinture
féminine
de bronze
rehaussée
d'émail rouge
de Tolna
(Hongrie)
IIIe siècle av. J.-C.
Budapest, Magyar
Nemzeti Múzeum

Cruche en terre
cuite
avec l'attache
supérieure
de l'anse en forme
de masque
humain et décor
estampé
de Kosd
(Hongrie)
IIIe siècle av. J.-C.
Budapest, Magyar
Nemzeti Múzeum
• p. 365

une fois de plus l'importance des variations régionales et de leur évolution dans la société celtique du IIIe siècle qui vivait pour et par l'expansion.

La mutation structurale du monde celtique a été sans doute accélérée par les contacts directs avec les civilisations de la Méditerranée qui se sont multipliés au IIIe siècle av. J.-C. par les expéditions militaires, le service mercenaire et les relations commerciales. Les débuts du monnayage celtique s'intègrent dans ce contexte historique ; ils sont difficiles à dissocier de l'essor d'une activité économique particulière, le mercenariat. Le rôle initial des émissions monétaires celtiques reste à éclaircir, mais leurs rapports avec les racines de la civilisation des *oppida* ancrées au IIIe siècle paraissent évidents.

Les recherches soulignent l'importance primordiale de la religion dans la société celtique du IIIe siècle av. J.-C. Elles démontrent même une révolution religieuse dont le témoignage le plus important est constitué par l'apparition de sanctuaires publics. Les exemplaires les plus anciens connus dans le Nord de la Gaule remontent au moins au début du IIIe siècle (Gournay). Symbolisant l'unité du peuple, le sanctuaire devient le centre de la tribu en accomplissant un rôle territorial. Il n'y a donc rien d'anachronique dans le récit de Strabon évoqué ci-dessus, selon lequel le lieu de la réunion des délégués de la fédération galate fut leur sanctuaire commun, le *Drynéméton*. Il va de soi que dans la société celtique du IIIe siècle le rôle de la classe religieuse a dû être fondamental non seulement dans

*Vase de terre
cuite en forme
de soulier, de
Losd (Hongrie)
IIIe siècle av. J.-C.
Budapest, Magyar
Nemzeti Múzeum
p. 365*

*Vase de terre
cuite portant
la représentation
gravée
d'un combat
d'animaux
de Labátlan
(Hongrie)
IIIe siècle av. J.-C.
Budapest, Magyar
Nemzeti Múzeum
p. 366*

le domaine des cultes, mais aussi dans le fonctionnement des affaires publiques.

L'art laténien du IIIe siècle av. J.-C. a été pendant longtemps considéré comme un phénomène maniériste par rapport aux créations des artistes celtiques du Ve et surtout de ceux du IVe siècle. En réalité, il s'agit d'une période de l'épanouissement, autrement dit de l'apogée de l'art celtique du Second Age du Fer où l'originalité, la vigueur d'expression, la richesse d'invention et la perfection de l'exécution se manifestent dans les oeuvres d'une manière incomparable aux autres phases de l'art laténien. Même les pièces maîtresses du Premier Style du Style de Waldalgesheim (ou Style végétal continu) sont en effet marquées par la contrainte formelle des prototypes grecs, etrusques et autres.

Dans la deuxième moitié du IVe siècle av. J.-C. se produit un changement dans les régions les moins touchées par les relations avec le monde méditerranéen – la Bohême, la Moravie et les territoires limitrophes – qui a eu comme résultat la formation d'une production en série, reflétée par la "démocratisation de la parure" dans la société celtique.

La première moitié du IIIe siècle av. J.-C., avec le déplacement vers l'est du centre de gravité du monde celtique, contribue définitivement au changement dans le domaine artistique. Les ateliers de la Moravie, de la Bohême et de la partie occidentale de la cuvette karpatique maîtrisent parfaitement la fonte de bronze à cire perdue et sont également capables de travailler le fer avec une virtuosité quasiment insurpassable.

Grâce aux recherches récentes, l'importance privilégiée des ateliers de Bohême dans l'élaboration du style plastique est devenue évidente. Cette nouvelle manière d'ornementation qui se caractérise, selon Paul Jacobsthal, par "a new very original calculated plasticity", apparaît en particulier sur deux catégories d'objets : des fibules à pied discoïdal et à arc massif et, surtout, des bracelets à tampons en bronze massif. L'élément fondamental de la première phase du Style plastique est le même que celui du Premier style : c'est la lyre qui est cependant souvent décomposée avec un dynamisme jamais vu. Dans l'exécution des motifs la troisième dimension est d'une importance croissante.

Le Style plastique en Bohême s'épanouit durant sa seconde phase, vers le second quart du IIIe siècle av. J.-C. Les documents les plus importants en sont, d'une part, les parures annulaires comportant des éléments creux (bracelets et anneaux de cheville) et, d'autre part, les fibules à gros pied globulaire. Toutes ces oeuvres sont caractérisées par l'exécution d'un décor très prononcé dont les motifs principaux sont l'esse, le triscèle et le *yin-yang*. Il s'agit de schémas de composition complexe, presque baroque, caractérisés parfois par un jeu de géométrie spatiale, fondé sur la courbe.

L'exécution en série d'objets très proches les uns des autres à partir d'un petit nombre de schémas de base témoigne le phénomène déjà évoqué de la démocratisation de la parure. On trouve cependant dans ce matériel des créations exceptionnelles qui reflètent le goût et les exigences de luxe d'un groupe social délimité : ceux qui jouaient probablement le rôle principal dans les conquêtes. Citons pour exemple le casque de Ciumeşti, surmonté d'un rapace, ou les torques en or portés selon toute probabilité par des guerriers, dont l'exemplaire de Gajič (Hercegmárok), site voisin du Danube dans l'ex-Yougoslavie du Nord, a ses pendants dans le trésor de Fenouillet (région toulousaine) et autres parallèles proches, découverts dans le Midi de la France. Le décor d'origine végétale des parures en question est lié à la Celtique danubienne et le centre de diffusion de ces torques en or dans le Midi de la France doit s'expliquer par la migration jusqu'en Gaule des Volques Tectosages.

Nous devons au foyer celtique de Moravie l'un des chefs-d'œuvre absolus de l'art celtique, la garniture de vase en bronze, découverte à Brno-Maloměřice, dont les rapports étroits avec le chaudron de Brå sont également à retenir.

Le changement d'orientation dans le domaine de l'art celtique trouve son reflet dans l'apparition d'épées aux fourreaux richement ornés, dont les décors présentent d'une manière frappante des aspects régionaux. Le phénomène est évidemment lié à la structure de la société celtique où les "chevaliers" (*equites*) selon l'expression de César ont formé une classe privilégiée. Le Style des épées hongroises dont la naissance remonte au début du IIIe siècle av. J.-C. constitue sans doute la contribution la plus importante de la cuvette karpatique à l'art celtique. Ce courant est bien comparable au Style des épées suisse, quasi contemporain, dont les documents sont cependant moins raffinés et moins stylisés, c'est-à-dire qu'ils sont plus proches de leurs prototypes, les motifs végétaux italiotes ou étrusques. La formation du Style des épées hongroises s'explique, avant tout, par le développement régional du Style dit de Waldalgesheim. C'est particulièrement clair sur les fourreaux qui appartiennent au premier groupe d'épées hongroises. La syntaxe dans sa totalité est cependant propre à ce nouveau style : les rinceaux et vrilles sont compliqués, entrecroisés et le foisonnement des motifs de remplissage constitue une succession originale où le végétal et l'animal sont mêlés inséparablement. Les créations les plus remarquables, comme le fameaux fourreau de Cernon-sur-Coole (Marne) et son pendant de Drňa (Slovaquie) montrent que deux sites très éloignés pouvaient mettre au jour les produits d'un même foyer artistique situé dans la Celtique danubienne. Leur date de fabrication, 250 av. J.-C., ou un peu avant, correspond à une étape très mouvementée du IIIe siècle av. J.-C. Sur le fourreau de Halimba (Hongrie) l'élément zoomorphe – la paire de dragons – est indépendant du décor propre au Style des épées. Notons que la *paire de dragons*

Vase de terre cuite aux anses surmontées par des têtes de bélier de la tombe n° 40 de Kosd (Hongrie) IIIe siècle av. J.-C. Budapest, Magyar Nemzeti Múzeum
• *p. 366*

Petite cruche à l'anse terminée par un tête de bélier de Kosd (Hongrie) IIIe siècle av. J.-C. Budapest, Magyar Nemzeti Múzeum
• *p. 366*

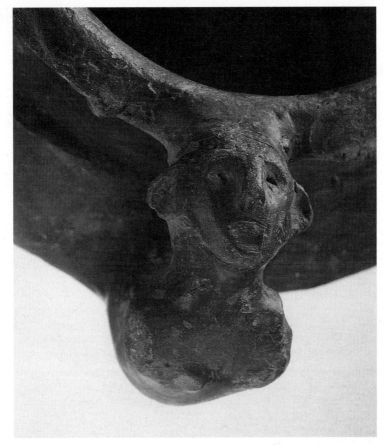

Détail de l'anse anthropomorphe du vase de terre cuite de la tombe n° 42 de Kosd (Hongrie) IIIe siècle av. J.-C. Budapest Magyar Nemzeti Múzeum

Détail du grand vase de terre cuite à deux anses creuses de la tombe n° 34 de la nécropole de Belgrade-Karaburma (ex-Yougoslavie) IIIe siècle av. J.-C. Belgrade, Muzej Grada Beograda p. 367

ou *la lyre zoomorphe* constitue, d'après De Navarro, un "inter-Celtic currency".

Le deuxième groupe des épées hongroises se caractérise par une certaine géométrisation des motifs d'origine végétale : les espaces encadrés par les tiges de rinceaux sont remplis par de simples spirales, des lignes ondulées, des triscèles, etc. La répartition des sites atteste la stabilisation du pouvoir celtique dans la cuvette karpatique : les fourreaux décorés de ce deuxième groupe sont aussi bien en Slovaquie qu'en Hongrie du Nord-Est ou dans l'ex-Yougoslavie.

L'art dans le monde celtique du IIIe siècle av. J.-C. a été souvent qualifié comme un art purement décoratif. Selon l'opinion très répandue, les motifs végétaux, animaux et leur fusion hallucinante n'étaient que le produit de l'imagination débordante des Celtes. Les examens très laborieux ont cependant déchiffré avec beaucoup de probabilité la signification religieuse des compositions en apparence abstraites : il s'agit de motifs associés à une divinité celtique de première importance. Mais le visage divin,

l'attribut végétal et les gardiens monstrueux ont été fondus dans une seule représentation à caractère ambigu. Il est donc évident que le phénomène artistique celtique du IIIe siècle avait une fonction religieuse ou magique. L'orientation décidément danubienne de la civilisation celtique se manifeste surtout par la formation d'une communauté culturelle, autrement dit, d'une *koiné* des Celtes orientaux. Contrairement aux fourreaux décorés, les représentants d'un autre groupe de trouvailles mises au jour dans la cuvette karpatique n'ont pas d'homologues à l'Ouest. Ces objets présentent l'aspect le plus original de la civilisation celtique orientale dont l'arrière-plan a été constitué par

la fusion des éléments laténiens avec la tradition des peuples autochtones ou voisins. Le répertoire très original de la céramique celtique orientale contient les formes munies de deux anses, nommées canthares ou pseudo-canthares. Leur apparition et leur vogue persistante s'expliquent par le substrat illyro-pannonin. L'introduction d'une des formes de canthares, caractérisée par des proportions élancées et la présence d'un pied marqué est à attribuer à l'influence des vases métalliques hellénistiques, dont un exemplaire a été

*Vase de terre cuit
à deux anses
orné de masques
humains et anima
de Novo Mesto
(ex-Yougoslavie)
IIIe siècle av. J.-C.
Novo Mesto
Dolenjski Muzej*

*Vase de terre cuite
ux anses
urmontées
ar des têtes
le bélier
le Csobaj
Hongrie)
IIe siècle av. J.-C.
Miskolc, Herman
Otto Múzeum*

découvert dans une sépulture celtique de Szob (Hongrie). Ce phénomène a affecté la cuvette karpatique au cours du IIIe siècle av. J.-C. Il faut également prendre en compte les rapports établis entre les régions hellénisées de la mer Noire et la cuvette karpatique, grâce au pouvoir celtique de Thrace et à l'avance des Galates jusqu'à Olbia. La preuve en est la diffusion des perles en verre à masque humain de fabrication pontique dans la partie orientale du monde celtique. L'importance des résultats de la rencontre de la civilisation celtique et la sphère culturelle balkanique a été déjà évoquée à plusieurs reprises. La diffusion des éléments illyriens et thraces est due à l'épanouissement du pouvoir celtique dans les Balkans du Nord. Il faut évoquer la vogue d'imitation des ornements exécutés en filigrane sur les bijoux fondus en bronze répandus depuis la Moravie, à travers la Slovaquie et la Hongrie, jusqu'à l'ex-Yougoslavie et la Roumanie. Elle s'explique par l'influence illyrienne et thrace et ses débuts remontent à un moment relativement reculé du IIIe siècle av. J.-C.

Une composante importante de l'art des Celtes dites orientaux est constituée par la tradition culturelle de la population soumise de la Grande Plaine Hongroise et de la Transylvanie dont l'ancienne couche dirigeante était

d'origine steppique, sans doute scythe. Le rite funéraire et le mobilier de
sépultures celtiques découvertes dans cette zone montrent les symptômes d'
mélange culturel. Le document le plus important des rapports celto-scythe.
est l'urne celtique de Lábatlan (Hongrie) : elle est ornée d'animaux dont l'
prototype est d'origine cimméroscythe. Pour finir ce bref aperçu sur la *koin*
artistique des Celtes orientaux, il faut souligner que les éléments ou le
motifs empruntés par la civilisation laténienne aux sources diverses n'apparaissent pas dans la plupart des cas sous leur forme primitive ou sous une
forme mixte clairement définissable, comme celto-scythe ou celto-thrace
etc. Citons comme exemple l'anse décorée d'une tête ; celle d'un taureau
d'un bélier, ou peut-être d'un masque humain qui apparaît sur les formes de
vase d'origine balkanique, de même que sur les cruches dérivées du répertoire. Un autre cas est présenté par l'urne de Lábatlan où le motif d'origine
steppique qui orne le vase est décomposé de façon géométrisante.

Donc, c'est l'individualisation de l'art laténien par l'assimilation et, surtout,
par l'interprétation autonome des traditions diverses qui fut caractéristique
de cette communauté culturelle.

L'armement

André Rapin

Au début du IVᵉ siècle avant notre ère, la Rome républicaine s'est affranchie du joug des dynasties étrusques depuis un siècle. Son ascension vers le premier rang des grandes cités méditerranéennes vient d'être marquée, après dix ans de siège, par un nouveau palier : la chute de Véies, sa rivale étrusque. Tout semblerait aller pour le mieux, lorsque se produit un événement unique dans le destin hégémonique de la Ville éternelle : la défaite des troupes romaines sur les bords de l'Allia ouvre les portes de la cité aux barbares venus du Nord. C'est ainsi, dans le fracas des armes, que les Celtes font leur entrée dans Rome et dans l'histoire. Le retentissement de cet événement, catastrophique pour les citoyens romains, dépasse de très loin les limites de la péninsule. Clichés et légendes trouvent leurs sources dans les traumatismes engendrés par cette soudaine intrusion. *L'incendie de la ville, les oies du Capitole, et le glaive qui alourdit le poids de la rançon pour le malheur des vaincus,* ont dû galvaniser bien des énergies guerrières pendant des siècles avant d'être imprimés dans nos manuels scolaires. Cependant, loin d'inaugurer la poussée belliqueuse des Celtes, la bataille de l'Allia marque au contraire l'arrêt de leur expansion méridionale.

Or, avec exactement un siècle d'écart, la péninsule voisine des Balkans devient à son tour le théâtre d'événements parfaitement parallèles qui se concluent par le pillage du sanctuaire de Delphes, vers 280 av. J.-C. Cet épisode violent de l'histoire grecque marque, une fois de plus, le terme de cette nouvelle expansion celtique dont l'origine probable se trouve dans le démantèlement de l'empire d'Alexandre et la faiblesse relative de ses successeurs. Les clichés, ravivés par cette nouvelle crise d'agressivité des Gaulois, deviennent mythes : l'image du *barbare* se superpose plus que jamais à celle du *galate*. Ce terme, dernier avatar de la dénomination des peuples celtiques, est le symbole négatif par excellence, l'antithèse de la civilisation. Les *galates mourants,* les *galates vaincus* ou les *galatomachies* et les trophées qui les accompagnent constituent un des thèmes majeurs de l'art antique. Nos sources iconographiques s'en trouvent ainsi décuplées, notamment dans la dernière et la plus orientale des péninsules méditerranéennes, l'Asie Mineure, qui absorbe les derniers contingents de cette expansion guerrière. Matière première de choix pour historiens, l'événement militaire inspire un art monumental qui, de Pergame, rayonnera bien au-delà de l'Asie Mineure dans le monde romain et ses résurgences antiquisantes.

Or, le cumul de ces sources correspond à la fois à la plus forte expansion des Celtes en Europe et à l'abondance maximum de l'armement dans les nécropoles. En outre les découvertes récentes de sanctuaires où les armes se comptent par centaines permettent d'accéder aussi à leur étude statistique. De plus, l'extraordinaire homogénéité de l'armement d'un bout à l'autre de cette Europe celtique constitue une véritable *koiné* au même titre que celle des arts plastiques qui atteignent simultanément leur apogée pendant cette phase.

Des sources rénovées
Toutes les conditions semblent ainsi réunies pour faire de ce IIIe siècle une source documentaire propre à renouveler l'image du guerrier celte, débarrassée de ses clichés antiques ou modernes véhiculés par le concept de barbarie.

Cependant pour procéder au nettoyage du barbare, la seule analyse critique des sources ne suffit pas, encore faut-il accéder à l'information de fond qui dort dans les panoplies, enfouie sous plus de deux millénaires de corrosion. Le fer dont est composé l'essentiel de l'équipement est lui aussi encombré de gangues parfois volumineuses, et ce matériel, souvent peu séduisant, mal aimé des musées, évolue inexorablement vers sa fragmentation irréversible. Les dizaines de milliers de documents exhumés depuis le XIXe siècle sont de ce fait inutilisables tels quels, sinon superficiellement. D'ailleurs ils n'ont que très peu servi, en témoigne la quasi-totalité des images élaborées depuis le siècle dernier : les Gaulois qui illustrent encore nos manuels ou les ouvrages de vulgarisation sont rarement explicites sur le plan documentaire et fréquemment anachroniques ou irrationnels. De toute évidence, ces images doivent bien plus au désir d'illustrer les fantasmes sur nos ancêtres qu'au besoin impérieux de vérité documentaire.

L'exploitation et l'étude de cette somme d'archives métalliques passent par une nécessité incontournable : la restauration. De plus, cette restauration spécifique du métal doit, encore plus que pour les autres matériaux, se faire sous le contrôle de la recherche archéologique, faute de quoi tout nettoyage intempestif peut conduire à la destruction définitive du message historique celé dans la rouille. L'accroissement récent du nombre de documents métalliques rendus muets par des interventions inopportunes illustre ce danger. Ces objets stérilisés sont les conséquences dramatiques d'un engouement naïf pour une restauration au rabais, sans autre problématique qu'un simple nettoyage à finalité muséographique. En revanche, le travail long et difficile qu'implique la *restauration-recherche* contient une contrepartie très féconde par le nombre et la qualité des observations inédites qu'il engendre. Ainsi les informations donnant lieu aux restitutions graphiques qui illustrent le présent article sont toutes fondées sur cette forme d'investigation et sur la nouveauté des interrogations issues d'une telle démarche.

Enfin, la source du renouveau documentaire a été largement alimentée par les découvertes récentes de sanctuaires voués aux armes dont la mise en service coïncide précisément avec le IIIe siècle. La quantité d'armes contenues dans une seule de ces structures, comme à Gournay-sur-Aronde (Oise), peut équivaloir à ce qui est exhumé dans une centaine de nécropoles courantes contemporaines. Il va de soi qu'une telle masse documentaire ne peut qu'induire un travail très spécialisé pendant la durée duquel le cumul d'observations apparemment anodines transforme peu à peu le regard qu'on porte aux objets. L'auscultation exhaustive à laquelle contraint la restauration éclaire notamment la fonction et l'élaboration des éléments de la panoplie, y compris pour des objets que l'on croit bien connaître. Certes, la fonction des armes offensives, comme les épées ou les lances, semble assez facilement accessible, du moins globalement. En revanche, l'apport de la restauration a été capital pour les parties plus annexes de l'équipement.

Tel est le cas du bouclier et surtout de ces chaînes de ceinturon dont l'usage précis restait à découvrir. Perçues, d'une manière trop limitative, comme simples éléments de suspension, les chaînes de ceinturon ne pouvaient laisser soupçonner la richesse de leur message technologique. La diversité des morphologies auxquelles les Celtes ont eu recours pour cette simple suspension a souvent été attribuée à une recherche esthétique. En réalité, cette diversité correspond à une évolution technologique très rigoureuse dans laquelle les contraintes plastiques sont sinon absentes du moins peu significantes. Par le biais de leur étude on accède ainsi, bien plus aisément qu'avec le reste de la panoplie, aux mécanismes qui ont présidé à l'évolution de l'armement pendant le IIIe siècle. D'où, pour l'analyse qui suit, la place privilégiée des umbos de bouclier et des chaînes de ceinturon dans la détermination des phases et des mutations qui affectent l'équipement des guerriers. Le nombre et la succession plutôt rapide de ces ruptures et innovations

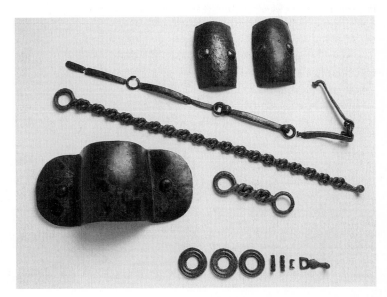

Principaux types
d'umbros
de bouclier
et de chaînes
de suspension
de l'épée en fer
utilisés
au IIIe siècle
av. J.-C.
De tombes
des environs
d'Épernay
Épernay, Musée
municipal

devraient trouver une correspondance logique dans l'agitation guerrière des Celtes qui caractérise, selon les historiens antiques, ce siècle d'apogée.

La panoplie type du IIIe siècle : un équipement lourd
Considérée sous l'angle quantitatif, l'évolution de l'armement semble suivre depuis le Ve siècle une courbe ascendante qui culmine au IIIe siècle. Omniprésentes dans les sépultures de La Tène ancienne, les lances perdent peu à peu de leur importance relative pour arriver à une situation d'équilibre. La lance et l'épée forment l'armement de base pendant le long du IVe siècle. Le bouclier, rarement attesté par quelques éléments métalliques, est probablement présent mais non conservé. Les casques deviennent extrêmement rares et leur concentration relative dans les régions périphériques, notamment en Gaule Cisalpine, fait rapidement place à une absence quasi générale dans les nécropoles à partir du premier quart du IIIe siècle. Cette exception mise à part, l'équipement du guerrier connaît un accroissement brutal qui coïncide avec l'articulation des IVe et IIIe siècles. Cette modification de la panoplie trahit une profonde remise en question des techniques de combats alors en usage. La volonté novatrice des Celtes se manifeste pour l'essentiel sur deux parties de l'équipement : d'une part le bouclier avec surtout son umbo métallique et d'autre part la suspension du fourreau qui fait intervenir ces chaînes déjà évoquées.

Seule, la première de ces innovations concerne l'armement proprement dit. La seconde, se situant au niveau du harnais, a conduit à la négliger trop longtemps. En effet, le terme *"Dreierausrustung"* utilisé par les archéologues allemands pour caractériser le *triple équipement* épée-lance-bouclier montre clairement la marginalisation des chaînes. Cependant à la différence du bouclier dont l'umbo connaîtra une longue descendance, les chaînes resteront à jamais spécifiques des Celtes du IIIe siècle. Or, c'est précisément ce quadruple équipement, plutôt que triple, qui contribue à donner au guerrier celte une image de fantassin lourd très inattendue. L'origine du phénomène est probablement à chercher dans les confrontations de plus en plus fréquentes des Celtes avec des formations d'hoplites, très statiques et encore plus lourdement équipés. Le processus connaît un paroxysme lorsque le poids de ces chaînes devient le double de celui de l'épée et de son fourreau. L'élaboration des panoplies de guerriers du IIIe siècle peut demander quatre à cinq fois plus de métal que celles des ancêtres du Ve siècle. L'autre caractéristique de cette évolution, l'allongement de l'épée, surtout sensible à la fin du siècle, pourrait s'inscrire dans la même logique, mais elle obéit en réalité à une autre finalité.

Cependant, la contrepartie de cet usage du métal, le poids, peut devenir très vite un handicap. Aussi convient-il d'expliciter l'utilisation judicieuse qu'en ont fait les Celtes pour concilier les qualités mécaniques du fer, avec la légèreté

Détails d'une épée de fer de Szob (Hongrie) Première moitié du IIIe siècle av. J.-C. Budapest, Magya Nemzeti Múzeum

342

nécessaire à l'efficacité de leur équipement. Il s'agit là du problème techno-logique majeur qui sous-tend en permanence l'évolution de l'armement.

A. Le bouclier

A la différence de leurs homologues méditerranéens, souvent ronds ou cin-trés, les boucliers celtiques se distinguent par leur morphologie elliptique et plate soutenue par une nervure verticale saillante : la spina. Cette morpho-logie, ainsi que l'emplacement central de la poignée horizontale, impliquent une utilisation dynamique de l'arme, distincte de la protection plus statique du bouclier de l'hoplite. Le choc frontal de ces deux types de combattants a probablement contraint les Celtes au renforcement de la région centrale de la spina : l'umbo. Cet umbo primaire est composé de deux coquilles métalliques fixées chacune par deux clous et renforcées parfois d'une gout-tière métallique qui assure leur jonction verticale. Cependant, en cas d'en-foncement de cet umbo bivalve, les clous de fixation deviennent saillants, côté interne, et peuvent blesser la main. Une solution provisoire est trouvée par l'allongement vertical des coques et l'évacuation de clous à leurs extré-mités. Malgré cette amélioration, une zone de fragilité subsiste au niveau de la fixation de la poignée qui commande les mouvements de rotation de l'arme. C'est alors que l'on voit apparaître une nouvelle formule pour laquelle certaines appliques rondes ou carrées qui renforçaient jusque-là l'assemblage des planches deviennent solidaires des conques et permettent la consoli-dation des mortaises d'assemblage du manipule. Cette solution transitoire va donner immédiatement naissance à l'umbo classique formé d'une coque d'un seul tenant prolongée par deux ailettes. En éliminant tous les inconvé-nients précédents, cet umbo devient un élément primordial qui permet non seulement la protection de la main mais aussi l'optimisation de l'assem-blage, *spina-planche-manipule*, conciliant solidité et légèreté.

A partir de ce stade, les variations morphologiques des ailettes ou de la coque sont autant de repères typologiques qui illustrent pour partie la diversité des adaptations pour des guerriers contemporains et pour l'autre, l'évolution générale des techniques de combat. C'est ainsi qu'à la fin du siècle, aux plus petits des umbos, réduits à leur simple fonction d'assemblage, succèdent les plus grands d'entre eux jamais élaborés, dix foix plus vastes et plus lourds que leurs prédécesseurs.

B. Les chaînes

Leur intervention dans la suspension de l'épée est claire-ment identifiée dès la fin du XIXe siècle. Malheureusement cette fonction de suspension, trop réductrice, a occulté jus-qu'à nos jours leur véritable rôle. Pour autant, les plus pri-mitives d'entre elles sont déjà conçues à partir des trois principes qui resteront les constantes de ce nouveau système de suspension.

1. Celui-ci repose sur l'utilisation de deux chaînes, une courte vers l'avant et une longue vers l'arrière du corps, dont les anneaux initiaux sont rendus parfaitement solidaires du fourreau par leur puissante ligature à la pièce de suspension verticale située sur l'arrière de l'étui.

2. Aux deux extrémités, un anneau et un crochet ouvert terminé par une boule assurent la fixation du système à la taille. Pendant la phase initiale, le crochet termine l'élément court, il sera transféré par la suite au bout de la chaîne longue. Quant à l'anneau terminal qui se présente au début avec un étranglement ou une double lumière, il deviendra après cette mutation, circulaire et d'un diamètre inférieur à celui des deux anneaux initiaux.

Revers d'une tétradrachme d'argent des Boïens de la Pannonie au nom de Biatec un cavalier équipé de l'éperon avec un grand bouclier dans la main gauche, charge avec l'épée levée le cheval porte une selle et un harnachement complet Environ 60-50 av. J.-C.

3. Entre les deux extrémités, les maillons semblent être les éléments sur lesquels l'investissement technologique a été le plus fort, tant leur diversité morphologique est grande. Tous obéissent cependant à une volonté directrice constante : leurs articulations sont conçues de manière à privilégier le sens de la courbure du corps tout en limitant au maximum leur liberté de mouvement dans un plan perpendiculaire. Cette particularité confère à ces chaînes un caractère de semi-rigidité dont le perfectionnement ne connaîtra aucun répit pendant tout le IIIe siècle.

Revers d'une monnaie d'argent des Pictons au nom de Vipota[os, un guerrier armé de l'épée tient dans sa main droite une lance et l'enseigne au sanglier dans la main gauche, le bouclier 60-50 av. J.-C.

C. Mise en place et fonctionnement

La description du système, lorsqu'il atteint la plénitude de son utilisation, permet d'en comprendre l'évolution. De manière à limiter au maximum toute gêne au niveau des membres inférieurs, l'épée est évacuée le plus latéralement possible, la pièce de suspension du fourreau posée sur la saillie de la hanche droite. Les deux anneaux initiaux, tout en maintenant le fourreau dans sa position verticale, épousent l'arrondi de la hanche. Le brin court remonte obliquement vers l'avant et son anneau terminal sert de point de départ à la ceinture organique. L'extrémité de celle-ci revient dans l'anneau après son tour de taille pour régler la tension de l'ensemble. Ceci fait, l'élément long, après avoir longé les reins vers l'arrière, revient vers l'avant pour permettre au crochet bouleté de venir se loger dans une des fentes aménagées à l'extrémité de la ceinture, et maintenir la tension.

L'ensemble fonctionne alors, non plus comme une simple suspension, mais comme un blocage de l'épée et ceci quels que soient les mouvements du corps, lors d'un déplacement rapide ou pendant le combat rapproché. La semi-rigidité de l'élément court annule les secousses verticales engendrées par la course et tempère les mouvements latéraux du fourreau. Ces derniers sont en outre contrecarrés par la position de la chaîne longue qui limite les balancements d'avant en arrière. Mais ce n'est pas tout, l'épée ainsi stabilisée dans sa position verticale n'est que très peu affectée par les multiples mouvements du combat. La position

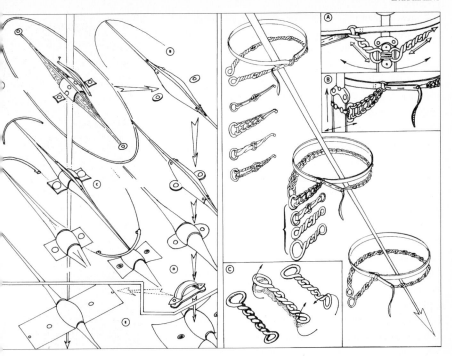

volution
pologique
es umbos
e bouclier
téniens
epuis les débuts
u IIIe siècle
v J.-C.
usqu'à la
remière moitié
u Ier siècle
v. J.-C.

ystème
e suspension
e l'épée à l'aide
'une chaîne
métallique
t d'un ceinturon
e cuir
u IIIe siècle
v J.-C.

privilégiée du point de suspension sur l'axe de rotation du corps y est pour beaucoup mais le système présente un raffinement supplémentaire du fait de l'articulation des maillons conçue à cet effet. La flexion du corps vers l'avant entraîne une torsion de l'extrémité de l'élément court en rotation senestre, ce qui a pour conséquence de désarticuler les maillons et enlever la gêne consécutive à la semi-rigidité. Le même mouvement provoque en revanche une tension supplémentaire de l'élément long, en rotation dextre, ce qui augmente la rigidité de la chaîne longue et tire le fourreau vers l'extérieur et vers l'arrière. Ce degré extrême de complexité technologique atteindra un sommet avec l'invention des chaînes de type gourmette qui caractérisent la dernière phase du système à la fin du siècle. Ces chaînes concilient à la fois une souplesse et un confort analogues à ceux d'un matériau organique, leur semi-rigidité est parfaite, en outre leur ornementation ponctuée révèle une maîtrise artisanale qui confine à celle de l'orfèvre. Elles sont le terme d'une évolution technologique longue d'un siècle et ne trouveront d'équivalent que dans l'orfèvrerie moderne, précisément.

D. Techniques de combat

Les analyses technologiques qui précèdent révèlent une évolution rationnelle de l'armement au bénéfice de combattants tenaces qui s'adaptent avec efficacité à leurs adversaires. Nous sommes là aux antipodes des clichés sur ces barbares tonitruants, désordonnés dont les comportements sont imprévisibles. Vue à travers l'élaboration des boucliers et des chaînes, cette évolution apparaît dans toute sa cohérence avec sa succession d'innovations convergentes au service d'une technique qui ne doit rien au hasard.

Au IIIe siècle, la phalange macédonienne, héritière de celles mises au point par Philippe et Alexandre, est devenue un modèle académique pour les Méditerranéens. Ce bloc apparemment invulnérable, hérissé de pointes de lances sur plusieurs rangs de profondeur, a tendance à être de plus en plus statique du fait de la complexité des manœuvres lui permettant de faire face sur tous les fronts. Pour ébranler et déstabiliser cette masse compacte, les Celtes auraient investi dans un premier temps sur le dynamisme de leurs fantassins, dont l'efficacité réside dans la force et l'énergie de l'impact initial. La violence de ce premier assaut conditionne leur succès et justifie la nécessité d'une course vive et sans entrave. L'expansion rapide des Celtes en Europe orientale témoigne de la valeur de la tactique qui pouvait par ailleurs s'appliquer sur tout corps de fantassins du genre hoplite lourdement blindé. En contrepartie, ce genre d'assaut, très coûteux en hommes et en énergie, avait peu de chances de pouvoir être renouvelé. D'où les clichés qui émaillent les récits des historiens mettant en exergue le mépris apparent des Gaulois à l'égard de la mort, ou raillant, à l'inverse, le subit désespoir qui semble les envahir en cas d'insuccès immédiat.

Fourreau de fer décoré de la paire de monstres anguiformes de Gödöllö (Hongrie) Fin IVe- début IIIe siècle av J.-C. Budapest Magyar Nemzeti Múzeum

Cependant, le IIIe siècle connaît le développement d'une autre force de frappe : la cavalerie, dont Philippe, encore une fois, avait été le promoteur avec son fils Alexandre. Certes, les cavaliers sont présents depuis longtemps sur les champs de bataille, mais c'est avec les généraux macédoniens que le combat en formation est organisé. Les Celtes, mercenaires s'il en est, sont depuis longtemps familiarisés avec cette utilisation du cavalier, ils ont dû commencer très tôt à en faire usage. La simple lecture des effectifs en présence lors de la bataille de Telamon racontée par Polybe (Livre II, 27-31) met en évidence l'importance relative de la cavalerie celtique : un cinquième des combattants, soit le double de leurs adversaires. Les deuxièmes guerres puniques qui suivent de très près cet événement voient un autre grand stratège de l'Antiquité, Annibal, faire un usage judicieux et souvent décisif de ses cavaleries mercenaires. Qu'elles soient légères et de harcèlement comme celles des Numides ou lourdes comme celles des Celtes, le combat à cheval se limite essentiellement à des charges dissuasives et se transforme rarement en combat rapproché. En effet, lorsque les hasards entremêlent les adversaires, les cavaliers mettent pied à terre, comme à la bataille du Tessin, et le combat traditionnel reprend alors ses droits (Polybe, Livre II, 64).

Cependant la certitude de cette présence du cavalier, attestée par les textes, ne trouve pas d'écho évident dans le matériel archéologique. Sa silhouette encore bien floue se précise néanmoins. Le témoignage le plus sûr de son

Modifications
successives
de la
garniture
métallique
du bouclier
du ceinturon
porte-épée
et de la longueur
de l'épée
depuis les débuts
du IIIe siècle
av J.-C.
jusqu'à la
première moitié
du Ier siècle
av J.-C.

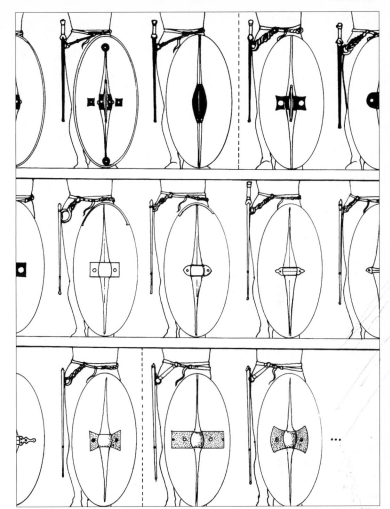

émergence se situe dans l'allongement continu de l'épée depuis le milieu du siècle. Très peu sensible au départ, cet accroissement atteint parfois plus de 20 centimètres au début du IIe siècle. Avec 80 à 90 centimètres de longueur de lame il s'agit alors d'une latte, équivalente à la plupart des sabres de cavalerie, toutes époques confondues. Il va de soi qu'une arme de cette taille dont la bouterolle affleure les chevilles d'un homme de grande stature constituerait un encombrement incompatible avec la course rapide d'un assaut de fantassins. Pour le cavalier cette contrainte n'existe plus ; même lorsque le combat l'amène à mettre pied à terre, il ne peut plus être question de charge au pas de course. Pour autant, cette montée en puissance de la cavalerie n'implique pas la disparition des troupes à pied. Pour ces dernières, il s'agit vraisemblablement d'une profonde remise en cause des techniques de combat. L'affrontement en lignes et en formations serrées de style méditerranéen semble avoir triomphé de la *furia* gauloise. En témoignent ces talons de lance aux extrémités émoussées ou arrondies, conçus probablement pour ne pas blesser les partenaires des lignes arrière. Les chaînes de ceinture ne se justifient plus, ni pour les cavaliers ni pour des fantassins beaucoup plus statiques, alors même qu'elles sont au faîte de leur perfectionnement technologique. Certaines lances voient leur pointe s'allonger démesurément pour atteindre la longueur et la morphologie des baïonnettes. Les petits umbos sont abandonnés tout aussi brutalement que les chaînes, et leurs remplaçants parfois dix fois supérieurs en taille, couvrent la quasi-totalité de la largeur du bouclier.

Chronologie absolue et armement
Nous ne savons rien des événements qui ont pu marquer l'essentiel de l'Europe celtique pendant le IIIe siècle. Seule sa frange méridionale échappe au silence par sa rencontre fortuite avec les récits des historiens. Aussi, toute tentative d'intégration des analyses techniques précédentes au sein de l'Histoire événementielle ne peut avoir pour cadre que ces régions privilégiées du monde celtique. En retour, l'examen comparatif du matériel archéologique devrait permettre une extrapolation entre Gaulois cisalpins et transalpins ou entre le matériel celtique des Balkans et celui de l'Europe continentale. Le récit des événements par Polybe permet de distinguer globalement trois grandes phases d'interférences entre le monde des Celtes et l'histoire méditerranéenne. Elles pourraient ainsi être qualifiées :
– l'expansion de 310 à 275 avant notre ère ;
– l'installation dans les nouveaux territoires entre 275 et 225 ;
– les deuxièmes guerres puniques aux conséquences tragiques pour les Boïens de Cisalpine qui doivent abandonner leurs terres aux Romains en 190 avant J.-C.
Ainsi deux générations de guerriers sont concernées par la phase d'expansion alors que les trois ou quatre suivantes connaissent une paix relative. En revanche, les deux dernières générations ne constituent plus en Cisalpine une réserve démographique suffisante tant l'intensité des combats est coûteuse en hommes. Ces deux phases guerrières, bien réparties symétriquement autour d'une période de calme, méritent un examen plus détaillé si l'on souhaite y articuler l'évolution technologique.

1. L'expansion
En 310 avant J.-C., une victoire remportée sur les Illyriens Autariates constitue le premier jalon de l'implantation celtique dans les Balkans, au nord de la Macédoine actuelle. Il est probable que la multiplicité des raids celtiques sur le monde grec a pu se développer à partir de telles bases arrière. Le dernier et le plus connu d'entre eux, qui se termine à Delphes par le sac du sanctuaire, marquerait dans cette hypothèse le début du repli celtique. Le solde de ces trente années d'agressivité soutenue se traduit par l'installation de "royaumes" parfois éphémères comme celui de Thylis aux confins de la Bulgarie et de la Grèce ou plus durables pour les Taurisques

des Alpes orientales et de Slovénie ou les Scordisques de Serbie et de Panonie ou encore plus lointains comme ceux de Galatie au coeur de la Turquie actuelle. Les vétérans de cette conquête devraient, en principe, avoir leur place dans les nouveaux cimetières. De fait, les sépultures les plus anciennes des nécropoles scordisques et taurisques contiennent précisément ces panoplies porteuses des premières innovations déjà évoquées : boucliers à umbos bivalves et premières chaînes de ceinturon.

Avec l'aide de ces indices très fiables, il est aisé de percevoir que l'expansion celtique ne se limite pas aux seules régions méditerranéennes. La vallée du Danube en constitue l'axe majeur, et son orientation se fait à la fois vers l'est, la Hongrie et la Roumanie, mais aussi vers le nord au-delà de l'arc Karpatique notamment vers la Pologne. Le texte de Justin (Justin XXIV-4) faisant allusion à la migration des Celtes vers la "Forêt Hercynienne", trouve ici sa parfaite illustration. Mais l'effervescence expansionniste des Celtes transalpins n'épargne même pas les territoires déjà occupés depuis un siècle par leurs cousins du Sud. En effet, vers 300 avant J.-C., soit simultanément à l'arrivée de l'armée celtique dans les Balkans, les Sénons de l'Adriatique s'efforcent de détourner vers le Latium une grande armée de Transalpins afin que, chargée de butin, elle repasse les Alpes. Les Sénons paieront de leur indépendance cette complicité dans l'agression du domaine romain. La fondation, par les Romains de Sena Gallica en 283 sonne le glas de leur domaine méridional. Or, aucune des nécropoles des Sénons d'Italie fouillées à ce jour n'a livré la moindre panoplie guerrière du nouveau type. Plutôt qu'un argument pour retarder le début de la phase moyenne de la civilisation laténienne, cette absence doit correspondre à une attitude spécifique des Sénons. Cette résistance à l'innovation se retrouve par ailleurs chez leurs voisins Boïens, bien que plus atténuée. Leur ignorance de l'umbo bivalve et l'adoption tardive des chaînes de ceinturon déjà bien standardisées pourraient être la marque d'une relative acculturation des Cisalpins, probablement moins concernés par certaines innovations techniques venues du Nord et encore moins par les remises en cause territoriales induites par l'expansion militaire des Transalpins.

2. L'installation

Le processus pourrait commencer entre les années 280 et 270. En effet, pendant la décennie qui suit le sac de Delphes, on assiste à la fois à une rapide extinction des faits militaires impliquant les Celtes et à leur implantation dans les nouveaux territoires. Cette dernière est le fait d'une troisième génération pour laquelle les préoccupations économiques priment sur l'évolution de la technologie militaire. Polybe, qui a longuement déploré l'agressivité des générations précédentes, définit cette phase comme "le temps nécessaire" ... *pour que ceux qui avaient connu ces calamités fussent sortis de la vie et que les leunes gens... pleins d'une nouvelle ardeur belliqueuse recommencent d'ébranler l'ordre établi,* face à la pression grandissante des Romains (Livre II, 21).

Les Galates, isolés au milieu du monde grec au coeur de l'Asie Mineure, subissent l'acculturation la plus rapide. Il est aisé d'imaginer l'intérêt que présenterait la découverte des nécropoles des premiers arrivants, ceux pour lesquels la culture hellénistique a été la moins influente. Au contraire, pour les Celtes situés dans le continuum européen, l'évolution rapide des panoplies soumises à la pression des combats fait place à un ralentissement puis à une stabilisation. Les dernières mutations touchant le ceinturon métallique ainsi que la formule de l'umbo monocoque ne sont plus remises en question. Les variations morphologiques des ailettes de l'umbo n'affectent plus sa fonction mécanique et relèvent plutôt du domaine ornemental. De la même manière, l'élaboration de chaînes dont les maillons en bronze coulé imitent les torsions de leurs homologues en fer constitue une autre preuve de cette standardisation dont l'amplitude se vérifie depuis les rivages de l'Atlantique jusqu'à ceux de la mer Noire.

3. Les deuxièmes guerres puniques

En 232, après cinquante années de paix, la *Lex Flaminia* déclenche le partage du territoire sénon et l'inquiétude des Boïens. Elle inaugure une nouvelle période de tension qui se traduit par un appel aux Transalpins. C'est à nouveau le cycle des confrontations armées dont celle de Télamon déjà évoquée pour l'importance relative des cavaliers. Dans ce désastre au cours duquel les 40 000 fantassins gaulois transalpins et cisalpins périssent, Polybe note la fuite des 10 000 cavaliers qui de ce fait survivent. La répétition de telles ponctions humaines, même si elles sont de moindre importance, favorise incontestablement l'émergence de cette nouvelle classe militaire et sociale. En outre, compte tenu des coupes sombres dont souffrent au moins deux générations de fantassins, ces pertes justifient les appels réitérés aux contingents transalpins. Dans ce contexte dramatique la traversée des Alpes par Annibal permet à ce dernier de drainer à son profit les tensions accumulées chez les Gaulois Cisalpins.

L'armée punique affaiblie et décimée par son périple alpin est en partie reconstituée à partir des fantassins et de cavaliers gaulois. Ces derniers, intégrés au sein d'une armée de mercenaires, doivent se plier à des directives qui semblent aux antipodes des comportements de leurs ancêtres guerriers. Il ne courent plus mais marchent à l'ennemi, au même pas que leurs partenaires les Ibères ou les Carthaginois. Leur mission est de contenir voire d'absorber l'adversaire et de laisser le loisir au général punique de doser les assauts de ses corps de cavalerie lourdes ou légères. Le succès retentissant de la bataille de Cannes consacre l'habileté tactique du chef carthaginois et fait école. Pour les Celtes, les conflits de la fin du IIIe siècle accélèrent les lentes mutations des techniques de combats. Les moteurs de l'évolution abandonnent les fantassins pour se transférer sur le développement de la cavalerie, d'où les changements spectaculaires déjà signalés.

Jusqu'à ce jour, les nécropoles des Boïens d'Italie ont livré l'éventail presque complet de l'évolution des chaînes, mais jamais encore les nouvelles panoplies issues des dernières mutations consécutives à l'abandon des chaînes. Or, on sait qu'en 190 leur défaite les contraint à l'abandon de leur territoire aux Romains. Ces mêmes mutations seront au contraire intégrées dans l'équipement de leurs voisins, Insubres et Cénomans qui, au nord de la Cisalpine, conserveront encore un siècle d'indépendance.

Ainsi, le cadre chronologique méditerranéen convient parfaitement à l'intégration des phases technologiques. Les périodes de conflits intenses jouent leur rôle logique d'incitation aux changements et les phases paisibles favorisent la diffusion des matériels standardisés. Il faut toutefois préciser que cette double articulation entre élaboration des armes techniques de combats et événements militaires,

atue
une divinité
derrière
a tôle de bronze
availlée
u repoussé
ec les yeux
crustés
e pâte de verre
e Saint-Maur-en-
haussée (Oise)
siècle ap. J.-C.
eauvais, Musée
épartemental
e l'Oise
p. 371

pour séduisante qu'elle soit, reste encore une hypothèse de travail dont la vérification est loin d'être close.

Depuis les premières formulations d'hypothèses similaires concernant l'ensemble du matériel de la Gaule Cisalpine et celui des Celtes orientaux, de nombreuses études viennent confirmer le vieillissement chronologique que ce type d'articulation entraîne. Ainsi, dans sa forme présente, le schéma chrono-technologique proposé déplace le début de la phase moyenne de la civilisation celtique vers le début du IIIe siècle, soit un bon demi-siècle d'antériorité par rapport à certaines chronologies en vigueur. Il va de soi que ce bond en arrière devrait entraîner dans le mouvement le recul de la dernière phase de la civilisation celtique vers le début du IIe siècle, ce qui est encore loin d'être admis.

Il est cependant nécessaire de se demander si une telle chronologie élaborée à partir d'événements très périphériques reste utilisable loin du théâtre des opérations militaires et du champ d'observation des historiens grecs ou latins. Force nous est de constater que l'étude du matériel du sanctuaire de Gournay-sur-Aronde, au nord de l'Europe celtique, a révélé des rythmes à la fois similaires et synchrones des événements méridionaux. Les panoplies qui fondent stratigraphiquement le sanctuaire coïncident exactement avec les ultimes mutations qui inaugurent la phase dite d'*Installation*. Que l'implantation d'un sanctuaire de type nouveau dans cette frange nordique de l'Europe celtique se fasse simultanément aux créations de nouveaux territoires dans les Balkans constitue déjà en soi un fait insolite et cependant logique. Mais le parallèle peut se poursuivre encore, avec l'enchaînement répétitif des dépôts dans le fossé du sanctuaire qui pourraient correspondre à trois ou quatre générations de panoplies dont l'évolution est à peine perceptible. Enfin la rupture constatée au niveau du réaménagement des structures du sanctuaire coïncide également avec la grande mutation des panoplies : l'abandon des chaînes et les nouveaux umbos de bouclier. En outre, simultanément à cette dernière mutation, on constate que des bouleversements affectent profondément les rites funéraires y compris dans des régions très conservatrices comme la Champagne ou la Bohême. Tout se passe comme si les mouvements de fond de la société celtique tout entière s'articulaient sans grand décalage sur les événements militaires, tels leurs échos lointains rencontrant fortuitement les opportunités d'enregistrement de l'historiographie.

En définitive, quoi de plus naturel pour une culture, dont les deux siècles d'expansion territoriale reposent sur le dynamisme de ses guerriers, que cet investissement privilégié sur l'armement ? L'approche de la culture matérielle par le biais de son étude technologique ne peut qu'en être plus féconde. Concernant les armes, cette forme de recherche en est encore à ses débuts et son potentiel d'information est loin d'être épuisé surtout si l'on y adjoint l'aide de l'archéologie expérimentale.

Mercenariat
Miklós Szabó

A part la conquête de nouveaux territoires, les Celtes exerçaient leurs talents militaires pour le service mercenaire. Son développement rapide à partir du IVe siècle av. J.-C. constitue un phénomène important pour l'histoire et la civilisation du monde laténien. L'existence des mercenaires celtiques fait apparition dans les sources anciennes peu après la prise de Rome par les Sénons. On peut parler pour le IVe siècle d'une alliance entre les Gaulois et Denys l'Ancien de Syracuse. Les visées adriatiques de ce tyran sont bien connues. Il faut donc supposer que le recrutement des Celtes était lié à Ancône qui a été fondé par Syracuse au début du IVe siècle. L'installation des Sénons dans les Marches d'une part les mettait en contact direct avec la Grande Grèce et la Sicile et d'autre part, ce nouveau territoire celtique devenait un pôle d'attraction pour les éléments aventureux transalpins. Les textes évoquent la présence gauloise en Apulie et parlent aussi de troupes celtiques à la solde de Denys l'Ancien qui participent aux conflits de Sparte et de Thèbes. Notamment, en 369/8 av. J.-C., 2000 mercenaires gaulois et hispaniques envoyés par le tyran de Syracuse aident les Spartiates dans l'isthme de Corinthe à repousser l'armée d'Epaminondas.

Denys le Jeune et plus tard Agathoclès ont employé des mercenaires celtes qui ont aussi été enrôlés par les Carthaginois, jouant ainsi un rôle varié dans les guerres gréco-puniques du IVe siècle av. J.-C. en Sicile.

Le service mercenaire a donc bien élargi la périphérie des déplacements celtiques. Il faut noter qu'en 307 av. J.-C. Agathoclès a amené ses troupes celtiques en Afrique, en terre carthaginoise.

Le mercenariat celtique prend à partir de la mort d'Alexandre le Grand une ampleur extraordinaire : les Celtes combattant dans les armées diverses du monde hellénistique se comptent par milliers. Cette nouvelle phase est donc étroitement liée aux offensives contre les Macédoniens et les Grecs qui débutent par les invasions des années 280-270 av. J.-C. L'événement décisif date cependant de la fin de 278 ou du début de 277, quand Antigonos Gonatas, revenu d'Asie Mineure en Europe, détruit par la ruse une armée celtique en Thrace, près de Lysimacheia. La victoire doit être considérée comme le coup de grâce porté à la tentative d'invasion celtique contre le monde méditerranéen. Elle ouvre cependant en même temps la porte des armées hellénistiques à ces guerriers redoutables, réputés partout. Antigonos, le vainqueur, ne tarde pas à prendre le reste de l'armée celtique battue à sa solde. Sous le commandement de Kidérios, elle l'aide à s'emparer de la Macédoine. Ainsi se prolonge la présence des Celtes en terre grecque : Antigonos Gonatas envoie ses Gaulois contre Pyrrhos qui en avait également à son service. Le roi d'Épire les a laissé violer les tombes royales macédoniennes à Aigai (très probablement identique à Vergina actuelle où les fouilles grecques ont constaté le pillage du tumulus présumé de Philippe II), puis ils l'accompagnèrent dans le Péloponnèse et étaient auprès de lui, à Argos, lorsqu'il périt.

La Thrace devient à cette époque-là un réservoir important de mercenaires : Antigonos Gonatas envoie en 277/6 av. J.-C. 4 000 Gaulois à Ptolémée II Philadelphie qui était en guerre avec son frère Magas. La victoire est suivie d'une révolte des Celtes qui périrent enfermés dans une île du Nil.

Détail de la statue de Gaulois se donnant la mor du groupe dédié par Attale Ier au sanctuaire d'Athéna Nikephoros à Pergame copie en marbre d'un original en bronze Seconde moitié du IIIe siècle av. J.-C. Rome, Museo Nazionale Roman

Ce fut également Antigonos Gonatas qui a mis des Gaulois, conduits par Léonnorios et Lutarios, à la disposition de Nicomède Ier. Ainsi débute l'histoire des Galates d'Asie Mineure dont les services ont d'abord été utilisés par le roi de Bithynie pour résoudre une querelle dynastique. Il y avait aussi des Gaulois dans l'armée des Séleucides et partout, dans les armées des divers pays. Ainsi écrit H. Hubert: "Il n'était pas de prince d'Orient qui crût pouvoir se passer de son corps de Gaulois." L'histoire du mercenariat celtique continue en Egypte sous Ptolémée III et Ptolémée IV. Ils entretenaient de bonnes relations avec les Tylènes, c'est-à-dire des Celtes établis en Thrace, des mercenaires gaulois ont donc été recrutés là-bas. Les Celtes ont été présents dans l'armée des Ligidos en 186/5 av. J.-C., lors de la répression de la révolte de la Haute-Egypte. Une inscription qui se trouve sur le mur du temple de Stéti I, nous montre que ces Galates savaient écrire en grec.

En retournant en Italie, il faut évoquer l'histoire de trois mille Celtes engagés par les Carthaginois en 263 et transportés en Sicile où ils ont pillé Agrigente. Les difficultés à tenir des troupes de ce type n'ont pas empêché Carthage d'embaucher des Celtes pendant la première guerre punique. Un de leurs chefs, Antarios, qui parlait bien la langue punique, a provoqué la grande révolte des mercenaires qui réclamaient leur solde (241-237 av. J.-C.). En tout cas, les Gaulois transalpins ont participé activement à cette guerre à la solde de Carthage en Sicile, en Corse et en Sardaigne. Leur comportement était correct, tant qu'ils étaient payés régulièrement, ils accomplissaient leur tâche. Quand ce ne fut plus le cas, ils commencèrent à déserter : les contingents gaulois passèrent dans le camp romain.

Cette véritable industrie celtique du service mercenaire, dont l'un des marchés les plus importants a été constitué par l'Italie du Nord avec un intense va-et-vient entre la Celtique transalpine et la Gaule cisalpine, explique très probablement l'étymologie proposée par Polybe du nom des Gésates, arrivés en 225 av. J.-C. en Italie : "Ils sont appelés Gésates parce que ce sont des mercenaires, c'est en effet ce que signifie ce mot." Il s'agit en réalité de la "migration négociée" de quelques tribus pour renforcer la résistance des Cisalpins contre la République romaine. L'autre interprétation du mot est probablement correcte : les Gésates sont les porteurs de lance ou de javelot, le *gaesum*.

*Plaque de marbre
avec la
représentation
d'armes celtiques
– boucliers, cotte
de mailles, lance
carnyx à tête
de taureau – de la
balustrade
de l'entrée
monumentale
du sanctuaire
d'Athéna
Nikephoros
à Pergame
Débuts
du IIe siècle
av. J.-C.
Berlin
Pergamonmuseum*

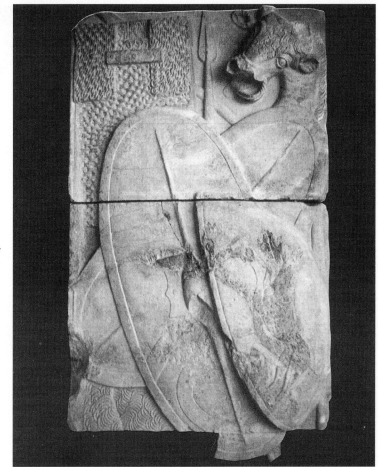

Malgré les données abondantes des auteurs anciens sur les mercenaires celtiques, l'interprétation exacte de ce phénomène constitue un grave problème pour la recherche. On ne sait pas comment étaient conclus des accords entre les guerriers celtiques et les rois grecs ou les autres pouvoirs étrangers. Par exemple, comment était versée la solde ? Il ne s'agit sûrement pas de combattants individuels, mais de troupes engagées, régulièrement suivies de femmes et d'enfants, marchant avec les bagages. La réputation des mercenaires celtiques comparable à celle des archers crétois ou des cavaliers numides s'explique, d'une part, par le succès des invasions celtiques contre le monde méditerranéen et, d'autre part, par la qualité de leurs armes et de leur façon de combattre.

Les sources écrites et les représentations grecques et romaines des Celtes semblent confirmer l'opinion répandue que les mercenaires gaulois avaient conservé leurs armes. C'était avant tout le grand bouclier à "épine dorsale" qu'ils ont gardé le plus fidèlement. En même temps, la présence abondante des armes hellénistiques sur la frise de trophée militaire du sanctuaire

d'Athéna Nicéphore à Pergame qui perpétue la victoire des Attalides sur les Galates, n'appartient pas au monde des anomalies : selon Memnon, chroniqueur d'Héraclée du Pont, Nicomède Ier de Bithynie a fourni l'armement des Celtes après leur arrivée en Asie Mineure. Dans les expéditions autour de la Méditerranée, les Celtes se sont adaptés à des formations groupées de combat. Leur efficacité était redoutable en leur premier assaut, ils étaient utilisés ainsi par les armées hellénistiques comme troupes auxiliaires pour terroriser l'ennemi. Il faut également noter qu'au lieu de repartir dans leur pays la guerre finie, les mercenaires restaient souvent dans les régions limitrophes, provoquant ainsi l'intervention militaire pour rétablir l'ordre dans la zone respective.

Les mercenaires celtiques engagés par Antigonos Gonatès recevaient une pièce d'or par homme. Etaient-ils bien payés ou non, difficile à dire, car on ne connaît pas les motifs de ce payement. Il est cependant clair que l'introduction de l'usage de la monnaie chez les Celtes vers le début du IIIe siècle av. J.-C. doit être attribuée au mercenariat. Ainsi la diffusion de la monnaie hellénistique, les "philippes" et autres dans le monde celtique doit constituer le témoignage archéologique des mercenaires celtiques. Mais même, dans ce cas-là, il est pratiquement impossible de distinguer le butin de guerre de la solde militaire. Le même piège nous attend, si on veut déterminer la circonstance dans laquelle tel ou tel objet grec est arrivé en milieu celtique d'Europe centrale ou occidentale. Il faut être également très prudent, si on essaie d'attribuer des trouvailles celtiques mises au jour en Italie (comme le casque de Canosa) ou en Grèce (une paire d'anneaux de cheville d'Isthmia) aux mercenaires celtiques ou à leur entourage.

Le déclin du mercenariat celtique remonte à la première moitié du IIe siècle av. J.-C.

Les Scordisques

Borislav Jovanović et Petar Popović

Suivant les témoignages des auteurs antiques (Strabon, Arrien), les émissaires celtes rencontrèrent Alexandre le Grand en 335 av. J.-C. quelque part près du Danube, où il combattait les tribus des Balkans. Après un accueil amical, Alexandre leur demanda quelle était leur plus grande peur, persuadé que son propre nom aurait dû l'inspirer quand celui-ci avait atteint les territoires des Celtes. Il fut assez déçu quand ils répliquèrent que leur seule peur était que le ciel ne leur tombe sur la tête. Cette anecdote prouve que non seulement les Celtes étaient fiers et intrépides, mais aussi qu'à cette époque ils étaient stationnés dans la région et qu'ils portaient un vif intérêt à la situation politique des Balkans.

A partir du milieu du IVe siècle av. J.-C., les Celtes, conduits par leurs guerriers, se déplacèrent du bassin des Karpates vers le sud en suivant la vallée du Danube. Les découvertes archéologiques prouvent qu'ils étaient présents dans la région de la Pannonie sud-orientale à partir de la fin du IVe siècle av. J.-C. C'est à cette période qu'appartiennent les tombes de riches guerriers, découvertes récemment sur le site de Pecine près de Kostolac, au sud du Danube. Environ cinquante ans après, les Celtes entreprirent une grande campagne militaire en Macédoine et en Grèce. Après avoir subi une sérieuse défaite près de Delphes en 279 av. J.-C. "plus comme effet de la volonté des Dieux que de la force des hoplites grecs", l'armée disloquée se dispersa dans des directions différentes. Quelques-uns allèrent en Asie Mineure (Galates), d'autres en Thrace et ceux qui étaient sous le commandement de Bathanatos repartirent par le même itinéraire qu'à l'aller et s'installèrent au confluent du Danube et de la Save et prirent le nom de Scordisques. Désormais, jusqu'à la conquête romaine (à la fin du Ier siècle av. J.-C.) les Scordisques restèrent à la frontière entre le monde celte sud-oriental et le monde grec puis, plus tard, la civilisation romaine. Ils laissèrent ainsi une empreinte sur les historiographes antiques qui montraient peu de sympathie pour eux, les présentant comme un danger permanent, menaçant les régions du Nord.

L'histoire des Scordisques comporte de nombreuses incursions, razzias et incendies en Macédoine et en Grèce, menés de concert avec les autres tribus des Balkans. Les auteurs antiques ne mâchaient pas leurs mots pour décrire les Scordisques comme des barbares sauvages et agressifs, vivant sans loi ni ordre. Cependant les découvertes archéologiques les montrent sous un jour différent : les objets qu'ils produisaient étaient fabriqués avec une grande dextérité technique et avaient une grande valeur artistique. Ce sont principalement des objets àcaractère prestigieux tels que des bijoux ou des armes. Les découvertes de cette époque (IIIe-IIe siècles av. J.-C.) proviennent pour leur plus

grande partie de nécropoles (Kupinovo, Osijek) dans lesquelles les morts furent enterrés pendant de très longues périodes. Sur le site de Belgrade-Karaburma, 96 tombes furent fouillées, elles sont datées du IIIe siècle av. J.-C. au Ier siècle av. J.-C. Dans cette partie de la ville, les fouilles furent des sauvetages limités seulement à l'espace occupé par les bâtiments à construire. Ceci empêcha les archéologues de déterminer précisément la localisation et l'aspect de la *Singidunum* préromaine : la future ville de Belgrade. Contrairement aux sites datés du début de l'installation, la question de l'existence d'habitats sur le territoire scordisque aux IIIe-IIe siècles av. J.-C., reste ouverte. En dépit des fouilles intensives menées ces dernières années, les données manquent encore.

Ce qui est évident, c'est que cette période est caractérisée par l'absence de concentration démographique en un seul lieu, et donc l'absence de couches d'occupation importantes. Les habitats étaient probablement petits, ne duraient pas longtemps et étaient faits de matériaux médiocres, rapidement périssables. Ces aspects peuvent être considérés comme caractéristiques des Scordisques à cette époque : guerriers vivant aux frontières de leur monde, ils n'avaient pas de vie sédentaire stable.

Cependant, le fait que les Scordisques frappaient des monnaies prouve un niveau social notable et témoigne de l'existence des autorités établies nécessaires à l'émission de monnaies. Depuis la fin du IVe siècle av. J.-C. et le début du siècle précédent, les monnaies trouvées dans les Balkans étaient des imitations primaires des tétradrachmes de Philippe de Macédoine, ensuite d'Alexandre le Grand et autres souverains grecs. Les Celtes des Balkans s'intégrèrent très vite à cette tendance générale qui graduellement s'étendit sur toute la périphérie du monde méditerranéen. En donnant aux monnaies leur propre style, ils en firent bientôt l'authentique expression de leurs souhaits et capacités. En principe, le modèle imité est encore la tétradrachme de Philippe de Macédoine avec sur l'avers la représentation de Zeus, et sur le revers un cavalier ou plus tard seulement un cheval (ceci est la caractéristique de presque tout le monnayage dace et celte oriental). Après de petites émissions, très hétérogènes et de qualité artistique souvent étonnante au IIIe siècle

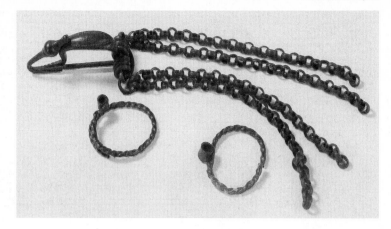

Fibule de bronze avec chaînettes et boucles et oreilles d'argent de la tombe n° 63 de Belgrade-Karaburma (ex-Yougoslavie) première moitié du IIIe siècle av. J.-C. Belgrade, Muzej Grada Beograda

av. J.-C., la fin du IIIe siècle av. J.-C. et le début du IIe siècle av. J.-C. montrent une unification typologique progressive. Au milieu du IIe siècle av. J.-C. des monnaies d'argent (drachmes et tétradrachmes) furent émises en Slavonie et dans le Srem, avec des caractéristiques typologiques précises ("type Srem") : une représentation de Zeus sur l'avers et un cheval au trot avec un symbole solaire – un soleil pointé – sur le revers. Les monnaies du type Srem perdurèrent jusqu'aux premières décennies du Ier siècle av. J.-C., subissant au cours du temps des modifications progressives : augmentation de la stylisation, atteignant souvent l'abstraction, perte de poids et remplacement de l'argent par le bronze. De petites séries à l'aspect pictural différent furent émises sur le même territoire (le "type de Slavonie orientale", le "type Krčedin") et devraient être sans doute attribuées aux communautés vivant au sein de la population scordisque.

Dans sa plus grande partie, cette période d'émission de monnaies correspond à l'époque de la domination militaire des Scordisques dans les Balkans. Progressivement la qualité de leurs monnaies s'amoindrit : les dernières séries émises sont presque exclusivement frappées en bronze et sont façonnées assez négligemment. Phénomène qui coïncide avec quelques événements historiques qui eurent de sérieuses conséquences pour l'histoire future des Scordisques. En bref, leur formidable énergie, dirigée en totalité vers la guerre et les razzias – l'essentiel de leurs ressources économiques – s'amenuisa finalement pour des raisons internes et externes ; cela

Fragment de l'embouchure d'un fourreau décoré de Sremski Karlovci (ex-Yougoslavie) IIIe siècle av. J.-C. Zagreb Archeoloski Muzej

affecta la qualité des monnaies qui avaient avant tout une signification politique et de prestige.

Avec la chute de la Macédoine et la fondation des provinces romaines en 146 av. J.-C., la situation dans les Balkans se modifia considérablement. Tout d'abord, les Romains furent incapables de contrôler les barbares agressifs, mais à la fin du IIe siècle av. J.-C. et au début du Ier siècle av. J.-C., les Scordisques subirent de sévères défaites. La forte pression du sud les contraignit à vivre sur les ressources locales de leur propre territoire. Ainsi, à

cette époque, de nombreuses colonies furent fondées, participant au phénomène général celtique de "la période des oppida". Cependant, on doit préciser que sur le territoire scordisque on ne connaît pas de fortifications du
type *murus gallicus*. La technique de fortification traditionnelle en Pannonie
et dans la vallée du Danube est l'édification de murs de terre avec une palissade et un fossé, à cause de la pénurie de pierre dans cette région. Dans
beaucoup de cas, les nouveaux habitats furent édifiés sur des sites plus
anciens de type "tell", généralement sur la rive d'une rivière (Save, Bosut,
Danube). Ces collines artificielles, formées par l'accumulation des sédiments
des couches d'occupation ont une stratigraphie impressionnante, remontant
souvent au néolithique. Ces tells étaient le point culminant d'un paysage de
plaine et offraient une protection et des conditions de vie convenables à leurs
habitants. Les anciennes fortifications de terre furent souvent reconstruites
ou bien de nouvelles furent édifiées à leur place. Gomolova est un de ces

*Monnaies
d'argent dérivées
de la
tétradrachme
de Philippe II
et attribuées
aux Scordisques
IIIe-IIe siècles
av. J.-C.
Belgrade
Narodni Muzej*

*Casque d'apparat en fer, bronze, or
argent et corail, d'Agris (Charente)
IVe siècle av J.-C.
Angoulême, Musée de la Société
archéologique et historique de la Charente*

Épée avec fourreau en fer décoré
d'application de feuille d'or
de la tombe n° 562 de Pottenbrunn-
Ratzerdorf (Basse-Autriche)
Fin du VIᵉ-début du IIIᵉ siècle av. J.-C.
Vienne
Abteilung für Bodendenkmale
des Bundesdenkmalamtes

Chaîne avec pendentif en argent de
la tombe n° 54 de Pottenbrunn-
Ratzerdorf (Basse-Autriche)
Fin du VIᵉ-début du IIIᵉ siècle
av. J.-C.
Vienne
Abteilung für Bodendenkmale
des Bundesdenkmalamtes

Clavette d'essieu de fer
et de bronze
d'origine parisienne présumée
Première moitié
du IIIᵉ siècle av. J.-C.
Saint-Germain-en-Laye
Musée des Antiquités nationales

Bracelet de bronze
du département
du Tarn
Première moitié
du IIIᵉ siècle av. J.-C.
Saint-Germain-en-Laye
Musée des Antiquités nationales

ci-contre
*Armes de fer
de la tombe
de Batina
(ex-Yougoslavie)
IIIe siècle av. J.-C.
Vienne
Naturhistorisches Museum*

*Vase de terre cuite
en forme de soulier
de Kosd (Hongrie)
IIIe siècle av. J.-C.
Budapest, Magyar Nemzeti
Múzeum*

*Cruche en terre cuite
avec l'attache supérieure
de l'anse en forme de masque
humain et décor estampé
de Kosd (Hongrie)
IIe siècle av. J.-C.
Budapest, Magyar Nemzeti
Múzeum*

Vase de terre cuite
portant
la représentation
gravée
d'un combat
d'animaux
de Labátlan
(Hongrie)
IIIᵉ siècle av. J.-C.
Budapest, Magyar
Nemzeti Múzeum

Petite cruche
à l'anse terminée
par une tête
de bélier
de Kosd (Hongrie)
IIIᵉ siècle av. J.-C.
Budapest, Magyar
Nemzeti Múzeum

Vase de terre cuite
aux anses
surmontées par des
têtes de bélier
de la tombe nº 40
de Kosd
(Hongrie)
IIIᵉ siècle av. J.-C.
Budapest, Magyar
Nemzeti Múzeum

*Détail du grand vase de terre cuite
à deux anses creuses de la tombe n° 34
de la nécropole de Belgrade-Karaburma (ex-Yougoslavie)
...e siècle av. J.-C.
Belgrade, Muzej Grada Beograda*

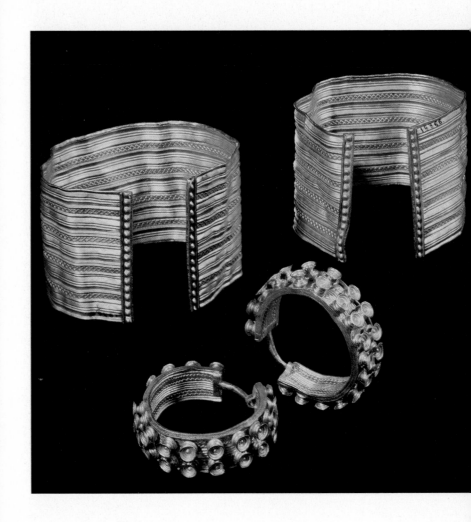

Paire de bracelets et boucles
d'oreilles d'or, de la tombe princière
du tumulus de La Butte
à Sainte-Colombe (Côte-d'Or)
VIᵉ siècle av. J.-C.
Saint-Germain-en-Laye
Musée des Antiquités nationales

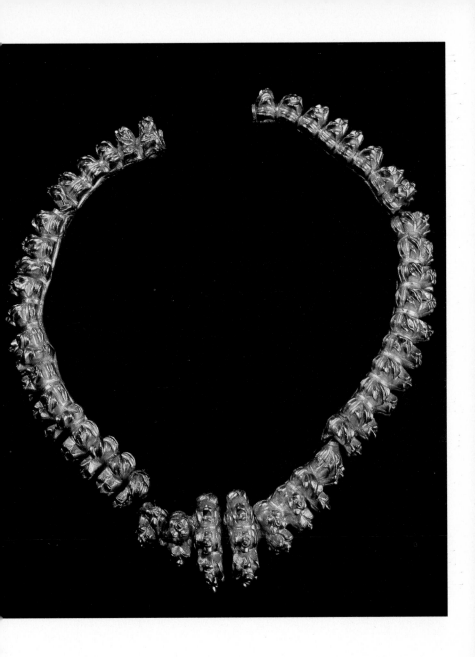

*Torque d'or de Gajić-Hercegmárok
(ex-Yougoslavie)
IIe siècle av. J.-C.
Budapest, Magyar Nemzeti Múzeum*

contre
tue de pierre
un chef gaulois
né
un bouclier
Mondragon
aucluse)
siècle av. J.-C.
ignon, Musée
lvet

atue
une divinité
uerrière
a tôle de bronze
availlée
u repoussé
vec les yeux
ncrustés
e pâte de verre
e Saint-Maur-en-
haussée (Oise)
r siècle ap. J.-C.
eauvais, Musée
épartemental
e l'Oise

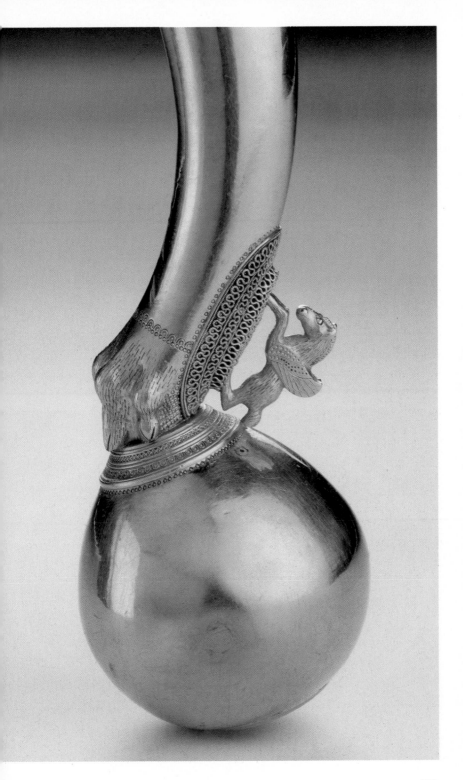

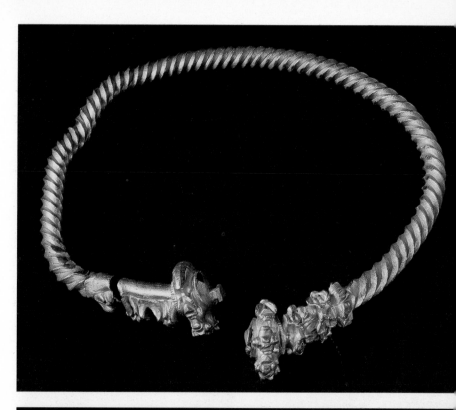

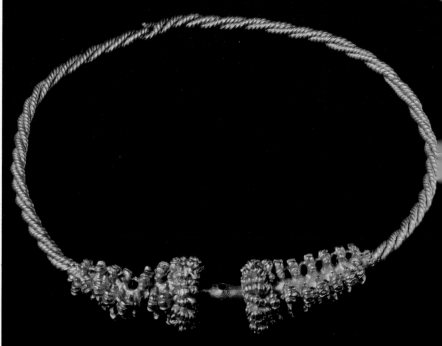

Détail du monstre anguiforme
à tête de griffon qui ornait
le couvercle de la cruche
de Brno-Maloměřice (Moravie)
IIIᵉ siècle av. J.-C.
Brno, Moravské Múzeum

acelet d'argent
 l'incinération
ninine
Vršac-At
x-Yougoslavie)
siècle av. J.-C.
šac, Narodni
uzej

Bracelet d'argent de l'incinération féminine Vršac-At (ex-Yougoslavie) III-Ier siècles av. J.-C. Vršac, Narodni Muzej

bule de bronze
ec incrustations
émail jaune et
eu, de Boljevci
x-Yougoslavie)
-Ier siècles
. J.-C.
greb,
rcheološki
uzej

bule de bronze
Smederevo-
rešac
x-Yougoslavie)
e siècle av. J.-C.
lgrade
arodni Muzej

sites, sur la rive droite de la Save. Environ 4000 mètres carrés de sa superficie ont été étudiés, avec une couche d'occupation de six mètres d'épaisseur dont la stratigraphie va du Néolithique au Moyen Age. Les fouilles se sont poursuivies pendant plus de vingt ans. L'habitat de La Tène qui fut fondé à la fin du IIe siècle av. J.-C. est illustré par les habitations semi-enterrées du premier horizon. Au milieu du Ier siècle av. J.-C., la zone devient une sorte de quartier artisanal pour les ateliers de potiers attestés par de nombreux fours. Bien qu'une grande partie de la couche d'occupation ait été détruite par l'érosion fluviale et endommagée par les nivellements de la période romaine, on peut affirmer que la partie principale était juste sur la rive tandis que les fours de potiers étaient confinés dans la partie orientale. Durant le premier siècle, l'habitat s'étendit hors les limites du tell vers des zones jusqu'ici inoccupées. L'établissement fut incendié, probablement en 15 av. J.-C., lorsque Tibère conquit ce territoire. Il fut cependant reconstruit et perdura à l'époque romaine. Le site de Gradina sur le Bosut est un tell avec une double fortification entourée d'un profond fossé rempli d'eau de la rivière. Ici aussi, l'habitat s'étendit hors des limites du tell et occupa une grande superficie. Un des traits spécifiques des fortifications similaires de la Slavonie orientale (Donja Berbina, Privlaka) sont les puissants murs de terre renforcés au sommet avec une épaisse couche d'argile cuite. Les seuls témoignages de murs de pierres furent découverts lors des fouilles d'un habitat fortifié à Stari Slankamen sur le Danube. Dans les zones de plaine du sud de la Bačka, les

habitats fortifiés ont des murs de terre avec des fossés de drainage (Plavna, Turski Šanac, Čarnok).

Un type d'habitat différent, avec une seule phase d'occupation, non fortifié, fut découvert sur nombre de localités du Srem et de la Bačka. De tels habitats, fondés sur des sols légèrement surélevés et isolés des eaux souterraines, sont composés d'un petit nombre de structures semi enterrées dont le toit est en forme de tente. Semblables aux habitations de la même période trouvées en Hongrie et en Slovaquie, ces structures présentent soit des poteaux sur les côtés avant et arrière, soit, le plus souvent, une absence totale de poteau. D'après leur méthode de construction elles étaient évidemment à caractère temporaire, n'étaient pas reconstruites mais les excavations étaient utilisées plus tard comme dépotoirs. La durée de ces structures dépendait probablement du temps pendant lequel le sol de la zone pouvait être cultivé. Après que le sol s'épuisait, ces habitats ruraux typiques étaient abandonnés et un nouvel habitat était établi en un autre site adapté. D'assez nombreuses céramiques trouvées dans ces habitats datent de la fin du Ier siècle av. J.-C. Toutefois, on est presque assuré que la vie continua sans changement essentiel pendant le début de la période romaine, jusqu'au IIe siècle ap. J.-C., moment où les grandes propriétés foncières furent établies (*Villæ rusticæ*)

Il est évident que les habitats les plus importants étaient ceux du type tell. Ces lieux à forte densité démographique étaient des installations à caractère agricole mais des activités secondaires y étaient aussi exercées (production de céramique) ; nous pouvons donc les décrire comme des centres de production dans lesquels l'artisanat et le commerce étaient florissants. Les influences externes et un développement interne apportèrent un système d'organisation

Vue de l'habitat fortifié de l'Age du Fer de Gradina sur le fleuve Bosut (ex-Yougoslavie) avec une occupation laténienne des IIe-Ier siècles av. J.-C.

Stratigraphie de l'habitat de Gradina sur le fleuve Bosut Au-dessus des niveaux de l'Age du Fer indigène niveaux laténien et médiévaux

oupe à deux anses
(anthare)
e terre cuite
e Gomolava
(ex-Yougoslavie)
[...] siècle av. J.-C.
Novi Sad
Vojvodjanski Muzej

[...]artie supérieure
[...]un vase peint
[...]e Gomolava
(ex-Yougoslavie)
[...] siècle av. J.-C.
Novi Sad
Vojvodjanski Muzej

Vase en terre cuite, de l'habitat
de Gomolava (ex-Yougoslavie)
Ier siècle av. J.-C.
Novi Sad, Vojvodjanski Muzej

Fibule de bronze
de Gomolava (ex-Yougoslavie)
Ier siècle av. J.-C.
Novi Sad, Vojvodjanski Muzej

Vase peint de Gomolava
(ex-Yougoslavie) Ier siècle av. J.-C.
Novi Sad, Vojvodjanski Muzej

de l'habitat qui peut être défini comme proto-urbain. Les changements significatifs de la vie des Scordisques et une intensité croissante de leurs contacts avec le Sud sont attestés par les nombreuses découvertes de drachmes provenant d'Appollonie et de Dyrrachion qui devinrent plus fréquentes dans cette région au début du I^e siècle. Dans sa seconde moitié, les deniers de la république romaine devinrent courants comme cela a été démontré par la stratigraphie des monnaies trouvées à Gomolova.

La datation précise de la fondation de ces habitats et leurs relations chronologiques relatives sont difficiles à établir. Le matériel le plus abondant du Ier siècle av. J.-C. est une céramique assez uniforme, tandis que le matériel permettant un meilleur diagnostic chronologique (fibules, armes, monnaies) est comparativement plus rare. En tout cas, les preuves archéologiques montrent clairement que durant le premier siècle l'habitat eut une densité croissante. Seule la présence de productions romaines importées (spécialement la vaisselle de bronze utilisée pour la préparation et le service du vin) nous donne des indications chronologiques précises. La pénétration romaine décisive à l'est et dans la vallée du Danube fait suite à la guerre d'Octavien en Illyrie en 35 av. J.-C. et à la chute de *Siscia*. A la fin du Ier siècle av. J.-C. les Romains occupèrent d'importants territoires stratégiques, précédemment tenus par les Scordisques, près de la Save et du Danube, événement qui conclut la conquête romaine des Balkans. Les témoignages numismatiques suggèrent que quelques-uns des habitats ont perduré durant de longues périodes. Nous avons de bonnes raisons de supposer que les sites sur lesquels les monnaies barbares, drachmes d'Appollonie et de Dyrrachion, ainsi que deniers de la république romaine furent trouvés, furent des sites qui vécurent de façon continue jusqu'à la fin du IIe siècle av. J.-C. Un nombre important d'entre eux demeurèrent à la période romaine : *Mursa* (Osijek), *Cibalæ* (Vinkovci), et *Sirmium* (Sremska Mitrovica) devinrent des villes significatives de la province de Pannonie tandis que *Teutoburgium* (Dalj), *Cornacum* (Sotin), *Acumincium* (Slankamen), *Rittium* (Surduk), *Burgenae* (Banovci) et d'autres devinrent des forts importants du *limes* danubien.

Les Scordisques s'installèrent à l'origine dans les régions de plaine près des grandes rivières – Danube, Save et cours inférieur de la Morava. Ils occupaient le territoire de la Slavonie orientale, avec les Taurisques sur leur frontière

ire de fibules et
afe de ceinture
rgent de Jarak
:-Yougoslavie)
siècle av. J.-C.
greb
cheološki Muzej

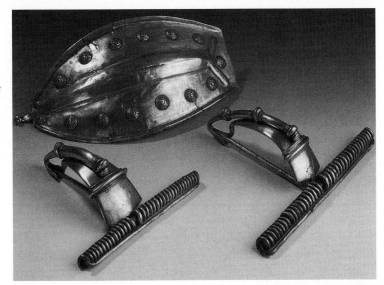

ue aérienne de l'habitat laténien
rtifié da Židovar (ex-Yougoslavie)

ue aérienne de l'habitat fortifié
ténien tardif de Carnok
x-Yougoslavie)
siècle av. J.-C.

Vase de terre cuite à visage
humain, de Vršac-At
(ex-Yougoslavie)
1er siècle av. J.-C.
Vršac, Narodni Muzej

occidentale, et une grande partie de la Bačka et du Srem. En suivant le cours du Danube, nous pouvons voir qu'ils vécurent dans toute la zone jusqu'au confluent de Timok, au nord-ouest de la Bulgarie et au sud-est de la Roumanie. Au nord, ils occupaient la zone autour du Danube et celle de la Drave, approximativement jusqu'à la frontière entre l'ex Yougoslavie et la Hongrie. Au sud, dans les collines de Serbie le matériel celte est rare. Le géographe Strabon (vers 63 av. J.-C.-19 ap. J.-C.), les partageait en Grands *(Mégaloi)* et Petits *(Mikroi)* Scordisques. Il prétend que les premiers vivaient à l'ouest et les seconds à l'est de la Morava à la limite des *Triballi* et des *Moesi.* Grâce aux nouvelles fouilles des Portes de Fer, nous pouvons déterminer aujourd'hui le territoire des Petits Scordisques avec plus de précision. Les sites celtiques découverts près de Mala Vrbika, Vajuga et autres, présentent un matériel archéologique analogue à celui de la même époque trouvé dans le Srem et sur le site de Belgrade-Karaburma. Nous pouvons donc conclure que les Scordiques ne vivaient pas dans les collines de l'est de la Serbie mais dans la zone de plaine à la fin des Portes de Fer, Kladovo et Turnu Severin, tout le long du Danube jusqu'au nord-ouest de la Bulgarie. Dans les tombes fouillées aux Portes de Fer, en dehors du matériel celte, des éléments de la culture locale dace (principalement des céramiques) furent également trouvés. Ceci

Cruche de bronze importée d'Italie de la tombe à incinération n° . de Mala Vrbica-Ajmana (ex-Yougoslavie) Seconde moitié du 1er siècle av. J.-C. Belgrade Archeološki Institut (Archeološki Muzej Derdapa)

Vase peint de terre cuite de la tombe à incinération de guerrier n° 1 de Mala Vrbica-Ajmana (ex-Yougoslavie) Seconde moitié du 1er siècle av. J.-C. Belgrade Archeološki Institut (Archeološki Muzej Derdapa)

en haut à gauche
*Coupe de terre cuite sur haut pied
de la tombe à incinération
de guerrier n° 1
de Mala Vrbica-Ajmana
(ex-Yougoslavie)
Seconde moitié du 1ᵉʳ siècle av. J.-C.
Belgrade, Archeološki Institut
(Archeološki Muzej Derdapa)*

en haut à droite
*Récipient et louche (simpulum)
de bronze, de la tombe
à incinération de guerrier n° 1
de Mala Vrbica-Ajmana
(ex-Yougoslavie)
Seconde moitié du 1ᵉʳ siècle av. J.-C.
Belgrade, Archeološki Institut
(Archeološki Muzej Derdapa)*

en bas à gauche
*Vase de terre cuite, de la tombe
à incinération n° 1 de Mala Vrbica-
Ajmana (ex-Yougoslavie)
Seconde moitié du 1ᵉʳ siècle av. J.-C.
Belgrade, Archeološki Institut
(Archeološki Muzej Derdapa)*

*Vase à deux anses
(canthare) et petite
coupe de terre cuite
de la tombe
à incinération
de guerrier n° 1
de Mala Vrbica-
Ajmana
(ex-Yougoslavie)
Seconde moitié du
1ᵉʳ siècle av. J.-C.
Belgrade
Archeološki
Institut
Archeološki
Muzej Derdapa)*

démontre l'existence d'échanges culturels significatifs des Petits Scordiques qui présentent les caractéristiques communes à tous les Scordiques. Les preuves historiques et archéologiques montrent que les Scordisques étaient le mélange des tribus celtes, pannoniennes et illyriennes qui peuplaient ce territoire. Bien que dans le cours des derniers siècles avant J.-C., la culture supérieure celte ait eu un rôle dominant, quelques formes locales d'armes et de bijoux devinrent très populaires et s'intégrèrent ainsi à part entière à cette culture celte hybride. Il y a aussi quelques caractéristiques des céramiques scordisques qui manquent aux céramiques celtes connues dans les environs. Par exemple, les Scordisques utilisent le lustrage dans leur style décoratif. L'explication des différences entre les Scordisques et les autres Celtes réside précisément dans leur diversité ethnique : du mélange de cultures et de traditions variées qui aboutit à l'émergence de cette nouvelle communauté. La sépulture circulaire commune de Gomolova est une bonne illustration de ce fait : une forte influence de la tradition locale est visible même à la fin du Ier siècle av. J.-C. dans le mode d'ensevelissement, le nombre de morts enterrés dans la tombe, les offrandes funéraires, etc. Les rapports entre les Scordisques et les Daces – les deux populations aux cultures très différentes qui habitaient cette partie de la vallée du Danube – sont particulièrement intéressants. Les éléments de la culture dace (céramique, bijoux comme par exemple le trésor d'argent de Kovin) sont souvent trouvés non seulement à l'est des territoires scordisques mais aussi dans le Srem. Evidemment, nous n'avons pas ici seulement un amalgame de cultures mais également une fusion ethnique qui débuta probablement dès l'arrivée des Celtes dans les Balkans. Il est bien connu que les Daces et les Scordisques s'alliaient souvent pour des campagnes en direction du Sud. Il est possible que l'origine ethnique composite permit aux Scordisques d'éviter la destinée des Bolens et des Taurisques, qui furent pratiquement décimés par les Daces sous Burebista au milieu du Ier siècle av. J.-C.

Il n'y a aucun renseignement sur la vie politique et religieuse des Scordisques dans les textes des auteurs antiques. Nos sources sont uniquement archéologiques et numismatiques. Elles ne sont en mesure de nous fournir que de très rares informations. L'arrivée des Romains dans ces territoires, à la fin du Ier siècle av. J.-C. provoqua peu à peu la disparition des Scordisques de la scène de l'histoire. D'après ce que nous en disent les inscriptions, leur empreinte fut préservée à l'est du Srem, la région où se trouvait la *Civitas Scordiscorum* à la fin du Ier siècle ap. J.-C. et au début du siècle suivant.

Paire de pointes de lance de fer décorées de la tombe à incinération de guerrier n° 1 de Mala Vrbica-Ajmana (ex-Yougoslavie) Seconde moitié du Ier siècle av. J.-C. Belgrade Archeološki Institut (Archeološki Muzej Derdapa)

Paire de coutelas de fer à dos arqué (sica) de la tombe à incinération de guerrier n° 1 de Mala Vrbica-Ajmana (ex-Yougoslavie) Seconde moitié du Ier siècle av. J.-C. Belgrade Archeološki Institut (Archeološki Muzej Derdapa)

L'or

Christiane Eluère

*Paire de bracelets
et boucles
d'oreilles d'or
de la tombe
princière
du tumulus
de La Butte
à Sainte-Colombe
(Côte-d'Or)
VIe siècle av. J.-C.
Saint-Germain-en-
Laye, Musée
des Antiquités
nationales
▶ p. 368*

*Au crépuscule de l'Age du Bronze,
l'amorce de nouvelles valeurs*
En Europe, au Bronze Final (1200-750 environ av. J.-C)
des groupes culturels puissants, qu'ils soient atlantiques
(Irlande, Grande-Bretagne, Bretagne, péninsule Ibérique)
ou continentaux (sud de la Scandinavie, Europe centrale)
accumulent les objets d'or. Les plus lourds et les plus volumineux sont entassés non dans des sépultures mais dans
des trésors d'offrande, vraisemblablement consacrés aux
divinités de la nature ; en même temps, ces bijoux, ces
vaisselles représentent les richesses communautaires de
populations.
A la fin de l'Age du Bronze, dès le VIIIe et le VIIe siècle av. J.-C. on observe
une rupture dans les usage de l'or. Déjà vers 1000 av. J.-C., à la fin du
Bronze Final II, se répand partout en Europe non classique la coutume
d'ajouter du cuivre à l'or, c'est-à-dire de produire des alliages, parfois à des
titres relativement bas (20 à 25% de cuivre ; de plus, une quantité d'argent
est souvent mêlée à l'alliage). Ces alliages permettent de maintenir le volume des productions pour répondre aux exigences sociales. Les études
typologiques montrent en effet que ces alliages n'ont pas de justification d'ordre technologique, mais qu'ils correspondraient surtout a un
souci général d'économiser l'or, peut-être en raison de difficultés

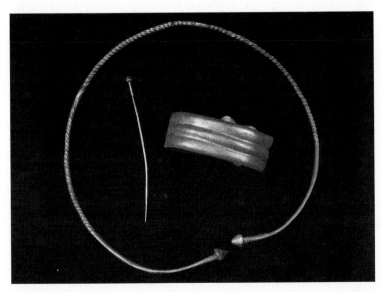

*Torque, épingle
et bracelet d'or
de la tombe
de Saint-Romain-
de-Jalionas (Isère)
VIIIe siècle
av. J.-C.
Saint-Germain-
en-Laye
Musée des
Antiquités
nationales*

d'approvisionnement. A une phase située autour du VIIIe siècle av. J.-C., la situation varie selon les régions : dans les îles Britanniques, les fabrications du Bronze Final se poursuivent, encore pour un siècle ou deux, de même qu'en Europe du Nord. L'ouest du continent ne connaît pratiquement plus de développement : par exemple, en Bretagne l'orfèvrerie, si prospère aux époques précédentes, disparaît assez brusquement. Le sud de la péninsule Ibérique est influencé par les contacts noués avec le monde oriental. Les caractères phéniciens transparaissent dans les productions, sans doute assimilés dans plusieurs ateliers locaux. Le phénomène s'accentue encore dans certains centres d'Italie, où une tradition ancienne de l'orfèvrerie est pratiquement absente, contrairement au nord des Alpes. Les orfèvres étrusques s'ouvrent aux techniques orientales, et cette révélation est le point de départ de productions éblouissantes et originales des VIe-Ve siècles, comprenant une maîtrise parfaite des procédés de soudure pour réaliser des pièces composites décorées de filigranes et de fines granulations.

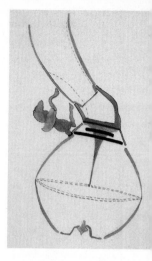

Schéma du système de montage des extrémités du torque d'or de Vix

Au nord des Alpes, à cette époque charnière, dans l'aire qui sera plus tard territoire celte, les productions sont assez rares. Une découverte récente, à Saint-Romain-de-Jalionas (Isère), permit d'étudier une tombe "princière" du VIIIe siècle av. J.-C. Le guerrier inhumé sous un tumulus avait auprès de lui de la vaisselle de bronze, une épée et des pendentifs de types répandus au Bronze Final, mais il portait aussi des bijoux d'or : une épingle à tête vasiforme, un torque à torsade alterne et petits boutons terminaux, un bracelet à trois larges bourrelets martelés et aux extrémités en oreillettes. Typologiquement, l'épingle est du Bronze Final, la torsade du collier est une réminiscence de cette époque, et le bracelet possède des caractères mixtes. L'analyse de la composition de ces objets montre qu'ils ont été fabriqués de façon traditionnelle, c'est-à-dire d'un alliage d'or, d'argent et de cuivre.

Un anneau d'or trouvé au Chaffois (Doubs), dans une sépulture à grande épée de fer hallstattienne du VIIe siècle av. J.-C., indique la poursuite de cette tradition en orfèvrerie encore au début de l'Age du Fer, alors que l'objet est fait de fils torsadés et soudés. Quelques anneaux de ce type, de 3 à 4 centimètres de diamètre environ, paraissent être les seuls témoignages d'orfèvrerie trouvés dans des tombes masculines du VIIe siècle av. J.-C., ainsi un autre, orné de granulations, a été anciennement trouvé dans une tombe de Hallstatt.

Ces diverses trouvailles montrent, par leur rareté et leur composition chimique, une nette évolution dans l'usage social de l'or : il n'est plus un bien collectif, mais sans doute une matière précieuse difficile à se procurer et seulement à la portée de quelques privilégiés. L'alliage avec du cuivre est une vieille tradition, alors encore vivace, qui montre que les orfèvres travaillent sur les mêmes stocks, mais apprennent de nouvelles techniques liées

aux procédés de la soudure. A cette phase, le contrôle de la qualité de l'or apparaît. On en a la preuve avec une pierre de touche découverte à Choisy-au-Bac (Oise) dans un niveau du VIIIe siècle av. J.-C. qui a livré aussi un petit lingot et un anneau, vestiges probables d'un atelier d'orfèvre.

L'or, monopole des princes celtes du VIe siècle av. J.-C.
Au VIe siècle av. J.-C., l'or a un prestige tout neuf. Désormais, il est exclusivement réservé à l'usage des chefs, princes de petits territoires morcelés entre la Bourgogne, la Franche-Comté, à l'ouest, et l'Autriche à l'est, très nombreux aussi en Allemagne du Sud et en Suisse. Tous ces princes se font inhumer en grande pompe sous d'impressionnants tumulus qui se répartissent à perte de vue autour de leur citadelle. Dans ces tombes, on retrouve les symboles du pouvoir tels qu'ils sont sculptés sur le guerrier de Hirschlanden, statue grandeur nature dressée au sommet de l'un de ces tumulus au Wurtemberg. Outre le poignard et le ceinturon, ils portent un grand collier en or battu, souvent aussi un large bracelet ; et dans la vaisselle métallique déposée dans la chambre funéraire, pour le rite de la boisson, parfois une coupe en or fait partie de l'équipement. La fouille du tombeau du prince de Hochdorf (Wurtemberg) montre combien l'or a une grande part dans l'expression sociale : le personnage portait le collier, le bracelet, mais aussi une paire de fibules en or, et le métal précieux enrichissait son poignard ainsi que son ceinturon. Une coupe en or posée au bord du chaudron de la boisson et le cerclage de bandes d'or des cornes à boire devaient témoigner du prestige fabuleux dont cet homme jouissait de son vivant.

Les femmes de haut rang possèdent apparemment moins d'or que les princes eux-mêmes, signe qu'il est avant tout symbole de pouvoir : seules quelques riches tombes féminines, par exemple à Schöckingen (Wurtemberg), Urtenen et Ins (Suisse), ont livré des boucles creuses que l'on accroche dans les cheveux, ou des épingles en bronze à grosse tête constituée de deux coques de feuille d'or qui encadrent le visage ou servent à retenir une étoffe. A cette époque, les alliages d'or et de cuivre sont pratiquement abandonnés. L'utilisation d'un or natif d'excellente qualité, contenant seulement un peu d'argent, est la règle générale.

L'or des femmes au pouvoir
La tombe de la princesse de Vix (Côte-d'Or) se situe vers 500 av. J.-C. et reflète cette époque charnière où les coutumes du VIe siècle et celles du Ve siècle av. J.-C. se recontrent. Il s'agit sans conteste d'une tombe de femme, mais cette femme est entourée d'une richesse extraordinaire. Outre le service à boire qui comporte un immense cratère de bronze importé de Grande Grèce, le plus impressionnant de l'Antiquité qui nous ait été conservé (1,64 mètre de hauteur), la princesse possédait des objets d'or et d'argent exceptionnels.

Détail
de l'extrémité
du torque d'or
de la tombe
princière de Vix
(Côte-d'Or)
fin du VIe siècle
av. J.-C.
Châtillon-sur-
Seine, Musée
archéologique
p. 373

Un volumineux collier, longtemps considéré comme "diadème", a été récemment étudié en collaboration avec le Laboratoire de Recherche des Musées de France, au Louvre, Paris. Une radiographie a montré qu'il est constitué en fait d'une vingtaine de pièces détachées, préparées individuellement soit par moulage (les petites figurines de "Pégase", les extrémités en patte de lion, par exemple), soit par martelage (corps tubulaire, boules creuses faites de deux calottes). Les divers éléments ont été montés successivement, par des procédés divers : assemblages mécaniques, soudures par diffusion du cuivre, autosoudures, brasures. Le travail des filigranes et fils perlés qui ornent le support des petits chevaux est d'une grande finesse ; mesurant en moyenne 0,2 millimètre d'épaisseur (c'est-à-dire aussi légers que ceux produits par les orfèvres étrusques), ils décrivent des méandres de 1,5 à 1,8 millimètre de hauteur. Une grande partie du décor est obtenue par poinçonnage à partir de la face interne de l'objet. Le bijou est d'une composition très homogène : ses différentes parties sont pratiquement en or pur, avec seulement 2% d'argent et 1 à 2% de cuivre.

Torque d'or de Civray-en-Touraine (Indre-et-Loire) IIIe siècle av. J.-C. Saint-Germain-en-Laye Musée des Antiquités nationales
• p. 374

La phiale en argent qui était au bord du cratère possède un ombilic doré. L'étude métallographique d'un minuscule prélèvement a indiqué en fait une feuille d'argent doré par le procédé de la diffusion (la couche d'or mesure entre 5 et 10 microns, avec un maximum de 30 microns, d'épaisseur). Ces pièces en métal précieux de la tombe princière de Vix sont très révélatrices de l'influence qu'a exercée par endroits le goût pour les décors rapportés du monde méditerranéen, si proche des Celtes à cette époque. L'orfèvrerie de cette phase, autour de 500 av. J.-C., comporte une tendance très nette vers une recherche de l'originalité à tout prix, de la surcharge décorative et des effets nouveaux que permettent le moulage, l'association de plusieurs techniques de mise en forme et ornementales. L'utilisation de poinçons durs, vraisemblablement en fer, à la face externe est aussi un procédé nouveau ; les découpes très nettes résultent aussi

Torque d'or, de Montans (Tarn) IIIe siècle av. J.-C. Saint-Germain-en-Laye Musée des Antiquités nationales
• p. 374

de l'utilisation d'outils très tranchants. La pratique de soudures et brasures sur le même objet, désormais dominée par les orfèvres celtes, permet de donner libre cours à une créativité inconnue jusqu'alors. La haute qualité des objets de métal précieux de la tombe de Vix n'a pu être atteinte que dans les ateliers où des maîtres orfèvres étaient employés.

Ceux-ci étaient sous l'influence de leurs confrères étrusques, comme en témoignent les montages complexes et le goût pour l'argent doré, mais un caractère celte est omniprésent.

Un peu plus tard, entre Rhin et Moselle, quelques femmes ont une sépulture dotée d'un mobilier funéraire aussi somptueux, parfois même plus grandiose que celui de la plupart des chefs guerriers contemporains. Le caractère princier de la tombe de Vix, en Bourgogne, n'est pas un phénomène isolé, mais c'est peut-être le plus précoce. D'autres tombes

féminines très riches existent aux Ve et IVe siècles av. J.-C. Les femmes les plus importantes possèdent systématiquement un torque d'or, au moins deux bracelets en or et une grande variété de bijoux chargés de matières précieuses : bagues, fibules, pendentifs. Les plus célèbres de ces tombes de princesses du VIe siècle av. J.-C. sont celles trouvées à Reinheim en Sarre, et à Waldalgesheim en Rhénanie. Les Celtes, comme les autres peuples barbares, utilisent l'or comme symbole du pouvoir.

Les distinctions militaires

Au Ve siècle av. J.-C. cependant, d'une façon générale, les princes celtes perdent le goût d'étalage de luxe qu'avaient leurs prédécesseurs. Ils conservent toutefois l'habitude de porter de l'or : tout un groupe de tombes de guerriers localisées autour de la Rhénanie a livré un type de parure mal identifié, sorte de grande applique en bronze ou en fer et en bronze revêtu de feuilles d'or et réhaussée de cabochons d'ambre et de corail, peut-être un ornement de baudrier. Ces plaques polychromes proviennent toutes de sépultures masculines et paraissent être en usage pendant deux générations. Fixées sur une courroie de cuir, elles sont vraisemblablement une distinction particulière conférée à quelques nobles vainqueurs.

Un autre objet symbolique est le bracelet d'or qu'arborent d'autres

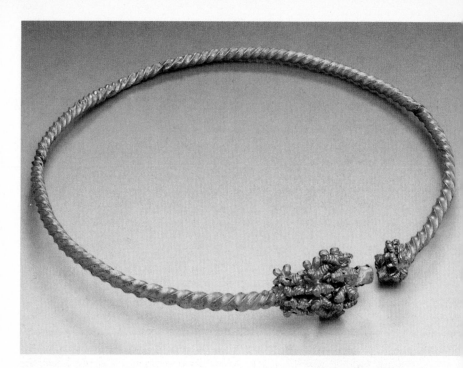

éminents personnages dans les mêmes régions, entre Rhénanie et Champagne, qui deviennent désormais plus dynamiques. En effet, les guerriers celtes portent souvent un bracelet, parfois en or au bras gauche, ainsi que des bagues et des boucles d'oreille que l'on retrouve dans les tombes. Ces trouvailles rappellent le portrait plus tardif dressé par Strabon : "...ils se couvrent de bijoux d'or, portent des colliers d'or autour du cou, des anneaux d'or autour des bras et des poignets, et leurs chefs s'habillent d'étoffes teintées de couleurs éclatantes et brochées d'or." Le plus curieux de ces bracelets d'or, que l'on trouve à Hillesheim, à Theley, en Allemagne, ou à la Gorge-Meillet en Champagne, est celui que portait le guerrier de Rodenbach (fin V^e-début IVe siècle av. J.-C.) : étonnant anneau d'or à décor mêlant des animaux fantastiques et des figures humaines monstrueuses.

Toute une série d'appliques circulaires en bronze ou en fer plaqués d'or ont dû orner des objets en matière organique : vaisselles, cornes à boire, ornements de baudrier, de ceinturon ou de casque en cuir (?). Le plus grand de ces disques et aussi le plus occidental est l'exemplaire d'Auvers-sur-Oise (Val-d'Oise), trouvaille ancienne, somptueuse par le travail de composition du décor : la feuille d'or est plaquée sur un support en tôle de bronze dont le décor est préparé au repoussé, lui-même fixé sur un autre

Torque d'or
du dépôt
de Fenouillet
(Haute-Garonne)
IIIe siècle av. J.-C.
Tolouse, Musée
Saint-Raymond

Bracelet d'or
d'Aurillac
(Cantal)
IIIe siècle av. J.-C.
Paris, Bibliothèque
nationale
Cabinet des
Médailles

support de bronze plus rigide. L'or épouse fidèlement les reliefs, et de larges ajours contiennent des cabochons de corail, matière première exotique chargée sans doute d'autres symboles.

D'une façon générale, les Celtes n'ont pratiquement jamais importé d'objets en or. Seules de très rares exceptions, peut-être la chaîne et la perle d'Ins, près de Berne ainsi que la découverte de tiges feuillues en bronze doré sur l'oppidum de Manching, confirmeraient la règle.

Les torques et la monnaie des dieux

Avant le IIIe siècle av. J.-C., les torques, qu'ils soient en or ou en bronze, se trouvent généralement dans les tombes de femmes celtes. Pour des raisons qui demeurent obscures, ils sont ensuite portés par les guerriers et deviennent objets d'offrande. Des monuments de pierre ou de métal nous livrent des représentations de torques, de même que de monnaies. Parmi les torques du second Age du Fer, ceux en or sont relativement tardifs ; le phénomène des dépôts d'offrande de torques d'or apparaît au IVe siècle av. J.-C. Ces trésors impressionnants se répartissent dans toutes les provinces celtiques ; on peut citer le trésor d'Erstfeld (région de Zurich), celui de Fenouillet (Haute-Garonne, dans le sud-ouest de la France), celui de Snettisham (Norfolk, en Angleterre), parmi beaucoup d'autres. Certains comportent aussi quelques statères d'or, comme le dépôt de Niederzier en Rhénanie ou celui de Tayac en Gironde. La réalité a sûrement été très complexe, mais on peut dire que les premières monnaies d'or ont été dédiées aux dieux!

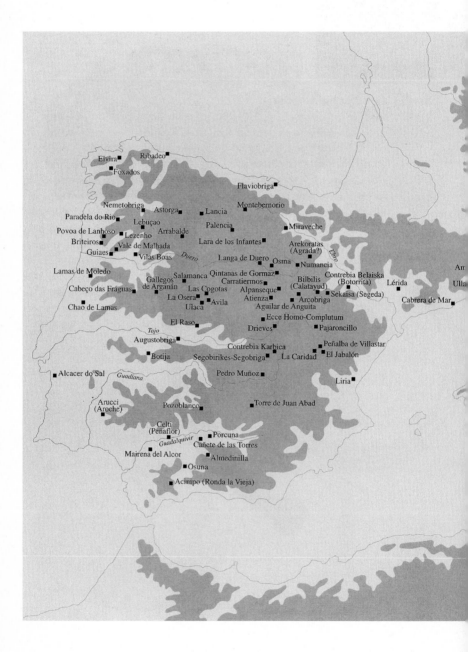

Elvira Ribadeo
Foxados

Flaviobriga

Nemetobriga Astorga Lancia Montebernorio
Paradela do Rio
Lebuçao Palencia Miraveche
Povoa de Lanhoso Lezenho Arrabalde
Briteiros Vale de Malhada Lara de los Infantes Arekoratas
Guiaes Vilas Boas Duero Langa de Duero (Agrada?)
Osma Numancia
Lamas de Moledo
Gallegos Salamanca Qintanas de Gormaz Contrebia Belaiska
Cabeço das Fráguas de Arganán Las Cogotas Carratiermos Bilbilis (Botorrita) Lérida
La Osera Alpanseque (Calatayud) Sekaisa (Segeda)
Chao de Lamas Ulaca Avila Atienza Arcobriga Cabrera de Mar
Aguilar de Anguita
El Raso Ecce Homo-Complutum
Tajo Drieves Pajaroncillo
Augustobriga
Contrebia Karbica Peñalba de Villastar
Botija Segobirikes-Segobriga La Caridad El Jabalón
Alcacer do Sal Guadiana Pedro Muñoz Liria

Arucci
(Aroche) Pozoblanco Torre de Juan Abad

Celti
(Peñaflor) Porcuna
Guadalquivir Cañete de las Torres
Mairena del Alcor Almedinilla
Osuna
Acinipo (Ronda la Vieja)

Relief au-dessus de 500 m

0   100   200
Kilomètres

Les Celtes dans la péninsule Ibérique

Martín Almagro-Gorbea

La péninsule Ibérique, située à l'extrême sud-ouest de l'Europe, présente l'intérêt d'être la limite occidentale des territoires occupés par les Celtes. D'ailleurs, c'est de là que proviennent les premières informations sur ce peuple, enregistrées par des auteurs du Ve siècle av. J.-C. comme le Carthaginois Himilcon, cité par Avienus dans *Ora Maritima (1, 185 s., 485)*, ou Hérodote (2, 33 s., 4, *49)*.

Des études et des découvertes récentes ont accru son intérêt, car la venue en nombre de plus en plus important de colons méditerranéens, Phéniciens, Puniques, Grecs et Romains, se faisait par le biais de contacts avec les Tartessiens et les Ibères, qui occupaient les régions méridionales et orientales, enrichissant leur culture au point de créer le meilleur ensemble épigraphique antérieur aux traditions littéraires irlandaises du Moyen Age, un témoin direct de leur langue et de leur mentalité. Par conséquent, l'étude des Celtes est l'un des sujets les plus attrayants de la protohistoire de la péninsule Ibérique, et devient indispensable à qui veut comprendre la formation de ses ethnies et de ses cultures. C'est aussi l'un des domaines les moins connus du monde celtique, ce qui ajoute à sa personnalité et explique un intérêt international croissant.

Cruche en terre cuite peinte avec figure monstrueuse à tête d'animal de Numance (Espagne) IIe-Ier siècles av. J.-C. Soria, Museo Numantino
• p. 411

État de la question et problématique actuelle

A la suite des premières études linguistiques du XIXe siècle et des textes historiques de A. Schulten, après 1920, P. Bosch a établi une relation entre les Celtes et les "Campos de Urnas" (Champs d'Urnes) découverts alors dans le nord-est de la péninsule, déduisant qu'il y avait eu des invasions celtiques. En se fondant sur cette thèse, il adapta la séquence d'Europe centrale des "Campos de Urnas" (Hallstatt-La Tène) qui n'apporta que des difficultés croissantes à la recherche archéologique. Les archéologues n'ont pas pu déterminer, dans les fouilles, les diverses vagues signalées : ils ont fini par opter pour une invasion unique, complexe et indifférenciée, dont la date a été fixée après le VIIe siècle av. J.-C.

La difficulté de rapprocher les découvertes de la péninsule de celles de l'Europe centrale s'exprime de toute évidence dans l'emploi comme synonymes de cultures ou d'invasion celtes, de "Campos de Urnas", d'indo-Européens, etc., ou, pour ressembler davantage à la terminologie de l'Europe centrale, de "hallstattien", de "post-hallstattien", ou "La Tène", tout en appliquant ces termes à des éléments culturels de la péninsule Ibérique, qui n'avaient que peu ou pas de choses en commun avec les concepts établis en Europe centrale.

Au contraire, les linguistes, en particulier Tovar et ses disciples, ont maintenu l'idée de plusieurs invasions, deux essentiellement, sans toutefois pouvoir préciser l'époque, les voies ni même les moyens de leur arrivée. L'une peut se rapprocher d'une langue considérée comme préceltique, qui s'identifie entre autres traits par la conservation du "P" initial, et qui se retrouve dans les quelques textes lusitaniens connus. Ces éléments se situent dans l'Ouest péninsulaire, dans les régions siliceuses et atlantiques, quoique certains linguistes, comme Untermann, considèrent actuellement le lusitanien comme un autre dialecte celtique, ce que semble montrer son onomastique. Les Celtes proprement dits seraient postérieurs, et se regrouperaient dans le centre du Système ibérique et l'est du plateau, à plus de 1 000 mètres d'altitude. Leur langue, dont il existe des inscriptions en alphabet ibérique et latin, serait le "celti-bérique", plus archaïque que le goidélique et le brittonnique, ce qui s'explique par leur situation marginale dans le monde celtique.

C'est pourquoi depuis presque cent ans le problème essentiel des Celtes de la péninsule Ibérique est d'expliquer leur origine et leurs caractéristiques, en surmontant la contradiction apparente entre les données linguistiques, historiques et archéologiques. A partir des années 1970, la dispersion de la culture des Champs d'Urnes s'est précisée, se situant dans la région nord-est de la Péninsule. Cela a exigé une révision des thèses sur les invasions, appuyées sur cette culture, car la zone en question ne coïncidait pas avec celle des Celtes, selon les textes historiques et les témoignages linguistiques. D'ailleurs, les populations de ces Champs d'Urnes du nord-est de la péninsule devaient parler l'ibérique, car c'est de là que dérive directement la culture ibérique, dont les documents épigraphiques et les références historiques semblent démontrer que leur langue n'était ni celtique, ni même indo-européenne.

Le substrat local

Des progrès ont été faits récemment dans la connaissance des domaines culturels des régions centrales de la péninsule Ibérique, là même où les auteurs classiques situaient l'ancienne "Celtibérie" (Pline, N.H. 3, 29) et d'où parviennent la majorité des témoignages culturels celtiques, ce qui a permis de comprendre bien mieux aujourd'hui qu'à l'époque classique (Diodore 5, 33) la formation de la "culture celtibérique". L'intérieur de la péninsule, à partir d'une époque déjà avancée de l'Age du Bronze, vers le milieu du IIe millénaire av. J.-C., semble occupé par la "culture de Cogotas I", qui n'a laissé que de petits villages de plaine, rarement situés dans des lieux élevés. Ils se manifestent par la présence de dépôts de déchets où l'on trouve des restes d'os, de céramiques incisées ou excisées et d'autres objets domestiques. L'économie reposait sur l'agriculture et l'élevage de transhumance locale, où dominaient les ovins et les caprins. A partir de la fin du IIe millénaire sont assimilés des éléments métalliques du Bronze Atlantique, quoique cette introduction reste limitée au domaine technologique.

Au premier millénaire, probablement autour du IXe siècle av. J.-C., apparaissent différents groupes culturels essentiellement agricoles qui offrent, dans la zone centrale du système ibérique, la future Celtibérie, des lieux

Cruche en terre cuite peinte avec motifs géométriques de Numance (Espagne) IIe-Ier siècles av. J.-C. Soria, Museo Numantino
• *p. 412*

d'habitation établis sur les plaines fertiles au bord des rivières sans intérêt défensif.

De rares céramiques provenant des Champs d'Urnes pourraient représenter la pénétration de petits groupes isolés d'agriculteurs, et seraient le fruit d'une "dérive culturelle" caractéristique des zones frontalières. Mais certaines formes carénées avec des décors géométriques, des objets en bronze comme les fibules coudées, les épées, etc., sont d'origine atlantique méridional du centre prototartessien de Huelva. Toutefois, nous ne connaissons ni les rites funéraires de ces peuples ni ceux de Cogotas I, ce qui les écarte de la tradition des Champs d'Urnes. On peut dire la même chose à propos d'autres groupes, comme la "culture de Soto de Medinilla", près du Douro, avec des céramiques peintes, une métallurgie du Bronze Atlantique, des maisons de forme circulaire d'origine méridionale et une absence totale de rituel funéraire.

Autels rupestres d'Ulaca

Ces caractéristiques révèlent un substrat très ancien, généralisé et étendu au moment de la transition entre la fin de l'Age du Bronze et le début de l'Age du Fer, sur le plateau et l'ouest de la péninsule Ibérique. Cela semble coïncider : par conséquent, on peut considérer comme reliés les éléments linguistiques appartenant à une langue indo-européenne du genre occidental ancien, considérés comme "protoceltes", dont la meilleure preuve se trouve dans certains ethnonymes, anthroponymes et toponymes préceltiques qui conservent le "P" initial, comme "Páramo" (étendue désertique), et qui ont un rapport avec le lusitanien postérieur, clairement différencié de la langue celtibérique. On peut relier à ces éléments d'autres éléments idéologiques très anciens. L'un d'eux est un rituel d'enterrement qui ne laisse pas de traces archéologiques, ce qui le différencie de la tradition des Champs d'Urnes et des nécropoles celtibériques. Ce rite pourrait s'être conservé entre les Celtibères et les Vaccéens : il consistait à exposer les corps des guerriers tombés pendant une bataille aux vautours, comme le disent certaines sources (Silius Italicus, *Pun.* 2, 3 ; Elianus, *De nat. anim.*, 10, 22) et confirme l'iconographie des stèles et des céramiques. Certaines divinités seraient aussi caractéristiques, très anciennes et non anthropomorphes, dont les noms offrent des appellations en "Bandu-", "Nabia-" ou "Reve-", auxquels s'ajoutent d'autres composants parfois non indo-

Tessère d'hospitalité en bronze avec des inscriptions en caractères ibériques, provenant de Contrebia (Espagne) 1er siècle av. J.-C. Paris, Bibliothèque nationale Cabinet des Médailles

européens. Un autre élément serait l'existence de cultes physiolâtriques (adoration de la Nature), les sanctuaires liés aux rochers – comme Ulaca, Cabeco de Fragoas, Lamas de Moledo, etc. – et les eaux, auxquelles on fait des offrandes d'armes à la fin de l'Age du Bronze, ou encore aux forêts sacrées, dont l'existence est confirmée par des toponymes en "Nemeto-", caractéristiques du monde celtique.

Ces éléments s'étendent principalement au nord et à l'ouest de la péninsule, mais ils apparaissent également, quoique dans une moindre mesure, dans certains éléments archaïques qui semblent se conserver dans la culture celtibérique du plateau, peut-être parce qu'ils constituent un substrat en voie de disparition. L'existence de ces éléments communs confirmerait les affinités existantes entre les peuples qui habitaient le centre de la péninsule, comme les Carpétans, les Vaccéens, ou l'ouest, comme les Lusitaniens et les Galiciens, et probablement comme les Asturiens, les Cantabres, les Berones, les Turmoges et les Pelendones, et même le substrat antérieur déjà cité, qui semble se manifester entre Celtibères. Ce substrat s'est fragmenté par la suite, isolé et lentement absorbé au moment de l'apparition et de l'expansion progressive de la culture celtibérique, à partir du VIᵉ siècle av. J.-C. Cette hypothèse permettrait de comprendre aussi bien la proximité, culturelle, socio-économique, linguistique et idéologique, entre cet ancien substrat protocéltique de la péninsule Ibérique et la culture celtibérique postérieure, que sa progression et son assimilation ultérieures.

La formation de la culture celtibérique

Les céramiques peintes et incises du substrat cité apparaissent aussi à la base de certains villages fortifiés et dans des nécropoles d'incinération situées sur les terres élevées du plateau castillan et du Système Ibérique occidental. Elles peuvent s'attribuer aux prémices de la culture celtibérique, puisque beaucoup de ces gisements continuent d'exister jusqu'à l'arrivée de Rome, qui appela ces habitants *Celtiberi.*

En ce qui concerne l'apparition de ladite culture, on peut utiliser deux hypothèses. La première serait celle de l'arrivée de groupes humains qui auraient apporté avec eux le complexe de culture matérielle, déjà formé, desdits villages et nécropoles. Les nuances sont aussi nombreuses que les auteurs qui ont considéré ce sujet : c'est la thèse "invasioniste" traditionnelle. Son problème essentiel est qu'il n'a jamais été possible de trouver un lieu d'origine ni une voie d'arrivée de ces éléments. Selon la seconde hypothèse, les éléments cités correspondent à une culture de formation complexe, ce qui mène à chercher l'origine de ses diverses composantes, mais qui trouve une explication théorique nécessaire dans le cadre d'une acculturation et d'une évolution, plus en accord avec les connaissances actuelles. Cette hypothèse n'exclut pas les mouvements de populations, mais postule que leurs effets seraient limités, du moins en ce qui concerne la culture matérielle, qui reste le domaine le plus facile à documenter sur le plan archéologique. La généralisation des villages fortifiés doit être considérée comme la conséquence de la hiérarchisation du territoire et de l'accroissement de la pression

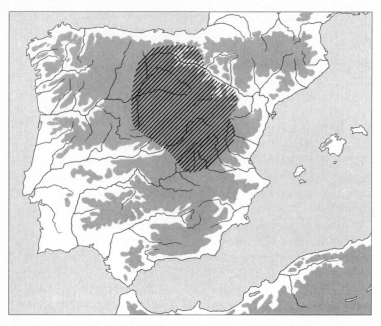

démographique résultant des innovations dans l'agriculture et l'élevage ainsi
que de l'extension de l'élevage ovin de transhumance stationnaire, qui permet de profiter plus amplement des conditions géographiques difficiles : il
permet d'éviter l'aridité estivale des étendues du plateau et les hivers rudes
de la sierra. Cette économie renforcerait la croissance démographique, mais
aboutirait également à une concentration des richesses et du pouvoir chez
ceux qui contrôlent les pâturages d'été. Cela permet aussi de comprendre
l'apparition d'une organisation sociale hiérarchisée de type guerrier comme
la conséquence des rapports conflictuels que provoque la transhumance.

Ce processus de hiérarchisation sociale se voyait favorisé par le commerce
colonial, tourné vers ces élites sociales et contrôlé par elles, qui tendait à les
consolider et à les stabiliser. Cette hypothèse éclaircirait les similitudes et
les différences qui existent entre les riches tombeaux du début de l'Age du
Fer du sud-ouest de l'Europe, comme ceux de Corno Lauzo et du Grand-
Bassin, dans le sud de la France, ou ceux de la péninsule Ibérique. Leurs
différences et leur dispersion chronologique empêchent de les considérer
comme la preuve d'une invasion, quoique l'apparition des hiérarchies
sociales guerrières puisse révéler par leur parallélisme des contacts entre
elles. Cette hypothèse ne requiert ni n'exclut l'existence d'"invasions", car
l'apparition des élites pouvait être due à une évolution locale, sans exclure
que des groupes de guerriers pouvaient s'imposer et se répandre.

L'introduction de ces hiérarchies sur le plateau a renforcé la tendance
latente de toute organisation de bergers transhumants à l'adaptation
nécessaire au milieu du plateau et de la sierra. L'introduction du fer, très
abondant et rapidement développé dans ces régions, explique la formation et l'expansion qui a caractérisé la culture celtibérique, et qui a

Épée à antennes
et fourreau de fer
provenant
de la nécropole
d'Alcacer so Sal
(Lisbonne, Museu
Nacional
de Arqueologia

constitué le principal centre celtique dans l'Hispanie préromaine. La fréquence du mot "Ambatus", qui se réfère sans doute au client, laisse entrevoir son organisation "clientélaire", tandis que les *"tesserae"* avec des pactes d'hospitalité montrent qu'il existait des rapports et des intérêts avec des zones parfois fort éloignées.

Elles révèlent indirectement l'insécurité de cette atmosphère guerrière, ce que confirment les textes historiques : ils disent que les Celtibères étaient hospitaliers et amateurs de guerre, avec des institutions aussi caractéristiques que les luttes de champions (Tite-Live 28, 21 ; Silius 16, 537 ; Florus 1, 33) ou la *devotio* ou consécration de la vie au chef (Strabon 3, 4, 18 ; Plut. *Sert.* 14, 4 ; Val Max. 2, 6, 11). Dans cette structure socio-économique parfaitement adaptée au milieu naturel, le mercenariat, les "raids" effectués pour le pillage et le vol du bétail appartenaient entièrement au système de vie de ces populations, ce qui permet de comprendre la tendance à l'expansion et la "celtisation" conséquente du substrat "protoceltique", relié aux Celtibères sur le plan idéologique et linguistique, avant que la conquête romaine ne vienne tronquer ce processus.

Ces populations peuvent être considérées comme étant des Celtes, puisque c'est ainsi que les sources classiques les ont appelées : leur langue était le "celtibérique" et le noyau de leur culture se trouvait entre le système ibérique et le plateau.

Tumulus
de Pajaroncillo

La culture matérielle

L'archéologie découvre lentement les caractéristiques culturelles des Celtibères. Les lieux et l'évolution des villages restent mal connus. Bien que certains d'entre eux occupent déjà des emplacements défensifs, comme Ecce Homo (Madrid), la tendance à la fortification est caractéristique. Certains, comme El Jabalón (Teruel) ou Pedro Muñoz (Ciudad Real), ont une rue ou une place centrale, dont les murs des maisons rectangulaires ferment l'ensemble, à la façon d'une muraille, comme dans la vallée de l'Ebre, mais on ne sait pas quand apparaît ce type de village, ni même s'il est antérieur au choix de lieux stratégiques, et à la construction de murailles et de fossés. Certains ont même des pierres plantées dans le sol ou des palissades, découvertes dans la vallée de l'Ebre, et datant

du VIIe siècle av. J.-C. Elles ont dû se développer parallèlement aux tactiques équestres qui n'apparaissent pas dans les mobiliers des nécropoles celtibériques avant le Ve siècle av. J.-C.

Le rite funéraire de la Culture Celtibérique est depuis ses débuts l'incinération dans une urne, pratique répandue depuis les Champs d'Urnes, qui passa également à la Culture Ibérique et a perduré jusqu'à l'époque romaine. Ce rite offre des variantes qui peuvent être dues à des différences ethniques, chronologiques ou même sociales, comme l'apparition de structures tumulaires liées aux milieux de bergers, comme à Pajaroncillo (Cuenca), ou comme l'alignement d'urnes avec des stèles, dans certaines nécropoles celtibériques, comme Aguilar de Anguita (Guadalajara), trait tout à fait exclusif du monde celtique européen, qui pourrait révéler une certaine influence ibérique.

Le mobilier de ces nécropoles rend la hiérarchisation de ces sociétés évidente, puisque seules les tombes les plus riches offrent une panoplie complète. Leurs armes caractéristiques sont différentes de celles des Celtes de l'Europe centrale : des épées courtes, des lances, des boucliers ronds, etc. Les urnes les plus anciennes sont faites à la main, avec un profil en forme de "S" et elles sont parfois surélevées. On peut les rapprocher des Champs d'Urnes du Nord-Est, plus récents, datant de l'Age du Fer. Les céramiques peintes confirment le lien entre les nécropoles et les villages, mais tandis que leurs motifs géométriques sont considérés comme des dérivés de la zone tartessienne, leurs formes présentent une ambiguïté quant à l'origine, parce que les urnes et les terrines tronconiques proviennent des

Épée laténienne pliée avec un fourreau orné d'une lyre zoomorphe et muni du système de suspension ibérique, pointe de lance, couteau et fibule provenant d'une tombe de Quintana de Gormaz (Espagne) IIIe siècle av. J.-C. Madrid, Museo Arqueológico Nacional

*ibules en argent
*inspiration laténienne
*ovenant du trésor
Almanedes de Pozoblanco
*spagne)
*e-1er siècles av. J.-C.
*ordoue, Museo
rqueológico Provincial

Champs d'Urnes, mais les terrines d'offrandes trouvent leurs racines à la fin de l'Age du Bronze local, origine qui peut s'expliquer de manière fonctionnelle : les urnes et les couvercles se seraient répandus avec le rite d'incinération en urne, et tout rite tend à s'étendre avec les éléments matériels de la culture, afin d'être appliqué. En revanche, la vaisselle et les vases qui servaient à contenir des réserves dépendent des habitudes alimentaires caractéristiques du substrat de tradition locale.

Il est très intéressant d'examiner les objets métalliques, en particulier les ornements et les armes, qui reflètent les différences ethniques et chronologiques. Par exemple, les fibules à double ressort et les boucles de ceinture des sépultures les plus anciennes, depuis le VIIe siècle av. J.-C., sont d'origine tartessienne. D'autres ornements, comme les spirales, les plaques de bronze, les "kardiofilakes", etc., suggèrent des relations diversifiées.

L'armement de ces nécropoles utilisait le fer depuis ses débuts, sûrement introduit par le milieu colonial, comme les couteaux incurvés. Au contraire, les épées apparaissent avec diverses variantes, dans le Languedoc, la Catalogne, la vallée de l'Ebre et l'Aquitaine, dans des cultures où survivent des traits propres aux Champs d'Urnes de l'Age du Fer. Leur origine peut être suivie jusqu'à l'époque du Bronze atlantico-péninsulaire : c'est le cas des épées du type "Monte Bernorio", propres à l'un des groupes culturels de l'intérieur, tandis que les épées à "fronton" peuvent être considérées comme étant d'origine méditerranéenne. Ainsi, on comprend comment l'un des plus anciens témoignages de cet armement apparaît sur les sculptures ibériques de Porcuna, qui datent du début du Ve siècle av. J.-C. On peut dire qu'une partie de la panoplie celtibérique peut provenir de la culture

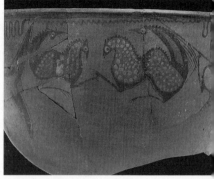

ibérique, comme c'est le cas d'autres éléments de la culture matérielle des Celtes de la péninsule Ibérique. L'artisanat celtique péninsulaire montre une formation complexe, due aux influences multiples qu'il a reçues, et qui le différencient clairement de la culture de La Tène. En écartant l'idée d'une origine unique de leurs éléments, ces objets ne prouvent aucune invasion puisqu'ils n'étaient que les éléments de prestige des élites guerrières de l'Age du Fer et qu'ils se répartissaient en présents et en imitations au service desdites élites, comme l'indique leur part minoritaire dans les mobiliers funéraires. Cette interprétation est particulièrement importante pour évaluer les créations artistiques : il se trouve que les techniques et les formes d'origine ibérique laissent transparaître une idéologie et un sens esthétique parfaitement celtiques et profondément enracinés jusqu'à l'époque romaine.

Les apports méditerranéens et de l'Europe centrale
Parallèlement, les relations avec le monde ibérique ont facilité une assimilation croissante des éléments méditerranéens tout au long du Ier millénaire av. J.-C. Ce processus est essentiel pour comprendre, du point de vue archéologique, la personnalité culturelle des Celtes de la péninsule Ibérique. Ils se sont rapprochés progressivement de la culture ibérique, en prenant lentement leurs distances à l'égard de la culture de La Tène, généralisée dans les autres régions du monde celtique. C'est pour cela que au fur et à mesure que se multipliaient les connaissances du monde classique gréco-romain sur le monde celtique, apparaissait le terme de "celtibérique", pour faire référence à la personnalité culturelle de ces Celtes hispaniques, même si ce terme s'est restreint au noyau central, la Celtibérie, située dans les hauteurs du Plateau occidental et de la chaîne Ibérique.
Si l'apparition du fer, de certaines armes, de fibules et de céramiques prouve des apports de la Méditerranée depuis le VIe siècle av. J.-C., on trouve aussi une rapide adoption du moulin circulaire et du tour de potier avant le IVe siècle av. J.-C., qui a donné naissance à la céramique celtibérique, dont certains groupes plus tardifs, comme ceux de Numance offrent l'originalité d'utiliser les innovations ibériques pour exprimer un fond stylistique et iconographique propre. A partir du IIIe siècle av. J.-C. ont été également

Détail du vase peint dit "des guerriers" provenant de Numance (Espagne) IIe-Ier siècles av. J.-C. Soria, Museo Numantino

Détail du décor d'un vase en terre cuite, représentant un couple de chevaux Numance (Espagne) IIe-Ier siècles av. J.-C. Soria, Museo Numantino

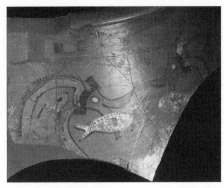

Détails des peintures d'un vase en terre cuite représentant un personnage féminin et des animaux Numance (Espagne) IIe-Ier siècles av. J.-C. Soria, Museo Numantino p. 414

Assiette en terre cuite décorée d'un oiseau stylisé Numance (Espagne) IIe-Ier siècles av. J.-C. Soria, Museo Numantino p. 414

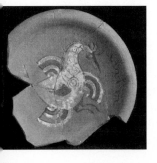

introduits l'alphabet, la monnaie et l'urbanisme orthogonal, en suivant toujours les modèles ibériques.

L'écriture celtibérique provient de l'ibérique. Son introduction a dû s'effectuer vers le IIIe siècle av. J.-C., en l'utilisant sur des monnaies, des *tesserae* d'hospitalité, des stèles funéraires, des écritures sur céramique, etc., ce qui prouve son ample généralisation, en particulier dans la vallée de l'Ebre. Dans cette zone, la plus perméable à l'influence ibérique, il existe même des textes sur bronze, au contenu sans aucun doute sacro-juridique, comme celui de Contrebia Belaisca I (Saragosse), datant du début du Ier siècle av. J.-C., qui est actuellement le plus long texte celtique connu de l'Antiquité, tandis qu'un autre texte latin sur bronze, celui de Contrebia III, indique qu'il existait des aqueducs, des propriétés publiques et des institutions complexes qui arbitraient même les relations interethniques. La personnalité de la monnaie celtibérique est tout aussi apparente, dérivant de modèles ibériques en ce qui concerne les types et la métrologie, à partir du IIe siècle av. J.-C., déjà sous la domination politique romaine qui allait finir par absorber la culture celtique, elle reste avec l'écriture et les constructions monumentales le meilleur indice du progrès rapide du monde celtique.

Bien que l'on connaisse dans le monde ibérique des urbanisations de plus de 20 hectares avant le VIe siècle av. J.-C., les Celtes péninsulaires n'ont pas construit de grandes fortifications jusqu'à la période précédant la conquête romaine, peut-être par phénomène de synécisme, comme l'indiqueraient les toponymes de Contrebia ou Complutum, et le texte d'Appien *(Iber.* 44) sur l'extension de Segeda. Ce phénomène coïncide avec l'apparition d'oppida (fortifications) en Europe centrale, qui reflètent la croissante complexité socio-culturelle du monde celtique, quoique dans la péninsule il ait un rapport avec le processus d'ibérisation, qui a ouvert la voie, à partir du IIe siècle av. J. -C., à une forte acculturation romaine dans la dernière phase de la culture celtique, qu' attestent les stèles funéraires, les lois écrites sur bronze, etc.

Le processus d'ibérisation permet de comprendre pourquoi certaines populations celtiques de la vallée de l'Ebre ne se différencient pas de leurs voisines ibériques, à tel

Détail du vase en terre cuite dit "des taureaux" Numance (Espagne) IIe-Ier siècles av. J.-C.

Soria, Museo Numantino

point qu'elles ont même développé une architecture monumentale avec des colonnes impressionnantes comme à Contrebia Belaisca, et des *villae* hellénistico-romaines, comme celle de La Caridad (Teruel), dont le nom de l'auteur figure sur une mosaïque *d'opus signinum.* Ce processus d'urbanisation est lié, au IIIe siècle av. J.-C., à une profonde évolution socio-idéologique, qui se traduit par la disparition des armes dans les sépultures, l'apparition de magistratures, etc., bien que la structure familiale ait perduré de manière traditionnelle, comme le confirment les patronymes au génitif pluriel.

Si ces apports croissants de la Méditerranée sont décisifs pour comprendre son évolution, il faut remarquer que des éléments de la culture de La Tène ont continué à être introduits de manière isolée, comme certaines épées, des fibules et des éléments décoratifs qui ont abouti à des modèles locaux, et dans lesquels on a voulu voir une preuve de leur origine dans les Gaules (Lucain, 4, 10 ; Appien, *Hisp.* 2). Des bijoux de très bonne qualité ont une signification de statut et d'ethnie, comme les colliers caractéristiques des Celtes, en argent sur le Plateau castillan et en or dans le Nord-Ouest, et dont l'adaptation aux traditions locales d'orfèvrerie et de matière première révèle la complexité desdites zones péninsulaires. On peut également rapprocher de ces éléments celtiques les coutumes sociales et les divinités propres au panthéon celtique, comme les "Matres", "Cernunos" ou "Lug".

Broche en bronze ciselé de motifs représentant des cerfs Tombe n° 235 de Carratiermes (Espagne) IVe siècle av. J.-C.

Soria, Museo Numantino

L'expansion celtique péninsulaire

Les éléments archéologiques, linguistiques, sociaux et idéologiques de la culture celtibérique semblent confirmer l'hypothèse, déjà émise, d'une formation complexe et

Bracelet en argent massif
aux axtrémités en forme
de feuilles
recouvertes d'or
provenant du trésor
de Guaies, Vila Real
Lisbonne, Museu
Nacional de Arqueologia

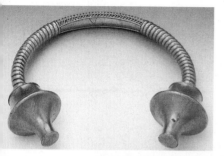

Torque en or
orné d'oiseaux
stylisés, d'origine
inconnue
e-IIe siècles av. J.-C.
Lugo, Museo
Provincial

Torque en or
provenant de Burela
(Espagne)
e-IIe siècles av. J.-C.
Lugo, Museo
Provincial

Diadème en feuille d'or, travaillée
au repoussé, provenant d'Elviña
(Espagne)
IIIe siècle av. J.-C.
La Coruña
Museo Histórico Arqueológico

Torque en argent d'origine
inconnue
IIIe-Ier siècles av. J.-C.
Burgos, Museo Arqueológico
Provincial

405

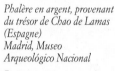

*Phalère en argent, provenant
du trésor de Chao de Lamas
(Espagne)
Madrid, Museo
Arqueológico Nacional*

*Petits vases en argent provenant
du trésor de Chao de Lamas
(Espagne)
Madrid, Museo
Arqueológico Nacional*

*Colliers en argent provenant
du trésor de Chao de Lamas
(Espagne)
Madrid, Museo
Arqueológico Nacional*
• *p. 415*

graduelle de la culture celtibérique. Par exemple, les nécropoles renfermant des armes celtibériques, et les fibules plus tardives avec des figures de petits chevaux coïncident avec la zone des toponymes en -*briga,* ou des anthroponymes et des toponymes en "*seg-*", ou avec des éléments de structure sociale, comme les anthroponymes "Ambatus", les organisations familiales reflétées par des génitifs pluriel, les *tesserae* qui sont des pactes d'hospitalité, et même certains éléments religieux comme la divinité Lug. Cette dispersion d'éléments matériels, économiques, linguistiques, sociaux, etc., à travers tout l'ouest et le centre de la péninsule Ibérique s'explique uniquement par l'appartenance à la culture celtibérique, qui reste ainsi délimitée. D'ailleurs, ces éléments confirmeraient l'existence d'une zone centrale, la Celtibérie des auteurs classiques, dans les terres élevées de la chaîne ibérique et du Plateau castillan oriental, d'où semble s'être répandue la celtisation vers les régions occidentales, les plus favorables étant donné leur milieu de bergers et leur organisation socio-économique et culturelle semblable.
Ce processus débute après la formation des nécropoles celtibériques à

partir du VIIe siècle av. J.-C. Les tombes avec des armes de la nécropole vettone de Las Cogotas prouvent leur celtisation à partir du Ve siècle av. J.-C. Celle de l'Estrémadure serait postérieure, ainsi que celles du sud du Portugal, de la Bétique de la haute vallée de l'Ebre et du Nord-Ouest appelé *Gallaecia*. Cette expansion est retransmise par Pline (3,13), qui dit clairement que les *Celtici* de la Bétique, provenaient des Celtibères de Lusitanie: *"Celticos a Celtiberis ex Lusitania advenisse manifestum est sacris, lingua, oppidorum vocabulis quae cognominibus in Baetica distinguuntur."* Cette celtisation expliquerait l'usage de l'anthroponyme *celtius* en Lusitanie, où il aurait été utilisé comme appellation ethnique dans la zone occidentale, non celtique à l'origine. La date tardive de cette celtisation semble se confirmer par les toponymes en *"-briga"* de l'Ouest, de l'Andalousie et du Nord, dont la date est très avancée. Certains se sont formés avec des noms romains de l'époque impériale, comme *Augustobriga* ou *Flaviobriga*. Mais il n'est pas possible de démontrer à travers la culture matérielle la moindre invasion celtique dans la péninsule Ibérique. Les éléments linguistiques et culturels celtes exigent que leur origine soit précisée de manière plus convaincante que par le moyen des migrations ou des mouvements ethniques, utilisés

...bule ...ltibérique ...e bronze ...présentant un ...eval, d'origine ...connue ...e-IIe siècles ...J.-C. ...adrid, Museo ...rqueológico ...acional

...droite ...bule ...ltibérique ...e bronze ...présentant ...n cavalier ...rovenant ...e Numance ...Espagne) ...e-IIe siècles ...J.-C. ...adrid, Museo ...rqueológico ...acional

jusqu'alors. Bien plus que ces simples faits, il faut valoriser les phénomènes d'évolution du substrat, de diffusion et d'acculturation fondés sur l'organisation socio-culturelle, dont le rôle est décisif pour comprendre l'apparition des éléments celtiques dans la péninsule et leur personnalité culturelle. Cela pose le problème de l'explication de la présence de Celtes, attestée par les références historiques et par les éléments linguistiques et idéologiques, en essayant d'établir une vision de synthèse avec l'information disponible sur le monde celtique péninsulaire, dans tous les domaines : archéologique, linguistique, religieux, etc. De ce point de vue, l'apparition des Celtes en Espagne peut se comprendre comme un processus de celtisation, dans lequel l'émergence des éléments signalés serait due à des causes complexes et reliées, sans exclure les mouvements ethniques, dont certains sont cités dans les sources. Mais ils ne permettent pas d'expliquer les changements que reflète le domaine archéologique, ce qui clarifierait l'apparente contradiction entre les données archéologiques, historiques et linguistiques. Ce processus n'a pas dû être ponctuel, mais intermittent à travers le temps, avec un effet de lente celtisation induit dans les zones de contact qui serait plutôt le résultat d'une acculturation que d'un changement ethnique.

Dans ce sens, il est très intéressant de suivre les références des sources historiques sur certaines migrations, et leur effet éventuel. César (*Guerre Civile*, 1, 51) raconte l'arrivée à Lérida en 49 av. J.-C., accompagnés d'archers ruthènes et d'une cavalerie gauloise, de 6 000 Gaulois avec leurs familles. D'autres arrivées furent à caractère guerrier, comme celle des Cimbres, en 104 av. J.-C., que certains petits trésors numismatiques ont prouvée, et qui avait été repoussée par les Celtibères. C'est pourquoi beaucoup de ces invasions n'ont eu aucun effet, et n'ont pas laissé de traces archéologiques. Mais dans certaines occasions, ils pourraient éclaircir l'origine d'ethnonymes, par exemple les *Celtici* de la Bétique, provenant de Celtibérie selon Pline (3, 13-14), les *Celtici praestamici* de la *Gallaecia,* arrivés au nord du Portugal par le sud selon Strabon (3, 3, 5), Pomponius Mela *(Chor.* III, 8) et Pline *(Histoire naturelle,* 4, 112-113), tel que le prouvent deux *tesserae hospitalis* du Castro do Monte Murado (Indaîha), ou les *Galli* de la vallée de l'Ebre, les *Gallaeci,* qui ont donné leur nom à la Galice, etc.

Dans d'autres cas, il pouvait s'agir de groupuscules de guerriers du type *ver sacrum,* comme le dit Diodore (5, 34, 6) à propos Lusitaniens, auxquels étaient liées les divinités en "Bandu-" retrouvées dans l'Ouest péninsulaire. Il existait également des expéditions de fortune caractéristiques de toute société guerrière, comme les fréquentes incursions de Celtibères et de Lusitaniens en Andalousie et dans le Levant (Diodore, 5, 34, 6), mais également contre des populations plus proches, comme le dit Strabon (III, 3, 5), ce qui est relié à la généralisation des pactes d'hospitalité. La plupart de ces expéditions n'avaient aucun effet, mais il se peut que l'une d'elles ait été la cause de la soumission d'un territoire à une minorité de guerriers venus d'ailleurs. On comprend ainsi le mépris des Lacétans envers les Suessétans (Live, 34, 20), la possession d'un oppidum par des Celtibères en territoire ausétan (Vich, Barcelona) (Live, 39, 56, 1), ou la dépendance des Tites vis-à-vis de Bèles (Appien, *Iber.,* 44), la domination des Arévaces de Numance, etc. La celtisation de certains lieux pourrait être interprétée comme un processus d'imposition des élites guerrières, comme dans Obulco la turdetaine (Osuna, Séville), Ipolca selon son toponyme numismatique, ou comme les villes celtiques de la Bétique, *Arucci, Acinipo* (Ronda, Málaga), etc. (Pline, *Histoire naturelle* 3, 14 ; Ptolémée, 2, 4, 11).

Par contre, le plus grand effet de ce phénomène serait l'acculturation induite en obligeant d'autres populations à mener la même forme de vie défensive, fait consigné par Strabon (3, 3, 5) qui observa l'extension croissante de

Torques en or provenant de Paradela do Rio (Portugal) IVᵉ-IIᵉ siècles av. J.-C. Lisbonne, Museu Nacional de Arqueologia • p. 416

Coupe en argent provenant du trésor de Guiaes (Portugal) IIIᵉ-Iᵉʳ siècles av. J.-C. Lisbonne, Museu Nacional de Arqueologia • p. 449

*Cheville d'essieu en fer et en bronze,
de la tombe de Mezek (Bulgarie)
Première moitié du IIIᵉ siècle av. J.-C.
Sofia, Narodnija Archeologičeski Muzej*

Ci-contre

Casque de fer surmonté
d'un oiseau de proie de
bronze aux ailes mobiles
de la "tombe du chef"
de Ciumeşti (Romanie)
première moitié du IIIᵉ siècle
av. J.-C.
Bucarest
Muzeul Naţional
de Istorie

Applique discoïdale de bronze
qui était fixée à l'origine
sur la cotte de mailles
de la "tombe du chef"
de Ciumeşti (Romanie)
première moitié du IIIᵉ siècle
av. J.-C.
Bucarest
Muzeul Naţional
de Istorie

Cruche en terre cuite peinte
avec figure monstrueuse
à tête d'animal
de Numance (Espagne)
IIᵉ-Iᵉʳ siècles av. J.-C.
Soria, Museo Numantino

411

Cruche en terre cuite peinte avec motifs géométriques de Numance (Espagne) IIᵉ-Iᵉʳ siècles av. J.-C. Soria, Museo Numantino

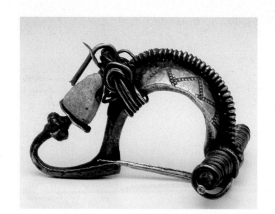

*ibules en argent
'inspiration laténienne
rovenant du trésor
'Almanedes de Pozoblanco
Espagne)
ᵉ-IIᵉ siècles av. J.-C.
ordoue, Museo
rqueológico Provincial*

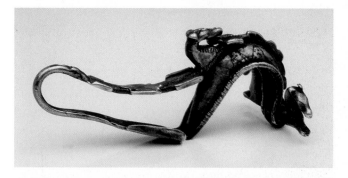

*ibule en argent de type
ténien provenant
e Torre de Juán
bad-Ciudad Real (Espagne)
ᵉ-IIᵉ siècles av. J.-C.
ladrid, Museo Arqueológico
acional*

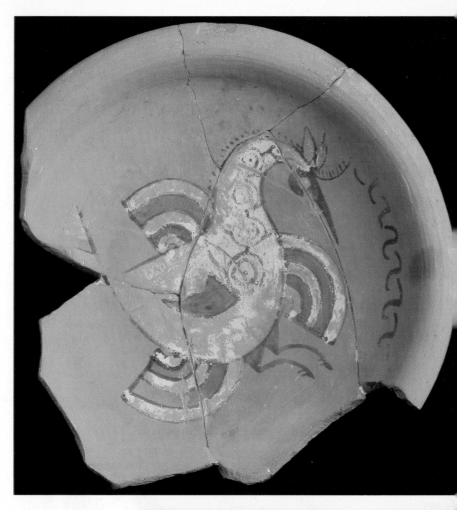

Assiette en terre cuite
décorée
d'un oiseau stylisé
Numance (Espagne)
IIe-Ier siècles av. J.-C.
Soria, Museo Numantino

Détail des peintures
d'un vase en terre cuite
représentant
un personnage féminin
et des animaux
Numance (Espagne)
IIe-Ier siècles av. J.-C.
Soria, Museo Numantino

halère en argent, provenant
u trésor de Chao de Lamas
Espagne)
adrid, Museo Arqueológico Nacional

etits vases en argent
rovenant
u trésor de Chao de Lamas
Espagne)
Madrid, Museo
Arqueológico Nacional

Colliers en argent provenant
u trésor de Chao de Lamas
Espagne)
Madrid, Museo
Arqueológico Nacional

*Torque en or, provenant
de Paradela do Rio
(Portugal)
IVᵉ-IIᵉ siècles av. J.-C.
Lisbonne, Museu
Nacional de Arqueologia*

*Torque en or, provenant
de Vilas Boas (Portugal)
IVᵉ-IIᵉ siècles av. J.-C.
Lisbonne, Museu Nacional
de Arqueologia*

ce type de société d'élites guerrières vers les peuples d'Occident, comme les Lusitaniens et les Galiciens, dont les coutumes deviendraient celtiques. On comprend de la sorte la complexité qu'offrent les éléments celtiques de la culture des villages fortifiés de Galice. Les villages aux maisons de plan circulaire, la tradition matriarcale dans laquelle les filles héritaient et mariaient les frères (Strabon, 3, 4, 18), l'absence de patronymes caractéristiques dans la filiation, la langue et l'onomastique liées au lusitain, la survivance de divinités primitives en "Bandu-", "Reve-", etc., le culte des roches des eaux, le manque de témoignages archéologiques sur les rites funéraires, etc., correspondent au substrat protoceltique. En revanche, certains noms d'outils aussi significatifs que la charrue ou le chariot, l'utilisation de colliers et de casques celtiques et certains ethnonymes locaux comme *Celtici* ou *Gallaeci*, démontrent la celtisation de cette culture, à une époque déjà tardive, et qui n'aboutira pas à cause de la conquête romaine. D'une certaine façon, le mercenariat constituerait un autre système de mouvement de populations vers les régions ibériques plus avancées de la Bétique et du Levant, ce qui peut expliquer que des élites celtiques puissent accéder à la tête d'une ville, ou encore l'existence d'éléments celtiques en Andalousie, comme des fibules en or et en argent de type La Tène, ou l'usage d'armement celtique par les Ibères, comme à Osuna et Liria. Mais ces populations, dans un contexte culturel plus développé, tendraient à perdre leur culture matérielle, bien qu'elles conservent leur organisation sociale, leur onomastique et parfois leur langue, avec des éléments de différenciation d'ethnie et de classe.

Ces mécanismes expliquent la profondeur atteinte par le processus de celtisation dans les zones de bergers de l'ouest, occupées par les Vettones et les Lusitaniens, vers lesquelles l'expansion celtique a montré une large préférence, mais qui ne faisait que commencer dans la plus grande partie du Nord-Ouest, la Galice, ce qui donne une idée de la diachronie du processus complexe de la celtisation de l'Espagne. On ne doit pas oublier l'existence de migrations internes à l'intérieur même des zones déjà "celtisées", particulièrement vers les zones occidentales, plus attrayantes par leurs

Torque en or, provenant de Vilas Boas (Portugal) IVᵉ-IIᵉ siècles av. J.-C. Lisbonne, Museu Nacional de Arqueologia • p. 416

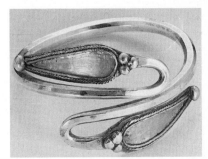

Bracelet en argent, provenant du trésor de Guiaes (Portugal) IIIᵉ-Iᵉʳ siècles av. J.-C. Lisbonne, Museu Nacional de Arqueologia • p. 449

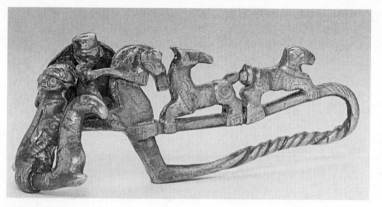

pâturages et par leur substrat culturel. Mais elles se faisaient aussi vers le noyau originel de la Celtibérie, comme le démontrent les incursions du Lusitain Viriathe, et également d'un côté à l'autre des Pyrénées, spécialement vers l'Aquitaine, comme on le déduit de l'épisode de l'arrivée des Gaulois à Lérida et des informations rapportées par César *(Guerre des Gaules*, 3, 23 ; 3, 26).

Ces phénomènes de celtisation auraient eu à la longue plus de conséquences culturelles que les grands mouvements ethniques, car, parallèlement à l'apport de la culture ibérique, ils transformèrent peu à peu les caractéristiques originelles. On peut ainsi comprendre l'ampleur et le manque d'uniformité de la celtisation de la péninsule Ibérique, ainsi que sa personnalité singulière dans le monde celtique.

*Stèle funéraire en pierre représentant un guerrier
à cheval provenant de Lara de Los Infantes
(Espagne), Ier siècle av. J.-C.
Burgos, Museo Arqueológico Provincial
• p. 451*

*atue en pierre
un guerrier
de son cheval
rovenant
e Porcuna
Espagne)
ᵉ-IIIe siècles
v. J.-C.
ién, Museo
rovincial
p. 450*

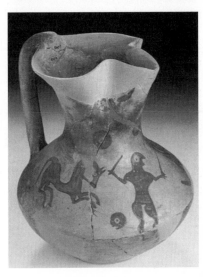

*Cruche en terre cuite, avec
une peinture représentant un dompteur
Numance (Espagne)
IIe-Ier siècles av. J.-C.
Soria, Museo Numantino*

*Statue en pierre d'un guerrier
du Castro de Lezenho (Portugal)
IIe-Ier siècle av. J.-C.
Lisbonne, Museu Nacional
de Arqueologia*

Gu

Dejbjerg ■

Amör
Dunsberg
Heidetranktal

Frasnes-lez-
-Buissenal ■   Niederzier

Namur ■ *Meuse*   Belginum ■

■ Fécamp   Titelberg ■

Goeblingen-Nospelt ■   Otzenhausen ■ Donn

■ Gournay   Grabenstetten

■ Castel Meur   Lutetia ■   Fellbach-Schmide

Bouray ■   Mailly-le-Camp ■

Heidengral

Cenabum ■   Euffigneix ■   Trichti

Loire Neuvy-en-Sullias ■   Châtenay-Macheron   Tarodunum ■

Avaricum ■   Alesia ■ ■ Sources-   Basilea

Chatillon-s.-Indre ■ ■ Levroux   de-la-Seine Port ■   A

Mont-Beuvray ■ ■ Bribracte   La Tène ■ ■ Cornaux

Yverdon ■   Berna

Roanne ■

Chamalières ■   ■ Genua

■ Tayac   Gergovia ■   Mediolanium

Ste-Blandine-

Celles ■   -Vienne

Vielle Toulouse ■   Nages ■

Montsérié ■   Ensérune ■   Entremont ■

Narbonne ■   Massalia ■ ■ Aix

Le temps des villes
IIe-Ier siècles av. J.-C.

Relief au-dessus de 500 m

0   100   200   300
Kilomètres

Leg Piekarski

bourg
cké Žehrovice
Kolín
donice Zavist

Hrazany   Staré Hradisko

heim   Zemplín   Gališ-Lovačka

Třísov   Devín
g   Braunsberg Bratislava

usen   Velemszentvid   Dinnyés   Budapest-Gellért
stein
Sankt Margarethen
alensberg   Szárazó-Regöly

Šmarjeta   Szalacska   Luncani
Novo Mesto   Drava

a   Száva Gomolava

                              Donau

Roma

421

*Vue de la partie inférieure
du parement externe de pierre
renforcé par des poteaux verticaux
restitués dans leur position
originale, mise au jour
sur l'oppidum
de Creglingen-Finsterlohor
(Bade-Wurtemberg)
IIᵉ-Iᵉʳ siècles av. J.-C.*

Les oppida celtiques

Ferdinand Maier

Les grandes agglomérations fortifiées à caractère urbain, les *oppida,* sont en Europe continentale parmi les monuments les plus significatifs de la fin de l'époque celtique. Erigés sur des sites naturellement fortifiés, les restes de leurs enceintes, parfois gigantesques, se rencontrent soit en Gaule soit dans les régions de la rive droite du Rhin et du Danube. A côté des fortifications quadrangulaires, appartenant probablement aux sanctuaires ruraux ou *nemeta,* ils constituent le patrimoine le plus intéressant encore identifiable de cette période.

Les *oppida* apparaissent à la fin de la civilisation celtique continentale aux IIe et Ier siècles av. J.-C. Les traditions de la fin de l'Age du Bronze et de la fin de l'époque hallstattienne en matière de constructions fortifiées sur des lieux élevés reçoivent, tel un reflux de la précédédente expansion celtique en Italie et en Europe sud-orientale, de nouvelles influences provenant de la zone des cités hellénistiques de la Méditerranée. La structure architecturale des murs et des portes, l'organisation spatiale, la position dominante par rapport aux reliefs environnants, associées aux premières manifestations d'éléments certains d'une vie urbaine en caractérisent l'esprit, confirmé aussi par les découvertes d'une culture tardo-celtique unitaire et diffusée dans toute l'Europe centro-méridionale. La recherche archéologique a débuté avec l'enquête historico-topographique des champs de bataille de Jules César en Gaule par le baron Stoffel, officier d'ordonnance de Napoléon III. Sa recherche se fondait sur des fouilles conduites à l'ouest et à l'est, sur une appréciation attentive des matériaux venus au jour, comme sur une nouvelle interprétation historico-philologique des *Commentarii* de Jules César. De ce travail provient le terme latin *oppidum* (au pluriel *oppida*) qui aujourd'hui encore, par une généralisation simplificatrice de la signification attribuée à l'origine par César, est utilisé le plus souvent comme terme purement archéologique pour d'importantes installations défendues par des murailles de plan circulaire de la fin de l'Age du Fer. De façon générale, la définition de *l'oppidum* est employée aussi pour les lieux fortifiés dans lesquels les caractéristiques hypothétiques d'un grand établissement entouré d'une muraille ne sont pas encore suffisamment prouvées et sont présentes, dans l'état actuel de nos connaissances, seulement dans une mesure limitée. Il faut remarquer en outre que ces enceintes défensives avaient avant tout une fonction de refuge central ; si cette supposition est vraie, étant donné l'ampleur de la superficie interne, elles devaient répondre aux besoins de sécurité d'une population numériquement considérable provenant des zones voisines ou plus éloignées. Au contraire, des implantations plus petites et privées de mur, à destination agricole ou artisanale, qui ont été découvertes dans ces derniers temps, ne sont pas définies comme *oppida.* La dérivation du concept d'oppidum des

Vase de terre cuite peint de Roanne (Loire) Première motié du Ier siècle av. J.-C. Roanne, Musée Joseph-Déchelette • p. 452

Vase de terre cuite peint de Roanne (Loire) Milieu du Ier siècle av. J.-C. Roanne, Musée Joseph-Déchelette • p. 452

Vase de terre cuite peint du site de Gellért-Tabán, Budapest (Hongrie) Ier siècle av. J.-C. Budapest, Történéti Múzeum • p. 452

Gobelet de terre cuite peint d'Yverdon (Vaud) Ier siècle av. J.-C. Yverdon, Musée de Vieil Yverdon • p. 452

commentaires de César et la signification attribuée au sens large, la successive dilatation du concept à la suite de la recherche archéologique imposent avant tout que l'on clarifie son utilisation dans un sens restreint. Selon la terminologie de César, on distingue parmi les implantations de la Gaule les *oppida* (cités fortifiées), les *vici* (villages) et les *aedificia* ou *aedificia privata* (simples fermes). Il existe ainsi une subdivision précise des différents modes d'habitat, qui non seulement trouve confirmation et dans une certaine mesure de façon croissante, dans les fouilles archéologiques mais qui doit être considérée comme condition d'existence des oppida.

Sans aucun doute, les grandes agglomérations, dans lesquelles la population était nombreuse, ne pouvaient être complètement autarciques. On doit supposer, du moins dans certaines limites, que, sur les oppida, on stockait des produits alimentaires, qu'il s'agisse du bétail ou des céréales, ainsi que des matières premières de tout genre pour tous les travaux de la ville et de la campagne. Avec le rôle joué par les commerçants mentionnés par ailleurs, on constate le début d'une économie monétaire régulière marquée, dans le IIe siècle av. J.-C., par la frappe en série de monnaies de métal pauvre (bronze ou potin) et sous forme de numéraire divisionnaire utilisable dans les transactions économiques mineures. Il faut insister à ce propos sur la multiplication des monnaies ainsi que sur la réduction du contenu en métal noble des monnaies tributaires d'une émission à l'autre, en concomitance avec l'augmentation de la circulation de la monnaie qui désormais, tel un mode de paiement amplement diffusé, représente un moyen d'évaluation des échanges, stabilisé par des règlements des sièges centraux. En tout cas, une intensification des échanges commerciaux globaux est la conséquence directe de l'extension variée des émissions celtiques. C'est surtout dans les *oppida* que sont mises au jour les matrices en terre cuite pour la fusion des flans monétaires. Leur fabrication correspond à un désir d'affirmation économique. La spécialisation artisanale de la production des marchandises et

la mise en place sur un large rayon des trafics commerciaux sur le territoire ont eu un effet notable sur toutes les formes de commerce. La quantité et la spécificité du matériel archéologique mis au jour en sont le reflet évident. Les activités commerciales des citoyens romains *(mercatores)* présents sur les *oppida* gaulois durent avoir un effet stimulant sur ce processus. Il est encore toutefois difficile de distinguer, à côté des preuves évidentes d'un trafic commercial entre les centres celtiques et les lieux éloignés (peut-être responsable aussi de l'évidente standardisation de nombreux produits artisanaux à l'intérieur du monde celtique), et la spécificité des produits du petit commerce local quotidien. Le terme *urbs* apparaît seulement à quelques reprises chez César pour désigner, en en soulignant l'importance, quelques localités principales comme *Alesia, Gergovia* ou *Avaricum, Tolosa, Narbo* ou *Vienna,* ces dernières situées dans la *Provincia.* A la différence des *oppida* de la Gaule libre, ces cités étaient soumises à l'administration provinciale romaine comme le confirme la définition de *civitates.* En ce qui concerne la Gaule, César définit par le même terme les communautés ethniques et administratives. Les fonctions capitales des *oppida* dans la vie politique, économique et culturelle des groupes gaulois, et par conséquent leur importance stratégique, auparavant centres fortifiés pour la résistance, et ensuite stations d'étapes pour l'armée romaine, résultent de manière irréfutable des écrits de César qui énumère 29 peuples gaulois, en donnant leur nom et en fournissant une brève description. Il faut avoir à l'esprit toutefois que chaque peuple disposait de plusieurs villes (12 dans le cas des Helvètes). Cependant, la plus grande partie de la population de l'époque devait se répartir en villages et fermes. En ce qui concerne par exemple le sud de l'Allemagne, la diffusion des *nemeta* (enceintes quadrangulaires) qu'on s'accorde à interpréter comme des sanctuaires, la densité des sites contenant de la céramique graphitée, témoignent d'un peuplement important des terres en dehors et à l'intérieur des grands *oppida.* A cela s'ajoutent, dans un contexte géographique plus lâche, de nombreuses implantations non fortifiées dans des sites favorables aux échanges. On y a trouvé des documents relatifs à des officines de production métallurgique ou céramique, qui dans quelques cas sont à interpréter comme des lieux d'échanges de marchandises. A ce titre, leur installation de long des cours d'eau navigables, avec des lieux d'accostage ou gués, semble avoir eu une importance décisive sous cet aspect. A côté des capitales des peuples, formés de confédérations tribales *(civitates),* subsistent des agglomérations secondaires où il faut voir des centres d'un pouvoir territorial moins étendu, par exemple d'un *pagus.* Enfin, on se rappellera que toutes les localités d'un même type ne sont pas contemporaines. Si on remarque en effet des différences du point de vue de l'emplacement, des dimensions et du nombre présumé des habitants, les raisons de leur spécificité tiennent à leur importance respective politique et économique. Malgré de nombreuses concordances, ce n'est pas un phénomène unique. Tournons-nous maintenant vers les structures internes de ces sites d'habitats complexes. Les habitants de la cité, les *oppidani,* s'adonnaient principalement aux métiers du commerce et aux activités artisanales, et ils s'acquittaient aussi d'activités de caractère agricole. A ce propos, il suffit de reprendre la multiplicité surprenante des activités artisanales de haut niveau technique (travail du fer, du bronze, du verre, de l'os, du bois) ainsi que la production massive en série de céramiques. On soulignera particulièrement, à côté de la fabrication des armes et des parures, la production d'instruments pour le travail du métal, du bois, du cuir et des tissus, des outils agricoles, des ustensiles de pêche, des balances de précision, des objets de toilette, d'instruments médicaux, de vaisselle de cuisine et de table, de différents récipients de bois et de métal, de clefs et de serrures, de garnitures de cheval et de char. De nombreux outils et instruments avaient déjà à cette époque une forme parfaitement adaptée à leur fonction, si bien qu'ils restèrent inchangés jusqu'à leur remplacement par les appareils, machines et automates de notre époque, autrement dit jusqu'au crépuscule de l'artisanat. Il n'est pas rare de trouver aussi dans les environs immédiats des oppida, des traces d'extraction et de travail du minerai. Dans l'ensemble, il en résulte une concentration de centres de production avec de grands marchés de distribution d'objets manufacturés dont la quantité dépasse désormais la demande locale. Il est prouvé, par l'exemple de *l'oppidum* de Manching, qu'à l'intérieur des enceintes fortifiées de grandes dimensions, des aires périphériques non construites étaient destinées au pâturage des troupeaux (bovidés, brebis, chèvres, porcs), avec des enclos pour les chevaux, mais aussi à des cultures. Les *principes* et *druides,* qui, selon César, se tiennent loin de l'activité quotidienne, détenaient le pouvoir politique et la direction intellectuelle. Placés au sommet de l'ordre social, ils avaient supplanté la monarchie, encore héréditaire au IIe siècle av. J.-C. et par la suite à caractère temporairement limité, pour exercer un pouvoir oligarchique. A propos des événements politiques et militaires de la guerre des Gaules, César les désigne spécifiquement comme acteurs, appartenant à la noblesse et toujours en relation avec les changements intervenus dans les *oppida.* Ainsi, par exemple, les habitants du centre de la Gaule furent convoqués en toute hâte à une assemblée à

Statuette de sanglier de bronze et fer, de Malaia Began (Ukraine) Ier siècle av. J.-C. Uzgorod Oblasnij Muzej

Statuette de cheval en bronze de l'oppidum de Jœuvres (Loire) Ier siècle av. J.-C. Roanne, Musée Joseph-Déchelette

Statuette d'un sanglier en bronze de l'oppidum de Jœuvres (Loire) Ier siècle av. J.-C. Roanne, Musée Joseph-Déchelette

Chaîne de
suspension de fer
d'un chaudron
de l'habitat de
Galis Lovacka
(Ukraine)
I^e-Ier siècles
av. J.-C.
Uzgorod
Oblasnij Muzej

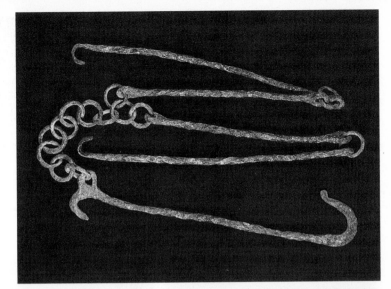

*Chaîne de
suspension de fer
d'un chaudron
de l'habitat de
Galis Lovacka
(Ukraine)
IIe-Ier siècles
av. J.-C.
Uzgorod
Oblasnij Muzej*

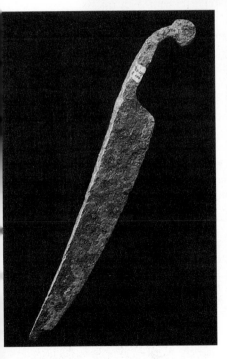

*Couteau de fer, de l'habitat
de Galis Lovacka (Ukraine)
IIe-Ier siècles av. J.-C.
Uzgorod, Oblasnij Muzej*

*Épée de fer à poignée
anthropomorphe, de l'habitat
de Galis Lovacka (Ukraine)
IIe-Ier siècles av. J.-C.
Uzgorod, Oblasnij Muzej*

Bibracte, la capitale des Eduens, au cours de laquelle Vercingétorix fut confirmé à la tête des forces gauloises. Toutefois, les *oppida*, avant le choc armé contre les Romains, étaient aussi des centres administratifs. Ils faisaient partie de la clientèle des nobles puissants parmi lesquels était choisi comme titulaire de la suprême fonction administrative, le *vergobretos* qui était en poste environ un an et qui était investi des pouvoirs exécutifs. Il avait à ses côtés le conseil des Anciens, que César appelle sénat. L'importance de leur

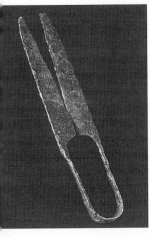

clientèle personnelle et de leur suite était décisive pour le pouvoir politique du vergobret et déterminante pour la hiérarchie de l'aristocratie. Il faut ici établir une distinction entre le système de forte dépendance d'hommes quasiment asservis de la *plebs* qui portaient les armes et cette catégorie de clients de condition élevée, la suite chevaleresque composée de membres de familles de notables, le plus souvent appauvris et disposés à servir. La position des particuliers dans ce système devait être fonction de la relative situation économique. Dans les deux cas, le maître était tenu à des prestations de caractère privé, consistant en protection personnelle, aide économique, dons et promotions de tout genre. Si des témoignages écrits antiques signalent une subdivision précise des classes de la société celtique, nous ignorons toutefois où se plaçaient dans cette structure les artisans et les agriculteurs dont dépendait la vie économique des *oppida*. En revanche, on peut déduire du témoignage de César que la *nobilitas* à laquelle appartenaient aussi les druides conditionnait dans une large mesure le progrès économique ; à cette catégorie appartenaient aussi les responsables de la monnaie. Reste enfin à se demander si la documentation relative aux découvertes archéologiques mises au jour sur quelques *oppida* et établissements ouverts, avec leur témoignage abondant d'activités artisanales n'est pas surestimée dans le sens d'une interprétation mercantile. A une telle crainte on pourrait arguer que probablement cette classe d'artisans, de travailleurs indépendants, de marchands et d'agriculteurs, libres ou relativement autonomes, a promu l'urbanisation des grands ensembles. L'expansion indiscutable de toute cette activité dans le cadre de la civilisation des *oppida* présuppose une certaine libéralisation du marché et une certaine liberté personnelle des habitants faute de quoi ne serait pas concevable l'image idéale, fréquemment évoquée, de la structure des capitales des peuples celtiques. La culture urbaine qui incontestablement imite les modèles méridionaux, doit avoir favorisé, dans les centres urbains et dans les campagnes, une stratification sociale, qui seulement dans une mesure, insuffisante, ne se prête pas à être éclaircie dans nos tentatives de classification des oppida sur la base des critères extérieurs. Aussi en dehors de la Gaule, une information plus complète devrait pourtant être utilisée à côté de l'histoire politique, mais à ce propos, les sources classiques sont trop réticentes, si on fait abstraction de ce que dit Tite Live à propos de l'origine du pouvoir celtique des *Norici* dans les Alpes orientales au IIe siècle av. J.-C. Il y existait une structure qui précocement avait la figure d'une république aristocratique dirigée par un conseil d'anciens, à laquelle bien vite succéda la restauration monarchique ; ainsi, le renforcement fructueux des rapports diplomatiques avec Rome se place en rapport avec la consolidation politique et l'ouverture des Alpes sud-orientales, avant que Rome institue des contacts similaires avec d'autres populations des Alpes et aussi de la Gaule.

A propos des nombreuses appellations des oppida gaulois, repérables dans César, il faut noter que les désinences en *-briva* indiquent la localisation près d'un gué fluvial, tandis que les désinences en *-dunum* et *-durum* indiquent une fortification munie de remparts ou sur une hauteur.

Bien que les informations fournies par César soient dignes de foi simplement dans le cadre de ses campagnes militaires, certains traits fondamentaux peuvent être appliqués à l'ensemble du phénomène sur la foi des recherches archéologiques menées dans les grandes agglomérations. Il est évident que l'argument est valable si on se réfère à un concept généralisé d'*oppidum* qui correspond d'une part à l'idée d'un centre fonctionnel à l'intérieur d'une région, sous forme d'un établissement urbain avec de nombreux habitants mais qui, d'autre part, comprend aussi dans un sens plus large des refuges dépourvus de constructions et une multiplicité topographiquement étendue et articulée d'implantations plus petites et de moindre importance. Aucune des définitions qui, tour à tour, mettent en relief telle ou telle caractéristique ne peut prétendre être généralisée pour toutes les forteresses de la fin de l'époque celtique. La raison en réside moins, tant dans le lexique de César, lié au texte de la guerre des Gaules, connu pour la variété de ses récits, que dans le développement insuffisant de la recherche archéologique. Un exemple frappant de cette difficulté de terminologie et de classification peut être fourni par l'*oppidum* situé dans les environs de Oberursel parmi les monts du Taunus : d'après sa position topographique dominante, son enceinte fortifiée qui enclôt une superficie de cent hectares, d'après les rares découvertes, en toute rigueur, fut considérée improprement comme rien d'autre qu'un simple lieu de refuge des Celtes de la plaine entre le Rhin et le Main ; cette situation dura jusqu'à la découverte d'un abondant matériel de toutes sortes, typique d'un *oppidum,* survenue en 1974. Seules des fouilles extensives de grande portée permettent donc de résoudre les incertitudes archéologiques. Des recherches programmées dans les grands *oppida* demandent beaucoup de temps, d'énormes moyens techniques, et une main-d'oeuvre pas inférieure en nombre à celle qui fut nécessaire à la construction de la forteresse, ainsi qu'une direction centrale dotée d'une solide disponibilité financière. Aujourd'hui, être le protecteur d'une "clientèle archéologique" peut être considéré comme une opération de prestige pour tous les Etats européens. On citera comme témoignages intéressants du progrès de la recherche de caractère international sur une vaste échelle, les fouilles actuellement en cours au Mont-Beuvray (*Bibracte*), ainsi que celles, récentes, sur les *oppida* du Titelberg, Mont Vully, Bâle-Münsterhügel, Altenburg-Rheinau, Manching, Kelheim, Hradiště près de Stradonice, Závist, Hrazany, Staré Hradisko, Třísov (Holubov) et Velem. St. Vid, pour ne donner que quelques unes des initiatives de plus vaste importance. A peu près 170 sites fortifiés qui méritent le nom d'*oppida,* dans l'acception la plus ample du terme, sont répartis sur une vaste aire, du sud de l'Angleterre à la côte française de la Manche jusqu'en Europe centre-orientale, aux Piémont des Alpes orientales et à la zone danubienne. Le choix rigoureux de leur implantation les caractérise, ainsi qu'une configuration identique et un matériel commun à un vaste territoire, propre à la civilisation de la fin de l'Age du Fer. La position et l'aspect extérieur ne peuvent être caractérisés de manière plus exacte que ne le fait César dans une définition de l'*oppidum* des *Sotiates* (*D. B. G.*, III, 23) : *oppidum et natura loci et manu munitum* (une cité fortifiée par sa position naturelle et par la main de l'homme). Ce passage si souvent cité, en complément duquel il conviendrait de lire la description qui le précède immédiatement sur le siège et la conquête de l'*oppidum* même, est en nette contradiction avec de récentes exégèses des définitions que César donne de l'*oppidum*, qui toutefois restent plus ou moins claires. Cette description reste toutefois abstraite puisque on n'a pas encore réussi à identifier aujourd'hui l'*oppidum* situé en Aquitaine.

Derrière la position naturelle favorable, toujours citée, le choix du site doit sous-entendre un critère précis, ce qui permet l'hypothèse selon laquelle il y aurait des traditions relatives à la construction de fortifications dans des lieux élevés et à leur adaptation avec la réalité topographique, et par conséquent une planification de la part des détenteurs du pouvoir. Les emplacements ci-après sont pourtant typiques et chacun a été cité à plusieurs reprises : massif saillant (*Bibracte,* Donnersberg, Steinburg près de Römhild, Hradiště près de Stradonice, Magdalensberg, Velem. St. Vid, entre autres) ; plateau isolé (*Alesia, Gergovia, Uxellodunum* Puy d'Issolud, Mont-Lassois, Amöneburg, Glauberg, Braunsberg et ainsi de suite), plateau entouré de hauteurs (*Noviodunum*-Pommiers, Murcens, St Thomas-Vieux Laon, Vertault, Titelberg, Finsterlohr, Heidengraben près de Grabenstetten, Staffelberg et autres), éperon entre deux cours d'eau (par exemple *Genava*-Genève, *Alkimoennis*-Kelheim, Staré Hradisko), boucle fluviale simple ou double (*Vesontio*-Besançon, Impernal près de Luzech, Joeuvres Enge près de Bern, Altenburg-Rheinau, Třísov-Holubov, Lhotice et autres), emplacement dans la plaine le long d'un fleuve ou bien de cours d'eau et de dépressions maré-cageuses (Avaricum-Bourges, Camp d'Attila près de la Cheppe, Manching et le plus ancien de ce groupe, la capitale des Gaulois Insubres dans la plaine padane, *Mediolanum*-Milan).

On pourrait objecter à cela le fait que des conditions géographiques iden-tiques, repérables partout dans des paysages européens très éloignés l'un de l'autre ne pouvaient pas ne pas conduire à des solutions similaires dans le cas d'établissements fortifiés protohistoriques situés en hauteur. Le recours à d'autres critères est pourtant nécessaire, et un argument important dans ce sens est celui de l'ampleur de l'implantation qui se distingue nettement des époques précédentes par l'extension de la surface interne, qui va de vingt à plusieurs centaines d'hectares (par exemple *Alesia* 97 hectares, *Bibracte* 135 hectares, Heidengraben 1 500 hectares, Závist 175 hectares, Manching 380 hectares). En cas de nécessité, les habitants des territoires environnants pouvaient être accueillis avec leurs biens, leur bétail et leurs provisions. César rapporte (D. b. g., VII, 28) qu'*Avaricum* assiégée avait reçu environ quarante mille personnes. Une comparaison entre l'enceinte des *oppida* celtiques et celle des cités allemandes médiévales permet de mettre en relief l'extension de loin plus importante de la cité celtique et donc d'évaluer en toute légitimité en milliers le nombre des habitants.

Aux défenses de la position naturelle favorable s'ajoutent, selon des normes bien précises, des enceintes défensives comportant des murs et des portes, travaux dont les restes sont encore aujourd'hui visibles comme de puissants retranchements. Là où le profil du terrain le requérait, au pied externe du mur, au-delà d'une marche horizontale, dite berme, était excavé un fossé

Pendentif de bronze de Ptení (Moravie) 1er siècle av. J.-C. Brno, Moravské Múzeum

Anneau de bronze à tête de bélier de Malhostovice (Moravie) 1er siècle av. J.-C. Brno, Moravské Múzeum

large et le plus souvent profond, dont la terre de remblai servait à relever et à combler la muraille et sa rampe extérieure (à Manching, le fossé manque). On décrira en premier lieu le mur "celtique-occidental", dit *murus gallicus* dont l'aspect et la structure sont établis non seulement d'après la description très précise de César mais aussi abondamment confirmés par de nombreuses données de fouilles. L'*oppidum* des *Cadurci,* qui avait une extension de 80 hectares et s'élevait sur le plateau de Murcens sur le versant sud-ouest du Massif central, a fourni, lors des fouilles de 1868, pour la première fois, un des exemples les plus évidents, grâce au fait que la construction originale de la muraille n'a pas été altérée par des phases successives de construction. Des recherches plus récentes et encore en cours ont confirmé le caractère exemplaire du rempart de Murcens. Si on recueille à ce point les différentes observations faites sur des sites aussi éloignés les uns des autres, il en résulte le schéma suivant : le *murus gallicus* était composé de deux parties réunies : le mur propre avec une armature de troncs équarris et cloués et un terre-plein de terre battue avec une rampe postérieure. L'armature de bois consistait en une série de grilles horizontales posées les unes sur les autres et reliées entre elles, constituées de poutres clouées ensemble à angle droit et transversalement, et qui forment un ensemble de caissons qui étaient remplis de terre et de pierraille. Les éléments horizontaux et transversaux étaient simplement appuyés les uns sur les autres ou reliés par des rainures aux points de croisement. En plus, ils étaient fixés entre eux par de solides clous de fer, longs de vingt à trente centimètres, soigneusement forgés, qui toutefois ne sont pas mentionnés par César. Ce noyau du rempart d'une épaisseur de quelques mètres (à Manching, pas plus de quatre) était recouvert extérieurement par

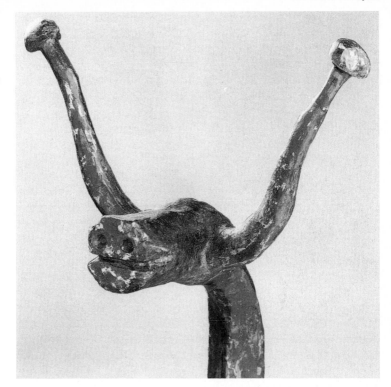

Couple de
chenets de fer
terminés en tête
de taureau de la
riche tombe de la
forêt de Brotonne
La Mailleraye-
sur-Seine
(Seine-Maritime)
Ier siècle av. J.-C.
Rouen, Musée
départemental
des Antiquités

un revêtement soigné de pierres taillées, liées à sec de façon à laisser visibles les extrémités des poutres. Les poutres de la grille interne plus superficiellement déposées le long de la structure couraient immédiatement derrière la façade de pierre et étaient donc noyées à l'intérieur du mur. Le front de pierre, parfaitement ordonné, haut de quatre à six mètres avec les extrémités des poutres disposées en quinconce est à l'origine de l'aspect typique du *murus gallicus*. Au sommet du mur devait courir un chemin de ronde protégé par un parapet en bois, aussi large que le mur, qui pouvait être rejoint partout rapidement même à cheval, grâce à la rampe postérieure en terre battue.

Incontestablement, dans l'Europe protohistorique, la construction de fortifications a atteint son point culminant dans l'édification en bois, terre et pierre du *murus gallicus*. C'est une technique identifiée archéologiquement sur de très nombreux sites de la fin de l'Age du Fer, de la Bretagne au bassin danubien bavarois, mais les principaux exemples se trouvent en Gaule propre. Dans les territoires celtiques à l'est du Rhin, prévaut une construction à pieux plantés verticalement en façade, caractéristique de la typologie dite de Kelheim (*Alkimoennis*-Kelheim, périodes 2 et 3 de Manching, Altenburg-Rheinau, Mont Vully, Heidengraben près de Grabenstetten, Finsterlohr, Staffelberg, Závist,

Hrazany, Třísov-Holubov, Staré Hradisko et d'autres et, sur la rive gauche du Rhin, le Donnersberg). Ce front des pieux était solide, constitué de troncs en partie dégrossis et taillés à la base qui étaient profondément enfoncés dans le sol (Kelheim ; à Manching, rempart septentrional, période 2 : taillés en pointe et enfoncés ; à Finsterlohr, période 3, taillés et placés sur la surface supérieure). Ils étaient alignés le long de la ligne frontale de manière irrégulière mais sans grand intervalle (à la distance de un à deux mètres). Les espaces entre les pieux étaient remplis de pierres taillées ou de forme naturellement plate, assemblées à sec de façon à couvrir la face antérieure des pieux même (Altenburg-Rheinau) ou bien à les laisser apparaître sur la surface externe (Finsterlohr). Immédiatement à l'arrière du front de bois et de pierres, se trouvait le noyau fortifié du mur proprement dit, constitué d'un large remblai de terre et de cailloux qui se présentait à l'arrière comme un talus. La construction "celtique orientale" qui, à la différence du *murus gallicus*, était composée seulement d'éléments structuraux verticaux, pouvait être renforcée au moyen de poutres disposées transversalement, comme dans le cas du Altenburg-Rheinau, ou bien en être dépourvu, les poteaux de façade étant reliés, à une hauteur qui n'est plus évidente dans les fouilles, avec des poutres transversales qui de leur côté étaient ancrées dans le remplissage postérieur. Des variantes particulières d'enceintes fortifiés se présentent sous la forme de murs de pierre avec des pieux enfoncés derrière la façade tandis que, dans d'autres forteresses, la structure de bois est absente, quand il ne s'agit que de simples remparts de terre. Ces derniers, de gigantesques retranchements, forment un groupe localisé dans la France nord-occidentale, surtout entre la Seine et la Somme (dans la Gaule Belgique), ainsi que dans le Berry. Les retranchements de ce type comportaient selon toute vraisemblance une palissade supérieure ou un parapet en bois et sont entourés d'un large fossé. L'*oppidum* du "Camp du Canada" près de Fécamp a donné son nom à

Maquette du murus gallicus de Manching (Bavière) Fin du IIᵉ-début du Iᵉʳ siècle av. J.-C.

Maquette de la porte orientale de Manching (Bavière) Fin du IIᵉ-début du Iᵉʳ siècle av. J.-C.

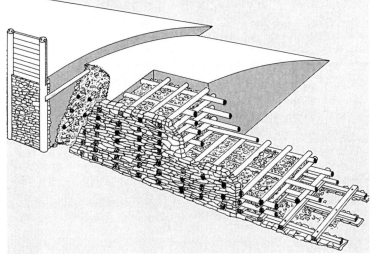

Dessin schématique des deux phases successives du mur d'enceinte de Manching (Bavière) IIᵉ-Iᵉʳ siècles av. J.-C.

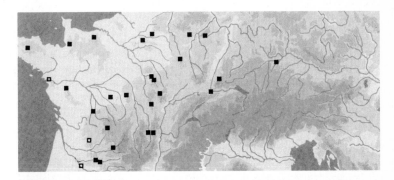

Carte de répartition du murus gallicus IIᵉ-Iᵉʳ siècles av. J.-C.

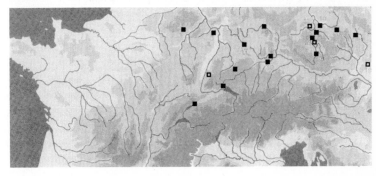

Carte de répartition du type de mur d'enceinte avec poteaux verticaux encastrés dans le parement de pierres (seconde phase de Manching) IIᵉ-Iᵉʳ siècles av. J.-C.

ce groupe (type Fécamp). Les résultats surprenants des fouilles achevées dans les années soixante-dix le long du rempart méridional de l'*oppidum,* petit mais significatif sur le Münsterhügel de Bâle (3,5 hectares) ne doivent pas être négligés dans ce contexte : le réseau de poutres disposées horizontalement et clouées, ce qui constitue un *murus gallicus* proprement dit, était doté d'un front en pierre de pieux verticaux, indicateurs par ailleurs du type connu à Kelheim. Le responsable des fouilles s'est senti autorisé, d'après la documentation précise recueillie, de mettre en garde contre une systématisation trop rigide de la typologie des constructions des murs celtiques et contre une idéalisation trop formelle du célèbre passage de César; il propose d'élargir le concept du *murus gallicus* dans le sens archéologique à toutes les enceintes de la fin de l'époque celtique avec des charpentes horizontales à l'intérieur. Bien que ce comportement sceptique puisse être justifié dans l'état actuel de la recherche, en particulier à Bâle, c'est-à-dire au point de convergence géographique des techniques de construction celtique orientale et occidentale, une telle combinaison des éléments structuraux horizontaux et verticaux serait parfaitement admissible.

En connexion directe avec les deux techniques prédominantes de construction des murs décrites ci-dessus, venons à considérer ladite "porte en tenaille" où les extrémités du mur rentrent à l'intérieur presque perpendiculairement au rempart et forment une sorte d'entonnoir, de façon à créer un passage d'une longueur de vingt-quatre mètres (*Bibracte*, Heidengraben près de Grabestetten, Finsterlohr, Bâle-Münsterhügel). La porte proprement dite se trouvait donc en position reculée au fond du passage et présentait d'ordinaire deux ouvertures (Manching, porte orientale). La présence de nombreuses portes n'est pas attestée seulement par César pour les *oppida* gaulois, mais il faut aussi inscrire dans cette catégorie des structures monumentales non encore mises au jour par les fouilles, qui présentent des portes en tenaille d'un genre plus ou moins bien conservé (*oppidum* de Heidetränk près d'Oberursel). La valeur défensive de tels retranchements sur tous les *oppida* était accrue, comme il se doit, par un fossé large et profond, excavé antérieurement au front externe.

On connaît bien peu de choses sur l'aspect de la ville à l'intérieur des murs. Les informations de César à ce sujet sont assez lacunaires. Surtout le petit nombre de recherches extensives réellement utilisables à l'intérieur des remparts ou dans des sites présentant des matériaux homogènes dans le voisinage plus ou moins immédiat, explique pourquoi le débat sur les fonctions possibles des *oppida* est loin d'être clos. Les résultats des fouilles dans quelques sites présentent le cadre suivant nécessairement simplifié, ou si on

Poignée anthropomorphe en bronze de l'épée de tesson (Charente-Maritime) Ier siècle av. J.-C. Saint-Germain-en-Laye Musée des Antiquités nationales

préfère, idéalisé : toutes les maisons, pourvues d'une couverture en chaume étaient construites avec une légère charpente et leurs différents plans et formes émanent seulement des traces colorées laissées dans le sol des murs, des piliers et des seuils. Il s'agit de structures cultuelles (emplacements de temples), d'édifices d'habitations, d'étables, de greniers, d'ateliers mais aussi de structures excavées, comme des fosses pour la conservation des réserves alimentaires, de puits, de dépôts d'immondices de toutes dimensions. Les parois des maisons sont faites d'un clayonnage recouvert d'argile. En dépit de l'importance des aires non encore fouillées, à partir des superficies finement explorées, ou peut conclure avec toute la prudence qui s'impose à une subdivision de la cité en quartiers, clairement délimités, en habitations et activités artisanales, en secteurs agricoles, rues, places et structures publiques. On connaît bien les sompteux édifices en pierre de plan gréco-romain (maisons à *atrium*) et les quartiers urbains de Bibracte, qui datent des florissantes années qui ont suivi la guerre des Gaules, dont l'origine toutefois est à anticiper et à placer à l'époque précédente de la domination de l'aristocratie celtique. La perception précoce des multiples influences romaines provenant de la province de Narbonnaise dans les *oppida* de la Gaule intérieure, et surtout à Bibracte, capitale des Eduens, depuis le début fidèles alliés de Rome, peut avoir donné une contribution décisive à la définition de la nouvelle structure urbaine. C'est ainsi que l'on comprend la rapide romanisation de la *nobilitas* et de secteurs toujours plus amples de la population gauloise. En revanche, on trouve des programmes de construction plus modestes sur la rive droite du Rhin, en Bohême et sur le Danube, où manquent les constructions de pierre avec cependant, comme par exemple à Manching, des alignements de bâtiments (ateliers, boutiques) le long des rues,

Avers et revers d'une monnaie en or des Bituriges de la Gaule centrale Ier siècle av. J.-C. Rouen, Musée départemental des Antiquités

qui présentent les différentiations structurelles et spatiales caractéristiques, comme on l'a dit plus haut, d'une importante communauté. Les matériaux qui fournissent une image fidèle des multiples manifestations de la vie urbaine sont très abondants. A côté des ustensiles domestiques, on repère surtout les produits d'un commerce de grande distance, les témoins d'une economie monétaire et d'un artisanat hautement développé. Des cités de ce genre comprennent aussi des surfaces non construites à l'intérieur des enceintes.

Il n'est pas rare qu'au sein de l'*oppidum* se trouve une acropole fortifiée (*arx*) qui occupe le point le plus élevé de la ville et qui est le siège du gouvernement.

On connaît bien peu aujourd'hui des nécropoles qui se trouvaient près des centres. Une des raisons de cette méconnaissance est due au changement de pratique funéraire, avec le passage de l'inhumation à l'incinération. A cause de leur simple structure externe, les tombes contenant des restes de crémation, avec un matériel métallique fondu et de la céramique brisée sont

Statuette de sanglier de bronze de Tábor (Bohême) IIe-Ier siècles av. J.-C. Tábor, Museum Husitského revolucního hnut

difficiles à identifier. Il faut toutefois noter la présence d'un lieu de crémation (*ustrinum*) mis au jour devant une des portes principales en tenaille de l'*oppidum* d'Heidetränk, avec quelques tombes à incinération.

En ce qui concerne l'origine des *oppida,* il faut souligner l'importance pour la première fois en Europe d'une architecture en formation (*muri gallici,* murs avec *Pfostenschlitzmauer,* porte en tenaille). La dimension de l'implantation de la muraille urbaine, et la capacité jusque-là jamais atteinte de surmonter des dénivellations de côte et de relief, soit pour y faire rentrer un large terrain comme cité basse, soit pour assurer le ravitaillement en eau en insérant dans le périmètre une source ou un cours d'eau, étaient jusqu'alors propres aux cités hellénistiques. Dans le tracé de l'enceinte, dans les détails de structure du rempart et de la porte, comme même dans l'articulation interne, la différence est évidente par rapport aux autres établissements fortifiés sur des hauteurs des époques précédentes. A cette même époque existe évidemment un lien entre l'antique tradition locale et les influences méditerranéennes. Dans une telle situation, on ne peut évidemment que penser à la fonction d'intermédiaire jouée par la Gaule cisalpine, où les Celtes furent non seulement en contact avec la civilisation italique de tradition urbaine mais à leur tour développèrent des centres urbains sur leur territoire propre. A partir de là, les nouvelles techniques de construction peuvent s'être diffusées vers le nord, en particulier l'énorme rampe de terre battue à l'arrière du mur, qui a un précédent dans l'*agger* des fortifications italiques et éventuellement la technique d'assemblage avec des clous de l'armature de bois. Il est probable qu'après l'occupation romaine de la plaine padane et le crépuscule de la puissance celtique en Italie septentrionale à la fin du IIIe siècle et au début du IIe, les groupes celtiques qui refluèrent dans les territoires au nord des Alpes emportèrent avec eux l'expérience d'une économie développée et d'une culture urbaine. Dans cette "migration de retour" on pourrait repérer aussi l'influence sur de grands ensembles à l'occupation dense, mais dérivés des précédentes agglomérations à caractère de village. Le passage décisif vers ce que nous désignons du terme d'*oppidum* est terminé avec l'érection du mur de défense, probablement déjà dans la seconde moitié ou dans le dernier tiers du IIe siècle av. J.-C. Cette initiative peut avoir été provoquée par la nécessité de défense dans un cadre de luttes internes entre les Celtes

ou contre l'insécurité consécutive à la descente des Cimbres et des Teutons. En démenti de l'opinion souvent admise suivant laquelle toutes les créations d'*oppida* se seraient faites dans un temps relativement bref en raison de bouleversements sociaux et de conditions particulières, le site de Manching montre un exemple développé sans solution de continuité à partir d'un établissement à caractère de village qui existait déjà au milieu du IIIe siècle av. J.-C. Il est indubitable, toutefois, que dans l'association des matériaux, on a la preuve que des changements décisifs sont intervenus dans la seconde moitié du IIe siècle av. J.-C., interprétés comme une des causes principales de la construction du rempart.

Bien que les données et les matériaux restitués par les fouilles dénommées ici rapidement soient interprétés différemment par les spécialistes et soient objets de controverse, les nouveautés mises en évidence devaient être revues sur la base des migrations à caractère militaire, historiquement et archéologiquement documentées, qui à partir du IVe siècle av. J.-C. ont placé des groupes celtiques en rapport toujours plus étroit avec la périphérie et les centres du monde italo-grec, en promouvant les échanges culturels et matériels avec la patrie celtique au nord des Alpes. Arrive ainsi à maturité, et bien vite à sa conclusion, un processus commencé à partir du VIe siècle av. J.-C. qui a conduit des résidences des nobles et des forteresses des princes de l'aristocratie protoceltique aux grands établissements à caractère urbain. Avec la conquête de la Gaule opérée par César, les impétueuses irruptions des Daces de Burebista le long du cours moyen du Danube, l'occupation de la Bohême par des Marcomans germaniques de Marbod, la pénétration de petits groupes germaniques dans la Gaule méridionale et enfin avec les opérations de l'armée romaine sur le Rhin et dans la zone préalpine sous Auguste, l'époque des *oppida* vient à sa fin. Sous les nouvelles puissances, les *oppida* sont détruits ou abandonnés. Seulement ceux de Gaule, jusqu'aux transferts forcés de population sous Auguste à la fin du siècle, connurent une seconde floraison sous l'habit de la civilisation gallo-romaine. A la place des *oppida,* apparaissent maintenant, en gardant seulement dans des cas exceptionnels la continuité de l'occupation du site (Avaricum-Bourges, Genabum-Orléans, *Lutetia* Paris, Bâle-Münsterhügel), des colonies militaires romaines, des établissements civils et un peu plus tard, des capitales de province. Les œuvres de leurs habitants continuèrent ainsi à subsister longtemps encore.

Une liste des *oppida* de la fin de l'époque celtique avec une carte de leur distribution figure dans l'article de U. Schaaff et de A. Taylor, indiqué dans la bibliographie.

L'agriculture
Hansjörg Küster

La recherche sur l'histoire de la végétation antique repose, d'une part, sur l'examen des restes de fruits et de graines conservés dans le niveaux des sites protohistoriques et, d'autre part, sur l'observation des pollens récupérés dans les couvertures végétales limitrophes des sites, éparpillés par le vent ou déposés dans le fond des lacs et des marécages.

A partir de ces recherches, les botanistes sont en mesure de rassembler une quantité de données du plus grand intérêt sur l'environnement de l'homme pré- et protohistorique, car la qualité du milieu de vie dépend toujours de la végétation environnante, des forêts et des champs. Ces études botaniques prennent une importance particulière quand il s'agit, par exemple, d'éclaircir la situation de l'*oppidum,* daté de la fin de l'époque celtique, de Manching, en Bavière. Les vestiges de cet *oppidum* sont considérés comme les plus importants du sud de l'Allemagne ; en outre, il se trouve dans une zone qui longe le Danube et ses affluents, c'est-à-dire dans un milieu qui ne semble pas particulièrement propice à l'agriculture. Il est pourtant permis

de supposer que le sol a dû subir une préparation spécifique, et la surface extraordinairement vaste soulève des interrogations auxquelles on peut fournir des réponses en termes de paléo-environnement.

Reconstitution du paysage de Manching (Bavière) IIIe-IIe siècles av. J.-C.

Par la palynologie, on peut arriver à la conclusion que les environs de Manching mille ans avant la construction de l'*oppidum* étaient utilisés pour le pâturage des bestiaux. L'antique forêt de chênes avait laissé la place à des taillis beaucoup moins touffus, dans lesquels cette essence avait une densité plus faible et où la prééminence revenait aux pins et aux genévriers.

La forêt n'avait conservé son épaisseur originelle que dans la zone plus humide, c'est-à-dire sur les rives des cours d'eau et les nappes innombrables de la large vallée du Danube, peuplée d'aulnes et de saules. L'*oppidum* celtique s'éleva sur une superficie où croissaient peu d'arbres, en majorité des pins. S'il était facile d'abattre les quelques arbres, il était plus difficile par contre de se procurer les quantités suffisantes de chênes pour la construction

Lin

de la fortification, longue de 7 kilomètres, qui délimitait l'aire habitée. Les énormes quantités de bois nécessaires également pour la construction des maisons, comme les pierres des remparts, devaient être importées, et cela ne pouvait se faire que dans une riche communauté structurée de façon hiérarchique.

Les fouilles ont révélé que tout l'espace intérieur n'était pas occupé de façon dense. A côté des nombreux emplacements de maisons, il existait une zone dans laquelle très peu, ou même aucune trace de construction ne fut relevée. L'examen d'échantillons de terrains de la zone aux édifices parsemés a révélé la présence essentiellement de restes de graines d'herbacées, de chénopodes et de graminées. On peut en conclure que le grain était battu hors de la zone habitée, avec tri de l'ivraie, et les rebuts restaient sur le terrain pour être brûlés. Les restes du battage (surtout des graines d'herbacées) se sont conservés jusqu'à nos jours. Dans les maisons entraient seulement les denrées déjà triées. La préférence était donnée aux espèces du genre épeautre. Dans ces céréales, la balle reste fortement unie au grain, contrairement à ce que nous connaissons de nos jours avec les céréales actuelles de panification. Le vannage ou l'épluchage est terminé avec soin mais la céréale se conserve mieux avec son enveloppe que sans. Par ailleurs, les greniers qu'on connaît pour l'époque romaine n'existaient pas encore. Le stockage se faisait dans des silos ou des greniers à quatre ou six trous de poteau, ou encore pour le grenier de la maison, où, pendant l'hiver, l'humidité pouvait pénétrer. Le tégument protégeait le grain de la putréfaction. Avant la préparation des aliments, les grains devaient être séchés et vannés. Pour cela, peut-être les exposait-on au feu dans un four à bois qui se chargeait par l'arrière. Il arrivait que les grains soient carbonisés et deviennent inutilisables dans l'alimentation ; ils étaient jetés aux immondices, où ils sont restés jusqu'à nos jours. Les grains séchés étaient décortiqués (cela se faisait par exemple avec une meule, à condition de le faire soit avec une pierre légère soit en la soulevant). La balle était brûlée et jetée aux immondices : on peut encore les trouver dans les sédiments archéologiques.

De tout cela on peut conclure que les habitants de l'*oppidum* cultivaient leurs propres graines, les battaient, les mondaient, les emmagasinaient et les vannaient. Sinon, on n'aurait pas retrouvé les traces de ces activités dans l'habitat. En effet, si les grains avaient été importés, la récolte aurait été déjà mondée. Il faut aussi supposer que c'est dans l'*oppidum* que vivaient les agriculteurs qui produisaient les céréales aux alentours de la maison, car l'unique zone des environs dans laquelle il était possible de cultiver était le dôme caillouteux où se trouvait l'*oppidum* ; c'est d'ailleurs là aussi qu'étaient les champs de Manching aux époques médiévales et modernes.

De toute évidence, les champs se situaient dans la partie de l'*oppidum* dans laquelle on ne trouve pas de traces archéologiques d'une occupation dense.

Il est très possible que la fertilité des champs ait été accrue par des apports artificiels d'humus. Des terres ainsi améliorées sont repérables à de nombreux endroits à l'intérieur de l'enceinte. Manching, à l'époque médiévale, disposait encore quasi exclusivement de champs à l'intérieur de l'enceinte même. Le rempart renfermait donc non seulement les secteurs habités proprement dits, mais aussi les zones d'exploitations rurales leur appartenant, qui avaient été améliorées pour fournir des rendements suffisants. La fonction de l'enceinte pourrait donc apparaître sous un nouvel éclairage : elle représente une délimitation pour la zone habitée, et il est facile de comprendre par conséquent pourquoi cette limite avait un périmètre de 7 kilomètres. Si un rempart est à considérer comme la limite d'une emprise, il n'a pas seulement une fonction de défense, très importante, mais aussi une raison juridique : il sépare l'aire économique propre de l'occupation du territoire environnant (pour utiliser la terminologie anglo-saxonne,

Froment

l'*infield* et l'*outfield*). Dans le cas d'une occupation dans une zone riche en cours d'eau, un autre facteur très important est à prendre en considération : les domaines situés en contrebas, ou même plus haut, ne sont pas à l'abri d'une inondation ; un rempart peut constituer une protection de telle sorte que les céréales ne soient pas détruites sur des champs durement gagnés par des apports d'humus. L'*oppidum* de Manching se présente, d'un point de vue de botaniste non seulement comme une cité fortifiée, mais aussi comme la démarcation d'une aire de communauté. Il est indéniable que cette communauté fut particulièrement riche : les découvertes archéologiques ainsi que des améliorations du sol et la construction de l'enceinte témoignent de cette prospérité.

Les plantes cultivées, comme sur tous les sites d'habitats celtiques de l'Age du Fer dans le centre de l'Europe, correspondaient aux besoins précis des populations. Presque partout on cultivait surtout l'orge, une céréale qui, en raison de sa teneur limitée en amidon, ne se prêtait pas à la panification. Peut-être l'utilisait-on bouillie ou uniquement comme fourrage pour les animaux. Les céréales utilisées pour la panification dans l'Europe centrale étaient en effet surtout l'épeautre et l'amidonnier, deux plantes cousines du froment, et par endroits l'avoine et le seigle. En Gaule, on constate la part importante du froment. On cultivait aussi des légumes secs (féverolles, petits pois et lentilles), des plantes non alimentaires mais du répertoire textile comme le lin, sans oublier d'éventuelles récoltes d'opium (pavot). Ces plantes qui étaient déjà cultivées dans le contexte de la culture préhistorique, des millénaires avant, l'étaient encore à l'époque médiévale. Avant l'époque celtique, mais aussi après, pendant la période romaine et le haut Moyen Age, en principe les mêmes plantes furent cultivées dans les établissements ruraux et villageois. Les agriculteurs s'insèrent donc dans une chaîne de tradition de culture qui ne fut pas interrompue après l'époque celtique. Cela prouve qu'au moins une partie de la population rurale resta au pays quand les Romains eurent pris possession des vastes territoires européens. Il existe donc dans les territoires ruraux, entre l'époque celtique et l'époque romaine,

Pavot

une tradition bien installée, sans aucune interruption. Des recherches palynologiques menées dans de nombreuses parties de l'Europe centrale l'attestent. Toute différente est la situation dans les établissements urbains : dans les villes romaines, dans les *castella,* et par conséquent dans les bourgs, les couvents et les villes du Moyen Age. Là se développent des habitudes alimentaires vraiment urbaines, que nous ne connaissons ni à l'époque celtique ni dans les villages des époques romaines et médiévales.

Les traces d'une alimentation "urbaine", qui sont nettement observables aux époques romaines et médiévales, manquent totalement à l'époque celtique. Il n'existe nulle part dans les habitats celtiques une preuve d'usage d'épices, dont les Romains furent friands dans leurs cités (mais pas dans les établissements ruraux !), de même la consommation de "fruits méridionaux" comme les figues est prouvée dans les villes romaines et les *castella,* mais jamais à l'époque celtique ni dans les établissements ruraux de la période romaine. Seule l'importation de vin dans le domaine celtique est à constater comme "élément urbain". A Manching, on a trouvé un tonneau à vin qui fut réemployé comme coffrage de base d'un puits ; par sa fabrication, il rappelle les fûts romains : il a été confectionné dans le même bois que les tonneaux romains, c'est-à-dire en bois de sapin, espèce qui ne pousse pas dans les environs de Manching mais dans les Alpes, une zone de transit commercial. En effet, le vin du territoire celtique de la vallée du Danube provenait des bords de la Méditerranée.

Les recherches sur l'histoire de la végétation conduisent donc à considérér que l'*oppidum* de Manching ne fut pas une ville dans le sens actuel du terme, mais plutôt un établissement de type villageois, avec les cultures qui en dépendaient. Là s'est peut-être développée, malgré des conditions ambiantes défavorables, une forme d'organisation de vie villageoise de haut niveau. L'amendement des sols, la construction du rempart, peut-être l'utilisation de la charrue retournant les mottes de terres, que Pline décrit comme une spécialité des paysans nordiques, sont des témoignages étonnants d'une culture rurale de haut niveau.

Les recherches sur l'histoire de la végétation doivent se poursuivre non seulement à Manching, mais encore sur le territoire des autres *oppida* et d'autres sites celtiques. Peut-être pourront-elles préciser et corriger l'image que la science historique s'est faite d'un *oppidum* de l'époque de César.

L'élevage
Sandor Bökönyi

Dans la vie et l'économie des Celtes, l'élevage a tenu une place beaucoup plus importante que la chasse. Des auteurs antiques comme Strabon ont déjà souligné ce fait, mis aussi en évidence par l'échantillonnage des os d'animaux trouvés dans les établissements celtiques : dans ces prélèvements, les os d'animaux sauvages sont représentés dans une proportion variant de 0,2 à 5%, bien que des différences soient constatées sur ce point entre les types d'établissements. Dans un *oppidum*, Manching par exemple, la chasse n'était pas pratiquée sur une large échelle, certainement parce que, dans des aires agricoles, les animaux sauvages avaient été exterminés et que les terres étaient bien exploitées ; les habitants des petits villages chassaient davantage, surtout dans les régions retirées et fortement boisées.

L'élevage des Celtes offre l'image typique de celui qui était pratiqué par tout peuple menant un genre de vie stable, avec, comme espèces les plus fréquentes, les porcs pour la production principale de la viande, et le gros bétail comme animal de trait pour les travaux agricoles et comme principale source de lait, deux espèces qui ne pouvaient couvrir que de courtes distances.

Strabon (*Geographika* IV) a décrit la nourriture des Celtes qui "consistait principalement en lait et différentes viandes, particulièrement du porc frais ou salé". Il mentionne aussi qu'ils exportaient de la viande salée en grande quantité non seulement à Rome, mais aussi jusque dans les autres parties de l'Italie.

Les moutons et les chèvres étaient un peu plus rares, et les chevaux très peu fréquents, bien que les Celtes fussent des cavaliers renommés à cette époque. Les chiens, tenus enfermés, étaient encore moins nombreux. Mais une espèce très importante de notre faune domestique moderne, la poule, autre animal de la vie sédentaire, a joué aussi un certain rôle dans l'élevage ; en fait après son introduction par les Scythes, les Celtes en furent les propagateurs en Europe centrale et occidentale. On ne peut exclure l'élevage des canards et des oies (à nouveau des volailles de la vie sédentaire) dans les établissements celtiques, bien que les preuves directes manquent encore.

A la même époque, le chat est absent de la faune des Celtes. Il fut d'abord apprivoisé en Egypte, et bien qu'il ait atteint le nord de la mer Noire, où les Scythes riches l'élevaient comme animal favori, et qu'il soit même arrivé dès le début du Ier siècle av. J.-C. en Grèce et en Italie, il n'avait apparemment pas trouvé le chemin vers le nord des Alpes ; il n'arriva qu'avec les légionnaires romains. C'est pourquoi ses restes se trouvent seulement dans les sites gallo-romains depuis la fin de La Tène finale.

L'âne, autre animal domestique venant d'Egypte, était lui aussi absent de l'élevage celtique, bien qu'en Italie il fût déjà arrivé à l'Age du Bronze récent. Selon toute probabilité, la Gaule le prit aux conquérants romains, qui

utilisaient les ânes en grande quantité comme bêtes de somme. Ainsi vingt et un os d'ânes furent trouvés dans les niveaux gallo-romains de Paris, rue Henri-Barbusse, et dans quelques autres sites. Les ânes gagnèrent aussi d'autres sites celtiques de l'Empire romain ; de plus, ils furent croisés pour obtenir des mules. La tombe d'un conducteur de mules fouillée à Aquincum (Pannonie), comportait une stèle avec la représentation d'une mule ; et à Brigetio, le relief d'une stèle montre un conducteur de deux mules bâtées.

L'élevage celtique montre des caractéristiques plutôt ambiguës. La plupart des espèces domestiques (gros bétail, moutons, porcs, chevaux et poules) sont représentées par des formes très petites et plutôt primitives dont l'existence démontre le bas niveau des pratiques d'élevage, alors que pour les chiens on peut observer les effets d'un élevage sélectif produisant des lévriers spécialisés pour la chasse aussi bien que de petits chiens de manchon.

En fait, le gros bétail était, par rapport à celui du haut Moyen Age, le plus petit de toute son évolution : ainsi, sa hauteur au garrot dépassait à peine 110 centimètres. Ce bétail était de constitution gracile, efflanqué même, avec les cornes courtes et le crâne, étroit comme le révèlent à la fois les trouvailles d'ossements et les représentations artistiques. Le bétail romain était au moins de 16 à 17 centimètres plus grand que le celtique, ce que montre le bétail de l'*oppidum* celtique de Manching comparé à celui de la ville romaine de Pannonie "Tac-Gorsium" et de la forteresse romaine d'Intercisa sur le Danube. La Gaule fournit aussi des cas semblables, néanmoins pas avec un échantillonnage aussi considérable, dépassant 50 000 ou même plusieurs centaines de milliers d'os identifiés. Les grands boeufs de trait romains atteignirent parfois les territoires celtiques tout comme les territoires germaniques et sarmates, sans cependant exercer d'influences particulières sur le cheptel local. Un changement se produisit dans ce domaine seulement après l'occupation romaine.

L'histoire est similaire pour les chevaux. Les auteurs de la fin du siècle dernier divisaient les races de chevaux en un groupe oriental à petit corps svelte et un groupe occidental grand et lourd. Selon des études approfondies sur l'Age du Fer, les chevaux de la zone comprise entre les monts Altaï et l'Europe centrale révèlent que la situation originelle est exactement inverse : les chevaux orientaux étaient plus grands, avec une hauteur moyenne au garrot de 136 à 138 centimètres ; les sujets occidentaux étaient d'environ 10 centimètres plus petits. La ligne de partage entre les deux groupes passait quelque part entre Vienne et Venise ; le représentant typique du groupe oriental était le cheval scythe, et celui du groupe occidental le cheval celte. Du point de vue de l'éleveur, les chevaux orientaux étaient meilleurs grâce à leur grande taille. Donc les princes occidentaux en furent souvent acquéreurs ; à la mort de leur maître, ils étaient ensevelis avec lui, en conservant leur équipement ce qui prouve bien aussi leur origine orientale. En Italie, selon des sources littéraires, les Vénètes vivant dans les environs de Venise importèrent souvent des chevaux scythes ; ils en conservaient quelques-uns, que l'on a pu retrouver dans leurs tombes; ils vendaient les autres en Grèce, où ils devinrent la race de chevaux la plus estimée, ce qui ne peut surprendre puisqu'ils étaient notoirement plus grands et plus forts que les chevaux grecs.

Les chevaux celtiques de l'*oppidum* de Manching, comme ceux d'autres sites celtiques, avaient de 1,12 mètre à 1,38 mètre de hauteur au garrot, et en moyenne un peu moins de 1,25 mètre. Ainsi, les Celtes n'étaient pas de grands éleveurs, et César n'avait pas une très haute opinion sur leurs chevaux, bien que, selon Strabon, les Gaulois aient été meilleurs cavaliers que fantassins ; ailleurs il mentionne que les Celtes, comme les Bretons, utilisaient principalement des chars dans les combats, ce qui est compréhensible si on jette un coup d'œil sur les petits chevaux du chaudron de Gundestrup : les jambes des cavaliers touchent presque le sol ; et si de plus on considère que certains chevaux celtiques avaient moins de 1 m au garrot, le succès de la cavalerie est difficilement imaginable. Néanmoins, il est vrai que les Celtes prirent une part essentielle dans le développement des traditions équestres de l'Europe occidentale. Ils tenaient les chevaux en estime, et même ils leur accordèrent un rôle dans la mythologie : la vénération d'Epona, déesse de la Fertilité, a probablement commencé par le culte d'une divinité du cheval. Ils ont souvent représenté cette déesse assise sur le dos d'un cheval ou entourée de juments avec leurs poulains ou de chevaux. La fréquence de leurs représentations sur les monnaies et les stèles, de même que sur les récipients décorés, marque aussi le point atteint par les chevaux dans les honneurs que leur rendaient les Celtes. Ces représentations sont souvent assez stylisées, bien qu'elles révèlent aussi des traits caractéristiques des chevaux celtiques : l'allongement du squelette de la tête et les petites dimensions du corps.

De même pour le porc, bien que, d'après la description de Strabon, ils aient "couru en liberté par les champs et les bois, ce qui leur donne une taille, une vitesse et une force extraordinaires, et il y a, pour qui n'y est pas habitué, autant de danger à s'en approcher que d'un loup" (*Geogr.* IV). La Tène est probablement le seul établissement où l'on a pu observer des croisements entre porcs domestiques et porcs sauvages, produisant une augmentation de la taille des individus avec probablement une nature brutale.

Par contre, dans les autres sites, on trouve de petits cochons, en fait les plus petits de toute la préhistoire. Leur hauteur au garrot atteint à peine 70 centimètres. Grâce à leur petite taille, on peut facilement distinguer leurs restes de ceux des grands porcs sauvages. Cependant, leur constitution était très semblable à celle des turbulents porcs néolithiques, malgré l'écart de taille. Leur crâne avait, en plus petit et un peu plus court, une forme semblable à celle de leurs homologues sauvages ; dans quelques cas, il montre un profil concave. Comme le racourcissement du crâne, particulièrement dans la région naso-frontale, ne fut suivi qu'avec un certain retard par la diminution de la taille des dents, partie la plus conservatrice du corps, il s'est ensuivi que des mâchoires raccourcies avaient encore de grandes dents, notamment des

Stèle avec la représentation de la déesse Epona, Rhénanie IIᵉ siècle av. J.-C. Bonn, Rheinisches Landesmuseum

prémolaires, alors que cette partie de la mâchoire avait le raccourcissement plus marqué : d'où des prémolaires supérieures et inférieures plantées serrées ou même en travers ; et seulement dans la région des molaires a pu être sporadiquement observée l'absence de la dernière de la série, "M_3" (en fait, les P_1 inférieures manquaient souvent, signe précoce du développement du crâne du porc moderne).

Leur corps était probablement couvert de poils épais et denses; c'est ce que font supposer quelques statuettes qui sont censées représenter des sangliers sauvages à cause de leurs défenses et de leur crête de poils le long de l'échine. Néanmoins, les verrats domestiques actuels ont aussi des défenses, que les éleveurs cassent parce qu'elles peuvent être dangereuses, et leur crête de poils se retrouve aussi sur les porcs primitifs (les Balkans en proposent encore beaucoup d'exemples). Quant à la queue en boucle des statuettes, elle résulte de la domestication. Ainsi, ou bien l'artiste désirait représenter un verrat domestique, ou bien il ne connaissait pas la différence entre un sanglier et un verrat.

Parmi les ovicapridés, les moutons furent de loin plus nombreux que les chèvres sur pratiquement chaque site. Assez curieusement, les moutons étaient plus petits que les chèvres. Les brebis avaient une hauteur de 50 à 70 centimètres au garrot ; les béliers étaient un peu plus grands. Plus de la moitié des brebis n'avaient pas de cornes, les autres des cornes courtes et parfois rudimentaires. Les béliers portaient des cornes solides et enroulées, bien qu'il y ait eu aussi quelques individus sans cornes. La castration était fort possible. Le rapport entre mâles et femelles était d'environ 1 pour 2.

Statuette de sanglier en bronze de Báta (Hongrie) e siècle av. J.-C. Budapest, Mayar emzeti Múzeum p. 455

Statuette de sanglier en bronze de Salzburg-ainberg (Autriche) e-Ier siècles v. J.-C. Museum Carolino ugusteum p. 455

Le bouc atteignait déjà sa taille moderne ; les femelles étaient nettement plus petites. On peut penser que, pour certaines régions au moins, les chèvres formaient de petits élevages pour des familles relativement modestes et qu'ainsi elles ont joué le rôle de "la vache du pauvre". La plupart des chiens composaient une population mélangée, à forte variabilité. Toutefois, certains sites possédaient de vraies races pures. Actuellement, il est impossible de décider si ces races (tantôt chiens nains, hauts de 25 à 40 centimètres au garrot, à pattes fines ou fortes et torses, tantôt lévriers à crâne allongé typique, à membres longs et minces) étaient le résultat d'un élevage local maîtrisé ou de simples emprunts aux territoires de l'Empire romain. On connaît une première race de chiens à Manching (Allemagne), à Variscourt (Aisne) et à Gournay (Oise), et le lévrier d'une tombe de la nécropole celtique de Pilismarót (Hongrie).

Connaissant le haut niveau atteint par l'élevage de chiens à Rome, on a tendance à croire que le chien nain de manchon était originaire de l'Empire romain, alors que les lévriers seraient les vrais chiens celtiques. Dans ce cas, une question se pose automatiquement : les Romains ont-ils pris aux Celtes le lévrier ? Mais la question ainsi posée n'a pas de sens, puisqu'en Egypte il existait déjà un foyer précoce de lévriers, et les Romains avaient pu y trouver leurs premiers lévriers. Et finalement, on ne peut exclure tout à fait la possibilité que ce soit eux qui les aient procurés aux Celtes.

Dans les crânes de chiens, des anomalies dentaires sont apparues, semblables à celles des porcs, sauf l'absence de la P_1 inférieure et le sous-développement de la dernière molaire; en même temps, la M_3 inférieure et parfois aussi la M_2 furent repoussées vers la branche ascendante.

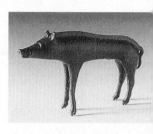

Comme on l'a déjà noté, la dispersion des volailles fut assumée par les Celtes ; malgré tout, leurs poulets étaient de petites bêtes primitives atteignant de 1 à 1,5 kilo. Les gros poulets améliorés soigneusement par des croisements avec les races grecques et mèdes, comme le rapporte Columelle, furent adoptés par les Romains dans toutes les provinces de l'Europe ; il est très possible que quelques couples soient parvenus chez les Celtes avant même la conquête romaine ; c'est ce que suggèrent les restes osseux sur les sites celtiques, ce qui n'est pas surprenant, même s'il était impossible de transporter des poulets en grande quantité. Leur nombre ne fut jamais très élevé, quelques millièmes de la population d'animaux domestiques. Le plus important est le fait qu'ils montrent la nature moderne de l'élevage celtique: le poulet n'est-il pas l'espèce pilote de l'élevage dans le niveau de vie moderne?

Statuette de sanglier de Praha Sárka (Boême) IIe-Ier siècles av. J.-C. Prague, Národní Múzeum

L'oie domestique a une longue histoire, mal connue parce qu'il est extrêmement difficile de distinguer ses restes de ceux des oies sauvages. On peut suivre la trace de ses ancêtres dans l'ancienne Egypte jusqu'à la deuxième moitié du IIIe millénaire av. J.-C., et en Asie Mineure jusqu'au IVe ou Ve millénaire av. J.-C. Les Romains ont sans doute élevé des oies très tôt, comme le montre l'histoire des oies du Capitole. Les Celtes eurent aussi des oies, et probablement de bonne qualité, puisque Pline mentionne leur importation depuis la Gaule Belgique. Néanmoins, les oies ne constituèrent pas une part importante de l'élevage celtique : même si leur dénombrement était possible, leurs effectifs restèrent toujours très bas parmi les races domestiques des établissements celtes. Pour imaginer les oies domestiques des Celtes, on peut seulement supposer qu'elles étaient plus petites que l'espèce sauvage dont elles avaient probablement conservé la couleur originelle.

Le cas des canards domestiques est encore plus difficile, et le nombre de leurs restes encore plus faible. La seule confirmation de la présence du canard domestique est son rôle dans l'imaginaire religieux.

Pour examiner les modes d'exploitation celtique d'animaux domestiques, on dispose de trois sources:
– les descriptions des auteurs anciens ;
– les représentations artistiques contemporaines ;
– les restes des animaux eux-mêmes.

Chacune de ces trois sources souffre des partis pris qui lui sont propres. Les auteurs anciens se référaient souvent à des renseignements de seconde ou même de troisième main, et aussi bien leurs informations que leurs

Fibule en argent représentant
une scène de chasse,
provenant
de Cañete de los Torres
(Espagne)
IIIe-IIe siècles av. J.-C.
Madrid, Museo Arqueológico
Nacional

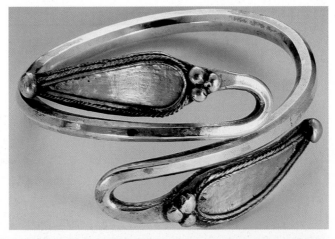

Bracelet en argent, provenant
du trésor de Guiaes
(Portugal)
IIe-Ier siècle av. J.-C.
Lisbonne, Museu Nacional
de Arqueologia

Coupe en argent, provenant
du trésor de Guiaes
(Portugal)
IIe-Ier siècles av. J.-C.
Lisbonne, Museu Nacional
de Arqueologia

449

*Statue en pierre d'un guerrier
et de son cheval
provenant
de Porcuna (Espagne)
IVᵉ-IIIᵉ siècles av. J.-C.
Jaén, Museo Provincial*

*tèle funéraire en pierre représentant
*n guerrier à cheval
*rovenant de Lara de Los Infantes
Espagne). Ier siècle av. J.-C.
urgos, Museo Arqueológico Provincial

haut à gauche
se de terre cuite peint de Roanne
oire)
emière moitié
Ier siècle av. J.-C.
anne, Musée Joseph-Déchelette

haut à droite
se de terre cuite peint de Roanne
oire)
lieu du Ier siècle av. J.-C.
anne, Musée Joseph-Déchelette

en bas à gauche
Vase de terre cuite peint du site de
Gellért-Tabán, Budapest (Hongrie)
Ier siècle av. J.-C.
Budapest, Törtenéti Múzeum

en bas à droite
Gobelet de terre cuite peint
d'Yverdon (Vaud)
Ier siècle av. J.-C.
Yverdon, Musée de Vieil-Yverdon

Pendentif en bronze ajouré
de Skryie (Bohême)
Ier siècle av. J.-C.
Krivoklát, Hradní Múzeum

Détail de la file de cavaliers
sur le chaudron de Gundestrup
(Danemark)
Première moitié du 1ᵉʳ siècle av. J.-C.
Copenhague, Nationalmuseet

Statuette de sanglier en bronze
de Báta (Hongrie)
IIᵉ siècle av. J.-C.
Budapest
Mayar Nemzeti Múzeum

Statuette de sanglier en bronze
de Salzburg-Rainberg (Autriche)
IIᵉ-1ᵉʳ siècles av. J.-C.
Salzbourg
Museum Carolino Augusteum

descriptions ont pu aisément être manipulées. Les artistes représentaient des animaux que parfois ils ne connaissaient pas bien ; n'étant pas éleveurs ils n'accentuaient pas des caractéristiques importantes ; de plus, n'étant pas toujours de bons artistes, ils ont laissé des représentations animalières de piètre qualité. En fait, les restes osseux semblent être les sources les plus fiables : matériel biologique de première main, le seul danger dans leur cas peut tenir à une évaluation incorrecte, et on doit être très prudent à cet égard.

"Ils se nourrissent principalement de lait et de toutes sortes de viandes, en particulier de porc frais ou salé." Cette courte remarque de Strabon révèle beaucoup sur l'exploitation des animaux domestiques, confirmée par l'étude détaillée des restes animaux, surtout par les traces de coups d'abattage portés aux différentes espèces.

Parmi les espèces celtiques, le cheval était la seule dont on ne consommait pas la viande ; cela doit sans doute être lié au statut spécial, privilégié, du cheval dans la société celtique. En fait, c'est l'un des plus anciens cas d'abstinence de viande chevaline dans le monde. Elle signifie probablement que l'homme ne voulait pas manger la viande de son plus proche compagnon d'armes, espèce en relation directe avec la déesse Epona. Ce statut spécial du cheval se remarque nettement dans les restes osseux. Le nombre d'os de chevaux dans les établis sements reste petit (les chevaux morts étaient probablement enterrés surtout à l'extérieur). La grande majorité des ossements nous sont parvenus complets et intacts, montrant rarement des marques de découpe. La plupart des animaux moururent ou furent tués dans leur âge adulte, mûr même ; les quelques sujets jeunes peuvent être morts de causes naturelles ou simplement de maladie.

Les chevaux étaient presque uniquement utilisés comme animaux de trait et de selle. Ainsi, ils servaient aux transports à longue distance, qu'ils avaient révolutionnés : au moyen du cheval, l'homme a réussi pour la première fois à accélérer le transport au-delà de sa propre vitesse. Comme animal monté, le cheval fut probablement utilisé seulement dans les classes supérieures et par les guerriers ; cependant, comme on l'a déjà noté, en raison probablement de la très petite taille des chevaux celtes, ce ne fut pas la cavalerie mais les chars qui eurent dans la guerre une importance réelle. Les Celtes ont souvent sacrifié des chevaux ; de tels sacrifices sont attestés à Gournay-sur-Aronde et à Ribemont-sur-Ancre, tous deux en France. En dépit du fait que les porcs furent généralement moins nombreux que les bovins dans les établissements celtes, plus de viande provenait de gros bétail, simplement parce que la quantité de viande d'un seul bœuf équivaut environ à celle de cinq porcs. Néanmoins, la fonction principale du bétail n'était certainement pas de fournir de la viande, car seulement environ 1/3 des bovins étaient tués dans leur jeune âge ou avant l'âge adulte, dans leurs trois premières années, au moment où il donne d'excellente viande. La majorité du gros bétail était utilisée pour le travail et pour la fourniture de lait. En fait, principalement les bœufs, mais aussi les vaches dans les petites fermes, étaient d'abord des animaux de trait, les "moteurs" de l'agriculture. Ils étaient parfaits pour tirer une charrue ou un chariot, à petits pas ; cependant pour des transports à longue distance, ils ne pouvaient rivaliser avec les chevaux.

atuettes votives
e pèlerins en
ois des sources
e la Seine
Saint-
Germain-Source-
eine (Côte-d'Or)
r siècle ap. J.-C.
Dijon, Musée
rchéologique

457

La production de lait était un secteur très important de l'exploitation des vaches. On ne saurait imaginer un énorme rendement en lait de la part de ces petites vaches primitives ; sur la base d'analogies établies avec les vaches primitives des Balkans et du Moyen-Orient, la quantité de lait produite quotidiennement aurait été de 2 à 4 litres. Outre le lait, on consommait aussi une quantité non négligeable de beurre et de fromage. Il ne faut pas oublier non plus le rôle des bovins dans les sacrifices de la religion celtique: dans des sanctuaires comme Gournay/A. (Oise) furent déposés des squelettes entiers ou des crânes en connexion avec des vertèbres.

Le porc est le seul animal dont on utilisait seulement la viande. Les Celtes exportaient de grandes quantités de porcs vers Rome et toute l'Italie. L'exploitation de la viande de porc apparaît clairement dans le fait qu'une grande partie des cochons des établissements celtiques étaient abattus dans leur jeune âge ; une petite partie seulement d'âge préadulte (de 2 à 3 ans) étaient gardés plus longtemps dans l'élevage. La plupart des mâles étaient tués jeunes ; pour assurer la reproduction, seules les femelles atteignaient l'âge de 2 à 3 ans avant d'être tuées. Parmi les adultes, les truies restaient en majorité variable.

Crâne allongé d'un lévrier

Le porc jouait aussi un rôle important dans le rituel : il était soit sacrifié, soit enterré avec un défunt, le corps entier, par moitié, ou le plus souvent les parties charnues ou les jambons avec les os (par exemple, dans quarante-neuf tombes de la nécropole celtique de Mátraszöllös, Hongrie). De plus, il est sûr que les figurines de verrats avaient une signification religieuse et protectrice.

On consommait aussi la viande de mouton, bien que certainement ce ne soit pas son rôle principale, ce dont témoigne le fait que seulement un tiers du troupeau était tué avant d'atteindre l'âge adulte. Le mouton était surtout élevé pour la laine, qui n'était sans doute pas de qualité fine, car elle était employée principalement pour faire des manteaux. La laine fine de mouton n'apparut en Europe centrale et occidentale qu'avec la conquête romaine. La production de lait et de fromage de brebis fut sans doute moins importante que celle de la laine. La preuve en est la proportion de 1 bélier ou mouton pour 2 brebis ; la forte proportion de mâles ne convenait pas pour la production du lait ; par contre, elle favorisait la production de la laine : en effet, la quantité de laine produite par les grands béliers et les moutons était supérieure à celle des brebis, relativement plus petites.

La production de viande de chèvre était nettement moins importante, puisque environ la moitié seulement des chèvres étaient tuées dans leur jeune âge. Les adultes étaient des producteurs de lait. On n'a pas de données sur les chèvres à long poil dans les régions celtiques, mais l'usage de peaux de chèvres était bien connu.

L'importance primordiale des chiens tenait aux services qu'ils rendaient. Ils étaient utilisés comme compagnons de chasse (dans ce but, selon Strabon,

les Celtes utilisaient des chiens importés de Bretagne et aussi ceux qu'ils dressaient eux-mêmes pour la guerre), comme bergers, comme chiens de garde, et enfin comme chiens de manchon. Malgré tout, on consommait aussi la viande des chiens au moins dans certaines régions, certaines tribus ou certaines classes. La preuve en est fournie par des os de chiens trouvés dans quelques sites : des marques de découpes bien visibles, qui allaient au-delà du prélèvement de la peau, doivent être considérées comme des marques de boucherie.

Pour finir, les volailles étaient élevées pour leur viande ; de plus, on exploitait aussi la ponte, bien que le nombre d'œufs ait été inférieur à celui produit par nos races modernes. En outre, des poulets étaient souvent déposés dans les tombes celtiques, soit comme offrandes, soit comme provisions pour le voyage dans l'autre monde.

En résumé, on peut affirmer que l'élevage celtique appartenait à la période finale de l'élevage primitif des temps préhistoriques. Malgré le fait que les espèces domestiques étaient tombées au niveau d'animaux dégénérés de taille réduite (phénomène qu'on pourrait observer de la même manière dans toute l'Europe et pas seulement dans les territoires celtiques, et par conséquent qu'un pourrait à bon droit imputer à une détérioration supposée du climat), l'élevage celtique portait déjà en germe la maîtrise des races. Cependant, une question reste ouverte : ces premières améliorations sont-elles le fruit du développement interne de l'élevage celtique ou les effets de celui, bien plus développé, d'animaux sélectionnés par les Grecs et les Romains ?

L'artisanat

Susanne Sievers, Radomir Pleiner, Natalie Venclova, Udo Geilenbrügge

Le bois

Du travail du bois témoignent les outils que l'on retrouve en nombre plus ou moins grand dans tous les *oppida* et aussi dans les habitats non fortifiés. On abattit donc les arbres avant tout à la hache, et on utilisa celle-ci ensuite, parallèlement au couperet, à la scie et aux coins, pour le découpage en poutres et en planches. Les possibilités d'assemblage du bois sont nombreuses. Ici aussi les outils restitués par les fouilles nous donnent une bonne vue d'ensemble. On utilisa le burin (à douille ?),

Pelle en bois de la mine de sel du Dürrnberg (Autriche) VIᵉ-IIIᵉ siècles av. J.-C. Salzbourg Museum Carolino Augusteum

le ciseau pour fabriquer les tenons et mortaises, le bédane pour les rainures et les gorges, la mèche à cuillère pour percer les poutres que l'on relia ensuite entre elles à l'aide de clous de bois. De longs clous puissants de charpentier et les clous du *murus gallicus* témoignent également d'assemblage de poutres. Des clous plus courts, dont les tiges sont incurvés, ainsi qu'une quantité d'agrafes en forme de bandeau indiquent des planches et leur épaisseur respective. Dans quelques cas, nous savons que les planches ont été reliés par des liens. Ces assemblages de bois sont connus, en dehors des constructions de maisons et de remparts mentionnés ci-dessus, pour l'édification de ponts, de chemins en madriers, de barrières, tonneaux, escaliers et métiers à tisser. On peut supposer qu'ils ont également servi pour le mobilier simple et pour les coffres. Dans ce contexte, il faut mentionner particulièrement la construction de chars celtes, dont l'importance dépassa les frontières régionales et engendra des formes particulières, qui en partie ont été adoptées par les Romains. Ainsi, par exemple, on distingue chars de combat, de voyage et de transport, d'où il ressort que le charronnage fut pour le marché terrestre d'une importance significative. La construction navale celte ne fut pas de moindre importance que celle des chars – rappelons les remarques de César sur la fiabilité de la flotte des Vénètes. Les navires de commerce, péniches et pirogues, sont attestés par l'archéologie, même si les cas sont rares et servaient, en

Pot en bois avec garniture de bronze de Carrickfergus Irlande Iᵉʳ siècle ap. J.-C. Belfast, Ulster Museum

dehors de la pêche et de la traversée des fleuve, avant tout au commerce. Si l'on considère les travaux compliqués des charrons et la construction navale, on en déduit qu'il y avait une spécialisation des métiers dans le travail du bois. Des outils comme le bédane ou la gouge font penser à des travaux plus précis, comme le tournage du bois ; quelques rares récipients entiers (coupes) ont été conservés de temps à autre. D'autres

onstruction de troncs du type
*blockhaus" du site de Hallstatt
(Autriche)
*ᵉ siècle av. J.-C.
*Iallstatt, Museum

*Inhumation dans une barque
de bois de Chateney-Macheron (Haute-Marne)
IIᵉ-Iᵉʳ siècles av. J.-C.
Saint-Germain-en-Laye
Musée des Antiquités nationales*

récipients en bois (seau, pot) peuvent être reconstituées à l'aide des ferrures. En règle générale furent exécutés en bois de poignées de toutes
sortes, des hampes de lance et des manches de couperet ainsi que les boucliers, jougs et charrues. Comme dans les cas précédents, seules nous sont
parvenues les parties métalliques, ou ferrures.

Une place importante est occupée par la vannerie, qui a dû jouer un
grand rôle, par exemple pour les chars de voyage mais aussi dans la vie
quotidienne (paniers). Ce n'est que par des hasards heureux que nous
ont été transmis les décors finement gravés ou même des animaux et
figures d'hommes sculptés. Ceux-ci nous donnent une idée de l'immense
lacune dans notre connaissance de la
vie quotidienne des Celtes en raison de
la fragilité du bois. S.S.

*atuettes votives
*e pèlerins en
*ois des sources
*e la Seine
*Saint-Germain-
*ource-Seine
*Côte-d'Or)
*ʳ siècle ap. J.-C.
*Dijon, Musée
*rchéologique
p. 456*

Les textiles

Les échantillons textiles issus des fouilles sont rares en raison des fréquentes mauvaises conditions de conservation du matériel organique. Cela concerne particulièrement l'époque de La Tène tardive, où, dans la majeure partie de l'Europe, manquent totalement les inhumations de corps dans lesquelles tissus et parties métalliques conservées sont juxtaposées. La plupart du temps ne sont conservées que d'infimes particules de tissus qui collent aux restes métalliques. Leur état de conservation est généralement si mauvais qu'il est difficile de préciser de quel des deux matériaux principaux – laine ou lin – il s'agit. En revanche, nous sommes souvent en mesure de savoir s'il s'agit d'un élément filé à gauche ou à droite, ou d'un fil simple ou retors. La technique de tissage elle aussi est souvent reconstituable, ainsi il faut distinguer entre les armures horizontale, verticale et sergé. Cette dernière donne au tissu une structure à dessin. On a pu remarquer que dans quelques régions à des époques précises, certaines armures ont été privilégiées. Concernant l'époque de La Tène, cela signifie que l'on a fabriqué en France et en Suisse avant tout une armure dite 212 de laine croisée. En Allemagne, Autriche, Tchécoslovaquie et Hongrie prévalait cependant l'armure horizontale. Par opposition à l'époque de Hallstatt, il est quasiment impossible de trouver du retors à l'époque La Tène, par conséquent il a été possible de tisser des étoffes fines en lin avec un fil simple.

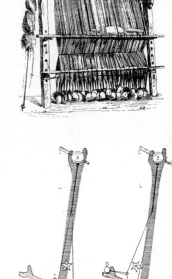

Type de métier à tisser utilisé par les Celtes

Nous connaissons en Tchécoslovaquie des restes d'ourlet de robe faite d'un tel lin et brodée de fil rouge. Dans les sources écrites, on cite, en tant que produit avant tout du tissage de lin, des robes de femme mais aussi des voiles et des coussins. Nous renseignent sur la fabrication du textile non seulement les échantillons de tissus eux-mêmes, mais aussi les outils nécessaires à celle-ci, qui partiellement figurent dans les matériaux issus des habitats de l'époque de La Tène. Hormis le fait qu'il est facile à prouver l'existence d'un élevage de moutons, et par conséquent la production de laine, grâce aux ossements d'animaux présents dans les restes d'habitat, de nombreuses fusaioles et de rares fuseaux en os témoignent de la filature, des poids de tisserands pyramidaux pour tendre les fils de chaîne nous confirment l'existence du métier à tisser vertical en bois tel qu'il est connu depuis l'Age du Bronze. A cela s'ajoutent rarement des peignes et navettes de tisserands, dans lesquelles on fixait à l'aide d'un axe tournant en métal un fuseau fait de bois ou d'os. Enfin, des aiguilles de couture en fer que l'on trouve en grande quantité dans les *oppida,* de tailles différentes, servaient à ourler, à coudre et à broder, à repriser et à

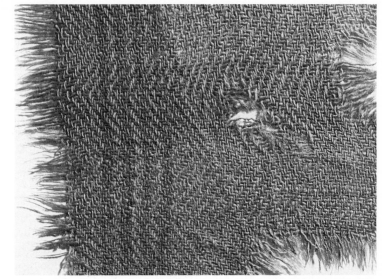

Fragment de tissu
de laine trouvé
dans la mine de
sel de Hallstatt
(Autriche)
VIIIe-IIIe siècles
av. J.-C.
Vienne
Naturhistorisches
Museum

Fragment d'un
vêtement en tissu
de laine trouvé
dans la mine de
sel de Hallstatt
(Autriche)
VIIIe-IIIe siècles
av. J.-C.
Vienne
Naturhistorisches
Museum

raccommoder les tissus confectionnés. Les auteurs antiques décrivent à plusieurs reprises le costume celte : ils citent tous le chiton, ou chemise ouverte, le manteau et le pantalon large pour les hommes. Le manteau doit être mentionné en particulier, car de toute évidence il représentait un produit très convoité par les autres peuples et était l'objet d'un commerce. On peut supposer une spécialisation du métier. La préférence pour des couleurs vives distingue le costume celte. Ainsi, on cite les tissus rayés verticalement ou à carreaux pleins de couleurs. On mentionne aussi le port généralisé chez les nobles, d'habits colorés aux extraits végétaux et brodés d'or. Ainsi, quelques éléments, documentés ou reconstitués, si rares soient-ils, nous renseignent sur un des métiers celtes les plus importants, dont l'impact commercial aussi n'est pas négligeable ; en outre, ces restes textiles nous donnent une image plus précise de la vie quotidienne et de l'apparence des Celtes.   *S.S.*

Le travail du bronze

Une première remarque s'impose : les études consacrées aux métiers de La Tène tardive accordent davantage d'attention au travail du fer qu'à celui du bronze. Une des raisons tient au fait qu'à l'Age du Fer la technique du bronze développée dans les siècles précédents a peu évolué, une autre raison réside dans l'utilisation du bronze à l'époque de La Tène tardive principalement à des fins d'ornementation. De ce fait, les analyses stylistiques l'emportent généralement. Toutefois, la plupart des *oppida* fournissent de nombreuses preuves de la production d'objets en bronze. Des fourneaux pour la fonte du cuivre, en partie pourvus de tuyères en terre cuite, mais aussi des scories et creusets démontrent que le bronze a été fabriqué sur place au lieu d'être exclusivement importé sous forme de petites barres longitudinales. Pour le traitement du bronze, il faut distinguer entre la fonte et le martelage. Pour le martelage, il fallait une plaque de bronze comme produit de base et une masse, ainsi que différents marteaux. A l'aide d'un système compliqué de sens différents du martelage, il était possible d'obtenir des tôles très fines, régulières et en partie bombées. Comme produit fini, on peut citer les casques, les trompettes de guerre, des lames d'épée et des ferrures de toute sorte. La fabrication de vaisselle en bronze occupa également une place importante ; des ornementations, souvent une combinaison de cercles et de protubérances, y furent gravés. L'assemblage des parties de tôle mais aussi la réparation étaient réalisés au moyen de rivets ou d'agrafes ; à l'aide de soudures en étain ou par fusion, on réussissait à assembler les tôles ainsi que les parties coulées. Pour la fonte du métal, on préférait comme dans le passé la coulée à cire perdue. Une fois le moule en cire de l'objet souhaité enveloppé de terre réfractaire, on faisait fondre la cire et on versait le bronze liquide. Pour obtenir le produit fini, il fallait casser le moule, de cette

façon on obtenait des objets très ressemblants, mais jamais identiques. Dans ce cas, on utilisait des moules en deux parties d'argile ou de pierre. Il était cependant préférable de travailler avec des formes en cire pour des pièces compliquées. Dans ce contexte, il faut parler de la "fonte de rattachement". Comme l'indique le nom, dans ce cas on enveloppe avec de la glaise une pièce finie rattachée partiellement à une forme en cire, puis on procède de la manière habituelle pour la fonte à cire perdue; de cette manière peuvent aussi être rattachées des parties de fer et de bronze. La fonte composite indique en revanche l'assemblage de deux parties métalliques où le point de soudure est rempli de métal liquide. D'une

Creusets de terre cuite pour la fusion du bronze de Náklov (à gauche) et Mistrín (Moravie) IVᵉ-IIIᵉ siècles av. J.-C. Brno, Moravské Múzeum

*Bracelets
de bronze ornés
par la technique
du faux filigrane
de Mikulcice
(Moravie)
IIIe siècle
av. J.-C.
Brno, Moravské
Múzeum*

*Éléments
de ceinture
en bronze
de Kozlany
(Moravie)
IIIe siècle
av. J.-C.
Brno, Moravské
Múzeum*

*Chaîne de
ceinture en bronze
avec incrustations
d'émail rouge
de Telce (Bohême)
IIIe siècle av. J.-C.
Prague, Národní
Múzeum*

manière semblable, on utilise également la soudure en cuivre pour assembler des parties isolées de fer. Souvent les objets finis étaient achevés ou décorés au tour, procédé clairement établi par les traces du tour. Les décorations sur les produits coulés ont été exécutées à l'aide de poinçons, de limes et de compas, ainsi que de forets pour les *oculi*. En complément, la couleur fut ajoutée à ce répertoire d'ornements par des incrustations d'émail rouge. Parmi les objets de fouilles fréquents réalisés par un procédé de fonte, on trouve des anneaux passe-guides, des anses et des poignées, des miroirs, fibules, ceintures et autres objets personnels.

L'importance des métiers liés au travail du bronze dans les différents habitats n'est que faiblement perçue à travers les trouvailles d'objets en bronze – ceux-ci auraient pu être fabriqués ailleurs –, mais davantage à partir des résidus de la fabrication ; ainsi nous connaissons en plus des débris de fonte mentionnés ci-dessus, des fragments de moules en terre comportant des empreintes, des marques qui permettent de concevoir l'objet coulé ainsi que des moules en pierre qui nous livrent une image exacte. Dans quelques cas se sont conservés des produits à demi finis, mais la plupart du temps, nous ne disposons que d'une grande quantité de déchets de tôle ainsi que des bâtonnets, des fils métalliques, ou des gouttes de métal fondu. Très rarement, on trouve trace d'outils ayant servi exclusivement au travail du bronze.

La fabrication de lames d'épées, de casques, de récipients en bronze était réservée à des ateliers spécialisés, qu'on a pu recenser de nos jours. Les métiers du métal ont en partie été rassemblés en quartiers, situés à proximité soit des portes des *oppida,* soit de l'une des voies principales. On peut présumer que les réparations et la production d'objets simples, d'utilisation quotidienne, ont eu lieu dans presque tous les habitats et en étroite liaison avec le travail du fer, prédominant à l'époque.　　*S.S.*

Le travail du fer

Le développement rapide de l'artisanat et particulièrement celui du fer, est une des plus importantes caractéristiques de l'économie des Celtes entre le IVe et le Ier siècle av. J.-C. En dépit d'une adoption relativement tardive par rapport à l'Europe méridionale et sud-orientale, le développement de cette industrie s'est accélérée en raison non seulement des compétences du peuple celte, mais aussi de l'influence, en particulier pendant la grande expansion celte, de ses voisins méridionaux plus experts.

L'archéologie fournit la principale preuve de ce processus. Si on ne sait pas encore quand a commencé la production de fer celte, l'apparition soudaine de multiples armes en fer (épées longues, lances, boucliers) et autres objets trouvés dans des tombes de guerriers des IVe et IIIe siècles marque le début de la production du fer à une assez grande échelle. Malgré la critique faite au sujet de la mauvaise qualité des épées celtes de

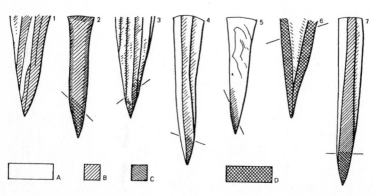

Fabrication de lames de couteaux des oppida celtiques d'après le résultat des analyses métallographiques
A : fer forgé
B : acier tendre
C : acier dur
D : acier trempé
Les lignes latérales indiquent le niveau du bain de température
Provenances :
1 : Steinsburg
2, 4, 6 : Staré Hradisko
3 : Stradonice
5 : Závist
7 : Hostyn

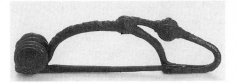

Fibules de fer à ornement travaillé de Conflans (Marne)
Ier siècle av. J.-C.
Troyes, Musée des Beaux-Arts

la fin du IIIe siècle av. J.C. (Polybe, 2, 33, apparemment d'après Q. Fabius Pictor), les travaux récents ont révélé que la majorité des armes analysées étaient des armes efficaces, aux lames d'acier, parfois fabriquées au moyen de techniques sophistiquées.

L'apparition de lingots de fer à deux pointes et de barres de fer en forme d'épée, déjà attestées au Ve siècle et au cours du Ier siècle av. J.-C. (*oppidum* de Manching), constitue un autre témoignage indirect. Hormis ces découvertes datées, on connaît plus de sept cents lingots déposés dans des trésors à la chronologie incertaine qui se localisent juste au centre du pays d'origine des Celtes. Pour les périodes plus anciennes, on ne connaît que de rares sites de fonte du fer. Mais c'est aux Celtes qu'on attribue d'importants centres d'exploitation datés des IIe et Ier siècles av. J.-C. (en Suisse, Allemagne de l'Ouest, Bavière, Burgenland, Bohême). De plus, les énormes dépôts de scories datés de l'époque gallo-romaine en France peuvent peut-être englober les traces d'une production plus ancienne. Malheureusement, la plupart d'entre elles furent détruites plus tard par l'exploitation industrielle. Néanmoins, il semble que les Celtes aient créé les premiers secteurs de production européenne travaillant intensément sur une grande échelle. Dans ces zones, des mines à ciel ouvert ou souterraines furent exploitées, selon le témoignage de César (B.G., 7, 22) et de Strabon (4, 2, 2), en Gaule (Bituriges, Sociati, Petrocorii), et de Tacite (*Germ.* 43), dans l'Est (Cotini).

Carte de répartition des différents types de lingots de la fin de l'époque hallstattienne et de l'époque laténienne

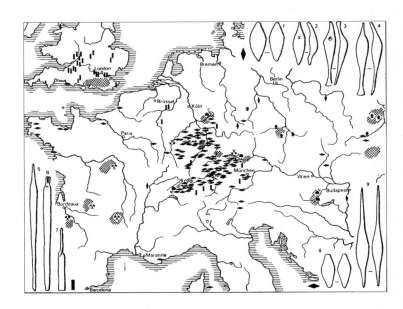

467

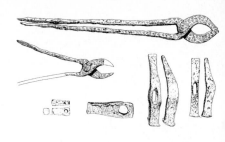

Outils de forgeron
de Nikolausberg (Autriche)
IVe-IIIe siècles av. J.-C.
Salzbourg
Museum Carolino
Augusteum

Outils de forgerons
de l'oppidum
de Manching (Bavière)

Bracelets de fer finement
travaillés de Ponetovice
(Moravie)
IIIe siècle av. J.-C.
Brno, Moravské Múzeum

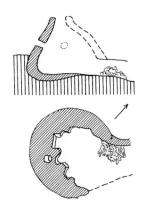

Petite enclume de
Nikolausberg (Autriche)
IVe-IIIe siècles av. J.-C.
Salzbourg
Museum Carolino Augusteum

Four celtique à coupole
d'Unterpullendorf en Autriche
(à gauche) et four celtique enterré
de Podborany (Bohême)

468

Les Celtes utilisèrent deux types fondamentaux de fourneaux. Le premier modèle était constitué d'une grande
voûte (100 à 120 cm de diamètre). Son principe technologique, malgré quelques tentatives de reconstitution,
n'est pas compris en détail (comment s'effectuent
l'approvisionnement en air du volumineux minerai et la
fournée du charbon de bois ?). Le fourneau dit "trou à
scories" est complètement différent : il est constitué d'un
puits en forme de marmite qui reçoit les scories, et d'une
superstructure avec conduit d'air d'une hauteur de 70 à
100 centimètres. Ce type est attesté à la fin de La Tène
dans les régions de l'Est. Il peut être d'origine pré-cel-
tique. Les deux types de fourneaux ont produit du fer
spongieux, carburé de facon hétérogène. Ce fer devait
être réchauffé dans des foyers spéciaux et reforgé en lingots d'environ 2,5 kilos. Cela était associé aux pertes
considérables de fer fondu.

Dans la dernière période (au Ier siècle av. J.-C.), les
Celtes ont fabriqué plus de 90 sortes d'objets de fer
façonnés, dont des outils d'artisan, des outils agricoles,
de l'équipement domestique et du fer de construction.

De larges productions proviennent des *oppida* qui devinrent des centres de production et de commerce (Bibracte, Manching,
Magdalensberg, Stradonice, Starè Hradisko, Steinsburg et d'autres). La
qualité de la plupart des outils tranchants était excellente, comme l'attestent une fois de plus les analyses pratiquées sur une centaine de spécimens provenant des *oppida*. Des techniques complexes qui impliquent la
difficile soudure à chaud du fer forgé et l'acier au carbone, destinée à
l'arête tranchante, témoignent de l'habilité des premiers artisans. Le dur-
cissement de l'acier par trempage du métal a commencé à se répandre
largement. La proportion de lames de fer forgé, de qualité inférieure,
a baissé de 15 à 30 % dans le monde celtique d'Europe centrale.

Les objets de fer façonnés, de qualité inférieure, fabriqués dans les
oppida et d'autres endroits importants sont restés dans le pays. Le commerce à grande distance est attesté sur le sire de Magdalensberg en
Carinthie, l'ancienne Noricum. Le *ferrum noricum* était célèbre chez les
auteurs anciens (par exemple Pline, 34, 41). Ainsi, les premiers fondeurs
et les premiers forgerons celtes furent les fondateurs de la grande tradition européenne de la sidérurgie.   *R.P.*

*Détail du décor
incisé du fourreau
de fer de
Basadingen (Suisse)
IIe siècle av. J.-C.
Zurich
Schweizerisches
Landesmuseum*

*Morceau de verre
brut, de couleur
violette, de
l'oppidum de
Manching
(Bavière)
Fin IIe-Ier siècle
av. J.-C.
Munich
Prähistorische
Staatssammlung*

Le travail du verre

Parmi les ornements celtiques de deux derniers siècles
avant notre ère, les objets de verre occupent une place
prépondérante en raison de l'attrait d'une extraordinaire
variété de couleurs et de finitions élégantes. Les premiers
produits verriers d'origine celtique ont fait leur

Bracelet de verre, de la tombe n° 1
de Berne-Weissenbühl
Fin du IIIe-début du IIe siècle
av. J.-C.
Berne, Historisches Museum
• p. 521

Brassard de verre
de Tursko
(Bohême)
Seconde moitié
du IIIe siècle
av. J.-C.
Prague, Národní
Múzeum

apparition dans les tombes de femmes datées du milieu du IIIe siècle av. J.-C. Ce sont des bracelets de verre aux différentes couleurs, parmi lesquelles le bleu est particulièrement prisé. L'industrie du verre celte doit provenir d'un des centres de production d'Europe méridionale, où cet artisanat est de tradition ancienne. Des expéditions celtes en Méditerranée peuvent l'expliquer. Les Celtes ont donc apporté une contribution unique à l'art du verre, car ils ne se contentaient pas de copier tout simplement mais ils développaient et transformaient les modèles de base avec un degré de créativité exceptionnel. Jusqu'à présent, il n'a pas été prouvé que la première phase de cet artisanat, à savoir la fabrication du verre brut, soit propre à l'Europe celtique. Jusqu'à présent, le matériel archéologique comme les fourneaux pour le verre et les réserves de matières premières n'a pas encore été mis au jour. Théoriquement, le verre brut a pu être importé. En revanche, pour la seconde phase (le travail à partir du verre brut), les découvertes de morceaux de verre brut et

Bracelets de verre coloré de la tombe n° 533 de Mihovo (ex-Yougoslavie) IIe siècle av. J.-C. Vienne Naturhistorishes Museum

tout particulièrement de produits spéciaux attestent bien qu'il s'agit d'objets produits en pays celte. En ce qui concerne le travail du verre dans l'Europe préromaine, les bracelets celtes sont les premiers produits connus. Les ornements en verre produits antérieurement se composent d'articles tels que petits colliers, pendentifs, petits anneaux, épingles à cheveux, etc. Alors que les produits du IIIe siècle av. J.-C. sont bleu-vert, bleu clair ou bleu foncé, ceux du IIe siècle sont typiquement bleu de cobalt foncé, fréquemment additionnés d'une décoration jaune et blanche ; plus tard, ils sont de marron miellé, vert ou même totalement incolores. La dernière teinte, utilisée surtout au II^{er} siècle av. J.-C. est violet-pourpre. Du point de vue chimique, le verre celte se compose de soude, de chaux et de silice ; la couleur est obtenue à partir d'un mélange de cuivre, de fer, de cobalt et de manganèse. Le développement

Fragments de bracelets de verre coloré de l'oppidum de Stradonice (Bohême) IIe-Ier siècles av. J.-C. Prague, Národní Múzeum

Perles de verre polychrome de l'oppidum de Stradonice (Bohême) IIe-Ier siècles av. J.-C. Prague, Národní Múzeum

Bracelets de verre coloré de tombes de Berne et des environs IIIe-IIe siècles av. J.-C. Berne Historisches Museum

morphologique des bracelets de verre atteste les changements de mode. Aux premiers types d'articles très variés succédèrent au IIe siècle de multiples exemples exécutés avec de magnifiques reliefs, qui à leur tour cèdent la place aux bagues étroites et assez simples du Ier siècle av. J.-C. A compter de la seconde moitié du IIe siècle environ, un autre type de produit fait son apparition, à savoir des perles massives fabriquées avec la même technologie et dans les mêmes couleurs que les bracelets de verre tout en portant un répertoire de décoration totalement différent. D'autres produits ont pu être fabriqués par des ateliers celtes : certains types de perles, de pendentifs ou même des figurines. On a même suggéré la possibilité d'une production expérimentale de récipients en verre. Pour conclure ces propos, rappelons la nécessité de démonstrations fondées sur des études chimiques et technologiques des différents objets de verre. Le repérage des ateliers de fabrication n'est pas chose facile. Des découvertes de verre brut, une forte concentration de matériaux, une diffusion locale ou régionale de produits finis bien définis en sont les principaux indices. Ces critères laissent supposer que d'innombrables ateliers existaient déjà au IIIe siècle av. J.-C. sur de multiples sites connus pour la fabrication d'objets de verre aux IIe et Ier siècles av. J.-C. Certains ateliers se situaient dans les *oppida*, centres de production et d'échange (Manching en Bavière, Stradonice en Bohême) ou encore sur des sites non fortifiés mais importants par leur activité industrielle (Breisach-Hochstetten dans le Bade-Wurtemberg ?). A partir de l'Europe centrale (Suisse, sud-ouest de la Slovaquie), l'art du travail du verre gagne peu à peu toute l'Europe celte.

Figure de chien en verre polychrome de la tombe n° 31 de Wallertheim (Rhénanie) IIe siècle av. J.-C. Mayence Mittelrheinisches Landesmuseum

L'artisanat celte du verre est à l'apogée de la production européenne préromaine par la masse et la remarquable qualité des productions. En outre, le verre obtenu supporte les comparaisons avec certains de nos produits actuels.   *N.V.*

La céramique

L'invention du tour de potier au début de l'époque de La Tène a complètement transformé la technique de la céramique. Certe découverte a permis de passer d'une production réservée à la consommation locale, en petites quantités, à une production de masse, destinée au commerce. Jusqu'alors, les vases étaient fabriqués à partir de boudins d'argile, empilés pour former les parois des récipients. Les fissures étaient aplanies pour parvenir à un travail soigné. Ce procédé demandait du temps, et de plus, les vases étaient sensiblement asymétriques. Le tour a remédié à ces inconvénients. La nouvelle technique se reconnaît surtout sur la paroi interne du vase aux légères

Vase en terre cuite peinte de Goicent (Loire) Fin du IIe-début du Ier siècle av. J.-C. Roanne, Musée Joseph-Déchelette ● p. 522

cannelures qui se forment lorsque l'on tire en bauteur la masse d'argile lors du façonnement du vase. Avant de monter la céramique, l'argile brute doit être soigneusement préparée. Lorsqu'elle est mélangée à certaines substances organiques, l'argile devient plus élastique, et la cuisson se réalise sans difficulté. Ces ingrédients supplémentaires qui permettent d'obtenir la consistance de l'argile sont généralement d'origine locale et donnent aux archéologues des possibilités de définir ainsi les lieux de production.

La poterie était cuite dans des fours verticaux assez grands et divisés en deux chambres par une large plaque perforée. La chambre inférieure pour la combustion ; la chambre supérieure, elle, regorgeait de pots fraîchement moulés er prêts à la cuisson. En régulant l'appel d'air, la cuisson

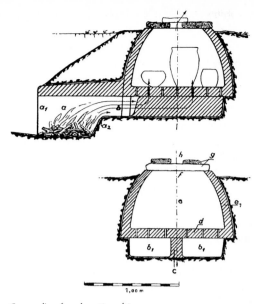

Coupes d'un four de potier celtique

se faisait en atmosphère oxydante ou réductrice er la couleur de l'argile cuite pouvait être modifiée. Il n'est pas nécessaire de déterrer ces fours pour prouver leur existence, car la présence de ratés de cuisson ou de tout appareil servant au chargement du four est une preuve suffisante.

Pour ce qui est de la configuration des vases, dès le début de La Tène on peut observer une différenciation d'ordre géographique. A l'Ouest, les vases présentent un profil anguleux ; et à l'Est, une forme arrondie. Dans l'évolution du temps, les deux styles se rapprochèrent, mais ils ne se sont jamais confondus. La fouille de l'*oppidum* de Manching, en Bavière, a fourni un bon exemple de la production de céramique ; sur ce site, la recherche a obtenu d'excellents résultats grâce à des années de fouilles et à des publications détaillées.

Au cours de La Tène moyenne, vases et flacons conservent une forme marquée en S, avec la moitié supérieure ondulée ou soulignée de rainures. Au cours de La Tène finale, ces caractéristiques disparaissent pour laisser place à des profils plus simples et à des parois plus lisses ; dans l'ensemble, les derniers vases tendent à être plus arrondis. Les productions de Manching trouvent des parallèles en Bohême et en Moravie, aiors que le matériel de l'*oppidum* de Bâle Gasfabrik et l'habitat de Bâle-Münsterhügel, qui lui a succédé dans le temps, se rapproche davantage du style occidental. Les vases élancés au contour plus simple prédominent, tout comme les gobelets et les vases à provisions ordinaires que l'on trouve aussi dans des sites français.

Les produits peints de La Tène moyenne et finale représentent sans aucun doute les types de poteries les plus intéressants. Jusqu'à présent, on ne sait pas si cette gamme constitue un développement des produits peints du début de La Tène trouvés en Armorique et en Champagne ; cependant, on peut noter certaines corrélations stylistiques avec la poterie méditerranéenne. La couleur rouge et la couleur blanche dérivent de minéraux locaux ajoutés à l'argile liquide appliquée sur le vase, comme couleur de fond, en bandes horizontales de largeurs différentes et qui se coloraient uniquement après la cuisson. Parfois, une couleur marron était ajoutée par la suite. Les motifs les plus répandus incluent des vagues, des hachures et des carreaux, mais certains vases comportaient des motifs végétaux et des courbes. Les produits de cette qualité peuvent uniquement être l'œuvre de spécialistes en possession des connaissances techniques nécessaires. Un type particulier de produits trouvés dans la région orientale est fait d'argile mélangée à du graphite, qui lui confère un aspect brillant, un fini argenté donnant l'illusion du métal. En termes pratiques, cependant, ce mélange a rendu les vases plus résistants et a augmenté leur conductibilité à la chaleur, si bien que les céramiques de ce type étaient principalement utilisées comme ustensiles de cuisson. Cela fut prouvé par la découverte de traces de nourritures brûlées sur les tessons de ce type de poterie.

Bien que la poterie graphitée soit connue au début de la Tène, la production en masse ne commença qu'à l'époque des *oppida*. Les vases étaient décorés à l'extérieur par des rainures parallèles très étroites, dites décor au peigne. Au cours du temps, les rainures devinrent de plus en pius légères. Les motifs imprimés à la base de la poterie graphitée restent encore mystérieux ; parfois ils ont la forme d'un pied de poule et peuvent représenter l'estampille du potier ou quelque indication de son lieu de production. On remarque tout au long de la période de La Tène une extension progressive de l'utilisation du tour de potier, mais, d'un autre côté, subsistent encore des *dolia* ou de grands récipients destinés au stockage des aliments qui ne peuvent être tournés en raison de leurs dimensions.

Avec le début de l'occupation romaine, peu après le début de notre ère, malgré sa riche tradition, toute la production de poterie celtique cesse pour être remplacée par des produits d'une culture plus évoluée et ayant un système de production de masse plus avancé.

U.G.

La monnaie

Hans-Jörg Kellner

A partir du IIIe siècle av. J. -C sous l'influence de la culture méditerranéenne, le monde celtique connaît un développement constant de son économie monétaire : celle-ci, vers la fin du IIe et durant le Ier siècle av. J.-C., atteint son point culminant. Naturellement cette économie monétaire concerne surtout les centres, grands et petits, tandis que la campagne reste attachée dans une large mesure au troc. Mais aujourd'hui, il n'existe pas de panorama général de ce processus. Une synthèse de la numismatique celtique reste à faire à partir des apports régionaux et du jeu des hypothèses.

Deux courants principaux sont à l'origine du mouvement qui aboutit à la frappe de monnaies dans le monde celtique, et tous les deux sont issus des frappes macédoniennes de la fin du IVe siècle. A l'époque, en Macédoine, la pièce courante en or était le statère à 8,3 grammes, et en argent la drachme à environ 4,3 grammes, ainsi que son quadruple, la tétradrachme. Par les Balkans arrivèrent la tétradrachme de Philippe II et le statère d'Alexandre le Grand, avec Athéna Nikê sur l'avers. Par l'embouchure du Rhône, le statère de Philippe avec la tête d'Apollon sur l'avers et le Bige au revers parvint en Gaule et y fut imité ; parallèlement se divisa la drachme de Rhodes au sud de la Gaule, elle fut imitée de différentes façon et se répandit comme modèle loin dans le Nord-Est. Les monnaies à la croix de l'Allemagne du Sud et de Norique sont des variantes qu'on trouve dans l'Est. Les drachmes de Marseille prirent un autre chemin er se propagèrent le long de la côte ligure, elles furent copiées de multiples manières dans l'Italie septentrionale.

On interprète de plusieurs façons l'imitation de la monnaie par les Celtes. Ceux-ci furent des mercenaires appréciés dans le monde méditerranéen hellénistique, et on présume qu'ils rapportèrent les premières pièces de retour dans leur patrie. Assurément, dans un premier temps, ce qui importait, ce fut le métal précieux ; c'est pourquoi on ne trouve que rarement les originaux macédoniens et les premières copies. Dans cette première phase, les pièces n'étaient pas utilisées pour le paiement, mais comme source de métaux précieux, et servirent en majorité à la thésaurisation et comme offrande. Ces soldats démobilisés apportèrent d'autres acquisitions culturelles dans le monde celte. Ainsi naquit avec la création de centres urbains un courant d'échanges vivant avec les régions méditerranéennes classiques er parmi les peuples celtes. Les nombreux déplacements de ces derniers amenèrent d'autres connaissances à propos des cultures méridionales et aboutirent à un certain rapprochement. Tout cela provoqua donc des émissions et des échanges monétaires, mais l'économie joua également un rôle qui ne fut pas négligeable.

Les rares découvertes de cette époque ne donnent pas d'explication sur les imitations. On pourrait presque croire que le chemin direct par les Balkans a provoqué des imitations avant celui qui menait de la Méditerranée à l'Ouest. Les premières émissions datent du début du IIIe siècle et étaient proches de leurs modèles dans la mesure où les conditions le permettaient. Ce n'est que dans une deuxième phase que l'activité de frappe s'accéléra, le nombre des monnaies augmenta et la présentarion fut de plus en plus différenciée. S'y ajoutèrent également des nouvelles créations, sans modèles ciassiques mais qui s'inspiraient de ceux-ci. Ainsi se formèrent des régions de frappe, à l'intérieur desquelles on produisit et fit circuler des pièces régionales. De temps en temps, on reconnaît des centres locaux autour desquels se dèveloppa une zone d'émission. Faute de sources écrites et sans légende monétaire, nous n'avons la possibilité de reconnaître ces régions que par les cartes de répartition. Comme dans le monde celtique eurent lieu des échanges actifs, les pièces elles aussi ont beaucoup circulé : ainsi, certaines frappes en or, comme les *Regenbogenschüsselchen* (coupelles à l'arc-en-ciel de l'Allemagne du Sud), furent retrouvées loin de leur région d'origine. Pour cette raison, les pièces d'argent, les monnaies divisionnaires, les émissions de basse valeur qui ont avant tout servi aux paiements locaux sont particulièrement désignèes pour définir les régions d'émissions. Elles se sont d'autant moins éloignées de leur lieu d'origine que leur valeur érait faible. Ces régions de frappe, bien délimitées, nous apprennent à quelle tribu ou à quel peuple les emissions peuvent être attribuées. Jadis, il est arrivé que ces attributions aient été faites de façon trop rapide, si bien qu'il est nécessaire de réviser ou de mettre en question certaines d'entre elles. Même s'il n'est pas possible de présenter ici la diversité des monnaies celtes, dont on ne trouvera qu'un petit échantillon, certains groupes importants doivent être mentionnés. Les métaux ne furent pas utilisés de la même façon pour la frappe dans toutes les régions. Inspirée par les modèles des colonies grecques dans l'Espagne du Nord-Est et de Marseille, la monnaie d'argent règne en maître dans le sud de la Gaule. Les Tectosages qui habitaient cette région ont repris les types de Rhodes et fait de la rose à quatre feuilles une croix avec, dans les angles, des ornements différents. Il est difficile de préciser si la diffusion de ce type "à la croix" en Allemagne du Sud et dans le Norique repose

Avers et revers d'un statère d'or des Séquanes IIIe-IIe siècles av. J.-C. Paris Bibliothèque nationale Cabinet des médailles

ci-contre
Avers et revers d'un statère d'or des Ambiens IIe siècle av. J.-C. Zurich Schweizerisches Landesmuseum • p. 523

Avers et revers d'un statère d'or des Bituriges I^e-IIe siècles av. J.-C. Zurich, Schweizerisches Landesmuseum	*Avers et revers d'un statère d'or de mauvais aloi des Coriosolites Ier siècle av. J.-C. Zurich, Schweizerisches Landesmuseum*	*Avers et revers d'un statère d'or de la Gaule Orientale IIIe-IIe siècles av. J.-C. Zurich, Schweizerisches Landesmuseum*	*Avers et revers d'une tétradrachme d'argent de Philippe II de Macédoine (359-336 av. J.-C.) Zurich, Schweizerisches Landesmuseum*

sur des mouvements de peuples ou sur des relations mercantiles. La drachme de Marseille se propagea peu vers le nord, mais davantage vers l'Italie septentrionale, où elle fut imitée de différentes façons ; elle y couvrit une large région monétaire qui rayonna peu vers le nord. Selon le témoignage des pièces, le marché direct du sud au nord, en passant par les centre des Alpes, n'a pas joué un très grand rôle pendant le Ier et le IIe siècle av. J.-C. Le statère d'or de Philippe influença la frappe locale du sud-ouest de la Gaule (Biruriges, *Vivisci*) jusqu'au milieu et au nord du pays. Ce faisant, naquirent des transformations et de nouvelles créations extraordinaires, et la teneur en or se réduisit à un minimum. Le caractère très particulier de l'imagination celte apparaît dans certaines transformations du modèle d'origine. Une variante particulière se développa dans la Gaule du Nord-Ouest, avec, sur le revers, le cheval isolé du bige doté d'une tête d'homme. Pour certaines frappes (par exemple chez les Ambiens), le visage est plus ou moins réduit à l'avantage d'une représentation ornementale du diadème et des cheveux. Avec l'instauration de la Gaule Narbonnaise comme province romaine à partir de 125 av. J.-C., l'influence de Rome se propagea de plus en plus vers le nord le long de la vallée du Rhône. Les deniers romains circulèrent vers le nord et furent copiés. Les deniers avec les Dioscures sur le revers devinrent les quinaires au cavalier des Celtes dans la vallée du Rhône. En outre, des frappes

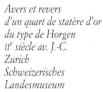

*Avers et revers
d'une imitation celtique
d'argent d'un denier
romain. Ier siècle av. J.-C.
Zurich
Schweizerisches
Landesmuseum*

*Avers et revers
d'une monnaie coulée
en bronze (potin)
des Séquanes
Ier siècle av. J.-C.
Zurich, Schweizerisches
Landesmuseum*

*Avers et revers
d'un quart de statère d'or
du type de Horgen
IIe siècle av. J.-C.
Zurich
Schweizerisches
Landesmuseum*

*Avers et revers
d'un statère d'or
du type
Regenbogenschüsselchen
IIe siècle av. J.-C.
Zurich, Schweizerisches
Landesmuseum*

en métal précieux, les pièces en bronze de Marseille avec le taureau arraquant avaient leur importance et se sont diffusées le long de la vallée du Rhône jusqu'aux *oppida* de Berne et de Manching. Elles furent copiées particulièrement chez les Séquanes, cependant non frappées mais coulées en bronze à forte teneur d'étain (ledit potin), suivant une technique simple. Certe technique de fabrication se répandit à son tour dans le centre de la Gaule de l'Est et donna lieu à des images monétaires fantastiques. Le type de l'extrême Ouest de ces pièces en potin est originaire des Helvètes : à Zurich on trouva des indications sur la fabrication de pièces à double ancre et bouquetin (type de Zurich). Précédant les pièces en potin, on trouve chez les Helvètes les quarts de statère en or du type Horgen-Unterentfelden. Leur présence dans des tombes de La Tène C permit de situer leur émission dans la première moitié du IIe siècle av. J.-C. Ceux-ci suivent l'exemple du statère de Philippe, tout comme un groupe de statères que l'on ne peut localiser plus précisément dans la Gaule de l'Est ou en Suisse. Par la suite, cette monnaie de faible aloi devint un exemple typique du mouvement général qui tendait à produire des pièces plus légères et de moindre valeur. Les émissions de l'aire des quinaires du centre et du sud de l'Allemagne, qui trouvent leur origine dans la drachme grecque à 3,95 grammes et le denier romain à 3,8 grammes, elles aussi ne pèsent plus que 1,5 à 1,8 gramme. Dans le pays de Hesse, autour des *oppida* d'Oberursel et de Dunsberg se forme un groupe de quinaires différents, qui se caractérisent par une même et soigneuse fabrication comme le démontrent des représentations particulières, par exemple un petit personnage ornithomorphe, ou accroupi, ou courant. Les statères du type Mardof, originaires de la même région, témoignent d'une relation très étroite avec le sud de la Bavière, où vivait en plusieurs tribus le peuple celte des Vindéliciens.

Les fouilles conduites de 1955 à 1985 à Manching, près d'Ingolstadt, dans l'*oppidum* le plus important et le plus peuplé situé entre la forêt de Bohême et le Rhin, nous ont particulièrement bien renseigné sur les pièces celtes du sud de l'Allemagne. Parmi près de mille pièces recensées jusqu'alors, ce sont les émissions indigènes qui dominent. Particulièrement caractéristiques sont les "coupelles à l'arc-en-ciel", des statères qui doivent leur nom à leur forme concave et à la croyance selon laquelle les extrémités de l'arc-en-ciel reposaient sur elles. Nous savons avec certitude que des "coupelles à l'arc en ciel" on été frappées à Manching, de même que dans d'autres *oppida,* car des nombreuses plaques en terre cuite comportant des creux pour la fonte y ont été trouvées. On ignore toujours lequel des nombreux types de *Regenbogenschüsselchen* fut frappé à Manching même. Les images difficiles à interprèter tels que dragon, tête d'oiseau et torque à tampons sphériques, tête de cerf ou ornements nous donnent aussi peu d'indications que le nom ATVLL sur le seul type avec inscription. Presque tous les genres existent aussi en quart de statère comportant la même image. Sont également fréquents les statères ou les quarts de statère unis, sans figuration. La frappe et la présence du dragon nous indiquent que l'émission en or est venue de la Bohême en Allemagne méridionale, ce qui est confirmé par la fréquence du vingt-quatrième de statère de Manching, que l'on ne trouve pas ailleurs qu'en Bohême. A Manching existent plusieurs types de cette division, qui ont tous très probablement été fabriqués sur place ; ils nous montrent aussi que la frappe a commencé dès la genèse de l'habitat urbain. Une pièce fut trouvée dans une tombe du début de La Tène C près de Giengen (dernier tiers du IIIe siècle av. J.-C.), une autre dans le cimetière d'un habitat de Sicile qui fut abandonné vers 200 av. J.-C. Déjà la division des pièces en or témoigne d'un système monétaire différencié, cela est confirmé par les trouvailles de nombreuses pièces d'argent qui ont marqué dans une large mesure le marché monétaire local. La pièce la plus fréquente est le quinaire, dont nous ignorons la désignation nominale et qui reçut par conséquent cette appellation injustifiée. Il fut divisé en quarts, de 0,4 gramme environ, dont l'importance pour le marché monétaire des Vindéliciens n'a été reconnue que grâce aux fouilles de Manching. Il y a quelques décennies encore, des chercheurs importants ont nié l'existence du système monétaire celte, Manching nous a prouvé pour la première fois qu'il a existé. Nous ne disposons aujourd'hui d'aucune autre série de pièces d'*oppida* interprétée et publiée, de sorte qu'il est impossible de comparer les résultats de Manching à d'autres *oppida.* A ce propos, le Hradiště de Stradonice est parriculièrement intéressant, mais il s'agit d'une collection de longue date. Le statère d'or de Bohême (*Muschelstater*) avec sa division en tiers, huitièmes et vingt-quatrièmes, ainsi que les nombreuses pièces d'argent jusqu'aux petites pièces semblent

Avers et revers d'une monnaie d'argent du sud de la Gaule dite "à la croix", de l'oppidum de Manching
1er siècle av. J.-C.
Munich
Prähistorische
Staatssammlung

Avers et revers d'une monnaie d'argent "à la croix", du sud de l'Allemagne actuelle
1er siècle av. J.-C.
Munich
Prähistorische
Staatssammlung

Avers et revers d'une petite monnaie d'argent du type dit de Manching
1er siècle av. J.-C.
Munich
Prähistorische
Staatssammlung

Avers et revers d'une monnaie d'argent du typ(
dit Büschelquinar
1er siècle av. J.-C.
Munich
Prähistorische
Staatssammlung

promettre pour Stradonice des résultats similaires. Dans les *oppida* de Hesse mentionnés ci-dessus, plusieurs centaines de pièces ont été découvertes ces derniers temps. Même non publiées, peuvent-elles indiquer autre chose qu'un marché monétaire proportionnel ? La documentation monétaire dans les *oppida* gaulois, par exemple Bibracte, Alesia, est difficile à utiliser par manque de connaissance des nouvelles trouvailles. Elles devraient néanmoins s'en rapprocher. Les trouvailles du Titelberg, près de Luxembourg, sont publiées de manière exemplaire, mais là l'habitat urbain ne commence que vers la fin de Manching, de sorte que la situation est très différente. Dans un site aussi important que Manching se sont croisées des voies commerciales venant de toutes directions. Même si elles ne représentent qu'une petite partie, elles ont apporté les monnaies les plus diverses. A cause du voisinage, les pièces à la croix de l'Allemagne méridionale sont relativement fréquentes ; comme les quinaires de la Gaule de l'Est, elles correspondirent au système monétaire local, ainsi que l'or boïen et les petites divisions d'argent des Boïens et des Noriques. Il reste difficile à évaluer les monnaies en potin, relativement fréquentes, de la Gaule de l'Est et les quelques as de la république romaine. Un problème de recherche non résolu est posé par les trouvailles de trésors de statères présents de l'extrême Ouest (Tayac) jusqu'à l'Est (Podmokly) et au Nord (Niederzier en Rhénanie). Ils sont particulièrement fréquents en Bavière il suffit de nommer avant tout les trésors de Gaggers, Irsching, Grossbissendorf, Wallersdorf, Unterschondorf et

Avers et revers d'une monnaie d'argent du type dit de Nauheim Ier siècle av. J.-C. Munich Prähistorische Staatssammlung

Avers et revers d'une tétradrachme d'argent du type Kroisbach Ier siècle av. J.-C. Munich Prähistorische Staatssammlung

Avers et revers d'une tétradrachme d'argent du type dit Sattlekopferd IIe siècle av. J.-C. Munich Prähistorische Staatssammlung

Avers et revers d'une tétradrachme d'argent au nom de Sasthieni IIe siècle av. J.-C. Munich Prähistorische Staatssammlung

Sontheim. Ils on été classés de manière très différente : en tant que butin, offrande, trésor de tribus ou propriété du chef de tribu. Pour la plupart, ils ne contiennent que des statères, rarement des pièces de valeur inférieure, des bijoux. Leur grande homogénéité semble donner raison à la théorie de W. Krämer, du moins en ce qui concerne la Bavière, selon laquelle le monde celte à son déclin a connu une période d'enfouissement de trésors même si des frappes de l'Allemagne méridionale sont parvenues en Norique et, inversement des monnaies noriques en territoire vindélicien, ces deux régions monétaires ont peu de choses en commun. Seule une large zone intermédiaire les sépare. Le Norique se trouve déjà sous l'influence des Balkans, où s'est propagée la tétradrachme de Philippe. Venant à travers le Burgenland de l'ouest de la Pannonie (type Kroisbach et Veiem), elle contribua à l'émission du groupe de l'est du Norique. Les pièces pèsent 12 grammes et moins et présentent sur le revers uniquement un cheval. Peu de temps après, se développèrent dans le Norique de l'Est des grandes pièces d'argent d'environ 10 grammes et comportant sur le revers des noms de chefs de tribus sous un chevalier à la lance. R. Göbl était en mesure de prouver que la plupart d'entre elles, en dépit de leur nom différent, ont une même origine. A ces pièces plus grandes viennent s'ajouter des pièces plus petites, comportant sur le revers un cheval ou une croix et qui, à l'Ouest (Karlstein), avec 0,4 gramme correspondent au standard de Manching, mais qui en avançant vers l'Est deviennent plus lourdes. Les lieux de frappe plus ou moins identifiés sont

Avers et revers d'une tétradrachme d'argent au nom de Svicca Ier siècle av. J.-C. Vienne, Kunsthistorisches Museum Bundessammlung der Medaillen Münzen und Geldzeichen

Avers et revers d'une petite monnaie d'argent du Norique Ier siècle av. J.-C. Vienne, Kunsthistorisches Museum Bundessammlung der Medaillen Münzen und Geldzeichen

Avers et revers d'une tétradrachme d'argent au nom d'Adnamat Ier siècle av. J.-C. Vienne, Kunsthistorisches Museum Bundessammlung der Medaillen Münzen und Geldzeichen

Celeja, Teurnia et Magdalensberg, un des rares endroits où apparaissent des petites pièces d'argent noriques avec des deniers romains jusqu'à Tibère (14-37). Des poinçons des revers en forme de croix furent trouvés dans les habitats de Karlstein et sur le site de Gurina. La frappe dans le Norique de l'Ouest commença vers la fin du IIe siècle av. J.-C. et se prolongea dans le Ier siècle. L'intrusion de pièces du Norique de l'Ouest dans la première moitié du Ier siècle jusqu'au Frioul et dans les régions de frappe du Norique de l'Est s'explique par l'expansion de la puissance du peuple. Non seulement la monnaie d'argent macédonienne originaire de la Pannonie parvint dans les régions du Norique située à l'Ouest, mais aussi le statère d'Alexandre le Grand avec Athéna Nikê, le long de la très vieille route de l'ambre menant vers le nord et le nord-ouest jusqu'en Moravie et en Bohême. Chez les Celtes Boïens, la monnaie du type Athéna Alkis a produit le statère au coquillage si caractéristique. Il existe, on l'a déjà vu, des divisions, des tiers, des huitièmes et vingt-quatrièmes. Des statères rares, avec des représentations soigneuses mais très différentes, sont connues comme des séries parallèles de Bohême et ne remontent probablement pas aux Boïens. Le début de la frappe en Bohême doit être daté au plus tard du deuxième tiers du IIIe siècle av. J.-C. Les *oppida* de Závist, du Hradiště près de Stradonice et de Staré Hradisko en Moravie sont connus aujourd'hui comme lieux de frappe. Au cours du Ier siècle, devant l'invasion des Germains, les Celtes furent obligés de reculer de Bohême vers le sud, dans le moyen Danube. Là, ils frappèrent à nouveau une monnaie riche, comportant des inscriptions des noms de chefs de tribus. L'un d'eux, BIATEC, a fourni des statères au coquillage, des pièces d'argent d'un poids moyen de 17,1 grammes. Cette étrange valeur existe aussi avec d'autres noms, dont l'un est NONNOS, déjà rencontré dans le Norique. Il est impossible de dire si les drachmes du type Simmering et celles du type Tótfalu, fréquentes dans les régions frontalières austro-hongroises et slovaques remontent aux Boïens ou à une autre ethnie.

Dans les tribus celtes de Hongrie, des régions de Slovénie de l'Est, de l'ex-Yougoslavie et de l'ouest de Roumanie, à côté de quelques statères, les tétradrachmes de Philippe II et leurs copies dominèrent la circulation monétaire. Reste le cas isolé, jusqu'aujourd'hui, de la fouille de Bački Obrovac, en Serbie, avec cent vingt-deux statères appartenant à l'ancienne frappe boïenne du type dit d'Athéna Alkis. L'afflux des tétradrachmes macédoniennes diminua progressivement tandis qu'augmenta le nombre des copies locales sous des formes diverses. Néanmoins, le modèle de la pièce de Philippe resta déterminant pour la moitié nord de la presqu'île balkanique. Le nombre des émissions de la taille d'une drachme resta peu important. Il est difficile d'attribuer individuellement des types spécifiques à des tribus, d'autant plus que les frontières avec les Gètes et des Daces sont mal connues. Ainsi, on désigne habituellement les groupes de frappes régionales selon leurs caractéristiques d'émission, par exemple : le cheval sellé, le cavalier à la tresse, la visage de face, la barbe en couronne. Certaines régions développèrent des plaques de métal prêtes à la frappe, grosses et petites, d'autres fines et concaves où il arriva que l'avers se réduisit à une simple concavité. La tétradrachme avec l'inscription SASTHIENI, interprétée comme le nom d'un prince appelé Sosthenes, est une exception. Des particularités, comme un petit cheval devant la tête de Zeus ou l'inscription citée, entre autres, laisse croire que les Illyriens non celtes ont joué un rôle sur les Balkans en ce qui concerne l'émission de monnaies. Les copies des tétradrachmes d'Alexandre le Grand avec la tête d'Héraclès et Zeus assis, et de celles de l'île de Thasos peuvent difficilement être mises en rapport avec la production celte.

Jusqu'à présent, nous ne connaissons avec certitude aucune émission des tribus celtes émigrées en Asie Mineure.

Après la grande époque de la frappe celte, aux IIe et Ier siècles av. J.-C., se développa en Gaule, du temps

vers et revers
une tétradrachme
argent au nom
Biatec
remière moitié du
siècle av. J.-C.
urich
chweizerisches
andesmuseum

Avers et revers d'une tétradrach[ ] du type "au visag[ ] 1er siècle av. J.-C. Vienne Kunsthistorische[ ] Museum Bundessammlun[ ] der Medaillen Münzen und Geldzeichen

Avers et revers d'une tétradrach[ ] d'argent du type dit "au cavalier à la tresse" 1er siècle av. J.-C. Vienne Kunsthistorische[ ] Museum Bundessammlun[ ] der Medaillen Münzen und Geldzeichen

d'Auguste, dans une troisième phase, une émission de monnaies réduite. Ces pièces frappées en alliage de cuivre sont trouvées presque exclusivement dans les camps romains de cette époque ; elles servaient certainement de monnaie pour payer les auxiliaires gaulois engagés dans les campagnes romaines contre les Germains. Les plus fréquentes d'entre elles sont les pièces dites des Aduatuques, les émissions avec l'inscription GERMANUS INDUTILLI et les "coupelles à l'arc-en-ciel" du type Bochum. Puisqu'elles ont été diffusées déjà sous la domination romaine, elles ne peuvent plus être désignées comme proprement celtes.

Les Transpadans

Ermanno Arslan

Les guerres qui suivent celle d'Hannibal redessinent politiquement l'Italie septentrionale. En une première phase, les Gaulois padans sont tous alliés, avec une capacité offensive considérable à l'égard des Romains affaiblis par le long conflit avec les Carthaginois : en l'an 200 av. J.-C., Crémone, investie par les alliés, résiste. En revanche, Plaisance tombe. Mais la supériorité militaire romaine ne tarde pas à se révéler : en 197 av. J.-C., Marcus Cornelius Cethegus est vainqueur sur le Mincio des Cénomans, qu'il oblige à renouveler le *foedus* avec les Romains ; en 196 av. J.-C., Marcus Claudius Marcellus est vainqueur des Insubres et des Cômasques à *Comun* ; en 194 avant notre ère, Lucius Valerius Flaccus défait les Insubres et les Boïens à Milan ; en 194 av. J.-C., Publius Cornelius Scipion Nasica bat définitivement les Boïens, qui sont en grande partie expulsés. Seuls quelques-uns restent, sans doute concentrés dans des zones précises, comme à Brescello, probablement avec leur *foedus.* En Outre, des groupes celtiques subalternes restent sur le territoire des colonies : pour Crémone, on connaît les *accolae galli*, main-d'œuvre indigène pour les propriétés romaines, dont l'étendue dépassait les possibilités de travail des bénéficiaires, à une époque où l'on n'a pas encore recours au travail servile. Ces survivances ont laissé de très faibles traces, presque uniquement dans la toponymie. En revanche, dans d'autres lieux, comme à Aquilée, on trouve certaines formes d'assimilation (mariages, adoptions, etc.) de groupes indigènes avec les colons romains.

Au nord du Pô, l'entité territoriale et politique, connue comme "Empire insubre", dans laquelle s'étaient produits certains phénomènes d'"insubrisation", décelables, je pense, dans les rituels funéraires et dans la composition des mobiliers, en Lomellina ou dans le Piémont oriental (Dormelletto), est démembrée.

Les Insubres, même s'ils ne sont pas traités comme les Boïens, doivent accepter que tous les peuples dominés du Nord (Cômasques, *Orumbovii*, etc.) et de l'Ouest (*Libici, Salluvii, Laevi, Marici, Vertamocori,* etc. : certains arrivés au IVᵉ siècle, d'autres de tradition plus ancienne) accèdent à l'indépendance, avec des *foedera* stipulés avec Rome. Ainsi naissent de nombreux "États satellites", qui correspondent peut-être aux colonies fictives de 89 av. J.-C.

Le territoire insubre est désormais très réduit, s'étendant au nord peut-être légèrement au dessus de l'actuelle ville de Monza, entre le Tessin et l'Adda (ou l'Oglio), sans arriver au sud jusqu'au Pô, où sont perdus les territoires destinés à Crémone (s'ils n'étaient pas cénomans). Pourtant, cette population antique, certes désarmée (ce qui explique l'absence de mobiliers avec des armes pour une grande partie de cette phase), se révélera un élément stimulant du point de vue culturel et économique dans l'aire transpadane.

Les autres groupes conservèrent le droit de porter les armes, signe d'autonomie politique et militaire formelle, avec une correspondance précise dans les mobiliers funéraires, dans lesquels le guerrier a toujours sa panoplie (Garlasco, près de Pavie).

La lecture des sources révèle dans cette phase une certaine insécurité de la part des Romains. Le monde celtique est encore agité, et la confiance dans la loyauté des fédérés est très faible. Tandis que continue la guerre avec les Ligures de l'Apennin, en 186 av. J.-C., il y a l'invasion depuis l'Orient des *Carni,* battus en 183 av. J.-C., qui justifie la déduction de la colonie d'Aquilée. En rapport avec ces événements peut-être peut-on voir l'initiative, abandonnée sur ordre du Sénat de Rome, de Marcus Furius Crasipedus qui, en 187 av. J.-C., séquestre les armes aux alliés Cénomans, dans la crainte, sans doute fondée, d'une défection. Encore au milieu du IIe siècle av. J.-C., le tracé de la voie Postumia contourne l'Insubrie au sud, ce qui indique un certain respect du peuple fédéré, mais aussi, et plus encore peut-être, une certaine méfiance.

De tous les groupes celtiques du nord du Pô, seuls trois (ou quatre) semblent ressortir : à l'Est, les Cénomans ; à l'Ouest, les *Libici*, qui semblent plus actifs, et peut-être les *Vertamocori* ou les *Salluvii* si toutefois ce dernier n'était pas leur nom fédératif ; au centre, les Insubres. La répartition de ces groupes sur le territoire ainsi que la paix imposée par les Romains (qui dénouent tout litige) favorisent aussi bien la mobilité interne (même vers les zones vénètes) que le développement économique, dans une situation générale entièrement changée. En particulier, la limite sud des Alpes devient une réelle frontière, nécessitant des garnisons (généralement confiées à des groupes tampons mercenaires, tels que ceux d'Ornavasso) et avec des relations difficiles avec les populations alpines, comme nous le déduisons de la querelle entre *Libici* et *Salassi* pour les mines d'or de la Bessa, en 143 av. J.-C., de la destruction de *Comum Oppidum* par les Rètes au début du Ier siècle av. J.-C. et des initiatives militaires vers le nord : Marcius Rex en 118 av. J.-C. et Lucius Licinius Crassus en 95-94 av. J.-C. Avec ces prémisses, les guerres alpines d'Auguste sont la conséquence d'une situation qui évolue dans le temps et qui, avec les Romains, impliquent les Transpadans, dont les intérêts, liés depuis toujours à des fonctions d'intermédiaire nord-sud à travers les cols alpins, sont maintenant projetés vers le sud, dans un processus d'intégration progressive avec les cultures péninsulaires. Des fonctions d'intermédiaire qui passent désormais aux territoires plus occidentaux

Cruche en terre cuite, provenant de la nécropole a Garlasco (Pavie) IIIe siècle av. J.-C Milan, Civiche Raccolte Archeologiche del Castello Sforzesco

Vase en terre cuite, provenant de la nécropole a Garlasco (Pavie) IIIe siècle av. J.-C Milan, Civiche Raccolte Archeologiche del Castello Sforzesco

(Piémont et Vallée d'Aoste) et plus orientaux (aire d'Aquilée), sous contrôle romain direct. La profonde intégration antérieure à la "Padanie" celtique des territoires autonomes tels que l'actuel Canton du Tessin se poursuit, toutefois de manière réduite et exclusivement du sud vers le nord, apportant ainsi de nouvelles impulsions culturelles méditerranéennes. Ainsi se répandent au nord le vase dit "à trottola" (à toupie) (rarement au-delà de la ligne de démarcation), la culture de la vigne et la consommation du vin, avec toutes les implications idéologiques et culturelles qui en dérivent, certaines classes de fibules, une adaptation progressive de la coupe des vêtements, la monnaie (qui sera imitée par les *Veragri* du Valais actuel).

La culture de la région transpadane celtique se développe donc, au IIe et au Ier siècle av. J.-C., en se confrontant uniquement avec la culture italico-romaine, destinée plus tard à prévaloir. Le monde transpadan ne semble pas marginal dans les intérêts des Romains, militairement toujours présents. Plusieurs indices, tels que la fin de certaines nécropoles et la formation de nouvelles (en absence de données sur les centres habités mineurs) indiquent que le système d'implantation basé sur la finalité militaire d'installer des garnisons le long des confins fluviaux (Carzaghetto) ou sur des hauteurs (Monte Bibele), est modifié, dans les zones restées indépendantes, de manière à ne convenir qu'à l'exploitation agricole du territoire. Cette évolution de l'occupation du territoire, qui si elle n'était pas souhaitée était toutefois agréable à la puissance hégémonique, ne semble pas avoir modifié le système juridique de l'organisation tribale celtique, qui refuse la suprématie institutionnelle des centres majeurs sur le territoire, avec des solutions administratives dont il restera trace dans la répartition du peuplement à l'époque romaine *per vicos*. Le système n'est pas en contraste avec une structure sociale aristocratique avec des *reguli* à la tête de groupes dispersés, avec des noms ethniques spécifiques, et il prélude à la grande propriété romaine, avec des maîtres (celtes pour commencer, puis des éléments immigrés) qui bientôt résideront en ville. Ce n'est qu'au début que la société transpadane correspond à la description polybienne (Polybe, 2, 17), qui la présente comme très primitive, à caractère pré-urbain agricole, avec des richesses évaluées en or et en bétail. De fait, on a déjà, au milieu du IIe siècle av. J.-C., une reprise du phénomène urbain. Les anciens centres de Golasecca III A (Ve siècle) avaient pris, aux IVe et IIIe siècles av. J.-C., des caractères urbains très nuancés, peut-être comme centres de sanctuaires fédéraux ou centres de service, ou encore comme lieux d'assemblées, tribales et fédérales, sans jamais disparaître néanmoins, puisque les sources romaines continuent de leur reconnaître une signification urbaine, comme pour Milan qui, pris en 222 av. J.-C. par les Romains (Polybe, II, 34), est défini comme le centre le plus important des Insubres. Ces sites retrouvent un caractère urbain et arrivent, entre le IIe et le début du Ier siècle av. J.-C., à s'équiper des premières infrastructures de type hellénistique romain, peut-être même avec des dispositifs urbanistiques déjà formalisées et des ensembles monumentaux déjà complexes.

Drachme padane en argent provenant du trésor de Rivolta d'Adda (Crémone) IIe siècle av. J.-C. Milan, Civiche Raccolte Archeologiche del Castello Sforzesco

Cette évolution a dû sembler avantageuse aux Romains, pour lesquels la dispersion des Celtes sur le territoire avait autrefois été source de difficultés militaires-comme ce fut le cas pendant la guerre contre les Boïens –, en raison de la capacité typiquement celtique de s'éparpiller et de se regrouper après les affrontements. Une société structurée sur des centres urbains

prééminents était plus sûre, avec des interlocuteurs précis dans les élites urbaines, bien entendu conservatrices et liées au pouvoir romain, dont ils attendaient également la défense de leurs propres intérêts. C'est dans ces élites que se préparait une classe dirigeante locale qui se romanisera très rapidement dans les villes devenues colonies, puis *municipia* romains. Une réalité urbaine était également utile pour héberger ceux qui (surtout des Italiques) devaient créer un système sûr pour l'importation, le magasinage et la distribution des produits romains (poterie, objets métalliques et de luxe, vin, etc.). De la vaisselle en bronze de type capouan ou italique : des poêles type Aylesford, des cruches type Gallarate et Ornavasso, des cruches type Idria, des louches de type Pescate, et bien d'autres produits encore, entrent bientôt dans la composition des mobiliers funéraires laténiens et indiquent une consommation croissante de produits importés, ce qui montre un facteur important de romanisation. L'aire insubre, avec la concentration maximale de ces produits, révèle un développement économique indubitablement plus précoce et plus brillant que celui d'autres régions. Malgré cela, le rapport avec la puissance hegémonique eut le caractère d'une véritable exploitation coloniale, au moins jusqu'en 89 av. J.-C. : l'Italie septentrionale, marché pour la distribution de la production "industrielle" romaine, devient dans ce contexte une productrice de matières premières. Toutefois, ceci n'est pas forcément négatif, car cela signifie un accroissement de la productivité agricole et de l'élevage, pour lesquels l'Italie centrale constituait un excellent marché. A ce propos, les sources indiquent l'Insubrie comme exportatrice de charcuterie. Au début, la commercialisation se faisait peut-être par l'intermédiaire des structures coloniales cispadanes les plus évoluées puis au moyen des groupes italiques immigrés ou des nouveaux chefs d'entreprises locaux. Après 89 av. J.-C., on peut supposer un accroissement des investissements productifs directs

Paire de fibules en bronze
du type dit "pavese"
provenant de la
nécropole de Valeggio
(Pavie)
IIe siècle av. J.-C.
Gambolò
Museo Archeologico
Lomellino

Fibule en bronze
provenant de la
nécropole de Valeggio
(Pavie)
IIe siècle av. J.-C.
Gambolò
Museo Archeologico
Lomellino

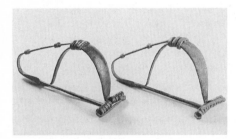

Vase en terre cuite peint du type dit "a trottola"
avec inscription en caractères nord-étrusques provenant
de Côme-Prestino, IIe siècle av. J.-C.
Côme, Museo Civico Archeologico Giovio

Grande phalère en argent provenant de Manerbio sul Mella (Brescia) Première moitié du Iᵉʳ siècle av. J.-C. Brescia, Museo Civico Romano • p. 525

dans les nouveaux territoires, désormais juridiquement intégrés à la domination de Rome.

C'est alors que renaît, désormais avec des techniques et des formes nouvelles, la production céramique locale, précédemment éliminée par les importations massives de poterie à vernis noir provenant des centres situés au sud du Pô. C'est sur ces bases que se développe la vocation des entrepreneurs transpadans de l'ère suivante, sur laquelle il existe une vaste documentation. La différence culturelle s'élargit entre les milieux urbains, qui s'acheminent rapidement et de manière irréversible vers la romanisation, et les milieux ruraux qui s'attardent dans des formes culturelles laténiennes extrêmes.

Au début, on peut encore déceler les caractères culturels propres aux grands groupes celtiques de l'époque précédente grâce à la documentation funéraire, comme c'est le cas pour la parure féminine traditionnelle cénomane du turque associé au bracelet porté à gauche, ou à travers les sources, comme pour les turques d'or du butin de la bataille de 196 av. J.-C. près de *Comum* (Livius Andronicus, 33, 36, 13), qui faisaient donc partie du costume militaire des Insubres durant la dernière phase de leur autonomie complète à l'égard de Rome.

Mais dès la moitié du IIᵉ siècle av. J.-C., on constate des tendances régressives, dans une situation d'isolement. Ceci même si l'on remarque, dans les nécropoles de communautés rurales modestes, certains restes d'une capacité de développement. Parmi ces derniers, on peut citer l'élaboration de nouvelles formes de poterie locale, telle la céramique à décoration plastique et à "nids d'abeille" ou le vase dit "a trottola", qui se rattache indissolublement à la production et à la consommation du vin, notamment dans la zone centre-occidentale.

Dans les contextes mieux connus, comme dans le monde rural et périphérique de la Lumellina celtique tardive, on constate une différenciation locale considérable ; chaque nécropole propose un costume et un ensemble de fibules ou des typologies de bracelets qui varient beaucoup d'un lieu à un autre, même s'ils sont proches.

Pour certaines classes de matériaux on peut même déceler des aires de diffusion spécifique dans le cadre transpadan le plus vaste, comme c'est le cas pour la fibule dite "pavese" dans la région de la Lumellina, pour celle "à scorpion" dans les zones de tradition rétique, pour celle "foliacée" de la zone de Reggio Emilia et ainsi de suite.

De même, les rituels funéraires tendent à être spécifiques pour chaque aire. Dans la région de Côme ou en Lomellina, l'incinération prédomine avec des rituels différenciés pour la déposition des cendres ; dans la zone de Brescia, c'est en revanche l'inhumation. Cependant, partout un converge vers l'incinération, avec des rituels empruntés au monde italico-romain en passant par le biritualisme, dont il reste encore à démontrer s'il était appliqué selon les sexes (inhumation pour les femmes et les enfants, et incinération pour les hommes).

La poterie ordinaire, qui voisine avec celle à vernis noire importée puis locale, présente aussi d'importantes variations typologiques locales. Des typologies caractéristiques semblent appartenir à certains territoires particuliers, qui correspondraient aux groupes ethniques : la petite urne ovoïde dans la région de Pavie, le "coquetier" dans la région de Côme, la gourde dans la zone de Brescia faisant le pendant au vase "a trottola" et sans doute utilisée pour le vin. Mais même ces différenciations, signes d'une société qui désormais n'a plus de communication entre ses groupes et qui, au

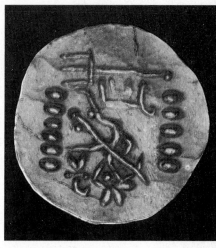

contraire, subit certains formes communes d'acculturation extérieure, sont destinées à disparaître à l'époque Julio-Claudienne, grâce à la diffusion des produits typiques de la culture romaine, son verre, sa poterie, la coutume de l'obole de Chaton et ainsi de suite. Dans ce processus, le service dans l'armée romaine de Celtes transpadans, attesté par les sources, devait être un puissant facteur de romanisation.

Tout cela a contribué à l'abandon progressif d'un modèle de société rurale à caractère militaire et égalitaire avec, dans les nécropoles, un pourcentage élevé de tombes à panoplie (épée, lance, bouclier), comme à Garlasco. Entre la fin du IIe siècle et le début du Ier siècle av. J.-C., les tombes de guerrier deviennent très rares : parmi elles se distinguent les tombes des chefs, comme à Remedello Sotto (tombe XIV). L'épée reste l'élément symbolique fondamental et pratiquement le dernier. Le bouclier, puis dans les tombes l'umbo, disparaît. L'umbo rond, la forme plus tardive, n'est présent qu'à Isola Rizza dans la province de Vérone.

Les groupes ruraux ont donc désormais un chef qui est le seul à porter des armes. Lorsque la romanisation devient totale, cette tradition disparaît également, avec une "subalternisation" probable de tout le groupe rural, dans lequel l'individu apparaît lié indissolublement à son propre travail, par la présence dans les mobiliers des instruments qui, de toute évidence, déterminent sa place dans la société de l'époque. Dans cette phase, les villes

Avers et revers d'une monnaie d'or des Celtes danubiens, trouvée dans la région de Verceil IIe siècle av. J.-C. Rome, Medagliere del Museo Nazionale Romano

Petite phalère en argent provenant
du trésor de Manerbio sul Mella(Brescia)
première moitié du Ier siècle av. J.-C.
Brescia, Museo Civico Romano

transpadanes se présentent comme des réalités multiethniques. On y parle et un y écrit les deux langues, comme l'atteste une épigraphe du Ier siècle av. J.-C. portant le nom de Milan en caractères nord-étrusques. On y assiste à des formes d'assimilation (*interpretatio*) des cultes locaux dans la dimension religieuse officielle romaine : le *Capitolium* de Brescia à l'époque de Sylla présente quatre *celle* (une divinité locale y figure donc auprès des divinités coloniales classiques) et ce n'est que très tard (après l'époque flavienne) qu'il n'en aura plus que trois. De même que persistent les magistratures indigènes telles que l'*argantocomaterecus* (*magister monetalis* ? *quaestor* ?) cité dans l'épigraphe tardive bilingue de Verceil.

Dans le développements des vicissitudes de la région transpadane aux IIe et Ier siècles, l'histoire des Cimbres, vaincus près de Verceil en 101 av. J.-C. qui avaient pourtant entraîné avec eux, dans leur poussée offensive, aussi des groupes boïens, semble n'avoir laissé que de faibles traces. Ce qui témoigne de leur fuite après la défaite c'est la dissimulation dans les alentours de Verceil de trésors de monnaies d'or (dites *Regenbogenschüsselchen*), associées à des turques d'or. Il s'agit de monnaies tout à fait étrangères à la circulation locale, cette dernière étant désormais fondée sur l'argent celtique et sur la monnaie romaine. L'invasion des Cimbres, loin de provoquer un détachement de Rome, comme l'avaient peut-être espéré les envahisseurs, mena, en raison des craintes qu'elle avait suscitées, à une accélération de l'assimilation entre les Transpadans et les Romains. De même que sont étrangers au contexte italien les trésors de monnaies de l'aire boïenne de Sienne et de Campiglia Marittima et la découverte isolée de phalères en argent de Manerbio (Brescia), qui arrivent au Ier siècle av. J.-C. en provenance de la région danubienne dans un monde où les traditions figuratives sont désormais entièrement différentes.

Au IIe siècle av. J.-C., des hommes et des capitaux du monde romain

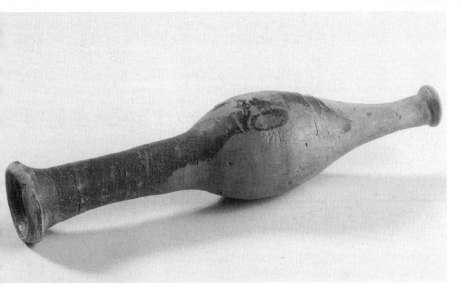

*Vase en terre
cuite, provenant
de la tombe n° 1
de Pianvalle
(Côme)
Début du Ier
siècle av. J.-C.
Côme
Museo Civico
Archeologico
Giovio*

affluent dans les villes. Auprès des groupes locaux les plus entreprenants se forment les familles du Ier siècle av. J. -C., qui produiront des figures profondément romaines telles que Tite-Live, Cornelius Nepos, Tizio Cazio et d'autres encore ; Vérone a des sénateurs romains dès la première moitié du Ier siècle av. notre ère.

Bientôt l'adaptation devient extrêmement rapide et touche tous les aspects de la vie publique et privée ; on en a un exemple dans l'adoption du modèle romain des *tria nomina*, que nous suivons dans les généalogies des épigraphes funéraires.

Dans la zone transpadane, c'est encore Milan, qui depuis la moitié du IIe siècle av. J.-C., se distingue comme élément moteur de tout le milieu. Dans la nouvelle situation, l'agressivité insubre ne peut plus s'exercer dans le domaine militaire et par l'expansionisme territorial : elle se manifeste donc en termes économiques. Même la qualité de la monnaie insubre en est la démonstration, qu'elle soit technique ou artistique, avec des légendes en caractères nord-étrusques (*toutiopouos, pirakos, natoris, rikoi*) qui semble bien plus appropriée que les émission des Cénomans et des groupes occidentaux (*Lihici ? Salluvii ?*) pour supporter une véritable circulation monétaire, parallèle et complémentaire à celle des monnaies romaines.

Quoi qu'il en soit, la région transpadane dans son ensemble s'apprête bientôt à jouer son rôle, un rôle de premier plan, dans la montée de la puissance romaine à laquelle elle est désormais entièrement intégrée : en 81, la région transpadane devient *provincia,* et par conséquent la siège de forces armées, avec possibilité d'intervention sur Rome, ce qui se produit avec César.

Les Taurisques
Dragan Božič

On trouve dans les oeuvres des écrivains antiques peu de données sur les *Taurisques* des Alpes orientales qui peuplaient le territoire de l'actuelle Slovénie centrale et orientale et de la Croatie du Nord-Ouest, sur leur histoire qui s'étend du IVe siècle av. J.-C. à la fin du Ier siècle av. J.-C. Strabon pensait qu'ils étaient des Celtes. *Nauportus,* l'actuelle Vrhnika, qui se trouve au sud-ouest de Ljubljana, était selon lui un de leurs établissements. La marchandise, transportée en chars de la colonie romaine d'Aquilée était transférée sur des navires qui la portaient sur les fleuves Ljublanica et Save jusqu'à la région pannonienne de Ségeste (près de Sisak) et plus loin jusqu'au Danube et les habitats avoisinants.

Leurs voisins occidentaux étaient les *Carni* (qui possédaient Tergeste, le Frioul, la Carnie et la partie occidentale de la Slovénie actuelle). Au nord ils confinaient avec les *Norici* (dans l'actuelle Autriche avec comme centre la Carinthie), à l'est le long de la Save avec les *Pannoniens* et le long du Danube avec les *Scordisques,* au sud avec les *Iapodes* qui vivaient dans l'actuelle Lika et dans la vallée du fleuve Una. Il est probable, comme le mentionne Tite Live, que les Taurisques participèrent aux événements des années 171-170 av. J.-C. En 171 le consul G. Cassius Longinus partit de sa propre initiative, à traves la région de l'Illyrie, de la Gaule Cisalpine vers la Macédoine, où il aurait combattu dans la guerre entre Romains et Macédoniens. Il dut en suivant l'ordre du sénat revenir, et ses soldats, sur la voie du retour sur le territoire des Carni, Istri et Iapodes volèrent, tuèrent et brûlèrent. Ils volèrent aussi dans les localitées habitées des

Détail du fourreau d'épée de fer décoré de Mokronog-Beli Gric (ex-Yougoslavie) IIIe siècle av. J.-C. Ljubljana, Narodn Muzej

Quatre têtes d'animal en bronz de Smarjeta (ex-Yougoslavie) IVe siècle av. J.-C. Ljubljana, Narodn Muzej

Bagues d'or et d'argent de la
tombe n° 2 de Dobova (ex-Yougoslavie)
Fin du III°-début du II° siècle av. J.-C.
Brezice, Posavski Muzej

Coutelas et umbo de bouclier de fer (à gauche), châine de suspension
d'épée en fer (à droite) de la tombe n° 2 de Dobova (ex-Yougoslavie)
fin du III°-début du II° siècle av. J.-C.
Brezice, Posavski Muzej
• p. 527

Détail du
fourreau d'épée
décoré de la
tombe n° 6 de
Dobova
(ex-Yougoslavie)
fin du III°-début
du II° siècle
av. J.-C.
Brezice, Posavski
Muzej
• p. 527

peuples alpins et en portèrent des milliers en esclavage.
Les représentants des *Carni, Istri* et *Iapodes* vinrent l'année
suivante pour contester devant le sénat les mauvaises actions
des soldats romains. De même, le frère du roi du Norique
Cencibilus vint au nom des peuples alpestres. A cause de la
route parcourue par l'armée consulaire, il est probable que
le terme "peuples des Alpes" alliés des *Norici* soit applicable
aux Taurisques. Quelques décennies plus tard, vers l'an 147
av. J.-C. et 132 av. J.-C. on découvrit, selon Polybe, sur le territoire des Taurisques, sous deux pieds de terre, de l'or qui
était assez pur. Les Taurisques ainsi que les Italiques l'ex-
ploitèrent pendant deux mois, jusqu'à ce que son prix eut
baissé d'un tiers. Lorsqu'ils prirent conscience de cette réalité, les Taurisques bannirent les Italiques, pour avoir le
monopole de la vente.
L'expulsion des Italiques ne resta pas sans conséquences. En
129 av. J.-C., le consul G. Sempronius Tuditanus infligea une
défaite aux Taurisques, Iapodes, *Istri* et probablement aussi
aux *Carni* et aux *Liburni.* Le consul M. Aemilius Scaurus en
fit de même en 115 av. J.-C. avec les *Carni* et peut-être aussi les Taurisques.
Vers l'an 60 av. J.-C., les Taurisques combattirent aux côtés des Boïens contre
les Daces sous le commandement du roi Burebista, et subirent une grave
défaite. Ce fut seulement Octavien qui anéantit définitivement leur force dans
une guerre contre les Iapodes, les Pannoniens et les Dalmates (35-33 av. J.-C).
L'image fragmentaire de l'histoire des Taurisques est complétée par les
recherches archéologiques qui nous offrent en plus une vue sur les événements dans le territoire des Préalpes du Sud-Est, avant leur colonisation. Il
s'agit des V° et IV° siècles av. J.-C. lorsque fleurit dans le berceau du monde
celtique de l'Europe centrale la riche et originale culture de La Tène ancienne.
C'est précisément dans cette zone que le peuple hallstattien continuait à
vivre dans des villages bien fortifiés. Les morts étaient inhumés dans des
tertres funéraires, les tumuli qui appartenaient à la famille ou à la tribu. A cette
époque, les Celtes commencèrent à se transférer vers le Sud et le Sud-Est et
leur voisinage apparaît dans l'adoption de quelques éléments de l'armement

celte. Les épées du site de Magdalenska Gora près de Smarje et le casque de Trbinc près de Mirna sont des pièces importées. En ce qui concerne les agrafes triangulaires de ceinturons et les anneaux métalliques du système de suspension de l'épée, elles sont au contraire des imitations des originaux celtiques. La sépulture de guerrier de Trbinc dans laquelle sont associés un casque en fer celtique, une hache de combat et une pointe de lance, typiques de la panoplie hallstattienne, nous montre clairement que l'assimilation de l'équipement celtique n'était pas complète.

Dans le mobilier des sépultures tardo-hallstattiennes, seulement quelques pièces peuvent être mises en relation avec le style artistique de La Tène ancienne. Il s'agit de deux bagues en bronze de Vače, décorées par de petites têtes humaines, et des quatre boutons en bronze en forme de têtes de chat provenant de Šmarjeta (dans une sépulture tumulaire, on en trouva au moins douze). Contrairement à d'autre têtes similaires qui font partie de la décoration de nombreux produits d'artisanat de l'époque de La Tène ancienne, il s'agit dans ce cas de pièces indépendantes, probablement portées près du cou. A la fin du IVe siècle environ, une vague de migration celtique déferla sur le territoire pré-alpin du Sud-Est. La colonisation des Taurisques qui vinrent, selon les trouvailles archéologiques, du bassin des Karpates, marqua la fin de l'époque hallstattienne et le commencement de la civilisation de La Tène qui continua pendant trois siècles. Les fouilles du grand habitat d'hauteur d'époque Hallstatt-La Tène, de Cvinger près de Stična dans la basse Carniole, Les Taurisques démontrèrent que la vie continua ici sans secousses. Il resta cependant sans fortifications pendant un certain temps, après la colonisation des Taurisques.

On ne connaît pas le rapport numérique entre Taurisques et indigènes parce qu'on n'arrive pas à distinguer les sépultures des uns et des autres. Cela vient du fait que les indigènes adoptèrent très tôt non seulement une grande partie de la culture matérielle des Taurisques, mais aussi leur rite funéraire. Les changements furent larges et profonds. La panoplie hallstattienne, composée d'une hache de combat et d'une ou deux lances, fut remplacée par celle typiquement celtique : une épée à double tranchant dans son fourreau métallique, un bouclier en bois avec son *umbo* en fer et une lance à lame très large. L'équipement masculin était composé de couteaux typiques, d'une paire de ciseaux et d'un rasoir, le fourreau était suspendu à une chaîne en deux parties. Les femmes qui auparavant utilisaient des fibules de type Certosa de formes différentes, épinglèrent dès lors leurs habits avec des fibules La Tène et portaient aux bras de bracelets à oves. De plus, parallèlement à la fabrication manuelle de céramique, on commença la fabrication au four.

Ce qui changea essentiellement fut le rite funéraire. On commença à incinérer les morts, et les ossements brûlés étaient ensevelis dans des tombes plates. Les sépultures fouillées en 1885 à Mokronog nous renseignent sur ce rite : dans des trous d'environ 25 centimètres, enfouis dans les rochers dolomitiques à une profondeur proche du demi-mètre étaient déposés les ossements brûlés, qui ne devaient comporter ni charbon ni cendre, et qui étaient recouverts de sable dolomitique sur lequel était déposé le mobilier des armes souvent déformées, des chaînes de ceintures et des objets personnels dans les sépultures masculines ; par contre, dans les tombes des femmes, on trouve seulement des parures. Toutefois, il n'y eut pas de cassure complète avec la culture hallstattienne. En effet les habitats continaient et les nécropoles La Tène étaient souvent à côté de tumuli hallstattiens. D'autre part, dans les sépultures il n'y a que quelques céramiques qui soient typiquement laténiennes, la majeure partie présente d'indiscutables caractères hallstattiens. Ce que l'on a dit sur le rapport entre Taurisques et indigènes est valable surtout pour la région de la basse Carniole. Dans la Styrie et dans la vallée du fleuve Save l'image est très différente: la culture laténienne ne contient ici aucun élément hallstattien. Les Taurisques s'établirent donc ici dans un territoire qui n'était pas encore habité. Mitja Gustin distingua deux phases dans la culture des Taurisques. La plus ancienne (IIIe et IIe siècles av. J.-C) est illustrée par les nécropoles de Dobova et de Bretica près de la Save, de Mokronog dans la vallée de la Mirna, de Formin dans la vallée de la Drave et de Slatina v Rožni Dolini près de Celje, dans lesquelles apparaissent les éléments typiques du monde celtique (par exemple les fourreaux décorés par la "paire de dragons" ou dans le style suisse, les umbos de bouclier constitués par une bande de métal, les chaînes de ceintures) et aussi ceux qui sont connus seulement auprès des Celtes orientaux : les fourreaux décorés dans le style hongrois, les fibules à décoration à faux filigrane et les anneaux de cheville à trois ou quatre oves. Les armes de cette phase ont souvent de riches décorations (d'habitude les fourreaux, quelquefois la poignée de l'épée, les chaînes de ceintures et aussi les douilles de pointes des lances comme dans les tombes 2 et 6 de Dobova), au contraire les bijoux nous offrent un aspect différent. Les parures féminines plus fréquentes à l'époque sont les ceintures à petites chaînes de bronze et les bracelets de verre, tous deux très rares chez les Taurisques mais que l'on trouve dans différentes parties du monde celtique. On ne trouve pas de même les riches

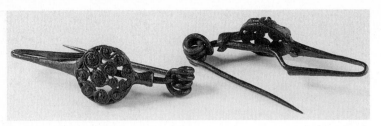

bracelets à faux filigrane ou à décoration plastique. Les femmes des Taurisques portaient de simples bracelets en bronze et de gros anneaux de cheville à trois ou quatre oves. Nous avons toutefois quelques trouvailles extraordinaires : le fourreau de la tombe 47 à Brežice, décoré par la "paire de dragons" et par un motif floral asymétrique de style hongrois ; les ceinturons de la même sépulture avec des plaques et des anneaux – complètement différents des ceinturons masculins de l'époque – et le fourreau de la tombe 19 à Slatina v Rožni Dolini à la riche décoration en partie dorée en style suisse. Le canthare de Novo Mesto, qui trouve des exemplaires semblables dans le bassin karpatique, semble continuer l'iconographie des ouvrages d'artisanat La Tène ancienne : la tête humaine entre la paire de monstres mythologiques – dans ce cas des serpents à cornes de mouton.

La fin du IIe siècle av. J.-C. fut marquée par de grands changements culturels. Ainsi commença la phase tardive de la culture des Taurisques qui continua jusqu'à la fin du Ier siècle av. J.-C. et qui est illustrée par les grandes nécropoles dans la zone de Strmec au-dessus de Bela Cerkev, de Mihovo et dans celle de Beletov Vrt à Novo Mesto.

Si dans la phase ancienne la sépulture des Taurisques était à incinération, dans la phase tardive des nécropoles soit à incinération (par exemple Novo Mesto) soit à inhumation (audessus de Bela Cerkev à Mihovo), dans certains endroits, par exemple à Magdalenska Gora, on trouve au contraire les sépultures à incinérations, faiblement enterrés dans les tumuli hallstattiens.

A cette époque, les Taurisques commencèrent à frapper leur propre monnaie que nous connaissons par les dépôts, les habitats, et par un riche gisement dans le lit du fleuve Savinja à Celje. On frappait de la monnaie à cet endroit : de grandes tétradrachmes en argent, à la tête d'Apollon au droit et un cheval au revers, de petites pièces en argent qui servaient de monnaie courante. On trouva uniquement à Mihovo de petites pièces en argent découvertes dans quatre sépultures qui devaient servir comme obole pour payer le voyage dans l'Au-delà. Dans cette phase réapparaissent certaines caractéristiques de la culture hallstattienne. On recommença à mettre des casques dans les sépultures ; quelques femmes portaient des bracelets en bronze à côtes qui se distinguaient

*Casque de fer de la tombe
nº 1656/58 de Mihovo
(ex-Yougoslavie)
IIᵉ siècle av. J.-C.
Vienne, Naturhistorisches
Museum
• p. 526*

*Casque de bronze, de Bela
Cerkev-Strmec (ex-Yougoslavie)
Seconde moitié
du Iᵉʳ siècle av. J.-C.
Ljubljana, Narodni Muzej*

des modèles hallstattiens dans les terminaisons à têtes animales. Les images d'animaux au repoussé qui décorent les paragnathides des trois casques nous font penser à l'art des situles. Les guerriers étaient armés avec des épées à la mode, avec un fourreau qui avait une pièce de suspension formée de deux éléments en S", et les femmes étaient ornées avec des bracelets en verre coloré (dans la tombe de Mihovo il y en avait au moins vingt, le plus beau, qui est un exemplaire unique, était dans la tombe 1657/53), elles portaient des fibules, la plupart du temps en bronze et quelquefois en argent, avec un long ressort et une forme particulière. De même, la céramique peinte, produite à l'époque par certains peuples celtiques, ne fut trouvée ni dans les habitats ni dans les sépultures des Taurisques. La raison est simple. Les potiers locaux savaient rendre la vaisselle agréable à l'oeil de manière différente : avec des cordons et des décrochements comme ceux que l'on retrouve sur les paragnathides du casque en bronze trouvé sur le Strmec au-dessus de Bela Cerkev. Ce casque, seul exemplaire de bronze parmi les casques orientaux du Iᵉʳ siècle av. J.-C., relevé par des boutons décorés d'émail rouge, fut trouvé en 1897 dans une tombe qui contenait, entre autres, une épée norique pliée, un umbo de bouclier circulaire en fer et un coutelas de combat. Cette sépulture date, de même que la tombe 37 de Verdun près de Novo Mesto, avec un épée et un umbo

*Éléménts de
ceinturon de fer
de la tombe nº 47
de Brezice
(ex-Yougoslavie)
Fin du IIIᵉ-début
du IIᵉ siècle
av. J.-C.
Brezice, Posavski
Muzej*

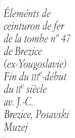

presque identique, de l'époque augustéenne, c'est-à-dire de la période qui suit la victoire d'Octavien sur les Taurisques. Après la domination romaine, ces derniers abandonnèrent leurs habitats (c'est démontré par les recherches des sites) mais ils continuèrent à ensevelir leurs morts dans les mêmes endroits : sur le Strmec au-dessus de Bela Cerkev, les tombes romaines se trouvent au-dessous de celles de la période La Tène tardive. C'est valable également pour Novo Mesto et Mihovo. Ils conservèrent aussi certains rites funéraires ainsi que le prouvent les sépultures qui contiennent les armes romaines classiques : le glaive, l'umbo de bouclier rond avec un long manipule, exceptionnellement le casque de type Weisenau.

Cette situation ne pouvait pas se conserver longtemps, la romanisation continua sans arrêt ; dans ce territoire arrivèrent de nouveaux habitants et de nouveaux courants culturels originaires de tous les endroits possibles et avec le temps se perdirent les traces des Taurisques.

Les Celtes et les Balkans

Otto Hermann Frey et Miklós Szabó

Celtes et Thraces

Les contacts établis durant le début de La Tène entre les Celtes, les Scythes et les Thraces avaient certainement un caractère très différent de ceux qui furent établis avec les Etrusques et les Grecs. Car avec ces derniers se forma un véritable échange commercial qui permettait aux cités antiques de placer leurs surplus auprès des Barbares au Nord et de recevoir en échange de l'aide militaire, des esclaves et des produits naturels en tout genre. Dans ce processus, on peut supposer qu'il s'ensuivit une lente modification, partant de dons réciproques et de transactions pures jusqu'au début d'une économie monétaire.

L'"écart culturel" évident était une condition pour l'existence de ces relations, à savoir la richesse de la production supérieure de la région méditerranéenne. Elle stimulait l'intérêt des Celtes pour les produits de luxe, ce qui fut finalement d'une importance décisive également pour leur création artistique.

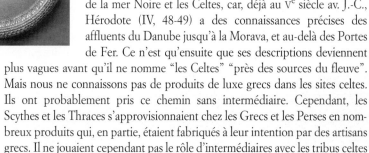

Les relations avec les peuples cavaliers de l'Europe orientale ont dû se dérouler dans un cadre très différent. Certes, quelques contacts commerciaux ont, par exemple, dû exister relativement tôt le long du Danube entre les villes grecques de la mer Noire et les Celtes, car, déjà au Ve siècle av. J.-C., Hérodote (IV, 48-49) a des connaissances précises des affluents du Danube jusqu'à la Morava, et au-delà des Portes de Fer. Ce n'est qu'ensuite que ses descriptions deviennent

Torque votif
d'argent sur une
âme de fer
de Trichtingen
(Bade-Wurtemberg)
I[e] siècle av. J.-C.
Stuttgart
Württembergisches
Landesmuseum
p. 528

plus vagues avant qu'il ne nomme "les Celtes" "près des sources du fleuve". Mais nous ne connaissons pas de produits de luxe grecs dans les sites celtes. Ils ont probablement pris ce chemin sans intermédiaire. Cependant, les Scythes et les Thraces s'approvisionnaient chez les Grecs et les Perses en nombreux produits qui, en partie, étaient fabriqués à leur intention par des artisans grecs. Il ne jouaient cependant pas le rôle d'intermédiaires avec les tribus celtes plus à l'ouest. Ils s'affrontaient plutôt avec eux et comme ennemis à la recherche de butin, ou s'alliaient avec eux, et échangeaient alors des dons honorifiques. Il devait sans doute exister à l'intérieur des classes dominantes des similitudes dans leur comportement ainsi que dans la conception de leur statut.

Dans un autre texte, nous avons déjà parlé de la coutume de la chasse aux têtes, pratiquée par les deux peuples. Il serait facile d'énumérer d'autres coutumes communes encore. Certaines trouvailles celtes de style grec oriental ou perse, dont les prototypes ont pu être les dons honorifiques et qui ont dû être transmis par les Thraces ou les Scythes, montrent clairement qu'il ne s'agit pas d'une pure tradition artistique parallèle, mais probablement d'un échange d'idées, et que des contacts avaient été établis réellement.

De quels dons a-t-il pu s'agir ? Xénophon (*Anab.*, 7, 3, 26 à 27), par exemple, nous parle d'un banquet chez le souverain thrace Seuthès, chez qui il avait amené, vers 400 av. J.-C., ce qui restait d'une armée de 10 000 mercenaires grecs, qui, sous Cyrus le Jeune, avait combattu le roi perse. Il décrit Seuthès recevant, tout en buvant dans une corne, successivement un cheval de course rapide, un esclave, des vêtements, des tapis, de la vaisselle en argent. D'autres sources nous indiquent que des anneaux ont été présentés en tant que don honorifique et signe de souveraineté. Mentionnons ici quelques-uns de ces ouvrages celtes dont l'expression artistique reflète probablement cette pratique des dons honorifiques.

Garniture en feuille d'or estampée au repoussé, d'une corne à boire de la tombe princière de Reinheim (Sarre) Ve siècle av. J.-C.

La tombe princière de Weiskirchen, dans la Sarre, contient, à côté d'autres offrandes, la partie décorée d'une corne à boire, en feuille d'or avec dix sphinx estampés sur une forme, ainsi que plusieurs petits disques en or avec des rosettes imprimées. La forme utilisée pour le sphinx est probablement un travail de la Grèce orientale. Comme on l'a publié, on doit exclure, par manque de trouvailles correspondantes, que la corne soit parvenue par l'Etrurie. En revanche, on l'imagine facilement, vu le rôle particulier de la corne chez les Scythes et les Thraces, comme un don honorifique offert à un Celte de la part d'un noble de la région du Pont, où on trouve des rosettes tout à fait correspondantes également comme décoration des vêtements.

Sur le site de la fortification de Höhenburg, sur le Glauberg, au bord de la Watterau, dans le land de la Hesse, a été mis au jour un torque en bronze à demi fini du début de La Tène. Sur celui-ci figurent deux lions flanquant une tête à deux faces tournées de 180°, les pattes antérieures appuyées sur deux autres têtes de Janus. Le motif (une tête entre deux animaux sauvages ou deux animaux mythologiques) trouve des comparaisons dans toute une série de travaux scythes. Un élément complètement inconnu chez les Celtes est celui des lions, dont les corps se confondent avec le torque, ou l'épousent comme dans les oeuvres perses. Sur un anneau en or d'Alep, avec deux animaux fabuleux, mi-lions mi-griffons, nous rencontrons la même crinière en dégradé. Le fait que chez les Thraces également les torques en or avec extrémités en forme de lion selon le modèle perse étaient considérés comme une parure particulière est illustré par la représentation d'un torque semblable sur une jambière luxueuse, avec décoration figurée, provenant de Vraca en Bulgarie.

Plaquette d'os figurant un animal de l'Altaï Ve siècle av. J.-C.

La fibule connue de Panenský Týnec, en Bohême, du Ve siècle av. J.-C., a les traits stylistiques de la Grèce orientale. Cela apparaît de manière évidente dans la tête de mouton par lequel se termine le pied de la fibule. La couronne de boucles qui entoure la tête, les lignes souples autour du museau et le motif lui-même, c'est-à-dire le fait qu'il ne s'agit pas d'un bélier, mais d'un mouton sans cornes, ne laisse aucun doute quant à sa filiation artistique. Par ailleurs, il n'est pas sûr que l'oiseau en vol situé sur la tête de la fibule ne puisse également être mis en rapport avec des prototypes orientaux. On peut citer d'autres pièces dans ce contexte, mais une interprétation semblable est moins certaine. Plusieurs fois, on a indiqué l'anneau de la tombe princière de Rodenbach, dans le Palatinat. Il est décoré non seulement de palmettes comparables à celles d'autres créations de La Tène, mais aussi d'un masque entouré de deux couples de béliers. Ce motif, qui rappelle celui trouvé sur le crochet de ceinture de Weiskirchen et que nous avions rencontré dans une version légèrement divergente, avec animaux sauvages, sur le torque du Glauberg et le crochet de ceinture de Stupava (cette dernière œuvre dénote également des liens importants avec la création artistique à l'est) doit appartenir au monde imaginaire celte. Mais les béliers couchés trouvent d'excellents parallèles dans des oeuvres des régions des steppes russes. Nous donnons ici comme exemples deux sculptures en os de la région de l'Altaï, sur lesquels apparaissent de façon semblable les lignes perlées sur le corps.

Un torque en or provenant du trésor d'Erstfeld, en Suisse, est décoré de deux oiseaux aux têtes d'agneaux. Des taureaux avec de grandes cornes sont plus fréquents dans le monde celte. La symbolique des vaches ou des agneaux est cependant typique des régions de la Grèce orientale et de la Perse. Nous

Détail du bracelet de Rodenbach (Rhénanie) ᵉ siècle av. J.-C.

Torque de bronze du Glauberg (Hesse) ᵉ siècle av. J.-C.

connaissons par exemple de nombreux torques avec des extrémités de ce type. Les êtres fabuleux celtes au torque doivent avoir un lien avec ce monde imaginaire répandu en Orient.

Cela nous permet de passer facilement à une des découvertes les plus intéressantes faites en Allemagne du Sud-Ouest : l'anneau en argent de Trichtingen, qui est un peu plus récent (IIIᵉ siècle av. J.-C.). Il s'agit d'un anneau en fer plaqué d'argent, d'un poids supérieur à 6,5 kilos et qui a été sans doute déposé comme offrande dans une eau courante ou stagnante. Déjà la composition inhabituelle des matériaux évoque la technique métallurgique mise en œuvre en Anatolie. Les extrémités de cet anneau se terminent en deux têtes de bœuf ou d'agneau aux cornes relativement courtes et avec un col pourvu d'un petit torque, signe distinctif des guerriers celtes. Nous avons déjà indiqué la quantité de torques connus, perses ou grecs orientaux, souvent en métaux précieux, à tête d'animaux où la symbolique des agneaux, a joué un rôle important. Dans ce cas, la représentation relativement naturaliste de la toison traduit l'influence grecque. Au Proche-Orient comme chez les Celtes, les anneaux figurent à plusieurs reprises les signes de souveraineté. Cet anneau lourd ne peut signifier qu'un tel symbole déposé en faveur d'un dieu. Il provient certainement d'un atelier situé dans la partie inférieure des régions du Danube, d'où il est parvenu en Allemagne du Sud-Ouest, et sa fabrication porte également les traces d'une influence des œuvres grecques orientales et de l'Asie Mineure.

Cette trouvaille nous a conduits au moment de l'expansion celte vers l'est pour introduire un mélange direct des traditions celtes et thraces dans les Balkans, précédant une nouvelle phase des rapports des Celtes en Thrace.

O.H.F.

Le torque en or retrouvé à Cibar Varos est, à l'heure actuelle, le document celtique le plus ancien mis au jour en Thrace. Il s'agit sans aucun doute d'un objet d'une importance capitale, bien que les circonstances de sa découverte nous soient encore inconnues. Il se peut qu'il corresponde à la présence celtique en Thrace vers la fin du IVe siècle av. J.-C. Il semble que les Celtes, après avoir établi des rapports diplomatiques avec Alexandre le Grand, aient repris après quelque temps les opérations militaires dans les Balkans. Quoi qu'il en soit, un fait est certain : vers 310, Cassandre leur infligea une défaite dans la région de l'Haemus (mont Balkan). L'ornementation du char laténien, qui fait partie du mobilier d'une tombe thrace à Mezek en Bulgarie, à proximité de la frontière turque, a été mise en rapport avec la victoire remportée en 277-276 av. J.-C. par Antigonos Ier Gonotas contre une armée celte près de Lysimacheia en Thrace.

L'apparition des Celtes dans cette région balkanique n'est pas caractérisée par une vaste diffusion d'objets de type laténien, ce qui du reste n'a rien d'étonnant, du moment que le témoignage matériel des invasions est souvent peu abondant et sporadique. La situation change après que la tentative de pénétration celtique sur le territoire grec a échoué. Polybe écrit que les Celtes, après avoir vaincu les Thraces, fondèrent un royaume assez près de Byzance. Mais Etienne de Byzance situe Tylis (ou Tylé) beaucoup plus loin, près du mont Balkan. Les données contradictoires ne permettent pas de localiser avec précision cette nouvelle formation politique. Cependant, nous savons que les Celtes n'occupèrent jamais de villes sur le littoral pontique ni de territoires au-delà du mont Balkan ; ce qui n'empêche pas qu'ils aient exercé une grande influence sur l'histoire de la Thrace au IIe siècle av. J.-C.

Il ne faut pas toutefois surévaluer l'importance de Tylis, un royaume qui ne fut ni très solide ni bien organisé. D'autre part, les vestiges celtiques de cette période en Thrace ne sont pas très connus et font l'objet de maintes controverses. Ils se limitent à quelques armes, fibules et autres objets isolés. La pauvreté de la documentation archéologique reflète sans doute l'état actuel de la recherche, mais la rareté des ensembles purement laténiens s'explique aussi par le mélange d'éléments celtiques et de tradition locale et, plus récemment, par les symptômes de l'hellénisation. Processus, ce dernier, qui fut favorisé certainement par les bons rapports que les Lagides entretenaient avec les *Tylenes* qui souvent leur offrirent les services des mercenaires celtes, dont Tylis, précisément, constituait un des réservoirs les plus importants. Le pouvoir celtique en Thrace fut anéanti en 213-212 av. J.-C. Les conséquences de ce bref chapitre de l'histoire celtique sont de deux ordres. D'une part, la popularité dont l'armement de type laténien jouissait parmi les Thraces est

Statuette de sanglier de bronze de Mezek (Bulgarie) IIIe siècle av. J.-C. Sofia Narodnija Archeologiceski Muzej

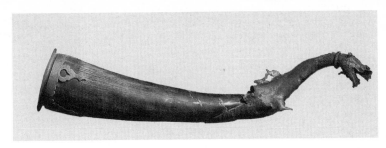

manifeste, surtout parmi les "cavaliers aristocratiques" ; l'influence de la civilisation des envahisseurs est évidente aussi dans le secteur des bijoux. D'autre part, il faut souligner que l'épanouissement culturel du monde celtique danubien dans le second quart du IIIe siècle av. J.-C. fut étroitement lié au "séjour celtique" dans la région balkanique. Un ensemble remarquable d'objets démontre que le noyau laténien du bassin des Karpates était amplement ouvert aux influences thraco-illyriennes, qui rayonnèrent vers le nord, grâce sans doute à la puissance des Scordisques qui eurent un rôle très spécial pendant les IIe-IIIe siècles av. J.-C.

Pour la technique du filigrane et de la granulation, les Celtes étaient redevables au milieu thraco-illyrien. L'analyse des objets laténiens justifie la double dénomination de la source : leurs antécédents sont déjà connus tant dans la région illyrienne qu'en Thrace. Certains cas permettent aussi l'identification de racines précises, notamment pour les tubules filigranés et granulés de Szárazd-Regöly, dont les analogies plus proches proviennent de la Thrace. Cela confirme que l'apport thrace à la création de l'orfèvrerie celtique orientale est incontestable. Un autre cas qui témoigne de l'importance de l'art thrace dans le cadre laténien est représenté par la célèbre corne à boire de Jászberény-Cseröhalom, dont la partie zoomorphe imite une version hellénistique du *kétos*, le dragon marin. Le protome en bronze de Devnia prouve d'autre part que cette typologie iconographique n'était pas inconnue en Thrace. En outre, il n'est pas exclu que la réapparition du *rhyton* chez les Celtes pendant l'époque laténienne moyenne soit à attribuer au rayonnement de la civilisation thrace.

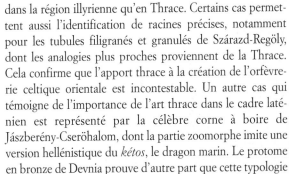

Tous ces symptômes, qui se font jour après l'échec des envahisseurs celtiques en Macédoine et en Grèce, représentent dans un certain sens les antécédents du style que l'on appelle istropontique de l'art celtique, dont le chef-d'œuvre est le chaudron de Gundestrup.

Celtes et Daces

Les parures en argent découvertes dans une tombe celtique de Vršac-At en ex-Yougoslavie révèlent une nouvelle influence artistique et technique qui s'est manifestée dans la civilisation celtique orientale vers la fin du IIe siècle av. J.-C., celle du peuple dace dont les rapports avec les Scordisques devaient être pacifiques à l'époque. La situation changea complètement vers la fin de la sixième décennie av. J.-C., lorsque l'Etat dacique, sous le règne de Burebista, mena des campagnes victorieuses d'abord contre "les Celtes qui vivaient entre les Thraces et les Illyriens", c'est-à-dire les Scordisques, puis contre l'alliance des Boïens et des Taures dits de Pannonie, sous la direction du Boïen Kritasiros.

Les conséquences politiques de la victoire dacique ne durèrent pas longtemps, car la mort de Burebista, survenue vers la moitié de la quatrième décennie, entraîna la dissolution de son état. Toutefois, les effets indirects, comme par exemple l'effondrement de la puissance des Boïens, eurent une importance déterminante pour l'avenir du monde celtique danubien. Pour ce qui concerne l'expansion des Daces, les documents archéologiques les plus significatifs se trouvent en Slovaquie. Ils suggèrent une occupation de la région sud-orientale et sud-occidentale du territoire, ce qui permettrait d'avancer une nouvelle interprétation de sources obscures en soi. Ainsi par exemple, Tacite estime que le peuple des Cotini était celtique, alors que leurs descendants de la Pannonie romaine avaient des noms daciques. En effet, l'étude des découvertes archéologiques de la Slovaquie montre que des éléments de la culture dacique avaient été assimilés par la population celtique originelle. Il n'est pas possible, en revanche, de tirer des conclusions historiques de l'examen des découvertes sporadiques de céramique dacique dans la partie nord-orientale de la région transdanubienne hongroise (par exemple, celle de Gellérthegy-Tabán à Budapest). De même qu'il est difficile de se représenter la situation politique de la grande plaine hongroise dans la deuxième moitié du Ier siècle av. J.-C. Il n'en reste pas moins que les découvertes reflètent une sorte de cohabitation de populations daciques et de Celtes présents dans cette région du moins à partir du IIIe siècle av. J.-C.

M.S.

Poterie, bracelet et fibules d'argent mobilier de l'incinération féminine de Vrsac-At (ex-Yougoslavie) Seconde moitié du IIIe-début du IIe siècle av. J.-C. Vrsac, Narodni Muzej

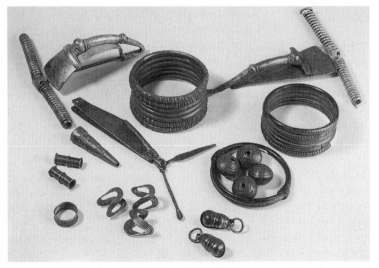

Trésor de parures d'argent de Kovin (ex-Yougoslavie) Ier siècle av. J.-C. Vrsac, Narodni Muzej

La société celtique au Iᵉʳ siècle av. J.-C.

Alain Duval

C'est vraisemblablement au Iᵉʳ siècle av. J.-C. que l'Europe celtique connaît sa situation la plus complexe. Ce n'est plus le temps de la grande expansion, et le dynamisme qui a caractérisé le IIIᵉ et encore le IIᵉ siècle s'est éteint. Au contraire, l'espace occupé par les Celtes indépendants s'est considérablement réduit : l'Italie celtique a été soumise puis assimilée par Rome ; il en va de même pour le Galates, par Pergame ; à partir de 125 av. J.-C., le sud de la Gaule est conquis, puis très progressivement organisé par les Romains ; au tournant du siècle, les Volques du Languedoc sont subjugués ; de 58 à 51 av. J.-C., la Gaule tout entière est conquise par César; les Romains occupent la Pannonie en 12 av. J.-C., peu avant que les Germains ne fassent disparaître la civilisation celtique déjà transformée par les Daces en Bohême et en Moravie.

L'Europe celtique n'a malgré tout jamais connu une telle unité, unité caractérisée par des modes de vie et de pensée, une langue, une organisation sociale, une économie, des pratiques religieuses sinon totalement identiques, du moins très semblables. Encore les nuances qui peuvent être relevées ne sont-elles pas toujours fonction des distances existant entre des peuples ou des groupes de peuples. Il y a ainsi sans doute moins de différences entre les Boïens des régions danubiennes et les Eduens de Bourgogne, en Gaule, qu'entre ces mêmes Eduens et les Celtes situés au nord de la Seine (Gaule Belgique). Le point le plus remarquable de l'unité de l'Europe celtique au Iᵉʳ siècle av. J.-C. est l'extension du phénomène des *oppida* les premières villes créées par les Celtes. Ce développement n'est pas interrompu, en Gaule, par la conquête césarienne, et l'étiolement ou la disparition des *oppida* se produit d'une façon très uniforme au début de notre ère.

1. La civilisation des oppida: certitudes et mystères

Successivement analysés par des chercheurs tels que W. Dehn, J. Collis, V. Kruta et O. Buchsenschutz, les *oppida* peuvent être définis comme suit : ce sont des sites vastes (plusieurs dizaines d'hectares), en général en hauteur, fortifiés, c'est-à-dire défendus par un rempart associé à un fossé. Ce rempart est continu et peut s'affranchir du relief naturel en cas de nécessité (Závist en Bohême, mont Beuvray en France). Le modèle de construction classique, mais non exclusif, du rempart de l'*oppidum* celtique est le *murus gallicus,* décrit par César masse de terre et de pierres organisée autour d'une structure de bois faite de poutres transversales et longitudinales, et éventuellement verticales ; les poutres du rempart sont fixées entre elles par de grandes fiches du côté externe du rempart, protégé et orné d'un parement de pierres. De larges portes s'ouvrent dans les fortifications, par où passent des routes qui pénètrent à l'intérieur de l'*oppidum*. Ces routes se divisent ensuite en rues organisées selon plusieurs axes (Staré Hradisko, en Moravie). Ces rues délimitent des "blocs" de constructions publiques et religieuses, ou de bâtiments à fonction d'habitation ou d'ateliers. En effet, il semble que des quartiers spécialisés puissent être reconnus : quartiers d'artisans, de résidences nobiliaires, aires à fonction religieuse, à fonction commerçante (tel l'énigmatique bâtiment cruciforme découvert à Villeneuve-Saint-Germain, France). Si l'on ajoute à cela un souci de canalisation des eaux consommables et des eaux usées (mont Beuvray, France), il faut bien reconnaître que nous sommes là en présence d'une véritable ville, au sens à la fois antique et moderne du terme.

L'on doit cependant préciser que ces définitions proviennent des conclusions tirées par J.G. Bulliot de ses fouilles au mont Beuvray au XIXe siècle, et qu'ont été ensuite appliquées à tous les sites fortifiés. La reprise des fouilles sur le mont Beuvray (Bibracte) permet au moins de s'interroger sur la date exacte du phénomène urbain : il n'y apparaît peut-être qu'à une date assez tardive, peu avant le milieu du Ier siècle av. J.-C. La discussion en cours sur ce sujet entre archéologues n'est pas close. A titre d'hypothèse provisoire, on peut avancer que le phénomène apparaît assez tôt chez les Celtes orientaux (Závist, Staré Hradisko, Stradonice) et qu'il s'est répandu ensuite progressivement chez les Celtes occidentaux. Cela expliquerait qu'il existe des *oppida* nettement postconquête dans la Gaule de l'Ouest (Levroux, France), ou encore que certains *oppida* n'aient pas un caractère urbain complètement affirmé (Manching, Bavière, Allemagne). Cette discussion n'est pas sans incidence sur l'image qu'on peut se faire de la société celtique de cette époque. Une carte de l'Europe des *oppida* telle qu'elle a été dressée par J. Collis peut regrouper des sites occupés à différentes périodes. Il n'en reste pas moins que l'existence de villes *stricto sensu* suppose des fonctions politiques, religieuse et économiques bien précises. On a ainsi parlé de l'émergence, chez les Celtes, d'une véritable "classe" de bourgeois avant la lettre, produisant et consommant des produits de semi-luxe et disposant du pouvoir politique, un *oppidum* central étant la capitale d'une tribu ou au moins d'une région, et utilisant les ressources d'un arrière-pays. Il faut en revenir à des notions à la fois plus simples et plus complexes. Les phénomènes en définitive communs à l'Europe celtique sont les suivants : regroupement d'une partie de l'habitat sur des sites ouverts ou fermés ; organisation d'un réseau de communications, tant fluviales que routières ; développement d'une production artisanale de série ; développement de la monnaie ; dans une zone plus restreinte, accélération de la consommation de produits méditerranéens, notamment le vin, puis l'huile, appréhendable à travers les amphores. L'influence du monde romain sur l'apparition puis la diffusion de ces phénomènes paraît incontestable. On peut, avec quelque prudence, supposer que c'est l'aristocratie celtique qui, en tant que consommatrice, a déclenché le processus. Mais ensuite, au moins dans certaines régions, il a fallu que se mette en place un réseau de distribution. Une partie de la population a pu alors effectivement vivre de la production et des échanges. Toutefois, nous ne savons toujours pas de qui

...obilier ...tallique ...mposé vases bronze ...d'une ...ée de ...et de bronze ...la tombe ...stocratique ...Châtillon-sur-...dre (Indre) ...conde moitié Ier siècle J.-C. ...ntes, Musée ...brée

dépendaient les artisans : étaient-ils libres d'organiser ou de commercialiser leur production ? ou bien étaient-ils attachés à la classe nobiliare ou équestre ? Les arguments matériels sont en effet contradictoires. D'un côté, on assiste au développement de la fabrication d'objets de série, selon le principe produire plus, plus solide, plus vite – ce qui suppose un grand nombre d'acheteurs potentiels – comme on le remarque, par exemple, à travers les fibules ; d'un autre côté, lorsqu'on considère certaines fabrications spécialisées, comme celle de l'émail, on remarque que les évidences de lieux de production sont peu nombreuses : le mont Beuvray, le Tietelberg (Luxembourg), Heidetränk (Hesse, Allemagne), Stradonice, Staré Hradisko et quelques autres rares sites.

Quoi qu'il en soit, le mouvement des *oppida* vrais, ou d'autres sites fortifiés à fonction urbaine moins évidente, que les auteurs britanniques dénomment *hillforts,* paraît obéir à deux raisons principales : la première est "la nécessité de protéger les points stratégiques d'un système économique que son progrès avait rendu très complexe, et donc très vulnérable" (V. Kruta) ; la seconde est la nécessité d'organiser des sites répondant à des critères géographiques (lieu central ou, au contraire, de contact, dans le territoire d'une tribu), économiques (proximité de grandes voies de communication) et stratégiques (facilité de défense). Ce mouvement paraît s'accélérer au cours du Ier siècle av. J.-C. On a pu se demander si la multiplication des types de monnaies émises et celle des lieux de fabrication ne correspondait pas à une atomisation des territoires de tribus, certaines petites régions, qui ne se distinguent absolument pas, par le mobilier archéologique, des "régions mères", acquérant une indépendance ou au moins une autonomie politique de fait. Ce mouvement avait d'ailleurs pu commencer plus tôt, dès la fin du IIe siècle, au sein des grands "empires" que certains auteurs ont parfois évoqués, notamment pour la Gaule, à propos des Eduens et des Ségusiaves, des Arvernes et des Vellaves. Aux environs du début de notre ère, certains *pagi,* paraissent ainsi affirmer leur spécificité, tel le *pagus catuslugus* identifié récemment aux marches de la Picardie (France).

La question de l'exercice du pouvoir dans les *oppida* a été longuement discutée. Est-il aux mains des "rois" ou de "princes" ? Ou au contraire d'un groupe restreint de "nobles" constituant ce que César appelle des sénateurs ? La situation est certainement différente dans le nord-ouest et dans l'ouest de l'aire celtique de ce qu'elle est ailleurs, ainsi que nous le verrons ci-après. Qu'il s'agisse d'un seul individu régnant de droit ou désigné (le vergobet) ou encore d'une assemblée, dans tous les cas il ne s'agit plus des anciens chefs de tribus, mais comme l'écrit M. Szabó, d'une "aristocratie commerçante".

2. Le monde rural : une réalité permanente

Les prestigieux *oppida* ont souvent occulté le fait que le monde celtique reste éminemment agricole, certes non plus systématiquement forestier, mais largement exploité pour l'élevage et les cultures. Dans certaines régions, comme l'Armorique gauloise, on a même pu évoquer une déforestation excessive. Il n'est pas inutile de rappeler que l'essentiel de l'outillage agricole traditionnel adapté à l'Europe tempérée est complètement constitué chez les Celtes et chez les Daces en ce Ier siècle av. J.-C.

Si l'agriculture n'est pas absente, loin de là, de l'activité des bourgs de plaine et des *oppida* (à Manching, notamment, une vaste zone *intra muros* n'est pas construite), son cadre essentiel reste la ferme indigène. Ce terme générique ne permet pas de distinguer tous les types d'exploitations agricoles, et, effectivement, trop peu de fouilles ont été jusqu'ici conduites pour en permettre une classification et en déterminer une hiérarchie. De même, nous connaissons assez mal les villages, hormis quelques exemples, dont celui d'Eischweiler Laurenzberg (Rhénanie, Allemagne). On y distingue une répartition inégale de la richesse et une hiérarchisation sociale qui n'est pas fondamentalement différente de celle observée pour les siècles précédents. Les femmes les plus riches sont pourvues de riches bijoux, sans toutefois que ressorte un signe distinctif du rang social comme les torques puis les ceintures métalliques durant La Tène I et II. Le sommet de la hiérarchie masculine est occupée par le guerrier muni de ses armes, dont la longue épée à pointe mousse, qu'on ne pouvait utiliser qu'à cheval, ce qui nous permet de nous référer à cette classe des *equites* dont parlait César. Une ferme indigène récemment découverte en Armorique (France) peut être un habitat aristocratique. Elle semble avoir été fortifiée, et c'est dans un fossé bien daté de la première moitié du Ier siècle av. J.-C., qu'a été découverte la déjà célèbre "divinité à la lyre", ou à la cithare.

Il semble qu'il faille, dans le mobilier funéraire, isoler le nord-ouest et l'ouest de l'Europe celtique. D'une part, à compter de la fin du IIe siècle av. J.-C., les tombes de guerriers y sont assez nombreuses. D'une part, certaines tombes sont d'une richesse exceptionnelle. On y voit comme la résurgence de pratiques connues au Hallstatt final, avec présence de nombreux vases, en céramique ou en métal, et d'instruments attestant le rite du

Avers et revers de la monnaie d'or de Vercingétorix frappée probablement en 52 av. J.-C. Saint-Germain-en-Laye Musée des Antiquités nationales

banquet funéraire (grils, chenêts, amphores, bassins, patelles, cruches du type dit "de Kelheim"). Ces tombes somptueuses s'étendent sur un vaste arc de cercle allant du pays trévire (Clémency, Luxembourg), jusqu'en Angleterre en passant par le centre-ouest de la Gaule (Châtillon-sur-Indre). Certaines d'entre elles recèlent non pas un char, comme on l'a écrit trop souvent, mais des éléments d'un ou plusieurs chars : appliques, bandages de roues, frettes de moyeu etc. Dans le centre-ouest de la Gaule, certaines de ces tombes recèlent également une arme de prestige qui paraît symboliser la puissance du défunt : l'épée courte à tête humaine, dit "poignard anthropoïde" à cause de la tête qui en orne la poignée.

Des tombes avec éléments de char se retrouvent aux confins orientaux du monde celtique. A l'Ouest comme à l'Est, les tombes recélant un char complet, mais cette fois à quatre roues, ne semblent pas antérieures au début de l'époque romaine, que ce soit dans le sud-ouest de la Gaule (Boé, Saintes) ou en Pannonie.

Les simples chevaliers ou les chevaliers de haut rang, identifiés à travers ces sépultures sont-ils différents de ceux qui vivent dans les *oppida* (des fragments de "poignards anthropoïdes" ont été retrouvés sur ceux-ci) ? Autrement dit, doit-on avoir une vision de la société celtique dominée par une seule aristocratie vivant à la fois sur l'*oppidum* et à la campagne, ou dominée par deux aristocraties, éventuellement antagonistes, l'une vivant des échanges, de la ferme des octrois, faisant frapper monnaie, et l'autre vivant en autarcie sur ses terres ? On ne peut le dire dans l'état actuel de nos connaissances.

3. La religion et les sanctuaires : des révélations nouvelles

Pendant longtemps, la religion celtique a été étudiée à partir de sources plus tardives, d'époque historique. Les travaux de K. Schwarz en Bavière tout d'abord, puis ceux de J.L. Brunaux et d'A. Rapin en France ont permis d'individualiser certaines pratiques de la Celtique indépendante et, pour le coup, de poser des nombreuses questions, qui rejoignent celles qui nous intéressaient à propos de l'aristocratie. Il semble en effet qu'ils existe dans le monde celtique deux types de sanctuaires principaux : les *Viereckschanzen* et les santuaires à dépôts. Les *Viereckschanzen,* ou enceintes quadrangulaires, d'une surface d'environ 1 ha, sont délimités par un talus et un fossé entourant une surface intérieure souvent légèrement surélevée. Ils ont d'abord été identifiés et répertoriés en Bavière par K. Schwarz, mais on en a découvert ailleurs, en Bohême autant qu'en Gaule de l'Est et du Centre.

Les sanctuaires à dépôts ont été pendant longtemps plus ou moins classés sous le terme de *"fana* indigènes", c'est-à-dire repérés dans les niveaux dits anciens de sanctuaires d'époque historique. On sait aujourd'hui qu'ils continuent, sur les mêmes sites ou dans des sites nouvellement aménagés, les sanctuaires à armes des époques précédentes.

L'auteur de ces lignes a proposé, à titre d'hypothèse, que les premiers pouvaient relever du monde des vivants. En effet, certains d'entre eux sont situés dans les *oppida.*

Petite tête de bronze de la poignée anthropomorphe d'une épée de l'oppidum de Stradonice (Bohême) Ier siècle av. J.-C. Prague, Národní Múzeum
• *p. 594*

D'autre part, le mobilier recueilli est en général extrêmement pauvre, à quelques brillantes exceptions près, comme les statuettes en bois trouvées à Fellbach-Schmiden (Bade-Wurtemberg, Allemagne). Mais jusqu'ici, aucun dépôt d'armes ni aucune trace d'ossements humains ou animaux n'y ont été trouvés. Aussi est-il tentant de faire le rapprochement avec les textes antiques nous parlant de cérémonies à l'intérieur d'enclos, où la population était invitée à boire et à manger.

Les *Viereckschanzen* auraient ainsi un rôle local, domestique, s'adressant à ceux qui travaillent le sol.

Au contraire, les sanctuaires à dépôts seraient des sanctuaires de rencontre pour la population d'une ou plusieurs tribus, et comme tels placés dans des endroits facilement accessibles. La nature des dépôts est toutefois bien différente de celle des IVe- IIe siècles av. J.-C. ; en effet, les armes y sont désormais rares, remplacées souvent par des outils, voire, exceptionnellement et tardivement, par des armes miniatures. Dans certains cas, les céramiques sont abondantes ; dans d'autres cas, ce sont des monnaies, parfois en or, et même comme à Eu Bois-l'Abbé (France) des monnaies fleur de coin qui abondent. Faut-il voir dans ces changements un affaiblissement de l'aristocratie militaire (détentrice du pouvoir politique, et par voie de conséquent symbole de l'unité religieuse d'une tribu ou d'un groupe de tribus), ou bien des pratiques religieuses différentes de la part de cette aristocratie, ou encore d'un élargissement des catégories de "divinités" auxquelles ces sanctuaires ont pu être consacrés (la découverte d'une figuration d'Epona à La Villeneuve-au-Chatelot, France, va dans ce sens) ? Quoi qu'il en soit, le rôle éminent de ces sanctuaires dans la vie religieuse des cités sera à préciser dans les années à venir.

Nous n'avons rien dit des pratiques attestées par les auteurs anciens, et notamment les sacrifices humains. Nous sommes mal renseignés par l'archéologie dans ce domaine. On peut citer quelques exemples de squelettes humains découverts à la base de constructions de sites fortifiés, comme Danebury (Angleterre). Nous sommes un peu plus documentés sur les rivières et les étangs sacrés, lieux de cultes naturels, selon A. Furger-Gunti ; le plus bel exemple serait celui du site éponyme de La Tène (Suisse), où furent découverts des milliers d'objets, armes, outils, vaisselles, monnaies. Du collège sacerdotal, dont les fameux druides, les auteurs antiques sont également notre seule source. Selon J.L. Brunaux, leur fonction concernait aussi bien la théologie que la philosophie et la cosmogonie. Ils étaient les garants des grandes lois régissant la société, et les conservateurs de la tradition et de l'histoire. Ils rendaient la justice dans les affaires publiques et privées. Dans un domaine plus "vulgaire", les bardes paraissent avoir été des sortes de griots attachés aux puissants. Mais nous entrons là dans le domaine du statut juridique des différentes catégories de la population. Nous n'en parlerons pas, encore une fois parce que l'archéologie est muette sur ce sujet, et parce que les chercheurs sont loin d'être d'accord entre-eux...

L'écriture
Venceslas Kruta

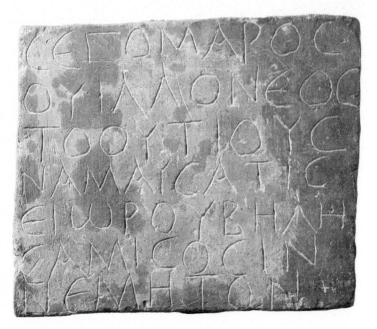

Plaque de pierre avec inscription gallo-grecque de Vaison-la-Romaine (Vaucluse): Segomaros fils de Villo[nos] citoyen de Nemausos (Nîmes) dédie un terrain à la déesse Belesama IIe-Ier siècles av. J.-C. Avignon, Musée Calvet

Les Celtes n'inventèrent pas d'écriture originale. Ils adaptèrent pour enregistrer leur langue celles de peuples avec lesquels ils se trouvèrent en contact direct, toutes issues plus ou moins directement du prototype phénicien. Ils empruntèrent ainsi l'écriture étrusque, grecque, ibérique et latine. L'utilisation ponctuelle d'autres alphabets apparentés n'est attestée jusqu'ici que par des inscriptions dont la celticité est peut-être limitée aux noms de personnes. Enfin, ils développèrent tardivement, en milieu insulaire, un système cryptique de notation de l'alphabet connu sous le nom d'écriture ogamique.

Contrairement aux peuples où des recueils de textes sacrés jouaient un rôle important – c'était par exemple le cas des Etrusques –, les Celtes s'interdisaient l'usage de l'écriture pour tout ce qui relevait du domaine religieux. Les documents écrits qui relèvent de la religion – de brèves dédicaces et des inscriptions à caractère magique – proviennent donc de l'aire d'influence directe du milieu méditerranéen et semblent être souvent l'expression de phénomènes marginaux. L'exception est constituée par le calendrier gaulois, témoin insigne du haut niveau scientifique de l'élite intellectuelle constituée par les druides.

La première utilisation de l'écriture pour enregistrer une langue celtique est attestée actuellement dans l'aire de la culture dite de Golasecca de

...oupe céramique ...vernis noir avec ...raffiti gallo-grec ...e l'oppidum ...e "La Cloche" à ...ennes-Mirabeau ...ouches-du-...hône) ...n Ier - première ...oitié du Ier ...ècle av. J.-C. ...arignane ...airie-dépôt ...s fouilles ...e La Cloche

...s deux faces ...la tablette ...e bronze avec ...scription ...tibérique ...Botorrita près ...Saragosse, site ...Contrebia ...laisca ...spagne) ...siècle av. J.-C.

l'Italie septentrionale. Il s'agit d'adaptation de l'alphabet étrusque dont l'usage ancien est documenté dans le nord-ouest de la Transpadane par une inscription vasculaire de Sesto Calende, datable de la fin du VIIe siècle av. J.-C. Cette inscription est probablement en langue étrusque et le premier document actuellement attribuable au celtique – la graffite sur céramique XOSIOIO (le nom "Kosios" au génitif) – provient d'une tombe de Castelletto Ticino qui est datée du second quart du VIe av. J.-C. Les inscriptions en caractères étrusques et en langue celtique dites souvent "lépontiques" – à tort car l'aire limitée du peuple des *Lepontii* est marginale par rapport à leur diffusion – constituent une preuve irréfutable de la celticité des populations de la culture de Golasecca et témoignent donc

517

d'une présence des Celtes en Italie nettement antérieure à l'invasion historique du début du IVe siècle avant J.-C. On connaît actuellement plus d'une douzaine d'inscriptions vasculaires en caractères étrusques, attribuables au celtique, des VIe-Ve siècles avant J.-C. – des noms de personnes qui indiquent vraisemblablement la propriété de l'objet – et une inscription monumentale, la dédicace gravée sur un linteau de pierre de Como-Prestino, datée aujourd'hui par son contexte et les données épigraphiques de la première moitié du Ve siècle avant J.-C.

L'utilisation de l'alphabet celto-étrusque continue en Transpadane jusqu'à la romanisation accomplie, vers le milieu du Ier siècle avant J.-C. La majeure partie des documents semblent appartenir au IIe avant J.-C. et au début du siècle suivant, donc à la période où les Celtes transpadans se trouvent déjà dans la dépendance économique, politique et culturelle de Rome. L'influence romaine se manifeste non seulement sur les inscriptions monumentales, quelquefois bilingues – stèles de Todi et de Vercelli –, mais également sur les monnaies, où apparaissent, notamment chez les Insubres, des noms de personnes, peut-être ceux de magistrats monétaires.

Il n'y a actuellement que peu de données sur l'utilisation de l'écriture par les Gaulois cispadans. Deux inscriptions en caractères dits "sud-picéniens", considérées comme celtiques et indiquant probablement la propriété, figurent sur des casques en bronze du IIIe siècle avant J.-C. trouvés à Canosa di Puglia et à Bologne. On ne peut en tirer des conclusions générales. Le deuxième groupe de documents en langue celtique est constitué par les inscriptions en caractères grecs empruntés à l'alphabet ionien de Marseille. Elles sont répandues principalement en Gaule narbonnaise, probablement à partir du IIIe siècle avant J.-C., mais également dans le Centre-Est de la Gaule, pendant la première moitié du Ier siècle avant J.-C. L'usage de caractères grecs est attesté pour cette dernière période en Europe centrale par le témoignage explicite de César sur "les tablettes écrites" trouvées en 58 avant J.-C. dans le camp des Helvètes (*Guerre des Gaules, 1, 29*), la marque "KORISIOS" sur la lame d'une épée du site de Port en Suisse et un fragment d'inscription vasculaire où figure un "thêta", trouvé dans l'*oppidum* de Manching en Bavière. Les autres graffiti sur céramique de cet *oppidum* – par exemple celui où apparaît le nom "BOIOS" – peuvent être aussi bien en caractères grecs qu'en caractères latins. Rien ne permet actuellement d'affirmer l'origine de l'alphabet grec utilisé par les Celtes d'Europe centrale.

Le répertoire des documents gallo-grecs comporte actuellement plus de 70 inscriptions monumentales sur pierre, essentiellement de courtes dédicaces ou des épitaphes, près de 200 graffiti sur céramique, principalement des marques de propriété, et une douzaine d'inscriptions sur des matériaux divers : argent, or, plomb, os, fer.

Malgré leur brièveté et la nette prévalence de noms de personnes – idionymes et patronymes – ces documents fournissent des témoignages importants et jusqu'ici peu exploités sur certains aspects de la société gauloise. Ils signalent également le déplacement d'objets dont rien ne permettrait autrement de déterminer la lointaine origine : c'est le cas d'un torque d'or votif sur lequel figure le nom de peuple des Nitiobriges de la région d'Agen, trouvé enfoui à Mailly-le-Camp en Champagne, à quelque six cents kilomètres de sa région d'origine.

Comme en Italie, l'usage de l'écriture est en Gaule un des aspects qui caractérisent, avec l'emploi de la monnaie dans les transactions, une société déjà urbanisée ou en voie d'urbanisation.

La situation était analogue chez les Celtes qui vivaient sur les plateaux de l'actuelle Vieille Castille, où l'adoption d'une écriture semi-syllabaire, empruntée probablement dès le VIIe siècle avant J.-C. aux Phéniciens par les populations tartéssiennes du sud-ouest de la Péninsule et reprise ensuite par les Ibères de la côte méditerranéenne, coïncide avec l'essor du phénomène urbain. Là aussi, la période à laquelle appartient la majorité des documents correspond aux IIe-Ier siècles avant J.-C. Il s'agit principalement de textes très courts : une cinquantaine de légendes monétaires, principalement des noms de cités, et une trentaine d'autres textes qui ne dépassent qu'exceptionnellement quelques mots.

Isolée parmi eux, la tablette de bronze inscrite sur ses deux faces découverte en 1970 à Botorrita près de Saragosse, sur le site de l'antique *Contrebia Belaisca*, est actuellement le texte le plus long du celtique ancien : il comporte environ 200 mots. Sa lecture présente encore de nombreuses incertitudes, mais son caractère juridique paraît très vraisemblable.

Dernière en date à être adoptée par les Celtes, l'écriture latine fut probablement celle qui connut l'extension géographique la plus importante, car elle fut utilisée pour enregistrer des textes en celtique aussi bien en Europe centre-orientale, qu'en Gaule, en Ibérie et peut-être même dans l'île de Bretagne.

Les témoins les plus anciens semblent apparaître, avec le renforcement de l'influence romaine, au plus tard dans la première moitié du Ier siècle avant J.-C. Il s'agit principalement de légendes monétaires provenant de deux aires géographiques bien distinctes. La première est le territoire des Boïens de Pannonie dont le centre était l'*oppidum* qui est recouvert aujourd'hui par la ville de Bratislava Les tétradrachmes d'argent de ce peuple, dont certaines portent des images monétaires empruntées à des deniers romains, livrent une quinzaine de noms – BIATEC (le plus fréquent, utilisé souvent pour désigner l'ensemble de ces émissions), AINORIX, BUSSUMARUS, COBROVOMARUS, COISA, COUNOS, DEVIL, EVOIURIX, FARIARIX, IANTUMARUS, MACCIUS, NONNOS, TITTO –, probablement ceux des magistrats de la cité ou des notables qui étaient chargés de la monnaie. La plupart de ces noms sont de racine celtique, mais certains pourraient appartenir à l'onomastique indigène des peuples danubiens.

On ne dispose pour l'instant d'aucune information sur le type d'écriture utilisé par les Boïens de Bohême. Ils la pratiquaient pourtant, comme l'indiquent les cadres en os qui contenaient à l'origine des tablettes en bois recouvertes de cire et les nombreux styles en os ou en métal découverts sur les *oppida* de Stradonice et de Závist, témoins indiscutables de la force des influences exercées sur cette région à partir du milieu méditerranéen, notamment de l'Italie.

Le Centre-Est de la Gaule est la deuxième région où l'influence romaine se manifeste au cours de la première moitié du Ier siècle av. J.-C. par l'apparition de légendes monétaires en caractères latins, notamment sur les émissions d'argent qui étaient alignées sur le denier romain. On y voit figurer les noms de personnages mentionnés par César : les Eduens DUBNOREX (Dumnorix), LITAVICOS (chef militaire en 52 avant J.-C.) et surtout VERCINGETORIX, sur le droit d'une monnaie d'or des Arvernes. La vogue des légendes monétaires continuera après la conquête sur des émissions majoritairement de bronze. On y trouve des noms de personnes, associés quelquefois à celui de leur fonction – "REX", "ARCANTODAN" (magistrat monétaire), "VERCOBRETO" (magistrat suprême de la cité) –, des noms de cités ou de peuples et, exceptionnellement, l'indication de la valeur monétaire.

Revers de tétradrachmes d'argent des Boïens aux nom[s] de Devil Evoivr[i] Cobrovomarvs, de Bratislava (Slovaquie) Première moitié du Ier siècle av. J.-C. Bratislava Slovenské Národné Múzeum

Les documents écrits les plus anciens qui ont été réalisés chez les Celtes insulaires sont également de courtes légendes monétaires en caractères latins, datables de la seconde moitié du Ier siècle av. J.-C. Il s'agit de noms de personnes, sous une forme généralement abrégée, qui perpétuent la mémoire des représentants des grandes dynasties des peuples belges installés autour de l'estuaire de la Tamise, mentionnés presque tous par les textes : Commios l'Atrébate et ses fils, Tincommios et Verica, Tasciovanos, roi des puissants Catuvellauni de l'Essex, et son fils Cunobelinos, le Cymbeline de Shakespeare, sur les monnaies duquel la légende "CAMU" (Camulodunum, l'actuel Colchester) évoque le nom de la capitale de l'autre peuple de la coalition, les Trinovantes.

Les inscriptions monumentales gallo-latines sont jusqu'ici assez nombreuses – une quinzaine de courtes dédicaces et épitaphes – et se trouvent réparties principalement au nord-ouest de la Narbonnaise. Elles semblent dater en majorité du Ier siècle et l'usage lapidaire de l'alphabet latin paraît représenter dans le centre de la Gaule une étape postérieure à celle caractérisée par l'emploi local de l'écriture gallo-grecque. Il existe toutefois au moins un cas où deux alphabets sont utilisés conjointement : une stèle votive des sources de la Seine, datée du milieu du Ier siècle, porte une dédicace gallo-latine suivie de la signature gallo-grecque du lapicide.

La table de bronze d'environ 1,50 mètre sur 90 centimètres découverte en 1987 à Coligny (dép. Ain), enfouie brisée en fragments, mélangés à ceux de la statue d'une divinité identifiée à Mars, et provenant probablement d'un sanctuaire gallo-romain des environs, est incontestablement le document le plus remarquable de l'épigraphie celtique. On y avait gravé en caractères latins, vers la fin du IIe siècle, les 62 mois complets de cinq années successives d'un calendrier gaulois, radicalement différent du calendrier julien qui

*Bracelet de verre de la tombe n° 1
de Berne-Weissenbühl
Fin du III*^{e}*-début du II*^{e} *siècle av. J.-C.
Berne, Historisches Museum*

Ci-contre
Vase en terre cuite
peinte
de Goicent
(Loire)
fin du IIe-début
du Ier siècle
av. J.-C.
Roanne, Musée
Joseph-Déchelette

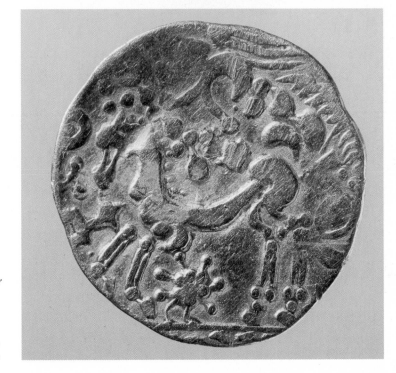

Avers et revers
d'un statère d'or
des Ambiens
I^e siècle
av. J.-C.
Zurich
Schweizerisches
Landesmuseum

523

Vase en terre cuite peinte
de Gambolò (Pavie)
IIIᵉ-IIᵉ siècles av. J.-C.
Gambolò, Museo Archeologico Lomellino

525

Casque de fer de la tombe
n° 1656/58 de Mihovo
(ex-Yougoslavie)
IIᵉ siècle av. J.-C.
Vienne, Naturhistorisches Museum

Détail du fourreau d'épée
décoré
de la tombe n° 6 de Dobova
(ex-Yougoslavie)
Fin du IIIe-début du IIe
siècle av. J.-C.
Brezice, Posavski Muzej

Coutelas et umbo de
bouclier de fer
de la tombe n° 2
de Dobova
(ex-Yougoslavie)
Fin du IIIe-début
du IIe siècle av. J.-C.
Brezice, Posavski Muzej

Chaîne de suspension d'épée
en fer de la tombe n° 2
de Dobova
(ex-Yougoslavie)
Fin du IIIe-début
du IIe siècle av. J.-C.
Brezice, Posavski Muzej

*Bracelets de verre
coloré des
tombes n° 1657/53
et 1657/66
de Mihovo
(ex-Yougoslavie)
IIᵉ siècle av. J.-C.
Vienne
Naturhistorisches
Museum*

*Torque votif
d'argent sur une
âme de fer
de Trichtingen
(Bade-
Wurtemberg)
IIᵉ siècle av. J.-C.
Stuttgart
Würtembergisches
Landesmuseum*

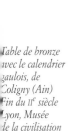

était alors en usage depuis deux siècles et demi. Les fragments, nettement moins nombreux et importants, d'un calendrier analogue ont été trouvés en 1807 dans le lac d'Antre et, en 1967, dans le sanctuaire voisin de Villards-d'Héria (Jura).

Réparties sur 16 colonnes, les 2 021 lignes du texte original du calendrier de Coligny en font le plus long texte du celtique ancien connu à ce jour. Chacune des colonnes est occupée par 4 mois ordinaires, disposés du haut vers le bas, ou bien, dans deux cas (la première et la neuvième colonne), un mois intercalaire et deux mois ordinaires. En tête de chacun des 12 mois de l'année figure son nom, parfois abrégé, suivi du mot MAT(U) ("bon" dans le sens de "complet") pour les 6 mois de 30 jours ou ANM(ATU) ("mauvais" dans le sens de "incomplet") pour ceux de 29 jours. Ensuite, indiqués par des chiffres romains, viennent les 15 premiers jours, suivis, après le mot ATE-NOVX ("retour à la période sombre" ?), d'une seconde série, numérotée de 1 à 15 ou de 1 à 14. Dans ce dernier cas, l'emplacement du dernier jour de la

seconde quinzaine est remplacé par le mot DIVERTOMV ("sans valeur" ? ; indique probablement le passage direct du 29ᵉ jour au 1ᵉʳ du mois suivant). Dans les mois ordinaires, chaque ligne numérotée ainsi correspond à un jour : elle est précédée d'un trou percé dans la table, destiné à recevoir la cheville qui marquait le jour en cours, et comporte des notations dont les plus fréquentes sont D, MD ou D AMB. Deux mois intercalaires – l'un placé avant la première année, l'autre au milieu de la troisième – se distinguent par leurs en-têtes plus importants et la disposition des notations quotidiennes sur plusieurs lignes.

Styles pour écrire de bronze de l'oppidum de Stradonice (Bohême) 1ᵉʳ siècle av. J.-C. Prague, Národní Múzeum

Le calendrier enregistré sur la table de Coligny correspond à un système luni-solaire très élaboré, qui suppose au départ une connaissance séculaire des mouvements des astres ainsi que la capacité de construire les modèles mathématiques qui en décrivent les règles. Même s'il est possible que ses racines remontent jusqu'aux populations préceltiques de l'Europe non méditerranéenne, il constitue une illustration remarquable de la science "des astres et de leur mouvement" que César reconnaît aux druides (*Guerre des Gaules* VI, 14). C'est d'ailleurs probablement la complexité des calculs que devait comporter la gestion du calendrier qui explique le mieux son enregistrement écrit, pour les besoins d'un culte indigène, à l'époque impériale : la prédilection des élites gauloises pour la culture gréco-romaine, au détriment de l'enseignement traditionnel des écoles druidiques, devait avoir eu pour conséquence des difficultés croissantes dans le recrutement et la formation du personnel de sanctuaires dont le fonctionnement restait lié à l'ancien calendrier, relégué désormais vraisemblablement à un rôle exclusivement rituel.

Associé à quelques passages des auteurs antiques, le calendrier de Coligny éclaire des principes généraux de décompte du temps qui étaient probablement propres à l'ensemble des populations celtiques. Pline l'Ancien nous fournit de précieuses indications sur le caractère cyclique du calendrier gaulois et le début de mois, des années et du grand cycle de trente ans ("saeculum"), fixé à la sixième lune – donc à l'accomplissement du premier quartier –, lorsque l'astre a "assez de force, sans être en son milieu" (*Histoire naturelle,* XVI, 250). Ces indications confirment la nature fondamentalement lunaire du calendrier gaulois dont l'ajustement par rapport à l'année solaire s'effectuait par des intercalations à l'intérieur d'un lustre de cinq ans – c'est probablement la période représentée sur la table de Coligny –, le grand cycle de six lustres permettant, à la fin de trente années lunaires, de faire coïncider le début de l'année avec la sixième lunaison, un nombre entier de lunaisons étant mis alors vraisemblablement en correspondance avec un nombre entier d'années solaires par la suppression d'un mois intercalaire.

L'année celtique comportait donc soit 355, soit 385 jours, à la suite de l'intercalation de 30 jours tous les 30 mois. Les trente jours du mois intercalaire portent les notations, à raison d'un jour par mois, des jours correspondants des trente mois précédents. Ils en constituent ainsi une sorte de récapitulation sélective. L'année et le lustre commençaient apparemment par le mois de SAMON, le premier mois ordinaire représenté sur la table de Coligny, celui où figure sur ce document la seule fête explicite: "trinox samoni", équivalent des "trois nuits de Samain" des textes irlandais (correspond au 1ᵉʳ novembre de notre calendrier). La position du second mois intercalaire après le sixième mois de la troisième année permet de supposer, avec d'autres indices, que l'année était subdivisée en deux semestres. L'intercalation interviendrait ainsi à la fin de cinq semestres et le lustre serait divisé en deux moitiés égales, l'une commençant par le mois SAMON ("estival") et l'autre par le septième mois, GIAMONI ("hivernal"). Ces deux périodes correspondraient aux deux semestres de l'année et aux deux quinzaines du mois, la première "claire" (pleine lune) et la seconde "sombre" (nouvelle lune). Résultat d'une lente et savante mise au point qui suppose la transmission séculaire de données complexes, établi certainement dans la forme qui nous est parvenue bien avant la conquête de la Gaule, le calendrier de la table de Coligny se révèle être, surtout comparé aux calendriers utilisés antérieurement au 1ᵉʳ siècle avant J.-C. dans d'autres cultures, un système bien stabilisé et étonnamment efficace. Il est le témoin le plus éloquent des capacités intellectuelles des anciennes populations celtiques et du remarquable niveau de leurs connaissances. Aux côtés des textes monumentaux, rédigés en majuscules latines, les dernières notations du gaulois comportent un bon nombre d'inscriptions en cursive. Il s'agit de graffiti sur céramiques – particulièrement intéressants parmi eux, les comptes de potiers qui nous ont fourni la série des ordinaux gaulois –, mais également de quelques tablettes de plomb portant des textes à caractère magique. Le plomb découvert en 1971 dans une source sacrée du pays arverne, à Chamalières (Puy-de-Dôme), comporte une soixantaine de mots. C'est probablement une défixion.

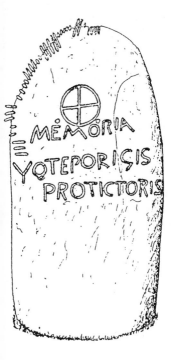

Stèle funéraire avec inscription bilingue ogamique et latine à la mémoire de Voteporix roi de la Demetia galloise Vers le milieu du VIᵉ siècle ap. J.-C.

Considéré pendant une dizaine d'années comme le plus long texte suivi en langue gauloise, il est actuellement largement dépassé par une autre tablette de plomb, découverte en 1983 dans une sépulture de la seconde moitié du 1ᵉʳ siècle, à l'Hospitalet-du-Larzac (Aveyron). Il s'agit également d'un texte magique, comptant cette fois plus de 160 mots. Comme dans le cas précédent, de nombreuses incertitudes persistent quant à son interprétation, mais il s'agit apparemment d'une démarche de magie maléfique ou de contre-magie mettant en cause un groupe de sorcières.

Des tablettes analogues, en alliage d'étain et de plomb, ont été découvertes dans la "fons Sulis" de l'actuel Bath en Grande-Bretagne. Deux d'entre elles portent des inscriptions cursives qui comportent au moins certains éléments

celtiques et ne paraissent pas avoir été rédigées en latin. Il n'est cependant pas encore possible d'affirmer qu'il s'agit d'un texte celtique. L'écriture dite ogamique est la dernière des écritures employées par les anciens Celtes. Elle est attestée uniquement dans les régions insulaires qui n'avaient été que faiblement marquées par l'influence romaine : l'Irlande, le pays de Galles, l'île de Man, l'Ecosse et la Cornouaille. C'est en fait une notation des lettres de l'alphabet latin par des entailles, allant d'une seule à cinq et disposées par rapport à une arête ou à une ligne de quatre manières différentes : à sa droite, à sa gauche, obliquement et perpendiculairement. A ces 20 "lettres" s'ajoutent 5 signes additionnels correspondant à des diphtongues. Elaborée probablement à partir d'un système de numération sur bois par encoches, cette écriture cryptique a peut-être été utilisée à l'origine à des fins magiques. En effet, les textes irlandais évoquent l'emploi de bâtonnets en bois d'if inscrits en ogam par les druides. L'écriture ogamique ne convient qu'à la réalisation d'inscriptions très courtes, et les monuments de pierre où elle apparaît sont essentiellement des stèles funéraires, datables du Ve au IXe siècle.

Tablette de plomb avec un texte magique en gaulois, gravé en écriture cursive latine de Chamalières (Puy-de-Dôme) Début du Ier siècle Clermont-Ferrand Musée Bargoin

La religion
Venceslas Kruta

Détail du torque d'or de la tombe princière de Reinheim (Sarre) Seconde moitié du Ve siècle av. J.-C. Saarbrücken Landesmuseum für Vor- und Frühgeschicte ● p. 595

Le témoignage le plus direct qui nous soit parvenu de l'univers spirituel des Celtes indépendants est constitué par leurs œuvres d'art. Elles ne fournissent malheureusement que des images anonymes, car même quand ils maîtrisèrent l'usage de l'écriture, les Celtes ne semblent jamais l'avoir utilisé pour identifier les divinités qu'ils représentaient, comme le faisaient couramment les Grecs ou les Etrusques. Les rares inscriptions celtiques préromaines qui appartiennent au domaine religieux – quelques dédicaces – proviennent toutes de régions au contact direct du monde méditerranéen, urbanisées ou en voie de l'être, et les figurations accompagnées d'inscriptions sont toutes d'époque romaine. Il en est de même pour les textes d'une certaine longueur : ils sont peu nombreux et relèvent apparemment de pratiques magiques tout à fait marginales, donc peu significatives pour la connaissance de la religion officielle. La conviction que les anciens Celtes possédaient une religion commune est donc fondée d'une part sur des déductions comparatives, établies à partir de l'examen de l'ensemble des témoignage que nous possédons sur les religions indo-européennes, d'autre part sur les traits unitaires, aussi bien dans le temps que dans l'espace, que dévoile l'étude iconographique de l'art celtique laténien. Il est actuellement impossible d'établir une relation autre que purement spéculative entre ces deux ensembles documentaires. Les difficultés sont d'ailleurs les mêmes lorsqu'on tente de mettre en parallèle les représentations divines gallo-romaines et celles qui sont présumées telles du répertoire laténien. La raison doit être probablement cherchée dans l'incompatibilité fondamentale de ces deux systèmes d'expression figurée.

La religion celtique ne devait certainement pas constituer, comme la plupart des autres religions de l'Antiquité, un ensemble cohérent et immuable. Il devait s'agir du rassemblement d'un panthéon composite de dieux tribaux, de divinités locales, souvent préceltiques, et de cultes propres à certains groupes sociaux, dans un système souple qui était ordonné autour des quelques grandes divinités panceltiques du fond mythologique commun. L'écho, quelque peu déformé, de ce dernier est vraisemblablement conservé dans les littératures médiévales irlandaise et galloise, précieux vestiges d'une tradition orale, encore bien vivante dans les Iles, que le christianisme avait libéré des interdits qui frappaient jusqu'ici son enregistrement écrit.

Il en ressort clairement que la hiérarchie du monde divin était considérée comme le résultat des combats féroces qui opposèrent les générations successives de dieux qui avaient dominé l'Univers, depuis le chaos primordial jusqu'à l'apparition d'un ordre dont le maintien était assuré par la suprématie des grands dieux celtiques sur leurs prédécesseurs, soumis ou anéantis. Des rapports analogues à ceux qui étaient en vigueur chez les humains entre les "clients" et leur patron, les nobles et leur souverain, le roi et la divinité tutélaire, étaient censés exister aussi chez les dieux. Evidemment, ce genre de rapport n'était pas plus définitif à l'intérieur du monde

533

divin qu'il ne l'était chez les humains. L'édifice hiérarchique des dieux étant une préfiguration de celui des humains, la victoire ou la prépondérance d'un groupe humain sur un autre devait être nécessairement la conséquence d'un rapport des forces modifié entre leurs divinités tutélaires respectives. Cette variabilité structurelle contribue vraisemblablement aux difficultés que nous rencontrons aujourd'hui lorsque nous tentons de comparer l'iconographie gallo-romaine aux représentations laténiennes : il ne s'agit pas seulement de deux langages d'images différents, mais sans doute aussi de deux systèmes qui, bien que construits à partir des mêmes éléments, ne présentent pas des structures pleinement superposables.

Les premières mentions des auteurs grecs qui évoquent la religion des peuples "hyperboréens", c'est-à-dire de ceux qui habitaient les contrées alors mystérieuses situées au nord du littoral méditerranéen, étaient considérées comme légendaires dès l'Antiquité. Ainsi, Diodore n'accorde qu'un faible crédit au récit qui aurait été enregistré au VIe siècle avant J.-C. par Hécatée : il y aurait dans le nord de l'Océan, face au pays des Celtes, une île aussi grande que la Sicile, ou un culte particulier serait rendu à Apollon. Un magnifique enclos, un temple circulaire orné de nombreuses offrandes et une ville entière seraient voués à ce dieu solaire que même des Grecs seraient venus honorer...

Cippe pyramidal de pierre de Pfalzfeld (Rhénanie) Ve siècle av. J.-C. Bonn Rheinisches Landesmuseum

Le caractère fabuleux du récit incite à la méfiance, mais, simple coïncidence peut-être, les populations insulaires ont effectivement connu des sanctuaires de plan circulaire. La tradition de ce type d'édifice paraît remonter aux monuments mégalithiques dont Stonehenge est l'exemple le plus connu. On les associe généralement à l'invention et à l'utilisation d'un calendrier fondé sur une connaissance déjà approfondie du mouvement du soleil et des astres. Il est donc intéressant de constater que le texte attribué à Hécatée mentionne, associée au culte du dieu, l'existence d'un intervalle cyclique à base astronomique de dix-neuf ans. Cette périodicité n'est pas fortuite, car elle correspond à celle du "cycle de Meton", introduit au Ve siècle av. J.-C. à Athènes pour concilier l'année lunaire et l'année solaire.

La convergence avec des faits reconnus est peut-être, là aussi, tout à fait fortuite. Ce que nous savons aujourd'hui du calendrier celtique, grâce à l'exemplaire de Coligny, gravé à l'époque impériale sur une plaque de bronze, indique toutefois que ce calendrier original, fondé sur une longue pratique des observations astronomiques et une remarquable capacité d'élaboration de modèles mathématiques des mouvements célestes, était la savante adaptation d'un calendrier lunaire au rythme solaire, comme l'était apparemment le calendrier de l'"Apollon hyperboréen".

Rien ne permet plus, malheureusement, de dépasser le stade de la spéculation dans la reconstitution des origines et des vicissitudes du calendrier celtique. Il faut cependant mentionner au moins le lien, apparemment très étroit, qui est attesté en

Irlande entre des constructions à probable vocation astronomique, qu'elles soient mégalithiques ou plus récentes, et le monde mythologique des textes. Demeures des dieux travestis par les moines chrétiens en personnages légendaires, c'étaient apparemment de hauts lieux de la topographie sacrée de l'île. L'exemple le plus spectaculaire, révélé grâce à des fouilles récentes, est celui du site légendaire d'*Emain Macha*, l'actuel Navan Fort près d'Armagh. L'enceinte circulaire de cette résidence mythique des rois d'Ulster contenait en effet un étonnant monument circulaire en bois d'une quarantaine de mètres de diamètre qui semble avoir été intentionnellement brûlé et enseveli sous un tumulus. Malheureusement, rien ne permet de déterminer la signification de cet étrange rituel ni de connaître le nom de la divinité concernée.

Les sites de sanctuaires celtiques découverts sur le continent ne possèdent plus même le souvenir déformé de leur insertion dans le tissu mythologique. Anonymes, ils révèlent les vestiges de sacrifices, éloquents sur les pratiques rituelles, mais muets sur leur signification et sur les dieux auxquels elles s'adressaient.

Nous ne possédons de ces derniers, et encore sans doute uniquement de quelques-uns d'entre eux, que leurs images et celles des signes qui leur étaient associés. Les plus anciennes datent de la phase initiale de l'art laténien, du Ve siècle avant J.-C. Presque toutes font partie des emprunts des Celtes au répertoire de thèmes de lointaine origine orientale, alors toujours vivants et appréciés en Italie septentrionale : l'Arbre de vie (la palmette) et ses gardiens – oiseaux, bouquetins, griffons, serpents monstrueux –, le Maître des animaux.

L'image la plus répandue est celle d'une tête d'homme, le plus souvent barbue et moustachue, directement associée à la palmette ou à un motif qui constitue apparemment son équivalent celtique et semble devoir représenter la double feuille du gui. Réduites souvent à des formules tout à fait schématiques, la palmette ou la "feuille de gui", encadrée de la paire d'esses qui évoque les gardiens au corps de serpent, les différentes versions de ce thème sont onniprésentes : on les trouve sur les fibules "à masques", les armes, les parures annulaires, les garnitures de char, les cruches cérémonielles à vin. Ces dernières sont particulièrement intéressantes, car la comparaison d'exemplaires fabriqués par des artisans différents permet d'établir des rapprochements et des équivalences qui confirment la grande cohérence du répertoire utilisé, ainsi que sa large diffusion dans le temps et dans l'espace. Ainsi, des têtes humaines associées aux mêmes motifs symboliques – tête de bélier palmette, "feuille de gui", esses – , apparaissent non seulement sur des objets contemporains provenant de la totalité du monde laténien, mais également sur de nombreuses monnaies, issues pourtant de modèles méditerranéens postérieurs et différents.

Le cas le plus significatif est certainement constitué par le cheval à tête humaine, un monstre inventé par les Celtes : sa plus ancienne représentation connue actuellement, datable du Ve siècle avant J.-C., figure sur le couvercle de la cruche à vin de Reinheim. Il deviendra, plus de trois siècles plus tard, l'image du revers d'un grand nombre de monnaies armoricaines, issue cette fois de la transformation de l'attelage du char qui figure sur le prototype de ces émissions, le statère de Philippe II. Associé souvent à la roue ou au triscèle, le galop de ce cheval, avatar monstrueux de la divinité, évoque très vraisemblablement la course de l'astre solaire.

D'autres motifs symboliques l'accompagnent souvent sur ces monnaies : le chaudron de l'abondance, mais également l'enseigne de guerre au sanglier et des oiseaux au bec de rapace dont certains semblent être des corbeaux. Les Celtes appréciaient apparemment le caractère belliqueux de ce carnassier qui figure, doté d'ailes mobiles pour mieux impressionner l'ennemi, sur un casque trouvé en Roumanie. Quant au sanglier, sa hure formait le pavillon de la trompette de guerre celtique, le *carnyx,* dont le son rauque devait semer la terreur dans les rangs de l'ennemi. Un des héros de l'épopée irlandaise se voit par ailleurs qualifié dans un chant d'éloges de "corbeau qui déchire le char dans les combats... sanglier puissant et protecteur... corbeau victorieux dans la bataille". Comme c'est le cas pour les autres motifs, les représentations de ces deux animaux figurent dans le répertoire de l'art celtique dès sa constitution, au Ve siècle av. J.-C.

Qu'elles soient explicites ou allusives, la plupart des représentations connues de l'art celtique laténien semblent évoquer cette même divinité. Les compagnons du dieu, griffons ou monstres aux corps de serpent, baptisés par les spécialistes du nom de "paire de dragons" figurent gravés comme emblème sur les fourreaux des guerriers de l'expansion historique. Incrustés quelquefois même de fil d'or, ils accompagnent ces aventuriers à la recherche de la "bonne mort", celle qui en fera des héros égaux aux dieux, dans leurs pérégrinations à travers l'Europe. On les trouve ainsi, dans des dépôts votifs ou des tombes, depuis les îles Britanniques jusqu'aux territoires danubiens nouvellement conquis.

Près d'un millénaire plus tard, un texte gallois évoque les "deux serpents d'or" gravés sur l'arme légendaire d'Arthur, l'épée Excalibur, qui rendait "difficile à qui que ce fût de la regarder". La puissance magique attribuée jadis à ce symbole n'était pas encore effacée des mémoires...

L'extension géographique et la permanence pendant de longs siècles des thèmes iconographiques liés à ce dieu aux aspects multiples, de nature solaire, associé de par ses liens évidents avec le cycle végétal aux mystères de la vie et de la mort, de caractère guerrier et souverain permettent de supposer qu'il figure parmi les grandes divinités des Gaulois citées par César, notre principale source textuelle sur la religion celtique préromaine. Il pourrait s'agir du plus important de ces dieux, assimilé par César au Mercure romain parce qu'il est considéré comme "l'inventeur de tous les arts, le chef des routes et des voyages, le grand maître des gains et du commerce". On l'identifie au dieu *Lug* qui laissa son nom à plusieurs agglomérations, notamment *Lugdunum* (la "forteresse de Lug", aujourd'hui Lyon), la capitale des Trois Gaules dont la tradition associait la fondation au corbeau, l'emblème guerrier évoqué précédemment. La fête d'Auguste y remplaça, à partir de l'an 12 avant J.-C., le premier jour du mois d'août celle du dieu, équivalent de la *Lugnasad,* grande fête annuelle de son homonyme irlandais.

Mieux connu grâce aux textes, le "Lumineux" (c'est le sens de "Lugh") irlandais règne en souverain sur la dernière génération des dieux, les *Tuatha Dé Danann* ("Tribus de la déesse Dana"). Il porte le surnom de *Samildánach* (le "Polytechnicien") et son nom est souvent suivi de qualificatif "au long bras" qui souligne sa nature solaire, de même la prédilection qu'il a pour l'utilisation du

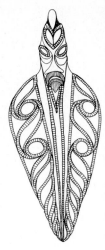

Détail de l'anse de la cruche à vin de Reinheim (Sarre) Seconde moitié du Ve siècle av. J.-C.

Détail de l'anse de la cruche à vin de Waldalgesheim (Rhénanie) IVe siècle av. J.-C.

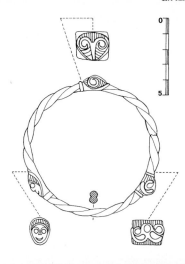

en haut à gauche
*Cheville d'essieu
de fer et de
bronze, de Leval-
Trahegnies
(Belgique)
IIIe siècle
av. J.-C.
Bruxelles
Musées royaux
d'Art et
d'Histoire*

en haut à droite
*Bracelet
de bronze
de Pössneck
(Thuringe)
IIIe siècle av. J.-C.
Iéna, Friedrich-
Schiller-
Universität
Prähistorisches
Sammlung*

*Applique de joug
en tôle de bronze
de la tombe de
Waldalgesheim
(Rhénanie)
IVe siècle av. J.-C.
Bonn
Rheinisches
Landesmuseum*

javelot et de la fronde, des armes qui frappent à distance, comme le font les rayons de l'astre. Il est l'archétype divin de la fonction royale et de son union avec *Eithne,* la Terre d'Irlande, est né *CúChulainn,* le mythique héros tribal du royaume d'Ulster, protagoniste du cycle épique irlandais.

L'identification à *Lug* de la divinité omniprésente dans l'iconographie des Celtes laténiens semble donc reposer sur un faisceau de convergences et de sérieuses présomptions. Il ne s'agit cependant que d'une hypothèse, faute d'un document qui associe le nom et l'image.

Le plus ancien témoignage cohérent qui nous soit parvenu sur le panthéon celtique est celui de César qui donne une liste de leurs grands dieux et définit, succinctement mais clairement, leurs fonctions respectives. Malheureusement, il ne les mentionne pas sous leurs noms gaulois, mais sous ceux de leurs équivalents romains. Après Mercure, le premier à être mentionné et le plus honoré des Gaulois, qui devrait correspondre à *Lug,* le grand dieu omnifonctionnel et souverain, sont évoqués Apollon qui "chasse les maladies", Minerve qui "transmet les principes des arts et des métiers", Jupiter qui "règne sur les cieux" et Mars qui "préside aux guerres".

Les spécialistes s'accordent pour considérer que les divinités ainsi évoquées correspondent aux trois fonctions du système indo-européen : sacrée ("Jupiter"),

Tête de bélier et paire de monstres : développement de l'ornementation du torque d'or de Frasnes-les-Buissenal (Belgique Fin du II[er]-début du Ier siècle av. J.-C.

Statuette de cheval de bronze du couvercle de la cruche à vin de Reinheim (Sarre Seconde moitié du Ve siècle av. J.-C. Saarbrücken Landesmuseum für Vor- und Frühgeschichte

guerrière ("Mars") et productrice ("Apollon" et "Minerve"). L'identité des dieux celtiques qui se cachent derrière les noms romains est généralement cherchée à partir d'un autre texte, un bref passage du poète Lucain (Ier siècle) qui évoque les noms des trois grands dieux gaulois auxquels étaient offerts des sacrifices humains : *Teutates, Esus* et *Taranis.* Ce dernier devrait être un dieu céleste ("Jupiter"), car il est associé au tonnerre (en gallois "taran") dont le symbole est la roue. Le nom d'*Esus* signifie sans doute le "Bon" et serait donc l'équivalent de celui du *Dagda* irlandais qui exprime le même concept. Il était, après *Lugh,* le deuxième en rang d'importance de la dernière génération des dieux et le père de la grande déesse *Birgit* (la "Minerve" de César).

Quant à *Teutates,* son nom appartient à la même racine que le mot celtique qui désignait la tribu ("tuath" en irlandais). Ce serait donc le dieu qui conduisait et protégeait la tribu en guerre ("Mars"). Selon César, les Gaulois "...lui vouent, avant d'engager la bataille, tout ce qu'ils auront pris ; une fois vainqueurs, ils immolent le butin vivant et entassent tout le reste en un lieu. On peut voir chez beaucoup de peuplades de ces tas ainsi formés, en des lieux consacrés avec des dépouilles" (*Guerre des Gaules,* VI, 17). Les fouilles récentes des sanctuaires de l'actuelle Picardie confirment pleinement les pratiques décrites dans ce passage. C'est encore César qui nous fournit l'information la plus complète sur la place

*Revers d'un statère d'or
des Riedones
IIIe-IIe siècles av. J.-C.
Paris, Bibliothèque
nationale
Cabinet des Médailles*

*Revers d'un statère d'or
des Turones
IIIe-IIe siècles av. J.-C.
Paris, Bibliothèque
nationale
Cabinet des Médailles*

*Avers et revers d'un
statère d'or en bas alliage
des Osismes
Première moitié
du Ier siècle av. J.-C.
Paris, Bibliothèque nationale
Cabinet des Médailles*

*Avers et revers d'un
statère d'or des Vénètes
armoricains
IIIe-IIe siècles av. J.-C.
Paris, Bibliothèque
nationale
Cabinet des Médailles*

*Avers et revers d'un
statère d'or d'électrum
des Osismes
IIIe-IIe siècles av. J.-C.
Paris, Bibliothèque
nationale
Cabinet des Médailles*

et la fonction des druides dans la société gauloise de son époque. Représentants exclusifs de l'élite intellectuelle, ils étaient recrutés dans les rangs de la noblesse et jouissaient de privilèges particuliers tels que l'exemption de l'impôt et l'obligation du service armé. Le cas du notable éduen Diviciacos, reconnu comme druide grâce à un texte de Cicéron, montre toutefois qu'ils pouvaient porter le même équipement militaire que les autres. Leur formation était très longue, car ils devaient consacrer une vingtaine d'années à la mémorisation des textes sacrés dont un interdit religieux prohibait la transcription écrite. Les druides connaissaient cependant l'écriture et employaient, selon César, l'alphabet emprunté aux Grecs "pour presque tous les autres usages publics et privés".

Appliques fragmentaires d'argent du dépôt de Manerbio sul Mella (Brescia) Première moitié du Ier siècle av. J.-C. Brescia, Museo Civico Romano

En tant que représentants de la fonction sacrée, les druides assuraient le bon déroulement des pratiques religieuses, présidaient aux sacrifices, recueillaient et interprétaient les présages. Seuls à "connaître la nature des dieux", ils étaient les intermédiaires entre le monde des humains et le domaine du surnaturel. Détenteurs du savoir fondamental, ils perpétuaient une conception de l'Homme et de l'Univers contenue dans une doctrine ésotérique qui nous reste évidemment à peu près inconnue.

Les quelques passages d'auteurs anciens qui évoquent les croyances eschatologiques des druides révèlent que la vie posthume de l'âme, aussi longue que celle de l'Univers, était envisagée de deux manières : dans un autre monde, bien séparé du monde des mortels avec lequel il n'entrait en contact que pendant la rupture dans le déroulement du temps que représentait la nuit de *Samain* (1er novembre), située entre la fin et le début de l'année qui commençait ainsi par l'hiver sombre et froid et le sommeil de la végétation sur terre, par la réincarnation de l'âme qui est une nouvelle naissance (métempsychose). La première conception, la plus répandue, est illustrée dès le premier âge du Fer par les mobiliers funéraires des notables celtiques, accompagnés dans leur tombe par tout ce qui était nécessaire pour pouvoir retrouver dans l'autre monde les prérogatives de leur rang. La deuxième était peut-être réservée au départ à un groupe réduit d'initiés, comme ce fut le cas pour

Plaque d'argent où figure le dieu Cernunnos tenant dans sa main gauche, le serpent à tête de bélier du chaudron de Gundestrup (Danemark) Première moitié du Ier siècle av. J.-C. Copenhague Nationalmuseet

Statuette de pierre d'une divinité d'Euffigneix (Haute-Marne) 1ᵉʳ siècle av. J.-C. Saint-Germain-en-Laye Musée des Antiquités nationales • p. 596

Avers d'une tétradrachme d'argent au nom de Maccivs figurant le serpent à tête de bélier de Bratislava (Slovaquie) Première moitié du 1ᵉʳ siècle av. J.-C. Bratislava Slovenské Národné Múzeum

Stèle de granite, avec les représentations de quatre divinités, de Kervadel à Plobannalec (Finistère) 1ᵉʳ siècle av. J.-C. Quimper Musée départemental breton

Statue de bronze aux yeux incrustés de pâte de verre, représentant une divinité aux pieds de cervidé de Bouray-sur-Juine (Essonne) 1ᵉʳ siècle av. J.-C. Saint-Germain-en-Laye Musée des Antiquités nationales • p. 597

les doctrines comparables des enseignements orphiques et pythagoriciens. Sa diffusion pourrait être à l'origine du changement d'attitude envers l'acte funéraire qui semble accompagner au IIᵉ siècle av. J.-C. le développement du phénomène urbain chez les Celtes : la vogue d'incinérations, déposées le plus souvent en pleine terre, sans mobilier ou avec un simple objet symbolique.

Profondément religieux, les Celtes considéraient que tout devait être fait pour garantir la bonne marche et l'équilibre de l'Univers. C'est pour cela qu'ils n'hésitaient pas à recourir, là où la situation l'imposait, aux sacrifices humains. En effet, ne pouvoir effectuer en temps utile le sacrifice approprié conduisait à leurs yeux inévitablement au pire.

César exprime remarquablement cette crainte en évoquant l'interdiction des sacrifices qui pouvait sanctionner la désobéissance aux décisions juridiques des druides : "Cette peine est chez eux la plus grave. Ceux à qui l'interdiction en est faite sont considérés comme impies et criminels : on s'en éloigne, on fuit leur fréquentation, de crainte d'être atteint d'un mal très grave en les fréquentant. Leurs demandes en justice ne sont pas admises et il ne leur est accordé aucun honneur" (*Guerre des Gaules,* VI, 13).

Autrement dit, tout individu qui ne peut accomplir les rites selon les prescriptions devient un tel danger que ce n'est qu'en le frappant d'inexistence que l'on peut réussir à s'en protéger...

La romanisation de la Gaule

Christian Goudineau

La Gaule est devenue romaine en trois temps :

1. Après deux interventions limitées sur la côte ligure en 181 et en 154 av. J.-C., Rome envoya des armées à partir de 125 en Gaule méridionale pour répondre à un appel de son alliée *Massalia* (Marseille), en butte aux peuples "celto-ligures". Des victoires en 124 et 123 sur les Ligures, les Voconces et les Salluviens valurent le triomphe aux consuls M. Fulvius Flaccus et C. Sextius Calvinius. En 122-121, Cn. Domitius Ahenobarbus et Q. Fabius Maximus écrasèrent les Allobroges et leurs alliés Arvernes. Le midi de la Gaule, de Nice jusqu'à Toulouse et, en remontant le Rhône, jusqu'à Vienne devint province romaine. Son organisation est probablement due à Pompée (vers 75 av. J.-C.). Différentes révoltes sont attestées jusqu'au proconsulat de César.

2. A partir de 58 av. J.-C., C. Julius Caesar, proconsul de l'Illyrium, de la *Gallia cisalpina* et de la *Gallia transalpina*, conquiert la Gaule intérieure. Après avoir joué de diverses alliances – notamment celle des Eduens "alliés et frères du peuple romain" et de tous les peuples liés à eux –, le proconsul se heurte à un soulèvement presque général sous la conduite du chef arverne Vercingétorix. Le siège d'Alésia (août 52 av. J.-C.) par les troupes romaines, que ne put faire lever l'arrivée d'une gigantesque armée "de secours", marque la défaite de la Gaule.

3. Il revint à Auguste et à ses lieutenants de pacifier les états des Alpes et des Pyrénées non encore soumis à Rome. Le trophée de la Turbie, inauguré entre le 1er juillet 7 et le 30 juin av. J.-C. (17e puissance tribunicienne de l'empereur) marque l'ultime étape de la conquête. L'organisation imposée par Auguste distingue quatre provinces (Narbonensis, avec Narbonne comme capitale ; Lyonnaise : capitale Lyon ; Belgique : probablement Reims ; Aquitaine : probablement Saintes) et trois districts alpestres : Alpes Maritimes (capitale *Cemelenum*, Cimiez, près de Nice), Alpes Cottiennes (capitale Suse) et Alpes Grées (capitale Suse). Dans ces provinces et districts, les *civitates* respectent à peu près les limites des peuples protohistoriques, sauf en Narbonnaise où la présence plus ancienne de Rome et le développement de colonies romaines (Narbonne, dès 118 ; Arles sous César ; Fréjus, Béziers, Orange durant le triumvirat ou à l'époque augustéenne) et de colonies latines (Nîmes, Valence, Vienne, d'autres encore ?) ont modifié l'état ancien. En Gaule intérieure, ne furent créées que la colonie de Lyon (en 43) et deux villes suisses : *Noviodunum* (Nyon) sous César et *Augusta Rauricorum* (Augst) en 43 av. J.-C.

En Gaule comme partout ailleurs, la romanisation passa par des processus autoritaires, voulus par Rome : octroi de statuts juridiques, urbanisation, intégration plus ou moins rapide des élites provinciales, système fiscal conduisant notamment à la cadastration des campagnes, certaines interdictions – par exemple du druidisme et des sacrifices humains –, etc. Des conduites sociologiques d'"imitation" ou d'"assimilation" se développèrent : les notables furent amenés à "vivre à la romaine" et adoptèrent l'évergétisme, dont on ne saurait assez souligner l'importance. Enfin, dans un monde ou l'économie était pour l'essentiel cantonnée à des circuits de faible ampleur (ville-campagnes), les grands mouvements – que l'archéologie surestime – sont dus à l'attraction de Rome et de quelques grandes villes ainsi qu'au stationnement des troupes sur la frontière du Rhin.

Voilà pour les traits généraux. Mais, puisque cette exposition est consacrée aux Celtes, la question que chacun se pose est celle-ci : au sein de la civilisation gallo-romaine, qu'est-il resté de gaulois (ou de celte) ?

Soyons clairs : la Gaule est devenue romaine et n'a jamais remis en cause son intégration à l'*imperium romanum*. De son passé, elle a gardé – comme l'Étrurie, la Sicile ou même... le Latium – des traits que Rome n'a pas cherché à

Mur de scène du théâtre d'Orange (Vaucluse) avec la statue d'Auguste Dernier tiers du Ier siècle av. J.-C.- début Ier siècle ap. J.-C.

annihiler : pourquoi l'aurait-elle fait et comment y serait-elle parvenue ? Il s'est donc déroulé une assimilation qui a connu ses rythmes, différents selon les régions, mais qui s'est appuyée sur les élites locales : aussi est-il absurde d'opposer des forces de "romanisation" et des forces de resistance". La Gaule romaine a, comme c'est normal, conservé certains des caractères qui, au fil du temps, forgent la mémoire des peuples. Donc, plutôt que de développer des arguments théoriques, mieux vaut prendre quelques exemples, qui constituent des symboles forts. L'un des témoignages les plus puissants est constitué par la tour Magne de Nîmes (*Nemausus*).

Cette ville reçut ses murs et ses portes (*muros portas que*) d'un don de l'empereur Auguste. L'enceinte a été reconnue sur presque tout son parcours. Or, des recherches récentes ont montré que la tour Magne (l'un des monuments les plus fameux de la Gaule) a été construite, sous Auguste, de manière à "habiller" une tour protohistorique plus ancienne (de la deuxième moitié du

Arc de triomphe d'Orange (Vaucluse) Ier siècle ap. J.-C.

La "maison Carrée" de Nîmes (Gard) Début du Ier siècle ap. J.-C.

IIIe siècle av. J.-C.), juchée sur le point le plus haut, visible de loin et jusqu'au littoral. Ce signe de l'orgueil gaulois a été "récupéré" non par Rome mais par les Gaulois romanisés qui en ont fait un signal à la gloire de l'empereur. La mémoire collective a transmis la légende d'un trésor, et c'est pourquoi, à l'époque moderne, l'intérieur du monument (donc, la tour protohistorique) fut démonté et évacué : on recherchait la "chèvre d'or". Tout se mêle ici : une ville gauloise devenue romaine, des légendes celtiques et médiévales et... la recherche archéologique, vieille de quatre siècles.

Changement de décor. Voici un arc de triomphe, élevé à Saintes, dans le sud-ouest de la France. Il fut dédié en 18 ou 19 après J.-C. à l'empereur Tibère, et aux princes héritiers, son fils Drusus et son neveu Germanicus. L'inscription indique que l'arc a été dédié par Caius Julius Rufus. Cet homme est important : notable de la *Civitas Santonum*, il fut *sacerdos* au grand sanctuaire fédéral des Trois Gaules installé à Lyon, où il fit construire l'amphithéâtre. Or, l'arc de Saintes nous restitue sa généalogie : son père s'appelait Caîus Julius Otuaneunos ; son grand-père Caius Julius Gedomo ; son arrière-grand-père Epotsoviridos. Une famille gauloise, aux noms celtiques. Le grand-père avait reçu la citoyenneté romaine de César, qu'il avait accompagné dans ses campagnes ou appuyé politiquement : il avait pris les *tria nomina* mais son nom celtique (Gedomo) subsistait dans le *cognomen*. Son fils fit de même (Otuaneunos). Mais le petit-fils est complètement "romanisé" : C. Julius Rufus. En trois générations, des environs de 60-50 av. J.-C. à 10-20 ap. J.-C., une famille gauloise transforme ses noms et adopte les conduites romaines : offrir des monuments à la gloire de l'empereur.

La Graufesenque (près de Millau, Aveyron, dans la cité des Rutènes) est devenue, très tôt dans le Ier siècle ap. J.-C., un centre très important de fabrication de "*terra sigillata*", au point de supplanter les officines italiennes d'Arezzo, Pise, Pouzzoles et les succursales qu'elles avaient créées en Gaule, par exemple à Lyon. Les fouilles y ont retrouvé des plats ou des assiettes sur lesquels avaient été inscrits, au stylet et avant cuisson, le nombre et les producteurs des vases mis à cuire dans le four. Les "graffiti" nous donnent le témoignage, pour la Gaule du milieu du Ier siècle ap. J.-C., à la fois d'une écriture, de noms de personnes, de mots communs et de chiffres. L'écriture est proche de la cursive de Pompéi, les noms de potiers sont celtiques, les mots désignant les objets en céramique plutôt latins (mais parfois déformés), le décompte parfaitement romain. Chose étrange : ce sont des prêtres (des "flamines" ?) qui semblent contrôler l'exactitude des comptes ; d'autre part, le calendrier qui organise les activités n'est pas clair. Pas plus que n'est interprétable le calendrier qu'on cherche à restituer d'après des plaques de bronze fragmentaires trouvées à Coligny (Jura,

545

département de l'Ain), qui datent apparemment du IIe siècle ap. J.-C., et qui laissent supposer qu'en pleine époque romaine le calendrier de la Gaule différait (au moins en certains endroits) de celui institué par César. La Table de Peutinger indique qu'à partir de Lyon on comptait en lieues *(leugae)* et non en milles – et pourtant on a trouvé de nombreux milliaires romains ! Toutes ces données montrent qu'on ne saurait définir de "schéma" rigide.

La Gaule fournit des exemples significatifs des monuments liés à la romanité la plus "classique" : la maison Carrée, l'arc d'Orange, l'amphithéâtre d'Arles ou de Nîmes, les monuments de Lyon, etc. Pourtant, à côté de ces "paradigmes", combien de particularités ! Nous n'en citerons qu'une : les aires sacrées autour d'un monument qui a pour particularités, contrairement aux temples gréco-romains, d'être orienté à l'est (et non à l'ouest) et d'être constitué d'un noyau central (de forme circulaire ou polygonale) encadré par une galerie de plan similaire : donc, une sorte de "tour" élevée, avec des fenêtres hautes, entourée de portiques qui font corps avec elle. Plusieurs édifices de ce type peuvent se regrouper au sein d'un même enclos. A proximité, des puits, des fosses et tout un paysage rituel. Des ex-voto, de pierre, de céramique ou de bois, qui remontent parfois au néolithique. Ce sont des édifices surtout ruraux, liés à des sommets, des sources, des lieux forts du paysage. Mais on vient aussi d'en trouver en ville (par exemple à Vienne) ou dans des localités artisanales. S'ils se sont multipliés sous l'Empire (on en connaît aujourd'hui près de 500), des fouilles ont montré, en plusieurs endroits, leurs antécédents

protohistoriques. Ces cultes attestés sont, le plus souvent, classiques : Mercure, Apollon, Mars, les Matres, Vénus, mais ces divinités romaines sont souvent accompagnées de divinités "jumelles" aux noms gaulois (Maia, Rosmerta, Sironna, etc.) ou aux noms "topiques", se référant à des noms de lieux. La "romanisation" a ici accompagné, en les matérialisant par des architectures maçonnées, en substituant parfois la sculpture de pierre aux ex-voto de bois, des coutumes anciennes.

Lorsque César (*BG* VI, 17 sq) a décrit les coutumes religieuses des Gaulois, il faisait un effort de transposition pédagogique à l'intention des milieux cultivés de Rome. Peut-être voulait-il démontrer que la Gaule – réputée barbare – était assimilable. Toujours est-il que son analyse a été corroborée : les inscriptions d'époque impériale restituent la hiérarchie des dieux dans l'ordre qu'il a donné. De plus, les représentations "indigènes" de dieux "gaulois" ou "celtes" se sont intégrées aux nouvelles conditions politiques : le pilier des Nautes des *Parisii,* qui nous offre, par exemple, la représentation d'un dieu cornu *(Cernunnos),* est dédié à Tibère ; sur un autel de Reims, le même dieu est encadré par Apollon et Mercure. Le Jupiter "à la roue", censé représenter le dieu gaulois du tonnerre – Taranis – qui, en lançant sa roue sur les nuages, provoquait la foudre et un bruit terrifiant, ce Jupiter a reçu des représentations de style si "classique" qu'elles ne peuvent être qu'officielles. Un lien s'établit donc depuis les rouelles de l'Age du Bronze ou du Fer, le chaudron de Gundestrup et les représentations de l'Empire. Politique, mentalités, religion.

Stèle de pierre représentant le dieu Cernunnos assis entre Apollon et Mercure, de Reims (Marne) Ier siècle ap. J.-C.
● *p. 598*

Et l'économie ? C'est sans doute dans ce domaine que l'archéologie a récemment le plus apporté. Les prospections aériennes ont montré que la Gaule d'avant la conquête était un pays d'agriculture et d'élevage d'un haut niveau de développement (César et Strabon ne disent pas autre chose). On voit se superposer ou se juxtaposer des fermes d'avant et d'après la conquête qui ne diffèrent que par les matériaux de construction ou l'organisation géométrique. Certes, la romanisation développe de nouvelles cultures (surtout la vigne et l'olivier dans le Midi) et une gestion améliorée du cheptel. La colonisation induit, par ricochet, la mise en culture de nouvelles terres. Mais les techniques comme l'organisation sociale remontaient pour la plupart à La Tène II ou III.

Pour conclure : la romanisation de la Gaule est souvent présentée comme l'exemple type d'une assimilation réussie. Sans doute, nous ne retrouvons que les témoignages matériels et ne pouvons sonder la psychologie des individus, particulièrement dans les milieux les plus modestes. Mais il semble que les pratiques instituées par Rome aient pleinement répondu à deux traits forts du tempérament gaulois : la farouche volonté d'autonomie au sein de terroirs circonscrits (que le cadre de la *civitas* a satisfaite), la fascination envers le chef – volontiers sublimé – que le culte impérial a focalisée sur les descendants de César.

La romanisation des pays danubiens
Miklós Szabó

En 186 av. J.-C., apparaît au nord de la Vénétie une nouvelle tribu gauloise, celle des *Carni*, venue du Norique, qui s'installe et manifeste ses intentions pacifiques. Une armée romaine a été envoyée contre ce peuple en 183 qui a été battu, mais avait l'autorisation de rester, malgré le fait qu'Aquilée a reçu le statut de colonie. Cette fondation constitue donc le premier et, du même coup, le pas décisif vers le Norique et la Pannonie. Le Norique était un pays riche à cause de sa métallurgie excédentaire qui produisait un fer estimé et beaucoup d'argent. Ses tribus formaient un royaume uni depuis le début du IIe siècle av. J.-C., nommé par les auteurs latins *regnum Noricum*. L'objectif initial de Rome n'était pas l'occupation de ce territoire, mais l'accès par une situation géopolitique à ses ressources naturelles. Aquilée est donc devenue au cours du IIe siècle une nouvelle puissance commerciale de la Méditerranée qui a organisé et contrôlé le trafic entre l'Italie du Nord et les Alpes orientales : c'était avant tout le fer de Norique qui était expédié d'ici par voie maritime. Les fouilles autrichiennes, effectuées au Magdalensberg près de Klagenfurt ont démontré la formation d'un *emporium* républicain vers 100 av. J.-C., lié sans doute à un *oppidum* celtique qui devait être la capitale du *regnum Noricum*. L'exploitation de la richesse du sol du Norique a été organisée par les représentants des maisons de commerce d'Aquilée.

Stèle de marbre représentant la déesse Epona avec une paire de chevaux, d'un lieu non précisé de la Dacie Seconde moitié du IIe siècle ap. J.-C. Budapest Szépmüvezeti Múzeum
• *p. 599*

Par contre, dans la zone située à l'est des Alpes Juliennes aucun comptoir semblable ne fut jamais établi par Aquilée. Cette situation s'explique peut-être par la remarque d'Appien selon laquelle les Romains ne connaissaient pas précisément cette dernière région. Il faut donc souligner la différence qui se manifeste, d'une part, par l'intérêt romain pour contrôler sur place le commerce du fer de Norique et, d'autre part, par l'intérêt que représentaient les échanges réalisés au marché d'Aquilée pour les Barbares habitant la vallée de la Save. Ainsi les interventions militaires de Rome sur les territoires mentionnés avaient pendant longtemps comme but principal la protection d'Aquilée contre les tribus voisines des Alpes, surtout contre les Taurisques et les Iapodes. (La civilisation de ces derniers présente un mélange d'éléments celtiques, vénètes et illyriens). La population indigène des Alpes Juliennes a été un participant actif du trafic qui se faisait par les passages des Alpes entre Aquilée et la vallée de la Save, en qualité de porteur ou de guide, mais aussi comme brigand. Pour les décourager dans leur arrière-pays, les opérations romaines en 156 et 129 av. J.-C. ont visé Siscia (Sisak dans l'ex-Yougoslavie), sans avoir l'intention d'occuper la vallée supérieure de la Save. La tactique romaine des petites expéditions contre les Barbares dangereux s'est poursuivie jusqu'aux années 50 av. J.-C. Dans la zone balkanique, dominée par les Scordisques, malgré la défaite décisive de cette tribu par l'armée de Scipion Asiagène, dans la deuxième décennie du Iᵉʳ siècle av. J.-C., Rome était hors d'état de pouvoir avancer vers le Nord et le Nord-Ouest, à cause des menaces des tribus balkaniques. C'est la dislocation de l'Etat dace, après la mort de Burébista, vers le milieu des années 40, qui a permis enfin aux Romains d'établir la liaison entre l'Italie et la Macédoine. La propagande officielle a utilisé le prétendu danger dace pour justifier la poussée romaine dans la vallée de la Save. La réalité historique en était donc opposée...

En 35, Octavien, le futur Auguste, lança une offensive vers les Alpes orientales, contre les Iapodes. Après la victoire, l'armée romaine s'était dirigée vers la terre des tribus pannones, ayant comme objectif principal la prise de Scîscia. A partir de 34, la ville devient la base la plus importante de l'occupation romaine de la future province de Pannonie. La campagne envisagée contre les Daces par César a été réalisée par M. Licinius Crassus en 29-28 av. J.-C. qui entraîna la conquête de la Dobroudja et la pacification des tribus voisines. Par la suite, les peuples des Balkans centraux ne font parler d'eux qu'en 16 av. J.-C. par une incursion en Macédoine. En même temps, les Pannons et les habitants du Norique envahirent l'Istrie. La défaite de ces derniers, face à P. Silius Nerva, a été qualifiée par les auteurs anciens comme la nouvelle soumission des Pannons : la première fut sans doute la conséquence de la campagne dite iapode d'Octavien. L'annexion du Norique fut également en rapport avec cet événement, lié cependant aussi à la grande offensive de Tibère et de Drusus contre les Rètes et les Vindéliques en 15 av. J.-C. Cette date doit signifier la première étape de l'occupation de la future Pannonie : sa zone occidentale appartenait au *regnum moricum* depuis le milieu des années 40 av. J.-C. La deuxième phase, c'est-à-dire l'occupation de la région entre la Drave et la Save fut la conséquence de la guerre victorieuse de Tibère contre les tribus pannones entre 13-9 av. J.-C. Entre-temps, en 11 av. J.-C. a été organisée la province impériale de l'*Illyricum* qui comprenait le territoire entier de la Dalmatie et une grande partie de la future Pannonie. Puis, pour harmoniser les dimensions des trois provinces, *Illyricum Superius* (la Dalmatie), *Illyricum inferius* (la Pannonie) et *Noricum*, le territoire boïen avec la zone de la fameuse route de l'ambre a été agrégé à *Illyricum inferius,* très probablement vers la fin de l'époque de Claude. Il est donc possible que la division en deux de l'*Illyricum* remonte à Tibère, mais l'organisation du Norique et de l'*Illyricum inferius*, qui porte depuis l'époque de Vespasien le nom de *Pannonia,* ne s'est réalisée que sous Claude.

La troisième étape de l'occupation de la Pannonie constitue un sujet très discuté. L'idée de la conquête augustéenne du nord-est de la Pannonie est basée sur l'interprétation d'un passage de *Monumentum Ancyranum*, testament d'Auguste. L'analyse très poussée des trouvailles archéologiques avec l'examen des sources historiques et géographiques semble corroborer la nouvelle thèse selon laquelle le territoire en question, donc la partie orientale de la Transdanubie actuelle, ne passa sous domination romaine que vers le milieu du Iᵉʳ siècle ap. J.-C. Par conséquent, cette date doit signifier la fin de l'époque de La Tène en Pannonie de l'Est ; on remarque dans la Grande Plaine Hongroise l'arrivée des Iazyges d'origine sarmate vers 10 ap. J.-C. et au nord, dans l'ex-Tchécoslovaquie, l'offensive germanique à partir de 16 av. J.-C., avec la fondation de l'empire marcoman de Marobod en Bohême vers 8 av. J.-C. Le processus brièvement évoqué de l'occupation romaine montre bien que les adversaires redoutables des Romains étaient avant tout les Pannons, tandis que les peuples celtiques à cause de la défaite subie face aux Daces n'ont pas constitué un obstacle sérieux aux conquérants.

Il n'est pas surprenant que le premier grand centre de la romanisation se trouve au Magdalensberg qui, sous Auguste et Tibère, a vécu son âge d'or. A l'époque de Claude, la ville a été cependant abandonnée en faveur de la nouvelle capitale, *Virunum*, et seul le culte d'origine celtique de Mars Latobius sur le sommet de la montagne gardait le souvenir du passé glorieux. La romanisation s'est poursuivie dans les pays danubiens à une cadence assez lente généralement. Il serait logique d'en conclure que la langue, les traditions de la population indigène s'étaient mieux conservées par ici qu'ailleurs. En réalité, les choses se sont passées de la façon inverse. Là où le processus de la romanisation s'est rapidement terminé, il ne toucha au début qu'à la surface : la population adopta les coutumes romaines sans que celles-ci eussent porté atteinte aux racines locales. Ainsi par exemple, les indigènes ont appris à dresser des autels, sur lesquels ils ont vénéré aussi leurs propres dieux, même si le dieu en question recevait un pseudonyme romain ou s'il prenait une forme romaine. En revanche, lorsque l'érection d'autels est devenue générale dans la zone en question, des changements fondamentaux se sont déroulés : sous la surface apparemment intacte, les idées primitives se sont confondues avec celles des Romains et ce processus aboutit au développement des cultes locaux de caractère mélangé dit syncrétique.

La conquête une fois achevée, Rome, passée maîtresse en matière d'organisation, prit en main les affaires de la population indigène. Elle s'est contentée de constituer des unités administratives, appelées *civitates peregrinae*, sans intervenir dans la vie interne des tribus. Les autorités romaines veillaient cependant bien soigneusement à liquider toutes les formations politiques qui pouvaient receler le danger de la rébellion. Rien n'indique mieux le caractère anodin des Celtes que le fait qu'à la différence des Pannons, leurs unités tribales ne furent pas dissoutes. En examinant les noms des *civitates peregrinae*, on peut distinguer deux grandes catégories de peuple: ceux qui ont joué un rôle historique aux temps préromains (par. ex. : *Boii, Eravisci, Latobici, Scordisci*, etc.) et ceux, dont le nom ne fait apparition qu'à l'époque romaine. En ce qui concerne la deuxième catégorie, nous pouvons distinguer les peuples qui étaient sans importance avant la conquête romaine et des groupes organisés par l'administration romaine. Les noms de peuples formés artificiellement à l'époque impériale sont fréquents surtout

Stèle funéraire de marbre de PVLLIVS AELIVS et sa famille de l'antique Gorsium (Hongrie) Époque d'Hadrien Tác-Gorsium, site archéologique

*Stèle funéraire
de calcaire
de FLAIVA VSAIV
de l'antique
Gorsium
(Hongrie)
vers l'an 130
p. J.-C.
Tác-Gorsium, site
archéologique*

dans la vallée de la Save, dans la zone de la résistance contre l'occupation romaine. Il s'agit donc d'une intervention radicale qui, par la dissolution des tribus importantes des Pannons, voulait écraser les noyaux possibles de résistance. Dans la zone celtique, la création du groupe des *Arabiates* avait sans doute pour but de séparer les deux alliés traditionnels, les Boïens et les Taurisques.

Le transfert de la population du *Barbaricum* en territoire romain est également connu. Le roi des Quades, Vannius, très probablement d'origine boïenne, dont le royaume se trouvait au nord du Norique et de la Pannonie, trouva, après sa chute, asile auprès des Romains et fut installé en Pannonie avec sa suite vers 50 ap. J.-C.

Les *Cotini* d'origine celtique qui vivaient au Ier siècle av. J.-C. à l'est de la courbe du Danube, ne font apparition qu'au début du IIe siècle ap. J.-C. sur la terre pannonienne. Mais ils ne sont pas restés sans subir l'influence des

Daces dans leur pays primitif, si on en juge par le fait qu'en Pannonie ils portaient des noms daces.

L'examen des noms de personne d'époque romaine montre clairement qu'il existe dans le nord, le sud-est et le sud du Norique ainsi que dans le nord-est et le nord-ouest de la Pannonie un domaine linguistique celtique bien étendu, attaché aux peuples historiques des Taurisques, des Boïens et des Eravisques. Dans le sud de Pannonie, il faut compter avec une zone de langue pannone (illyrienne) assez homogène, parsemée de quelques îlots celtiques. Les Vénètes ont été présents en petits groupes dans la vallée supérieure de la Save et en Norique du Sud. Le cas des Scordisques en Pannonie du Sud-Est est bien caractéristique : assimilant la civilisation illyrienne au cours des siècles préromains, ils ont perdu leur langue celtique primitive. Les communautés des indigènes ont été d'abord placées sous la surveillance d'officiers romains. Le préfet gouvernait avec le conseil des *principes*, c'est-à-dire des nobles de peuples soumis. Une inscription découverte sur le territoire de la *civitas* des Scordisques est l'une des sources les plus importantes de l'accession à l'autonomie des communautés indigènes à partir de l'époque des Flaviens. Les Romains se sont donc efforcés de gagner la sympathie de l'aristocratie tribale par l'intermédiaire de laquelle ils voulaient s'attacher les communautés afin de préparer le terrain à la romanisation.

Les stèles funéraires de la population d'origine celtique en Norique et en Pannonie offrent une image tout au moins différenciée du costume féminin et même des variantes régionales de cette mode norico-pannonienne. Grâce aux mobiliers funéraires, nous connaissons les originaux métalliques de la parure représentée sur les monuments érigés dans les nécropoles. La population masculine se romanisa plus vite : elle apparaît sur les reliefs de stèles en costume romain.

Le processus de formation des *civitates peregrinae* autonomes a été accompagné par la politique de la municipalisation dont l'objectif principal fut la transformation des communautés indigènes en communauté municipale. L'apogée de ce type d'urbanisation fut atteint sous Hadrien et parallèlement à ça, les indigènes adoptèrent largement les coutumes romaines. Les autels, les stèles funéraires érigés partout dans les pays danubiens, reflètent souvent des idées religieuses locales. Les pierres tombales des Celtes ornées de scènes de char, ainsi que les sépultures à char de l'aristocratie éravisque sont en rapport avec l'idée celtique de voyage à l'autre monde. Le relief d'un monument funéraire éravisque de Bölckse en Transdanubie de l'Est témoigne de la survivance du culte du sanglier, animal lié à la mort pour les Celtes anciens.

Nous pouvons constater que jusqu'à l'époque des guerres marcomanes, c'est-à-dire jusqu'au règne de Marc-Aurèle, les données épigraphiques, les monuments figurés, la céramique et la parure attestent que la tradition

Relief latéral d'un édicule funéraire de calcaire représentant une femme qui porte sur un plat une tête de sanglier de Bölcske (Hongrie) Milieu du IIe siècle ap. J.-C. Budapest, Magyar Nemzeti Múzeum

locale, avant tout celle de la population d'origine celtique, a gardé beaucoup de vigueur en Norique et en Pannonie.

Il y a des nécropoles indigènes du IIe siècle ap. J.-C. dans lesquelles les mobiliers funéraires sont entièrement composés de produits locaux.

L'histoire des pays danubiens devient très mouvementée vers la fin du IIe siècle ap. J.-C. à cause des guerres marcomanes. Malgré la dévastation du territoire, la population indigène n'a pas disparu d'un jour à l'autre, comme le prouvent les noms de personnes du IIIe siècle. De plus, les noms de divinités celtiques – ainsi le dieu suprême des Eravisques, *Teutanus*, égal à Jupiter – apparaissent sur les inscriptions au IIIe siècle. Ce phénomène s'explique par une tendance archaïsante consciente, inspirée par un "patriotisme du terroir" qui reflète l'importance grandissante de la Pannonie.

Relief au-dessus de 500 m

0   50   100
Kilomètres

Deskford

Stichill

Derrykeighan
Lisnacrogher
Broighter
Dunaverney
Ballyshannon Bay
Navan Fort
Loughnashade
Keshcarrigan   Ralaghan
Lough Crew
Attymon   Clonmacnois
Turoe   Somerset
Monasterevin

Torrs
Great Chesters
Embleton
Stanwick
North Grimston
Bugthorpe   Danes Grave
Grimthorpe   Wetwang
Arras   West Woo

Llyn Cerrig Bach   Dinorben
Cerrig-y-Drudion
Trer Ceiri   Capel Garmon
Trawsfynydd
Tal-y-Llyn

Ulceby

Red Hill
Needwood
Forest   Newnham Croft
Desborough
Felmersham
Hunsbury
Kings
Langley   Old Warden   Ips
Birdlip   Harpenden
Standlake   Welwyn
Seven Sisters   Wood Eaton   Aston
Little Wittenham   Hounslow
Polden Hills   Marlborough   London
Meare   Glastonbury   Snettisham
Cadbury Castle   Brentford
Ham Hill   Fovant   Wandsworth
Harlyn Bay   Holcombe   Hod Hill   Gussage All Saints
Maiden Castle   Hengistbury Head
Mount Satten

Snettisham
Wisbech
Santor
Snailwel

Gre

Battersea
Waterloo Bri

554

Les Celtes des Iles

Les Celtes pré-chrétiens des îles
Barry Raftery

Quand et comment les îles – Angleterre et Irlande – devinrent celtiques est rien moins que certain. En fait, ce que le terme "celtique" signifie précisément dans le contexte insulaire est loin d'être clair. Les premières sources écrites mentionnent la large présence des tribus celtes dans les deux îles, et dans l'Angleterre immédiatement pré-romaine comme dans l'Irlande en ses premiers temps historiques, ce sont des langues indubitablement celtes qui étaient parlées. Il n'est donc guère surprenant qu'on ait souvent dans le passé expliqué la celtisation du monde insulaire en fonction de l'immigration massive de Celtes.

Cette explication n'est cependant pas toujours en accord avec les données archéologiques dont nous disposons et, pour ce qui est de l'Irlande en particulier, il est difficile de la justifier sur la base des vestiges matériels qui subsistent. Il y eut certes un mouvement de population vers les îles (et d'une île à l'autre) qui a joué un rôle dans l'apport d'éléments culturels celtiques et, de temps en temps, il peut y avoir eu des incursions de population importantes (au moins en Angleterre) qui auraient apporté avec elles des traits culturels totalement étrangers. Les invasions belges dans la partie méridionale de l'Angleterre nous en offrent un exemple.

Généralement parlant, cependant, la culture matérielle de l'Age du Fer insulaire est d'un caractère essentiellement autochtone, et on trouve peu d'importations identifiables dans les témoignages archéologiques. Il est clair que l'invasion, à elle seule, ne suffit pas vraiment à expliquer les processus complexes et variés de modification culturelle qui contribuèrent, dans le courant du dernier millénaire avant J.-C., à rendre les îles "celtiques". De plus, il est vraisemblable que l'élément prédominant de la population de l'Age du Fer "celtique", tant en Angleterre qu'en Irlande, avait ses racines dans l'Age du Bronze autochtone.

Le premier Age du Fer

Un aspect de l'extension de ce qu'on appelle la culture celte est la propagation qu'elle entraîne de la technologie du fer. Le travail du fer se pratiquait, bien entendu, de façon sporadique, bien av. la période celtique, mais ce n'est que dans la dernière partie du VIIIe siècle av. J.-C. que l'exploitation et l'utilisation du fer commencèrent à se répandre largement et sur une grande échelle dans l'Europe centrale et occidentale. On associe ces débuts de l'Age du Fer aux groupes de population auxquels l'archéologie attribue l'appellation de culture Hallstatt C, et nous sommes en droit d'appeler ces peuples Celtes. La connaissance du travail du fer se répandit rapidement vers l'ouest et avait indubitablement atteint les bords de l'Atlantique avant la fin du VIIe siècle av. J.-C., comme le démontrent clairement certains sites anciens en Grande-Bretagne, où l'on trouve des scories de fer ; une bonne illustration en est le dépôt d'objets en métal de Llyn Fawr en Glamorganshire, au pays de Galles, où ont été trouvés des éléments hallstattiens importés (dont une épée en fer) avec des bronzes autochtones du dernier Age du Bronze et des objets de fer fabriqués localement. Trouvés isolés, des épées en bronze, des chapes et quelques autres objets du Hallstatt montrent que d'autres parties de la Grande-Bretagne, particulièrement dans le Sud-Est, avaient d'étroits contacts avec le monde hallstattien continental ; par contre, l'absence de sépultures et d'habitats étrangers met en relief la nature insulaire de l'horizon culturel du Hallstatt en Grande-Bretagne.

Il semble en être de même en Irlande, bien que, là, les traces d'un premier Age du Fer soient plus limitées.

Quelques objets en fer, qui pourraient être des copies autochtones en fer de modèles de l'Age du Bronze, pourraient être l'indice de la présence d'une phase ancienne du travail du fer dans le pays, datant peut-être du VIIᵉ siècle av. J.-C. Un petit nombre de sites d'habitation qui semblent, sur le plan technologique, faire la transition entre les sociétés de l'utilisation du bronze et de celles du fer, bien que la datation ne soit pas confirmée, viennent appuyer cette hypothèse.

Il existe aussi des épées et des chapes du type Hallstatt provenant du pays même, mais presque tous les exemplaires qui nous sont parvenus semblent être des copies de modèles étrangers. Comme en Grande-Bretagne, rien n'indique que ces changements ne soient la conséquence de l'arrivée d'immigrants, encore moins est-il possible de laisser supposer qu'ils témoignent de l'apparition des Celtes dans le pays.

Sur le plan archéologique, Hallstatt D est représenté en Grande-Bretagne, mais, là encore il s'agit d'un lot relativement réduit d'objets, qui comprend des poignards, des rasoirs, des équipements de chevaux, quelques récipients en métal et en poterie, et quelques parures. On peut admettre que certains de ces objets sont des importations, mais, en majorité, ils proviennent d'ateliers indigènes. De même que c'est le cas pour les matériaux du Hallstatt C, il n'y a pas de mobiliers funéraires et les quelques habitats qui ont livré des objets de type Hallstatt D ont tous un caractère indigène. La présence de ces matériaux en l'île de Bretagne indique toutefois des relations continues avec la culture hallstattienne du continent. Plus particulièrement, une série de poignards trouvés dans le sud de l'Angleterre témoigne de la connaissance que les ateliers locaux avaient des progrès européens dans le domaine de l'armement.

L'Irlande est au contraire, pour des raisons qui ne sont pas évidentes, pratiquement sans matériaux du Hallstatt D. L'île connaît apparemment alors une crise qui se manifeste par le déclin et la disparition des industries florissantes de l'Age du Bronze, aboutissant à une phase d'isolation et de stagnation culturelle. Différentes explications ont été fournies à ce propos : climatiques, sociales, économiques. Aucune n'est toutefois pleinement convaincante. Pour l'instant, les deux ou trois siècles après 500 av. J.-C. restent en Irlande une période obscure.

Apparition de La Tène

D'importantes innovations se manifestent dans la documentation archéologique avec l'apparition des éléments culturels de La Tène : une métallurgie de belle qualité est un caractère marquant de ce nouvel horizon aussi bien en Grande-Bretagne qu'en Irlande et, par suite de leur qualité souvent spectaculaire, ces matériaux ont eu tendance à dominer la discussion, particulièrement en ce qui concerne l'Irlande, dans nos tentatives pour reconstituer la culture et la chronologie de cette période. Il n'est donc pas surprenant que les opinions des savants aient différé sur des questions fondamentales de datation et d'origines, une situation que n'a pas arrangée la fréquence avec laquelle les objets les plus magnifiques ont été trouvés isolément dans des rivières, des lacs et autres lieux.

La société dans l'Angleterre de La Tène

En Grande-Bretagne, on a pu, cependant, dans les dernières décennies, étendre nos essais d'interprétation de la société de l'Age du Fer au-delà du centre d'intérêt étroit et partial de la métallurgie, ceci grâce, en grande partie, aux fouilles entreprises, sur une grande échelle, sur les sites de peuplement. Dans bien des endroits, les forteresses sur hauteur étaient le type d'habitat prédominant, particulièrement dans le Sud et l'Ouest. Il existait aussi, moins ouvertement défensifs, des habitations entourées d'enceintes, de types variés, comme Little Woodbury dans le Wilthsire ou Gussage All Saints dans le Dorset, et de plus petits habitats, non entourés, de types variés, probablement très répandus. L'Ecosse, surtout les Hautes Terres et les îles, différait des autres régions de la Grande-Bretagne de par l'importance prise par les massives forteresses de pierre, souvent renforcées de poutres, et du développement spécifique des constructions en forme de tours appelées "brochs". Les maisons – quand on en a identifié – étaient généralement circulaires, mettant en évidence les racines culturelles de l'Age du Bronze récent. On trouve cependant aussi, sur le sol, des plans rectangulaires.

Les forteresses sur hauteur représentaient une concentration de population considérable et, dans de nombreux cas, ont été le siège de l'autorité et du pouvoir tribaux, à la fois séculier et religieux. C'étaient aussi des centres économiques où l'on entreposait les produits des champs des alentours comme en attestent des fosses de stockage et les structures supposées greniers à grain découvertes sur certains sites. Si les forteresses sur hauteur remontent à une antiquité qui date d'avant l'Age de Fer celtique, il est généralement admis que les plus beaux et les plus complexes appartiennent à la phase de la préhistoire récente ; avec d'autres exemples de sites de peuplement de la même époque, ils nous ont ainsi fourni d'amples informations sur la culture matérielle des habitants de la Grande-Bretagne dans le dernier demi-millénaire avant J. -C.

Il est clair que la masse de la population produisait avant tout de quoi se nourrir, se consacrant à l'agriculture et à l'élevage. La métallurgie de prestige, cependant, ainsi que l'existence même des massives forteresses témoignent de l'existence d'une classe gouvernante aristocratique qui dut être l'élément dominant d'une société hautement stratifiée ; l'archéologie et les sources écrites convergent sur ce point. Les épées finement travaillées dans des fourreaux très ornés, les casques, les splendides boucliers d'apparat britanniques et les nombreux harnachements et équipements de char – la panoplie d'une classe guerrière – sont la manifestation matérielle de ces couches supérieures d'élite de la société. Les miroirs superbement décorés de l'Angleterre méridionale montrent que les femmes avaient elles aussi leur part de cette prospérité matérielle et, de fait, les merveilleux torques d'or de l'est de l'Angleterre pourraient avoir appartenu à des femmes aussi bien qu'à des hommes. La reine Boadicée elle-même, à ce qu'il est dit, a porté un torque de cette sorte.

Moins spectaculaires, mais, peut-on penser, plus représentatives d'une société dans son ensemble, les informations que nous ont apportées sur la vie de tous les jours les fouilles sur les lieux d'habitation. L'image qui s'en dégage évoque un pays d'agglomérations agricoles disséminées, de nature et de dimensions variées, chacune se suffisant à elle-même, interdépendantes cependant, vivant en harmonie avec leur environnement naturel. Chaque communauté possédait, sans aucun doute, des individus aptes aux nombreux métiers de la terre indispensables à la bonne marche des affaires de tous les jours. Il y avait aussi des artisans expérimentés dans des domaines spécialisés. Les données archéologiques ne nous permettent pas toujours facilement de les déceler. Il n'est guère douteux, cependant, que les artisans spécialisés dans le travail des métaux occupaient une place de marque dans la communauté et nous pouvons tenir pour certain que de grands centres d'artisanat se spécialisaient dans la fabrication d'équipements de haute qualité et d'autres articles de prestige. Il existait aussi, probablement, des artisans itinérants. Mis à part un certain nombre de fours de fonderie découverts dans plusieurs habitats, le seul atelier identifiable est celui de Gussage All Saints dans le Dorset où des garnitures de char et des harnachements ont été fondus en quantité non négligeable. Les opinions sont partagées, cependant, lorsqu'il s'agit de décider si le site représente l'activité d'un artisan itinérant ou s'il avait un caractère plus permanent. Nous n'avons autrement que les produits finis eux-mêmes qui puissent nous permettre de nous faire une idée des procédures et des processus de fabrication et de distribution. Ceux-ci ont dû être extrêmement bien organisés et très efficaces et, à travers le pays a dû exister un réseau complexe de relations sociales et économiques pour assurer l'approvisionnement courant en matières premières et l'écoulement des produits fabriqués. Les objets qui ont survécu impliquent aussi l'existence de toute une gamme d'outils spécialisés dont nous n'avons que l'idée la plus succincte.

Les vestiges matériels attestent le travail du verre et de l'os, le filage et le tissage, la production du sel et, naturellement très répandue, la fabrication de la poterie. Pour ce qui est de cette dernière, il existait de nombreux styles régionaux, le Sud-Ouest particulièrement en évidence comme centre de fabrication de récipients de céramique extrêmement ornée. L'apparition du tour du potier, probablement au Ier siècle av. J.-C., amorça un courant tendant à la production en masse et à une plus grande standardisation de modèles. La boisellerie était probablement la plus répandue des occupations artisanales domestiques, mais n'est trop souvent trouvée que sous la forme d'outils dont on se servait. Ce n'est qu'à l'occasion de quelques découvertes dans les régions de terres humides que l'on constate la compétence des populations de l'Age de Fer britannique dans l'art de la charpenterie et de la menuiserie. L'introduction en Grande-Bretagne, dans le Ier siècle av. J.-C. de marchandises importées d'origine méditerranéenne ou gallo-belge annonce le développement de liens de plus en plus étroits avec le continent européen. Les fortifications côtières du sud et de l'est de l'Angleterre, à Hengistbury Head dans le Hampshire, sont un site clé dans l'introduction et la distribution de modèles nouveaux. La tendance grandissante vers une économie de marché et la croissance apparemment connexe des centres de population dans le sud et l'est de l'Angleterre s'accompagnent de l'émission de monnaie dans le sud de l'Angleterre à la fin du IIIe siècle av. J.-C.

Les premières pièces de monnaie sont gallo-belges et elles sont souvent considérées comme preuve matérielle des intrusions belges en île de Bretagne que mentionne César. Il existe une énigme archéologique, cependant, du fait que les plus anciennes sépultures qui pourraient correspondre à ces intrusions, les crémations de la culture dite d'Aylesford-Swarling, ne peuvent être datées d'avant le premier quart du Ier siècle avant J.-C.

Irlande

L'ensemble de données dont nous disposons maintenant pour une reconstitution de la vie durant la période de l'Age du Fer celtique en Grande-Bretagne n'a pas son équivalent pour ce qui est des données archéologiques en Irlande. En fait, il existe peu d'aspects de la société de l'Age du Fer irlandais sur lesquels nous ayons des connaissances adéquates. Nous ne pouvons, par exemple, pas indiquer avec certitude les sites d'occupation normaux des Celtes païens d'Irlande. Les forteresses sur hauteur, bien que peu nombreuses, certes, existent dans le pays, mais, pour la plupart, la datation est obscure.

Aucun indice jusqu'ici ne suggère qu'elles font partie d'un horizon culturel de l'Age du Fer. Les forteresses sur promontoire, nombreuses le long des côtes irlandaises, pourraient, au moins dans certains cas, appartenir à l'Age du Fer celtique, mais les fouilles limitées entreprises jusqu'ici ne sont pas parvenues à le confirmer. Nous connaissons, en Irlande, quelques sites royaux importants de l'Age du Fer celtique ainsi qu'une série de remparts de terre en lignes droites qui leur sont contemporains – ceux-ci sont, cependant, de façon évidente, très éloignés des constructions ordinaires de la majorité de la population.

En l'absence d'habitats séculiers normaux, nous nous trouvons devant la tâche impossible d'essayer de reconstituer une image valable de la vie de tous les jours des Celtes préhistoriques en Irlande, d'autant que nos difficultés se trouvent compliquées par le fait que tous les objets qui ont survécu proviennent de trouvailles isolées, si bien que les relations entre les différents types d'objets sont incertaines et notre chronologie reste ténue. Par ailleurs, la qualité, de toute évidence exceptionnelle de la plupart de ces matériaux qui survivent montre aussi qu'ils ne sont pas véritablement représentatifs de la population paysanne de cultivateurs qui formait la masse de la société contemporaine.

Les harnachements sont d'une fréquence surprenante dans les vestiges archéologiques disponibles, car ils constituent la moitié des objets métalliques de cette période. Le cheval devait être symbole de condition élevée et on trouve un grand nombre de mors de bride en fonte de bronze très ornés qui, souvent, portent la trace de grande usure. Associés à ces mors, de curieux objets en forme de Y dont la fonction est obscure, mais qui étaient certainement des éléments du harnachement du cheval. On ne les trouve qu'en Irlande. En contraste apparent avec les premiers témoignages de la littérature irlandaise, le char, mis à part quelques garnitures, n'est pas représenté dans les vestiges archéologiques. On connaît des armes qui comprennent des épées en fer auxquelles sont associés des fourreaux en bronze décorés, mais ceux-ci ne sont pas nombreux. La lance était aussi utilisée et on a une variété considérable de talons qui s'attachaient à la hampe de bois. Fibules, broches et articles de parure personnelle sont, fait surprenant, en petit nombre, mais le dépôt d'objets en or de La Tène récente trouvés à Broighter, Co Derry est remarquable pour le splendide torque à tampons qu'il contient – exemple spectaculaire d'art indigène en or. Parmi tous les objets en bronze, les grandes trompettes en tôle de bronze dont la fabrication semble avoir été une spécificité irlandaise sont remarquables. Il y a aussi un assortiment de garnitures de bronze et autres pièces d'équipement, souvent décorées avec recherche, qui mettent en relief l'originalité et l'habileté techniques des ateliers irlandais locaux.

Les articles d'usage domestique de l'Age du Fer celtique en Irlande, comme il a déjà été dit, sont extrêmement rares. On connaît une série de meules rotatives, isolées, sans autre accompagnement, et une charrue en bois a été retrouvée récemment en association directe avec la chaussée du milieu du IIe siècle av. J.-C. à Corlea, Co Longford. Un grand nombre de poteaux en bois ont également été retrouvés sur ce site et plusieurs autres objets qui nous donnent un aperçu exceptionnel de la haute qualité du travail du bois dans l'Irlande de l'Age du Fer. On n'a trouvé aucun outillage, cependant, et, de fait, pour l'ensemble du pays, on ne peut signaler qu'une poignée de haches en fer, des doloires, et un assortiment d'outils divers en fer. On trouve des perles de verre, mais on ne peut encore dire s'il existait des centres pour le travail du verre. Le filage et le tissage étaient constamment pratiqués tout comme, bien entendu, le travail du bois et du cuir. Mais, chose surprenante, on ne trouve pas la plus infime trace de poterie pendant la période celtique en Irlande, pas plus qu'on n'a trouvé, dans le pays, une seule pièce de monnaie datant de l'Age du Fer.

Umbo circulaire de bouclier en bronze trouvé dans la Tamise à Wandsworth (Angleterre) Première moitié du Ier siècle av. J.-C. première moitié du Ier siècle ap. J.-C. Londres, British Museum

Vue aérienne du monastère de l'île de Inishmurray (Irlande) VIᵉ-VIIIᵉ siècle ap. J.-C.

Sépultures et rites funéraires

Les vestiges archéologiques nous livrent quelques informations sur la vie spirituelle des Celtes de l'île. Dans l'île de Bretagne, nous avons d'amples informations sur les coutumes funéraires dans certaines zones, particulièrement les cimetières d'inhumation de la culture d'Arras du Yorkshire oriental et les cimetières à crémation de la culture Aylesford-Swarling du Sud. Autrement, les traces de sépultures dans le pays sont clairsemées et il reste de vastes régions qui n'ont encore livré que peu d'informations sur les rites funéraires. En fait, il est possible que, dans certains endroits, on ait disposé des morts sans grande cérémonie, si l'on en juge par la découverte de restes humains désarticulés dans des fosses à déchets des habitats et dans les fossés des forteresses sur hauteur.

En Irlande, les données disponibles indiquent que les traditions funéraires de l'Age du Fer différaient de celles de la Grande-Bretagne. La crémation semble avoir été le rite dominant, les restes étant placés dans de simples fosses sous des tertres circulaires peu élevés, sans prétention, de types variés. Les objets funéraires, quand il y en a, sont modestes et se bornent à quelques broches et fibules, quelques perles et autres articles de parure. C'est seulement dans les siècles qui ont suivi la naissance du Christ, peut-être sous l'influence romaine, que l'inhumation remplace la crémation. En dehors de ces témoignages funéraires, nous avons quelques aperçus de la vie spirituelle des Celtes. En Angleterre, certains sites tels que la petite construction rectangulaire

563

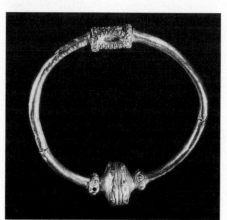

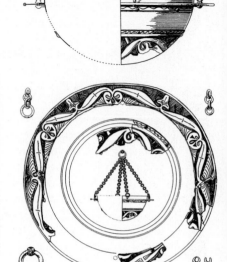

Torque en or avec décor
du "nodus herculeus"
de Clommacnoise
(Irlande)
Début du IIIᵉ siècle
av. J.-C.
Dublin, National
Museum of Ireland

Coupe à suspension
(lampe?) fragmentaire
de Cerrig-y-Drudion
(Pays de Galles)
IVᵉ siècle av. J.-C.
Cardiff, National
Museum of Wales

découverte à Heathrow dans le Middlesex, ont été expliqués comme des temples et, en Irlande, on a donné la même interprétation à la grande construction circulaire à Navan Fort, Co Armagh. Il est probable, cependant, que, d'une façon générale, les activités du culte prenaient place en plein air et que les sites où il y avait de l'eau – rivières, lacs et marais – jouaient un rôle important dans ces pratiques. Les pierres dressées irlandaises décorées jouaient probablement aussi un rôle dans les cérémonies en plein air. On admet aussi avec raison que les têtes de pierre sculptées, communes en Grande-Bretagne comme en Irlande, ont elles aussi un caractère votif. Ceci indique que les deux îles partageaient la même vénération pan-celtique pour la tête humaine.

Guarniture
en bronze
d'un fourreau
de Wisbech
(Angleterre)
IVᵉ siècle av. J.-C.
Wisbech and
Fenland Museum

L'art de La Tène

Les phases les plus anciennes de l'art de La Tène ne sont guère représentées dans aucune des deux îles. Les plus anciens éléments laténiens en île de Bretagne forment un horizon d'objets variés, la plupart des trouvailles éparses, dont quelques fibules et autres parures personnelles de La Tène ancienne, des poignards et des fourreaux, une ou deux garnitures en bronze et une concentration sud-orientale de poteries au profil angulaire. Il peut y avoir aussi une phase ancienne de la culture d'Arras du Yorkshire, bien qu'il reste encore à l'identifier clairement. Les poignards proviennent, pour la plus grande partie, de la Tamise et de ses environs ; la plupart sont de fabrication locale et reflètent la continuité de la pratique de l'atelier héritée de la période précédente Ha D.

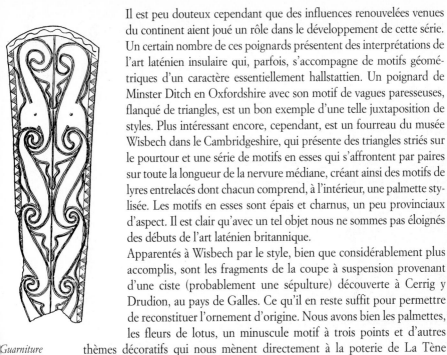

Guarniture fragmentaire en bronze d'un fourreau trouvé dans la Tamise près de Standlake (Angleterre) Fin du IVe siècle-début du IIIe siècle av. J.-C.

Il est peu douteux cependant que des influences renouvelées venues du continent aient joué un rôle dans le développement de cette série. Un certain nombre de ces poignards présentent des interprétations de l'art laténien insulaire qui, parfois, s'accompagne de motifs géométriques d'un caractère essentiellement hallstattien. Un poignard de Minster Ditch en Oxfordshire avec son motif de vagues paresseuses, flanqué de triangles, est un bon exemple d'une telle juxtaposition de styles. Plus intéressant encore, cependant, est un fourreau du musée Wisbech dans le Cambridgeshire, qui présente des triangles striés sur le pourtour et une série de motifs en esses qui s'affrontent par paires sur toute la longueur de la nervure médiane, créant ainsi des motifs de lyres entrelacés dont chacun comprend, à l'intérieur, une palmette stylisée. Les motifs en esses sont épais et charnus, un peu provinciaux d'aspect. Il est clair qu'avec un tel objet nous ne sommes pas éloignés des débuts de l'art laténien britannique.

Apparentés à Wisbech par le style, bien que considérablement plus accomplis, sont les fragments de la coupe à suspension provenant d'une ciste (probablement une sépulture) découverte à Cerrig y Drudion, au pays de Galles. Ce qu'il en reste suffit pour permettre de reconstituer l'ornement d'origine. Nous avons bien les palmettes, les fleurs de lotus, un minuscule motif à trois points et d'autres thèmes décoratifs qui nous mènent directement à la poterie de La Tène ancienne de la Bretagne, à la Marne et, finalement, naturellement, à la Méditerranée. Contrairement au fourreau de Wisbech, les bronzes gallois pourraient bien être parmi les premières importations venues de la Gaule. L'art de Waldalgesheim, dans l'acception continentale, est rare, tant en Grande-Bretagne qu'en Irlande. On ne peut guère douter, cependant, que ce soit ce style qui ait été l'inspiration dominante dans la formation de l'art de La Tène insulaire aux IIIe et IVe siècles av. J.-C. On a comparé la décoration d'une poignée d'objets britanniques au style de Waldalgesheim continental, bien qu'une datation objective des pièces insulaires concernées soit rarement possible. Proches des traditions du continent européen, cependant, sont les plaques décoratives qui ornèrent jadis un fourreau de matière organique trouvé dans la Tamise à Standlake, en Oxfordshire. L'une présente un motif en relief de peltes en boucles sur un fond strié ; l'autre présente, sur le bas du fourreau, une vrille de vague d'apparence nettement continentale. Cette dernière peut être comparée aux vrilles tourmentées exécutées en pointillé sur le manche, fait d'un andouiller, d'une râpe en fer provenant de Fiskerton, en Lincolnshire. Un motif semblable de volutes se trouve sur un bracelet en bronze très orné provenant d'un mobilier funéraire (peut-être une sépulture à char) à Newnham Croft, en Cambridgeshire, bien que la datation de cette pièce ainsi que celle de la garniture de char, censée provenir de Brentford en Middlesex, qui lui est apparentée par le style, soit contestée ; toutes deux pourraient être postérieures de plusieurs siècles à la date fréquemment proposée. L'image que l'on a de la première apparition des traditions laténiennes en Irlande est vague. Les premières étapes, telles qu'elles se

manifestent sur le continent, sont absentes et il semble que l'isolement dans lequel est tombé le pays pendant Ha D ait persisté pendant la phase de l'expansion de La Tène ancienne à travers le continent européen. Il n'existe qu'une seule pièce provenant du pays qui date indubitablement de La Tène ancienne et elle appartient à la fin de cette période. C'est un torque à tampons en or, façonné vers 300 av. J.-C., qui provient de Clonmacnois, Co Offaly – une très belle pièce, avec des bosses en relief et des volutes sur les tampons et un curieux boîtier (de jonction) à l'arrière, ornée de boucles entrecroisées qui sont mises en valeur par des motifs de boucles en méandre faites de fil d'or appliqué séparément. L'exécution dans son ensemble a été reconnue comme une interprétation celtique du classique "Nodus Herculaeus", motif particulièrement populaire dans les ateliers de l'Italie septentrionale pendant la période hellénistique. L'objet, trouvé dans un marais dans l'ouest de l'Irlande avec un torque en ruban d'or de caractère indigène, est probablement d'importation – son lieu de fabrication probablement le cours moyen du Rhin.

On connaît des épées de La Tène ancienne, provenant de l'Angleterre méridionale, bien qu'il ne soit pas très clair si leur utilisation a recouvert dans le temps celle des poignards. On trouve aussi en Angleterre des fourreaux à bouterolle d'un modèle européen ancien, mais, dans la plupart des cas, des caractéristiques de détail sont l'indice d'une fabrication locale. Le fourreau de

Motif emblématique de "dragons" sur le fourreau en fer trouvé dans la Tamise à Hammersmith (Londres) Fin IVᵉ-début IIIᵉ siècle av. J.-C. Londres, British Museum

Standlake, dont on a parlé plus haut, est un des rares exemplaires pour lequel on peut avancer l'hypothèse d'une fabrication continentale. Un motif à échelle sur certaines épées indique aussi une influence étrangère, mais une ou deux seulement, tout particulièrement celle qui provient de la rivière Lee à Walthamstow, dans le Middlesex, ont probablement été importées. Deux épées trouvées dans leur fourreau, dans le lit de la Tamise, sont importantes – dans chaque cas, l'entrée du fourreau est ornée de deux "dragons" affrontés. Ce modèle continental celtique classique, connu à travers l'Europe, de la France et l'Ibérie, à l'ouest, au centre du Danube, à l'est, démontre bien que des liens directs existaient entre le sud-est de l'Angleterre et le cœur du monde celtique sur le continent.

La phase de la maturité

Une série d'objets en métal de haute qualité des IIIᵉ et IIᵉ siècles av. J.-C. témoignent clairement de la présence, aussi bien en Grande-Bretagne qu'en Irlande, de centres artisanaux bien établis et expérimentés, dont les artisans suivaient de très près les développements techniques et artistiques de la civilisation laténienne à l'extérieur. Les matériaux qu'ils produisaient, cependant, présentent un caractère insulaire indiscutable. Les ateliers des deux îles puisaient à des sources communes d'inspiration artistique qui émanaient indubitablement du continent européen. Les deux traditions insulaires se trouvaient aussi en contact l'une avec l'autre, d'où une fécondation croisée des idées et des exemples de chevauchement stylistique. Parmi les objets en métal de cette phase de la maturité de l'art insulaire laténien, les boucliers et les fourreaux dominent – clairement des objets de prestige dont la destination première était souvent l'apparat et l'ostentation. Il n'est pas surprenant qu'ils aient trouvé leur dernier lieu de repos dans les eaux à l'occasion, sans aucun doute, d'un dépôt votif cérémoniel. Deux cours d'eau de l'Angleterre méridionale, par exemple, la Tamise et la rivière Witham, ont livré des lots importants d'objets en métal d'un travail particulièrement remarquable. Plusieurs tombes de la Culture d'Arras dans l'est du Yorkshire ont, elles aussi, livré de belles pièces de métal, ce qui atteste l'existence antérieure, dans cette région, de centres d'artisanat d'importance. Le nord du pays de Galles semble avoir eu, lui aussi, ses ateliers locaux, spécialisés dans la fabrication de boucliers décorés. Le nord-est de l'Irlande fut également un grand centre du travail du bronze de belle qualité aux IIIᵉ et IIᵉ siècles av. J.-C.

Parmi les objets trouvés dans le sud de l'Angleterre, la pièce la plus remarquable est une plaque de feuille de bronze trouvée dans le lit de la rivière Witham, entièrement décoré. Ce magnifique objet long de 113 centimètres a été refaçonné plusieurs fois dans l'antiquité. Son décor d'origine – la silhouette ciselée d'un sanglier grêle, aux longues pattes rivetée sur la face – a été remplacé par une étroite arête en relief avec aux extrémités, des *médaillons*, et, au centre, une bosse bombée, cette dernière enjolivée d'enroulements de volutes et de cabochons de corail

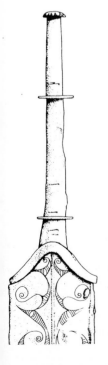

rouge sang, tandis que chaque médaillon est mis en relief par un bandeau circulaire orné d'une décoration gravée. Un décor finement gravé, combiné à une ornementation au repoussé sur une garniture de bouclier, trouvé dans le lit de la rivière Witham, près de Lincoln – c'est aussi une belle pièce, importante par l'aménagement en diagonale du décor qui la recouvre, car celui-ci rappelle de façon frappante l'organisation de l'ornementation sur les fourreaux de ce qu'on appelle le Style des épées. Le décor est, cependant, indubitablement de caractère britannique indigène tout comme le décor sur un fourreau venant de Fovant, dans le Wiltshire, sur lequel se reconnaît, stylisée, une version du motif pan-celtique des deux dragons, dont deux exemplaires, comme on l'a déjà indiqué, ont été reconnus sur les fourreaux sortis de la Tamise.

Couvre-tête en bronze pour poney de Torrs (Écosse) IIIe-IIe siècles av. J.-C. Édimbourg Royal Museum of Scotland

Dans ce même fleuve ont été trouvés un bouclier en bronze, complet, et deux appliques décorées d'un bouclier en bronze. Le bouclier, découvert récemment à Chertsey dans le Surrey, est de forme ovale et sans décor. Son applique ovale pointue et sa nervure médiane étroite ont de bons parallèles sur les boucliers continentaux anciens et l'objet pourrait remonter à la fin du IVe ou au début du IIIe siècle av. J.-C. Les deux appliques, maintenant détachées du bouclier, ont été retrouvées dans la rivière dans les environs de Wandsworth. L'une a la forme d'un dôme aplati entouré d'un large rebord et présente une décoration à la fois en relief et ciselée. Au milieu des volutes les silhouettes frappantes de deux oiseaux uniques avec leurs ailes sont clairement reconnaissables. L'autre applique, brisée à un bout, est de forme allongée avec un décor repoussé au burin se terminant à l'extrémité intacte par un masque humain stylisé à l'air sévère et menaçant. Les autres objets décrits ci-dessus présentent un décor à la fois repoussé et gravé, ce qui est un trait d'une grande popularité de l'art laténien britannique. On a trouvé un décor uniquement gravé sur les appliques de trois beaux fourreaux en bronze récemment mis au jour dans les tombes de la culture d'Arras dans le Yorkshire, deux à Wetwang Slack et le troisième à Kirkburn. Ce sont des pièces exceptionnelles décorées de bout en bout de volutes, de vagues en mouvement et de spirales. Il est évident que la qualité des épées allait de pair avec celle des fourreaux qui les contenaient. La mieux conservée, celle de Kirkburn, avait un pommeau en fer qui présente des incrustations d'émail complexes. Malgré la présence, sur ces fourreaux, de chapes à anneaux, qui, superficiellement, paraissent appartenir à La Tène ancienne continentale, leur fabrication locale n'est guère contestable et on ne peut probablement pas les dater d'avant le IIIe ou le début du IIe siècle av. J.-C.

Provenant du cimetière de Wetwang Slack, un autre objet, unique en son genre, une petite boîte en bronze creux, à laquelle est attachée une chaîne, a été trouvée dans une riche sépulture de femme. La destination de cette boîte vide, mais scellée, est inconnue. Le décor gravé sur les côtés et les extrémités de cet objet est très proche de celui des fourreaux, et toutes ces pièces, de même que les autres matériaux du Yorkshire, indiquent, à n'en pas douter, qu'une importante école du travail des métaux de qualité existait dans l'aire

Paire de cornes
en bronze
de Torrs (Écosse)
IIIᵉ-IIᵉ siècles
av. J.-C.
Édimbourg
Royal Museum
of Scotland

de la culture d'Arras... Contemporaine de cette tradition de la gravure sur fourreau de l'est du Yorkshire, existe une école de l'Irlande du Nord qui se spécialisait aussi dans la fabrication et la décoration des plaques de fourreau en bronze. Dans cette région, dans un dépôt dans un marais (peut-être votif), à Lisnacrogher, Co. Arnim, et dans la rivière Bann, ont été retrouvés sept plaques de fourreau et un seul fourreau, pratiquement complet, contenant encore son épée. Six des huit fourreaux sont entièrement recouverts d'un décor de caractère nettement irlandais. Les artisans irlandais partageaient la même caractéristique que leurs homologues du Yorkshire, mais l'organisation du motif diffère subtilement dans les deux régions ; en Irlande, une plus grande importance est attribuée aux micro-motifs nombreux et variés qui remplissent les figures principales et les interstices entre elles. Le caractère distinctif de l'école irlandaise est aussi souligné par les fouterolles qui n'ont aucune analogie avec celles du Yorkshire et pourraient plutôt être rapprochées des exemplaires de La Tène de transition ancienne ou moyenne sur le continent. Clairement apparentée à ce style de fourreau irlandais est l'ornementation de certains bronzes trouvés ensemble dans les premières décennies du dernier siècle dans un marais à Torrs (Dumfries) et dans le Golloway dans le sud-ouest de l'Ecosse. On a maintenant rivé à la pièce principale, que l'on croit être un couvre-tête de poney, les deux cornes avec lesquelles on l'a trouvé. Cet arrangement est entièrement moderne, cependant, et les cornes avaient pro-bablement une autre destination – peut-être avons-nous là les extrémités de cornes à boire. Les motifs gravés sur les cornes, dans bien des détails, parti-culièrement dans les minuscules motifs de remplissage, sont très proches de ceux que l'on trouve sur les fourreaux. Il est donc possible qu'il y ait un élé-ment irlandais dans l'ornementation des cornes ; il y a, cependant, des élé-ments clairement non irlandais dans le motif, en particulier le minuscule visa-ge humain dont le regard scrute à travers les volutes foliacées, qui a de bons antécédents sur le continent. Le couvre-tête de poney est richement décoré d'un motif tourbillonnant en repoussé d'une symétrie équilibrée comprenant des volutes qui se terminent en bosses et en spirales habilement organisées autour d'une ligne médiane. Sur cette pièce, on retrouve des liens avec l'Irlande, car le décor a beaucoup en commun avec celui du disque du pavillon d'une trompette en bronze découverte, à l'origine avec trois autres, dans un petit lac à Loughnashade, Co. Armagh. Le site se trouve sous le centre royal de la forteresse sur hauteur de Navan Fort et les trompettes, apparemment trouvées en association avec des crânes humains, représentent probablement un dépôt votif.

La trompette de Loughnashade est une des quatre trompettes irlandaises fabriquées en feuille de bronze qui nous sont parvenues. Ce sont de grandes cornes recourbées, les plus grandes et les plus belles, celles d'Ardbrin, Co. Down, mesurant 142 centimètres de long de bout à bout. Elles ont été faites toutes les quatre de deux pièces tubulaires jointes, chacune faite d'une feuille de bronze repliée, scellée au moyen d'une étroite bande de bronze rivetée à l'intérieur le long de la jointure. Sur ce magnifique exemplaire d'Ardbrin, ont été utilisés pas moins de 1 094 rivets. De tels objets produisaient une série de sons de basse profonde qui durent résonner de façon impressionnante dans les occasions cérémonielles ou peut-être sur le champ de bataille. Ces trompettes irlandaises, qui ne ressemblent en rien aux spécimens en fonte de fer de l'Age du Bronze ancien, sont de remarquables chefs-d'œuvre de l'art du ferronnier et témoignent, plus que tout autre objet, de l'excellence exceptionnelle des artisans du bronze celtiques irlandais.

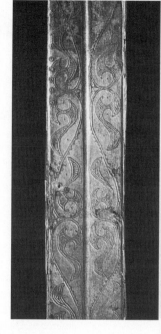

Détail de fourreau en bronze de Lisnacrogher (Irlande) IIIᵉ-IIᵉ siècles av. J.-C. Londres, British Museum

Les développements au Iᵉʳ siècle avant J.-C.

Pendant le Iᵉʳ siècle av. J.-C., la Grande-Bretagne se rapprochait de plus en plus d'un continent de plus en plus romanisé, et l'immigration gallo-belge en même temps que les liens commerciaux d'envergure à travers la Manche ont grandement contribué à déterminer la forme qu'a prise la société celte britannique tardive. L'Irlande, autant que nous puissions le voir, n'avait pas à cette époque, de liens aussi étroits avec le continent, bien que nous puissions identifier quelques importations d'origine vraisemblablement continentale, comme une grande épée anthropomorphe en bronze de Gaule occidentale, datant du début du Iᵉʳ siècle av. J.-C., trouvée dans la baie de Ballyshannon, Co. Donegal. A cette époque, tandis que l'art de La Tène, sur le continent, tendait inexorablement vers son déclin, celui des îles atteignait des sommets d'originalité et de virtuosité. En Irlande, terre qui ne fut jamais occupée par les légions romaines, son développement se poursuivit jusqu'aux premiers siècles après J.-C., posant les bases pour les grandes réalisations de la période historique ancienne. Parmi les innovations artistiques importantes de cette époque apparaît la redécouverte du compas, virtuellement abandonné après la phase de La Tène Ancienne en Europe à partir de la fin du Iᵉʳ siècle av. J.-C., le

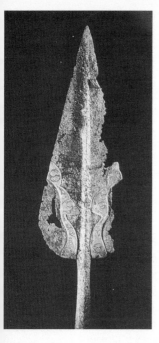

Pointe de lance en fer avec appliques en bronze décoratives trouvée dans la Tamise à Londres (Angleterre) IIIᵉ-IIᵉ siècles av. J.-C. Londres, British Museum

motif de la trompette à rebords lenticulés devient de plus en plus populaire et, après la naissance de J.-C., c'est une des marques distinctives de l'art celtique insulaire. A remarquer aussi, dans un grand nombre de compositions artistiques du Iᵉʳ siècle av. J.-C., en Angleterre une tendance vers plus d'insistance sur les formes de l'arrière-plan, si bien que les vides négatifs engendrés par les éléments positifs du motif prennent un caractère et une importance distinctive dans l'élaboration de l'ensemble du motif.

Quelques éléments des pièces de métal décorées qui font partie du dépôt votif de Llyn Cerrig Bach, dans l'île d'Anglesey, illustrent bien ce dernier point. Une applique en bronze, en forme de croissant, trouvée sur ce site est particulièrement intéressante à ce point de vue. On y voit un décor au repoussé tracé au compas, le motif principal étant un triscèle quelque peu de travers. Les motifs rehaussés créent des vides distinctifs à trois côtés, chacun avec un côté convexe, référence à cette pièce et on les trouve sur un grand nombre d'objets des deux siècles qui entourent la naissance du Christ. On trouve des exemples classiques de cette prééminence délibérément accordée aux vides du second plan dans un groupe important de miroirs en bronze du sud de l'Angleterre. Ceux-ci ont des manches ajourés et des disques de bronze lisse avec un décor richement gravé sur un côté. Ce développement spécifiquement britannique représente un sommet de l'art insulaire laténien. Les motifs – les vides généralement comblés par une "vannerie" striée – sont des réalisations au compas d'une complexité considérable. Les plus réussis sont de véritables chefs-d'œuvre, où les formes zigzaguant sur le bronze, une forme se fondant dans une autre, les motifs reculant et avançant en fonction des jeux de l'ombre et de la lumière, selon qu'il est donné à des éléments de la décoration la possibilité de s'imposer au regard.

Le "style des miroirs" ne se limite pas aux miroirs. Un décor gravé du même type se retrouve sur un fourreau d'épée du Iᵉʳ siècle av. J.-C. découvert à Bugthorp, dans le Yorkshire, et sur la plaque décorative en bronze d'un fer de lance provenant du lit de la Tamise. Plusieurs exemplaires d'un lot de boucliers miniatures récemment découvert (malheureusement non localisé) en Grande-Bretagne présentent aussi une ornementation comparable à celle des miroirs, et le même décor, sous forme tri-dimensionnelle, sur l'entrée d'un fourreau de Little Wittenham, dans l'Oxfordshire. Le Iᵉʳ siècle av. J.-C., en Angleterre marque aussi l'apparition d'une école régionale importante pour la fabrication des torques en or, centrée en East Anglia, sur le territoire des Iceni. On en a trouvé des annexes jusque dans le nord à New Cairnmuir, Netherurd dans la région des Borders en Ecosse. La plupart des exemplaires importants, cependant, proviennent d'une série de trésors découverts, pendant nombre d'années, à Snettisham, dans le Narfolk, et à Ipswich, dans le Suffolk. A Ipswich, cinq, et peut-être six, torques ont été trouvés ensemble.

A Snettisham pas moins de huit dépôts ont été trouvés non loin les uns des autres, dans le même champ. En tout, la trouvaille de Snettisham comprenait un minimum de 61 torques, plusieurs bracelets, des lingots d'or et d'étain, ainsi que d'autres pièces dont un grand nombre de pièces de monnaie.

Ces torques sont de types variés. Les plus communs des exemplaires sont des torques en or massif torsadés, à extrémités annulaires, ces dernières finement décorées d'ornements en relief curvilignes. Ces torques sont parfois terminés par des tampons ; il existe aussi trois torques de forme tubulaire typique de La Tène récente qui se terminent eux aussi de cette façon. On trouve également des torques à multiples fils d'or, et le spécimen le plus magnifique appartient à ce type. Ce torque – en électrum plutôt qu'en or, par son fort pourcentage d'argent dans sa composition – provient du Trésor E à Snettisham. Il est formé de huit cordelettes, chacune tressée de huit fils d'or torsadés, le tout soudé à l'intérieur d'éléments terminaux creux de forme annulaire. L'ornementation de ces éléments terminaux comprend des motifs en relief sur un fond de "vannerie" à deux dimensions. Il existe une gamme d'autres objets, la plupart en bronze, qui appartiennent à ce même horizon d'ornementation. Parmi ceux-ci, un casque à cornes remarquable trouvé dans le lit de la Tamise au pont de Waterloo. Un objet qui pourrait bien aussi dater du Ier siècle avant J.-C. (bien qu'on ait suggéré des dates ou plus anciennes ou plus récentes) est le fameux bouclier en bronze (en fait, un revêtement de bouclier), retiré de la Tamise à Battersea. Cette pièce est ornée devant d'un large cercle central avec deux plus petits cercles au-dessus et en dessous. Chacun a une bosse renflée au centre incrustée d'un cabochon de verre rouge qui, dans chaque cas, est entouré d'un motif en relief, au repoussé, organisé symétriquement. Les plus petits cercles ont, eux aussi, un cabochon de verre. Des têtes d'animaux (ou d'humains ?) relient les cercles entre eux.

L'Irlande aussi connaissait d'importants développements stylistiques au Ier siècle avant J.-C. Le trésor de Broighter, Co. Derry, comme celui de Llyn Cerrig Bach pour la GrandeBretagne, fournit un témoignage valable pour la reconnaissance de ces nouveaux courants.

Sur ce site, sept objets ont été retrouvés ensemble. Certains sont probablement d'importation (comme les deux colliers de fil de fer), mais un objet au moins, un torque tubulaire à tampons, est certainement de fabrication indigène. Des volutes sinueuses tri-dimensionnelles et des formes recourbées de trompette d'un caractère sous-végétal, combinées avec des spirales en coquille d'escargot ornent la partie tubulaire – celles-ci se détachant sur un fond formé d'une résille de chevauchement d'arceaux realisés au compas. Les tampons sont joints, la jointure assurée par l'insertion d'un tenon en T, qui fait saillie sur la face d'un élément terminal,

Miroir en bronze avec décor gravé réalisé au compas de Deborough (Angleterre) Fin Ier siècle av. J.-C. - Ier siècle ap. J.-C. Londres, British Museum
• *p. 666*

Garniture en feuille de bronze en forme de croissant d'un dépôt trouvé à Llyn Cerrig Bach (Pays de Galles) IIe-Ier siècles av. J.-C. Cardiff, National Museum of Wales

dans une petite fente rectangulaire sur la face opposée. Le torque de Broighter appartient au même groupe typologique que les trois torques tubulaires de Snettisham et les autres torques à tampons en or de La Tène récente en Europe. Sa datation, de la dernière partie du Ier siècle avant J.-C., n'est guère contestable. L'exemplaire irlandais diffère sur des détails importants des torques britanniques et continentaux, bien que son fermoir distinctif soit plus proche du modèle continental européen que des écoles de l'artisanat britannique. Il n'y a, cependant, aucun doute que l'art de la décoration ne soit totalement indigène, illustrant bien la nouvelle insistance sur l'ornementation au compas, préfigurant les courbes en relief lentiformes de trompette qui vont devenir un élément fréquent dans l'ornementation irlandaise à partir des premiers siècles après J.-C.

Bouclier miniature en bronze probablement à destination votive trouvé dans la Tamise (Angleterre) IIIe-IIe siècles av. J.-C. Londres British Museum

L'épanouissement

Le collier de Broighter mène, sur le plan stylistique, au style dit de Lough Crew-Somerset ; Lough Crew est un cimetière de tombes à couloir néolithique dans le comté de Meath, dont l'une contenait dans sa chambre funéraire une nombreuse collection de côtes d'animaux polies. La plupart sont

Détail de fourreau en bronze de Little Wittenham (Angleterre) IIe-Ier siècles av. J.-C. Oxford Ashmolean Museum

unies, mais là où il y a un décor, il est invariablement réalisé au compas. Les motifs sont parfois incomplets, ils sont parfois même au stade expérimental, mais les plus réussis sont des compositions géométriques assurées et équilibrées d'une compétence technique et artistique non négligeable. L'ornementation est proche de celle du collier de Broighter et se trouve aussi reflétée d'assez près dans un assortiment d'articles en os, en pierre et en bronze trouvés, sans aucune association, dans des secteurs dispersés à travers le pays. Ce qu'il y a de plus frappant, c'est la décoration d'un monolithe à Derrykeighan, Co. Antrim, qui reproduit presque exactement dans le détail, bien qu'à une bien plus grande échelle, les motifs d'une des lamelles. Le second élément du style de Lough Crew-Somerset doit son nom au dépôt d'objets en métal trouvé à Somerset, Co. Galway. Ce lot d'objets, indubitablement le stock ordinaire de marchandises d'un artisan du métal, comprenait une série de petites garnitures circulaires au décor ajouré, repoussé ou gravé, une anse à tête d'oiseau en bronze, une fibule ajourée en bronze, un torque à ruban en or et un lingot aussi bien qu'un lingot de bronze. Ce sont la fibule et une des garnitures au repoussé qui sont importantes, car sur celles-ci, les courbes en relief, en forme de "trompette" et lenticulaires sont totalement dissociées du fond végétal qui est encore reconnaissable sur le collier de Broighter. Celles-ci sont maintenant produites sous une forme purement abstraite et géométrique. La fibule, une des six connues à l'heure actuelle, représente un développement exclusivement irlandais dont l'individualité se trouve soulignée, dans cinq des six exemplaires, par le mécanisme à rotule à travers lequel l'épingle est attachée à l'arc. Le trésor doit son importance au statut exceptionnel que lui donne le fait d'être une association fermée des divers types de l'art irlandais de l'Age

Trois cornes en feuille de bronze faisant peut-être partie d'une coiffure, de Cork (Irlande) Ier-IIe siècles ap. J.-C. Cork, Cork Public Museum

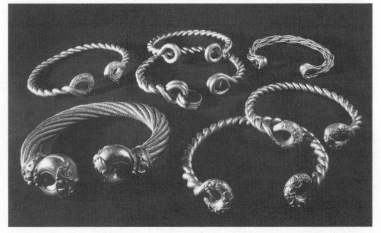

Torques en or des dépôts votifs d'Ipswich Suffolk Snettisham Norfolk, et Needwood Forest (Angleterre) Deuxième moitié du Ier siècle av. J.-C.- début du Ier siècle ap. J.-C. Londres, British Museum

du Fer – grâce à quoi il nous est possible de mettre côte à côte toute une gamme d'objets trouvés isolés, disséminés à travers le pays. L'anse à tête d'oiseau ressemble de très près à l'anse d'une coupe de Keshcarrigan, Co. Leitrim, et à un certain nombre d'autres représentations de têtes d'oiseaux dans le pays, qui, au milieu du tournant du millénaire, semblent être devenues particulièrement en vogue dans l'art celtique irlandais. Il existe aussi des garnitures circulaires éparses apparentées à celles de Somerset, en particulier un exemplaire qui vient de Ballycastle, Co. Antrim, qui présente un motif de triscèle. Une autre garniture de ce genre, qui vient de Cranalaragh, Co. Monaghan, présente un motif ajouré, découpé à la main, d'arcs imbriqués, motif qui nous ramène tout droit à l'ornementation du collier de Broighter ou à celle de certaines lamelles en os de Lough Crew.

Dans diverses parties de la Grande-Bretagne, à dater du Ier et peut-être aussi du IIe siècle ap. J.-C., les garnitures en bronze pour les chevaux et les chars prennent une grande importance comme moyen d'expression de l'art laténien évolué. Le compas continue à s'imposer et la décoration gravée prend une

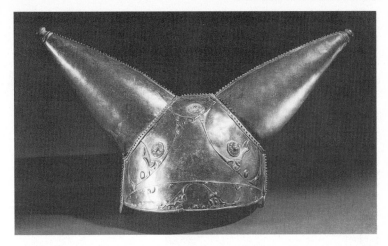

Casque à cornes en bronze trouvé près de Waterloo Bridge, Londres (Angleterre) Ier siècle av. J.-C.- début du Ier siècle ap. J.-C. Londres, British Museum

Détail de torque tubulaire en or de Broighter (Irlande) Ier siècle av. J.-C. Dublin, National Museum of Ireland

place considérable. Une caractéristique de ce groupe, cependant, est l'utilisation croissante de l'émail incrusté dans la décoration. Typiques de cette phase sont les trouvailles de Polden Hill dans le Somerset, Santon dans le Norfolk et Westhall dans le Suffolk, ainsi que plusieurs beaux exemplaires qui ont été exportés vers le continent européen – dont le plus remarquable est la garniture de harnachement, magnifiquement décorée d'émail rouge et jaune, découverte à Paillart (Oise), à 25 kilomètres au sud d'Amiens, en France. On trouve une ornementation du même type sur quelques fourreaux d'épée dont l'exemplaire le plus frappant est celle que présente un spécimen qui vient d'Isleham, dans le Cambridgeshire. Bien qu'on trouve en Irlande des exemples d'utilisation de l'émail dans les premiers siècles ap. J.-C., l'art de cette période, l'apogée de l'art laténien indigène est représenté par un lot peu abondant, mais exceptionnel, de facture spécifiquement irlandaise, d'une décoration élaborée. Le groupe comprend sept disques à la destination inconnue, mesurant de 20 à 25 centimètres de diamètre, qui présentent des courbes en relief, réalisées au repoussé. Un petit disque, légèrement gauchi, provenant de l'île de Loughan sur la rivière Bann, est une pièce encore plus impressionnante. Sur sa surface convexe, tourne sur un tourniquet central un triscèle dont les branches libres se terminent en spirales, un motif de tête d'oiseau travaillé séparément à l'extrémité de chaque spirale. Le motif utilise la technique de la ligne effilée en relief aigu, obtenue, au moins en partie, en évidant le bronze du fond. Deux objets à cornes, qui servaient peut-être, à l'origine, de coiffures cérémonielles, ont une ornementation de trompette à la ligne effilée en relief, semblable à celle du disque de Bann. L'un de ces deux objets comporte trois cônes creux en feuille de bronze, chacun replié et scellé par une bande rivetée, à la façon des grandes trompettes recourbées. Il a été trouvé dans les fonds de boue côtiers près de

Plaquettes en os oblongues avec motifs gravés, réalisés au compas de Lough Crew (Irlande) Ier-IIe siècles ap. J.-C.
Dublin, National Museum of Ireland

Collier en bronze de Stichill (Écosse) Ier-IIe siècles ap. J.-C.
Édimbourg
Royal Museum of Scotland

Cork City, dans le sud de l'Irlande. Des fragments de cuir, qu'on dit avoir encore adhéré aux cornes au moment où on l'a trouvé, indiquent très probablement qu'ils étaient, dans le temps, fixés à un bonnet en cuir. Seule la base de chaque corne est décorée.

Le second objet à cornes est une pièce fragmentaire, de provenance inconnue. On le connaît sous le nom de Couronne de Petrie, parce qu'il a fait partie de la collection de George Petrie, un collectionneur du XIXe siècle. Une seule corne subsiste, fixée à un des deux disques, eux-mêmes fixés à un rebord ajouré, en feuille de bronze. La corne a été façonnée de la même façon que pour les trois exemplaires de Cork. La bordure, lorsqu'elle était intacte, était probablement cousue à une doublure en cuir ou en tissu, peut-être pour être portée sur la tête. Toutes les parties qui nous restent présentent une ornementation ciselée, réalisée de la même façon que pour les cornes de Cork et le disque de Bann. Le décor sur cet objet, cependant, est techniquement et esthétiquement supérieur à celui des deux autres et compte parmi les plus belles réussites de l'art celtique dans la façon dont les minces courbes s'allongent avec délicatesse jusqu'à leurs minuscules bosses lenticulaires coulant avec une grâce fluide sur la surface du bronze en motifs d'une beauté parfaitement équilibrée. Le plus grand agrandissement ne révèle aucune imperfection décelable. Les courbes se terminent en têtes d'oiseaux variées, nous rappelant les oiseaux de Somerset et de Keshcarrigan. L'exécution soignée, au compas, reprend la technique des lamelles de Lough Crew et autres objets en os ; certaines des têtes d'oiseaux huppées sur la "couronne" rappellent les interprétations qu'on en a réalisé dans le nord de la Grande-Bretagne et, en fait, il y a, à l'heure actuelle,

Coupe en bronze de Keshcarrigan (Irlande) 1ᵉʳ siècle ap. J.-C. Dublin National Museum of Ireland

des indices qui tendent à prouver qu il existait une collaboration technique et stylistique considérable entre les ateliers irlandais et écossais. Les exportations traversaient le canal du Nord dans les deux sens et des tendances communes se laissent déceler dans l'ornementation. Une bonne illustration en est le décor d'un collier en bronze de Stichill, dans le Roxburghshire, en Écosse, dont la décoration s'apparente, tant par le style que par la technique, à celle des cornes de Cork. Le motif de "trompette et lenticule", si répandu sur les bronzes irlandais des premiers siècles après J.-C., est lui aussi commun sur les pièces écossaises contemporaines, et il est particulièrement bien représenté sur le pavillon du carnyx bien connu de Deskford, dans le Banffshire. Les influences culturelles de Rome vinrent graduellement étouffer le développement de l'art celtique dans la majeure partie de la Grande-Bretagne. L'Irlande, n'ayant pas connu le joug romain, garda son identité culturelle celtique, et la continuité de l'art de La Tène ne connut pas d'interruption. L'arrivée du christianisme et le contact avec le monde germanique vinrent ajouter de nouveaux motifs. Pendant la plus grande partie du premier millénaire chrétien, cependant, les antiques traditions de l'art de La Tène constituèrent une toile de fond constante pour l'art de l'âge d'or des débuts du christianisme.

Garniture de harnais ajourée ornée d'incrustations d'émail de Polden Hill (Angleterre) 1ᵉʳ siècle ap. J.-C. Londres, British Museum

*Vue aérienne de la forteresse
de Dún Aengus sur la falaise
occidentale de l'île d'Innishmore
(Irlande) Ier-Ve siècles ap. J.-C. ?*

Le trafic maritime
entre le continent et la Grande-Bretagne
Barry Cunliffe

L'établissement du port de commerce phénicien à Cadix, qu'on date tradi-tionnellement du XIe siècle, mais qui n'est attesté par l'archéologie qu'après le VIIIe siècle, est un moment significatif dans l'histoire de l'Europe occiden-tale. Cadix était situé au-delà des Colonnes d'Hercule, à la limite même du réseau commercial méditerranéen, face à l'Atlantique. Le port avait été fondé sur une île, sur la limite orientale du royaume de Tartessos, riche en métal, dont le principal entrepôt était probablement situé sous la ville moderne de Huelva, au confluent des fleuves Odiel et Tinto. De Cadix, les entrepreneurs phéniciens étaient bien placés pour le commerce, non seulement avec Tartessos, mais aussi avec les communautés du littoral atlantique qui s'étend du port de Mogador, en Afrique occidentale, jusqu'à l'Irlande méridionale, au nord. Les communautés atlantiques avaient été depuis longtemps liées par des systèmes d'échange, mais l'établissement de Cadix n'a pas pu ne pas intensifier le mouvement des marchandises, des métaux, en particulier. Un rappel frappant de ce commerce nous est fourni par une collection de bronzes datant de 850 av. J.-C., retrouvée dans une épave dans l'estuaire de

Carte montrant les routes maritimes entre la Grande-Bretagne et le continent avec les principaux sites concernés

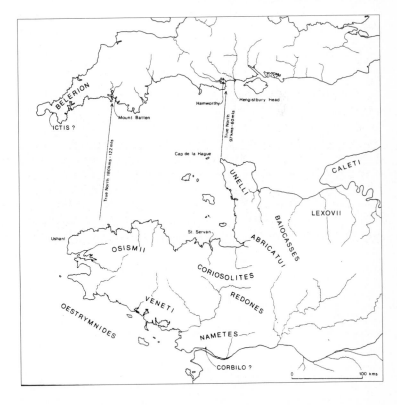

Plan de la situation actuelle du port protohistorique de Hengistbury Head (Angleterre)

l'Odiel, près de Huelva. De longues épées, des casques, et des gardes de lances, provenant de pays aussi lointains que l'Irlande, avaient été rassemblés sur un cargo qui termina son voyage, non pas sur les marchés de Tartessos ou de Cadix, mais au fond des mers. Il est certes possible que des maîtres de navires audacieux aient, à l'occasion, entrepris de longs voyages dans un but d'exploration ou de découverte, mais le gros du commerce atlantique se faisait sur de petits parcours, les petites embarcations naviguant le long des côtes qui leur étaient familières, se risquant rarement au-delà. De cette façon, les marchandises débarquées dans un port pouvaient être, en partie, acheminées plus loin, à côté de produits locaux, par un navire différent, habitué à des mers inconnues de l'autre. Ce commerce en relais expliquerait le flou du tracé des itinéraires de distribution des produits, et pourquoi ces itinéraires se recoupent tout le long des côtes de l'Atlantique. On trouve l'épée en langue de carpe, si distinctive, si commune dans le sud-est de la Grande-Bretagne, disséminée en quantité de plus en plus petite à travers l'ouest de la France et jusqu'en Espagne, tandis que le type armoricain caractéristique de la hache talon que l'on trouve par dizaines de milliers en Bretagne (Armorique) se trouve bien moins fréquemment dans le sud de la Grande-Bretagne et dans l'ouest de la France, au sud de la Loire. Des articles fabriqués autour de la Méditerranée parvenaient parfois jusqu'à la zone atlantique, comme les haches siciliennes avec trous d'emmanchement qu'on connaît en Périgord, à Montrichard (Indre-et-Loire), Rennes (Ille-et-Vilaine) et Hengistbury, sur la côte du Dorset. On ne sait rien des navires qui transportaient ces divers chargements, mais on a localisé deux sites d'épaves au large des côtes méridionales anglaises, qui datent tous deux de la fin du IIe millénaire av. J.-C. Une des épaves a été trouvée à Langdon Bay, un peu à l'est du port moderne de Douvres, sous 7 à 13 mètres d'eau, sous le vent des falaises crayeuses, l'autre,

Vue de Hengistbury Head

à Moor Sand, Salcombe, dans le Devon, sous 5 à 6 mètres d'eau. Dans les deux cas, il ne reste depuis longtemps aucune trace de navire, mais de parties de leur chargement, des fragments d'outils en bronze fabriqués en France et d'armes destinées aux marchés britanniques subsistent pour nous indiquer que c'étaient là probablement des longs courriers, assez robustes pour traverser la Manche entre la France et l'Angleterre. Cela ne peut être qu'une question de temps d'ici que découvrions d'autres épaves, non pas seulement le long des côtes de la Manche, mais autour des côtes de la mer d'Irlande, car les échanges entre l'Irlande et le reste de la Grande-Bretagne ont dû se faire sur une grande échelle.

Un des produits très demandés autour de la Méditerranée était l'étain et, comme les dépôts les plus riches en Europe se trouvent en Galice (nord du Portugal et nord-ouest de l'Espagne), en Armorique et dans la péninsule de Cornouailles, on peut raisonnablement supposer que le transport de l'étain figurait en bonne place dans le système d'échanges commerciaux entre l'Altantique et la Méditerranée. Un point de contact devait être les ports espagnols de Huelva et de Cadix, mais une autre route plus directe traversait la France en passant par l'estuaire de la Gironde et la Garonne, puis par voie de terre en suivant l'Aude jusqu'à la Méditerranée. La fondation de Massalia (Marseille) par les Phéniciens de la Grèce orientale vers 600 av. J. -C. a bien pu conduire au développement de cet itinéraire qui avait l'avantage supplémentaire de supprimer les intermédiaires phéniciens qui contrôlaient le détroit de Gibraltar. La mention la plus ancienne du commerce de l'étain se trouve dans un manuel de navigation, compilé par un marin de Marseille au VIe siècle av. J.-C., mais elle nous parvient sous une forme mutilée dans un poème du IVe siècle av. J.-C., intitulé "Ora Maritima", composé en latin par Avienus. Le récit mentionne les îles de l'Atlantique appelées Oestrymnides,

581

où l'on trouvait de l'étain. C'était là le point le plus septentrional jusqu'où s'aventuraient les Tartissiens. Où se trouvaient les Oestrymnides est sujet à discussion – certains savants suggèrent la côte ibérique tandis que d'autres lui préfèrent la péninsule armoricaine. La question a peu de chance d'être jamais résolue.

Torque en or provenant de Hengistbury

Vers la fin du VIe siècle, le monopole phénicien sur le détroit de Gibraltar se resserra, ce qui aurait encouragé les Grecs à développer l'itinéraire qui traversait la France et à explorer par eux-mêmes les routes maritimes de l'Atlantique. Nous avons connaissance d'un explorateur, un marchand grec appelé Pythéas qui, vers 330-325 av. J.-C., alla reconnaître les voies côtières entre l'Espagne et la Grande-Bretagne. Le fait qu'il mentionne spécifiquement Belerion, la péninsule de Land' End en Cornouailles, suggère qu'il avait à cœur de voir par lui-même les régions de Grande-Bretagne productrices d'étain. Un contemporain de Pythéas, l'historien sicilien Timée connaissait de plus amples détails (peut-être tirés de l'œuvre originale de Pythéas), mais son récit ne nous parvient qu'à travers une version déformée dans l'*Histoire naturelle* de Pline. Il mentionne une île appelée Victis dont il dit qu'elle "est distante de l'île de Bretagne de six jours de voyage vers l'intérieur, on y produit de l'étain et les Bretons (de Grande-Bretagne) s'y rendent dans des vaisseaux faits d'osier recouvert de peau".

Bien qu'on ait proposé une variété d'interprétations, sur la foi de ces mots, il vaut mieux reconnaître qu'on ne peut leur attribuer une interprétation géographique précise. Un aperçu plus fourni du commerce avec la Grande-Bretagne nous est donné par le voyageur stoïcien Posidonias, qui a pu même se rendre lui-même dans l'île vers 90 av. J.-C. L'œuvre originale de Posidonias ne nous est pas parvenue, mais l'écrivain Diodore de Sicile le cite abondamment et mentionne que les habitants de Belerion avaient l'habitude du commerce avec les étrangers, puis en vient à décrire comment ils extrayaient l'étain pour en faire des lingots que des chariots emportent, à marée basse, jusqu'à l'île d'Ictis. "Ici, alors, les marchands achètent l'étain aux indigènes et le transportent en Gaule et, après un voyage de trente jours par voie de terre, ils acheminent finalement leurs chargements sur des chevaux jusqu'à l'embouchure du Rhône." Ailleurs, il ajoute que l'étain était transporté jusqu'à Marseille et Narbonne. Bien que Posidonias ait décrit là le système tel qu'il existait au début du Ier siècle av. J.-C., il est clair que ce systeme était à cette époque déjà bien établi et avait probablement peu changé depuis le VIe siècle. L'itinéraire en direction de la Méditerranée par la Garonne et la trouée de Carcassonne était probablement celui qui avait la préférence, mais un autre itinéraire, également possible, remontait la Loire, puis rejoignait le Rhône et de là, descendait jusqu'à Marseille. Le géographe grec Strabon, écrivant à la fin du Ier siècle av. J.-C., mentionne cet itinéraire comme un des principaux axes de communication à travers la France. Il fait aussi allusion au port de Corbilo, à l'embouchure de la Loire, qui, avec la Garonne dit-il, était un des lieux d'embarcation pour la Grande-Bretagne. Corbilo avait cessé d'exister quand Strabon écrivait, mais il raconte comment Scipion Emilien, à Marseille en 135 av. J.-C., rencontra des marchands de Narbonne et de Corbilo ; aucun, cependant, ne put (ou, plus vraisemblablement, ne voulut) lui fournir des informations sur la Grande-Bretagne.

Ce témoignage écrit laisse donc supposer qu'à partir du VIe siècle jusqu'au début du Ier av. J.-C., le commerce de l'étain et, sans doute, d'autres marchandises, venant de Grande-Bretagne (Armorique), suivait le littoral atlantique de l'Europe occidentale et traversait la France pour rejoindre la

Bateau votif en or provenant du depôt de Broighter (Irlande) Ier siècle av. J.-C. Dublin National Museum of Ireland

Méditerranée. Nous restons dans l'ignorance de ce que pouvait être le volume de ce commerce et du temps pendant lequel il a continué d'exister. Les données archéologiques directes sont étonnamment minces. On attribue parfois une origine ibérique à deux figurines de bronze, provenant, l'une de la rivière Severn à Aust et l'autre de Sligo, en Irlande, même s'il en est ainsî, leur date d'arrivée dans les îles Britanniques est inconnue. Une meilleure indication nous est fournie par un petit groupe de fibules (3 de Harlyn Bay en Cornouailles et 2 de Mount Batten dans le Devon) qui, bien que certainement fabriquées en Grande-Bretagne, sont, de toute évidence, inspirées de styles courants en Aquitaine et en Ibérie au Ve ou au IVe siècle. Deux fibules analogues ont été trouvées en Bretagne occidentale. La poterie décorée qui s'est développée en Bretagne et dans l'ouest de la GrandeBretagne du Ve siècle au début du Ier siècle av. J.-C., suggèrent des contacts plus étroits entre ces deux pays. Les styles de la céramique, bien que tout à fait distincts, ont en commun certains éléments d'ornementation curviligne qui ont pu être copiés sur les objets en bronze de prestige qui s'échangeaient en cadeau entre les deux pays, en empruntant les voies commerciales traditionnelles. Finalement, il nous faut mentionner le nombre considérable de pièces de monnaie grecques et carthaginoises trouvées en Grande-Bretagne et dans l'ouest de la

France. Un grand nombre d'entre elles ont dû arriver bien plus tard que leur date d'émission (certaines importées par des collectionneurs aux XVIIIe et XIXe siècles !), mais un certain pourcentage doit être d'importation contemporaine. Le lot de quelque huit pièces provenant des abords du port de Poole, un des principaux ports d'entrée en Grande-Bretagne, est, fort probablement, l'indice de l'existence d'un commerce sur de longues distances.

On sait peu de choses sur les ports de commerce de cette période. On n'a pas identifié Ictis avec certitude (malgré la publication de longs débats sur la question). Le seul site qui présente les caractéristiques physiques mentionnées par Diodore et où l'on ait trouvé des indices archéologiques de commerce (dont les deux fibules de type ibérique), est Mount Batten, maintenant un promontoire qui s'avance dans le Plymouth Sound, protégeant un port bien abrité. Que Mount Batten soit ou ne soit pas Ictis doit rester une question d'opinion personnelle. Sur la côte méridionale, Weymouth, Poole et Selsey sont des possibilités, mais, dans chacun de ces cas, les indices sont faibles et peu fiables. On a avancé une autre hypothèse plus probable qui propose Merthyr Mawr Warren, près de Bridgend, dans le sud du pays de Galles, où des objets liés au travail du métal pourraient être l'indice d'un lieu de commerce sur le flanc d'un estuaire navigable.

La variété et le volume des objets en métal découverts témoignent des relations maritimes entre l'est de la Grande-Bretagne et le continent voisin sur une période qui s'étend du Xe au IVe siècle av. J.-C. Une grande quantité de ces objets ont fini sous forme de dépôts votifs dans les rivières, en particulier dans la Tamise. Des contacts se maintinrent très activement durant toute cette période, mais les quantifier est difficile et peut être trompeur. Il semble, cependant, y avoir eu un déclin dans l'intensité du trafic pendant un ou deux siècles après le IVe siècle, mais ceci peut être dû à des changements dans les modes de dépôt plutôt qu'à une coupure dans les relations. On peut remarquer une nette similitude entre la culture matérielle des communautés de l'est du Kent et celle des régions françaises voisines. Il est vraisemblable qu'un trafic constant ait pu exister entre ces deux côtes, visibles l'une de l'autre, les ports de Folkestone et de Douvres étant les points d'arrivée les plus commodes. Il n'est pas nécessaire de se référer aux grands mouvements migratoires pour expliquer ces similitudes – le processus de l'échange de cadeaux suffit amplement. Pendant tout le IIe siècle av. J.-C., Rome se trouva de plus en plus engagée dans la politique de la Gaule méridionale. Les villes grecques et les tribus indigènes de l'intérieur étaient libres de gérer leurs propres affaires, ce qui convint à Rome tant que les voies qui menaient du nord de l'Italie aux conquêtes espagnoles de Rome restèrent sûres. Mais cet état de choses ne devait pas durer – des incursions menées par les tribus des régions de montagnes contre les cités côtières menaçaient les voies de communication romaines avec une fréquence de plus en plus grande, jusqu'à ce qu'en 120 avant J.-C. l'armée expédiée pour rétablir l'ordre, décidât de rester sur place, annexant le littoral pour former la nouvelle province de la Transalpine.

La création de la Transalpine transforma de façon spectaculaire les systèmes d'échanges de l'Ouest, en ce sens qu'elle ouvrit les marchés de la Gaule barbare aux entrepreneurs romains qui ne demandaient qu'à se débarrasser des surplus produits par les Etats de l'Italie septentrionale ; un des plus profitables fut le vin pour lequel ils trouvèrent un débouché facile chez les Gaulois. "Ils aiment immodérément le vin et ils boivent d'un trait, sans le diluer, celui que leur apportent les marchands", écrivait Diodore. "De nombreux négociants italiens, poussés par leur cupidité habituelle, considèrent donc le goût des Gaulois pour le vin comme une bénédiction. Ils leur acheminent le vin par bateaux sur les voies fluviales navigables ou par voie de terre, sur des chariots; ils obtiennent des prix incroyables : pour une amphore de vin, ils reçoivent un esclave, échangeant ainsi la boisson pour l'échanson."

On ne manque pas de témoignages archéologiques sur le commerce du vin. On a identifié en assez grand nombre des épaves chargées d'amphores au large des côtes méridionales françaises et des cartes de répartition d'amphores à travers la France montrent des concentrations manifestes le long des principaux fleuves. Il n'y a guère de doute sur le fait que les itinéraires établis de longue date continuèrent à être empruntés pour distribuer le vin aux barbares et pour diriger les matières premières et les esclaves, pour lesquels il y avait une si grande demande à Rome, jusqu'aux ports de la Méditerranée.

Ce que nous voyons n'est donc pas un phénomène nouveau, mais simplement une intensification de modalités d'échanges plusieurs fois centenaires. On ne sait avec certitude jusqu'à quel point les entrepreneurs romains s'engageaient eux-mêmes activement dans l'exploration et l'ouverture de voies de passage à travers les territoires barbares, mais une histoire racontée par Strabon jette une certaine lumière sur la question. Dans l'ancien temps, rapporte-t-il, alors que les Romains naviguaient dans l'océan Atlantique, dans le sillage des marchands phéniciens, afin de découvrir leurs voies commerciales, un capitaine phénicien mit la barre sur les hauts-fonds pour tromper les Romains et tous deux firent naufrage. Cela valait mieux que de perdre son monopole de navigation. Mais, ajoute Strabon, après plusieurs essais, les Romains apprirent les secrets et Publius Crassus, après avoir atteint la Grande-Bretagne pour voir les régions minières, "fournit d'amples renseignements à tous ceux qui désiraient faire le commerce sur ces mers". Il est donc clair que des personnages entreprenants exploraient vraiment les voies de navigation de l'Atlantique.

La distribution du type distinctif d'amphore Dressel 1A qu'on utilisait pour transporter le vin italien à la fin du IIe siècle et au début du Ier siècle av. J.-C., donne une indication assez précise du commerce atlantique dans la période avant César. Ces amphores sont trouvées en grandes quantités en Gaule méridionale, de la Transalpine à l'embouchure de la Gironde, puis, sporadiquement, le long du littoral en remontant vers l'Armorique où on les trouve en groupes aux abords des principaux ports – à Quiberon et à Quimper sur la côte sud, et à Saint-Servan, sur l'estuaire de la Rance, sur la côte septentrionale de la péninsule. On peut pousser plus loin la recherche des traces de la distribution en passant par Guernesey, jusqu'aux ports de la Grande-Bretagne méridionale centrale et, en particulier Hengistbury. La

Vue du fort sur promontoire de Lostmarc'h près de Crozon (Finistère) V^e-Ier siècle av. J.-C.

découverte, à Guernesey et en très grande quantité à Hengistbury, de poterie fabriquée en Armorique, nous apporte des indications supplémentaires sur cette dernière étape du périple. De la même région du nord de l'Armorique provenaient les pièces de monnaie de la tribu bretonne – les Coriosolites – trouvées éparses dans le centre de l'Angleterre méridionale. L'étape de Saint-Servan à Hengistbury était la dernière d'un système de transport complexe qui, finalement, ramenait aux ports du nord de l'Italie.

Hengistbury même semble avoir servi de port de commerce de première importance. C'était un lieu où l'on pouvait apporter les produits, du Sud-Ouest surtout pour l'affinage et le transbordement – le plomb riche en argent des Mendips, l'alliage de cuivre et argent de l'ouest du Devon, et l'or peut-être du pays de Galles. Il y a des indices d'importation et de stockage de blé, et il est possible qu'on ait amené là le bétail pour en faire de la viande salée et des peaux. Les produits locaux comprenaient le sel, l'argile et le fer de Kimmeridge. La liste des exportations possibles de Hengistbury est intéressante quand on la compare à celle donnée par Strabon des principaux produits de Grande-Bretagne un demi-siècle plus tard : "Blé, bétail, or, argent, peaux, esclaves et bons chiens de chasse."

Les cargaisons qui arrivaient à Hengistbury étaient probablement de nature très diverse. Les amphores à vin et la poterie bretonne (avec leur contenu) devaient être les articles les plus volumineux, mais les marchandises plus rares, telles que la pourpre brute et le verre jaune, les figues aussi, étaient également importées.

Il est peu probable que Hengistbury ait été le seul port d'entrée dans le pays, bien qu'il puisse avoir été le plus important. Des découvertes récentes le long du littoral sud-est donnent à penser que le trafic local a pu remonter la Manche. Des trouvailles de l'île de Wight indiquent une épave. Des amphores trouvées à Pulborough suggèrent qu'un chargement a pu remonter la rivière Arun, tandis que des trouvailles d'amphores et autres matériaux à Folkestone laissent entrevoir la possibilité de l'emplacement d'un autre port. Il est difficile de dire quelle proportion de ce commerce découlait du système atlantique. Une des autres voies principales qui traversaient la France suivait le Rhône, la Saône et la Seine. A ce propos Strabon rapporte que les cargaisons descendaient la Seine "jusqu'à l'océan, puis de chez les Lexovii et les Caleti, on est à moins d'un jour de voyage de l'Angleterre". Il décrivait la situation à la fin du Ier siècle av. J.-C., mais cet itinéraire peut bien avoir daté de temps plus reculés. La distribution des pièces de monnaie gallo-belges en Grande-Bretagne prouve abondamment que les communautés indigènes des deux côtés de la Manche maintenaient les contacts qui avaient été tellement en évidence dans les témoignages matériels de la période précédente. Dans nos considérations sur le commerce au début du Ier siècle av. J.-C., il n'a pas été question de l'étain, sujet qui occupait une large place dans la période précédente. L'absence d'indices d'un commerce direct avec les régions productrices d'étain du Sud-Ouest, à cette époque, et le fait que Strabon ne mentionne pas ce métal pourraient être fortuits, mais ceci pourrait signifier que l'étain britannique n'était plus un produit de valeur. Les mines ibériques subvenaient peut-être suffisamment aux besoins de Rome. La conquête de la Gaule par Jules César, dans les années 50 du Ier siècle av. J.-C., créa une situation entièrement nouvelle. Le fait le plus important était que le monde romain s'étendait maintenant jusqu'à la Manche. César avait établi des relations de bonne entente avec quelques tribus tandis qu'il en décimait d'autres. Parmi ses ennemis particuliers étaient les tribus d'Armorique qui s'étaient rebellées contre lui et avaient dû être fermement soumises. En Grande-Bretagne, il se fraya un chemin à travers le Kent, mais conclut bientôt un traité d'amitié avec les Trinovantes qui occupaient la région côtière à l'est, juste au nord de la Tamise. Ces relations diverses ont pu avoir un effet sur les modes de commerce qui se développèrent dans la période post-césarienne.

Le volume des marchandises transportées de long de l'Atlantique semble avoir décliné de façon spectaculaire. Un point de repère commode est la fréquence relative du type d'amphore Dressel 1B, qui remplace le type 1A vers le milieu du siècle. A Hengistbury et en Armorique, le nombre d'amphores 1B n'était qu'environ le tiers du nombre de 1A. Si on s'en tient aux apparences, ceci implique que le volume du commerce avait diminué après le milieu du siècle, alors même que le nouveau type d'amphore à vin de Catalogne commence à faire son apparition. Parallèlement à ce déclin progressif, la monnaie des Durotriges indigènes se dévalorise de plus en plus. Il est impossible de dire si, oui on non, le dur traitement que fit subir César aux tribus armoricaines a été responsable de ce revers du commerce atlantique, toujours est-il que, à l'évidence, la période post-césarienne vit se développer un nouvel axe de commerce entre la Gaule belge, maintenant sous contrôle romain et les Trinovantes de l'est de la Grande-Bretagne. Le traité d'amitié de César avec les Trinovantes a bien pu contribuer à amorcer ce réajustement.

Rome maintenant occupait la Gaule et la Belgique jusqu'au Rhin, et, à l'époque d'Auguste, un grand nombre de routes avaient été construites, qui reliaient les ports de la Manche et la frontière du Rhin à Lyon, puis, de là, à l'Italie. Sur ces routes passaient une variété de marchandises qui servaient de produits d'échange avec les Britanniques.

Strabon fait un catalogue peu flatteur des "chaînes et des colliers d'ivoire, et des perles d'ambre et des récipients en verre et autres colifichets de cette sorte", ajoutant que les Bretons (de Grande-Bretagne) se soumettent aisément aux lourdes taxes prélevées sur les exportations et les importations. L'archéologie a considérablement allongé cette liste. La consommation de vin est toujours restée populaire. On trouve communément des amphores dans les sépultures de l'élite avec, mais moins fréquemment, des "paterae" et des passoires en bronze, des coupes en argent et une grande variété de belles céramiques du nord de l'Italie, de l'est de la France et de la Belgique. Le volume du commerce était considérable, à en juger par la quantité d'objets importés trouvés, non seulement dans les sépultures, mais aussi sur les sites d'habitats de l'est de l'Angleterre. Les tribus de la région, sans aucun doute, gardaient jalousement leurs monopoles et, d'après les témoignages recueillis à ce jour, il semble qu'on ne laissait passer entre les mains des élites voisines que les articles importés de peu de valeur. La pénurie d'importations de qualité le long du littoral méridional donne fort à penser que le véritable centre des relations était maintenant fermement établi sur l'estuaire de la Tamise et les ports côtiers juste au nord de l'estuaire. Strabon fut impressionné par le degré de romanisation en évidence dans cette région, faisant remarquer que des chefs bien disposés envoyaient des ambassades à Auguste et lui rendaient hommage : "Ils n'ont pas seulement apporté des offrandes au Capitole, ils sont parvenus à faire de cette île une île romaine." Le goût des indigènes pour le vin, l'huile et la sauce de poisson importés (ceci attesté par l'archéologie), en même temps que pour tout l'appareil du banquet et de la fête, vient appuyer sa généralisation, si nous tenons bien compte du fait qu'il parle d'une seule petite région de l'île. Ailleurs, au-delà de cette zone privilégiée, le luxe romain était, dans l'ensemble, inconnu, jusqu'au moment où les armées romaines de Claude, ayant occupé tout le Sud-Est, se trouvèrent confrontées aux tribus du pays de Galles et de l'Ecosse actuels.

Les forteresses sur hauteur

Barry Cunliffe

Les îles Britanniques sont riches en forteresses sur hauteur : selon une estimation mesurée, l'Angleterre, l'Ecosse et le pays de Galles peuvent en revendiquer un peu plus de 3 000 ; mais le terme "forteresse sur hauteur" recouvre une multitude de sites fortifiés de types et de dates différents. Plus de la moitié, situés principalement dans le nord et l'ouest de la Grande-Bretagne, sont de dimensions relativement modestes, comprenant à peine plus d'un hectare. Il vaut mieux les considérer comme des habitations fortifiées ; elles ne diffèrent ni par leurs dimensions, ni par leur forme, ni, on le présume, par leur statut social, des habitats de la région méridionale centrale, dont Little Woodbury et Gussage All Saints sont des exemples typiques. Si on ne tient pas compte des sites de ce type, le reste des véritables forteresses sur hauteur, c'est-à-dire des enceintes défensives couvrant plus de deux hectares et situées sur des éminences, sont distribuées à travers la Grande-Bretagne de façon inégale. La plus grande concentration se trouve dans la zone méridionale centrale qui s'étend de la côte Sud (Dorset, Hampshire et Sussex) à la région des Cotsworlds, à la Marche galloise et au nord du pays de Galles, en traversant le cœur du Wessex. A l'est, à l'ouest et au nord de cette zone, bien que l'on trouve des forteresses sur hauteur, elles sont en petit nombre. Par comparaison avec les régions voisines du nord de la France, et de la Belgique, la densité de la distribution dans la Grande-Bretagne méridionale centrale présente un contraste frappant.

En Grande-Bretagne, l'étude des forteresses sur hauteur est depuis longtemps bien établie. Les antiquaires du XIXe siècle, comme le Général Pitt Rivers, s'y lancèrent dans l'espoir de redresser la balance des études préhistoriques qui,

Habitat de la forteresse sur hauteur de Little Woodbury (Angleterre)

auparavant, s'étaient presque exclusivement centrées sur les monuments funéraires. La première moitié du XXe siècle vit une intensification des recherches sur les forteresses sur hauteur avec une série de campagnes régionales (de fouilles) dans le Wessex, le Sussex, le Hampshire et le Dorset. La majeure partie de ce travail est centré sur la question du système défensif et de la structure des entrées, l'exception de marque étant Maiden Castle dans le Dorset où, dans les années 1930, Sir Mortimer Wheeler effectua une brillante campagne qui comprenait les fouilles d'une zone à l'intérieur même, ce qui lui permit de démontrer que certaines des forteresses du moins avaient connu une forte densité de population. Dans la deuxième moitié de ce siècle, les fouilleurs se sont préoccupés plutôt d'examiner les fonctions de ces forteresses, ce qui a conduit à des fouilles à l'intérieur sur une grande échelle. Midsummer Hill, Croft Ambrey et Breidden dans la Marche galloise, Balksbury et Winklebury dans les terres crayeuses du Hampshire en sont des exemples marquants.

Le phénomène de la forteresse sur hauteur remonte à des temps assez reculés. De récents travaux ont montré que certains camps néolithiques, des emplacements comme Crickley Hill (Gloucestershire) et Carn Brea (Cornouailles), furent construits (ou, du moins, utilisés) comme structures défensives. Par la suite, on cessa de construire des ouvrages défensifs de grande envergure jusqu'au milieu de l'Age du Bronze, vers 1 300 av. J.-C., quand on se mit à élever sur le point culminant d'éminences des enceintes défendues par des fossés et des remparts de terre, quelquefois avec des palissades ou des poteaux intercalés. Cette catégorie de sites comprend Norton Fitzwarren (Somerset) et Rams Hill (Berkshire), et, un peu plus tard, dans l'Age du Bronze récent, Breidden (Powys). L'Age du Bronze récent (approximativement de 1 000 à 800 av. J.-C.) voit aussi l'apparition d'un type distinctif de "fort annulaire" dans l'est de l'Angleterre, du Kent au Yorkshire. Ces enceintes, bien que massivent défendues, contiennent, en général, peu de maisons circulaires et il vaut mieux les considérer comme des habitations fortifiées.

Dès le VIIIe siècle av. J.-C., on peut commencer à discerner dans la Grande-Bretagne méridionale centrale un modèle distinct d'enclos qui comprend deux principaux types de fortifications : les "grandes enceintes sur hauteur" et les "habitats fortifiés", plus petits et beaucoup plus fortifiés. Les enceintes sur hauteur sont généralement de grande étendue, couvrant des superficies de plus de 6 hectares, quelquefois entre 10 et 20 hectares. Elles sont invariablement sur de hauts plateaux, qui présentent des caractéristiques défensives naturelles. Les exemples les mieux connus comprennent Harting Beacon (Sussex), Balksbury (Hampshire), Bathampton Down (Avon), Ivinghoe Beacon (Sussex), Nottingham Hill et Norbury (Gloucestershire) et Nadbury et Borough Hill (Northamptonshire). Quelques-uns ont fait l'objet de fouilles peu extensives. Les circuits de défense tendent à être relativement peu considérables, comprenant un fossé à fond plat peu profond, renforcé par un rempart qui peut avoir un revêtement de pièces de bois verticales ou, plus rarement, un parement de pierres sèches. Des fouilles à l'intérieur

*Vue de fouilles
dans le Dorset*

montrent que les occupants y étaient peu nombreux, les éléments les plus en évidence étant des installations de quatre poteaux qu'on considère généralement comme des emplacements d'entreposage, peut-être des rateliers à fourrage. On trouve parfois, comme c'est le cas à Balksbury, de légers bâtiments circulaires en bois, qui seraient peut-être des maisons, mais les indices d'habitation sont minces et l'impression d'ensemble est que ces enceintes n'étaient utilisées que de façon sporadique. Etant donné leurs dimensions considérables, il est possible qu'elles aient servi d'enclos communaux pour le bétail.

A peu près contemporains, les habitats fortifiés sont considérablement plus petits, ne couvrant habituellement pas plus de 2 ou 3 hectares. Ils occupent souvent l'extrémité d'un éperon ou d'une ligne de crêtes ; ils sont solidement défendus, parfois par des remparts de terre et par une double ligne de rempart de terre et de fossés. Highdown Camp (Wiltshire) et Dudbury (district d'Avon) en sont des exemples. Une des principales caractéristiques de ce type d'habitat est de présenter le témoignage d'une grande densité d'occupation, qui a la marque d'un niveau social élevé. La plus simple explication est donc qu'ils représentent les habitats fortifiés de l'élite et de tout son entourage.

Au VIe av. J.-C., le mode de construction des forteresses sur hauteur change radicalement. Pour la plupart d'entre elles (mais non pas sans exception), les enceintes anciennes furent abandonnées et une série de nouveaux forts furent construits. Dans le Wessex, où le témoignage est le plus net, ces premières nouvelles forteresses sur hauteur présentent des similitudes de dimensions, de forme et d'emplacement. Elles ont, pour la plupart, une superficie d'environ 5 hectares. Elles sont situées sur de hautes éminences et elles ne sont défendues que par un seul circuit de rempart de terre et de fossé, qui suit le contour de la colline. Elles avaient, presque invariablement, deux entrées.

Toutes les premières forteresses sur hauteur pour lesquelles les témoignages suggèrent une date au VIe siècle avaient des remparts à parement sur le devant et parfois à l'arrière, parement de poteaux de bois verticaux ou de pierre, en fonction de la géologie locale. On a maintenant des indices qui nous donnent à penser que des forteresses construites sur le même plan, un peu plus tard, peut-être au Ve siècle, étaient pourvues de remparts sans parement vertical, mais étaient entourées de fossés plus importants, en forme de V : la pente ininterrompue du fossé à la crête du rempart pouvait mesurer jusqu'à 10 mètres.

Les fouilles à Chalbury et Maiden Castle (Dorset) et Danebury (Hampshire) nous apportent des indications sur la façon dont ces forts étaient utilisés. A Danesbury, où on a fouillé plus de la moitié de l'intérieur, le plan d'occupation est tout à fait clair. Une route conduisait d'une porte à l'autre, un certain nombre de chemins subsidiaires découpant le reste de la superficie enclose. La zone principale d'habitation, qui comprenait des maisons circulaires et des

constructions pour l'entreposage, s'étendait tout autour de la périphérie de l'enceinte, au revers du rempart. D'autres maisons de chaque côté d'un chemin occupaient la partie sud de l'enceinte. Ailleurs dans l'intérieur, existaient un grand nombre de fosses d'entreposage et, au centre, un petit bâtiment rectangulaire, qui peut avoir été un lieu sacré.

Un aménagement comparable, dans les grandes lignes, est évident à Chalbury (Dorset). Là, bien que les fouilles aient été limitées, les indices en surface attestent la présence de maisons circulaires et de fosses d'entreposage, réparties, grosso modo, en zones. Dans ce cas-ci, on a utilisé la pierre locale pour construire les murs des maisons. En dehors du Wessex, les forteresses sur hauteur sont moins bien connues, mais des fouilles à Moel y Gaer (Clwyd) et à Crickley Hill (Gloucestershire) attestent, dans les deux cas, une disposition relativement dense et bien ordonnée de constructions couvrant une bonne partie de l'aire enclose. Les indices archéologiques dont nous disposons suggèrent donc que, sur une grande partie des îles Britanniques, les VIe et Ve siècles ont été une période qui a vu se construire des forteresses sur hauteur et que, là où les fouilles ont été d'une envergure suffisante, on peut montrer qu'un grand nombre de ces forteresses connaissent une forte densité d'occupation qui impliquait des communautés assez considérables. Un travail récent effectué dans le centre du Wessex commence à donner à penser que les forteresses sur hauteur se sont développées à ce moment – là, selon un processus complexe. Sur une aire relativement restreinte de l'ouest du Hampshire, on connaît trois forteresses sur hauteur – Danebury, Quarley Hill et Woodbury. Danebury fut d'abord construite au VIe siècle comme les premières forteresses sur hauteur avec un rempart à parement de bois. Des indices montrent qu'au Ve siècle la forteresse subit une attaque et fut refortifiée et c'est à ce même moment que furent construites Quarley Hill et Woodbury, toutes deux avec des remparts (sans parement) en pente. Tandis que Danebury continuait à abriter une grande densité de population, les

Plaque d'argent travaillée
au repoussé du chaudron
de Gundestrup (Danemark)
Première moitié
du 1er siècle av. J.-C.
Copenhague, Nationalmuseet

*Petite tête de bronze
de la poignée
anthropomorphe
d'une épée
de l'oppidum
de Stradonice
(Bohême)
1er siècle av. J.-C.
Prague, Národní
Múzeum*

*Détail du torque
d'or de la tombe
princière de
Reinheim (Sarre)
Seconde moitié
du Ve siècle
av. J.-C.
Saarbrücken
Landesmuseum für
Vor- und
Frühgeschicte*

Statuette de pierre
d'une divinité
d'Euffigneix
(Haute-Marne)
1er siècle av. J.-C.
Saint-Germain-
en-Laye
Musée
des Antiquités
nationales

ci-contre
Statue de bronze
aux yeux incrustés
de pâte de verre
représentant
une divinité aux
pieds de cervidé
de Bouray-sur-
Juine (Essonne)
1er siècle av. J.-C.
Saint-Germain-
en-Laye
Musée
des Antiquités
nationales

*Stèle de pierre représentant le dieu
Cernunnos, assis entre Apollon
et Mercure, de Reims (Marne)
1er siècle ap. J.-C.*

Stèle de marbre représentant la déesse
Epona avec une pair de chevaux
d'un lieu non précisé de la Dacie
Seconde moitié du IIe siècle ap. J.-C.
Budapest, Szépmüvezeti Múzeum

*Garniture en bronze avec tête
humaine, du char de Dejbjerg
(Danemark)
Ier siècle av. J.-C.
Copenhague, Nationalmuseet*

indices archéologiques d'occupation, à Quarley et à Woodbury, à cette même époque, sont minces. Bien que ces observations puissent donner lieu à un certain nombre d'interprétations, il est tentant de suggérer que le Ve siècle a pu être une époque d'une certaine tension sociale ; les élites locales luttant entre elles pour le pouvoir. En tout cas, c'est la communauté qui était à Danebury depuis l'origine qui survécut. Il est difficile, pour l'instant, de dire jusqu'à quel point ce processus était répandu; il a pu ne se manifester que dans le Wessex.

Le IVe siècle av. J.-C. semble avoir été une époque de changement social en Grande-Bretagne. Une fois de plus, les témoignages qui présentent le plus de cohésion concernent la zone méridionale centrale où la majorité des fouilles ont été concentrées. Dans le Wessex nous avons suffisamment de données pour en déduire que certaines forteresses sur hauteur parvenaient à des positions de domination sur les autres. Ces "forteresses sur hauteur développées", comme on les a appelées, ont en commun certaines caractéristiques – la plus évidente est que les circuits défensifs ont été grandement renforcés : les fossés ont été recreusés pour leur donner un profil plus profond en forme de V, on a donné plus de volume et de hauteur aux remparts, le supplément de matériau nécessaire étant extrait des grandes carrières ouvertes directement derrière le rempart reconstruit. Dans plusieurs cas, à Danebury par exemple, et probablement à Uffington Castle (Oxfordshire), il est possible de montrer qu'une des portes d'origine a été condamnée alors que l'autre entrée était devenue monumentale et qu'elle avait été flanquée d'ouvrages avancés de terre de plus en plus complexes.

Sur un certain nombre de sites, les circuits défensifs d'origine furent en partie ou entièrement abandonnés. A Yarnbury (Wiltshire), les nouvelles défenses s'étendaient à une certaine distance au-delà du circuit original tandis qu'à Maiden Castle une partie des défenses originales fut réutilisée, mais tout un côté fut abandonné pour pouvoir englober, pour la première fois, une nouvelle aire assez étendue. Les forteresses sur hauteur développées n'ont pas dû avoir toutes le même statut. On n'a qu'à comparer l'envergure colossale de Maiden Castle à ce stade, à Torberry Hill (Sussex) pour se rendre compte de la diversité évidente : le pouvoir de coercition nécessaire à la construction et à l'entretien de Torberry n'était qu'une fraction de celui qu'impliquaient Maiden Castle ou Yarnbury.

Le phénomène des forteresses sur hauteur développées semble tenir pour d'autres régions de la zone méridionale centrale. Dans les Cotswolds, bien que les fouilles aient été limitées, plusieurs forts comme Bury Wood Camp (Wiltshire) et Uleybury Camp, Painswick Beacon et Sodbury (Gloucestershire), tous partagent les mêmes caractéristiques architecturales communes aux forteresses développées du Wessex. Plus au nord, dans la Marche galloise, des fouilles sur une plus grande échelle ont identifié un certain nombre de forts de ce type dont Midsummer Hill, Credenhill, Croft Ambrey et The Wrekin. D'autres, qu'on connaît moins bien par des fouilles, sont typologiquement semblables dans leur morphologie défensive. Les indices provenant de l'Ecosse et du nord de l'Angleterre sont ambigus, mais certains au moins des grands forts écossais étaient occupés à cette époque-là. Une des caractéristiques des forteresses sur hauteur développées est la densité de l'occupation à l'intérieur de l'enceinte. Dans le cas de Danebury, il est possible de montrer que le processus de développement allait essentiellement vers une extension de la disposition des lieux antérieure : même la route principale, que la suppression d'une des entrées rendait superflue en tant qu'artère, ne cessa jamais d'être utilisée. L'aspect le plus frappant de l'occupation de cette période de l'Age de Fer moyen fut la continuité de l'utilisation que manifeste la continuelle reconstruction d'après un plan qui restait, en gros, le même, ceci sur plus de deux ou trois cents ans. Il y avait, pour l'intérieur de l'enceinte, une délimitation rigide de l'emplacement des bâtiments, des endroits discrets étant réservés à des édifices à fonction spécifique. L'évidence d'un plan se voyait particulièrement dans la partie sud-est du site où des rangées de constructions de quatre ou six poteaux étaient régulièrement disposées de chaque côté des routes empierrées : un grand nombre de ces constructions étaient rebâties plusieurs fois, toujours sur le même emplacement, vraisemblablement parce que les pièces de bois pourrissaient et devaient être remplacées. Une organisation aussi régulière et soutenue implique une continuité de l'autorité sur une période de temps d'une durée surprenante, Danebury est loin d'être une exception sur ce point. Des rangées de constructions d'entreposage directement comparables ont été découvertes à Croft Ambrey et à Midsummer Hill, montrant bien que le phénomène était géographiquement très répandu.

Une autre caractéristique de l'intérieur de Danebury était l'utilisation pour l'habitation de la zone immédiatement derrière le rempart. Les profondes cavités des carrières d'où l'on extrayait les matériaux nécessaires à rehausser les remparts étaient occupées par des maisons entremêlées de bâtiments d'entreposage et d'aires de travail à l'air libre. L'agencement de ces divers éléments, certes, changeait au bout d'un certain temps, mais durant les quelque six phases de reconstruction qu'a subies la zone, l'espacement est resté suffisamment régulier pour qu'on puisse en déduire que les limites des terrains individuels, qui représentaient peut-être la superficie accordée à chaque unité familiale, sont restées les mêmes pendant une grande partie de la période du développement.

Il n'y a pas eu d'examen approfondi sur des zones analogues dans d'autres forteresses sur hauteur, mais des recherches limitées, à Maiden Castle et à South Cadbury, ont confirmé l'existence de dépôts bien stratifiés de niveaux d'occupation superposés associés à des maisons et autres constructions Les indices s'accumulent actuellement qui donnent à penser que certaines au moins de ces forteresses comprenaient des constructions rectangulaires pour lesquelles la meilleure interprétation semble être que ce sont des lieux consacrés. On en a mis au jour des exemples convaincants à South Cadbury et à Danebury, et des preuves indirectes font penser qu'un de ces lieux consacrés pourrait se trouver sous les temples romains plus tardifs, au centre de Maiden Castle. Il est tout à fait possible que ces sanctuaires aient été un trait caractéristique normal des forteresses sur hauteur développées, mais l'exemple

Habitat de la forteresse sur hauteur d'Uffington (Angleterre) avec l'énorme cheval blanc sculpté dans la colline proche parfois considéré comme pré-romain mais, plus vraisemblablement médiéval

dégagé n'est pas assez important pour qu'on puisse en être sûr. Les intérieurs des forteresses sur hauteur développées ont été utilisés de façon continue pendant plusieurs siècles et, à en juger par les déchets déposés, il est clair que la gamme de activités qu'on y exerçait différait peu de celles des sites d'habitation contemporains largement disséminés dans la campagne des alentours. La seule différence était que les forteresses avaient une capacité d'entreposage beaucoup plus grande par aire d'habitation individuelle, et qu'il y a des indices d'importation et de redistribution de matières premières. Ces observations ont conduit à l'hypothèse que ces forteresses développées avaient pu servir de centres de redistribution à l'intérieur (des limites) de territoires discrets. La composition sociale de la population de la forteresse est matière à débat. Nous n'avons aucune preuve solide qu'elles étaient la résidence de l'élite, mais l'absence de preuve n'est pas preuve d'absence. De plus, nous ne savons pas ce qui, du point de vue archéologique, constitue une résidence de l'élite de l'Age du Fer britannique ; et cependant des forteresses elles-mêmes, se dégage une impression de pouvoir de coercition, et il est tentant de suggérer que le caractère massif des défenses constitue une affirmation de supériorité sociale. Les ouvrages avancés de terre, aux portes de nombreuses forteresses, sont particulièrement impressionnants. Les ouvrages à cornes complexes créent un labyrinthe de chemins sinueux qui engendre un sentiment de mystère et de surprise dans l'esprit de celui qui s'en approche sans connaître.

Si l'on peut raisonnablement maintenir que ces constructions remplissaient une fonction défensive, certaines avaient
atteint un niveau d'élaboration qui dépassait de loin les
besoins strictement militaires. Maiden Castle, parvenu à sa
forme développée, est plus un monument dédié aux aspira-
tions sociales de ses occupants qu'aux nécessités de la défense.

*Vue de la
forteresse
de Bary Hill
(Angleterre)*

Dans la Grande-Bretagne méridionale centrale, des témoignages de plus en plus nombreux font penser qu'un certain nombre de ces
forteresses virent décroître leur densité de population et cessèrent d'être
maintenues au début du Ier siècle av. J.-C. Si ce phénomène se révèle aussi
répandu qu'il le parait, alors nous voyons là clairement une dislocation importante du système socio-économique. Une explication pourrait résider dans le
fait que, à peu près à ce moment-là, le sud de la Grande-Bretagne commençait à connaître une intensification du commerce au loin, ce qui peut avoir
provoqué une réorientation des systèmes d'échange – cela, à son tour, a dû
affecter les modèles de société bien établis de longue date. Ces forteresses,
cependant, qui étaient à l'écart des effets directs de la revitalisation de réseaux
commerciaux, continuèrent à être habitées. En pays de Galles et dans le
Nord, certaines étaient encore occupées bien avant dans la période romaine,
mais il est impossible de dire, d'après les données dont nous disposons, si
cette occupation fut continue. Certaines forteresses du Sud qui cessèrent
d'être maintenues au commencement de l'Age du Fer récent continuèrent à
être occupées, meme si ce n'est que sporadiquement et de façon limitée. Dans
certains cas, le type d'occupation rappelle les habitats agricoles de l'époque.
Dans le Sud-Ouest, cependant, dans le Dorset et le Somerset, il semble bien
qu'il y ait eu une phase de retour au caractère défensif, au milieu du Ier siècle
ap. J.-C., qui doit être interprétée comme une réponse des tribus de Grande-
Bretagne hostiles à l'avance romaine, après le débarquement de 43 ap. J.-C.
Le témoignage le plus clair provient de South Cadbury et de Maiden Castle.
C'est à travers cette région que la Deuxième Légion, sous le commandement
de Vespasien, dut faire campagne, soumettant systématiquement plus de
trente "*oppida*" indigènes fortifiées, avant de parvenir à établir la domination
romaine. Le célèbre cimetière, à l'entrée principale de Maiden Castle,
présumé dater de ces événements, met un point final symbolique au phénomène
de la forteresse sur hauteur.

La culture d'Arras

Ian Mathieson Stead

Vue du cimetière pendant les fouilles à Wetwang Slack (Angleterre) avec tombes entourées d'un fossé IIIᵉ-Iᵉʳ siècles av. J.-C.

Tombe avec char démonté à Wetwang Slack (Angleterre) pendant les fouilles Iᵉʳ siècle av. J.-C.

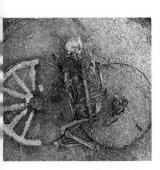

La culture d'Arras tire son nom d'un grand cimetière de petits tumuli dans des champs à Arras, près de Market Weighton, dans l'est du Yorkshire. Plus de cent tumuli furent l'objet de fouilles entre 1814 et 1816 ; les responsables des fouilles se répartirent les trouvailles, et certaines subsistent au British Museum et au Yorkshire Museum. Il y avait autrefois un grand nombre de cimetières à tumuli dans la région, mais, au cours des siècles, ils ont été nivelés par la charrue et, déjà au Moyen Age, un grand nombre d'entre eux avaient disparu.

Un des traits distinctifs, bien que rare, de la culture d'Arras est la sépulture à char où l'on trouve un squelette avec les restes d'un véhicule à deux roues. On en a trouvé trois à Arras au XIXᵉ siècle, puis, en 1959, on prospecta une certaine superficie au magnétomètre pour essayer d'en localiser d'autres. A ce point de vue, la prospection fut un échec, mais un résultat inattendu important fut l'identification d'un autre trait de la culture d'Arras, le tumulus carré. Deux tumuli nivelés par la charrue, décelés au magnétomètre à Arras, étaient, chacun, délimités par des fossés en carré, d'où la terre et le calcaire du tertre original avaient été extraits. Des recherches dans les documents montrèrent que d'autres tumuli carrés avaient été notés par des fouilleurs précédents, et la liste comportait sept sites. Mais, en quelques années, ce total parut bien insignifiant, lorsque furent découverts des tumuli carrés en nombre de plus en plus grand; on en compte des milliers aujourd'hui.

La plupart des découvertes récentes ont été faites par avion, à mesure que les photographes en venaient graduellement à apprécier la richesse du passé de l'est du Yorkshire. Les tumuli carrés sont maintenant un trait caractéristique du paysage, surtout en juillet et août, quand les céréales, en mûrissant, les mettent en évidence. Concentrés dans le calcaire des Wolds, leur distribution, nettement définie, s'étend vers le sud-est jusque dans la péninsule de Holderness, à l'ouest jusqu'au milieu du Vale of York et, au nord, jusqu'aux limites sud des landes du nord du Yorkshire, en passant par le Vale of Pickering. Les tumuli carrés sont particulièrement communs le long des limites est des Wolds où on les trouve, non pas sur les hauteurs comme les tumuli de l'Age du Bronze, mais en bas, sur le fond des vallées. Là, les vallées sont couvertes de gravier calcaire, souvent recouvert d'une très mince couche de terre; elles fournissent des conditions idéales pour la photographie aérienne. Une des plus importantes concentrations de tumuli carrés se trouve entre

Burton Fleming et Rudston dans la vallée de la Gypsey Race, une petite rivière qui coule de façon intermittente pour aller se jeter dans la mer du Nord à Bridlington. Entre 1967 et 1979, 250 sépultures ont fait l'objet de fouilles, mais, à l'origine, il a dû y en avoir plus de 1 000, dans différents cimetières. Au centre de chaque tumulus, il y avait une seule tombe et, typiquement, le squelette était accroupi ou contracté et orienté nord-sud. Des objets funéraires n'étaient pas fréquents, l'article le plus commun était une seule fibule (en tout, on en a trouvé 64), très rarement, on trouve aussi un bracelet ; 35 des sépultures étaient accompagnées d'une simple poterie grossière, et souvent la poterie était associée à un os d'animal, toujours le même, l'humérus d'un mouton. Ces sépultures étaient typiques de la culture d'Arras, partout où des tumuli carrés ont été l'objet de fouilles, et c'était le rite normal dans l'énorme

Paire de clavettes d'essieu en fer et bronze provenant de la tombe à char de Kirkburn (Angleterre) IIIe siècle av. J.-C. Londres, British Museum

cimetière de Wetwang Slack. Là, dans une vallée sans eau, au sud-ouest de Rudston, 446 sépultures ont été fouillées par J.S. Dent entre 1975 et 1979. Mais, à Rudston, à côté de ces sépultures normales, il y avait un second rite, en minorité : 56 des tombes étaient orientées dans la direction opposée est-ouest, et les squelettes n'étaient pas accroupis, mais pliés ou allongés.

La gamme de mobilier funéraire était différente aussi – pas de poterie, seulement une fibule mais, à la place, des fers de lance, des couteaux, des fusaïoles avaient été enterrés. On trouve parfois des os d'animaux dans les sépultures est-ouest, mais ils ne sont pas les mêmes que dans les sépultures nord-sud – ce sont divers os de porc et un seul os de mouton. Le sexe du squelette n'explique pas cette différence, car les deux types de sépulture comprennent des hommes et des femmes ; mais il y a des indices de différences chronologiques, les sépultures est-ouest étant généralement, peut-être toujours, plus tardives que les nord-sud. Il y a, cependant, un léger indice de relations familiales entre les deux types de sépulture. Certaines variantes non métriques des squelettes indiquant probablement des liens génétiques, sont partagées par plusieurs sépultures est-ouest nord-sud voisines les unes des autres, mais ne sont pas communes à toute la population. Il semble qu'ait eu lieu un changement de rite funéraire à l'intérieur des familles, les nouveaux rites ne correspondant

Poignée avec incrustations d'émail d'une épée de Kirkburn (Angleterre) 1ᵉʳ siècle av. J.-C. Londres, British Museum

donc pas à une arrivée de population, mais à un changement dans les croyances. Une déception, dans la campagne de fouilles à Rudston et à Burton Fleming, fut de ne pas réussir à trouver de sépulture à char. Plusieurs secteurs furent soumis à des recherches minutieuses à l'aide d'appareils à détection, particulièrement le gradiomètre, et il est clair qu'aucun véhicule n'avait été enterré là ; mais les prospecteurs étaient handicapés par le fait qu'ils n'avaient pas de moyen de contrôle, ne connaissant pas la réaction du gradiomètre aux sépultures à char. Ce moyen de contrôle, ils auraient dû l'avoir en 1970 quand T.C.M. Brewster découvrit une sépulture à char à Garton Slack, mais la fouille fut entourée du plus grand secret et on n'entreprit aucune fouille géophysique. En 1984, cependant, à 1,2 kilomètre seulement de la découverte de Brewster, mais au-delà de la limite paroissiale, dans Wetwang, J.S. Dent mit au jour trois sépultures à char, et A.L. Pacitto fit un essai avec le gradiomètre. La réaction fut caractéristique et étonnamment forte, si bien que, à l'avenir d'importantes aires d'enquête pourraient être examinées selon une grille moins serrée. A l'automne qui suivit la découverte de Wetwang Slack, Pacitto connut le succès en découvrant une sépulture à char à Garton Station et, par la suite, il en trouva une autre dans le champ voisin, mais sur la paroisse de Kirkburn. Une équipe du British Museum entreprit la fouille des deux sépultures en 1985 et 1987.

Ce sont donc cinq sépultures à char qui ont été mises au jour ces dernières années, et toutes sont dans la même vallée de gravier. L'une, Garton Station, se trouvait dans un cimetière, mais les autres étaient en petits groupes de deux à cinq tombes. Il n'y avait pas de sépulture à char dans le grand cimetière de Wetwang Slack, mais les groupes de 1970 et 1984 n'étaient qu'à une petite distance, respectivement à l'est et à l'ouest. Quatre des cinq chars avaient été enterrés de la même façon – les roues avaient été retirées du véhicule et mises à plat sur le sol de la tombe, avant que le corps ait été enseveli par-dessus, le joug sur le côté. Puis l'armature en forme de T, l'essieu et la flèche avaient été placés ensemble par-dessus le corps. Finalement, il semble que le châssis du véhicule ait été enterré; détaché de l'armature en T, comme les roues, il était probablement renversé pour former un dais au-dessus de la partie centrale de la tombe. Le rituel ne variait qu'à Garton Station où les deux roues avaient été placées ensemble contre le côté de la tombe, mais autrement l'agencement du reste de la tombe était le même. Les objets funéraires dans les sépultures à char étaient plus impressionnants que dans le cas des sépultures ordinaires et comprenaient un ou deux objets spectaculaires. Il y avait deux épées dans des fourreaux décorés, à Wetwang, et une unique boîte en bronze, décorée sur toutes ses surfaces d'un motif gravé recherché, ressemblant à celui des fourreaux. D'une technique artistique différente, le bronze fondu par le procédé à la cire perdue était représenté par un mors de cheval provenant de Wetwang, un anneau d'attelle de Garton Station et deux esses de Kirkburn. Mais une des découvertes les plus inattendues fut faite dans la sépulture à char de Kirkburn, où le squelette était couvert par les restes d'une tunique de mailles complète. A en juger par les objets funéraires, le groupe de Kirkburn (on peut soupçonner un lien de famille entre 4 des 5 squelettes) appartient au IIe siècle av. J.-C.; la cotte de mailles est donc parmi les plus anciennes, et certainement la plus complète, qui nous soient parvenues du monde celte. Une autre tombe de Kirkburn, mais ce n'est pas une sépulture à char, comprenait une épée à pommeau émaillé dans un fourreau avec plaque de bronze décorée – le pommeau est le plus beau jamais vu sur une épée celte. Dans les trente dernières années, on a fait des efforts considérables pour comprendre les sépultures de la culture d'Arras, mais ce n'est que récemment qu'on a essayé d'en apprendre plus sur les habitats associés. Les photographies aériennes qui ont permis de voir tant de tumuli ont aussi révélé des sites domestiques et autres. L'est du Yorkshire présente une concentration impressionnante de traces de cultures, mais les vestiges de l'Age du Fer sont cachés

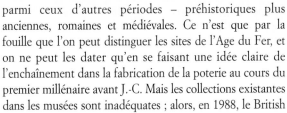

Fibule en bronze avec appliques de grès coloré en rouge, provenant de Danes Graves (Angleterre) IIIe siècle av. J.-C. Londres, British Museum

parmi ceux d'autres périodes – préhistoriques plus anciennes, romaines et médiévales. Ce n'est que par la fouille que l'on peut distinguer les sites de l'Age du Fer, et on ne peut les dater qu'en se faisant une idée claire de l'enchaînement dans la fabrication de la poterie au cours du premier millénaire avant J.-C. Mais les collections existantes dans les musées sont inadéquates ; alors, en 1988, le British Museum mit sur pied un projet de fouilles destiné à retrouver des groupes de poterie à usage domestique. Pour commencer, on chercha à retrouver sur les photographies aériennes les concentrations de fosses, car les fosses sont typiques de l'habitat de l'Age du Fer et elles promettent plus de groupes utiles de poterie associée que tous les autres éléments. Pour obtenir un échantillonnage raisonnable, il fut décidé d'explorer quelques fosses sur différents sites. En tout, on a exploré jusqu'ici neuf sites, et l'on a établi les grandes lignes de l'enchaînement de la poterie que nous pouvons maintenant utiliser pour dater d'autres sites.

Certains sites ont des centaines de fosses couvrant plus de douze hectares, et certains datent de bien avant la culture d'Arras et persistent jusque dans les débuts de l'ère romaine. A nouveau, il n'y a aucune brusque coupure et l'insistance est sur la continuité. L'élément intrusif dans la culture d'Arras se limite au rite funéraire, en fait, à certains aspects seulement du rite funéraire. Les aspects traditionnels comprennent les squelettes accroupis ou contractés, qui sont extrêmement rares dans les cimetières européens de La Tène, et les objets funéraires du Yorkshire qui sont presque invariablement de type britannique. Une

Fibule en bronze avec appliques de corail de Queen's Barrow à Arras (Angleterre) IIIe siècle av. J.-C. Londres, British Museum

pièce seulement, une bague creuse provenant de Kirkburn peut être considérée comme identique à un type continental. Mais deux aspects distinctifs du rite funéraire, les sépultures à char et les tumuli carrés, ont dû provenir du continent, probablement à la même époque, et pas plus tard que le IIIe siècle av. J.-C. Il semble que le rite funéraire connu sous le nom de culture d'Arras représente, non pas la migration en masse d'une tribu, mais l'introduction d'idées. Cet argument se trouve renforcé si l'on considère ce qui se passa à Rudston au Ier siècle avant J.-C., quand un nouveau rite apparut et que des familles établies sur place passèrent soudain d'un rite à un autre. Comme pour le début de la culture d'Arras, nous avons là non pas un changement de population, mais un changement de croyance.

Les peuples belges de la Tamise
Ian Mathieson Stead

En 1890, Arthur Evans publiait les résultats de ses fouilles à Aylesford dans le Kent – il ouvrait un nouveau chapitre de la préhistoire britannique. Aylesford était un cimetière à incinération, en partie détruit par l'exploitation d'une carrière de gravier avant qu'Evans et son père ne le découvrent alors qu'ils cherchaient des outils paléolithiques. Plusieurs tombes avaient déjà été fouillées, dont une qui contenait un seau en bois à garnitures de bronze, deux récipients en bronze et deux broches ; mais, en poursuivant les fouilles, on mettait au jour six sépultures à incinération, ordonnées en "cercle de famille". Evans fut particulièrement frappé par la poterie qui, par elle-même, suggérait le Kent, et, en effet, une grande partie du sud-est de l'Angleterre avait été occupée, à la suite d'une incursion, par une tribu venue de la Gaule belge. L'introduction du rite de l'incinération venait confirmer cette idée, et son arrivée pouvait aussi avoir coïncidé avec la première apparition en Grande-Bretagne de pièces de monnaie belges en or, dont deux avaient effectivement été trouvées dans la fosse de gravier d'Aylesford. Ces découvertes archéologiques apportaient une preuve du contact étroit avec le continent attesté par César qui rapportait, par exemple, que l'autorité ou l'influence de Commius l'Atrebate s'étendait sur une partie de la Grande-Bretagne.

Une génération plus tard, les conclusions d'Evans se trouvaient étayées par les fouilles d'un autre cimetière du Kent, à Swarling, découvert dans les mêmes conditions – mais cette fois-ci, c'était Reginald Smith qui cherchait des vestiges paléolithiques. La publication de Bushe-Fox sur Swarling datait le gros de la poterie d'après 50 av. J.-C., et la plus ancienne probablement de

Pièces d'un jeu en verre coloré provenant d'une tombe à Welwyn Garden City (Angleterre) Dernier tiers du 1ᵉʳ siècle av. J.-C. Londres, British Museum

Seau en bois (reconstitué) avec garniture en bronze provenant de la tombe d'Aylesford (Angleterre) Fin du Ier siècle av. J.-C. Londres, British Museum

75 av. J.-C. L'invasion belge de 75 av. J.-C. devint, à partir de ce moment-là, un fait bien établi, et ceci ne fut pas sérieusement contesté jusque dans les années 1960. Le témoignage historique d'une invasion vient de César, qui rend compte d'immigrants belges sur les territoires côtiers de la Grande-Bretagne, la plupart d'entre eux ayant conservé leurs noms tribaux de leurs pays d'origine. On ne connaît ni ces noms ni la date de l'invasion. On peut peut-être la lier à l'apparition de monnaie d'or belge, bien que les numismates estiment que l'invasion n'est qu'une des raisons qui puissent expliquer son introduction, les autres comprenant le commerce, le pillage, la solde des mercenaires et l'adoption de la monnaie par les tribus autochtones. Quel que fût le motif initial, les pièces gallo-belges circulaient là avant la fin du IIe siècle av. J.-C. et la production insulaire avait déjà commencé à l'époque des expéditions de César (55 et 54 av. J.-C.). L' "élégante poterie étrangère" qui avait tant impressionné Evans marquait un développement littéralement révolutionnaire, car les nouvelles formes étaient fabriquées sur le tour de potier. A mesure que cette avance technologique se répandait à travers le sud de la Grande-Bretagne, les formes des produits locaux changeaient rapidement, mais ceci ne prouve pas que les autochtones se soient trouvés déplacés. L'introduction de l'incinération pourrait être liée à un mouvement de population, bien que le petit nombre de sépultures antérieures à 50 av. J.-C. ne puisse témoigner d'une invasion pré-césarienne. Dans les années qui ont précédé les expéditions de César, il dut y avoir un trafic considérable sur la Manche, dans les deux sens, et l'incinération a pu avoir été adoptée graduellement à la suite d'alliances politiques et sociales. Qu'il y ait eu ou non invasion, dès la fin du Ier siècle av. J.-C., le développement du sud-est de l'Angleterre présentait beaucoup de points communs avec une zone qui s'étendait à travers le nord de la France jusqu'à

Détail d'une garniture en bronze du seau d'Aylesford (Angleterre) Fin du Ier siècle av. J.-C. Londres, British Museum

la Rhénanie, où l'incinération était devenue la pratique funéraire ordinaire longtemps avant l'invasion romaine. En termes d'archéologie, la version britannique est connue sous le nom de culture (certains préfèrent le mot "complexe") d'Aylesford.

Un grand nombre des cimetières de la culture d'Aylesford sont petits et desservaient des communautés rurales, mais certains sont grands et sont associés à des *oppida,* comme le cimetière de Lexden à Colchester (*Camulodunum*) et King Harry Lane à Saint Albans (*Verulamium*). Toutes les sépultures sont dans des fosses et la grande majorité d'entre elles avaient peu ou pas de marques à la surface, si bien qu'on les trouve aujourd'hui par hasard. A Lexden, le cimetière fut découvert par petits secteurs dans les fondations des maisons et dans leurs jardins, mais, par chance, le cimetière de King Harry Lane fut une découverte due au hasard sur une fouille archéologique, et le temps nécessaire fut accordé pour mener la fouille à bonne fin. La plupart des sites se trouvent à l'est et au nord de Londres, concentrés dans le Kent, l'Essex et le Hertfordshire, mais il y en a aussi une distribution disséminée à l'ouest et au sud. La sépulture normale est à incinération, les os calcinés souvent déposés dans une urne et parfois accompagnés par un ou deux récipients accessoires. Les sépultures les plus simples contenaient des os incinérés entassés sans récipient ni objets funéraires, mais pour un grand nombre des sépultures à incinération des plus élaborées, toute trace de récipient pour les cendres était aussi absente. Dans ces sépultures, les os étaient en tas sur le sol de la tombe avec les objets en métal, et les objets en céramique étaient groupés autour. Mise à part la poterie, ce sont les broches qui étaient de loin les plus communes parmi le mobilier funéraire ; il y avait aussi quelques couteaux (dont des couteaux-rasoirs triangulaires), des miroirs (dont des miroirs décorés) et des articles de toilette, mais les armes sont presque totalement absentes. On trouve – rarement – des sépultures à inhumation contemporaines.

Les sépultures en groupes sont un des traits des cimetières de la culture d'Aylesford : une sépulture centrale prééminente entourée de tombes de moindre importance à l'intérieur d'une enceinte carrée ou rectangulaire délimitée par un fossé. Il y avait plusieurs de ces groupes à King Harry Lane, dont un contenant 47 tombes. Le "cercle de famille" relevé par Evans à Aylesford suggère un agencement analogue, et il en existe d'autres ailleurs – il y en aurait encore plus, sans aucun doute, si l'occasion s'était offerte d'explorer dans le voisinage des découvertes fortuites. Les fossés le long des enceintes sont peu marqués, et il n'y avait aucun véritable tertre central. Plus à l'ouest, il y a un ou deux tumuli carrés avec une seule tombe centrale dont Hurstbourne Tarrant, où on a trouvé une tombe relativement riche. Quelques-unes des sépultures de la culture d'Aylesford sont dans de grandes tombes plutôt plus spectaculaires, accompagnées de plus riches collections d'objets funéraires,

Avers d'une pièce de monnaie en or frappée par le roi des Catuvellauni et Trinovanti Cunobelin (10-40 ap. J.-C.) montrant un épi de blé avec les lettres CAMV *(lodunum) Londres, British Museum*

Avers d'une pièce de monnaie en or frappée par Verica, roi des Atrebates contemporain de Tibère (14-37 ap. J.-C.) et de Claude. Le motif présente une feuille de vigne Londres, British Museum

dont des amphores et quelquefois des chenets. Connues sous le nom de sépultures du type Welwyn, elles aussi ont toujours été trouvées par hasard : on est assez bien documenté sur dix d'entre elles, mais on a aussi des indices pour plusieurs autres – toutes au nord de la Tamise et la plupart dans la campagne, à l'écart des *oppida*. La tombe la plus riche qui ait subsisté a été trouvée à Welwyn Garden City en 1965, alors qu'on creusait une tranchée pour une canalisation de gaz dans un nouveau lotissement. Un grand nombre des objets étaient en morceaux, mais la tranchée s'arrêtait légèrement au-dessus du soi de la tombe et l'on put reconstituer un plan de l'agencement d'origine. Six amphores italiennes étaient alignées sur un des côtés, et il y avait 36 articles de poterie – pour la plupart, des produits indigènes – mais deux plats et une fiasque avaient été fabriqués en Gaule centrale. Une coupe en argent et une passoire unique en bronze soulignent l'importance du vin ; les articles pour la table étaient les plus beaux dont on disposait alors dans le sud-est de l'Angleterre. Des griffes brûlées trouvées avec le tas d'ossements humains font penser que le corps avait été incinéré enveloppé dans une peau d'ours. Près des os calcinés était un magnifique jeu de 24 pièces de verre.

A en juger par les importations, Welwyn Garden City date de la décennie 35 à 25 avant J.-C. et il existe peu de sépultures à incinération britanniques qu'on puisse démontrer être plus anciennes. Une exception est la tombe de Baldock, où un lot d'objets était entassé dans une petite fosse circulaire: un chaudron en bronze, une paire de chenets en fer, deux coupes en bronze, deux seaux en bois à garnitures de bronze, et une amphore. Ici encore le corps semble avoir été incinéré dans une peau d'ours. L'amphore est la seule de type Dressel IA qu'on ait trouvée dans une tombe britannique. Les amphores de type Dressel IB – trouvées dans d'autres tombes – semblent avoir remplacé la variété IA vers le milieu du Ier siècle av. J.-C., la tombe de Baldock pourrait donc bien dater d'avant César.

Baldock appartient à une phase où les amphores arrivaient en Grande-Bretagne, probablement par Hengistbury Head, nettement au sud-ouest de la distribution des sépultures de la culture d'Aylesford. Mais Hengistbury perdit de son importance en tant que port commercial vers le milieu du Ier siècle av. J.-C., peut-être par suite de la dislocation causée par la guerre des Gaules, et le commerce, par la suite, se fit directement avec le sud-est de l'Angleterre. Les amphores des sépultures de la culture d'Arras viennent d'Italie, les cruches et les plats les plus anciens du centre de la Gaule – peut-être ajoutés à des cargaisons d'amphores transportées par voie fluviale à travers la Gaule. Les coupes en argent de Welwyn et de Welwyn Garden City sont aussi italiennes, et il se peut que les broches britanniques en argent de cette même époque nous fournissent un autre lien avec l'Italie. Les cruches et les ustensiles de cuisine en bronze d'Aylesford et de Welwyn appartiennent à des types dont la distribution disséminée s'étend apparemment à partir des Alpes sinon d'Italie. Mais le lien le plus fascinant avec l'Italie se trouve dans une sépulture du cimetière de Lexden, où on a découvert un médaillon de l'empereur Auguste ainsi qu'un tabouret en fer – symbole du pouvoir. Malheureusement, cette tombe avait été bouleversée longtemps avant d'être

l'objet de fouilles en 1924, mais, de toute évidence, elle était d'une grande importance. Exemple unique parmi les sépultures à incinération du sud-est de l'Angleterre, la fosse de la tombe avait été recouverte par un énorme tumulus: le tumulus de Lexden avait 30 mètres de diamètre et avait encore 2 mètres de haut au moment de la fouille. Peut-être une des familles royales locales avait-elle été enterrée là, et il est même possible que l'idée du tumulus ait été empruntée au mausolée d'Auguste à Rome. On sait que des princes britanniques ont rendu visite à Auguste. A partir de l'an 15 avant J.-C. environ, les contacts de la Grande-Bretagne avec le continent connurent un changement – avec l'importation de la poterie gallo-belge provenant de la Champagne et de la Rhénanie, et l'utilisation d'une gamme de broches identiques à celles du nord de la Gaule. Les sépultures ne sont pas très différentes de celles de Wederath, près de Trèves, où elles sont aussi groupées dans des enceintes carrées. C'est la période du cimetière de King Harry Lane, qui a commencé vers l'an 15 avant J.-C., avec certaines sépultures centrales relativement élaborées, qui a continué après la conquête de Claude, pour se trouver finalement profané quand, vers 10 après J.-C., on fit passer au milieu du cimetière la route principale allant de Verulamium à Silchester. Ailleurs, le rite funéraire ne fut pas affecté non plus par la conquête romaine. On trouve rarement des pièces de monnaie dans les sépultures, mais elles étaient d'une utilisation courante dans le sud-est de l'Angleterre à cette époque, et elles nous donnent une idée de l'organisation politique. La distribution des pièces sans inscription suggère des territoires tribaux, mais, à la fin du Iᵉʳ siècle av. J.-C., les pièces avec inscription identifient clairement deux royaumes séparés par la Tamise. Le royaume au nord correspond, en gros, à la distribution des incinérations dans l'Essex et le Hertfordshire ; il comprenait deux tribus, les *Catuvellauni* à l'ouest des *Trinovantes,* unifiés vers l'an 10 par le roi catuvellaunien,

Cunobelin. Roi des Bretons, selon Suétone, Cunobelin étendit son royaume pour y inclure le Kent, où la distribution plus ancienne de pièces de potin peut être comparée à celle des incinérations de la culture d'Aylesford. Le royaume au sud s'étendait à l'ouest et au sud de Londres et il n'y a qu'une distribution éparse d'incinérations. Là, des rois successifs, Commius, Tincommius et Verica poursuivirent une politique pro-romaine, symbolisée sur les pièces par la feuille de vigne au lieu de l'épi de blé catuvellaunien.

Des objets tels que les pièces, les petits groupes d'objets extraits des tombes ou même des cimetières sont individuellement relativement faciles à étudier. Les aires d'habitation, de par leurs dimensions mêmes, sont plus redoutables. Les sites les plus étendus, les *oppida*, sont mal définis, comme le découvrit César lui-même – l'*oppidum* de Cassivellaunus avait "une ceinture de bois et de marais". *Camulodunum (Trinovantes)* et *Verulamium (Catuvellauni)* étaient des centres politiques qui frappaient leur monnaie et enterraient leurs morts dans les cimetières à incinération de la culture d'Aylesford. *Camulodunum*, au moins, était en partie délimité par des remparts qui entouraient une vaste aire d'habitation qui s'étirait de façon irrégulière, comprenant le cimetière de Lexden et le complexe religieux de Grosbecks Farm. Mais les fouilles à l'intérieur d'un site aussi énorme (2 000 hectares peut-être) doivent être sélectives, et les vestiges de l'Age du Fer peuvent se trouver obscurcis par des caractéristiques de périodes plus tardives. L'occupation dans le dernier quart du Ier siècle av. J.-C. est clairement attestée, mais les trouvailles comprennent des tessons de poterie résiduels antérieurs d'environ 50 ans. A *Verulamium*, les limites de l'habitat pré-romain sont vagues ; Prae Wood, jadis considéré comme un habitat majeur de l'Age du Fer, semble maintenant occuper une place relativement mineure. Dans les environs de la ville romaine il n'y a rien de plus ancien que les pièces de monnaie avec inscription qu'y avait fait frapper Tasciovanus, contemporain d'Auguste, bien que le site fortifié proche,

Petit vase de terre cuite en forme d'oiseau, provenant de King Harry's Lane (Angleterre) Fin Ier siècle av. J.-C. début Ier siècle ap. J.-C. Londres, British Museum

Wheathampstead, soit plus ancien. D'autres habitats majeurs dans la région sont moins importants. Braughing a produit la meilleure collection d'importations du temps d'Auguste, et Baldock a été habité depuis l'époque de César (contemporain de la sépulture aux chenets). Dans le Kent, la monnaie et la céramique impliquent qu'un habitat majeur était établi à Canterbury des le début de la période d'Auguste. Tout comme les rites funéraires persistèrent après la conquête, ces habitats majeurs se développèrent pour devenir des villes romaines. Une infiltration graduelle avait laissé le sud-est de l'Angleterre bien préparé pour la romanisation.

Religion et mythologie celtiques
Proinsias Mac Cana

Les Celtes n'étaient pas le seul des peuples de l'Antiquité à manifester un vif sens du sacré dans toutes les diverses occupations et activités de la vie quotidienne, mais leurs rapports avec le surnaturel étaient suffisamment profonds et omniprésents pour donner lieu à des remarques particulières de la part des commentateurs classiques. La remarque de César sur le fait qu'ils étaient "excessivement enclins à la religion", ou peut-être "à la superstition religieuse" (*Natio est omnis Gallorum admodum dedita religionibus*) implique une nette disparité par rapport à sa propre expérience du sens religieux. C'est, de plus, une observation qui aurait pu s'appliquer – et qui, en effet, a été appliquée par des commentateurs plus récents – aux Irlandais préhistoriques

Vue aérienne du sanctuaire de Rathcroghan (Irlande)

et médiévaux, descendants de ces Celtes venus du continent coloniser l'Irlande plusieurs siècles avant que César n'entreprît sa conquête de la Gaule au Ier siècle av. J.-C. A en juger par les vestiges répertoriés de leurs traditions, les Irlandais de l'Antiquité étaient peu conscients d'une démarcation claire et palpable entre le surnaturel et le séculier, et la vie était pour eux une combinaison souple de pragmatisque, de routine et de croyance aveugle dans le pouvoir de précédents rituels et mythiques. Comme l'a dit Marie-Louise Sjoestedt en se référant tout spécialement à l'Irlande ancienne : "Le surnaturel et le naturel s'interpénètrent et se perpétuent l'un l'autre, et une constante communication entre les deux assure leur unité organique." Il est, de ce fait, plus facile de décrire le monde mythologique des Celtes que de le définir, car une définition implique un contraste.

Les sources

Mais il y a aussi des raisons prosaïques pour lesquelles il est difficile de définir clairement la mythologie celtique et le système de croyance et de pratique religieuses auquel elle appartient. Ces raisons tiennent à la nature et à la provenance des témoignages existants qui sont, en gros, de deux sortes, l'une comprenant les monuments celtiques sur le continent et dans la Grande-Bretagne romaine en même temps que les commentaires de plusieurs auteurs classiques, la seconde étant le corpus de littérature vernaculaire insulaire celtique qui a survécu par écrit. Chacune présente ses propres problèmes spécifiques d'estimation et d'interprétation. La plupart des images plastiques des divinités et des inscriptions dédicatoires datent de la période romaine et ont pu être affectées, tant sur le plan idéologique qu'artistique, par l'influence romaine. Ce qui fait, cependant, qu'il est difficile de mesurer l'étendue de cette influence aussi bien que la signification mythico-religieuse des monuments eux-mêmes, c'est que la liturgie et la mythologie qui constituaient leur cadre de référence manquent presque totalement. Les druides n'ont pas consigné leurs enseignements par écrit et, par conséquent, toute leur littérature sacrée a disparu quand leur langue elle-même disparut. C'est cette circonstance qui prête une importance particulière aux récits des auteurs classiques qui ont rapporté leurs observations – les leurs ou celles d'autres – ethnologiques sur les Celtes. Posidonius (c. 135-50 av. J.-C.) est le plus important, et une grande partie de son ethnographie survit dans les ouvrages d'auteurs postérieurs, en particulier dans le *De Bello Gallico* (*Guerre des Gaules*) de Jules César. Malgré les limitations évidentes de ce témoignage de seconde main pour la plus grande partie, transmis par des écrivains étrangers dont les idées préconçues, sociales et politiques, personnelles devaient peser sur le sujet, une comparaison minutieuse avec les littératures insulaires postérieures montre qu'il contient un noyau d'informations authentiques. Ces documents nous disent, par exemple, que trois classes, en Gaule, avaient des rapports avec le savoir et la littérature: les druides, les bardes et, entre les deux, une classe qui semble avoir été mieux connue sous le nom gaulois de *vatis,* apparenté au latin *vates* ; le fait qu'une classification analogue en trois points soit attestée pour l'Irlande ancienne, avec ses druides, *filidh* (sémantiquement proche des *vates*) et ses bardes.

Lorsque nous considérons la littérature vernaculaire insulaire de la période médiévale, ce qui, en fait, signifie les littératures irlandaise et galloise, nous sommes confrontés à des problèmes d'un ordre quelque peu différent. L'aspect positif, c'est le fait qu'elle contient un fonds remarquablement riche

Énorme représentation d'Hercule ou divinité similaire sculptée dans le sol à Cerne Abbas (Angleterre) 1er-IVe siècles ap. J.-C.

et varié de tradition indigène ; le côté négatif, est le fait que, dans sa forme écrite existante, elle est bien plus récente que les témoignages continentaux et qu'elle a été filtrée par le système scripturaire des monastères chrétiens où elle a été consignée par écrit. La tradition indigène, en Irlande, est passée dans l'écriture au VIᵉ siècle, mais la composition de textes narratifs d'une certaine longueur semble avoir commencé entre le VIIᵉ et le VIIIᵉ siècle (beaucoup plus tard au pays de Galles), déjà un siècle ou deux après que le christianisme eut supplanté le paganisme indigène. De fait, presque tous les textes existants survivent dans des recueils de manuscrits de la fin du XIᵉ siècle et des siècles suivants, mais, à force d'analyses textuelles et linguistiques approfondies, on peut attribuer des dates aux sources manuscrites plus anciennes sur lesquelles ils avaient été copiés ou remaniés. Par ailleurs, la date relativement tardive de la littérature qui nous est parvenue est contrebalancée par une forte tendance traditionaliste amplement confirmée par une comparaison avec les littératures indo-européennes traditionnelles plus anciennes, ce qui explique les nombreux et frappants archaïsmes de style et de contenu, dans ces textes. C'est ce conservatisme qui fait de la littérature insulaire et, plus particulièrement, de la littérature irlandaise ancienne, un complément précieux au témoignage continental, à condition de tenir compte de la sélectivité probable des scribes de monastère aussi bien que de l'influence latino-chrétienne imposée par l'Eglise.

Les divinités pan-celtiques

Etant donné la diversité et les insuffisances de nos sources, il ne serait pas réaliste d'en attendre une image claire d'un système de croyance religieuse unifié et cohérent. Nulle part nous n'avons la tradition intégrale telle qu'elle aurait pu être transmise et interprétée par les druides et leurs acolytes dans une société celte indépendante. Aucune source, aucun groupe de sources existantes n'ont été conçus pour présenter un tableau ordonné et complet de la religion autochtone vue de l'intérieur de sa propre communauté culturelle. Ceci n'a fait qu'accentuer l'hétérogénéité de la religion celtique, ce qui a parfois conduit les savants à exagérer son caractère local et tribal, ne tenant aucun compte des nombreux éléments qui reflètent l'unité sous-jacente du mythe et du rituel celtiques. Un ou deux exemples de cette unité vont suffire. L'iconographie continentale (comprenant, pour notre propos, celle de la Grande-Bretagne romaine) met fortement l'accent sur le symbolisme de la triade, le concept du chiffre trois, et le référent mythico-littéraire qui est là absent est largement présent dans les variations innombrables sur ce motif trouvées dans les littératures irlandaise et galloise. Sur un plan plus général, on reconnaît depuis longtemps que tous les témoignages, qu'ils soient littéraires ou archéologiques, attestent un intérêt profond pour la terre, pour sa géographie sacrée, pour ses frontières, ses aspects et ses configurations naturels ; une branche importante de la tradition irlandaise érudite s'appelle *dindshenchas,* "la tradition des lieux (célèbres)", et consiste à fournir des récits étiologiques pour expliquer des centaines de noms de lieux, car pratiquement chaque particularité décelable du paysage avait sa signification mythique, bien que certaines aient été plus profondément empreintes que d'autres de vertu spirituelle; le même phénomène est reflété en Gaule dans le long répertoire de noms de divinités associées à des sites spécifiques: collines et cimes de montagnes, clairières et champs cultivés, rochers, gués, confluents, rivières et sources. Un exemple de cette dimension géographique est le fait, remarqué par de nombreux savants sur la base des données archéologiques, que les sanctuaires gaulois étaient souvent situés près de limites territoriales, et il est significatif que le témoignage irlandais, essentiellement historique et littéraire, révèle un modèle très semblable de distribution. Il est évident que leur fonction était de marquer les frontières de l'unité tribale, comme d'autres sanctuaires, au centre, en désignaient le cœur.

L'identité spirituelle essentielle se reflète chez les divinités celtiques, même si elle est un peu obscurcie par le fait de la diversité des sources. Le témoignage continental débute avec le catalogue succinct, par Jules César, des dieux principaux : "De tous les dieux ils vénèrent Mercure par-dessus tous les autres. C'est lui qui a le plus grand nombre de représentations ; ils maintiennent qu'il est l'inventeur de tous les arts et un guide sur les routes et dans les voyages, ils le considèrent comme le plus influent en matière de gains et de commerce. Après lui, ils honorent Apollon, Mars, Jupiter et Minerve. Sur ces divinités ils ont les mêmes idées que les autres peuples. Apollon chasse les maladies, Minerve inculque les premiers principes des arts et des métiers, Jupiter règne sur les cieux et Mars commande l'issue de la guerre." Ce que César nous présente, c'est une description concise du panthéon gaulois modelé sur celui de Rome. Il ne donne pas aux dieux leur nom insulaire, mais, au lieu de cela, d'une façon typiquement romaine, il leur applique les noms de dieux romains auxquels ils ressemblent le plus. Il leur attribue aussi des fonctions plus définies que le témoignage insulaire ne le justifie. Mais, une fois que l'on a fait la part de son préjugé à la fois professionnel et ethnique, il n'y a aucune raison de penser que ce qu'il rapporte n'est pas, en substance, authentique. Le fait qu'il n'est pas toujours facile d'identifier ses dieux, privés de leur nom celtique, aux dieux de la tradition insulaire, ou même aux dieux de l'iconographie continentale, est dû plus au contraste entre son catalogue schématique et l'abondance protéiforme de la mythologie vivante qu'à la discontinuité inhérente à la religion celtique.

Certains savants modernes, devant le conflit apparent entre l'image nette et précise de Jules César et le chaos fertile de la tradition insulaire (sans parler de la diversité de la nomenclature des inscriptions dédicatoires gallo-romaines), en conclurent que les Celtes n'avaient pas de divinités universelles et qu'ils avaient, à la place, une multiplicité de dieux dont le culte était local et tribal plutôt que national. Ils citent la mention que fait Lucain du dieu Teutates "le dieu de la tribu" (du celte *teutà*, "tribu"). En fait, naturellement, comme le fonctionnement des institutions trans-tribales de la loi traditionnelle et de la royauté sacrée s'organisait avant tout sur la base du petit royaume (en irlandais *tuath,* de *teutà),* il n'y a pas de contradiction inhérente dans la notion de divinités pan-celtiques considérées également comme gardiennes de la tribu (et à qui on attribuait parfois des épithètes particulières). Ce qui est important, c'est qu'il y avait, en fait, certains dieux dont le culte s'étendait sur toutes les régions de l'Europe, ou une grande partie d'entre elles, peuplées par les Celtes. "Mercure", le dieu le plus généralement vénéré des dieux gaulois, d'après César, est un cas pertinent. Il y a quelque quinze lieux en Europe qui ont son nom, dont Lyon (le *Lugudunum* gallo-romain) qu'Auguste choisit comme capitale de la Gaule coloniale, Laon et Saint. Lizier en France, Leignitz en Silésie, Leiden en Hollande et Carlisie (le *Luguvallum* romano-britannique) en Angleterre. Son nom indigène, que César ne mentionne pas, est identifiable dans les noms de lieux comme *Lugus,* qui correspond exacte-ment au nom de la divinité irlandaise *Lugh* et de la galloise *Lleu.* De plus, César parle de Mercure comme *"omnium inventorem artium"* (l'inventeur de tous les arts"), qui semble une paraphrase du surnom de Lugh en irlandais *(sam)ildanaich* ("expert à la fois dans de nombreux arts"), la différence étant qu'il existe en irlandais un récit mythologique ancien qui confirme la maîtrise de Lugh dans tous les arts et métiers. Il est le jeune dieu qui vainc tous les personnages malveillants de l'autre monde, et sa fête, la grande fête de la moisson de Lughnasadh, était célébrée dans tous les pays celtes, comme c'est toujours le cas, dans une certaine mesure, en Irlande et en Bretagne. Il est l'exemple divin de la royauté sacrale, et, dans un récit irlandais précis, il est représenté comme le roi de l'autre monde avec, à ses côtés, une femme iden-tifiée à la souveraineté de l'Irlande, un accouplement qui rappelle l'associa-tion du Mercure gaulois avec la déesse Rosmerta (ou Maia). Son qualificatif habituel *lamfhada* (au long bras) reflète un antique concept de la royauté dont les origines indo-européennes sont faciles a suivre. Il était, sans aucun doute, sous le nom de *Lugus,* un personnage aussi important et original que dans la tradition continentale, mais on n'a de ses légendes que des aperçus infimes dans des effigies de pierre ou dés inscriptions dédicatoires.

Les déesses pan-celtiques
Si nous n'avions comme information sur Minerve que la remarque de César, nous n'aurions qu'une notion insuffisante et de l'importance du rôle de la déesse en question et, en fait, de toute la classe prolifique des déesses celtiques. Sur le continent, nous avons une vaste galerie de divinités féminines – Rosmerta, Nantosvelta, Damona, Sirona, Nemetona et d'autres encore – qui figurent en tant qu'épouses des divinités masculines, réplique, donc, du prototype d'accouplement de la déesse mère avec le dieu protecteur de la tribu ou de la nation. Il n'est pas possible de faire une distinction permanente entre ces déesses et les nombreuses divinités honorées sous le titre de *Matres,* ou *Matronae,* épiphanies anonymes de la divine Mère, dont le culte était, sans aucun doute, en partie autochtone et qui est profondément ancré dans la tradition mythologique de tous les peuples celtes. En sa capacité de mère, la déesse était aussi considérée comme génitrice des peuples, croyance qui est bien attestée dans la littérature irlandaise, comme aussi dans la littérature galloise, où Branwen, dans la deuxième branche des *Mabinogion,* est décrite comme "une des trois grandes ancêtres de la Grande-Bretagne". Dans l'iconographie continentale, elle porte souvent des cornes d'abondance, des corbeilles de

Hauteurs jumelles connues sous le nom de "Paps" ("les mamelons") près de Killarney (Irlande) En gaélique on les appelait "les seins d'Anu", la mère mythique de la dernière génération des dieux à régner sur la terre, les Tuatha Dé Danann

fruits et autres symboles de sa fertilité, et cette association avec la fécondité, à la fois de la femme et de la terre, est un trait bien connu de la tradition insulaire. Ceci est, naturellement, lié à son rôle en tant que personnification de la terre, non pas seulement la terre en général, mais aussi la terre telle qu'elle est définie et délimitée par des frontières culturelles et politiques : la triade éponyme d'Eriu, Fodla et Banbha représente à la fois la réalité et le concept abstrait de l'Irlande dans sa totalité comme d'autres déesses irlandaises sont identifiées à ses provinces et ses régions individuellement définies.

Là où la région est un royaume, la déesse incarne non seulement sa fertilité, mais aussi sa souveraineté, et de cette connexion provient un des mythes celtiques les plus prolifiques, celui de l'union solennelle du souverain et de son royaume. Le mythe date d'avant les Celtes, mais il a trouvé chez eux un contexte favorable et remarquablement productif. Il est probablement reflété dans l'accouplement du dieu et de la déesse dans la sculpture gauloise, mais ce n'est que dans les littératures insulaires (dont le cycle arthurien qui en dérive) qu'il apparaît dans toute sa profusion et sa diversité. D'après les innombrables versions du thème, on parvient à se faire une idée de l'union rituelle telle qu'elle devait se passer avant la christianisation de l'appareil politique aux Ve et VIe siècles. Elle devait être l'union du nouveau souverain avec une suppléante de la déesse (peut-être la femme était-elle ou allait-elle être son épouse). Cette union comportait deux éléments : une libation offerte par l'épousée à son nouvel époux et le coït même. La reine Medhbh de Connaht, une version superficiellement euphémistique de la déesse, avait eu un nombre notoire de maris successifs ; son nom signifie, fort à propos, "l'enivrante". Le mythe, en raison de sa résonance vivace, servait souvent à faire l'éloge de souverains particuliers ou à justifier l'ambition de dynasties politiques. Privé de son légitime époux et souverain du royaume, le royaume se retrouvait veuf, appauvri et décrépit, reflétant les malheurs matériels et politiques du pays et de son peuple, et ceci est mis en évidence dans de nombreux récits et poèmes dans lesquels la femme dévient laide et repoussante, pour être rendue à sa jeunesse et désignée à sa beauté radieuses par l'acte de chair avec le nouvel époux qui lui a été désigné.

La déesse se montrait sous des jours très divers, et la littérature la présente dans toutes ses humeurs et tous ses aspects : jeune ou vieille, belle ou laide, bienveillante ou destructrice. Elle est souvent le charmant émissaire qui vient inviter les héros élus pour les accompagner au pays de l'innocence première, où l'amour n'est pas terni par le péché, et où la maladie et la mort sont inconnues, et elle est si typique, avec d'autres de son espèce, de cet heureux autre monde qu'on appelle parfois celui-ci *Tir inna mBan*, "le pays des Femmes". Mais elle apparaît aussi comme la déesse de la guerre, comme Buanann "la Durable" ou Scathach "la Sombre", qui apprit à Cú Chulainn le métier des armes, ou encore, plus typiquement, le terrifiant trio de Morrhigan "La Reine Fantôme", Bodhbh (Chatha), "la Corneille Noire (du combat)", et Némhain "Frénésie" ou Macha, qui hantent le champ de bataille pour exhorter les combattants ou les troubler par leur magie. Sous cette apparence, elle avait ses équivalentes dans les régions romano-celtiques. Le *Cathubodua* d'une inscription en Haute-Savoie est l'équivalent gaulois de l'irlandais *Bodhbh Chatha*; le trio auquel appartient cette dernière se retrouve dans une inscription britannique *Lamiis Tribus* "Aux trois Lamiae" (ou Furies) ; le nom de rivière gallois Aéron signifie "la Déesse du Massacre" ; la formidable reine des Icéi britanniques invoquait la déesse *Andraste* avant d'engager le combat, etc. Il est donc clair que, malgré la mobilité de leur nomenclature, les déesses de la Gaule, de la Grande-Bretagne et de l'Irlande étaient fondamentalement semblables. César ne nous a pas donné le nom gaulois de Minerve, mais la déesse qui lui fait pendant de la façon la plus frappante est la déesse irlandaise Brighid, qui réussit le remarquable exploit de devenir abbesse (ou au moins d'être assimilée à l'abbesse) du grand monastère de Kildare, et la sainte la plus célèbre de l'Eglise irlandaise. Brighid, dont les légendes connaissent une si grande vogue dans la tradition orale populaire, et ceci jusqu'à nos jours, est décrite dans les anciens textes irlandais comme la patronne de la poésie et du savoir, de la guérison et des arts manuels. Si l'on fait des modifications linguistiques, son nom l'identifié à Briganti, Brigantia sous sa forme latinisée, "la Très Haute", déesse tutélaire de la puissante tribu britannique des Brigantes. Le nom est très répandu dans les noms de lieux et de rivières, ce qui implique un culte très répandu dans l'Europe occidentale. Il y a donc fort à présumer que Brighid-Briganti est l'équivalente de la "Minerve" de César.

Il y avait au moins une déesse pan-celtique qui n'est pas parvenue à trouver une place dans la liste de César. Les documents épigraphiques et iconographiques dans de nombreuses régions romanoceltiques commémorent Epona "le Cheval Divin" ou "la Déesse Cheval" ; l'inventaire comprend quelque 350 mentions. Ses attributs attestés l'associent à la fécondité de la terre et de la nature, mais, comme son nom l'indique, elle était aussi la patronne et la protectrice des chevaux et, en cette capacité, elle était très vénérée dans la cavalerie romaine. Par suite de ses associations chevalines et autres, on l'a souvent comparée à la Rhiannon galloise "la Reine Divine" (aussi bien qu'à Macha, éponyme du sanctuaire païen d'Ard Macha "Hauteur de Macha" qui devint plus tard la métropole de l'Eglise chrétienne d'Irlande), et l'on peut, avec une certaine confiance, aller à la découverte de la mythologie perdue de Rhian non à travers la mythologie dont une partie a filtré dans la prose des branches I et II de moyen gallois du *Mabinogi*.

La divine famille

Le culte de Maponos "le divin Fils" semble avoir été particulièrement populaire dans le nord de la Grande-Bretagne, mais il existait aussi en Gaule, aux alentours des fontaines qui guérissent. On peut l'identifier à l'Apollon de César, bien que ce dernier puisse représenter plus qu'un seul dieu celtique : il est assimilé au moins une fois à Apollon *Citharoedus,* "le Joueur de Harpe". Son nom, tout à fait normalement, devint Mabon en gallois, et dans la littérature galloise, il est Mabon fils de Modron, c'est-à-dire de *Matrona* "la divine Mère", déesse éponyme de la Marne, en France. Malgré son indubitable importance, seules des bribes de son mythe subsistent dans la littérature écrite, mais elles indiquent qu'il était connu comme chasseur et qu'il avait été emporté, en bas âge, dans l'Autre Monde. Il survit dans le roman arthurien continental sous le nom de Mabon, Mabuz et Mabonagrain. Le caractère central de son rôle, malgré le peu de documentation, est souligné par le fait qu'il est un membre, et probablement le plus en évidence dans la tradition, de la famille triadique dieu-père, dieu-mère et divin enfant : Teyrnon "divin Seigneur", Modron et Mabon. Le cas de Maponos et Matrona démontre clairement que ce paradigme familial était commun à tous les Celtes, et nous ne devons pas être surpris de le retrouver en irlandais, où il est concrétisé dans un riche corpus de récits et de poèmes mythiques. Mais les divinités celtiques ne sont jamais limitées à un seul nom, et, en irlandais, les noms les plus communs pour les dieux mère et père divergent, au niveau purement morphologique. Le divin père est le Daghda "Dieu Bon", ou autrement Eochaidh Ollathair, "Eochaidh le Père", ou le Ruadh Rofhessa, "le Puissant de Grand Savoir", et la mère divine, comme Matrona et beaucoup d'autres déesses celtiques, est la personnification d'une rivière, dans ce cas-là *Boand* qui est maintenant la rivière Boyne, la rivière sacrée de l'Irlande qui, sous son double aspect, est le sujet d'une mythologie prolifique. Leur fils est Mac ind Og "le Jeune Fils/Jeune Homme" (aussi appelé Oenghus), qui est l'équivalent sémantique du Maponos britannique et continental. Selon la littérature irlandaise, il est un peu filou, comme, par exemple, quand, en trichant sur les mots, il dépossède son père du grand tumulus de Bruigh na Boinne (Newgrange).

Le chevauchement des fonctions

L'universalité des divinités dont nous avons parlé jusqu'ici est confirmée par une correspondance substantielle de titres et de fonctions, à travers tout le monde celte. Mais, comme nous l'avons vu, des noms spécifiques ne sont pas toujours appliqués avec cohérence dans le cas des dieux celtiques, du fait, déjà, que chaque dieu individuellement pouvait avoir plusieurs titres ou épithètes, qui pouvaient être indifféremment son appellation dans un contexte donné. Ceci n'est pas un problème dans la littérature irlandaise où la référence contextuelle identifie clairement le dieu, mais, dans les inscriptions romano-celtiques, une nomenclature différente peut sembler indiquer un nombre de divinités différentes, et des savants, qui l'ont ainsi interprété, ont été conduits à s'imaginer une multitude de dieux locaux qu'il est à peine possible de distinguer. Cette tendance est aggravée par le fait que les fonctions des dieux celtiques ne sont pas définies en réalité aussi précisément qu'une lecture un peu rapide de César pourrait le faire penser. Un bon exemple de ce fait est lié à un célèbre passage de la *Guerre civile* de Lucain, où il parle de sacrifices sanglants offerts aux trois dieux Teutatès, Esus et Taramis. Un commentateur postérieur à Lucain a utilisé deux sources principales, une qui assimile Teutatès à "Mercure", l'autre à "Mars". Ce n'est pas un gros problème, si, comme on l'a déjà suggéré, *Teutatès* est avant tout un titre ("dieu de la tribu") plutôt qu'un nom, cette confusion est facile à comprendre : le dieu de la souveraineté et des arts, Mercure, doit avoir aussi, naturellement, la fonction de guerrier, tandis que le dieu de la guerre, Mars, apparaîtra souvent comme le défenseur de la tribu. Leurs attributions se chevaucheront donc et

Cuillères de bronze rituelles provenant d'Irlande (sites inconnus) Ier siècle ap. J.-C. Dublin, National Museum of Ireland

l'accent principal, dans une circonstance spécifique, peut dépendre, en grande partie, des circonstances. Mars est particulièrement difficile à enfermer dans une correspondance stricte, puisque son association avec la guerre est un trait universel plutôt qu'un élément dé différenciation dans l'environnement héroïque de la tradition celtique, et l'irlandais, par lui-même, présente une prolifération de héros d'origine divine, qui sont des aspects multiples évidents, ou des avatars, du dieu guerrier que César désignait par le nom de Mars. Le point essentiel est qu'une mythologie vivante, telle qu'elle est reflétée, même de façon inadéquate, dans l'ancien irlandais et, à un moindre degré, dans l'ancien gallois, ne peut être que très éloignée de la précision laconique des notations de César, et, dans le cas du celte, la permutation normale des noms qu'accompagne le déplacement de la valeur régionale ou fonctionnelle, est intensifiée par le fait que les Celtes de Grande-Bretagne, de l'Irlande et de la Gaule ont été, pendant de longues périodes, des entités culturelles séparées. Le grand Finn ("le Beau") mac Cumhaill, chef d'une

*Tête en pierre
janiforme
de Corleck
(Irlande)
Iᵉʳ-Vᵉ siècles
ap. J.-C.
Dublin
National
Museum
of Ireland*

bande légendaire de chasseurs-guerriers et protagoniste de tout un cycle traditionnel irlandais, était, à l'origine, un dieu. Il est probablement à assimiler au Gwynn gallois (= Finn irlandais) ap Nudd, un autre chasseur-guerrier magique et, plus important, quelques-unes des légendes qui font partie du noyau central suggèrent qu'il est une variante d'un reflet du dieu Lugh.

De plus, la ressemblance est telle entre son cycle et celui du roi britannique Arthur qu'il nous est difficile de ne pas en conclure qu'ils représentent tous les deux un mythe insulaire celtique commun de l'héroïque défenseur du royaume contre les forces démoniaques du chaos. En l'absence de toute littérature, nous n'avons aucun moyen de savoir si ce mythe du protecteur existait en Gaule, et, s'il existait, à quel héros il pouvait se rattacher. Nul doute que, si nous étions en mesure de retrouver la mythologie perdue de la Gaule, nous trouverions une prolifération analogue d'histoires et de poèmes qui recouvrent un ordre et une économie internes, comme c'est le cas pour les littératures insulaires. Car, même succinctes, les notations de César sont sélectives. Il ne mentionne pas individuellement un certain nombre de divinités, dont Epona, qui semblent avoir été l'objet de cultes distinctifs. Ainsi, nous ne pouvons savoir où il aurait introduit le "dieu au marteau", Succellus "le Bon Frappeur", pour lequel il existe deux cents monuments, la plupart en Gaule, certains le citant nommément ; il l'aurait peut-être identifié à son "Jupiter", le dieu-père, comme de nombreux savants l'ont fait. Et le dieu a cornes – qui est célèbre sous le nom de Cernunnos, même si ce nom ne se trouve que dans une seule inscription d'un bas-relief de la période romaine, à Paris ? Sur la plaque bien connue du chaudron de Gundestrup, il est assis, typiquement, en tailleur, un torque dans une main, un serpent dans l'autre, et il est entouré d'animaux, mise en scène qui suggère qu'il peut bien être le dieu père sous l'aspect du Seigneur des Animaux. César lui-même, en fait, reconnaît que sa liste est incomplète quand il mentionne, séparément, un Dis Pater gaulois, dont les Gaulois, conformément à l'enseignement druidique, croyaient qu'ils étaient tous issus. Il est significatif qu'il assimile cette divinité au dieu des morts romain, car, ici, la tradition irlandaise fournit un parallèle qui ne peut guère être fortuit. Donn "le Brun /le Sombre" habite une petite île rocheuse, du nom de Tech Duinn, "la Maison de Donn", au large de la côte sud-ouest de l'Irlande, et il enjoint ses descendants (en d'autres termes, le peuple d'Irlande) de venir, après leur mort, dans sa maison. Dans la tradition littéraire ancienne, il représente le côté sombre du dieu de l'autre monde, en tant que seigneur des morts, et tend même à être assimilé au démon de la croyance chrétienne, mais la tradition populaire moderne, si elle retient cette caractérisation de l'autre monde, le révèle aussi comme un dieu aux facettes contrastées, bienveillant et terrible, provoquant tempêtes et naufrages, mais protecteur du bétail et des récoltes. Naturellement, tout ceci, César l'ignorait, mais la concordance essentielle entre son allusion et les indices irlandais épars est un témoignage révélateur de l'unité fondamentale de la religion et de la mythologie celtiques.

Continuité et innovation

C'est cette unité sous-jacente qui justifie notre utilisation du témoignage de la littérature insulaire pour apporter un complément aux témoignages artistiques et archéologiques du continent et de la Grande-Bretagne romaine, avec les mises en garde importantes déjà mentionnées, à savoir qu'il existait une censure consciente aussi bien qu'inconsciente de la tradition orale de la part des scribes de monastère, et que nos textes existants ont été écrits longtemps après que la paganisme druidique eut cessé d'être la religion du pays ; à cela, on pourrait ajouter le fait connexe que le remaniement de la narration mythique traditionnelle en vint à être de plus en plus inspiré par une sensibilité littéraire plutôt que religieuse, pour devenir, en fin de compte, ce que Dumézil a appelé de la *mythologie littérarisée*. Tout ceci a pour conséquence non d'annuler, mais de nuancer, la valeur rétrospective et comparative des textes insulaires, comme vont le montrer quelques exemples choisis. Georges Dumézil, qui fit plus que quiconque pour révéler les prolongements de l'idéologie indo-européenne dans les traditions irlandaises et autres traditions qui se perpétuaient, avait ceci à dire d'un certain exemple de récits analogues sur la fonction royale en Inde et en Irlande (exemple qui réunit deux héroïnes mythiques, la Medhbh irlandaise et la Māhdavi indienne) : "Nous avons certainement ici, conservé d'un côté par les druides, de l'autre par le 'cinquième Véda', non écrit, dont dérivé une large part de la poésie narrative postvédique de l'Inde, un fragment de la philosophie politico-religieuse indo-européenne, c'est-à-dire, quelques-unes des spéculations faites par les Indo-Européens sur le statut et le destin des rois Comme c'est typique pour les récits de l'Irlande médiévale qui ne sont plus liés à une religion ou bien à une idéologie encore vivante, l'histoire d'Eochaid, de ses filles Medb et Clothru et de son petit-fils Lugaid, est encore plus laïcisée et retravaillée comme littérature, malgré les événements merveilleux que l'on y peut trouver. Mais les lectures, comme nous avons pu le constater, sont les mêmes ."

Dumézil lui-même apportait bien d'autres exemples résiduels dans la tradition irlandaise et galloise de mythes et de structures idéologiques indo-européens qui présupposent l'existence antérieure d'un système complexe de doctrine socio-religieuse consciemment maintenue et cultivée pendant de nombreux siècles. Il a vu une confirmation de ce système théologique dans le fait que, comme l'avait montré Joseph Vendryes, les langues celtes, en commun avec les langues italiques et indo-iraniennes, gardent de nombreux éléments de l'ancienne terminologie indo-européenne en ce qui concerne la croyance et le rituel religieux : "Le maintien, sur les deux marges du domaine indo-européen, à l'extrême est et à l'extrême ouest, d'un vocabulaire aussi fortement lié à l'organisation sociale, à des actes, à des attitudes ou à des représentations religieux, n'est concevable que si des fragments importants du système de pensée préhistorique auquel appartenaient d'abord ces notions ont aussi subsisté.

Une absence notable dans les textes insulaires, c'est celle d'une trace quelconque de cosmogonie organisée, bien que César et d'autres auteurs classiques semblent avoir perçu l'écho de doctrines de cet ordre chez les druides gaulois, et que certaines parties du "Livre des invasions" *(Leabhar Gabhala Eirann)* concernant l'organisation de la terre d'Irlande et l'invention de ses institutions, sembleraient présupposer un corpus structuré de savoir cosmogonique. Ceci était, bien entendu, une des suppressions partiales dues au filtrage ecclésiastique. Une cible moins évidente pour les remanieurs chrétiens était le domaine de la cosmographie, et, ici, la littérature irlandaise et, à un moindre degré, la littérature galloise complètent le témoignage continental. La tradition selon laquelle l'Irlande comprenait cinq provinces est préhistorique, ainsi que l'attestent des textes juridiques archaïques : le mot même pour province, *coigedh,* littéralement "une cinquième", implique la conjonction des cinq provinces à l'intérieur d'une unité transcendante. Cette pentarchie comprenait les quatre provinces d'Ulster, Leinster, Munster et Connacht qui représentaient les quatre points cardinaux et qui encerclaient la province de *Midhe* "Milieu, Centre". A l'intérieur de Midhe se tenait Tara, le cœur de la fonction royale sacrale, et, à l'intérieur de Tara, la cour royale semble avoir été structurée comme une réplique microcosmique du macrocosme irlandais. Il est évident que ce schéma doit son origine à la doctrine druidique de cosmographie qui avait de proches analogies en Inde, en Chine et ailleurs, appartenant aux "grandes traditions" du monde. Le modèle complet ne semble clairement attesté que dans la littérature irlandaise bien qu'on puisse montrer qu'un élément essentiel, le culte du centre, est virtuellement universel chez les peuples celtes : la référence classique est la remarque de César que les druides gaulois se réunissaient dans un endroit sacré, sur le territoire des Carnutes, que l'on croyait être le centre de toute la Gaule. La notion d'un centre sacré symbolisant une unité culturelle est permanente dans la littérature irlandaise médiévale. Comme certains autres traits de l'idéologie traditionnelle, elle a survécu au déclin du rituel indigène, au moment où s'installait le christianisme parce qu'elle était intimement liée à ces institutions centrales de la société irlandaise qui introduisirent une grande partie de leur bagage idéologique dans l'ère chrétienne : la fonction royale sacrale et l'ordre des poètes érudits, les *filidh,* littéralement "devins", qui retinrent une grande partie du statut, de l'influence socio-politique et du conservatisme qui caractérisaient les druides avant eux.

Les tourbières
Barry Raftery

Bien que la forêt fût l'élément prédominant de l'environnement de l'Europe celtique, les tourbières, sur la périphérie septentrionale et occidentale, jouèrent aussi un rôle marquant. Les plus importantes sont celles du Danemark, de l'Allemagne du Nord, des Pays-Bas, de la Grande-Bretagne et, surtout, de l'Irlande. Les tourbières présentent un intérêt exceptionnel du fait propriétés de conservation de la tourbe. Ainsi des matériaux organiques, dont dés corps humains, ont été souvent conservés en parfait état.

Les tourbières, sans aucun doute, jouèrent un rôle majeur dans le mode de vie de ces peuples de l'Age du Bronze qui vivaient dans leur voisinage car c'étaient souvent de vastes étendues de terres incultes, détrempées, très accidentées, où dominaient les étangs et les nappes d'eau. Les tourbières offraient ainsi une certaine protection et étaient, pour les populations locales, une source importante de matières premières et d'oiseaux sauvages ; mais elles présentaient aussi un obstacle aux déplacements, car c'étaient des lieux dangereux. C'est ainsi que, pendant la période celtique, comme dans les temps plus anciens, on posait, pour les traverser, des chaussées de bois, qui attinrent un niveau technique d'une sophistication considérable. Il semble que les tourbières aient également tenu une place importante dans la vie spirituelle des gens et que des objets, des animaux et même des humains y aient été délibérément sacrifiés. Des trouvailles particulières peuvent recevoir diverses interprétations ; certaines au moins, cependant, doivent avoir été des dépôts à intention votive ; le célèbre chaudron en argent trouvé dans une tourbière à Gundestrup, au Danemark, ne peut guère être interprété autrement. On explique aussi plus aisément, de cette façon, des lots d'armes et autres articles précieux, souvent intentionnellement détériorés. Plusieurs trésors d'armes importants de l'Europe septentrionale, par exemple, sont considérés comme des offrandes déposées à la suite d'une victoire. On trouve aussi, dans les tourbières, des figures humaines sculptées dans le bois et, à celles-ci également, on reconnaît généralement un caractère votif.

La découverte, dans les tourbières, de corps humains de l'Age du Bronze celtique est, aussi, fréquemment considérée comme l'indice de sacrifices humains rituels. Il est clair, cependant, qu'il existe aussi, dans des cas particuliers, d'autres possibilités : exécution séculière, meurtre, inhumation de proscrits sociaux ou politiques, sans oublier le noyades accidentelles. Certaines sépultures de tourbière, cependant, peuvent bien avoir eu un caractère votif – parmi celles-ci, l'homme nu de Tollund, au Danemark, qui fut

Chaussée de bois dans les tourbières de Corlea (Irlande) 148 av. J.-C. Datation par la dendrochronologie

pendu, et le vieil homme et l'adolescente, trouvés ensemble à Windeby, en Allemagne du Nord, que l'on a, semble-t-il, noyés en leur attachant de lourds branchages pour les faire couler dans un trou d'eau de la tourbière. Le jeune adulte de Lindow Moss, dans le Cheshire, en Angleterre, qui avait été assommé à la hache, étranglé, et à qui on avait finalement tranché la gorge avant de le jeter dans la tourbière, est aussi considéré par la plupart des commentateurs comme un sacrifice rituel de l'Age du Fer.

Les trouvailles dé tourbière les plus communes sont peut-être les chaussées de bois. A l'Age du Fer celtique, celles-ci étaient devenues, dans certaines zones, des routes d'une construction complexe. Quelques-unes, mises au jour en Basse Saxe, dans le nord de l'Allemagne, sont parmi les plus imposantes. Là, on avait posé des chaussées de planches de chêne dé 3 à 4 mètres de long, visiblement afin de faciliter le passage aux véhicules à roues. De fait, associées à ces chaussées, on a trouvé des pièces de chars en bois. Un exemple particulièrement intéressant est le Bohlenweg XLII dans le Wittemoor. Là, ont été trouvées des figures humains stylisées, sculptées dans des planches de bois qui s'étaient jadis tenues au bord du chemin – peut-être des divinités dressées là pour invoquer la protection à un point particulièrement traître de la tourbière où la voie traversait un petit cours d'eau.

Une des plus grandes chaussées de bois de l'Age du Fer en Europe se trouvait dans la tourbière de Corlea, comté de Longford, dans le centre de l'Irlande. D'une longueur totale d'environ 2 kilomètres, elle était faite de lourdes planches de chêne, qui mesuraient jusqu'à 4 mètres de long, posées en travers sur deux supports longitudinaux parallèles. Les planches étaient fixées par des chevilles de bois qu'on avait enfoncées au marteau à chaque bout dans des mortaises. L'analyse des cercles de croissance du bois a permis de dater la route de 148 av. J.-C.

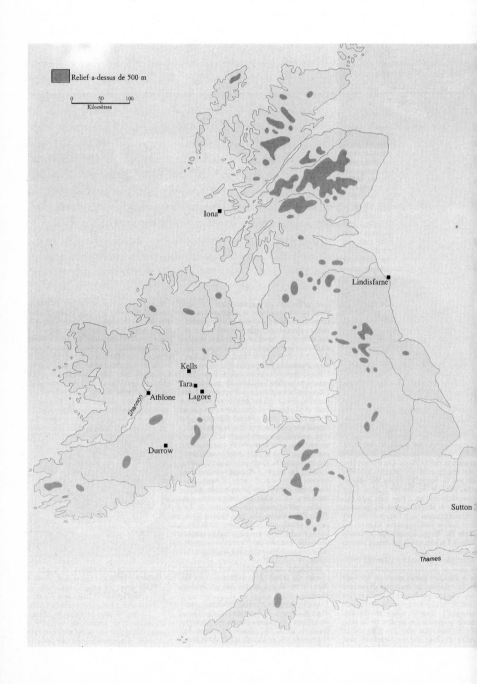

Les Celtes chrétiens

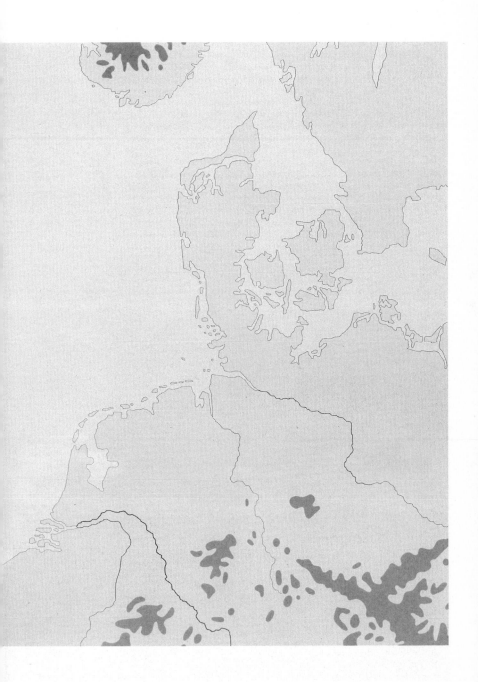

Les Celtes chrétiens
Michael Ryan

Au tout début de la période médiévale, les peuples de langue celtique de toute l'Europe étaient confinés dans les îles Britanniques (Grande-Bretagne, Irlande) et dans la péninsule armoricaine, au nord-ouest de la France. Les Celtes d'Europe continentale ont été longtemps soumis par la conquête romaine, et quoique certains traits culturels propres aient pu subsister quelque temps, la Gaule et le nord de l'Espagne n'étaient plus réellement celtiques. La présence actuelle en Bretagne d'une population importante parlant le celtique vient de migrations qui sont venues de Grande-Bretagne au Ve siècle ap. J.-C.

Les langues celtiques médiévales se divisent en deux catégories principales : le goïdélique, représenté de nos jours par l'irlandais moderne, l'écossais, le gaélique, et le mannois qui se parlait encore récemment sur l'île de Man. L'autre, le brittonique, était autrefois répandu en Grande-Bretagne. Il est conservé aujourd'hui par le gallois ; le cornique, parlé au moins jusqu'au XVIIIe siècle dans l'extrême sud-ouest de l'Angleterre, et le breton.

La conquête romaine de la Grande-Bretagne n'a pas été totale. Le nord de l'île, comprenant la plus grande partie de l'actuelle Ecosse, se trouvait hors des conquêtes romaines, et dans ces régions, de puissants royaumes médiévaux ont vu le jour. Des fortifications frontalières furent construites (les murailles d'Hadrien et d'Antonin). La frontière était constamment soumise à des pressions, et les murailles ont marqué les différentes évolutions de ce qui était la zone limitrophe, largement étendue vers le sud par rapport à son origine (Smyth 1984, 1-35 ; Laing, L. et J. 1980, 117). Au nord et à l'ouest de la muraille d'Hadrien se trouvaient des tribus britanniques, dont le royaume de Strathclyde était puissant au début du Moyen Age ; il a gardé son identité jusqu'au Xe siècle. A l'est, entre les murailles, les *Votadini* tenaient leur fort principal à Traprain Law, où un autre royaume celtique a survécu pendant le début de la période médiévale, pour ne succomber qu'à l'avancée des Angles de Northumbrie au début du VIIe siècle. La Northumbrie était un royaume puissant et agressif, qui s'était étendu à la fin du VIIe siècle dans l'est de l'Ecosse, et vers l'ouest, absorbant Dumfries et la péninsule de Galloway. La poésie héroïque galloise naissante raconte la tradition de résistance des Britanniques face aux Angles. Le "Goddodin", nom dérivé de celui de la tribu des *Votadini*, raconte une incursion héroïque à partir de la région d'Edimbourg, vers un endroit qui pourrait être reconnu comme étant Catterick, dans l'actuel comté du Yorkshire, ce qui montre que la résistance était bien avancée vers le sud en l'an 600. Le poème donne également un avant-goût de ce qu'était la société celtique héroïque : "Portant

Vue de l'île de Skellig Michael prise de l'extrémité sud-ouest de l'Irlande au sommet un petit monastère

une broche au premier rang, ou des armes au combat, un puissant homme dans la lutte avant le jour de sa mort, un champion de l'attaque à la tête des armées : sous son arme sont tombés deux mille cinq cents hommes de Deira et Bernicia, deux mille autres sont tombés et ont été détruits en une seule heure. Il préférerait que les loups le dévorent, plutôt que d'aller à son propre mariage, ou être une proie des corbeaux que d'aller à l'autel : il préférerait que son sang coule sur la terre que d'avoir des funérailles en bonne et due forme, revenant pour l'hydromel, avec les hôtes l'attendant dans l'entrée...

"Les hommes sont allés à Catraeth à l'aube, mais leur grand courage a écourté leur vie. Ils ont bu l'hydromel doux, jaune et envoûtant, un barde faisant la fête pendant un an. Leurs épées étaient rouges (que les lames ne soient jamais nettoyées), leurs boucliers étaient blancs, et les lances pointées devant l'escorte de Mynyddawg le 'fastueux.'

Il faut remarquer que la société qui a écrit ce poème était, au moins, chrétienne.

Au nord de la rivière Forth, se trouvait un peuple connu dans les dernières sources romaines et dans celles du début du Moyen Age comme les "Pictes", dont le nom semble dériver de l'argot de l'armée romaine, et qui désignait la pratique de la peinture sur le corps, comme César l'avait décrite auparavant chez les Bretons. L'écriture savante a poussé à accroître la confusion créée par les historiens crédules du début du Moyen Age, qui ont développé des théories extravagantes sur l'origine des Pictes et leurs institutions sociales (Smyth 1984, 36-83 ; Anderson 1987 ; Alcock 1987a). Les recherches récentes ont exagéré les éléments survivant dans les noms tribaux, et l'archéologie a montré que les motifs essentiels de l'Age de Fer et de la Culture Matérielle dominaient chez les Pictes. Une évaluation critique des sources historiques (celles-ci sont toutes externes, car aucun document picte authentique n'a survécu, à part une liste des rois, de la fin du Moyen Age et en très mauvais état) replace ce peuple dans son vrai contexte, comme étant un autre groupe de tribus celtiques, qui avaient presque achevé, vers la fin du VIe siècle, leur unité culturelle et politique (Smyth 1984 ; Alcock 1987a). L'art sophistiqué des Pictes est un des joyaux de l'histoire celtique récente (Ritchie 1989). Un ensemble de processus a mis un terme à leur indépendance politique au IXe siècle, lorsque les Ecossais de Dal Riada unirent le royaume des Pictes au leur sous Cinaed, fils d'Alpin. Entre-temps, ils avaient été considérablement affaiblis, sous la pression des Ecossais et des Vikings, et ils avaient été dirigés par un certain nombre de rois imposés. Il est habituel de lier les développements culturels matériels (en particulier dans le domaine de la sculpture) au contexte historique à peine ébauché, mais il n'y a aucun rapport évident et sans doute pas davantage une logique pour le faire.

A l'intérieur de la colonie, le degré de romanisation a dû fluctuer en fonction de la densité des ensembles urbains. Une partie de la vieille noblesse autochtone était probablement éduquée à la romaine, mais les

*Croix en pierre
à Caher Island
(Irlande)
VIIe siècle
ap. J.-C.*

classes dépendantes devaient être nettement moins romanisées. Dans certaines régions, une partie du pays de Galles et le nord de l'actuelle Angleterre, l'ordre social celtique a dû rester intact, parce qu'il était éloigné des zones d'influence des autorités (Smyth 1984, 1-35). L'Irlande n'a jamais été envahie par Rome. Le commerce avec l'Empire était important et il n'y a aucun doute que les marchands connaissaient bien l'Irlande. Au fur et à mesure que l'Empire sombrait dans les difficultés, vers le IIIe siècle, les Irlandais (*Scotti*) et les Pictes étendaient leurs incursions en Grande-Bretagne. Ils y furent bientôt rejoints par des guerriers germaniques venant de l'est. La défense de la Grande-Bretagne se compliqua au IVe siècle, lorsque les prétendants au trône impérial firent leur apparition, après l'avoir retiré aux légions et s'en être faits les protecteurs tandis qu'ils poursuivaient leurs ambitions sur le continent. On eut recours à un vieil expédient pour résoudre le problème (les mêmes personnes qui posaient le problème furent appelées à l'aide). Il semble clair désormais que des mercenaires germaniques s'établissaient à la fin du IVe siècle dans l'est de l'Angleterre. A ce même moment, les Irlandais formaient des colonies sur la côte occidentale, dans l'actuel pays de Galles et les régions situées au nord, en dehors de la province, en Ecosse occidentale, où ou assiste à l'apparition du royaume de Dal Riada de part et d'autre de la mer (Nieke et Duncan 1988 ; Smyth 1984). Les savants ont voulu voir dans les démonstrations de respect tardives pour le prestige de Rome une preuve que les chefs celtes étaient alliés de Rome, mais ceci est difficile à justifier. Les preuves, la plupart linguistiques et littéraires, ne se distinguent guère des *Imitatio Imperii* très répandues du monde médiéval (Thomas 1981a, 278). Les légions romaines se retirèrent en 406 ap. J.-C. En 410 ap. J.-C., en réponse à l'appel de la Grande-Bretagne, l'empereur Honorius dit aux Britanniques de s'occuper de leur propre défense. L'Empire vivait sa crise ultime à l'ouest.

Après la retraite des légions, il y eut une résurgence des noblesses autochtones en Grande-Bretagne, d'une part dans la province même, et d'autre part venant du nord de la frontière à la suite de l'incursion de divers groupes. La société semble être revenue rapidement à des modèles de l'Age de Fer (Alcock 1971, 88-113). Ceci suggère que la romanisation était restée très superficielle, quoiqu'il y ait des preuves archéologiques qu'une culture "romanisée" s'était maintenue en Grande-Bretagne jusqu'au Ve siècle, caractérisée par l'occupation des villes.

Les envahisseurs germaniques sur l'est de la Grande-Bretagne continuèrent à représenter un problème, et les traditions plus tardives disent que les rois britanniques les employaient comme mercenaires. Pendant le Ve siècle, les colonies germaniques grandirent jusqu'à ce que la balance démographique à l'est penche en faveur des nouveaux arrivants, et qu'ils commencent à assumer le pouvoir de leurs anciens maîtres. Les peuples d'origines germaniques diverses, aujourd'hui nommés Anglo-Saxons, ont progressivement dominé l'actuelle Angleterre, à travers un long processus, férocement contesté, de conquête continue, pendant le début du Moyen Age. Ceci est le point de vue adopté généralement, mais des estimations récentes (Laing, L. et J. 1990, 81-85) ont suggéré que l'influence des peuples germaniques était minime, et qu'ils s'étaient simplement installés, en assurant la gestion de zones rurales pendant quelque temps, sans mélanger les ethnies ni toucher aux institutions des villes. Toutefois, il existe une théorie qui dit que la très grande majorité de la population était romano-britannique, et qu'elle était dominée par une petite élite venue d'outre-mer. Personne ne soutient sérieusement que la population originelle ait été décimée par les nouveaux arrivants, mais les preuves manquent pour démontrer sa survivance massive, notamment dans le domaine de l'artisanat, où les témoignages sont rarissimes. Il y eut un changement significatif dans la population à la suite de l'expansion anglo-saxonne au sud et à l'est de la Grande-Bretagne. On le voit dans les rituels funéraires et dans la religion, les modèles de villages, la langue, les institutions sociales, le nom des lieux, et au fur et à mesure que la conquête avançait, la culture celtique, même romanisée, déclinait.

On peut déduire d'après dés sources postérieures qu'en Irlande le vieil ordre politique était en train de se disloquer aux IVe et Ve siècles. De nouvelles dynasties agressives émergeaient et allaient dominer pendant les cinq cents ans à venir. Leurs conflits avec d'autres vieux royaumes déclinants allaient fournir les sujets de sagas considérées trop littéralement comme une description la société de l'Age de Fer (Jackson 1964 ; Mallory 1981). Dans la moitié nord de l'île les Ul Neill, une fédération de parents en décomposition tenait la prestigieuse royauté de Tara. Au sud, un groupe identique, les Eoganacht, dominaient, d'après des textes postérieurs, en prenant le titre de roi de Cashel ou roi de Munster (O' Corrain 1972, 1-27 ; Byrne 1973, 165-201).

La société irlandaise naissante est décrite dans les lois anciennes (Kelly, F. 1988). Il existait une multitude de petits royaumes, qui avec le temps tombaient sous le contrôle de royaumes plus importants. Il n'est pas très réaliste de parler d'un roi d'Irlande avant le Xe siècle, quoiqu'il y ait eu un bon nombre de prétendants avant cette date. L'opposition était telle que toute accession au trône semblait vaine. Les dynasties agressives donnèrent un espoir de réalité entre les Xe et XIIe siècles, mais il engendrait toujours autant de sujets de dispute. L'économie était agricole et l'élevage très important. La loi était censitaire et le statut reconnu en combinant la naissance et la richesse. Le roi était avant tout un chef de guerre, il agissait en tant que juge, mais la sauvegarde de la loi et son interprétation reposaient entre les mains des "brehons". Ces derniers étaient des juristes consultants et représentaient un groupe parmi les classes instruites héréditaires. Il n'y avait pas de villes, ni de frappe de monnaie, et l'écriture "oghamique" se limitait à de simples inscriptions commémoratives. L'alphabet oghamique était un système de traits, tracés dans un sens ou dans l'autre, coupant l'arête d'une pierre. Il s'est avéré qu'il dérive de l'écriture latine. Il est probable que cette forme d'écriture ait été développée en Irlande, mais on trouve aussi dés pierres oghamiques dans le pays de Galles, où elles pourraient signaler la présence irlandaise, ainsi que dans l'île de Man et en Ecosse. Un certain nombre d'inscriptions oghamiques des Pictes ont défié la traduction.

Le christianisme était bien installé dans la Grande-Bretagne romaine, des le IVe siècle (Thomas 1981a). Il y avait une certaine communauté chrétienne en Irlande au début du Ve siècle et, en 431 ap. J.-C., le pape envoya Palladius comme évêque aux Irlandais croyant en Jésus-Christ. Il fut ensuite suivi par saint Patrick, Britannique qui avait été réduit en esclavage dans sa jeunesse, après avoir été capturé par des conquérants irlandais. Sa mission remporta le plus grand succès, et son Eglise eut la primauté pour les temps à venir. On fonda l'Eglise épiscopale irlandaise. Le monachisme y fut ajouté avec enthousiasme au VIe siècle, comme une conséquence de l'influence de Grande-Bretagne et de Gaule ; vers le VIIe siècle, de grandes fédérations monastiques apportèrent leurs particularités au christianisme irlandais. L'importance de la domination monastique dans les affaires de l'Eglise et la dérive de l'Irlande vis-à-vis de l'administration de l'Eglise "régulière" dans les premiers temps, sont discutées (Sharpe 1984).

Le Ve siècle a sans doute connu des missions dans le sud-ouest de l'Ecosse, venant de l'Eglise indigène britannique (Thomas 1981a, 275-285). La tradition situe l'église de Nynia (Ninnian) à Whithorn dans le Galloway, et il est certain que sa mission a eu lieu au début du Ve siècle. Une pierre sur laquelle figurent des inscriptions plus tardives et quelque peu barbares en l'honneur d'un certain Latinus et de sa fille fait supposer, d'après Thomas, qu'il y a eu au moins trois générations de chrétiens dans le courant du VIe siècle. A Kirkmadrine dans le Galloway, se trouve une autre pierre relativement récente, à la mémoire de deux évêques, Viventius et Mavorius, qui sont d'ailleurs inconnus. Le christianisme semble s'être répandu à travers l'Ecosse du Sud, parmi les Britanniques et les Pictes du Sud, vers 600 ap. J.-C., mais les sources restent très vagues et l'archéologie ne nous aide que très peu.

Les choses s'éclaircissent lorsqu'on considère les travaux de christianisation parmi les *Scotti* de l'ouest de l'Ecosse et les Pictes du Nord. Saint Columba était un aristocrate membre d'une dynastie puissante du nord de l'Irlande; il établit un monastère à Iona en 563, sur une petite île au large de la côte écossaise qui devint un des hauts lieux de l'instruction du nord-ouest de l'Europe. C'était aussi l'église principale des *Scotti* de Dal Riada en Ecosse. Des missions furent lancées depuis Iona vers les Pictes, et le monastère devint un médiateur vital dans la politique de l'époque, marquée par les rivalités des Pictes, des Ecossais, des Britanniques et des Angles. Les prêtres d'Iona, à travers leurs relations dans l'aristocratie et leurs monastères dépendants en Irlande, jouissaient d'un grand prestige et avaient une grande influence (Smyth 1984 ;

Herbert 1988, 36-46). Mais aucun n'était aussi puissant que le parent et biographe de Columba, le père Adomnan, ami du roi de Northumbrie et de Bède le Vénérable, qui conseillait les rois irlandais, et qui malgré toute son isolation apparente, était un auteur cosmopolite écrivant en latin élégant. Ses œuvres circulaient largement à travers toute l'Europe médiévale.

Iona devint le lieu le plus important dans la transmission des échanges culturels entre l'Irlande et la Grande-Bretagne, aux VIe et VIIe siècles, peut-être à cause de sa localisation particulière. Les réfugiés politiques angles étaient éduqués à Iona. L'un d'eux, Oswald, monta au trône de Northumbrie et donna un évêque à Iona. La conversion de son peuple commença, sans l'aide de la mission romaine pour les Angles. Aidan fut envoyé, et les grands monastères de Melrose et Lindisfarne, et beaucoup d'autres, furent les fruits de son travail. Une forte composante celtique qui devait sans aucun doute associer des éléments pictes et irlandais fut greffée sur la culture de la Northumbrie angle. Ceci portera des fruits spectaculaires dans la renaissance de la Northumbrie, à partir du VIIe siècle, malgré d'âpres disputes sur la manière de calculer Pâques (l'Eglise irlandaise adhérait à des méthodes très anciennes et qui ne coïncidaient pas avec la date romaine). La dispute tourna en faveur des procédés romains, au synode de Whitby, en 664 ap. J.-C. Malgré le désistement de certains moines irlandais et de quelques adhérents saxons, l'influence de l'Eglise irlandaise survécut dans le nord de l'Angleterre, et les relations entre les deux îles restèrent solides (O'Croinin 1984). Ces contacts étaient le moyen par lequel les influences anglo-saxonnes continuaient à s'étendre vers le nord, dans le pays des Pictes, vers l'ouest, en Irlande ; Iona restait un lien décisif.

De plus amples contacts de l'Eglise fournirent les moyens par lesquels d'autres influences pouvaient arriver. Les moines irlandais travaillaient en Europe depuis la fin du VIe siècle. Columbanus (Colomban), fondateur de Bobbio en 614 ap. J.-C., avait d'abord œuvré en Gaule, où il avait établi des maisons, à Annegray et Luxeuil, auxquelles il transmit sa "règle". Son disciple, Gall, établit une fondation à Sankt Gallen, qui renferme encore une importante collection de manuscrits insulaires ; il y en eut beaucoup d'autres. Les pèlerinages à Rome devinrent importants dès 630. L'Eglise irlandaise y envoya une délégation pour connaître la bonne méthode de célébrer Pâques.

L'Eglise procura plus qu'un semblant superficiel d'idées religieuses et esthétiques. Le christianisme changea profondément les territoires celtiques. L'apprentissage du latin permit une ouverture sur le savoir du monde antique (la philosophie, la littérature, la loi, et entre autres, la technologie). L'Eglise prit une attitude sociale qui se manifesta fortement vers le VIIe siècle, avec l'établissement de conventions pour la protection des non-belligérants en temps de guerre. L'organisation monastique était si forte qu'elle pouvait servir de guide et garantir un consensus pour l'action commune, ce que pouvaient lui envier les petits rois qui devaient se

Forteresse de pierres sèches de Dun Oghil Aran Island (Irlande) Ier-Ve siècles ap. J.-C. (?)

concilier par des largesses leurs parents et leurs sujets. La pratique du sanctuaire, la tradition de consacrer les enfants à l'Eglise, la protection des veuves et des orphelins s'ajoutaient à l'accumulation de terrés et de fermiers, concentrant ainsi dans les monastères un pouvoir enviable qui leur permit de prendre en charge les travaux de la terre, l'exploitation et la construction de routes, de former des groupes spécialisés d'ouvriers, et par conséquent de développer l'économie. Les monastères devinrent les dépôts des richesses séculaires, des lieux lucratifs de pèlerinage où aboutissaient les dons des fidèles. Ils constituèrent une force nouvelle et puissante dans la société, et les dynasties royales qui dédaignaient leur contrôle, le firent à leur péril (Doherty 1980 ; 1985 ; Ryan 1988, 32-35). Les peuples celtiques qui n'avaient pas été conquis par Rome trouvaient en l'Eglise un véhicule de la culture de l'Empire.

Le lieu type d'habitat en Irlande était le "rath", ou "ringfort", petit enclos circulaire variant de 30 à 100 mètres de diamètre, dans lequel se trouvait une maison et parfois une dépendance. Au début, les maisons étaient rondes, mais, plus tard, elles prirent une forme rectangulaire. La culture matérielle était celle de l'autarcie et du fermier aisé. Une image confirmée par les lois anciennes décrit minutieusement les biens des différentes catégories de nobles, en rapprochant la taille de la maison et le nombre de remparts du statut de son occupant. Nous pensons toutefois qu'il y a une certaine idéalisation dans ces lois. La simple subsistance et le travail du métal sont prouvés sur la plupart des sites, mais quelques "raths" ont fourni des témoignages de travail sur métal de très haute qualité, et d'autres comme Garranes dans le comté de Cork

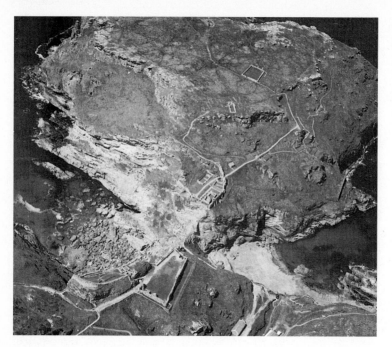

(O'Riordain 1941-2) ont montré qu'il y avait du commerce, par la présence de poteries exotiques de l'est de la Méditerranée, datant du Ve siècle. D'autres n'ont pas fourni de preuves d'occupation et n'ont dû être que des enclos pour le bétail. Dans l'ouest et les hautes terres pierreuses de l'Irlande, l'équivalent du "rath" était le "cashel" construit en pierre. Les fouilles révèlent les memes types de matériel. Nous ne savons rien des habitations des classes dépendantes.

Dans les tourbières du centre de l'Irlande, les résidences de statut élevé étaient construites sur des îles artificielles, ou artificiellement élargies quand elles étaient naturelles, appelées "crannogs" du mot irlandais "crann" qui signifie arbre. La tradition du crannog remonte à la fin de l'Age de Bronze, et s'est perpétuée jusqu'au XVIIe siècle ap. J.-C. Leurs habitants partageaient aussi la culture matérielle des raths. Certains crannogs comme celui de Lagore, du comté de Meath (Hencken 1950-1), peuvent etre identifiés comme des sites royaux, comme l'ont été certains raths ou cashels. Lagore a révélé une riche culture matérielle des VIIe et VIIIe siècles, avec des traces d'une manufacture locale raffinée, travaillant sur le métal.

En Ecosse, le crannog existe également : celui de Buston dans l'Ayrshire a dévoilé un ensemble d'objets identique à celui des sites irlandais. La description reste très variée, avec de grandes fortications au sommet des collines, notamment dans les territoires pictes et parmi les Britanniques de Strathclyde (Alcock 1987a, *sq.* 82). Certaines d'entre elles ont été longtemps occupées. Ceci contraste avec l'Irlande, où les grands forts de l'Age de Fer ne furent que peu utilisés pendant le Moyen Age, mais con-nurent un immense prestige au début de la période médiévale, en ayant eu dans certains cas le rôle de lieu d'assemblée. Le grand enclos au sommet d'une colline de Traprain Law, au sud d'Edimbourg, était occupé pendant la période romaine. Les excavations ont permis de dévoiler des détails du développement de la culture matérielle, pendant une période décisive pour la compréhension des évolutions plus tardives. La forteresse de Dunald dans l'Argyll, considérée par certains mais avec des arguments fragiles, comme étant le centre du royaume de Dal Riada, a d'abord dû être un site picte (Nieke et Duncan 1988). D'autres sites de ce genre comprenaient Dumbarton et Edimbourg.

A Burhead, un large promontoire était fermé par un rempart. Dans l'ouest et le nord de l'Ecosse existait une longue tradition de constructions en pierré, qui remontait jusqu'à l'Age de Fer. Des maisons circulaires ou d'autres bâtiments possédant plusieurs pièces sur un rez-de-chaussée avaient été construits, tout comme des protections en pierre, proches des cashels irlandais édifiés dans la tradition qui existe depuis l'Age de Fer local. Des habitations sans clôturé ont été retrouvées dans le nord du territoire picte.

En Irlande et dans le sud du territoire picte, les caves étaient chose courante. Il s'agissait de pièces souterraines, aux murs de pierres sèches, où l'on accédait par un dédale de longs passages munis de moyens de défense. Elles étaient reliées en général aux lieux d'habitation. Dans le pays de Galles et le sud de l'Angleterre, des forts de grandes dimensions ont connu des réutilisations dans la période post-romaine immédiate, et d'autres sites clôturés plus petits sont également connus (Alcock 1987b, 153-167 ; Alcock 1988, 23-29 et 40-46). Dans le Cornwall (Cornouailles), des "rounds", petits sites clôturés, proches des raths irlandais, continuaient à être utilisés pendant le début de la période médiévale. On pense aujourd'hui que les plus grandes fortifications, réparées ou reconstruites au début du Moyen Age, n'avaient pas d'usage militaire et n'étaient que des centres d'administration et de redistribution. Dans le pays de Galles, le petit fort de Dinas Powys renfermait des poteries exotiques de l'Est méditerranéen, d'autres

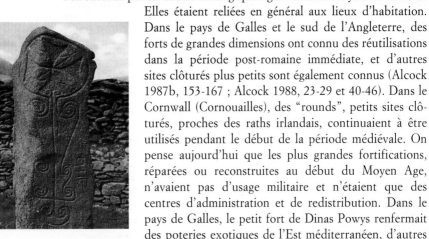

Croix en pierre de Reask (Irlande)

plus tardives de l'ouest de la Gaule, ainsi que du cristal romain et germanique, à côté de raffinés travaux locaux sur métal. Tout ceci permet de comprendre les relations commerciales et les activites économiques, comparables à celles des sites irlandais (Alcock 1987b, 7-149).

La chronologie de cette première période est en grande partie fondée sur la présence de poteries de l'Est méditerranéen sur les sites d'habitat. Plus tard, la poterie de l'ouest de la Gaule se répand davantage et devient plus courante (Thomas 1959 et Thomas 1981b). On commet souvent l'erreur de croire que ces importations se faisaient en masse, et que la poterie importée était fréquente dans les sites au statut plus élevé, mais, dans de nombreux cas, la quantité d'objets trouvés dans les excavations pourrait ne représenter, en fait, qu'une petite quantité de poteries. On pourrait y voir les effets d'un certain nombre de relations commerciales éphémères avec le Nord-Est méditerranéen pendant la période de la fin du Ve siècle et du milieu du VIe siècle (Fulford 1989). On a souvent remarqué que les premières importations étaient essentiellement représentées par l'huile et le vin, ce qui reflète les besoins liturgiques chrétiens, mais on y trouve aussi des services de table.

Tandis que la Grande-Bretagne avait connu trois cent cinquante ans de constructions romaines, l'Eglise apportait en Irlande une architecture inédite (Craig 1982, 25-48). Les premières églises ont dû être réalisées en bois. Les églises en pierre ne firent leur apparition qu'au VIIIe siècle et devinrent communes au IXe et au Xe siècle dans des monastères au statut élevé (Hamlin 1985, 283-286). Cependant le bois continua à être utilisé. Des traces de constructions en bois ont été retrouvées sous des églises en pierre plus tardives, mais on ne sait pas s'il s'agissait de charpentes de toits en pierre, ou des restes d'un édifice primitif en bois, remplacé par la suite. Aucune église du début de l'époque chrétienne irlandaise n'a été fouillée, mais les plans types monastiques sont connus à partir des VIIe et VIIIe siècles (Hamlin 1985, 280-283). Les ensembles sont fermés par un ouvrage de terre ou un mur de pierre, souvent semi-circulaire, l'église est désaxée par rapport au centre. Les premiers fossoyeurs utilisaient comme stèles des pierres sur lesquelles étaient taillées de petites croix, ou parfois des ornements, comme à Reask, comté de Kerry. Ces pierres sont aussi connues en Ecosse et dans le pays de Galles, mais elles restent particulièrement difficiles à dater. Quelquefois, elles portent les motifs simplifiés des premiers thèmes iconographiques chrétiens, ou des symboles comme le "chi-rho", le monogramme du Christ, également à Reask. Plus tard, elles sont remplacées par des blocs couchés, souvent richement décorés avec le répertoire du style de l'art indigène parvenu à sa maturité.

La forme du monastère s'est standardisée au IXe siècle. Les normes comprenaient deux murs d'enceinte. Le mur intérieur séparait le lieu sacré de celui où étaient menées des activités plus communes. Au centre, des édifices publics (la maison des abbés, le campanile [une tour ronde], une grande église en pierre et de grandes croix sculptées) étaient construits dans les monastères qui pouvaient se le permettre. Les églises étaient des bâtiments rectangulaires et sobres ; les portes étaient parfois embellies d'une croix taillée. Le toit en pierre était une caractéristique irlandaise. Dans ses dernières évolutions, il était supporté par une voûte en berceau, empruntée sans doute aux constructions continentales. Vers le XIIe siècle, les jubés firent leur apparition. Des décors romans, et leurs ornements, vinrent s'y ajouter. On a souvent fait remarquer que ces églises se terminaient par des pignons du type *ANTAE*, qui étaient des surélévations des murs latéraux au-dessus des combles, avec de larges assises, imitant les constructions en bois (Craig 1982, 28-30).

Les tours rondes, hautes, effilées, culminant en pointe conique, étaient une adaptation des techniques locales de construction qui imitaient les clochers continentaux. Elles semblent s'être développées au XIe siècle, et ont continué à être construites jusqu'au XIIe siècle. On en connaît certains exemples agrémentés de détails romans. Dans certains cas, la tour ronde était adaptée afin de former une flèche surgissant a travers le toit en pierre de l'église. Il n'y a qu'une seule église locale en Irlande qui suive les modèles romans. La chapelle de Cormac à Cashel, comté de Tipperary, trahit l'influence des traditions britanniques à travers ses sculptures. Malgré son inspiration plus "exotique", elle conserve le toit en pierre traditionnel.

L'architecture en Ecosse s'inspire vaguement des modèles irlandais avec de simples églises en pierre et même des tours rondes à Abernethy et Brechin. Les plans des monastères, plus particulièrement dans l'Ouest et le Nord, reflètent la connaissance irlandaise (Thomas 1971, 1-90). Il y avait une autre tradition dans la construction, historiquement prouvée. Elle dépendait de la Northumbrie romanisante, jusqu'à ce que l'abbé Ceolfrith de Jarrow envoie ses maçons au roi des Pictes pour construire une église. Le style roman pénétra plus tôt en Ecosse qu'en Irlande dans sa forme pure, comme le montre l'église Queen Margaret, à Castle Rock (Edimbourg). Dans l'île de Man, de simples églises clôturées, les "keeils", reproduisaient dans leurs grandes lignes les modèles irlandais, mais à une échelle plus réduite. A l'époque des Vikings furent élevés des croix ou des blocs en forme de croix munis d'inscriptions tuniques et d'ornements scandinaves.

Le style celtique de La Tène semble s'être installé en Grande-Bretagne et en Irlande à l'Age de Fer, en ayant survécu par la suite à la colonisation romaine, dans une moindre mesure dans le sud de la Grande-Bretagne, mais très solidement dans le Nord et en Irlande. Il y a une controverse à propos du lieu et de l'importance de la survie de cet art sur les deux îles, parce que le style qui apparaît au début de la période médiévale doit certes son esprit à la tradition de La Tène, mais se voit très influencé par les genres et les motifs des provinces romaines, comme les palmettes et les *peltae* (volutes en formé de "C"). Parmi les motifs qui peuvent se retrouver dans la tradition de l'Age de Fer, deux sont les plus courants : la trompette (faite de deux courbes divergentes et d'une forme ovale en guise de pavillon) et la spirale qui se termine par une tête d'oiseau (il s'agit souvent d'une tête de canard portant une crête).

L'artisanat du métal représente au mieux le style du début du Moyen Age, souvent à travers des volutes gravées et émaillées, et, plus tard, de volutes en réserve sur fond d'émail rouge en champlevé. Les plus répandus sont les fermoirs dissimulés, comme la broche "penannulaire" se terminant par une tête d'animal stylisée, et les "hand pins". Il s'agissait là d'épingles munies d'une tête en forme de plateau semi-circulaire, surmonté d'un certain nombre d'ornements tubulaires, ressemblant à une main d'homme avec les doigts tendus vers l'avant. Ces bijoux remontent à la fin de la période romaine, mais ils ont connu leur plus grande vogue

*Tour d'Ardmore
(Irlande)
X^e-XIe siècles
ap. J.-C.*

entre le Ve et le VIIe siècle. La seule véritable sculpture de cette époque est un monolithe, à Mullaghmast, comté de Kildare, en Irlande (Kelly 1983). Il porte les ornements caractéristiques de cette période, qui apparaissent sur les parures personnelles. Pendant la même période en Écosse, une série d'ornements en métal furent fabriqués, portant les symboles énigmatiques qui seront représentatifs de la sculpture picte par la suite (Youngs 1989, 27-8). Parmi ceux-ci, les plus connus sont des objets en argent en forme de feuilles, provenant du trésor de Norries Law (Fife), et une série de chaînes en argent.

Un autre objet qui représente le style celtique au comble de sa sophistication est le bol suspendu. Ces ustensiles étaient fabriqués à partir des prototypes romains qui possédaient des crochets de suspension. Les écussons des crochets étaient faits de plaques travaillées en émail, qui utilisaient tout l'éventail de motifs et de techniques existants dans les ateliers celtiques entre 550 et 650 ap. J.-C. L'immense majorité d'entre eux a été retrouvée dans les tombes anglo-saxonnes du sud-ouest de la Grande-Bretagne, ce qui peut à première vue sembler surprenant, mais qui s'explique parce que nos connaissances des travaux sur métal dans les régions celtiques s'appuient sur des trouvailles fortuites isolées et des découvertes occasionnelles sut les sites d'habitat. Les Anglo-Saxons continuèrent à enterrer les biens dans les tombes selon la coutume, longtemps après que les Celtes britanniques et les Irlandais l'eurent abandonnée. Les bols à suspension doivent être considérés comme des importations, enterrées dans les tombes païennes au même titre que les biens exotiques byzantins, coptes ou mérovingiens. Des efforts ont été faits pour voir dans les bols à suspension la preuve d'une survivance d'ateliers britanniques dans les régions conquises. Mais ceci reste peu plausible.

On ne trouve d'objets comparables par leur esthétique, et de semblables traditions, qu'en dehors des régions conquises par les Anglo-Saxons, et surtout en Irlande, lorsqu'on considère les bols à suspension les plus élaborés.

Les différents genres de métaux révèlent une sophistication croissante dans l'ornementation, les motifs deviennent plus complexes. Des motifs floraux et de nouvelles couleurs émaillées font leur apparition. En Irlande, des verres *millefiori* commencent à être utilisés à la fin du VIe siècle et certaines fibules penannulaires et épinglés sont décorées de plaquettes de ce matériau, placées sur un fond d'émail rouge. Certains bols sont décorés de *millefiori*; le plus grand bol à suspension, celui de la sépulture anglo-saxonne de Sutton Hoo, est aussi le plus impressionnant. De récentes découvertes ont mis en évidence le fait que l'origine artistique de cet objet doit être cherchée dans le centre de l'Irlande (Bruce-Mitford 1987 ; Ryan à paraître). Les fouilles ont démontré que les ateliers capables de produire ces ustensiles existaient aussi bien en Irlande que dans le nord et l'ouest de la Grande-Bretagne. La seule localisation sûre d'un atelier qui ait produit un bol à suspension est à Craig Phadraig, dans l'Invernesshire. On y a trouvé un moule qui servit à fabriquer les écussons.

Il est évident que les artisans irlandais et les Celtes britanniques étaient en contact étroit pendant les Ve et VIe siècles, produisant des objets très similaires. En fait, les pièces réalisées en Irlande étaient essentiellement en bronze et le *millefiori* était très courant. En Ecosse, l'argent était plus répandu, mais le *millefiori* n'apparaît pas. Les trouvailles du pays de Galles sont plus décevantes, quoique le site de Dinas Powys ait révélé des témoignages d'utilisation du *millefiori.* Mais il ne faut pas croire que le *millefiori* était limité à cette époque aux territoires celtiques. Il en existe de splendides exemplaires dans la bijouterie purement germanique de Sutton Hoo, notamment dans les harnais de chevaux de la sépulture : ils étaient faits sur mesure pour chaque monture.

Les contacts plus nombreux avec les Anglo-Saxons entraînèrent au VIIe siècle des modifications importantes dans les arts des territoires celtiques. Ces contacts étaient sans doute dus dans leur majorité aux activités des missionnaires, mais les différentes campagnes des conquêtes de rois de Northumbrie dans le sud de l'Ecosse assurèrent une continuité qui n'était pas forcément conflictuelle et maintint des liens entre les Pictes et les Angles, reflétés par la suite dans les arts de l'époque. La conséquence fut pour les artisans du métal un apport substantiel de nouvelles techniques – la dorure, le filigrane, le moulage imitant l'entaille ou "kerbschnitt", l'adoption ou la transformation d'animaux du style germanique – ainsi que l'imitation de toute une nouvelle gamme d'effets visuels. L'attention s'était portée sur les composantes anglo-saxonnes, à cause d'une présence irlandaise bien documentée en Ecosse et dans le nord de l'Angleterre, mais on oublie trop

Page ornée de miniatures portant les initiales XPI du livre de Kells (Irlande) VIIIe siècle ap. J.-C. Dublin, Trinity College

souvent les liens de l'Eglise missionnaire irlandaise avec l'Europe.

L'Irlande et l'Ecosse doivent beaucoup au monde germanique en ce qui concerne l'art de cette époque, mais aucune de ces deux régions n'a fourni beaucoup d'objets pouvant être considérés comme germaniques, dans le sens le plus large. Nos arguments se fondent sut des imitations de modèles et d'influences importés, déjà adaptés à un style nouveau lorsqu'on les rencontre sur des objets locaux. Il est prouvé, dans le cas de l'Irlande, que des étudiants anglo-saxons entraient en nombre dans les monastères, pour leur éducation. Vers la fin du VIIe siècle, existaient déjà au moins trois fondations anglo-saxonnes.

Les artisans celtiques du métal n'étaient pas que de serviles imitateurs de modèles empruntés, mais des adaptateurs pleins d'imagination qui mariaient leurs traditions indigènes aux influences méditerranéennes, afin de développer un nouveau style décoratif d'une grande complexité et d'un grand raffinement. C'était avant tout un style polychrome. On le considère très souvent comme un genre purement ornemental, abstrait, et non pictural, mais au VIIIe siècle, il lie avec succès ces caractéristiques à l'iconographie chrétienne aussi bien sur métal que dans les enluminures, puis au XIe siècle à des programmes ambitieux de représentations de scènes sur la pierre.

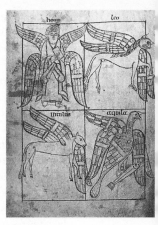

Miniatures sur une page du livre d'Armagh comportant les symboles des quatre évangélistes (Irlande) 807 ap. J.-C. Dublin, Trinity College

Le développement du style est suivi, généralement, dans l'enluminure du VIIe siècle et du début du VIIIe (Alexander 1978). Une telle démarche s'inspire de l'opinion erronée que les manuscrits sont correctement datés et leurs provenances fiables. Mais il n'en est rien. La plupart des manuscrits de style insulaire ayant des colophons originaux et dates les situent sur deux ou trois décennies environ, et tous au IXe siècle, ou même plus tard. Les dates des premiers exemplaires, y compris les plus importants, se limitent à des déductions, ou se fondent sur des témoignages postérieurs. Certaines choses sont claires : il y eut une contribution irlandaise importante au style insulaire de peinture de manuscrits. Les caractéristiques irlandaises de l'écriture se retrouvent sur les premiers manuscrits de la tradition – le psautier connu comme le *Cathach of Saint Columba*, considéré comme écrit vers 600 ap. J.-C. La réduction progressive de la taille des caractères appelée "*diminuendo*", le travail ornemental effectué sur les majuscules, et le zoomorphisme naissant dans les décors sont déjà utilisés. Un manuscrit contemporain proche, aujourd'hui à Milan mais autrefois au monastère de Saint-Colomban à Bobbio, contient une page purement décorative d'un genre simple. Il s'agit du prototype des "pages-tapis" des manuscrits luxueux des temps a venir.

Il ne fait aucun doute que les missions de Columba dans le nord de la Grande-Bretagne ont joué un rôle décisif dans la mise au point de l'art de l'enluminure. Beaucoup considèrent le livre de Durrow comme l'un des premiers évangiles de luxe, qui nous soient parvenus. Il a été peint soit en Irlande, où il y avait un milieu artistique bien développé, soit dans un monastère de très nette orientation irlandaise, dans le nord de la Grande-Bretagne. Il expose tout le savoir de l'évangéliaire insulaire parvenu à maturité – le *diminuendo,* les majuscules travaillées, et les pages-tapis. La plupart des ornements sont des enjolivures en forme de trompette, de spirale, ou d'ovale. Les entrelacs sont une innovation dans les canons celtiques, et sont utilisés pour la première fois : les contours pointillés, et surtout une page entière ornée d'animaux, de type anglo-saxon. La date du livre de Durrow teste controversée : on prétend qu'il appartient au VIIe siècle, mais ce n'est aucunement prouvé.

Un fragment de manuscrit de la bibliothèque de la cathédrale de Durham peut être un maillon du développement du style zoomorphe dans les manuscrits. Il contient notamment une page complète consacrée à la Crucifixion. En matière de manuscrits, le nouvel art atteint sa pleine maturité avec le livre de Lindisfarne peint au monastère du même nom en Northumbrie, et, dans la ferronnerie, avec la broche de Tara, provenant de l'est de l'Irlande, tous deux ayant dû être produits vers la fin du VIIe siècle ou le début du VIIIe.

Une inscription du livre de Lindisfarne dit qu'il a été écrit "pour Dieu et pour Saint Cuthbert" par l'évêque Eadfrith de l'église du livre de Lindisfarne, et l'on croit que l'occasion de sa réalisation fut le transfert des reliques du saint en 698 ap. J.-C. Ce n'est pas certain, mais cela n'a pas une importance majeure, vu l'incertitude des dates qui affecte l'ensemble des objets de cette époque. L'ornementation du livre de Lindisfarne est superbe (Bruce-Mitford 1960). On y trouve des tables de canon très élaborées, des portraits d'évangélistes, des pages-tapis et des majuscules embellies. Les enjolivures en forme de trompette, souvent accompagnées d'éléments zoomorphes, les spirales, les entrelacs

Miniatures du livre de Lindisfarne Londres, British Library

d'animaux, les bêtes contorsionnées avec des détails anato-
miques crédibles, et les oiseaux constituent le répertoire. L'animal est souvent un quadrupède au long corps, représenté de profil avec le torse retourné et les pattés postérieures écartées. Les portraits des évangélistes montrent clairement l'aspect romanisant qu'a pu avoir la renaissance de
Northumbrie dans l'influence artistique, mais son style de
décoration est lié à celui d'un certain nombre d'objets de
l'est des Midlands en Irlande. La fibule de Tara est la plus
somptueuse parmi le genre nouveau d'épingles vestimentaires. Elle est faite d'argent coulé en forme d'anneau, dont
la moitié est réservée à l'exécution des ornements. Elle est
équipée d'une épingle à pivot très élaborée et décorée d'une
tête. Ce fut l'une des premières dans le genre "annulaire", en
vogue en Irlande aux VIIIe et IXe siècles (O'Floinn 1989). Ses
ornements, représentés sur des panneaux rappellent la forme des brochés

*Fibule de Tara
en argent doré
provenant
de Bettystown
VIIIe siècle
ap. J.-C.
Dublin, National
Museum
of Ireland
• p. 667*

penannulaires, mais sa riche ornementation de filigranes, avec des marges
ornées d'oiseaux et d'autres bêtes, rappellent lés motifs germaniques. C'est un
objet hybride, qui démontre l'assimilation des goûts locaux aux caractéristiques empruntées, pour créer un nouveau style. Ces décors d'animaux de
processions d'oiseaux, de motifs en forme de trompette avec des éléments
zoomorphiques abstraits, rappellent fortement les peintures de Lindisfarne. Il
existe une fibule presque analogue, celle de Hunterston, trouvée dans
l'Ayrshire en Ecosse (Stevenson 1973). Un autre ornement est comparable sur
l'élément de porte, ou de coffret, trouvés récemment à Donore près de Kells
dans le comté de Meath. Ici aussi le répertoire de Tara-Lindisfarne est reproduit en "kerbschnitt" (profonde incision) coulé sur un disque en bronze légèrement ciselé, qui donne l'impression d'une peinture. La pièce de Donore
comporte l'ensemble stylisé d'une poignée annulaire suspendue à une tête de
lion, montrant la tentative de l'artisan d'adapter un modèle classique aux
goûts et à la technique locaux. Ces éléments étaient probablement associés à
une église (Ryan 1987a).
Les trésors du temps des Vikings et des trouvailles fortuites ont préservé
une grande partie des œuvres en métal irlandaises des VIIIe et IXe siècles.
Les plus importantes sont les découvertes de vases liturgiques à Ardagh,
comté de Limerick, et à Derrynaflan, comté de Tipperary (Ryan 1985). Un
grand calice sacerdotal muni de deux poignées, ainsi qu'une grande patène
provenant de Derrynaflan, portent le style polychrome à son plus haut degré
de perfection (Organ 1983 ; Ryan et O'Floinn 1983). Du cristal moulé et
émaillé imite les pierres gemmés cloisonnées, des filigranes d'entrelacs
d'animaux d'un raffinement remarquable, des ornements coulés, la gravure,
des feuilles estampillées, des mailles de fil de fer tressé sont agencés de telle
sorte qu'ils forment des ensembles d'une beauté stupéfiante et d'un aspect
tout particulier. Ils appartiennent tous à la fin du VIIIe siècle, et, en les examinant de près, on remarque que leur ornementation offre des parallèles
avec le travail anglo-saxon de l'époque, parfois modifié et transformé, puis

648

rendu dans un style plus irlandais. Malgré le style insulaire, l'ornementation se fonde sur les derniers modèles romains, qui sont ses seuls "ancêtres" satisfaisants, des panneaux de frises décorés de bêtes (Ryan 1987b ; Ryan 1990). Le calice de Derrynaflan, quoique beaucoup moins coloré, n'en est pas moins ambitieux dans la composition, et démontre que le grand style de l'ornementation a survécu à l'impact des premières incursions des Vikings en Irlande. Les panneaux de filigrane sont plus inégaux quant à leur iconographie, et relèvent davantage de la tradition des broches annulaires : ils restent cependant vigoureux et relativement bien dessinés par endroits. En revanche, on ne trouve aucun émail sur ce calice, ce qui s'accorde avec le déclin de la polychromie survenu avec le début des invasions vikings (Ryan 1987c, 71).

En Ecosse, la broche penannulaire est restée en vogue, mais son ornementation ne faisait pas le poids face aux formes annulaires irlandaises. Des fibules filigranées de grande qualité étaient fabriquées aussi bien que des exemplaires plus simplement décorés en "kerbschnitt". Un grand trésor trouvé sur l'île de Saint Ninian, dans les Shetland, contenait des bols décorés et de nombreuses fibules en alliage à faible teneur en argent, confirmant la continuité de l'artisanat du métal chez les Pictes. Les antécédents du bol peuvent être trouvés parmi les vaisselles romaines tardives, et Wilson (1973) a rejeté les explications qui définissaient ces objets comme du matériel liturgique.

Les reliquaires sont les objets les plus communs conservés de cette période. Une châsse de livre provenant de Lough Kinale, comté de Longford, a été trouvée récemment : elle témoigné de la pratique, par les Irlandais, de la conservation de livres vénérés au VIIIe siècle. Les châsses en forme de maison (ou de tombe) sont beaucoup plus répandues. Des fragments ou des exemplaires entiers ont été retrouvés en Irlande, en Ecosse, en France, en Italie et même en Scandinavie, où ils ont dû être emportés à l'époque des Vikings (Blindheim 1986). Les châsses ont la forme d'une

Fermoir en argent de Roscrea (Irlande) IXe siècle ap. J.-C. Dublin, National Museum of Ireland

boîte transportable imitant en apparence un édifice au toit pointu, peut-être une église ou une tombe. Les premiers exemples peuvent se diviser en trois catégories essentielles : ceux dont la décoration métallique est incrustée dans le bois de la châsse (celles de l'abbaye San Salvatore et d'Emly) ; ceux dont la châsse en bois est recouverte de feuilles de métal, souvent décorées (à Monymusk et Copenhague) ; ceux qui sont entièrement métalliques (comme l'exemplaire découvert récemment à Bologne). Tous les exemplaires connus ont des médaillons appliqués et des moulures parfois ornées de têtes d'animaux. Deux châsses, celles de l'abbaye San Salvatore et de Copenhague, renferment des corps, des reliques, qui pourraient être d'origine. Les fleurons d'un grand exemplaire sont conservés au musée dé Saint-Germain-en-Laye et d'autres, parfaitement analogues, provenant peut-être de la même châsse, ont été trouvés à Gausel en Norvège (Webster 1989, 145). Le dessin de ces châsses peut refléter la forme des premières églises en Irlande et en Ecosse, représentées sur les grandes croix du IXe siècle, et sur la page de la Tentation du livre de Kells.

Le culte des reliques était très développé en Irlande, et d'autres reliquaires restent intacts. La châsse de Moylough Belt destinée à conserver la dépouille d'un saint inconnu du VIIIe siècle, mélange l'émail, les *millefiori* et l'argent estampillé, d'un très bel effet. Son inspiration semble venir des garnitures d'une ceinture franque du début du VIIe siècle, mais elle n'a été réalisée que longtemps après. D'autre part, aucune garniture de ceinture de ce genre n'a été retrouvée en Irlande.

Écrin reliquaire en cuivre, fer verre et émail VIIIe-IXe siècles ap. J.-C. Bologne Museo Civico Medioevale

Pendant que l'on fabriquait le calice de Derrynaflan, les incursions des Vikings avaient commencé, et les croyances conventionnelles considèrent qu'elles entraînèrent de véritables dévastations pour l'art irlandais : mais il s'agit d'une exagération. Il est vrai qu'en Irlande et chez les Pictes d'Ecosse les matériaux précieux étaient cachés (le trésor de l'île de Saint Ninian a été caché peu après 800 ap. J.-C.), préservant ainsi un ensemble de bols pictes de grande qualité, des fibules et d'autres objets qui montrent les liens étroits qu'ils avaient avec le grand style d'Irlande et les arts de Northumbrié (Wilson 1973). Il est vrai aussi que des tombes de Vikings en Norvège et ailleurs renferment des objets irlandais ou proches, brisés, réutilisés ou entiers, dont certains étaient à usage religieux (Wamers 1985). Les annales irlandaises parlent des effets dévastateurs des Vikings, et même le révisionnisme, à la mode actuellement, ne peut nier le choc qu'ont dû constituer les invasions pour les contemporains. Malgré tout, l'artisanat du métal poursuivit son travail en Irlande, et certaines des plus grandes œuvres artistiques appartiennent à la fin du VIIIe siècle et au début du IXe. Dans l'enluminure, le livre de Kells était aussi bien orné à cette époque que le livre de MacRegol, beaucoup plus ambitieux, et l'élégant livre d'Armagh, remarquable par ses dessins à l'encre (Alexander 1978, 71-78). Cette même période connut une explosion étonnante de la sculpture sur pierre. Des le début, dans les deux régions, les inscriptions sur un pilier simple ont ouvert la voie à des sculptures plus recherchées. Le riche système symbolique des Pictes reste mal compris. On le retrouve sur des monolithes des le VIIe siècle (Henderson 1967 ; Jackson 1984). Certains de leurs animaux symboliques ont une proche ressemblance avec le style des symboles évangélistes du livré de Durrow. Aux VIIIe et IXe siècles, de grandes tablettes pointues furent sculptées. Elles ont une croix en relief sur une face, et des scènes narratives très vivantes sur l'autre. Les symboles traditionnels apparaissent aussi sur ces monuments chrétiens, quoique certains ornements en relief manquent. Sur les

Miniature d'une page du livre de Kells Illustrations de la Tentation de l'évangile de saint Luc. Irlande VIIIe siècle ap. J.-C. Dublin, Trinity College

pierres chrétiennes les plus sophistiquées, comme la tablette de Nigg, sont représentées des scènes iconographiques. Des serpents entrelacés d'une très grande complexité, des spirales, dés ornements en forme de trompette sont chose commune, tout comme l'habitude de les associer à des motifs en relief marqué. Les liens de l'art des manuscrits avec le livre de Kells, créé en partie à Iona, sont nets (Ritchie 1989 pour des illustrations plus récentes et meilleures). Des croix monumentales isolées sont connues dans le sud de l'Ecosse, plus spécialement dans les régions sous influence de la Northumbrie. Des exemplaires sculptés à Iona et d'autres lieux proches dans les îles de l'Ouest apparaissent vers 800 ap. J.-C. C'est à celles-ci qu'est liée la tradition des grandes croix irlandaises (De Paot 1987).

Le monastère de Columba fut transféré à Kells dans les Midlands irlandais au début du IXe siècle, face aux incursions des Vikings. C'est là que s'est développée la tradition des croix avec un anneau, provenant des influencés d'Iona. Il se trouve que les croix irlandaises typiques ne sont pas plus anciennes que cette époque (Henry 1964 et chapitres de Henry 1965 et 1967). En un siècle, une variété de traditions locales est née, avec des ornements emphatiques (ceux d'Ahenny, comté de Tipperary et autres exemples), d'autres, caractérisés par une iconographie de figures sophistiquées (le meilleur exemple est celui de Muiredach Cross à Monasterboice, comté de Louth, construit au début du Xe siècle) et d'autres, prenant part dans l'extension des caractéristiques communes. Il existe certains exemples particuliers comme la croix de Moone, comté de Kildare, sculptée au IXe siècle. Ses motifs rendus d'une manière naïve

Croix en pierre dite de Muiredach à Monasterboice (Irlande) Début du Xe siècle ap. J.-C.

ne parviennent pas à dissimuler la sophistication de son iconographie et la diversité cosmopolite des influences qu'elle implique: aussi bien italienne que northumbrienne et indigène. Elles ont toutes en commun l'organisation de figurines dans des scènes et des ornements abstraits sur des panneaux discrets. Pratiquement toutes possèdent aussi la forme en anneau dite "celtique", qui était apparue à l'origine sur les œuvres de métal et les tablettes gravées du VIIIe siècle qui représentent pour la plupart une couronne honorant la Croix de la Rédemption (Roe 1965). Certaines explications typologiques ont été proposées pour éclaircir ce détail. La tradition de la sculpture est restée très vigoureuse pendant les Xe et XIe siècles, et s'est transformée au XIIe siècle sous l'influence romaine, avec l'apparition de grandes croix sans anneau, taillées comme d'immenses crucifix et sans représentation de scènes. Ceci marque le triomphe de l'Eglise romaine "régulière" sur l'Eglise indigène dominée par les monastères, remporté au XIIe siècle par les réformateurs.

Quels étaient alors les effets des Vikings en Irlande ? Ils établirent les premières villes séculaires, sur la côté (Dublin, Wicklow, Wexford, Waterford, Cork, Limerick) qui devinrent de grands centres de commerce et de manufacture, et des lieux de main-d'œuvre. Ces villes avaient des maisons en torchis qui appartiennent à la tradition locale comme cela a été dit. Les fouilles auront encore à nous révéler les bâtiments et les lieux publics car nous manquons de modèles satisfaisants qui puissent nous éclairer sur la manière et le degre de planification des ensembles de constructions. Aucune partie de l'ancienne Dublin n'a été fouillée, à l'exception du cimetière, aux XIXe et XXe siècles, et cela de façon relativement hasardeuse. Les autres dépôts examinés ne remontent pas plus loin qu'au IXe siècle, quoique la ville ait été établie au milieu du VIIIe siècle. Nous ne savons pas quels étaient les rapports des villes installées par les Vikings avec les sites monastiques indigènes qui se trouvaient dans leur voisinage. Il y en avait un certain nombre autour, ou même dans Dublin. A Waterford, des restes plus ambitieux ont été

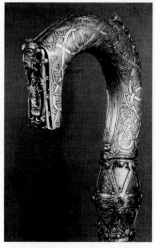

Crosse en bois plaquée de bronze Clonmacnoise (Irlande) Fin du XIe-XVe siècle ap. J.-C. Dublin, National Museum of Ireland
• *p. 668*

trouvés : des maisons enterrées avec des marches en pierre mises à ciel ouvert avaient aussi des caves en pierre.

Rien de similaire à ces nouvelles agglomérations n'avait été vu précédemment en Irlande. Elles ont sans doute dû influencer les grands centres monastiques qui devaient jouer en partie le rôle de villes. C'est plus spécialement au IXe et au Xe siècle que les grands monastères ont développe leurs caractéristiques de base et leurs caractéristiques urbaines. La richesse des villes ne pouvait pas être ignorée des rois locaux. Au Xe siècle, les dirigeants locaux recevaient leurs ordres de Dublin, et au XIe siècle, ils commencèrent l'introduction de rois représentatifs ou d'officiels pour les villes côtières.

En Ecosse, les conquêtes vikings étaient extensives au nord et dans les Hébrides, Orkney et Shetland. Ils conquirent l'île de Man, et grâce à des enclaves sur la côte britannique, ils dominèrent les eaux irlandaises pendant près de trois siècles. Des populations mélangées apparurent rapidement, et des stylés d'art hybrides se créèrent. Les ornements des croix mannoises ne sont pas exclusivement scandinaves, mais contiennent aussi des éléments particuliers de la région maritime irlandaise.

Artistiquement, les emprunts immédiats à l'art viking sont difficiles à percevoir en Irlande. Le commerce des Scandinaves à l'est a apporté de grandes quantités d'argent. Ceci provoqua l'émergence de styles de fibules qui abandonnèrent les effets colorés de l'émail afin d'opter pour le "brillant glacé de l'argent" (Henry 1967, 112). Il est indubitable que les guerres des Vikings provoquèrent des perturbations, mais il n'y a aucune raison qui soutienne que ces bouleversements étaient suffisants pour provoquer l'extinction de la production artistique locale. Le style artistique de Vikings n'a pas eu d'influence avant le XIe siècle, alors que leur système politique et militaire était déjà sur la pente du déclin, et que les caractéristiques scandinaves dans l'art irlandais avaient été absorbées par l'Angleterre danoise (Graham Campbell 1987, 150-1).

Au XIe siècle, une série d'importants reliquaires fut réparée ou créée (O'Floinn 1987). L'un d'entre eux, le Soiscel Molaise, la châsse d'un livre, était recouvert de plaques décoratives au début du XIe siècle. Quelques-uns sont décorés de motifs d'inspiration viking, mais le décor principal reste attaché aux particularités locales (O'Floinn 1983, 161-3). La châsse du manuscrit du VIIe siècle, le *Cathach of Saint Columba*, a été faite à la fin du XIe siècle à Kells, et sa décoration originale comporte des éléments du style "Ringerike" scandinave. Un bâton d'évêque ambitieux, l'"Innisfallen crozier", a été fait à la même époque ou un peu plus tôt. Il porte de beaux filigranes dans un style qui imite une broche "kite" récemment découverte, dans les dépôts du XIe siècle à Waterford. Dublin a révélé l'existence d'une école de sculpture sur bois et os, qui agrémentait les ensembles des châsses et des autres travaux sur métal.

Le style des "Urnes" scandinaves a été en vogue au XIIe siècle en Irlande alors qu'il avait été supplanté sur ce territoire. La châsse de saint Patrick

Livre reliquaire dit "Soiscel Molaise" venant de Devenish (Irlande) Fin du VIIIe-début du XIe siècle ap. J.-C. Dublin, National Museum of Ireland

Bell, faite aux alentours de 1100 ap. J.-C. est une des représentations les plus élégantes dans ce style, mais le summum reste la croix de Cong, réalisée vers 1123 ap. J.-C. afin d'enchâsser une relique de la véritable Croix, probablement à Roscommon.

Les bâtons pastoraux sont parmi les objets les plus courants de cette époque, celui de Clonmacnoise, comté d'Offaly, porte sur la crosse une belle composition d'argent incrusté et des entrelacs d'animaux dans une variante irlandaise du style de Ringerike. Le bâton pastoral de Lismore, fait avant 1118 ap. J.-C., n'utilise pas que le style sophistiqué des ornements des "Urnes", mais aussi des motifs qui remontent à l'art des VIIIe et IXe siècles. Ces objets tardifs marquent dans leur domaine propre un retour à la polychromie et à la renaissance des temps bien plus anciens.

La vigueur de la réforme de l'Eglise, la disparition de la menace des Vikings, l'arrivée de rois puissants qui introduisirent une nouvelle manière d'administrer leurs royaumes, tout cela a contribué à cet art partiellement nouveau et partiellement renaissant. L'arrivée d'ordres monastiques réguliers d'Europe, le déclin des grands monastères locaux, et enfin l'invasion anglo-normande en 1169 ap. J.-C., signifièrent la perte des modèles habituels pour les artistes locaux. Ainsi, une tradition qui avait préservé l'esprit de la période des migrations et même l'esthétique de l'Age du Fer s'est évanouie en Irlande comme elle l'avait fait en Ecosse. Il y eut encore quelques tentatives de retour dans le courant du Moyen Age, mais rien d'aussi grandiose qu'auparavant ne sera plus réalisé dans les arts visuels. Les plus grands monuments des peuples celtiques se trouvèrent désormais dans la littérature.

L'émail
Günther Haseloff

L'émail à l'époque de La Tène

A l'époque de La Tène, les Celtes utilisaient fréquemment l'émail pour l'ornementation polychrome de leurs travaux en métal. Cet émail est toujours de couleur rouge même si celle-ci s'est modifiée par décomposition chimique au cours du temps. L'émail fut utilisé par les Celtes parallèlement au corail. Une ancienne interprétation qui suppose le corail antérieur à l'émail, et remplacé par celui-ci à cause du manque de matière première, s'avère fausse d'après les recherches de Paul Jacobsthal. Comme il a pu le prouver, le corail et l'émail rouge apparaissent simultanément et parallèlement.

Composition chimique de l'émail

L'émail rouge qui a servi aux Celtes est composé de verre de quartz et d'une faible addition de plomb. La masse de verre est colorée en rouge grâce à l'adjonction de bioxyde de cuivre Cu_2O. Comme celui-ci se transforme habituellement en oxyde de cuivre, CuO, de couleur verdâtre sale, lors de la fusion, le bioxyde de cuivre (Cu_2O) doit être travaillé dans des conditions réductrices, c'est-à-dire avec exclusion de l'oxygène. Dans la plupart des cas, il semble qu'on ait chauffé la masse de verre rouge juste assez pour l'amollir et pouvoir l'insérer ensuite dans les creux prévus. Pour obtenir une meilleure adhérence de l'émail sur la base métallique, cette dernière était rendue rugueuse au préalable. Dans les ateliers d'émail découverts à Bibracte (Mont Beuvray), ont été trouvés de nombreux objets en métal dont l'émail était tombé à cause d'une adhérence insuffisante.

Technique

On distingue deux techniques différentes dans l'utilisation de l'émail. Premièrement l'émail est fondu dans des champs creux (émail champlevé), deuxièmement, l'émail, en tant que partie solide, est appliqué sur le métal et fixé sur celui-ci au moyen de pointes.

Comme exemples de la technique de l'émail champlevé, citons entre autres le casque d'Amfreville, les anneaux de rênes de Waldalgesheim, où l'émail s'est détaché, le disque de Cuperly, dont les quatre reliefs convexes sont décorés à l'émail rouge, et finalement les deux cruches (*Schnabelkannen*) de Basse-Yutz sur la Moselle, où la protubérance du couvercle est décorée par la technique du champlevé.

Comme exemple du deuxième procédé – l'émail rouge en application – mentionnons le casque de Saint-Jean-Trolimon (Finistère) où on a trouvé également de restes de coraux mais aussi les nombreux torques à pastilles dont les surfaces rondes sont décorées avec des applications d'émail. Elles sont pour la plupart fixées à l'aide d'un rivet. Les applications plus ou moins plastiques portent souvent un décor incisé. Des illustrations sont fournies par les torques de Nebringen (Bade-Wurtemberg), de Beine (Musée de Saint-Germain-en-Laye) avec des décorations à incisions radiales, et une fibule de Münsingen avec un pied décoré d'émail.

Une série d'objets portent les traces de l'utilisation simultanée de l'émail et du corail: les anneaux de rênes de Waldalgesheim, les disques de Berru, et le torque à pastille de Beine. Sur les trois disques de ce dernier, se trouvent des applications d'émail alors que dans les sillons à l'extrémité de l'anneau sont insérés les coraux longitudinaux. Enfin, la protubérance du couvercle des deux cruches de Basse-Yutz décorée surtout au corail est un bon exemple de l'émail champlevé rouge.

L'émail celte sur les îles Britanniques

L'utilisation celte de l'émail atteint son apogée sur les îles Britanniques peuplées à l'époque pré-romaine par les Celtes. A partir du IIIe siècle av. J.-C., l'utilisation de l'émail est attestée en Grande-Bretagne, dans un premier temps parallèlement au corail. L'émail celte de cette époque préromaine est toujours de couleur rouge. Malgré la conquête romaine de l'Angleterre, les travaux d'émail décorés dans un style celte ont encore été réalisés au cours du Ier et probablement du IIe siècle av. J.-C. Ils sont relativement nombreux et de haute qualité.

Le bouclier en bronze de la rivière Witham (British Museum) est décoré avec des applications de corail rouge. On retrouve celui-ci sur les fibules de la culture d'Arras. En Angleterre, l'utilisation de coraux s'est conservée jusqu'à l'époque de La Tène III. Le bouclier en bronze de la Tamise, près de Battersea, présente un quadrillage métallique en forme de croix gammée insérée en résille dans l'émail rouge. Le casque de la Tamise près de Waterloo Bridge ainsi qu'un second en provenance d'un site inconnu sont décorés avec des bossettes plates qui en surface présentent de nombreuses entailles dans lesquelles était inséré l'émail rouge ramolli. La plupart des travaux d'émail celte de Bretagne est composée d'éléments de chars et de harnachement qui proviennent presque tous de trésors enfouis vers le milieu du Ier siècle, c'est-à-dire à l'époque de la conquête romaine. Ils reflètent la fabrication celte d'émail en Bretagne. La décoration consiste en motifs traditionnels celtes, en forme de spirale et d'esse avec des figures au volume alterné (découvertes de Polden Hill, Somerset et de Santon, Norfolk).

Occasionnellement on trouve aussi de l'émail jaune par exemple sur des bracelets provenant souvent d'Ecosse et décorés avec des motifs floraux ou en damier d'émail rouge et jaune.

Plaque de bronze ajouré avec incrustations d'émail de Paillard (Oise) Ier siècle ap. J.-C. Breteuil, Musée archéologique de la région de Breteuil
• *p. 669*

L'émail celte en Irlande

En Irlande, restée en dehors de l'Empire romain, la fabrication celte d'émail continue sans interruption. Souvent il s'agit de petites surfaces ou de sillons comme sur lesdits *spear butts*, talons de lance. Les ferrures du type Somerset méritent d'être mentionnées en particulier. Les yeux des têtes d'oiseau stylisées de la "Couronne Petrie" ont été décorés à l'émail rouge. Généralement, on date les travaux d'émail irlandais de ce type des premiers siècles avant ou après J.-C. avec l'accent sur le Ier siècle ap. J.-C. On ne connaît pas de travaux de ce type pendant les IIIe et IVe siècles, jusqu'à l'"*Early Christian Period*" (du Ve au VIIIe siècles), lorsque débuta une production d'émail extraordinairement riche. Les formes les plus anciennes sont les fibules

penannulaires, les épingles et les ferrets ornés en rouge. Leur décor s'enrichit d'une part de motifs en palmette de l'époque romaine tardive, d'autre part des dessins curvilinéaires de la tradition celte, avec une nouveauté : l'utilisation de *millefiori* fabriqués probablement en Irlande même (Garranes, comté de Cork).

Un groupe important de travaux d'émail est constitué par lesdits *hanging-bowls,* des coupes en bronze pourvues d'attaches (*escutcheons*) pour la fixation des crochets de suspension. Parallèlement à des motifs en spirale, provenant de la tradition celte plus ancienne se développe sur les *hanging-bowls* une ornementation particulièrement audacieuse qui s'exprime par un jeu de fines spirales et de motifs renflés en forme de trompette. Le plus bel exemple est le grand *hanging-bowl* de la découverte de Sutton Hoo. Bien que la plupart des bols à suspension provienne de tombes anglo-saxonnes, il est indiscutable que ces travaux purement celtes ont été fabriqués en Irlande ou dans l'Ouest celtique de la Bretagne.

L'apogée de l'émail irlandais de la fin du VIIe siècle jusque vers 800 est marqué par une décoration extrêmement riche du matériel. On cite le calice d'Ardagh, la fibule de Tara et la patène de Derrynaflan. Ces objets sont ornés à l'émail ou au verre selon les techniques toutes nouvelles. On trouve du verre

Plaque de bronze perforé avec incrustations d'émail de Hambledon (Grande-Bretagne) 1er siècle ap. J.-C. Houston Collection Menil

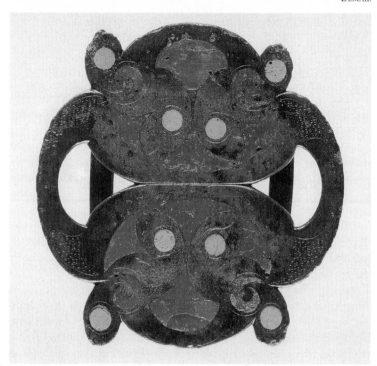

Détail de bouclier orné d'émail rouge, de la Tamise à Battersea (Grande-Bretagne) Fin du 1er siècle av. J.-C.- début du 1er siècle ap. J.-C. Londres, British Museum • p. 670

bleu translucide, rouge opaque et jaune opaque. Des boutons à bossette – pourvus d'un quadrillage argenté – sont couverts d'émail plat dont les parties de couleurs différentes sont séparées par de fines lamelles argentées. Une troisième variante est du verre, coulé dans un moule de terre, avec des motifs creusés dans lesquels on verse du verre d'une autre couleur. Par opposition à l'émail irlandais plus ancien, les dessins quadrillés, compliqués de l'*Early Christian Period*, constituent l'apogée de la production irlandaise d'émail. Aux VIIIe et IXe siècles tardifs, apparaissent de nouveaux motifs en émail. Sur la ceinture ornementale de Moylough, datée de la deuxième moitié du VIIIe siècles, apparaissent à côté de boutons quadrillés des décors de champs longitudinaux d'émail constitués de cellules en forme de L et de T, remplies d'émail rouge et jaune avec un complément de verre *millefiori*. Un exemple particulièrement beau de ce genre d'émail irlandais nous est donné par le seau de la tombe d'Oseberg, dont les attaches d'anse forment deux figures humaines, dans la position du "Bouddha", constituées d'émail rouge et jaune, riche en *millefiori*.

La musique et les Celtes

J.V.S. Megaw

Les Celtes, qui sont dans la croyance populaire et les connaissances historiques une société particulièrement attachée à la musique, la poésie et la danse, ne nous ont laissé que peu de témoignages de leur facture instrumentale et de leurs compositions. Les objets aujourd'hui définis comme étant des instruments de musique proviennent en grande partie des limites, voire de l'extérieur des frontières du monde celtique préhistorique habituellement défini dans le temps et l'espace. Ce n'est qu'avec l'expansion de l'Empire de Rome, dans les premiers siècles après J.-C., accompagnée de l'introduction ou de la réintroduction d'instruments de musique méditerranéens, que les preuves ont considérablement augmenté.

Statuette en bronze d'un joueur de double flûte de Százhalombatta (Hongrie) VIᵉ siècle av. J.-C.

En fait, ce n'est pas l'absence de preuves matérielles qui complique la résurrection des anciennes sonorités de la musique. Sous la période de La Tène, du Vᵉ siècle av. J.-C. jusqu'à l'introduction de la monnaie, l'art celtique est caractérisé par l'inexistence d'écrits ou de dessins : la documentation est par conséquent indisponible. Pourtant, il est clairement démontré que la musique et la danse étaient un trait important des rites, en particulier lors des actes funéraires, dont la tradition touchait le centre et l'est de la région de Hallstatt au début de l'Age du Fer, et leurs cultures voisines du nord de l'Italie et de la côte Adriatique. En ce qui concerne le tout début de l'Age du Fer (VIIᵉ siècle av. J.-C.), deux sources iconographiques sont disponibles : les bronzes décorés de la Vénétie et l'artisanat sur métal de l'est de la culture de Hallstatt, d'une part, et le "Kegelhalsgefässe" trouvés dans les riches sépultures, à l'est de Hallstatt, dans la région de Sopron au nord-ouest de la Hongrie, dans le Steiermark en Slovaquie, d'autre part.

Tandis qu'en Vénétie la musique et les musiciens semblent accompagner la fête, elle fait partie de la danse et des cérémonies en Europe centrale. Parmi les quatre types d'instruments découverts, la lyre à quatre cordes prédomine dans les deux régions, rappelant son homologue grec. La flûte de Pan, munie de cinq tubes, est l'instrument le plus répandu, avec la lyre, sur les peintures artisanales. Les flûtes de Pan proviennent sans doute de l'Europe de l'Est plutôt que de la région méditerranéenne. Dans la région de l'est de Hallstatt ont été répertoriées au moins trois sortes de lyres, dont les peintures montrent toujours le musicien précédant une procession ou accompagnant des danses pendant les fêtes, où les musiciens sont alors assis. Les pipeaux, simples ou doubles, proches des modèles étrusques ou des "aulos" grecs, sont plus répandus dans l'est de la région de Hallstatt, tandis que le guerrier peint sur une stèle du nord de l'Italie tient une simple corne incurvée d'origine étrusque.

Plus à l'ouest, dans le sud de l'Allemagne et le nord de la France, des poteries décorées de peintures ont été découvertes. Elles datent de 700 av. J.-C. environ, et représentent des groupes de danseurs, les bras levés, parmi lesquels on identifie également des femmes ; en revanche, aucun instrument n'apparaît. On a aussi trouvé en Autriche des os creux qui servaient de flûtes, et une flûte globulaire en poterie provenant du cimetière de Hallstatt. Il s'avère que ces instruments ne sont rien d'autre que des moyens de communication, comme c'est le cas de la corne de vache dont l'embouchure est soigneusement découpée. Elle a été trouvée dans une couche de matières fécales humaines de la mine de sel. La corne contraste avec la flûte de Pan à neuf tubes trouvée dans ce que les explorateurs ont identifié comme étant une tombe de chaman du cimetière de la période Montelius V (Hallstatt) du cimetière lusacien de Przeczyce, non loin de Katowice en Silésie. Une figurine minuscule en bronze, provenant sans doute d'une pièce de vaisselle (ou encore un objet de culte comme le char de Strettweg [Steiermark]) fut retrouvé à Százhalombatta, près de Budapest ; cela prouve que nous devons l'actuel joueur d'"aulos" au monde celtique une fois envahi par les Romains. Comme tous les autres musiciens de l'Europe centrale et du Nord, ils sont dans l'ensemble du sexe masculin : la figurine hongroise est clairement un homme. Cependant, aucun de ces objets ne peut être considéré comme une caractéristique propre de la tradition celtique, ou même protoceltique. Il a même été dit que les Celtes étaient si peu musiciens que l'absence d'information sur les instruments de musique de la fin de l'âge du Fer s'expliquait par leur expansion vers l'est pendant la période de La Tène.

Il est clair désormais que les derniers chefs de Hallstatt ne se contentaient plus d'importer des biens transportables et consommables de luxe, mais aussi des éléments musicaux associés à la fête. On trouve un grand exemple dans le lit en bronze d'Eberdingen-Hochdorf, Kr. Ludwigsburg, décoré de motifs de scènes où s'affrontent des danseurs munis d'épées, où l'on voit aussi des chars, tout cela reflétant les scènes rituelles déjà vues sur les poteries indigènes de l'est de Hallstatt. Le lit de Hochdorf suit, comme d'autres meubles similaires (mais en bois) trouvés dans les riches tombeaux de Hallstatt, le modèle du mobilier étrusque, tout en ayant été fabriqué au nord des Alpes. Dans une autre tombe princière toute proche, qui a été pillée (à Grafenbühl sous Hohenasperg), on a trouvé un hochet étrusque de cérémonie en fer avec des grelots en bronze.

Entre la fin de la période de Hallstatt au Vᵉ siècle av. J.-C. et le Iᵉʳ siècle av. J.-C., les témoignages d'instruments musicaux ont pratiquement disparu. Il faut remarquer que, malgré toutes les découvertes effectuées récemment sur les lieux d'habitation et les cimetières de la fin de l'Age du Fer en Europe, il n'a pas été retrouvé le moindre exemplaire de ces petites flûtes largement répandues au début de l'ère chrétienne et du Moyen Age. Ces instruments sont faits à partir d'un os évidé, dans lequel sont pratiqués des orifices où l'on applique les doigts. Nous récapitulerons dans l'ordre suivant : les flûtes, les cornes et les instruments à cordes pincées.

Revers
d'une monnaie
de bronze de
Tasciovanus, roi
des Catuvellauni
avec un centaure
qui joue
de la double flûte
Première moitié
du Iᵉʳ siècle ap. J.-C.
Paris
Bibliothèque
Nationale
Cabinet des Médailles

En Grande-Bretagne, au "Lake Village" de Glastonbury, ont été trouvés les restes de deux flûtes en os : elles étaient munies de trois trous apparents provenant de la sépulture centrale d'un cimetière de treize tombeaux de l'Age du Fer, auxquels s'ajoute un tumulus de l'Age du Bronze à Seaty Hill, sur le Malham Moor, dans l'ouest du Yorkshire, où fut trouvée une troisième flûte, faite d'un tibia de mouton, munie de trois trous, dont un pour le pouce. La deuxième semble avoir un accord pentatonique, tout comme ses homologues de Przeczyce, qui sont toutefois plus anciennes. Ce type d'accord est caractéristique de la tradition musicale du centre et de l'est de l'Europe. Quant au pipeau, simple ou double (à l'exception de la péninsule Ibérique et de ses fameuses poteries peintes de San Miguel de Liria, qui datent du IIIᵉ siècle av. J.-C.), il y a la preuve d'une monnaie britannique en bronze de Tasciovanus qui montre un centaure non celte portant un casque celtique. Ce sont de toute évidence les cornemuses qui sont habituellement associées aux Celtes. Comme tous les pipeaux de l'Europe de l'Ouest et du Nord, la cornemuse a dû être répandue en Europe en partant des Balkans et de l'Est méditerranéen, mais aucune trace préhistorique ni la moindre découverte archéologique ne nous prouvent qu'elle ait été utilisée à l'Ouest avant le Moyen Age.

Pavillon
de la trompette
de bronze
de Loughnashade
(Irlande)
Iᵉʳ siècle av. J.-C.
Dublin
National Museum
of Ireland

Etant donné la réputation de guerriers qu'avaient les Celtes, il n'est pas étonnant que la recherche archéologique sur la musique de l'Age du Fer se soit beaucoup enrichie d'exemples de trompettes celtiques, décrites par des écrivains de l'Antiquité comme Polybe ou Diodore de Sicile. On l'appelle aujourd'hui "carnyx", d'après l'appellation grecque pour désigner la corne d'un animal. A l'exception des monnaies qui ont pu en représenter, la plupart des instruments retrouvés ou des figures proviennent

Flûte d'os
de Seaty Hill
Malham Moor
(Grande Bretagne)
IIIᵉ-IIᵉ siècles
av. J.-C.
Leeds, City
Museum

*Statuette
de bronze
dite du "joueur
de trompette"
de l'oppidum
de Stradonice
(Bohême)
Ier siècle av. J.-C.
Prague
Národní
Múzeum*

*Statuette
de pierre
d'une divinité
de Paule (Côte-
d'Armor)
Ier siècle av. J.-C.
Saint-Brieuc
Nouveau Musée*

*Revers d'une
monnaie d'or de
Tasciovanus, roi
de Catuvellauni
avec un cavalier
qui tient dans
sa main droite
un carnyx
Première moitié
du Ier siècle
ap. J.-C.
Londres
British Museum*

des limites du territoire celtique. On les trouve parmi les motifs sculptés de la frise du sanctuaire d'Athéna, à Pergamon, qui représentent des cornes d'animal, et datent du milieu de la période de La Tène au IIe siècle av. J.-C. ; le temple commémore la victoire d'Attale Ier sur les Celtes Galates qui se trouvaient dans l'actuelle Turquie, en 240 av. J.-C. Cet ensemble a probablement été construit par le fils d'Attale, Eumène II, aux alentours de 181 av. J.-C. A l'Ouest, on trouve des représentations romaines de la trompette celtique de guerre, au milieu du butin qui figure sur l'arc de triomphe d'Orange, datant de l'époque de l'empereur Tibère. Le grand chaudron argenté trouvé à Gundestrup, dans le Jutland, date sans doute de la fin du IIe siècle av. J.-C. Il n'appartient pas à l'artisanat celtique, mais relève plutôt du style de l'Europe de l'Est (Thrace et pays des Gètes).

Sur la partie interne du chaudron sont représentés des joueurs de trompettes de guerre celtes. Le pavillon de la corne a la forme d'une hure de sanglier, l'animal que les Celtes associaient à la guerre, à la mort et à la fête.

Les monnaies celtiques ne nous ont pas seulement fait connaître les simples trompettes de communication (comme l'exemple que nous a fourni Hallstatt) en corne de vache, mais elles nous ont aussi permis de découvrir les "carnyx", qui se tiennent et se jouent verticalement. Les illustrations qui ont été retrouvées sur le continent montrent toujours le musicien debout, tandis que les monnaies britanniques montrent le "carnyx" transporté par un homme à cheval. Les restes de deux de ces trompettes de guerre ont été retrouvés sur les îles Britanniques. Celle de Tattershall-Ferry, sur la rivière Witham, dans le Lincolnshire, a été malheureusement

Détail de la plaque d'argent
du chaudron de Gundestrup
(Danemark), avec les joueurs
de carnyx
Première moitié du Ier siècle av. J.-C.
Copenhague, Nationalmuseet

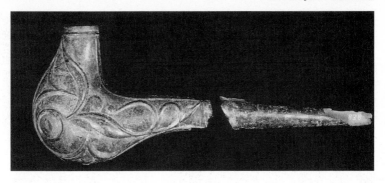

Objet de bronze considéré par certains come un carnyx de Castiglione delle Stiviere (Mantoue) IIIe siècle av. J.-C. Mantoue Galleria e Museo di Palazzo Ducale

détruite par son propriétaire, dont la mentalité de scientifique trop enthousiaste fit subir des analyses à l'instrument, auxquelles le métal ne résista pas ; il s'agissait là des expériences menées par sir Joseph Banks au début du XIXe siècle. Une magnifique pièce de "carnyx", provenant de Deskford, dans le nord de l'Ecosse, représente une tête de sanglier ; quand elle fut trouvée, en 1874, dans la tourbe, la tête contenait non seulement le palais du sanglier, mais aussi la langue, qui était articulée sur des ressorts. En Europe continentale, on a retrouvé le pavillon d'un "carnyx" au milieu d'un trésor de la fin de la période de La Tène, qui avait été enterré à Dürnau, dans la région du Federsee, lors de la révolte d'Ariovistus, vers 50 av. J.-C. Une trompette en bronze a été repêchée dans la rivière Nogat, en Pologne, près de Malbork, qui se trouve sur l'ancienne "route de l'ambre" ; une autre est apparue hors des frontières connues du monde celtique. Cette dernière est analogue au "lituus" romain, comme celle trouvée près du Rhin, à Düsseldorf, et doit probablement dater de la fin de la période de La Tène. Une petite figurine en bronze trouvée en Bohême, sur le site de Hradiště, près de Stradonice, représente un guerrier nu, tenant une trompette de forme rectiligne et se terminant par une ouverture évasée. Le "carnyx" à tête de canard,

Pavillon de carnyx de tôle de bronze en forme de hure de sanglier, de Deskdorf (Ecosse) Milieu du Ier siècle ap. J.-C. Édimbourg Royal Museum of Scotland

d'une date plus récente, possédait des ailes, dont les fragments ont été récemment identifiés par Raffaele de Marinis parmi d'autres restes de bronze retrouvés dans le cimetière de Castiglione delle Stiviere (milieu de l'époque de La Tène), dans la province de Mantoue, ancien territoire des Cénomans.

Les îles Britanniques ont également fourni des témoignages de différentes modèles de trompettes, de forme plutôt incurvée, qui devaient sans doute être une ultime version locale des trompettes irlandaises de la fin de l'âge du Bronze. Comme le "lur" Scandinave, qui était leur contemporain, mais qui était nettement plus musical, toutes ces réalisations semblent être des modèles en métal d'instruments à vent qui étaient à l'origine en corne d'animal. Le plus bel instrument de l'Age du Fer en Irlande est sans doute la trompette découverte en 1789 à Loughnashade, dans le comté de Antrim, dont trois autres exemplaires ont été perdus ; d'après le style, elle date du IIe siècle av. J.-C. environ. Une trompette en deux morceaux a été également retrouvée intacte à Ardbrin, dans le comté de Down : elle n'a qu'une simple ouverture enroulée. Tout comme ses ancêtres putatifs de l'Age du Bronze en Irlande, sa gamme sonore était particulièrement restreinte. Un autre fragment provenant d'un autre instrument, retrouvé dans le dépôt lacustre de Llyn Cerrig Bach, sur l'île d'Anglesey, forteresse des druides de *Mona,* prouve que la musique n'était guère développée en ces lieux. Nos sources actuelles ainsi que les instruments retrouvés montrent qu'ils ne devaient pas être employés pour jouer de la musique, mais pour rajouter du bruit au fracas des batailles et des rituels.

Détail de la situle de bronze de la Certosa de Bologne (Bologne) VIe siècle av. J.-C. Bologne Museo Civico Archeologico • p. 672

Nous avons déjà dit à plusieurs reprises dans cette courte étude combien les motifs représentés sur les monnaies celtiques avaient d'importance pour la recherche archéologique sur la musique. Nous devons évidemment tenir compte de la mise en garde de Derek Allen, musicien et numismate, qui souligne que les motifs des monnaies, comme tout art visuel celtique, n'indiquent jamais où se termine la vérité et où commencent les associations symboliques. Néanmoins, des motifs de monnaies retrouvées en Grande-Bretagne et jusqu'en Allemagne représentent des lyres ou des instruments leur ressemblant. Contrairement aux instruments les plus anciens de l'est de la région celtique, les lyres celtiques les plus récentes présentent une forme en V ou en U, à la manière de la "kithara" du monde classique. Certaines scènes frappées sur les monnaies, comme celle d'Apollon assis tenant une lyre, ne sont pas inspirées de modèles celtiques, mais plutôt de Mercure sur des deniers romains. On ne retrouve guère de vestiges écrits ou iconographiques d'une divinité celtique de la musique ; on trouve tout de même dans la région du nord de la Grande-Bretagne, à Hadrian Wall's, un dieu local du nom de Maponus, la "Jeunesse divine", associé à "Apollon le joueur de lyre". Il n'y a en revanche aucune raison de douter que des lyres, telles qu'elles figurent sur les monnaies redonnaises (en Bretagne), soient inspirées de connaissances de première main sur ces instruments. Cette supposition est d'ailleurs renforcée par une récente découverte, faite dans le nord de la France, à Saint-Symphorien-en-Péaule. Une statuette remarquable de la fin de la période de La Tène, retrouvée dans ce qui fut sans doute une ancienne ferme (Côtes-du-Nord), et qui date à peu près de l'époque de la conquête romaine, représente certainement un Apollon tenant une lyre à sept cordes ; c'est là le seul exemple encore existant qui confirme qu'il y a eu des lyres celtiques. La statuette de Saint-Symphorien est une preuve visuelle de l'existence des poètes lyriques gaulois, qu'on appelait les bardes. Ils chantaient accompagnés d'un instrument à cordes que Diodore de Sicile mentionne dans ses écrits du Ier siècle av. J.-C. D'autres détails font allusion à l'existence d'un modèle de lyre à la fin de la préhistoire.

*Élément interne central du fond
du chaudron d'argent
partiellement doré
de Gundestrup (Danemark)
Première moitié du Ier siècle av. J.-C.
Copenhague, Nationalmuseet*

*Vue d'ensemble du chaudron
composé de plaques d'argent
travaillées au repoussé
de Gundestrup (Danemark)
Première moitié du Ier siècle av. J.-C.
Copenhague, Nationalmuseet*

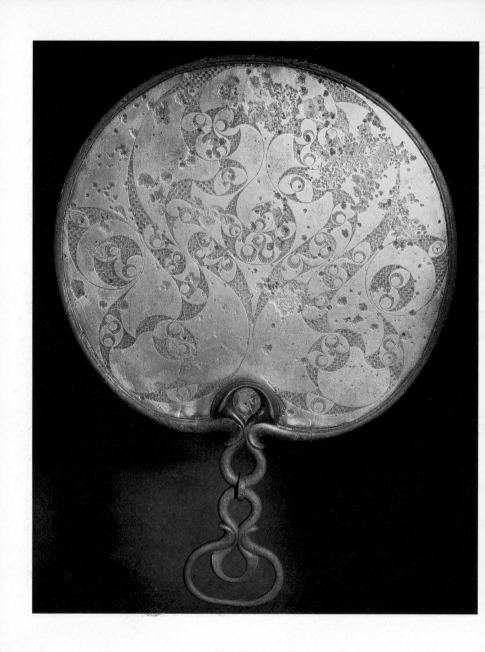

Miroir en bronze avec décor gravé
réalisé au compas de Deborough
(Angleterre)
Fin Ier siècle av. J.-C. – Ier siècle ap. J.-C.
Londres, British Museum

Fibule de Tara en argent doré
provenant de Bettystown
VIIIᵉ siècle ap. J.-C.
Dublin, National Museum of Ireland

Crosse en bois plaquée de bronze
Clonmacnoise (Irlande)
Fin du XIe-XVe siècle ap. J.-C.
Dublin, National Museum of Ireland

Plaque de bronze ajouré avec
incrustations d'émail de Paillard (Oise)
Ier siècle ap. J.-C.
Breteuil, Musée archéologique
de la région de Breteuil

Détail de bouclier orné d'émail
rouge, de la Tamise
à Battersea (Grande-Bretagne)
Fin du Ier siècle av. J.-C.-début
du Ier siècle ap. J.-C.
Londres, British Museum

Détail de l'attache de l'anse
du vase à vin en bronze
provenant de la tombe de Waldalgesheim
(Rhénanie)
IVe siècle av.. J.-C.
Bonn, Rheinisches Landesmuseum

Détail de la situle de bronze
de la Certosa
de Bologne (Bologne)
VIe siècle av. J.-C.
Bologne
Museo Civico Archeologico

Un reste (?) de lyre datant du IIIe siècle av. J.-C. a été retrouvé au pied des remparts du fort de Dinorben, dans le nord du pays de Galles; et un autre exemplaire, dans un tas de fumier du IIe ou du IIIe siècle ap. J.-C., à Dùnan-Fheurain, immédiatement au sud d'Oban, dans l'ouest de l'Ecosse. A ces découvertes peuvent s'ajouter les allusions répétées aux lyres dans les textes du début du Moyen Age en Irlande, comme dans le cycle de l'Ulster. Cela peut refléter les habitudes et les productions des Celtes insulaires, au moins jusqu'au Ier siècle av. J.-C. C'est ici que nous trouvons les traces de la survivance de certains instruments sophistiqués dans les traditions de l'Europe celtique, et dont les origines se trouvent probablement dans les Balkans, voire plus à l'est. En revanche, l'autre instrument celtique par excellence, provenant de l'ouest, la harpe asymétrique, n'est ni décrit ni cité avant le IXe siècle av. J.-C.

Comme les mélodies ou les chansons des anciens Celtes, les témoignages restent muets.

Le cycle épique irlandais

Proinsiac Mac Cana

L'esprit héroïque des Celtes, comme celui de beaucoup d'autres peuples, se trouve résumé dans les paroles du héros irlandais Cú Chulainn: "Pourvu que je sois célèbre, peu m'importe de ne vivre qu'un jour dans ce monde." Dans une société de ce genre, où la vie et la condition sociale étaient dominées par une attention extrême pour l'honneur personnel, il était primordial d'apprendre à respecter ses propres pairs, mais aussi et surtout les poètes, les prophètes et les savants, qui étaient chargés d'établir et d'interpréter la mythologie, les lois et les traditions historiques de la communauté tribale. Pour le héros comme pour le roi, la célébrité posthume était le symbole de l'accomplissement final ; et pour le héros, si ce n'était pas le cas pour le roi, le prix de sa célébrité se trouvait dans un courage extraordinaire, et des prouesses aussi téméraires qu'extravangantes. Tandis que le roi d'origine indo-européenne agissait comme un représentant de la société, et comme son intermédiaire avec le monde surnaturel, le rôle essentiel du héros était socialement ambivalent, et comme le montre le cas typique de Cú Chulainn, il restait généralement seul ; pour cette même raison, il est caractéristique dans la tradition irlandaise que, tandis que le grand roi mène des batailles, le grand héros se livre à de simples duels. L'accent est mis sur l'individualité plus que sur la personnalité, et le héros reste surtout un paradigme de comportement héroïque. Il appartient à une aristocratique qui fait la guerre davantage pour la gloire que pour les conquêtes territoriales, si bien que le pillage représente une activité à laquelle il se livre pour le seul plaisir.

C'est un fait de l'histoire culturelle que dans les sociétés modernes des différentes parties du monde de telles aristocraties guerrières, historiques ou mythico-historiques, ont beaucoup contribué à la création de complexes ou de cycles de narration épique. Une telle production était évidemment prolifique parmi toutes les populations celtiques ; mais pour une cause due à l'histoire et à la survivance culturelle, ce n'est que de la périphérie de la grande diaspora celtique, de l'Irlande donc, et bien après que les langues celtiques du continent eurent décliné jusqu'à s'éteindre, qu'un *corpus* écrit nous est parvenu. En Europe continentale, aucune forme écrite de cette tradition n'a survécu, quoique beaucoup d'indices prouvent qu'elle se soit épanouie en tant qu'expression orale. Les représentations plastiques de divinités celtiques avec leurs propres noms présupposent une tradition orale importante, aussi bien héroïque que mythologique, comme il en résulte dans plusieurs contes médiévaux qui se rapportent à leurs homonymes et congénères insulaires. Marie-Louise Sjoestedt a fait observer que divers motifs de la littérature irlandaise dans lesquels figure le héros Cú Chulainn combattant trouvent une analogie plastique dans les représentations de certaines monnaies gauloises : si l'hypothèse que les premiers derivent des secondes est inacceptable, en revanche il est plus probable que tous deux soient issus de motifs héroïques familiers à une tradition orale commune aux Celtes. Dans les commentaires celtiques de Posidonios et d'autres auteurs antiques, beaucoup de passages relèvent plus du conte héroïque que de l'observation anthropologique, et lorsqu'on lit certains comptes rendus de l'Antiquité classique relatifs à l'émigration celtique, comme l'incursion de Brennos à Delphes au IIIe siècle av. J.-C., on a l'impression que certains d'entre eux étaient déjà devenus les sujets de l'histoire héroïque.

La Grande-Bretagne et le pays de Galles
Une conséquence inévitable des grandes migrations dans les temps antiques était que l'idéologie et les traditions verbales qui en étaient l'expression devaient s'adapter à de nouveaux environnements et à l'immersion parmi les habitants vivant déjà sur place, qui avaient leur propre langage et leur propre culture. Ainsi, même si beaucoup d'institutions sociales essentielles et de paradigmes mythologiques et héroïques restaient immuables dans leurs grandes lignes, ils devaient s'adapter à un paysage nouveau, et refléter les rapports différents avec les populations voisines, processus au cours duquel ils tendaient à engendrer de nouveaux noms, même si la substance restait inchangée dans son fond. Les histoires héroïques des Celtes qui ont gagné l'île de Grande-Bretagne entre le Ve siècle av. J.-C. et le Ier ap. J.-C. ont été perdues pour ne pas avoir été transmises par écrit, et nous ne pouvons nous en faire qu'une idée vague et indirecte à travers les traditions plus tardives du moyen gallois. Le nom de *Cassivellaunus* roi des *Catuvellauni*, qui mena la résistance contre l'invasion de la Grande-Bretagne par César, survit dans la littérature moyen-galloise sous la forme de Caswallawn, fils de Beli, qui régnait sur la Grande-Bretagne et était rappelé comme son défenseur contre les Romains. On a dit, à propos de la popularité dont jouissait le nom de Caradawg parmi les anciennes familles princières galloises, qu'elle était due à l'écho légendaire qu'avaient laissé les entreprises de *Caratacus*, lui aussi des *Catuvellauni*, qui guida les Britanniques avec énergie mais sans succès contre la campagne de conquête d'Aulus Plautius en 43 ap. J.-C. Mais si ceux-ci et d'autres semblables furent les héros de contes héroïques, il ont été rapidement détrônés par un protecteur de l'île britannique, créateur d'un mythe riche en documentation historique : le roi Arthur et sa suite de héros.
La plus grande difficulté trouvée dans la tentative de suivre l'évolution de la tradition héroïque en Grande-Bretagne réside dans le fait que la prose narrative écrite a connu un épanouissement tardif (et chez les Celtes insulaires, la prose était le moyen normal de narration). Les plus anciens contes gallois connus, comme les *Mabinogi*, n'ont pas pu être écrits avant la seconde moitié du XIe siècle, et la plupart d'entre eux sont d'une époque plus tardive, postérieurs à *l'Histoire des rois de Grande-Bretagne* de Geoffrey de Monmouth, qui aurait lancé le roi Arthur dans une éblouissante conquête de l'Europe, destinée à tenir longtemps dans l'ombre tout ce qu'il pouvait avoir accompli dans son existence aux alentours de 500 ap. J.-C. Mais il est évident, d'après l'histoire de *Culhwch and Olwen,* antérieure à celle de Geoffrey, que la légende

d'Arthur avait déjà engendré un ensemble important de narrative orale dans le pays de Galles au XIᵉ siècle, et il semblerait, en se fondant sur des éléments épars, que le processus de concrétisation et d'élaboration était déjà lancé avant la fin du VIᵉ siècle. Pendant les siècles qui Suivirent, la popularité croissante de la légende "arthurienne" lui apporta d'autres héros et d'autres histoires d'origines indépendantes ; aussi, au XIᵉ siècle, elle constituait un cycle cohérent et varié de contes héroïques, qui n'attendaient plus que l'ambition savante de Geoffrey et le raffinement artistique et courtois de Chrétien de Troyes pour devenir la construction richement symbolique du roman arthurien. Ce passage du conte héroïque au roman fantastique est un changement important dans l'atmosphère de la narrative galloise. Trois des onze contes du *Mabinogi* présentent des affinités étroites avec le roman de Chrétien, tandis que le groupe connu comme les Quatre Branches des *Mabinogi* (ou les Quatre Mabinogi) s'occupe davantage des ancêtres des Britanniques que des héros de souche et quoique tous les contes de la série comprennent des motifs extraits de la tradition héroïque, seul *Culhwch and Olwen* conserve quelques traits de l'antique génie héroïque, même si ici le ton est fortement ironique, voire caricatural. La narrative dans la prose écrite à commencé trop tard en gallois pour garder intact l'esprit héroïque, dont l'expression la plus achevée apparaît dans le grand ensemble des vers médiévaux, notamment dans deux séries de compositions antiques attribuées aux poètes du VIᵉ siècle Taliesin et Aneirin. Tous deux parlent de rois et de guerriers de la Grande-Bretagne du Nord qui combattirent, dans la deuxième moitié du VIᵉ siècle, l'avancée des Angles, avec courage ; et il est évident que cette lutte pour préserver la Grande-Bretagne celtique assumait déjà une partie du caractère d'un âge héroïque. Les poèmes véritablement anciens, attribués à Taliesin, renferment l'esprit antique du panégyrique rituel, tandis que les compositions d'Aneirin, *The Gododdin*, comprennent une longue série de poèmes lyriques séparés (qui peuvent ne pas appartenir tous à cette époque) à la mémoire des héros solitaires qui, vers l'an 300, menèrent une expédition glorieuse mais déséspérée contre les Angles, et desquels un seul (trois dans certaines variantes) survécut. Le ton de ces poèmes et toute leur imagerie sont nettement héroïques, mais ils sont, selon les modes de versification celtique, pratiquement privés de contenu narratif, pour lequel il faut se reporter au début de la littérature irlandaise.

L'*Irlande*

Pour certaines raisons, la rédaction écrite de la littérature vernaculaire tradionnelle a commencé et s'est épanouie relativement vite en Irlande : les vers apparaissent au VIᵉ siècle, et la prose narrative était bien établie vers la fin du VIIᵉ siècle. Entre cette période et la fin du XIIᵉ siècle, une tradition vigoureuse d'écriture a garanti la survivance d'un ensemble important de narrative laïque. Sous un certain angle, elle est essentiellement héroïque, comme elle est aussi en grande partie et dans un certain sens mythologique. Les héros en tant que tels sont très fréquents dans la littérature ancienne, surtout si l'on y inclut tous les rois légendaires qui comportent des caractéristique qui les apparentent

Clavette d'essieu en fer et bronze émaillé de King's Langley (Angleterre) Début du Ier siècle ap. J.-C. Londres British Museum

au héros traditionnel. Au XIXe siècle, on a pour la première fois démontré qu'un schéma particulier de cycle existentiel était sous-entendu dans les légendes des héros indo-européens (mais aussi d'autres, hors du contexte indo-européen), les commentateurs ont élaboré des versions différentes de ce paradigme biographique, qui varient de façon substantielle quant au nombre de détails qu'ils comprennent. Il n'est pas surprenant de voir que la conception et la naissance du héros, sa mort et son mariage soient des événements dotés d'une signification particulière et accompagnés typiquement par des circonstances extraordinaires et même surnaturelles ; ainsi, la mère du héros peut être une vierge, son père un dieu, ou encore peut-il être le fruit d'un inceste. En outre, un autre signe de sa future grandeur est le danger qui menace son enfance. Il doit donc être éduqué dans un lieu caché, loin du regard de ses ennemis. Quand le moment arrive, il s'affirme publiquement, et sa grande prouesse consiste à tuer un dragon ou un autre monstre, ce qui peut être un prélude à la conquête d'une jeune fille désirable. Se trouvant par-delà la vie mortelle, sans être divin, le héros est souvent en contact avec le surnaturel, et son expédition la plus audacieuse le mène de façon répétée dans l'au-delà ou dans le monde souterrain. Ces éléments et d'autres tout aussi relevants étaient tellement diffusés dans la littérature irlandaise qu'il finirent par constituer le fondement d'une taxonomie native de narrative traditionnelle : les contes étaient classés par thèmes, comme *comperta* (contes de la conception et de la naissance), *echtrai* (expéditions ou voyages dans l'autre monde), *tochmharca* (les conquêtes amoureuses), *oirgne* (les incursions et les mors), *catha* (les batailles), *aidhedha* (les morts héroïques).

Le roi-héros

Le schéma biographique du héros, interprété par les commentateurs modernes, ne distingue pas de fait le héros au sens strict et le roi-héros, dès lors qu'ils ont en commun une grande partie, sinon tous, des éléments du paradigme. Toutefois, lorsqu'on parcourt la littérature, on constate que les rois et les héros sont différents, essentiellement à travers les disparités d'emphase. D'un certain point de vue, on trouve un contraste de fond dans leurs rôles : alors que le statut social du héros est lié en tout et pour tout à ses aptitudes martiales, la responsabilité essentielle de l'ancien roi irlandais consiste à régner sagement et à juger équitablement pour maintenir dans la paix, la sécurité et la prospérité son royaume tribal. Par conséquent, si les contes des rois impliquent les valeurs héroïques traditionnelles, elles n'en sont pas le principal centre d'intérêt, qui se trouve davantage dans l'explication et la validation des réalités socio-politiques existantes : le statut et la fonction du roi lui-même, les origines des tribus et des dynasties, les batailles d'importance historique, les actions et les jugements de dirigeants célèbres... La royauté sacrée était et le pivot et les fondations de l'ordre social, dont le roi était la personnification ; si sa conduite ou sa personne venaient à être blâmées, les conséquences retombaient sur le royaume, compromettant son intégrité et sa prospérité. En tant qu'arbitre et instrument de justice, ses décisions devaient être équitables et sans faille. C'est ainsi que le légendaire Cormac Mac Airt est considéré comme un modèle de royauté, un Salomon irlandais : son accession au pouvoir eut lieu lorsqu'il prononça un jugement équitable, à la suite de celui qu'avait prononcé son prédécesseur, qui était inéquitable.

Conaire Mór est lui aussi un roi exemplaire : son règne apporta paix et bien-être au pays jusqu'au jour où il prononça un jugement trop empreint d'affection à propos de ses demi-frères, responsables de saccage. Une série d'événements s'ensuivent rapidement, qui le portent inexorablement vers la mort dans un tumulte de violences. Comme les héros, les rois sont sujets à des *geissi* mystiques, ou tabous, et dans *Toghail bruidhne Da Derga*, la "Destruction de la demeure de Da Derga", histoire dont s'est inspiré James Joyce (*Les Morts*), l'auteur en a fait un moyen de jalonner la route qui mène à la destruction : à chaque fois que Conaire viole l'un de ses tabous, il s'approche de la dissolution tragique de son royaume.

Le cycle de l'Ulster

Les contes de rois ont une orientation sociale très claire, centrés comme ils le sont sur l'institution fondamentale de la société irlandaise, la royauté sacrée, dont le dépositaire est le centre d'un réseau vaste et complexe de mythes et de lois concernant les rituels et les coutumes qui, même dans leur forme la plus naturelle et didactique, donnent à ces historiques un valeur hautement symbolique et connotée. D'autre part, si nous nous tournons vers les héros de la tradition, qui sont liés entre eux non pas tant par leur responsabilité sociale que par leur convention fraternelle, on remarque qu'ils agissent de façon autonome, parfois arbitrairement, et même s'ils sont protégés par leur roi et les défenseurs de son royaume, ils sont capables au comble de leur élan héroïque de ne plus distinguer leur ami de leur ennemi, montrant ainsi une dangereuse ambiguïté. De tels héros exemplaires sont associés à toutes les périodes de "l'histoire" légendaire irlandaise, mais le concept d'un âge héroïque en tant que tel s'est concrétisé aux alentours du règne des *Ulaidh*, ou hommes de l'Ulster, qui dans les temps anciens dominaient tout le nord du pays, avec pour capitale *Emhain Mhacha*, colline fortifiée à quelques kilomètres de la future capitale ecclésiastique d'Armagh. Leur roi, pendant la période de leur suprématie, fut Conchobhor Mac Nessa, dont la cour était constituée de guerriers aristocratiques représentant les diverses sortes de recours utilisés partout où apparaissent les scénarios héroïques : Cú Chulainn, l'Achille irlandais, très jeune et sans pareil parmi les champions ; Ferghus Mac Roich et Conall Cernach, tous deux guerriers experts et mûrs ; Sencha Mac Ailella, sage conseiller et arbitre des disputes ; Bricriu Nemhthenga (ou "langue vénéneuse"), l'opposé de Sencha, celui qui provoque les inimitiés et sème la discorde parmi les amis ; d'autres moins importants. Les événements dans lesquels ils prennent part sont traités dans l'ensemble de manière réaliste : il est possible que peu d'entre eux aient à faire à la véritable histoire, mais les choses se déroulent dans un contexte très précisément défini, avec des limites politiques, sans romanticisme, et quoique les dieux et forces magiques trouvent ici un rôle, leurs interventions sont ponctuelles et se limitent à des situations particulières ; pour le reste, les actions des hommes de l'Ulster sont libres et indépendantes ; il se fient à leurs propres ressources, essentiellement humaines, quoique extraordinaires.

Il est à remarquer que les cycles héroïques reflètent les situations politiques une fois surmontées par l'histoire. Dans le cas des Ulaidh, nous savons que leur domaine fut détruit, ainsi que leur capitale, Embain Mhacha, probablement au début ou vers le milieu du Ve siècle, de sorte que le fondement des histoires qui nous sont parvenues à dû être recherché dans une période précédente indéterminée. Les Ulaidh furent soumis par les Úi Neíll, descendants de Niall des Neuf Otages, qui fondèrent une puissante dynastie qui régna sur la moitié nord de l'Irlande a partir du Ve siècle. A l'origine, les Úi Neíll faisaient partie des Connachta, descendants de Conn des Cent Batailles, qui dominaient une grande partie des régions centrales du pays, tandis que les Ulaidh dominaient le Nord et possédaient Tara, point central de toute la royauté sacrée de l'Irlande. Les Connachta donnèrent leur propre nom à la région occidentale, et dans une grande partie des contes du cycle de l'Ulster, les principaux enemis des Ulaidh sont le roi et la reine de cette province, Ailill et Medhbh, qui avaient leur cour à Cruachain, dans l'actuel comté de Roscommon.

Il ne fait pas de doute qu'une grande partie des personnages principaux du cycle sont d'origine mythique, mais aucun ne porte aussi clairement les traces de son origine que la formidable Medhbh, mélange de mégère et de vampire, qui cocufie sans honte son époux avec Fergbus Mac Roich, héros de l'Ulster que sa prodigieuse virilité porte au-delà de ce qui est humain. Beaucoup d'hommes passent entre les mains de cette reine, ce qui ne peut pas être autrement puisqu'elle est la déesse du pays et que la fonction sacrée de sa souveraineté consiste à s'accoupler avec ceux qui méritent la royauté, et à repousser ceux qui ne la méritent pas. La reine joue un rôle essentiel dans *Táin Bó Cuailnge,* "la Razzia du toureau de Cuailnge", l'histoire centrale du cycle de l'Ulster et si nous prêtons attention à l'introduction du plus récent des deux exemplaires qui nous sont parvenus, ce fut un accès d'orgueil de sa part qui déclencha toute la suite d'actions guerrières qui composent l'histoire.

Le thème central est simple: Medhbh et Ailill mènent une expédition dans la province de l'Ulster pour s'approprier le célèbre taureau appelé Donn Cuailnge, "le Brun de Cuailnge". Ce qui advient par la suite est déterminé par le fait que tous les hommes de l'Ulster, à l'exception de Cú Chulainn, sont frappés par un étrange mal qui les laisse aussi faibles que des femmes après la naissance de leur enfant (il y a deux histoires indépendantes qui expliquent cette impuissance comme étant provoquée par une déesse offensée). Dès lors, la responsabilité de la défense de toute la province est confiée au très jeune Cú Chulainn, et une grande partie du conte relate ses attaques dévastatrices contre le campement des ennemis et des duels grâce auxquels il empêche leur avancée. L'un des épisodes les plus mémorables, bien que le style soit un peu redondant, est celui qui décrit une rencontre de Cú Chulainn avec Fer Diadh, auquel le premier était lié par une vieille amitié, qui remontait au temps où ils étaient tous deux sous la tutelle de Scáthach, une amazone qui avait une sorte d'école de perfectionnement pour les jeunes héros dans "l'Autre Monde". Ainsi sont-ils des demi-frères virtuels, liés par les attaches les plus étroites de la société irlandaise, mais ils ont contraints par les circonstances et les conventions à se livrer à un combat qu'ils voudraient éviter. C'est une situation dans laquelle le héros irlandais se trouve sans cesse piégé. Il a le choix entre deux loyautés conflictuelles, et quelle que soit celle pour laquelle il opte, tout n'est que déshonneur et tragédie pour lui : c'est l'éternel dilemme du héros suprême, prisonnier des contradictions insolubles de sa condition ambigüe, ni divine ni vraiment humaine, de membre de la tribu sans l'être tout à fait, représentant d'une fraternité héroïque typiquement isolée.

Fourreau en bronze décoré de Buthorpe (Angleterre) Fin du Ier siècle av. J.-C. début du Ier siècle ap. J.-C. Londres British Museum

L'initiation de Cú Chulainn

L'individualité du héros idéal apparaît clairement dans la partie de la *Táin* dédiée à la *machnímhartha,* c'est-à-dire aux faits d'enfance de Cú Chulainn. Et le vaut la peine, comme illustration du vaste ensemble de la saga irlandaise, de consacrer quelques lignes à un compte rendu sommaire. Du point de vue linguistique, ce chapitre n'appartient pas aux pages les plus anciennes du texte (il peut en fait dater du XIe siècle), mais son contenu est indéniablement archaïque. Il s'agit en réalité d'un compte rendu de l'accession de Cú Chulainn (bien que non décrite comme telle) au statut de héros. Cú Chulainn abandonne la protection de sa mère, entre de manière imprévue à la cour royale d'Emhain Mhacha, s'arme et accomplit sa première mission guerrière par-delà la frontière de la province. Celui qui a écrit les actions d'enfance qui nous sont parvenues l'a fait en homme de lettres, et non comme le rapporteur didactique des procédures rituelles, et la même chose peut être dite au sujet d'une grande partie des comptes rendus d'initiation repérables dans d'autres littératures anciennes. Des descriptions spécialistes auraient été des antithèses à l'emphase du mystère et du secret rituels, mais on a pourtant supposé que, lorsqu'un poète ou un narrateur raconte des événements appartenant à la phase d'initiation, comme c'est le cas pour Achille le Grec ou Indra l'Hindou, il se réfère en fait à des éléments rituels de la communauté, en les attribuant spécifiquement aux *res gestae* d'un héros donné. Le risque de déformation que comporte cette procédure est évité dans le cas irlandais, car l'histoire a été élaborée dans un *scriptorium* monastique, bien après la christianisation complète du pays. D'autre part si nous prenons en compte l'importance de la tradition orale élitiste en Irlande, cultivée par la classe spécialisée des *filidh*, ou poètes-prophètes et si nous comparons les "actions d'enfance" à la documentation accumulée par les éthnologues modernes sur les sociétés contemporaines ou quasi contemporaines, il ne reste que peu de doutes sur le fait que la narrative irlandaise sur Cú Chulainn ne reflète assez fidèlement le rituel celtique.

On raconte comment le garçon a abandonné sa maison de l'Ulster du Sud-Est

pour se rendre à la cour du roi Conchobhor, à Emhain Mhacha, car il avait entendu dire qu'il y avait là un groupe de jeunes futurs héros. A son arrivée, Cú Chulainn trouve les jeunes gens sur le terrain de jeu et se joint immédiatement à eux, ignorant les conventions presque légales qu'un étranger devait observer lors de son entrée dans le groupe. Les autres, au nombre de cent cinquante, le prennent d'assaut. Lui les met en déroute et les maltraite d'une seule main. Comme l'a remarqué Marie-Louise Sjoestedt, "il semble être habituel pour un grand héros de toujours faire son entrée par la violence, même dans son propre groupe social, et ce avant de devenir un membre de la société : il doit s'affirmer contre elle, sans tenir compte de ses habitudes ni même de l'autorité royale".

La phase suivante consiste à adopter un nouveau nom : le héros s'appelle alors *Sétanta*. Il se rend ensuite à un banquet chez le forgeron Caulann, est attaqué par son féroce chien de garde (figure mythique commune dans le cas d'un champion courageux), qu'il tue distraitement, sans interrompre sa partie de boules. Caulann se plaint alors que personne ne protégera plus sa propriété, mais Cú Chulainn propose de remplacer le chien, en attendant qu'un autre chiot de la même portée vienne prendre la relève. Alors, le druide Cathbadh le nomme solennellement "Chien de Culann", d'où Cú Chulainn.

Il entend ensuite Cathbadh déclarer que ce jour si particulier sera de bon augure pour ceux qui prendront les armes, et que s'il y avait un guerrier prêt à le faire la gloire de ses exploits et de son courage serait célébrée à travers toute l'Irlande et son nom serait éternel. Avec la permission du roi, le héros essaie alors les chars et la panoplie de réserve à Emhain Mhacha, mais les réduit en miettes, de sorte que le roi Conchobhor doit lui céder ses propres armes. Cú Chulainn part vers les limites du sud de l'Ulster, cherchant la bataille, et tout en faisant route son guide lui explique le nom des choses essentielles du paysage (ce qui fait probablement partie de l'éducation initiatique dans l'instruction de l'histoire tribale). Ayant entendu parler de trois frères terrifiants, fils de Nechta Scéne, desquels les autres guerriers expérimentés se tiennent à l'écart, Cú Chulainn les provoque et les décapite. Comme l'a démontré Georges Dumézil, cet épisode fort bref est l'écho celtique d'un vieux mythe d'initiation indo-européen : la victoire du héros sur un groupe de trois adversaires ou sur un monstre tricéphale, et s'apparente sans doute à la défaite que les Horaces infligèrent aux trois Curiaces (racontée par Tite-Live) et à la lutte victorieuse menée contre le terrible fils de Tvastar à trois têtes, de Trita Aptya dans la tradition hindoue. Lorsque notre héros revient à Emhain, il est encore en proie à la furie belliqueuse : il tourne le flanc gauche de son char face à la ville en signe d'hostilité. Pour éloigner cette incontrôlable colère, les habitants ont recours à un procédé qui est décrit dans d'autres histoires du cycle de l'Ulster : Mughain, épouse du roi Cochonbhor, sort de la forteresse avec ses femmes nues pour aller trouver Cú Chulainn, qui baisse le regard en les voyant. Il est alors capturé par d'autres guerriers, qui le plongent successivement dans trois cuves d'eau froide pour calmer sa colère. Nous avons une nouvelle fois à faire à un procédé très ancien, pour lequel des analogies ont été proposées dans d'autres textes d'initiateurs d'autres traditions. Finalement, Mughaim enveloppe le garçon héros, ramené à la normalité, dans un manteau bleu ; alors il peut prendre la place qui lui revient aux côtés de Conchobhor.

Le thème de la furie guerrière du héros existe dans d'autres régions de la zone indo-européenne, et ailleurs aussi, pour être quasi banal dans l'ancien irlandais. Certains épisodes paraissent humoristiques ou grotesques, comme cela arrive souvent dans l'hyperbole mythique ou héroïque, mais le concept soutenu est propre à la tradition épique irlandaise, et certaines appellations du héros et de ses attributs sont étymologiquement reliés à la notion de chaleur, engendrée par la furie guerrière : elles suggèrent souvent une déformation physique extrême, et les compositions médiévales du *Táin Bó Cuailnge* et d'autres histoires de l'Ulster ont exploité jusqu'au bout les possibilités de descriptions physiques extravagantes qui s'offraient à eux. Ce thème a des racines profondes, et étendues – Dumézil a montré des exemples analogues, comme le Berserk scandinave – dans plusieurs régions indo-européennes. Dans la littérature irlandaise, il semble que le jumelage de la fureur et de la déformation physique, caractéristique des confréries de guerriers indo-européens, les *Männerbunde,* ait fini par s'appliquer au héros solitaire, et en tout premier lieu à l'incomparable Cú Chulainn. Le *Táin Bó Cuailnge* n'est qu'un des contes du cycle de l'Ulster, bien qu'il soit le plus connu et le plus long, mais il est la synthèse la plus complète de l'ambiance héroïque classique ; notre rapide exposé peut éclairer l'ensemble du cycle de l'Ulster. Il est évidemment rédigé en *scriptoria* monastiques, avec toutes les possibilités de changements que cela implique, mais la tradition orale dont dérive le texte écrit a bien conservé la tradition héroïque qui existait avant l'avènement du christianisme, d'où bon nombre de motifs archaïques qui se trouvent dans le contenu, et le style de la narration qui nous est parvenue. Par exemple, l'importance qu'accordaient les Celtes aux trophées confectionnés avec les têtes des ennemis est amplement exposée dans les histoires irlandaises. La même chose se retrouve dans l'emploi belliqueux des chars par les Gallois, qui est courant dans le cycle de l'Ulster, bien que les sépultures à chars, comme celles découvertes sur le continent, n'aient pas été trouvées en Irlande.

Finn et Arthur

Il existe un autre cycle irlandais qui a peut-être moins de rapport avec nos préoccupations immédiates, mais qui à travers son cousin britannique a exercé une influence profonde sur la littérature et la pensée européennes de la fin du Moyen Age. Dans l'ancien irlandais se trouvent mentionnés plusieurs confréries ou bandes de guerriers indépendantes (*fiana*, pluriel de *fían*), qui sont aussi bien chasseurs que combattants et dont les activités ne se limitent pas à celles de la tribu. Un de ces groupes, mené par Finn Mac Cumaill, mit les autres dans l'ombre et finit par être connu comme la "fian". Quant à Finn Mac Cumaill, il était probablement d'origine divine, et toutes les traditions dans lesquelles il apparaît, le présentent comme l'adversaire et le vainqueur d'êtres malveillants et surnaturels, paradigme mythique qui s'est prêté rapidement à des interprétations en termes de défense de l'Irlande face aux

*Bouclier
en bronze émaillé
trouvé
dans la Tamise
à Battersea
(Angleterre)
Fin du Ier siècle
av. J.-C. -
début du Ier siècle
ap. J.-C.
Londres
British Museum*

envahisseurs historiques venus d'outre-mer, les Vikings en particulier. Ce cycle, qui eut toujours un caractère plus populaire, est moins intégré que celui de l'Ulster, quoiqu'il apparaisse déjà au VIIe siècle, et n'est transcrit en volumes qu'aux XIe et XIIe siècles.

Ce cycle est caractérisé par un ton lyrique et romantique, qui le distingue des contes de l'Ulster, et reflète un dualisme ancien et bien ancré qui parcourt toute la narrative celtique. Contrairement aux héros de l'Ulster, qui agissent en contact étroit avec les royaumes ou des provinces tribales bien délimitées, la *fian* est une confrérie d'hommes sans racines, qui ont abandonné leur filiation tribale pour vivre dans la vaste terre de personne, qui s'étend au-delà de la société organisée. Ils vagabondent avec une rapidité et une agilité incroyables à travers les terres sauvages de l'Irlande et de l'Ecosse gaélique, combattant, chassant et marchandant. Il sont en rapport étroit et continu avec la nature, animée et inanimée, et leurs légendes sont liées au lyrisme naturel jusqu'au moment où il apparaît comme un genre clairement défini dans la littérature irlandaise. Allant et venant entre les confins de la société sédentaire, ils sont à mi-chemin entre le monde séculaire et le monde surnaturel, qui se caractérise par une mobilité constante et une fluidité ontologique des catégories.

Le corpus des contes et des poèmes présente des analogies frappantes avec le cycle britannique du roi Arthur, surtout si l'on tient compte de leur transmission et de leur évolution, très différentes. Et l'on est plus ou moins contraint de conclure que les légendes de Finn et d'Arthur dérivent toutes deux de la tradition celtique insulaire et commune d'une confrérie de chasseurs-guerriers menés par un chef extraordinaire qui protégeait le royaume des incursions destructices venant de l'extérieur, et notamment de l'au-delà ; ce chef finit par s'identifier en Grande-Bretagne à l'Arthur historique, qui devint l'incarnation légendaire de la résistance britannique contre les invasions anglo-saxonnes. Comme l'a remarqué A.G. Van Hamel, l'identité essentielle de la légende féniane (de Finn et des *fian*) et arthurienne prouve que la religion du pays, et son expression sous forme de contes de héros paradigmatiques, perpétue une tradition celtique profondément enracinée.

Le droit celtique

Fergus Kelly

On trouve parmi les documents écrits par les Celtes insulaires un matériel abondant à caractère juridique qui nous permet d'avoir une image assez précise des idées et des procédures des populations celtiques dans ce domaine durant les différentes phases de leur histoire. Les textes juridiques mieux conservés sont ceux du pays de Galles, que la tradition attribue au roi Hywel le Bon qui vécut au Xe siècle. Même si l'on ne peut exclure que cet ensemble de matériaux ait été recueilli sous son gouvernement, les compilations semblent avoir été exécutées surtout au XIIe et XIIIe siècle. Les textes juridiques irlandais sont plus nombreux que leurs équivalents gallois, mais sont moins bien conservés, et parfois même il s'agit de véritables fragments. On peut démontrer à partir de considérations linguistiques que la plus grande partie de ces textes fut rédigée au VIIe ou VIIIe siècle. Des copies, de qualité variable, de manuscrits écrits beaucoup plus tard, surtout des XIVe-XVIe siècles, ont survécu. Leur texte original est le plus souvent accompagné d'annotations explicatives et de commentaires successivement ajoutés dans les écoles de loi. C'est pourquoi, les écrits juridiques en irlandais se développent, plus ou moins continuellement, du VIIe au XVIe siècle. Vers la fin de cette période, les documents rédigés par les fonctionnaires anglais qui en parlent d'habitude sous le nom de "Breho Law" (loi (du) Breho, du mot irlandais *breithem* qui signifie "juge") contribuent à nous informer sur les lois locales irlandaises.

Jusqu'à la rébellion jacobite de 1745, une considérable composante celtique subsistait dans les concepts et dans la terminologie écossais, même s'il ne nous est parvenu aucun *corpus* des textes juridiques en gaélique écossais. La situation n'est pas différente en Bretagne où la terminologie légale utilisée dans le *Cartulaire de Redon,* qui contient des documents allant du IXe au Xe siècle correspond sous divers aspects à celle du pays de Galles médiéval. Toutefois l'absence de textes juridiques limite notre connaissance sur les habitudes légales en vigueur dans la Bretagne médiévale.

Le fait que les langues celtiques aient en commun de nombreux termes juridiques constitue une preuve supplémentaire du fait que durant la période Celtique Commune (vers 1000 av. J.-C.) il existait un système de base de lois. Ainsi par exemple, le terme *maoc* qui désigné en irlandais ancien "garantie", s'apparente au terme gallois et breton *mach*. Ceci indique que l'institution de la "garantie" entre les anciens irlandais, gallois et breton remonte à la période Celtique Commune. Mais évidemment il n'y a aucun système juridique qui puisse rester totalement statique, et conditions et influences diverses eurent une incidence, sur les lois du peuple celte, les transformant. Ainsi par exemple, les lois relatives à la royauté dans le pays de Galles médiéval étaient en large mesure tributaires des idées de leurs voisins anglo-saxons. Les textes juridiques celtiques concordent sur le fait qu'il faut assigner une importance de tout premier ordre à l'honneur de chacun.

Tout homme libre avait un prix de son honneur, désigné par le terme de "valeur de son visage", et qui représentait la somme qu'on aurait dû verser à lui ou à ses parents en cas d'une offense à son honneur, dans une gamme qui allait de l'insulte à l'assassinat. Le prix de l'honneur était relié d'habitude au rang social. C'est pourquoi, dans la législation proto-irlandaise, un roi de province avait un prix de l'honneur vingt-huit fois plus grand que celui d'un homme libre du grade le plus bas. Toutefois, si un individu se comportait d'une manière indigne de son rang, son prix de l'honneur venait à être réduit ou même effacé. On peut ainsi trouver dans un texte juridique irlandais l'affirmation que si un roi se réduisait à accomplir des travaux manuels au maillet, à la bêche ou à la hache, le prix de son honneur se réduirait à celui d'un citoyen commun. De même, un noble qui donnait refuge à un fugitif recherché par la loi, ou qui mangeait de la nourriture dont on savait qu'elle avait été volée pouvait encourir la perte de son prix de l'honneur, et donc de son statut au sein de la société. La législation irlandaise admettait aussi l'augmentation du prix de l'honneur d'une personne si celle-ci acquérait de nouvelles capacités professionnelles ou augmentait considérablement sa propre richesse, en se basant sur le principe juridique selon lequel "un homme est meilleur de sa naissance".

Un dépendant, qu'il soit homme ou femme, n'avait pas un prix de l'honneur autonome. Ainsi par exemple, selon les lois galloises, on concédait à une femme avant son mariage un prix de l'honneur égal à la moitié de celui de son frère et, une fois mariée, à un tiers de celui de son mari. Des proportions semblables existaient aussi dans la législation irlandaise, selon le niveau de la condition matrimoniale.

Contrairement aux lois galloises, les lois irlandaises admettaient la polygamie, c'est-à-dire la possession de la part d'un homme de plus d'une femme en même temps. Le prix de l'honneur de la femme principale était égal à la moitié de celui du mari, alors que celui d'une femme secondaire était égal au tiers. On pouvait concéder à une épouse le droit d'annuler des contrats imprudents faits par le mari, mais en général elle était privée d'une capacité juridique indépendante. Les législations irlandaise et galloise indiquent toutes deux qu'une femme ne pouvait accomplir d'actions légales fondamentales comme acquérir, vendre ou témoigner que dans des circonstances limitées. La loi irlandaise reconnaissait toutefois à certaines catégories de femmes, comme celles qui exerçaient la profession médicale ou des activités artisanales, une capacité juridique indépendante, à cause de leurs fonctions professionnelles.

Enfants et handicapés mentaux étaient soumis à la tutelle d'un parent adulte de sexe masculin qui assumait, comme dans de nombreux systèmes juridiques, la responsabilité des infractions qu'ils pouvaient commettre. La loi irlandaise se proposait d'éviter une éventuelle exploitation du malade mental ; on affirmé explicitement dans un texte le principe général selon lequel les malades mentaux devaient avoir la précédence sur tous les autres. Les esclaves ne bénéficaient au contraire d'aucune protection dans la loi irlandaise ou galloise, et ils étaient considérés simplement propriété de leurs maîtres.

On attribue dans les documents des Celtes insulaires une grande importance au groupe parental, c'est-à-dire d'habitude aux descendants en ligne masculine du même arrière-grand-père. Le groupe était à la fois une unité pour la propriété de la terre et un système de soutien pour chacun de ses membres. Quand l'un d'entre eux était tué illégalement, le chef du groupe, qui en était le représentant public, devait s'assurer que le coupable paye l'amende adéquate qui venait ensuite divisée équitablement entre les différents autres membres.

Si toutefois le paiement n'avait pas eu lieu, les parents avaient le devoir de procéder à la vengeance par le sang du coupable.

Le groupe parental disposait, en outre, de considérables pouvoirs légaux sur ses membres et pouvait empêcher quiconque de vendre sa propre parcelle de la propriété commune familiale. L'individu qui ne maintenait pas ses devoirs vis-à-vis du groupe pouvait en être officiellement expulsé, en perdant ainsi les droits dont il jouissait précédemment au sein de la société.

Enfin, il faut mentionner les règles qui gouvernaient les procédures juridiques, argument traité en détail dans les textes irlandais ou gallois. On attachait dans les deux systèmes une grande importance à l'exactitude des formalités qu'il fallait observer durant la procédure d'incrimination d'un suspect, durant sa comparution devant le tribunal et pendant le procès. Les textes attachent une attention particulière aux règles concernant l'acquisition des preuves. Selon la loi irlandaise, les cas douteux pouvaient se résoudre par un duel ou une ordalie, ce qui n'était pas autorisé par la loi galloise.

S'il était reconnu coupable, un accusé irlandais ou gallois pouvait encourir une amende, être mis à mort ou vendu comme esclave. On prescrivait dans la législation galloise la peine de mort surtout en cas de vol gravé ou répété. Dans les limites dans lesquelles on peut tirer des conclusions des textes irlandais, le coupable de délits pouvait le plus souvent s'en tirer avec le paiement d'une somme mais si cependant lui ou ses parents n'étaient pas en mesure de payer ou s'ils ne voulaient pas le faire, il pouvait être mis à mort ou vendu comme esclave par ceux qu'il avait offensés.

Détail d'une page du manuscrit de droit H 2.15A du Trinity College de Dublin
Le texte en grands caractères est du VIIIe siècle ap. J.-C. et traite du droit des femmes
En petits caractères commentaire du XIIe siècle

Les missions irlandaises

Daibhí O'Cróinín

La plus ancienne activité missionnaire irlandaise dont nous possédons des témoignages eut pour but la Bretagne insulaire, et commença par la fondation du monastère d'Iona en 563 ap. J.-C., près de la côte occidentale de l'Ecosse. Ce fut une oeuvre du célèbre saint Columba (Colum Cille). Comme beaucoup d'autres hommes importants de l'Eglise irlandaise de cette époque, Columba était né dans l'aristocratie et apparenté avec la dynastie politique la plus puissante de l'Irlande septentrionale. Le couvent qu'il fonda à Iona devint le centre d'un réseau largement étendu et très influent, riche de monastères qui ont dominé la vie ecclésiastique irlandaise pendant presque deux cents ans. Le message chrétien d'Iona fut apporté par les missionnaires irlandais du nord de l'Angleterre. A partir de leur nouvelle base fondée à Lindisfarne (aujourd'hui Holy Island) en 635, ils créèrent dans la moitié septentrionale de l'Angleterre un système d'organisation ecclésiastique assez proche du leur.

A la fin du VIᵉ siècle, l'Eglise irlandaise avait assimilé une grande partie des caractéristiques que les historiens considèrent comme particulièrement celtiques : les Irlandais suivaient une méthode spécifique pour établir la date de Pâques ainsi que certaines pratiques rituelles et liturgiques divergentes qui avaient ouvert la voie à une organisation qui encourageait la résistance face au contrôle épiscopal. Toutes ces caractéristiques et bien d'autres encore suscitèrent des querelles lorsque les Irlandais entreprirent l'activité missionnaire à l'étranger, si bien que les plaintes arrivèrent jusqu'à Rome. Le groupe de missionnaires envoyé en Angleterre en 597 par le pape Grégoire le Grand, s'était heurté, chemin faisant, aux particularités irlandaises et disait dans une lettre adressée au clergé irlandais : "Connaissant les Britanniques, nous nous attendions à ce que les Irlandais fussent meilleurs." Grâce à eux, les habitudes et les coutumes irlandaises furent diffusées en Grande-Bretagne d'abord, puis sur le continent. Partout où ils allaient, les Irlandais emportaient avec eux leurs livres ainsi que l'écriture dont ils se servaient, qui devint un patrimoine commun à toutes les populations des îles Britanniques. C'est la raison pour laquelle elle est appelée "écriture insulaire", et qui fait que les savants modernes sont incapables de distinguer la nationalité d'un écrivain à partir des seules caractéristiques graphiques. C'est ainsi qu'au VIIᵉ siècle la Northumbrie devint une province culturelle de l'Irlande.

L'activité missionnaire irlandaise sur le continent commença peu avant la mort de Columba (survenue en 597 ap. J.-C.) avec le départ de Bangor (comté de Down), de Columbanus et de douze compagnons à destination de la Bourgogne. Les trois monastères fondés par Columbanus dans cette région, à Luxeuil, Fontaine et Annegray, étaient destinés à devenir d'importants centres d'influence irlandaise sur l'Eglise franque du VIIᵉ siècle. Cette influence était due en grande partie à l'extraordinaire personnalité de Columbanus lui-même. Ses lettres, miraculeusement conservées, décrivent l'Eglise irlandaise comme une institution autonome et autosuffisante. C'est ainsi par exemple que Columbanus fut porteur de l'idée d'une Eglise qui attribuait la primauté de l'autorité à l'abbé, et non à l'évêque, et qui suivait sa propre voie en matière de liturgie et de rites. En 600, Columbanus écrivit une lettre au pape Grégoire le Grand, en lui reprochant les opinions qui n'étaient pas conformes à celles des Irlandais. Columbanus, avec son caractère orgueilleux et ses pratiques singulières, s'attira très rapidement des ennuis avec les évêques francs de la région. Il en résulta une série de synodes, dans lesquels les Irlandais et leurs pratiques furent ouvertement condamnés.

Columbanus fut finalement expulsé de Bourgogne en 610. Certains de ses partisans restèrent à Luxeuil. Il se réfugia en Suisse, passant ensuite en Italie du Nord pour s'établir enfin à Bobbio près de Plaisance, dans un monastère qui abritait encore au VIIIe siècle un évêque irlandais nommé Cummianus, qui vécut là les dix-sept dernières années de sa vie, et qui est rappelé par une épitaphe gravée sur la pierre de l'église. Colombanus, personnalité puissante et charismatique, eut un effet quasi révolutionnaire sur l'Eglise franque et son impact fut tout aussi conséquent en Italie, jusqu'à sa mort en 615. Il a laissé un souvenir durable, et deux règles monastiques qui, avec la règle bénédictine plus célèbre, constitueront le modèle d'une génération entière de fondations monastiques à travers toute l'Europe. Son plus grand apport, à cette époque, aura sans doute été l'institution de la pénitence personnelle : dans l'Eglise chrétienne primitive, la confession des péchés avait lieu en public, alors que l'*anamchara* irlandais (l'"ami de l'âme") écoutait une confession privée et individuelle. La discipline de la pénitence imposée se fondait sur des manuels, les *Libri poenitentiales*, qui réglaient la punition en fonction de la gravité du péché. Le pénitentiel de Columbanus nous est parvenu : il s'avère être le plus ancien code utilisé sur le continent. La confession personnelle eut un grand succès immédiat, surtout parmi les laïques, et ce fut donc de l'Irlande que l'Eglise médiévale s'inspira pour sa discipline pénitentielle caractéristique.

La mort de Columbanus marqua la fin de la première partie de l'activité missionnaire irlandaise sur le continent, mais une seconde vague de pèlerins irlandais vint aussitôt après. Un flux ininterrompu de missionnaires des îles Britanniques apparaît dès le début du VIIe siècle. Il s'agissait parfois de voyageurs solitaires, mais dans la plupart des cas, ils se déplaçaient avec le même nombre de personnes que les apôtres (douze), comme l'avaient fait Columba et Columbanus avant eux. L'un des premiers fut Fursa, fondateur du monastère irlandais de Péronne en Picardie (*Perrona Scottorum,* "Péronne des Irlandais"). Il avait d'abord oeuvré en Angleterre, d'où il avait été expulsé. Il fut immédiatement suivi par ses deux frères, Ultán et Foíllán, qui fondèrent en France et en Belgique des monastères : celui de Lagny, près de Paris, et celui de Fosses, près de Namur ; ces fondations familiales formèrent un réseau *(Paruchia)* de style irlandais, avec Péronne et Nivelles (monastère de famille des premiers Carolingiens) en maintenant les traditions typiquement

Page du missel en latin dit The Stowe Missal VIIIe siècle ap. J.-C. Dublin, Royal Irish Academy

Page où figure le symbole de saint Luc du livre d'Armagh (Irlande) 807 ap. J.-C. Dublin Trinity College

Enluminure du codex Collectio Canonum VIIIᵉ siècle ap. J.-C. Cologne, Erzbischöfliche Diozesen und Dombibliothek

irlandaises en Picardie et dans les Flandres jusqu'à la fin du VIIIᵉ siècle. En réalité, ce sont des manuscrits attribués à Péronne et à Nivelles qui conservent la plus ancienne preuve continentale du culte de saint Patrick, apôtre d'Irlande.

Comme Columbanus l'avait fait avant eux, les dirigeants de ces fondations irlandaises se mêlèrent des affaires politiques locales. Les guerres civiles des royaumes francs eurent des effets néfastes sur la réussite des missionnaires irlandais comme Ultán et Foíllán d'une part, et de l'évêque Tommianus d'Angoulême d'autre part.

Tandis que certains clercs tentaient d'évangéliser la Gaule méridionale, d'autres portaient le message chrétien aux peuples germaniques des frontières orientales et occidentales des royaumes francs. En Bavière, les noms de Marinus et Annianus étaient rappelés comme ceux d'apôtres oeuvrant probablement dans la première moitié du VIIᵉ siècle. A Würzburg, en Bavière, le célèbre Kilian est encore l'objet d'un grand respect, bien que les détails de sa carrière soient pratiquement tous perdus. Dans les Pays-Bas, l'activité missionnaire a fourni les preuves des efforts accomplis par les moines anglo-saxons dans la dernière décennie du VIIe siècle et les années qui suivirent. Willibrord et ses compagnons inaugurèrent la mission frisonne en partant en 690 de Rath Melsigi en Irlande, puis la fondation anglo-saxonne d'Echternach poursuivit la tradition de l'influence irlandaise pendant le VIIIe siècle sous la forme de manuscrits ou de personnel monastique. Les initiatives successives des missionnaires anglo-saxons chez les Saxons prolongèrent également l'inspiration de l'activité des Irlandais.

Certains missionnaires ou pèlerins irlandais d'Irlande nous ont laissé une image de leur monde dans les lettres qui ont survécu. D'autres avaient apporté leurs propres livres d'Irlande, qui représentent les témoignages les plus anciens et les plus inestimables de la langue irlandaise. A Saint-Gall, à Würzburg, à Milan et en d'autres lieux que les Irlandais ont pu habiter ou visiter, des livres, *Scottice scripti*, rédigés en écriture irlandaise, sont encore conservés comme mémoire vivante d'un temps révolu. Parmi les plus connus se trouve la *Vita Columbae* aujourd'hui à Schaffhausen en Suisse, provenant du monastère insulaire de Reichenau sur le lac de Constance, écrite en 700, et l'antiphonaire de Bangor, conservé à l'Ambrosiana de Milan, écrit avant 692, qui est un précieux recueil de la liturgie et des hymnes utilisées dans le premier monastère de Columbanus à Bangor en Irlande. Deux autres manuscrits provenant de la fondation du même Columbanus à Bobbio sont également à l'Ambrosiana de Milan. Ce sont sans doute les plus anciens de tous ; ils sont rédigés en écriture irlandaise caractéristique du début du VIIe siècle, et conservent encore quelques traces des premières enluminures de manuscrits d'Irlande.

La *Chronique anglo-saxonne* de 891 rapporte que trois Irlandais "allèrent trouver le roi Alfred, à bord d'un bateau sans rames... parce qu'ils voulaient aller en pèlerinage n'importe où, pour l'amour de Dieu". Peut-être furent-ils un groupe de *Scotti vagantes* comme ceux qui écrivirent la lettre, dont une copie est aujourd'hui conservée à Bamberg en Bavière. Il y est raconté comment, pendant le voyage qui devait les mener vers le continent, ils s'arrêtèrent à la cour du roi Mervyn Vrych dans le pays de Galles, où on leur confia un écrit secret à déchiffrer. Les Irlandais consultèrent leurs livres et découvrirent le code qui avait servi à écrire le document. Ils annoncèrent leur succès dans une missive à leur maître en Irlande.

Un autre Irlandais, savant et poète, qui écrivit des vers célèbres à propos de son chat Pangur dans un manuscrit aujourd'hui conservé en Carinthie (Autriche), a dû parcourir un itinéraire semblable, car Pangur est un nom gallois et non pas irlandais. Des épisodes de ce genre établirent la conviction chez les habitants du continent que chaque Irlandais était un savant, et beaucoup l'étaient réellement. Toutefois, un pauvre pèlerin de retour au pays et passant par Liège en Belgique, se sentit dans l'obligation d'aller s'excuser auprès de l'évêque local parce que "*non sum grammaticus neque sermone latino peritus*" (Je ne suis ni un grammairien, ni un expert en langue latine). Un autre qui voyageait dans le sens inverse, trouva le parcours trop dur pour un homme de son âge, avec les pieds meurtris ; enfin, un troisième dit à l'évêque qui lui avait offert une hospitalité peu généreuse: "Je ne peux pas vivre dans une telle misère, sans rien d'autre à manger que du pain sec et de la mauvaise bière."

Pour beaucoup de ces voyageurs, il est certain que le but final était Rome, *limina apostolorum.* Beaucoup d'Irlandais disent que deux ecclésiastiques de Leinster au VIe siècle, Fiachra Goll et Eminé, *"uno die quieverunt in Roma",* "moururent à Rome le jour même". Ils n'étaient que l'avant-garde d'un flux ininterrompu d'Irlandais allant à la Ville éternelle. Columbanus avait exprimé le souhait de rendre visite au pape ; d'autres, qui vinrent après lui, inclurent dans leur itinéraire de pèlerins les tombes de leurs compatriotes. Mais tous les Irlandais n'étaient pas encore tombés amoureux de la Ville éternelle: "Se rendre à Rome... c'est beaucoup de fatigue pour peu de choses", écrivit l'un d'entre eux, dont la réaction pourrait s'expliquer par les mésaventures d'un autre pèlerin, qui rentrait de Rome, et, alors qu'il passait par Liège, fut dépouillé de tous ses biens. Il porta plainte auprès de l'évêque (dont les hommes étaient en réalité les auteurs du vol), qui lui fit établir sur un registre la liste des objets volés. Il y avait une aube et une étole, deux *corporali* et un manteau noir en étoffe de bonne qualité d'une valeur de trois *unciae,* un autre manteau en cuir d'une valeur de deux *solidi,* une chemise de la même valeur et quatre habits irlandais usés, un manteau en peau, et d'autres objets, "sans valeur, si ce n'est celle que je leur attribue". Il y avait là, en toute évidence, les biens modestes d'un quelconque pèlerin, tandis que l'évêque jouissait de plus amples ressources. Le *Casus Sancti Galli,* une histoire de ce monastère écrite au Xe siècle, raconte un épisode dans lequel un évêque irlandais du IXe siècle, un certain Marcus, est allé rendre visite à Saint-Gall avec son neveu et une kyrielle de suivants irlandais. Aussi bien l'évêque que son neveu, "lequel était extraordinairement instruit dans les choses sacrées et profanes", se laissèrent convaincre de rester au monastère, à la grande indignation de leurs accompagnateurs. "Le jour indiqué, Marcellus distribua une grande partie de l'argent de son oncle à partir d'une fenêtre, craignant que ses compagnons de voyage ne l'agressent et ne lui fassent du mal, alors qu'ils étaient en réalité furieux après lui, parce qu'ils le croyaient tous responsable d'avoir convaincu l'évêque de rester. L'évêque fit don de ses chevaux et de ses mules aux personnes qu'il désigna, gardant pour lui-même et pour Saint-Gall, ses livres, son or et ses habits. A la fin, l'étole endossée, il bénit les compagnons qui repartaient, et versa beaucoup de larmes au moment de la séparation. L'évêque resta seul avec son neveu et quelques serviteurs qui parlaient leur langue."

Ceux-ci n'étaient pas des missionnaires *stricto sensu,* mais des Irlandais instruits, qui appartenaient au "groupe de philosophes" (comme les définit par la suite un savant d'Auxerre), qui vinrent en Europe au VIIIe et au IXe siècle. Leurs livres survécurent longtemps après leur mort, et des philologues du XIXe siècle comme le grand pionnier Graziadio Isaia Ascoli (1829-1907), eurent une importance de premier ordre dans la récupération de témoignages en ancien Irlandais, qui y étaient contenus. Un cycle complet de l'histoire avait été accompli, et la dette qu'avait l'Europe envers les "saints et savants" irlandais, commençait à être dûment remboursée.

Le cycle d'Arthur et son héritage dans la culture européenne

Andrew Breeze

Le roi Arthur

La légende du roi Arthur est la plus importante contribution des Celtes à la littérature mondiale. La quantité de littérature arthurienne qu'elle inspira à travers l'Europe médiévale fut immense. Une encyclopédie courante sur cette légende correspond à un livre de près de six cents pages, écrit par trente spécialistes différents, experts de la littérature en onze langues. Cependant, les origines de la légende sont si obscures que beaucoup se sont demandés si le roi Arthur avait vraiment jamais existé. Et s'il est impossible de prouver son existence, l'avis général est qu'il peut bien avoir existé. S'il a existé, il a dû être un chef militaire breton du début du VIᵉ siècle, qui défendait les Celtes du pays contre les Angles lancés à la conquête de la Grande-Bretagne ; le roi Arthur pourrait être le général qui mena les Bretons à la victoire du mont Badon (quelque part dans le sud de l'Angleterre) entre 502 environ et 516. Jusqu'au XIIᵉ siècle, la légende du roi Arthur ne peut être retrouvée qu'à partir d'obscurs fragments de poésie galloise, de hauts faits héroïques gallois et de contes populaires sous forme de chroniques en latin-gallois et de vies de saints. Il se peut que la référence la plus ancienne se trouve dans le poème héroïque gallois *The Goddolin* (attribué au barde Aneirin vers l'an 600), où il est dit du guerrier Gwawrddur qu'"il fournissait de la nourriture en abondance aux corbeaux noirs sur le rempart de la forteresse, bien qu'il ne fût pas Arthur".

Si le poème fut réellement composé vers 600, les gens qui connurent Arthur peuvent très bien l'avoir entendu. Malheureusement, il est possible que ce passage ne date que du Xᵉ siècle. Nous sommes sur des bases légèrement plus sûres en ce qui concerne certains poèmes du *Black Book of Garmarthen* (1250 env.) et du *Book of Taliesin* (1330-1325 env.). Le premier de ces deux manuscrits de poésie galloise (tous les deux à la National Library du pays de Galles) comprend un dialogue étrange entre Arthur et le portier Glewlwyd, où le premier énumère ses compagnons, "Mabon, fils de Mellet qui tacha l'herbe de son sang, et Anwas, l'Ailé et Liwch à la main puissante" et d'autres encore parmi lesquels Cai Wyn et le Bedwyr, le Keu et le Bedoier d'un roman français plus récent. Cai est un preux guerrier qui transperça neuf sorcières : Cai le Beau se rendit à Anglesey pour y détruire des lions : contre "le chat griffant son bouclier fut réduit en pièces". Ce dernier n'était pas un félin ordinaire mais un monstre féroce qui dévorait les guerriers par dizaines.

Encore plus étrange est le poème sur les dépouilles d'Annwin du *Book of Taliesin*. Il y est question d'une expédition, désastreuse, conduite par Arthur et ses hommes dans son bateau *Prydwenn* dans l'au-delà celte pour se procurer un chaudron magique qui "ne cuit pas la nourriture d'un

692

couard". A un certain moment, l'armée d'Arthur attaque Caer Wydr, la "Cité de Verre", dont les murs sont gardés par 6000 sentinelles qui ne répondent pas lorsqu'on s'adresse à elles mais qui infligent de terribles pertes à l'armée d'Arthur ; le thème des sentinelles qui refusent de répondre figure dans d'autres sources celtiques, telle la chronique en latin du IXe siècle attribuée à Nennius.

La légende d'Arthur dans les anciens textes poétiques est complétée par les contes arthuriens *Culhwch et Olwen* (avant 1100) et le *Rêve de Rhonabwy* (1220-1225 env.) dans le recueil de textes gallois appelé *les Mabinogion.* Ces sources nous donnent de précieux renseignements sur Arthur avant que l'influence de Geoffroi de Monmouth ne devienne totale. On peut noter que, selon la tradition la plus ancienne, la cour d'Arthur n'est pas à Caerleon, ou Camelot, mais à Celliwig, en Cornouailles, et qu'il passait pour un chef celte féroce et grossier, image bien éloignée de celle du chevalersque roi-empereur de Geoffroi et des romans et des poèmes postérieurs. A la fin de *Culhwch et Olwen,* par exemple, des guerriers d'Arthur ont du mal à sortir une sorcière d'une grotte ; après de bonnes empoignades, la sorcière repoussa les hommes en poussant des cris perçants. Cela permit à Arthur de résoudre la situation.

"Et alors Arthur franchit l'entrée de la grotte et depuis là il visa la sorcière avec Carnwennan, son couteau, et la frappa plusieurs fois au milieu du corps, jusqu'à ce qu'elle fût réduite comme deux éponges. Et Cadw de Prydein prit le sang de la sorcière et le garda avec lui." Le clerc normand Geoffroi de Monmouth publia vers 1136-1138 son *Historia Regum Britanniae*, une pseudo-histoire de la Grande-Bretagne qui glorifiait Arthur et répandit sa renommée à travers l'Europe. Bien que Geoffroi semble avoir employé des traditions celtes, l'Arthur connu par les lecteurs modernes relève presque totalement de son invention. Par exemple, c'est à Geoffroi qu'on doit l'image d'Arthur présenté comme empereur, entouré des ses chevalies dans sa magnifique cour de Caerton, dans le pays de Galles méridional ; il en est de même de la légende selon laquelle Arthur fut battu non après un combat loyal mais grace à la perfidie de son neveu Modred dans la dernière bataille de Camian.

Déjà du temps de Geoffroi des historiens sérieux tels que William de Newburgh, mieux connu comme Guillaume le Petit, dénoncèrent la fausseté de son histoire, spécialement à propos de la défaite supposée des Romains et de la conquête de l'Italie par la main d'Arthur. Gérald du pays de Galles (*Giraldus Cambrensis*, 1146-1223) raconte l'historiette d'un sorcier persécuté par des diables qui fuyaient quand il se mettait sur la poitrine une copie de l'Evangile de Saint-Jean, mais ils revenaient en grand nombre quand l'Evangile était remplacé par l'*Historia* de Geoffroi.

L'impact de l'*Historia Regum Britanniae* de Geoffroi "l'un des livres qui marqua le plus son temps", peut être évalué au nombre de manuscrits retrouvés (plus de 200) et à la rapidité avec laquelle elle fut traduite en langues étrangères. La plus importante traduction en français est la version poétique du *Roman de Brut* de Wace (né à Jersey, dans les îles

Anglo-Normandes), achevé en 1155 ; son poème de 15 300 vers est la première contribution illustrant la Table ronde d'Arthur, qui n'est pas mentionnée par Geoffroi. Il y eut également pas moins de six traductions distinctes de l'*Historia* de Geoffroi en gallois, la plus ancienne remonte à 1200, tandis qu'une traduction approximative en norois ancien, sous le titre de *Breta sögur*, fut faite avant 1334. L'influence directe de l'histoire de Geoffroi s'étendit à la Pologne lorsque Wincenty Kadlubek, évêque de Cracovie (1208-1218) l'utilisa comme base de sa *Chronica Polonorum.* Dans la littérature anglaise, l'influence de Geoffroi s'est poursuivie jusqu'à l'époque de Spenser, de Shakespeare (*le Roi Lear, Cimbelin*) et Milton.

Les premières traductions et les adaptations engendrèrent leurs propres descendants. Le *Roman* de Wace, qui influença les romans français *la Mort d'Arthur, Didot Perceval* et *le Livre d'Arthur,* (ce dernier fut traduit en anglais par Layamon), exerça une profonde influence en inspirant l'œuvre de Chrétien de Troyes, et plus particulièrement ses premiers romans chevaleresques : *Erec* de 1170 et *Cligès* de 1176. A ce moment se multiplient les témoignages de la diffusion des histoires du roi Arthur à travers l'Occident grâce aux ménestrels itinérants. Quelques-unes de ces évidences font entrevoir les voies par lesquelles même un écrivain cultivé tel que Wace, qui étudia à Paris et à Caen, pouvait employer la tradition orale en complément des sources littéraires. En faisant allusion à la Table ronde, il remarque que "les Bretons recontent, à ce sujet, de nombreuses histoires", et il n'y a aucune raison de considérer cette affirmation comme une invention.

Arthur était le héros national du peuple britannique tout entier, depuis l'Ecosse jusqu'à la Bretagne ; ce sont en particulier les conteurs bretons de la cour normande et d'autres cours qui ont assuré de la diffusion non seulement des histoires du roi Arthur lui-même, mais aussi d'une grande variété de narrations héroïques et mythiques d'origines différentes qui se sont cristallisées autour de sa personne pendant des siècles.

A la fin du XIIe siècle, les Normands avaient conquis des territoires depuis l'ouest de l'Irlande jusqu'au Jourdain, et la langue française était devenue la langue vulgaire la plus importante de l'Europe occidentale. Cette période réunissait donc les conditions idéales pour diffuser par voie orale la légende arthurienne.

Des témoignages remarquablement précoces de cette circulation proviennent de l'Italie du Nord. Le prénom *Artusius* apparaît dans la région de Padoue et de Modène à partir de 1114, tandis que *Walwanus,* nom de son neveu, Gawain, apparaît en 1136 dans les archives de Padoue. Le nom d'Arthur a dû par conséquent être utilisé dans le baptême avant 1100. Arthur et ses chevaliers, y compris "Galvaginus et Che", sont représentés dans la célèbre sculpture de la cathédrale de Modène de 1106 environ, en train de sauver dame Winlogee d'un château. La forme *Winlogee* pour le nom de la femme d'Arthur dérive du breton ; l'histoire atteignit ainsi Modène grâce à des conteurs bretons, et non pas à des conteurs Gallois. D'autres témoignages du XIIe siècle sur les récits arthuriens en Italie viennent de l'extrême sud de la péninsule : une mosaïque de 1165 de la

L'apparition du saint Graal aux chevaliers de la Table ronde d'après de "Livre de Messire Lancelot du Lac" de Gautier Map XVᵉ siècle Paris Bibliothèque nationale

cathédrale d'Otrante (Pouilles) montre Arthur portant un sceptre et chevauchant une chèvre ; et dans des légendes siciliennes connues des écrivains anglais et allemands de l'époque, Arthur est toujours considéré comme vivant dans une grotte située sous l'Etna. Aujourd'hui, le mirage qu'on voit près de Messine, connu sous le nom de *Fata Morgana*, tire son appellation de la fée homonyme qui était la demi-sœur d'Arthur et qui, selon la *Vita Merlini* de Geoffroi de Monmouth, était la plus importante des neuf sœurs régnant sur l'île mystérieuse où Arthur fut porté après sa dernière bataille. Il semble que les envahisseurs normands, qui étaient familiers de la matière de Bretagne et qui régnèrent sur la Sicile de 1072 à 1189, situaient en Calabre le siège de la fée.

C'est à travers l'influence bretonne sur les Normands (et sur d'autres) que certaines légendes celtiques, qui sont mal conservées ou pas conservées du tout, apparaissent au début de la littérature galloise dans des écrits en français. A titre d'exemple, citons la Chasse du cerf blanc (un mythe sur la souveraineté dynastique dans lequel les rois s'accouplent avec une déesse représentant la terre même) ; la Terre désertique ; le Roi blessé aux jambes ; l'Enlèvement de la reine et l'Expédition dans l'au-delà. Ces exemples apparaissent de façon diverse dans les poèmes de Chrétien de Troyes. La légende des enlèvements de la reine deviendra l'histoire des amours de Lancelot avec la reine Guenièvre dans *Lancelot ;* l'Expédition dans l'au-delà, plus étrangement encore transformée, deviendra la quête du Saint-Graal dans *Perceval*.

Ce dernier inspira un cycle majeur d'œuvres sur le Graal du XIIIe siècle en France et en Allemagne, le *Parzival* de Wolfram von Eschenbach (début du XIIIe siècle) et, à travers lui, l'opéra de Wagner *Parsifal* (1882).

Les développements ultérieurs, après 1200 environ, de la légende arthurienne – avec le cycle de la Vulgate en français, l'œuvre de Hartmann von Aue et de ses successeurs en allemand, *Sir Gawain et le Chevalier Vert* et l'œuvre en prose *la Mort d'Arthur* de Malory en anglais, Boiardo et l'Arioste en italien – sont de moindre intérêt pour l'apport celtique à la culture européenne. Tandis que deux passages de la *Divine Comédie* de Dante sont trop importants pour ne pas être mentionnées. Dans l'Enfer, XXXII, 61-62, Dante mentionne le coup furieux d'Arthur frappant le traître Modred durant la bataille (celui dont le poitrine fut défoncée jusqu'à son ombre) : la lumière du soleil passait par les trous de la blessure ; encore plus célèbre dans l'Enfer, V, le passage où Francesca de Rimini raconte au poète comment après avoir lu les premiers baisers entre Lancelot et Guenièvre dans *Lancelot*, Paolo se tourna vers elle et, tout tremblant, l'embrassa pour la première fois

> Quando leggemmo il disiato riso
> esser baciato da cotanto amante,
> questi, che mai da me non fia diviso,
> la bocca mi baciò tutto tremante.
> Galeotto fu il libro e chi lo scrisse:
> quel giorno più non vi leggemmo avante.

Si les légendes celtiques d'Arthur et l'enlèvement de Guenièvre n'avaient pas existé, nous aurions perdu ce chef-d'œuvre de Dante, mais Francesca elle-même aurait pu être épargnée.

Merlin l'Enchanteur

Merlin était le fameux magicien de la cour du roi Arthur. La légende dit qu'il fut enfanté par une nonne fécondée par un diable durant son sommeil. Mi-homme, mi-démon, il était tout aussi naturellement doué de pouvoirs prophétiques. Cependant, il semble que le noir récit de sa conception ne soit pas dû à une source celtique indigène mais à l'invention de Geoffroi de Monmouth. L'écrivain français Robert de Boron (1200 env.) dans la vie poétique de Merlin liée à son *Joseph d'Arimathie* (un poème sur le Saint-Graal) va encore plus loin : il attribue la conception de Merlin à une conjuration de démons tenus en échec, soucieux de placer dans le monde un intermédiaire qui servirait leurs projets.

Démons ou pas, le Merlin originel semble n'avoir été rien de plus sinistre qu'un poète gallois (comme cela a été

Xilographie de "Navigatio Sancti Brentani" (Ausbourg, 1476) la rencontre de Brendan et ses compagnons avec la baleine et leur retour à la maison

Lancelot passe
le pont de l'épée
Enluminure du
"Livre de Messire
Lancelot du Lac"
de Gautier Map
XVᵉ siècle
Paris
Bibliothèque
nationale

avancé), ou le nom d'un lieu, comme on le considère généralement maintenant. Le développement de la légende montre la trasformation de Merlin à partir de cette origine innocente. Dans une des légendes de l'Ecosse postromaine apparaît Lailoken, un homme sauvage et déséquilibré, hirsute et solitaire, tel Nabuchodonosor dans la Bible (Daniel, IV, 33). Quelque temps après, en 650, l'histoire de Lailoken, qui rappelle celle de Tristan de l'époque postérieure, changea de cadre géographique : de l'Ecosse elle fut transférée au pays de Galles. Là, Lailoken fut rebaptisé "Myrddin", nom fantomatique dérivant de *Caerfyrddin*, une petite ville de Carmarthen, dans le pays de Galles occidental. Son nom d'origine était Moridunum ("Forteresse sur la mer"), mais ces sens n'étaient plus compris, et Myrddin fut pris par un nom de personne, d'où Caerfryddin ("la forteresse de Myrddin", en anglais Carmarthen). Aux IXᵉ et Xᵉ siècles furent placés dans la bouche de Myrddin des poèmes et des prophéties en gallois, et sa folie lui donna une réputation de prescience. Dans la *Prophétie de Bretagne*, un texte poétique du *Livre de Taliesin*, on annonce aux Celtes leur prochaine victoire sur les Anglais en s'appuyant sur la prophétie de Myrddin. Lorsque la bataille eut lieu, en 937, les Anglais furent vainqueurs.

L'homme qui changea le nom de Myrddin en Merlin en lui donnant une renommée internationale fut Geoffroi de Monmouth. Il le fit dans trois œuvres : *Prophetiae Merlini*, *Historia regum Britanniae* et *Vita Merlini*. La première, éditée peut-être en 1134, fut immédiatement un succès, au point qu'elle fut incluse dans l'*Historia,* tandis que la *Vita* date de 1149 environ. En revanche, les *Prophetiae Merlini* (qui semblent largement dues à l'invention de Geoffroi), qui furent prises très au sérieux et recopiées dans toute l'Europe occidentale, accompagnées par un commentaire pseudo-érudit, la *Vita Merlini* (où Geoffrey introduit la légende de Merlin, homme des bois), semblent n'avoir rencontré que peu de faveurs.

La façon dont Geoffroi utilise la traduction galloise dans ses textes reflète son peu de respect pour les sources. Son appropriation de l'histoire d'Ambrosius, racontée dans la chronique latine du IXᵉ siècle *Historia Britonum*, de Nennius, en est un exemple. Ambrosius, qui avait des capacités divinatoires, expliqua au tyran britannique Vortirgern pourquoi le fort qu'il tentait de construire à Snowdonia, dans la nord-ouest du pays de Galles, disparaissait dans le sol pendant la nuit. Le phénomène était provoqué par deux dragons qui luttaient au fond d'un puits voisin. Cela avait lieu à Dinas Emrys, près du village de Beddgelert, où les archéologues conduisèrent des fouilles il y a une trentaine d'années, dans ce même puits. Geoffroi prit à Nennius l'histoire de ce garçon prophétique Ambrosius, qu'il rebaptisa Merlin, et la situa à Carmarthen, dans le sud-ouest du pays de Galles. On notera que la légende de Merlin n'avait à l'origine aucun lien avec celle du roi Arthur. C'est à nouveau par l'influence de Geoffroi que nous retrouvons Merlin magicien royal à la cour du roi Arthur à Camelot.

Bien qu'aucune source celtique ancienne ne nous parle de l'histoire d'amour de Tristan et Iseult, il n'y a pratiquement aucun doute que ses origines ne soient celtiques, qu'elles n'impliquent presque tout le royaume celtique et que l'histoire n'ait été transmise par les conteurs de Cornouailles et de Bretagne.

Les noms des amants sont celtes. Pour Iseult, le nom moyen-gallois Essylit semble dérivé du britannique Adsiltia, "celle qui est regardée" ; on peut comparer la forme et les sens au français Iseult et à l'allemand Isolde; cette dernière forme, on la retrouve dans l'ancien haut-allemand du VIIIe siècle, elle est interprétée comme "fermeté de glace". De son côté, le nom de Tristan est courant dans la langue des Pictes, une langue celtique morte d'Ecosse avec une composante non indo-européenne. Une triade galloise, probablement du XIIe siècle, fait référence à un conte, perdu, dans lequel "Drystan, fils de Tallwch, gardait les cochons de March fils de Meirchiawn, tandis que le gardien des parcs allait demander un rendez-vous à Essylt. Arthur au même moment tenta de leur soustraire un cochon sait par ruse sait par force, mais il n'y réussit pas."

Une source écossaise mentionne en effet un Drust, fils du roi des Pictes Taloro, qui gouverna vers 780. Si ce Drust doit être identifié, comme il semble probable, avec notre Drystan, fils de Tallwch, nous pouvons voir comment une légende du nord de la Grande-Bretagne se déplace vers le sud du pays, et comment un personnage historique qui vécut deux siècles et demi après l'époque d'Arthur, peut encore être impliqué dans sa légende.

L'histoire d'amour légendaire a été reconstituée de la façon suivante. Le Picte Tristan était à l'origine le héros d'une histoire semblable à celle de Persé et d'Andromède : après avoir sauvé une jeune fille, il devenait son amant. Ce récit, connu par une version irlandaise du IXe siècle, fut porté dans le pays de Galles ; ici, l'histoire fut resituée en Cornouailles, Iseult fut transformée en femme du roi March en y ajoutant l'éternel thème du triangle mari-femme-amant avec les motifs de la potion d'amour absorbée accidentellement par le couple lors de leur voyage de retour par la mer d'Irlande. Cette histoire semble avoir été bien connue par les conteurs gallois, bien que les seules preuves directes en soient deux fragments de poésie contenus dans le *Black Book of Carmarthen*, dans la triade galloise déjà citée, des allusions dans les *Rêves de Rhonabwy* et dans une légende populaire galloise du XVe ou XVIe siècle qui font référence à des compositions poétiques antérieures.

Cette version de l'histoire fut adaptée par le roman anglo-normand *Tristan* (dont nous avons seulement quelques fragments), écrit vers 1160 par Thomas, et par la version postérieure plus complète de Béroul.

Le texte de Thomas fut traduit, de façon plutôt libre, en haut-allemand par Geoffroi de Strasbourg. Sa version est à la base de l'opéra de Wagner *Tristan et Isolde* (1888). Cependant, une référence à Tristan comme amant idéal par le troubadour Cercamon (en 1137-1149 env.) montre bien que la légende était aussi connue, et assez tôt, dans le Languedoc. Pour ce qui est de la légende d'Arthur, mentionnée ci-dessus, elle a été probablement diffusée dans le midi de la France par les conteurs bretons.

Enfer, Purgatoire, Paradis

Après avoir traité la mission des saints irlandais à travers toute l'Europe, il faut dire quelque chose au sujet de certaines légendes de saints celtiques, car elles influencèrent la littérature européenne, en particulier en ce qui concerne la vision de l'Enfer.

Ces légendes remontent très loin. Dans son *Historia ecclesiastica gentis Anglorum* (III, 9), Bède le Vénérable décrit une expérience de l'Enfer faite par Fursey, un saint irlandais actif en Angleterre vers 630. Bède note que lorsque Fursey racontait ce qu'il avait aperçu, même si c'était une journée glaciale d'hiver, cela le faisait transpirer de terreur, "comme si c'était le plein été". Une autre vision irlandaise, incluant à la fois le Paradis et l'Enfer, est celle d'Adamnàh, du XIᵉ siècle. L'Enfer présente ici le spectacle hors du temps de damnés, dont le "visage laisse échapper par un trou un torrent de flammes ; d'autres damnés ont la langue transpercée par des pointes de feu et des flammes transpercent la tête d'autres. Ceux qui sont dans les tourments sont des valeurs, des parjures, des traîtres, des diffamateurs, des brigands, des saccageurs, des juges véreux, des querelleurs, des sorcières et des moqueurs, des renégats et des prêcheurs d'hérésie". Des autres visions infernales d'origine irlandaise sont la *"Visio Tungdali"* et le *"Purgatoire de saint Patrick"*, toutes deux du XIIᵉ siècle. Elles furent lues d'un bout à l'autre de l'Europe médiévale. La première, écrite en latin par un moine irlandais de Ratisbonne, en Bavière, raconte ce que l'âme de Tungdal voyait tandis que son corps était en transes ; la seconde s'appuie sur le récit d'un chevalier irlandais – Eogan ou Owen – qui, vers 1153, descendit dans une gratte (renommée comme l'endroit, révélé par Jésus-Christ à saint Patrick, d'où on pouvait voir l'au-delà) située dans l'île de Lough Derg, dans le nord-ouest de l'Irlande. Aujourd'hui, cette lie du comté du Donegal, est un centre de pèlerinage, bien que la gratte, ait disparu depuis longtemps. La version en latin de ce qu'Eoghan vit du Ciel et de l'Enfer arriva en Angletere, et de là gagna l'Occident, traduite en de nombreuses langues. Elle influença également les arts : le cardinal O'Fiach remarqua dans l'église franciscaine de Todi un beau tableau du XVᵉ siècle, illustrant saint Patrick au-dessus des flammes du Purgatoire avec la Vierge Marie aidant les gens a en sortir.

Cette légende et d'autres encore influencèrent *la Divine Comédie* de Dante Alighieri, ce dont les Irlandais tirent une légitime fierté.

Des visions du Paradis et de l'Enfer font également partie de la *Navigatio sancti Brendani*, "le Voyage de saint Brendan", qui pourrait être décrit comme une sorte d'odyssée religieuse en prose latine. On dit que saint Brendan fut au VIᵉ siècle abbé de Clonfert (comté de Galloway) et qu'il était originaire du Kerry, la region accidentée du sud-ouest de l'Irlande. Le récit de son voyage en Occident à la recherche de la Terre promise fut écrit, semble-t-il, au début du siècle, probablement par un évêque irlandais appelé Israël, qui, à la suite des attaques mauresques sur son diocèse d'Aix-en-Provence, s'installa à Trêves, en Allemagne, où le plus ancien manuscrit de cette histoire se trouve encore.

De saint Brendan, dont les aventures furent vite traduites en français et en allemand, Gaston Paris dit qu'il erra "sur l'Océan pendant sept annés, y découvrit mille merveilles et vit le séjour des damnés aussi bien que celui des bienheureux il vit même le rocher sur la mer où est juché Judas, momentanément délivré de l'Enfer."

Le culte de saint Brendan était populaire en Allemagne du Nord et autour de la Baltique, et la ville de Brandebourg tire son nom du saint. La porte de Brandebourg, à Berlin, doit également son nom au saint irlandais, ce que pas un des milliers de passants qui la franchissent ne sait pas.

Druides sacrifiant des victimes dans un mannequin d'osier d'après Aylett Sammes Britannia Antiqua Illustrata, *1676*

Druides

Sur les druides historiques, nous ne savons presque rien, et il n'existe pas des restes materiels "druidiques" qui puissent nous éclairer. Les affirmations des auteurs classique sur les druides sont contradictoires, et en dernière analyse en disent peut-être davantage sur les auteurs eux mêmes que sur ceux qu'il decrivent. Selon des auteurs classiques, les druides constituaient une classe des prêtres puissante en Gaulle et en Grande-Bretagne, que les Romains liquidèrent, dans l'un comme dans l'autre pays. On dit qu'ils croyaient à la metempsychose, qu'ils brûlaient vivantes des victimes humaines dans des carcasses d'osier ayant forme humaine qu'ils formaient leurs disciples dans des grottes et des vallées cachées. On dit aussi qu'ils se servaient de faucilles d'or pour cueillir du gui sur les chênes pour leurs cérémonies religieuses. Tout cela peut bien n'être que fantaisie. Il n'en reste pas moins qu'ils sont, depuis la Renaissance, une mine d'or pour l'imagination. Avec le déclin de la religion médiévale, c'est comme si les druides avaient surgi opportunément pour occuper "un grand vide des esprits" (Geoffrey Grigson). Au XVIe siècle, des savants français (suivis plus tard par les anglais) exaltèrent pour des raisons patriotiques les druides, poussés par la conviction pieuse que leurs ancêtres passeraient pour nobles, vénérables, sages philosophes croyant à l'immortalité de l'âme et résistant à la tyrannie de Rame.

Avec les débuts de l'archéologie, au XVIIIe siècle, les menhirs et les cromlechs d'Angle-terre, d'Irlande et de Bretagne commençèrent à être attribués aux druides. La croyance en un rapport entre Stonehenge, dans le Wiltshire, et les druides persista jusqu'à il y a peu encore. Au XVIIIe siècle, on voyait les druides plus comme des protoprotestants que comme des précurseurs des Lumières, croyant dans la liberté et dans une religion non dogmatique ; au pays de Galles, ces convictions conduisirent à la naissance du mouvement Eisteddfodic, dont les chefs se parent encore chaque année de costumes druidiques pour accomplir les cérémonies de cette fête populaire, littéraire et culturelle. En Angleterre, des druides en robe blanche ont continué à se rencontrer à Stonehenge avant l'aube du 1er mai pour saluer la venue de l'été, tandis que des groupes rivaux, eux aussi en robe blanche, se réunissent près de la Tour de Londres. Fantaisies mises à part, les druides demeurent dans l'héritage européen une source perpétuelle pour l'imagination des poètes et des artistes.

Ossian

C'est avec la poésie d'Ossian, au XVIIe siècle, que nous pouvons parler d'un culte européen (mieux, d'un engouement) pour les Celtes, qui se prolonge jusqu'au seuil de la pensée moderne. L'ironie veut que cela ne soit dû ni à un grand artiste ni à quelque chose de typiquement celtique. La poésie d'Ossian est due presque exclusivement aux contrefaçons d'un Ecossais, le modeste homme de lettres James Macpherson (1736-1796), né dans une paroisse près d'Inverness où l'on parlait gaélique, et éduqué aux universités d'Aberdeen et d'Edimbourg. En 1760, il publia les *Fragments o fancient Poetry Collected in the Highlands old Scotland and Translated from the Gaelic or Erse Language.* Macpherson prétendit qu'il en avait traduit les poèmes épiques, et plus tard *Fingal* (1762), *Temora* (1763) et les œuvres d'Ossian (1765) à partir des poèmes gaéliques d'Ossian, à la fois guerrier et barde, que l'on supposait avoir vécu au IIIe siècle ap. J.-C. Cependant, il ne put produire les manuscrits qu'il disait avoir utilisés. Il semble que son matériel provenait de certaines ballades orales et de sa vaste imagination. L'œuvre de Macpherson eut un succès immédiat en Grande-Bretagne et sur le continent; elle inspira l'œuvre de Goethe *Die Leiden des jungen Werthers* (1774) et fut admiré par Napoléon, qui, dans un tableau, figure avec ses maréchaux, reçu par Ossian sous un ciel quelque peu théâtral. Le succès d'Ossian était dû à l'intérêt grandissant porté au primitivisme, qui aurait joué un grand rôle dans le romantisme européen.

L'œuvre de Macpherson eut d'importantes conséquences si l'on considère l'intérêt qu'elle suscita pour les Celtes. Elle stimula la recherche sur les langues celtiques, en Ecosse comme en Irlande, où les *Reliques of Irisch Poetry* de Charlotte Brooke, la première anthologie de traductions d'une langue celtique parut à Dublin en 1789. Elle montra que les thèmes écossais pouvaient attirer un large public de lecteurs, préparant ainsi le chemin au roman de sir Walter Scott (1171-1832), *Waverley* (1814), dont l'action est située à l'époque de l'insurrection jacobite de 1745 ; ce roman contribua au succès du stéréotypé romantique du Highlander légendaire, quoique Scott fût trop intelligent pour ne pas voir les problèmes que la vie moderne posait aux Celtes. Le culte du kilt et du tartan – et même l'industrie touristique écoissaise moderne – doivent beaucoup à Scott. Fait plus important encore, le roman historique et aussi notre regard sur le passé portent l'empreinte de son originalité profonde.

Le crépuscule celtique

La dernière contribution des Celtes à l'héritage de l'Europe, la Renaissance celtique, qui culmina entre 1890 et 1914, est à bien des égards la plus douteuse, même si, en W.B. Yeats (1865-1939) et en J.M. Synge (1871-1909), on trouve deux écrivains irlandais de génie. Elle a été l'objet de fortes critiques. Conditionnée par les mouvements préraphaélite et esthétique, la Renaissance celtique fit naître la croyance – tout à fait infondée – que la littérature celtique (que peu des ses exponents connaissaient de première main) est pleine d'une mystérieuse mélancolie lugubre, langoureuse, du pâle "crépuscule celtique" – comme l'appelle Yeats. Jackson souligne vigoureusement le fait que, jusqu'à ces derniers temps, un Gallois "ne pouvait pas publier un livre de contes, les plus réalistes ou sceptiques, sans qu'un critique n'y trouve le témoignage du 'mysticisme celtique' ". Même Synge, qui connaissait très bien l'irlandais parlé, avait l'habitude de mettre dans la bouche des paysans irlandais de ses drames des phrases qu'il sortait de la littérature médiévale française et espagnole. Pour toutes ces raisons – comme souvent dans le passé –, l'héritage celtique dans la culture européenne semble réunir art et falsification.

Page enluminée du "Roman de Lancelot du lac et de la Mort du roi Arthur". Arthur est blessé et l'épée d'Excalibur disparaît dans le lac
XIVe siècle
Londres, British Library

Les Celtes contemporains

Gerard Mac Eoin

Lorsqu'on parle de nos jours de populations celtiques, on se réfère d'habitude aux Bretons, aux habitants de la Cornouaille, aux Irlandais, aux Mannois (habitants de l'île de Man), aux Ecossais et aux Gallois, c'est-à-dire aux populations des îles d'Irlande, de Man et d'une part de la Grande-Bretagne, ainsi qu'à celles de la péninsule de Bretagne qui fut occupée par les Britanniques au VIe siècle. Aujourd'hui, les Bretons sont des citoyens français, alors que les habitants de la Cornouaille, de l'Irlande septentrionale, de l'Ecosse et du pays de Galles appartiennent au Royaume-Uni, ceux de Man bénéficiant d'une législation indépendante, sous la couronne britannique. Une grande partie de l'Irlande est une république indépendante. Ainsi tous les pays celtiques, à l'exception de l'île de Man, font partie de la Communauté européenne. Aussi toutes les communautés celtiques, à part la république d'Irlande, sont des minorités à l'intérieur d'Etats dans lesquelles prédominent des groupés nationaux qui, quelle que soit la précision historique dans sa désignation, ne peuvent être définis celtiques. Ceci a porté à des requêtes, qui varient par leur farce et leur radicalisme, d'indépendance nationale dans tous les pays celtiques, mais le seul qui ait obtenu un statut est l'Irlande, qui après soixante-dix ans d'inutiles pressions parlementaires durant le XIXe siècle, est passée dans lés années 1916-21 à la révolte armée, devenant un Etat partiellement indépendant, qui en 1949 a obtenu sa pleine indépendance.

Le pays celtiques sont situés aux limites occidentales des Etats respectifs, à la périphérie occidentale de l'Europe : une collocation géographique qui dans le passé leur a valu d'être isolés des développements économiques et culturels des régions en position plus centrale du continent. Sur le plan économique, ceci a comporté sous-développement et pauvreté durant le XVIIIe et le XIXe siècle, dans une époque dans laquelle l'Europe était en grande partie en cours de révolution industrielle: durant cette période, il y a eu des famines et l'abandon progressif du pays qui eurent pour effet de grandes émigrations, surtout de l'Irlande et de l'Ecosse, vers l'Amérique septentrionale, l'Australie ou la Nouvelle-Zélande. Encore aujourd'hui les pays celtiques sont industrialisés seulement partiellement et leurs recettes proviennent essentiellement de l'agriculture, de la pêche et du tourisme. A part les bassins carbonifères du pays de Galles méridional, les ressourcés en minerais sont peu abondantes, même si l'Ecosse septentrionale est devenue assez récemment la base terrestre des prospections pétrolières dans la mer du Nord.

Ce sont des pays qui subissent les conséquences d'une diminution générale de la population, avec la conséquente inefficience en matière de communication et de distribution. Le niveau démographique est statique ou en phase de diminution à cause de l'émigration de la périphérie vers les centres industriels qui peuvent offrir des emplois, c'est pourquoi quelques-unes des zones les plus arriérées d'Irlande et d'Ecosse sont quasi totalement dépeuplées. Ce sont des régions dans lesquelles le module d'habitation consistait pour le plus de fermes isolées, chacune avec son propre domaine. La diminution a été plus faible en Bretagne, car la population avait tendance à se regrouper plutôt en villages. Les installations urbaines n'étaient pas dans la tradition des pays celtiques, mais elles y furent introduites par les Romains. Durant le Moyen Age, des villes qui restèrent toujours des centres d'installations et d'administration périphériques furent fondées par les Vikings et les Normands, d'où l'opposition entre ville et campagne qui est encore perceptible aujourd'hui.

Le module d'habitat rural des pays celtiques a eu pour conséquence la survie d'un style de vie conservateur jusqu'à notre siècle, avec des attitudes et des coutumes liées à la routine du travail annuel, de pratiques et de croyances religieuses qui ont survécu à l'arrivée du christianisme, porté par l'Empire romain et à la scission du christianisme avec la Réforme, et avec des habitudes sociales issues d'une forme d'organisation plus ancienne que la féodalité et même que l'institution romaine. Des sites sacrés étaient nombreux dans tout le pays, ils avaient atteint ce "statut" durant des époques préchrétiennes et ils furent tout simplement adoptés par l'Eglise chrétienne, laquelle leur a donné des noms ou des consécrations chrétiens afin de leur enlever les valeurs négatives : collines, pierres et surtout puits qui encore aujourd'hui apparaissent parfois en fête grâce à des draps obéissant à un antique rituel.

Certains jours de l'an étaient marqués par des cérémonies solennelles et le temps était calculé à partir de celles-ci, indépendamment du calendrier courant. Ces journées étaient les premières des quatre saisons, et toutes furent converties en festivités chrétiennes. Màire MacNeill a prouvé dans son excellente étude sur la fêté au début de la récolte (*Lughnasa*) la continuité entre le mythe connu depuis le Haut Moyen Age et les coutumes qui ont survécu jusqu'à nos jours.

Dans ses pèlerinages, la population combinait la célébration d'un site et d'un jour sacrés. Les pèlerinages continuent à être, surtout en Irlande et en Bretagne, des moments importants dans la vie rurale. Le plus imposant est sans doute celui sur les rives de la Clew Bay sur les côtés occidentales de l'Irlande pour la "Croagh Patrick", où chaque année, pendant le dernier dimanche de juillet, pour le début de la récolte, cinquante mille pèlerins montent sur le mont haut de 765 mètres. Le pèlerinage est pour beaucoup une occasion religieuse qui impose le respect et l'observation du rituel traditionnel, mais on le perpétue avec joie et divertissement. Même s'il est présidé par le clergé et si on célèbre des messes tout au long de la journée le pèlerinage est indépendant de l'Eglise et il aurait sans doute lieu même en l'absence de prêtres.

Jusqu'à ces dernières années, la vie sociale avait changé très peu dans les pays celtiques au fur et à mesure que le temps passait. Les Celtes s'occupaient de leurs propres divertissements avec de la musique, des chants, des danses et des narrations soit à l'occasion de fêtes, soit plus simplement dans les maisons des voisins où ils se réunissaient pour passer les longues nuits d'hiver. C'est de là que dérive la forte tradition de chants populaires, présente dans tous les pays celtiques. De nos jours, les chansons irlandaises *sean-nos* ("vieux style") et le *penilion* (voix et harpe) gallois sont familiers au public, au même titre que les chants de travail écossais, grâce aux nombreux enregistrements, soit de chanteurs traditionnels, soit

Le sacrifice du mannequin d'osier dans le film The Wicker Man *de Robin Hardy (1973)*

d'autres qui ont appris la technique et le style de ces chants. On proposait à un public réceptif mais critique des récits traditionnels ; même s'il connaissait déjà l'histoire, il était prêt à prêter attention à une nouvelle version, fruit de l'interprétation et du talent verbal du narrateur qui recouvrait de nouveaux habits l'histoire ancienne. Il est encore passible d'entendre des narrations traditionnelles en Irlande et en Ecosse, même si l'avènement de la radio et de la télévision, s'unissant à une majeure mobilité du public potentiel, a permis de chercher des sources de divertissement extérieures à l'environnement immédiat et a mis fin à la demande au cours de la génération actuelle.

Ce que tous les pays ont en commun et qui les distingue des autres pays occidentaux est d'avoir eu un langage celtique, comme propre dialecte, durant ces derniers siècles. Même si elles sont aujourd'hui mutuellement incompréhensibles, les langues celtiques sont strictement apparentées entre elles et appartiennent à un groupe qui un temps fut parlé dans toute l'Europe occidentale et dans une grande partie de l'Europe centrale. Les langues celtiques connurent leur déclin déjà durant la période romaine à cause des pressions exercées par les langues voisines germaniques et romanes. Elles avaient complètement disparu du continent au VIIe siècle ap. J.-C. même si à l'époque le dialecte méridional britannique, devenu ensuite le breton, avait été porté sur la presqu'île armoricaine par des populations britanniques qui fuyaient l'envahisseur saxon. Durant la période médiévale, les langues celtiques ont continué à perdre du terrain par rapport à l'anglais et au français. Celle de la Cornouaille s'est éteinte au XVIIe siècle et celle de l'île de Man au XXe siècle. Aujourd'hui, seulement quatre langues celtiques ont survécu. L'irlandais, même s'il a bénéficié du soutien d'un Etat national depuis à peu près sept décennies, est le dialecte de pas plus de quelques dizaines de milliers de locuteurs qui vivent en communautés dispersées sur les côtes occidentales de l'île. Par contre, plusieurs centaines de milliers de personnes ont acquis à l'école une certaine connaissance de la langue, même s'ils en font une utilisation médiocre, dans d'autres zones du pays. En Ecosse le gaélique, qui est strictement apparenté à l'irlandais, est confiné de nos jours dans les Hébrides et dans quelques autres communautés minuscules des côtes adjacentes ; le nombre de locuteurs ne dépassant pas les quatre-vingt-dix mille unités. Au pays de Galles, la langue locale est apparemment la plus forte des langues celtiques ayant survécu, avec à peu près cinq cent mille locuteurs et la présence de certains centres urbains celtophones, ce qui est évidemment une situation favorable dont aucun autre parler celtique ne jouit. Cependant, tout semble montrer que même au pays de Galles la langue est en déclin, même si celui-ci est plus lent par rapport aux autres. Le pourcentage de celtophones au sein de la population a continué à baisser constamment en passant de 50% de locuteurs au début du siècle à seulement 20% aujourd'hui. Beaucoup de celtophones vivent dans les grandes villes anglophones de la partie méridionale du pays et n'ont donc pas l'occasion de se servir quotidiennement de la langue.

Le breton est parlé dans les milieux ruraux de l'ouest de la Bretagne. Il n'y a aucun chiffre officiel indiquant le nombre de ceux qui parlent breton : les estimations officieuses diffèrent largement, depuis un pessimiste 20 000 jusqu'à un optimiste 700 000. Même s'il y a là un nombre substantiel d'individus parlant breton, ils ne semblent pas être à même de transmettre la langue à la prochaine génération, et une chute désastreuse du nombré dé ceux qui parlent breton peut être prévue lorsque la génération actuelle aura disparu.

De plus, en perdant la bataille du nombre des gens parlant celte, les langues celtes perdent aussi géographiquement le terrain abandonné aux voisins plus forts. Cette retraite est illustrée avec éclat, par exemple, dans les tableaux et les cartes de l'atlas d'Aitchison & Carter pour le pays de Galles et dans l'article de Donald MacAulay sur l'état du gaélique écossais. Les tensions bilingues qui existent à la lisière de la zone où la langue de la minorité est parlée se résolvent presque toujours d'elles-mêmes en faveur de la langue de la majorité, conduisant à une réduction progressive du territoire de la langue de la minorité.

L'âge type de ceux qui parlent les langues celtes montre qu'un plus grand nombre d'individus appartient au groupe d'âge élevé plutôt qu'à celui de bas âge, indiquant un déclin en proportion des individus des jeunes générations. Ceci est dû non seulement à un changement de langue dans dé nombreux foyers mais aussi à l'émigration des jeunes de leur district d'origine pour poursuivre leurs études ou pour chercher du travail. Le corollaire est qu'il y a relativement peu de mariages au sein de ces communautés, de sorte que ce n'est qu'avec difficulté qu' ils se renouvellent d'eux-mêmes.

Une conséquence supplémentaire de l'éloignement et de la faiblesse économique de ces communautés est qu'elles sont situées dans des endroits attrayants pour la construction de maisons de vacances et de retraite pour des individus qui ne font pas partie de la communauté, venant habituellement des grandes villes éloignées. Ces nouveaux venus ont rarement des connaissances ou une sympathie particulière pour la situation linguistique des communautés dans lesquelles ils se déplacent et peuvent bouleverser l'équilibre linguistique d'une zone bilingue. Ces nouveaux venus, puisqu'ils n'ont aucune racine dans la communauté, n'investissent pas sur eux et n'apportent aucun avantage économique avec eux.

La situation économique désastreuse de ces communautés a conduit les gouvernements de quelques-uns de ces Etats concernés à amorcer des projets d'industrialisation. Privées de ressources naturelles, les industries incluses dans ces projets étaient fréquemment d'un genre qui n'avait aucun rapport avec le potentiel écologique et naturel du district. En l'absence d'une tradition industrielle, direction et experts ont dû être importés de l'extérieur, introduisant ainsi un nouveau facteur dans la situation linguistique. Quelques-uns des travailleurs ainsi introduits font de louables efforts pour s'intégrer et socialement et linguistiquement à la communauté locale. S'ils n'y réussissent pas toujours, leurs enfants qui fréquentent les écoles locales y réussissent fréquemment.

Aujourd'hui, les perspectives pour les quatre langues survivantes sont sombres. Les tendances qui, ces derniers siècles, les ont réduites à un tel stade de faiblesse continuent de les affecter. Ces tendances semblent les conduire à la perte dans le cours du XXIᵉ siècle de trois des langues vernaculaires de la communauté traditionnelle. D'ici à cent ans, il y aura encore des gens du pays parlant l'irlandais, l'écossais, le gaélique et peut-être le breton vivant. Il pourrait même y avoir des maisons dans lesquelles les langues seront parlées en privé et en famille. Mais il est peu probable qu'il y aura encore un district où ces langues seront acceptées hors de la maison comme moyen de communication. La langue galloise peut aussi s'attendre à décliner le siècle prochain, mais elle sera probablement encore en vie dans cent ans comme langue d'une communauté de faible étendue.

Lorsque la disparition des langues celtiques sera totale, il n'y aura plus de raison pour considérer les populations de Bretagne, d'Irlande, d'Ecosse, et du pays de Galles comme des Celtes, car il n'y avait jamais êu d'autre justification que la langue pour cette appellation. Sans leurs langues, les populations de ces pays perdront plus facilement leur identité et seront absorbées dans les cultures dominantes de Grande-Bretagne et de France, pour se fondre complètement dans l'identité de la Grande Europe. Ainsi se terminera une tradition culturelle et littéraire qui atteignit les îles de Grande-Bretagne et d'Irlande à la fin de l'Empire romain. Ce sera la première fois qu'une famille linguistique européenne d'une aussi longue histoire littéraire et noble disparaîtra dans l'oubli.

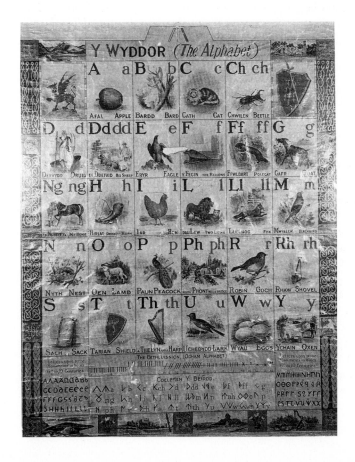

L'alphabet celtique sur un tableau mural conçu par T.C. Evans et dessiné par Chr. Evans pays de Galles XIXᵉ siècle

Bibliographie générale
Luana Kruta-Poppi

C'est dans les limites d'une bibliographie qui ne prétend pas à l'exhaustivité qu'a été effectuée une sélection qui a pris pour point de départ les suggestions des auteurs des contributions au catalogue, complétées et rééquilibrées dans les différentes sections pas des ouvrages et articles de référence récents.
Des répertoires plus détaillés peuvent être trouvés en particulier dans les bulletins-bibliographiques périodiques, publiés par pays dans la revue Études celtiques *(Paris).*

Abréviations

ANRW
Aufstieg und Niedergang der Römische Welt
ASSPA
Annuaire de la Société Suisse de Préhistoire et d'Archéologie
Arch. ért.
Archeologiai értesitö, Budapest
BRGK
Bericht der Römisch-Germanische Kommission
HBA
Hamburger Beiträge zur Archäologie
JBHM
Jahrbuch des Bernisches Historisches Museum, Mainz
JRGZM
Jahrbuch des Römische-Germanisches Zentralmuseum, Mainz
NAC
Numismatica e Antichità classice, Quaderni Ticinesi
RAComo
Rivista archeologica di Como
Rend. Linc.
Rendiconti dell'Accademia Nazionale dei Lincei
PB
Prähistorische Bronzefunde, München
RGZM
Römisch-Germanisches Zentralmuseum, Mainz
Zpravodaj SVK
Zpravodaj Středoceské Vlastivedy a Kronikárství, Roztoky u Prahy

Ouvrages généraux
Déchelette, J., *Manuel d'archéologie préhistorique, celtique et gallo-romaine, IV: Second âge du Fer ou époque de La Tène,* Paris, 1927[2].
Chadwick, N., *The Celts,* Pelican Books, 1970.
Grenier, A., *Les Gaulois,* Paris, 1970.
Ross, A., *Everyday Life of the Pagan Celts,* London, 1970.
Hubert, H., *Les Celtes et l'expansion celtique jusqu'à l'époque de La Tène et Les Celtes depuis l'époque de La Tène et la civilisation celtique,* Albin Michel, coll. "L'évolution de l'humanité", Paris, 1973[3].
AA.VV., *The Celts in Central Europe,* Székesfehérvár, 1975.
Filip, J., *Celtic Civilisation and Its Heritage,* Collet's-Academia, Wellinborough-Prague, 1977.
AA.VV., *Kelstske Studije,* Posavski Muzej Knjiga 4, Brežice, 1977.
Kruta, V., Lessing, E., Szabó, M., *Les Celtes,* Hatier, Paris, 1978 (réimpr. 1982).
Cunliffe, B., *The Celtic World,* London, 1979.
Duval, P.M., Kruta, V., ed., *Les mouvements celtiques du Ve au Ier siècle avant notre ère,* Paris, 1979.
Die Kelten in Mitteleuropa, Kultur-Kunst-Wirtschaft, catalogue de l'exposition au Keltenmuseum de Hallein, Salzburg, 1980.
Powell, T.G.E., *The Celts,* London, 1980[2].
Filip, J., *I Celti alle origini dell'Europa,* coll. "Papersbacks Civiltà scomparse", Newton Compton ed., Roma, 1980.
Lessing, E. et alii, *Hallstatt. Bilder aus der Frühzeit Europas,* Wien-München, 1980.
Spindler, K., *Die Frühen Kelten,* Stuttgart, 1983.
Kruta, V., Forman, W., *Les Celtes en Occident,* Paris, Atlas, 1985.
Trésors des Princes Celtes, catalogue de l'exposition, Paris, 1988.
AA.VV., *Les Princes Celtes et la Méditerranée,* Paris, 1988.
Kruta, V., *Les Celtes,* P.U.F., col. "Que sais-je ?" n. 1649, Paris, 1990[5].

Art
Jacobsthal, P., *Early Celtic Art,* Oxford, 1944 (réimpr. 1969).
Fox, C., *Pattern and Purpose. A Survey of Early Celtic Art in Britain,* Cardiff, 1958.
Early Celtic Art, catalogue de l'exposition: Edinburgh-London 1970, Edinburgh, 1970.
Megaw, J.V.S., *Art of the European Iron Age, A Study of the elusive Image,* Bath, 1970.
Finlay, I., *Celtic Art. An Introduction,* London, 1973.
Kruta, V., *L'Art celtique en Bohême, Les parures métalliques du Ve au IIe siècle avant notre ère,* Paris, 1975.
Brailsford, J., *Early Celtic Masterpieces in the British Museum,* British Museum, London, 1975.
Hawkes, Ch., Duval, P.M., ed., *Celtic Art in Ancient Europe-L'art celtique en Europe protohistorique,* London-New York-San Francisco, 1976.
McGregor, M., *Early Celtic Art in North Britain. A Study of Decorative Metalwork from the Third Century B.C. to the Third Century A.D.,* Leicester, 1976.
Duval, P.M., *Les Celtes,* Paris, 1977.
Krämer, W., Schubert, F., *Zwei Achsnägel aus Manching. Zeugnisse keltischer Kunst der Mittellatènezeit, Jahrbuch des Deutschen Archäologischen Instituts* 94, 1979, 366 sg.
Duval, P.M., Kruta, V., ed., *L'art celtique de la période d'expansion, IVe et IIIe siècles avant notre ère,* Genève-Paris, 1982 (avec bibliographie des travaux consacrés à l'art celtique parus de 1944 à 1979).
L'Art celtique en Gaule, catalogue de l'exposition: Marseille-Paris-Bordeaux-Dijon, 1983-1984, Paris, 1983.
Kruta, V., et alii, *Les fourreaux d'Epiais-Rhus (Val-d'Oise) et de*

Saint-Germainmont (Ardennes) et l'art celtique du IVᵉ siècle av. J.C., Gallia 42, 1984, 1-20.

Stead, I.M., *Celtic Art,* British Museum, London,1985.

Szabó, M., *Nouvelles vues sur l'art des Celtes orientaux, Etudes celtiques* 22, 1985, 53 sg.

Megaw R. & V., *Early Celtic Art in Britain and Ireland,* "Shire Archaeology" n. 38, Aylesbury, 1986.

Kruta, V., *Le corail, le vin et l'arbre de vie: Observations sur l'art et la religion des Celtes du Vᵉ au Iᵉʳ siècle avant J.-C., Etudes celtiques* 23, 1986, 26 sg.

Duval, P.M., Kruta, V., *Le fourreau celtique de Cernon-sur-Coole I. Analyse et description, Gallia,* 44, 1986, 1 sg.

Kruta, V., *Le masque et la palmette au IIIᵉ siècle avant J.-C.: Loisy-sur-Marne et Brno-Malomerice, Etudes celtiques* 24, 1987, 20 sg.

Moosleitner, F., *Arte protoceltica a Salisburgo,* catalogue de l'exposition: Firenze 1987, Salisburgo, 1987.

Zachar, L., *Keltische Kunst in der Slowakei,* Bratislava, 1987.

Megaw, R. & V., *Celtic Art. From its beginnings to the Book of Kells,* London, 1989.

Duval, A., *L'art celtique de la Gaule au Musée des antiquités nationales,* Paris, 1989.

Duval, P.M., *Travaux sur la Gaule (1946-1986),* Rome, 1989.

Raftery, B., ed., *L'art celtique,* Paris, 1990.

Religion

Sjoestedt, M.L., *Dieux et héros des Celtes,* Paris, 1940.

Vendryes, J., *Les religions des Celtes, "Mana" Introduction à l'histoire des religions,* 2. III, Paris, 1948.

De Vries, J., *Keltische Religion,* Stuttgart, 1961.

Chadwick, N.K., *The Druids,* Cardiff, 1966.

Ross, A., *Pagan Celtic Britain,* London, 1974².

Piggott, S., *The Druids,* Pelican Books, 1974².

Duval, P.M., *Les Dieux de la Gaule,* Paris, 1976².

Mac Cana, P., *Celtic Mythology,* Feltham, 1983.

Blasquez, J.M., *Primitivas Reli-*

giones Ibéricas II. Religiones Prerromanas, Madrid, 1983.

Le Roux, F., Guyonvarc'h, Chr. J., *Les Druides,* Rennes, 1986.

Sterckx, C., *Eléments de cosmogonie celtique,* Bruxelles, 1986.

Société et tradition

Rees, A. & B., *Celtic Heritage,* London, 1961.

MacNeill, M., *The Festival of Lughnasa, A Study of the Survival of the Celtic Festival of the Beginning of Harvest,* London, 1962.

Byrne, F.J., *Irish Kings and High-Kings,* London, 1973.

Langue et inscriptions

Holder, A., *Alt-keltischer Sprachschatz,* Leipzig, 1896 (réimpr. Graz, 1961).

Lejeune, M., *Celtiberica,* Salamanca, 1955.

Lewis, H., Pedersen, H., *A Concise Comparative Celtic Grammar,* Göttingen, 1961.

Tovar, A., *The Ancient Languages of Spain and Portugal,* New York, 1961.

Lejeune, M., *Lepontica,* Paris, 1971.

Untermann, J., *Monumenta Linguarum Hispanicarum I, Die Münzlegenden,* Wiesbaden, 1975.

Baldacci, P., *La bilingue latino-gallica di Vercelli, Rend. Linc.,* XXXII, 5-6, 1977, 335 sg.

Campanile, E., ed., *I Celti d'Italia,* Pisa, 1981.

Beltrán, A., Tovar, A., Porta, E., *Contrebia Belaisca (Botorrita Zaragoza) I. El bronce con alfabeto "iberico" de Botorrita,* Zaragoza, 1982.

Krämer, W., *Graffiti auf Spätlatènekeramik aus Manching, Germania* 60, 1982, 489-499.

Untermann, J., *Die Keltiberer und das Keltiberische, Problemi di lingua e di cultura nel campo indoeuropeo,* Pisa, 1983, 109-128.

Lejeune, M., *Textes gallo-grecs. Recueil des inscriptions gauloises* (R.I.G.), 1, Paris, 1985.

Lejeune, M., AA.VV., *Le plomb magique du Larzac et les sorcières gauloises,* Paris, 1985.

Prosdocimi, A., *I più antichi documenti del celtico in Italia, La Lombardia tra protostoria e romanità, Atti del II Conv. Arch. Regionale, Como, 1984,* Como, 1986, 67-92.

Duval, P.M., Pinault, G., *Les calendriers (Coligny, Villards d'Héria),* R.I.G., III, Paris, 1986.

Tibiletti Bruno, M.G., *Nuove iscrizioni epicoriche a Milano, Scritti in ricordo di G. Massari Gaballo e di U. Tocchetti Pollini,* Milano, 1986, 99-109.

Hoz, J., de, *La epigrafía celtibérica, Reunión sobre Epigrafía Hispánica de epoca Romano-Republicana,* Zaragoza, 1986, 43-102.

Gambari, F.M., Colonna, G., *Il bicchiere con iscrizione arcaica da Castelletto Ticino e l'adozione della scrittura nell'Italia nord-occidentale, Studi etruschi LIV,* 1986 (1988), 119 sg.

Lejeune, M., *Textes gallo-étrusques. Textes gallo-latins sur pierre,* R.I.G. II.1, Paris, 1988.

Littérature

Tburneysen, R., *Die irische Helden-und Königsage bis zum siebzehnten Jahrhundert,* Halle/Saale, 1921.

Binchy, D.A., *Studies in Early Irish Law,* Dublin, 1936.

Jones, J., Jones, T., *The Mabinogion,* London, 1950

Duanaire Finn, the Book of the Lays of Fionn, 3, Dublin, 1953.

Murphy, G., *Saga and Myth in Ancient Ire land,* Dublin, 1955.

Myles, D., *Irish Sagas. Essays,* Dublin, 1959.

Jackson, K., *The Oldest Irish Tradition: a Window on the Iron Age,* Cambridge, 1964.

Táin Bó Cúailnge from the Book of Leinster, Dublin, 1970.

Jenkins, D., *Celtic Law Papers, The Law of Hywel Dda,* Brussels, 1973.

O' Rahilly, C., *Táin Bó Cúailnge: Recension I,* Dublin, 1976.

O' Cathasaigh, T., *The Heroic Biography of Cormac mac Airt,* Dublin, 1977.

Jenkins, D., Owen, M., *The Welsh Law of Women,* Cardiff, 1980.

Lambert, P.Y., *Les littératures celtiques,* P.U.F. "Que sais-je?" n. 809, Paris, 1981.

Gantz, J., *Early Irish Myth and Sagas,* London, 1981.

Gray, E.A., *Cath Mige Tuired: The Second Battle of Mag Tuired,* London, 1982.

Nagy, J.F., *The Widson of the Outlaw: The Boyhood Deeds of Finn in Gaelic Narrative Tradition,* Berkeley, 1983.

O' Corràin, D., Breatnach, L., Breen, A., *The Laws of the Irish, Peritia; Journal of the Medieval Academy of Ireland 3,* 1984.

Kelly, F., *A Guide to Early Irish Law,* Early Irish Law series 3, Dublin, 1988.

Numismatique

Tour, H. de la, *Atlas des monnaies gauloises,* Paris, 1892 (réimpr. 1965).

Blanchet, A., *Traité des monnaies gauloises,* Paris, 1905 (réimpr. 1971).

Forrer, R., *Keltische Numismatik des Rheinund Donaulande,* Strassburg, 1908 (réimpr. 1968).

Paulsen, R., *Die Münzprägung der Boier,* Leipzig-Wien, 1933 (réimpr. 1974).

Pink, K., *Die Münzprägung der Ostkelten und ihrer Nachbarn,* Budapest, 1939 (réimpr. 1974).

Castelin, K., *Die Golprägung der Kelten in den bömischen Ländern,* Graz, 1965.

Pautasso, A., *Le monete preromane dell'Italia settentrionale. Sibrium 7.* 1962/1963 (1966).

Colbert de Beaulieu, J.-B., *Les monnaies gauloises des Parisii,* Paris, 1970.

Reding, L., *Les monnaies gauloises du Tetelbierg,* Luxembourg, 1972.

Colbert de Beaulieu, J.-B., *Traité de numismatique celtique, I Méthodologie des ensembles,* Paris, 1973.

Preda, C., *Monedele Geto-Dacilor,* Bucarest, 1973.

Arslan, E.A., *Appunti per una sistemazione cronologica della monetazione gallica cisalpina, NAC Quaderni Ticinesi,* 1973, 43-51.

Göbl, R., *Typologie und Chronologie der keltischen Münzprägung in Noricum,* Wien, 1973.

Pautasso, A., *Sulla cronologia delle monetazioni padane, NAC Quaderni Ticinesi,* 4, 1975, 45-54.

Saves, G., *Les monnaies gauloises "à la croix",* 1976.

Kos, P., *Keltski novci Slovenije,* Ljubljana, 1977.

Scheers, S., *Traité de numismatique celtique, II La Gaule Belgique,* Paris, 1977.

Kolniková, E., *Keltské Mince na Slovensku,* Bratislava, 1978.

Zedelius, V., *Die Goldmünzen aus dem Goldring-Depot vom Hambacher Forst, Das Rheinische Landesmuseum Bonn,* Sonderheft 1979, 59-62.

Allen, D., Nash, D., *The Coins of the Ancient Celts,* London, 1980.

Kruta, V., *Archéologie et numismatique: la phase initiale du monnayage celtique, Etudes celtiques XIX,* 1982, 65 sg.

Szabó, M., *Audoleon und die Anfänge der ostkeltischen Münzprägen, Alba Regia, XX,* 1983, 43 sg.

Castelin, K., *Keltische Münzen,* Katalog der Sammlung des Schweizerischen Landesmuseum, Zürich, I, 1978, II, 1983.

Arslan, E., *La circolazione monetaria nella Milano di II e I sec. a.C. e le emissioni "insubri", Scritti in ricordo di Graziella Massari Gaballo e di Umberto Tocchetti Pollini,* Milano, 1986, 111-121.

Alleri, D., *Catalogue of the Celtic Coins in the British Museum, I. Silver Coins of the East Celts and Balkan Peoples,* London, 1987.

Haselgrove, C., *Iron Age Coinage in Southeast England, the Archaeological Context,* BAR 174, 1987.

Popovic, P., *Le monnayage des Scordisques,* Beograd-Novi Sad, 1987.

Duval, P.M., *Monnaies celtiques et mythes celtiques,* Paris, 1987.

Kellner, H.-J., *Die Münzfunde von Manching und die keltischen Fundmünzen aus Südbayern, Die Ausgrabungen in Manching,* Bd 12, München, 1990.

Les sources antiques

Duval, P.M., *La Gaule jusqu'au milieu du Ve siècle, Les sources des l'histoire de France des origines à la fin du XVe siècle, I,* Paris, 1971.

Dobesh, G., *Die Kelten in Österreich nach den ältesten Berchten der Antike,* 1980.

Goudineau, Chr., *César et la Gaule,* Paris, 1990.

Les Celtes dans l'art antique

Bienkowski, P., *Die Darstellung der Gallier in der hellenistischen Kunst,* 1908.

Bienkowski, P., *Les Celtes dans les arts mineurs gréco-romains,* 1928.

Zuffa, M., *Il frontone e il fregio di Civitalba nel Museo Civico di Bologna, Scritti in onore di A. Calderini ed Enrico Paribeni,* 1956, 267-288.

Künzl, E., *Frühhellenistische*

Gruppen, 1968.

Künzl, E., *Die Kelte des Epigonos von Pergamon,* 1971.

Wenning, R., *Die Galateranatheme Attalos I, Pergamische Forschungen* 4, 1978.

Özgan, R., *Bemerkungen zum großen Gallieranathem, Archäologischer Anzeiger,* 1981, 489-510.

Palma, B., *Il piccolo donario di Attalo, Xenia* 1, 1981, 45-89.

Traversari, G., *La statuaria ellenistica del Museo archeologico di Venezia,* 1986, 94-94.

Mattei, M., *Il Galata Capitolino,* catalogue de l'exposition, Roma, 1987.

Queyrel, F., *Art pergaménien, histoire collections: le Perse du Musée d'Aix et le petit ex-voto attalide, Revue archéologique,* 1989, 254-196.

Andreae, B., AA.VV., *Phyromachos-Probleme, 31. Ergänzungsheft der Mitteillungen des Deutschen Archäologischen Instituts,* 1990.

Agriculture

Schüle, W., *Eisenzeitliche Tierknochen von der Heuneburg bei Hundersingen,* Stuttgart, 1960.

Jewell, P., *Cattle from British archeological sites,* in Mourant, A.F., Zeuner, F.E. (eds.), *Man and cattle,* Royal Archeological Institute Occasional Paper, n. 18, London, 1963, 80-100.

Bökönyi, S., *Data on Iron Age horses of Central and Eastern Europe, Bull of the Amer, School of Prehist. Res.,* 25, 1968, Cambridge, Mass.

Boessneck, J., et alii, *Die Tierknochenfunde aus dem Oppidum von Manching,* Die Ausgrabungen in Manching Bd 6, Wiesbaden, 1971.

Bökönyi, S., *History of domestic mammals in Central and Eastern Europe,* Budapest, 1974.

Reynolds, P.J., *Iron-Age Farm. The Butser Experiment,* London, 1979.

Körber-Grohne, U., *Pflanzliche Abdrücke in eisenzeitlicher Keramik Spiegelbild damaliger Nutzpflanzen, Fundberichte aus Baden-Würtemberg* 6, 1981, 165-211.

Clutton-Brock, C., *Domesticated animals from early times,* London, 1981.

Bökönyi, S., *Animal husbandry and hunting in Tác-Gorsium. The Vertebrate fauna of a Roman town in*

Pannonia, Budapest, 1984.

Küster, H., *Werden und Wandel der Kulturlandschaft im Alpenvorland, Germania* 64, 1986, 533-559.

Meniel, P., *Chasse et élevage chez les Gaulois,* Paris, 1987.

Arbogast, R.M., Meniel, P., Yvinec, J.14., *Une histoire de l'élevage. Les animaux et l'archéologie,* Paris, 1987.

Marinval, P., *L'alimentation végétale en France du Mésolithique jusqu'à l'Age du Fer,* Paris, 1988.

Marek, J., *Das helvetisch-gallische Pferd und seine beziehung zu den prähistorischen und zu den recenten Pferden, Abhandl. d. scheiweiz. paläont, Ges.* 25, 1988, 1-62.

Artisanat

Rieth, A., *Zur Technik antiker und prähistorischer Kunst, Das Holzdrechseln, Jahrb, prähist. u. ethnograph. Kunst* 13/14, 1939/40, 85 sg.

Drescher, H., *Der Überfangguß, 1958.*

Fisher, F., *Der spätlatènezitliche Depotfund von Kappel (Kr. Satilgau).* Urkunden zur Vor- und Frühgeschichte aus Südwürttemberg-Hohenzollern, Heft 1, 1959.

Haevernick, T.E., *Die Glasarmringe und Ringperlen der Mittel- und Spätlatènezeit auf dem Europäischen Festland,* Bonn, 1960.

France-Lanord, A., *Les lingots de fer protohistoriques, Revue d'histoire de la sidérurgie* 4, 1963, 166-177.

Schulz, E.H., Pleiner, R., *Untersuchungen an Klingen eiserner Latèneschwerter, Technische Beiträge Zur Archäologie* 2, Mainz, 1965, 38-50.

Schwarz, K., Tillmann, H., Treibs, W., *Spätlatènezeitlichen und mittelalterlichen Eisenerzgewinnung auf der südlichen Frankenalb bei Kelteim. Jahresbericht der Bayerischer Bodendenkmalpflege* 6/7, 1965-1966, 35-66.

Hundt, H.-J., *Vorgeschichtliche Gewebe atis dem Hallstätter Salzberg. JRGZM* 6, 1959, 66 sg.; 7, 1960, 126 sg.,- 14, 1967, 38 sg.

Hundt, H.-J., *Über vorgeschichtliche Seidenfunde, JRGZM* 16, 1969, 59 sg.

Ellmers, D., *Keltisher Schiffbau, JRGZM* 16, 1969, 73 ff.

Kappel, I., *Die Graphittonkeramik*

von Manching, Wiesbaden, 1969.

Thouvenin, A., *L'étamage des objets de cuivre et de bronze chez les Anciens, Revue Hist. Mines et Métallurgie* 2/1, 1970, 101 sg.

Maier, F., *Die bemalte Spätlatène - Keramit von Manching,* Wiesbaden, 1971.

Pingel, V., *Die glatte Drehscheiben - Keramit von Manching,* Wiesbaden, 1971.

Hundt, H.-J., *Gewebereste aus dem Fürstengrab von Worms-Herrnsheim. Jahrb. RGZM* 18, 1974, 113 sg.

Jacobi, G., *Werkzeug und Gerät aus dem Oppidum von Manching. Die Ausgrabungen in Manching* 5, Wiesbaden, 1974.

Spehr, G., *Zum wirstchaftlichen Leben und soziallökonomischen Gefüge in Steinsburg-Oppidum, Moderne Probleme der Archäologie,* Berlin, 1975, 141-175.

Emmerling, J., *Metallkundliche Untersuchungen an latènezeitlichen Schwertern und Messern. Alt-Thüringen* 13, 1975, 205-220.

Capelle, T., *Holzefäße vom Neolithikum bis zum späten Mittelalter,* 1976.

Capelle, T., *Bemerkungen zum keltischen Handwerk. Boreas* 2, 1979, 62 sg.

Stökli, W.E., *Die Grob- und Import Keramik von Manching,* Wiesbaden, 1979.

Domergue, C., (ed.), *Mines et Fonderies de la Gaule,* Paris, 1982.

Pleiner, R., *Untersuchungen zur Schmiedetechnick auf den keltischen Oppida, Památky archeologické* 73, 1982, 86-173.

Rybová, A., Motyková, K., *Der Eisendepotfund der Latènezeit von Kolín, Památky archeologické* 74, 1983, 96-174.

Pleiner, R., Princ, M., *Die latènezeitliche Eisenverhüttung und die Untersuchung einer Rennschmelze in Mšec, Böhmen, Památky archeologické* 75, 1984, 133-182.

Beck, F., Guillaumet, J.P., *La métallurgie du bronze en pays éduen., Les Ages du Fer dans la vallée de la Saône,* 1985, 237 sg.

Sperl, G., *Die Technologie des ferrum noricum, Lebendige Altertums Wissenschaft* (Festschrift F.H. VETTERS), Wien, 1985, 410-416.

Ehrenreich, R.M., *A Study of Iron*

Technology in Wessex Iron Age, Scott e Cleere ed., *The Craft of the Blacksmith,* Belfast, 1987, 105-112.

Feugere, M. (ed.), *Le verre prémain en Europe occidentale,* Montagnac, 1989.

Gebhard, R., *Der Glasschmuck, aus dem Oppidum von Manching, Ausgrabungen in Manching,* 11, Wiesbaden-Stuttgart, 1989.

Bucsek, N., Pernot, M., Challet, V., Duval, A., *Etudes de l'Email rouge du Mont Beuvray. Revue Arch. Est et Centre Est,* 41, 1990, 147 sg.

Venclová, N., *Prehistoric Glass in Bohemia,* Praha 1990.

Mohen, J.P., *Métallurgie préhistorique. Introduction à la paléométallurgie,* Paris, 1990.

Oppida

Schaaff, U., Taylor, A.K., *Spätkeltische Oppida im Raum nördlich der Alpen. Kommentar zur Karte, Ausgrabungen in Deutschland. RGZM* 1, 3, 1975, 322 sg.

Kruta, V., in Duby, G. (dir.), *Histoire de la France Urbaine, 1 La ville antique* (La Gaule Intérieure), 1980, 195 sg.

Collis, J., *Oppida. Earliest Towns North of the Alps,* Sheffield, 1984.

Frey, O.H, *Die Bedeutung der Gallia Cisalpina für die Entstehung der Oppida-Kultur. Studien zu Siedlungsfragen der Latènezeit.* Veröff. Seminars Marburg, Sonderband 3, 1984, 1 sg.

Buchenschutz, O., *Structures d'habitats et fortifications de l'Age du Fer en France Septentrionale,* Paris, 1984.

Andouze, F., Buchsenscliutz, O., *Villes, villages et campagnes de l'Europe celtique,* Paris, 1989.

AIRES GÉOGRAPHIQUES ET SITES

Italie

Piana Agostinetti, P., *Documenti per la Protostoria della Val d'Ossola. San Bernardo di Ornavasso e le altre necropoli preromane,* Milano, 1972.

Graue, J., *Die Gräberfelder von Ornavasso, HBA* Bhft 1, Hamburg, 1974.

Negroni Catacchio, N., *I ritrovamenti di Casate nel quadro del celtismo padano, Atti del Conv. celebrativo del Centenario RAComo,* Como, 1974, 171 sg.

Kruta Poppi, L., *Les Celtes à*

Marzabotto (province de Bologne), Etudes celtiques, XIV, 1975, 345-376.

Zuffa, M., I Celti nell'Italia adriatica, Introduzione alle antichità adriatiche, Pisa, 1975, 97-159.

Vannacci Lunazzi, G., Le necropoli preromane di Remedello di sotto e Ca' di Marco di Fiese, Reggio Emilia, 1977.

Kruta, V., Celtes de Cispadane et transalpins au IVe et au IIIe siècle avant n.e., Studi etruschi XLVI, 1978, 149 sg.

I Galli e l'Italia, catalogue de l'exposition, Roma, 1978.

Arslan, E., Celti e Romani in Transpadana, Etudes celtiques XV, 1978, 441-481.

Kruta Poppi, L., Les vestiges laténiens de la région de Modène, Etudes celtiques, XV, 1978, 425-439.

Peyre, Ch., La Cisalpine gauloise du IIIe au Ier siècle avant J. C., Paris, 1979.

Calzavara Capuis, L., Chieco Bianchi, A.M., Osservazioni sul celtismo del Veneto euganeo, Archeologia Veneta III, 1979, 7-32.

Kruta Poppi, L., La sépulture de Ceretolo (prov. de Bologne) et le faciès boïen du IIIe siècle avant n.è., Etudes celtiques XVI, 1979, 7-25.

Kruta, V., Les Boïens de Cispadane. Essai de paléoethnographie celtique, Etudes celtiques XVII, 1980, 7-32.

Fogolari, G., I Galli nell'alto Adriatico, Antichità Altoadriatiche XIX, 1981, 15-49.

Kruta, V., Les Sénons de l'Adriatique d'après l'archéologie (prolégomènes); Etudes celtiques XVIII, 1981, 7-38.

De Marinis, R., Il periodo Golasecca IIIA in Lombardia, Bergamo, 1981.

Tizzoni, M., La cultura tardo La Tène in Lombardia, Studi Archeologici, I, Bergamo, 1981, 3-40.

Kruta-Poppi, L., La sépulture de Casa Selvatica à Berceto (prov. de Parme) et la limite occidentale du faciès boïen au IIIe siècle av. n.è., Etudes celtiques XVIII, 1981, 39-48.

Tizzoni, M., La Tarda Età del ferro nel Lodigiano, Archivio Storico Lodigiano, 101, 1982, 189-202.

Negroni Catacchio, N., Per una definizione della facies culturale insubre: i rinvenimenti tardo celtici di Biassono (MI), Sibrium XVI, 1982, 69-82.

Kruta, V., L'Italie et l'Europe intérieure du Ve siècle au début du IIe siècle av. n.è., Savaria 16, 1982, 203-221.

Szabó, M., Rapports entro le Picenum et l'Europe extra-méditerranéenne à l'âge du Fer, Savaria 16, 1982, 223-241.

Vannacci Lunazzi, G., Un aspetto della romanizzazione del territorio: la necropoli di Gambolò-Belcreda, RAComo 165, 1983, 199-254.

AA.VV., Popoli e facies culturali celtiche a nord e a sud delle Alpi dal V al I sec. a.C., Atti del Colloquio Internazionale, Milano 14-16 novembre 1980, Milano, 1983.

Tizzoni, M., I materiali della tarda Età Ferro nelle civiche raccolte archeologiche di Milano, Milano, 1984.

Arslan, E., Le culture nel territorio di Pavia durante l'Età del Ferro fino alla romanizzazione, Storia di Pavia I, L'Età antica, Pavia, 1984, 107-150.

Ruta Serafini, A., Celtismo nel Veneto: materiali archeologici e prospettive di ricerca, Etudes celtiques XXI, 1984, 7-33.

Kruta Poppi, L., Contacts transalpins des Celtes cispadans au IIIe siècle avant J.C.: le fourreau de Saliceta San Giuliano, province de Modène, Etudes celtiques XXI, 1984, 51 sg.

Vannacci Lunazzi, G., Aspetti della cultura tardo La Tène in Lomellina, Papers in Italian Archeology IV, BARint 245, 1985, 69-88.

Tizzoni, M., The Late Iron Age in Lombardy, Papers in Italian Archeology IV, BARint 245, 1985, 37-68.

Kruta, V., I Celti e la Lombardia, La Lombardia dalla Preistoria al Medioevo, Milano, 1985, 83-103.

Negroni Catacchio, N., Indigeni, Etruschi e Celti nella Lombardia orientale, Cremona romana, Cremona, 1985, 57-70.

Luraschi, G., Nuove riflessioni sugli aspetti giuridici della romanizzazione in Transpadana, Atti del II Convegno Archeologico Regionale. La Lombardia tra protostoria e Romanità, Como, 1984 (1986), 43-65.

Kruta, V., Quali Celti?, La Lombardia tra protostoria e Romanità. Atti del II Convegno Archeologico Regionale, Como, 1984 (1986), 323-330.

De Marinis, R., L'età gallica in Lombardia (IV-I sec. a.C.): risultati delle ultime ricerche a problemi aperti, La Lombardia tra protostoria e romanità, Atti del II Conv. Arch. Regionale, Como 1984, Como, 1986, 93-173.

Gabba, E., I Romani nell'Insubria: trasformazione, adeguamento e sopravvivenza delle strutture socio-economiche galliche, La Lombardia tra protostoria e romanità, Atti del II Conv. Arch. Regionale, Como 1984, Como, 1986, 31-41.

Vitali, D., Una tomba di guerriero da Castel del Rio (Bologna). I problemi dei corredi con armi nell'area cispadana tra IV e II sec. a.C., Atti e memorie della Deputazione di Storia Patria di Romagna, 1986, 9-35.

AA.VV., Celti ed Etruschi nell'Italia centrosettentrionale dal V secolo a.C. alla romanizzazione, Bologna, 1987.

Piana Agostinetti, P., Per una definizione dei confini delle Civitates celtiche della Transpadana centrale, Scienze dell'Antichità 2, 1988, 137-218.

Kruta, V., I Celti in Italia, Italia omnium terrarum alumna. La civiltà dei Veneti, Reti, Liguri, Celti, Piceni, Umbri, Latini, Campani e Iapigi, Milano, 1988, 263-311.

Filottrano e Moscano di Fabriano:
Frey, O.H., Das keltische Schwert von Moscano di Fabriano, Hamburger Beiträge zur Archäologie, I, 2, 1971, 173-179.

Landolfi, M., Zum Grab II der Necropole von Paolina di Filottrano, Beitträge zur Eizenzeit-Kleine Schriften vorgeschichtlichen Seminar Marburg 19, 21-26.

Landolfi, M., Museo Archeologico Nazionale delle Marche (ed. D. Lollini), Roma, 43-45 (Moscano di Fabriano) e 45-47 (S. Paolina di Filottrano).

Monte Bibele: Vitali, D., L'elmo della tomba 14 di Monte Bibele a Monterenzio (prov. di Bologna), Etudes celtiques X1X, 1982, 35-49.

Vitali, D., Monterenzio e la valle dell'Idice, archeologia e storia di un territorio, catalogue de l'exposition, Monterenzio, 1983.

Vitali, D., Un fodero celtico con decorazione a lira zoomorfa da Monte Bibele (Monterenzio, Bologna), Etudes celtiques XXI, 1984, 35-49.

Vitali, D., *Monte Bibele: criteri distributivi nell'abitato ed aspetti del territorio bolognese dal IV al II sec. a. C.*, La formazione della città preromana in Emilia-Romagna, Atti del colloquio di Studi Bologna-Marzabotto 1985, Bologna, 1988, 105-142.

Péninsule ibérique
Almagro Basch, M., *La España do las invasiones célticas, Historia do España* I, 2, Madrid, 1952.
Maluquer de Motes, J., *Pueblos Celtas, Historia de España,* I, 3, Madrid, 1963.
Schüle, W., *Die Meseta Kulture der Iberischen Halbinsel, Madrider Forschungen* 3, Berlin, 1969.
Schulten, A., *Geografía y Etnología antiguas e la Península Ibérica,* Madrid, Baden-Baden, 1974.
Bosch Gimpera, P., *Paletnología do la Península ibérica,* Graz, 1974.
Colloquios sobre lenguas y culturas paleohispánicas, I Salamanca, 1974; II Tübingen, 1976; III Lisboa, 1980; IV Vitoria, 1985; V Köln, 1989.
Blásquez, J.M., et alii, *Historia do España Antiqua I. Protohistoria,* Madrid, 1980, 53-126.
I. Symposio sobre los Celtíberos, Zaragoza, 1987.
Burillo, F., *Celtiberos* (Exposición), Zaragoza, 1988.
Almagro-Gorbea, M., *La celtización do la Meseta: estado de la cuestion, Acta del I Congresso do Historia do Palencia I,* Palencia, 1987, 313-344.
Los Celtas e el valle medio del Ebro, Zaragoza, 1989.
Montenegro, A. et alii, *Colonizaciones y formación do los pueblos prerromanos (1200-218 a.C.), Historia de España 2,* Madrid, 1989.
Marco, F., *Los Celtas, Biblioteca Historia* 16, Madrid, 1990, 93-117.
AA.VV., *Los Celtas en España. Revista do Arqueologia,* Numero extraordinario 5, Madrid, 1990.

France, Belgique et Luxembourg
Bretz-Malher, D., *La civilisation de La Tène I en Champagne - Le faciès marnien,* Paris, 1971.
Hatt, J.-J., Roulaet, P., *La chronologie de la Tène en Champagne, dans Revue archéologique de l'Est et de Centre-est,* XXVIII, 1-2, 1977, 7-36.
Giot, P.-R. et alii, *Protohistoire de la Bretagne,* Rennes, 1979.

Kruta, V., *Le port des anneaux de cheville en Champagne et le problème d'une immigration danubienne au IIIe siècle avant J.C., Etudes Celtiques,* XXII, 1985, 27-51.
Roualet, P., Charpy, J.J., *La céramique peinte gauloise en Champagne, du VIe siècle au Ier siècle avant J. C.,* Musée d'Épernay, 1987.
Kruta, V., Rapin, A., *Une sépulture de guerrier gaulois du IIIe siècle av. n.è. découverte à Rungis, Cahiers de la Rotonde,* 10, 1987, 5-35.
Rozoy, J.-G., *Les Celtes en Champagne. Les Ardennes au second Âge du Fer: le Mont Troté, les Rouliers, Charleville-Mézières,* 1987.
Charpy, J.-J., *Les épées laténienne à bouterolles circulaires ajourées du IVe et IIIe siècle av. J.C. en Champagne, Etudes Celtiques* XXIV, 1988, 43-102.
Leman-Delerive, G., *Les habitats de l'Âge du Fer à Villeneuve d'Áscq (Nord), Revue du Nord,* Coll. Archéologie 2, 1989.
Les Celtes en France du nord et en Belgique, VIe-Ier siècle avant J.-C., catalogue de l'exposition, Bruxelles, 1990.
Chaume, B., Feugere, M., *Les sépultures tumulaires aristocratiques du Hallstatt ancien de Poiseul-la-Ville (Côte d'Or),* Dijon, 1990.
Agris: Gomez de Soto, J., *Le casque du IVe siècle avant notre ère de la grotte des Perrats à Agris, France, Archäologisches Korrespondenzblatt,* 16, 1986, 179-183.
Bragny: Feugere, M., Guillot, A., *Fouilles de Bragny, 1, les petits objets dans leur contexte du Hallstattfinal, Revue Archéologique de l'Est,* XXXVII, 1986, 159-221.
Guillot, A., *Le confluent de la Saône et du Doubs au Premier Age du Fer, Revue Archéologique Est,* XXVII, 1976, 109-113.
Chouilly-Les Jogasses: Hatt, J.-J., Roualet, P., *Le cimetière des Jogasses en Champagne et les origines de la civilisation de La Tène, Revue Archéologique de l'Est et du Centre-Est,* XXVII, 1976, 421-448, XXXII, 1981, 17-37.
Ensérune: Rapin, A., Schwaller, M., *Contribution à l'étude de l'armement celtique; la tombe 163 d'Ensérune (Hérault), Revue archéologique de Narbonnaise* 20, 1987, 155-183.

Goeblingen-Nospelt: Thill, G., *Ausgrabungen in Goeblingen-Nospelt,* Hémecht, 1966, 483-491.
Thill, G., *Die Metallgegenstände aus vier spätlatènezeitlichen Brandgräbern bei Goeblingen-Nospelt,* Hémecht, 1967, 87-98.
Thill, G., *Die Keramik aus vier spätlatènezeitlichen Brandgräbern bei Goeblingen-Nospelt, Hémecht,* 1967, 199-213.
Metzler, J., *Treverische Reitergräber von Goeblingen-Nospelt, Trier, Augustusstadt der Treverer,* 1984, 87-99, 289-299.
Gournay: Brunaux, J. L., Meniel, P., Poplin, F., *Gournay I, Les fouilles sur le sanctuaire et l'oppidum (1975-1984),* supp. à la *Revue archéologique de Picardie,* 1985.
Brunaux, J.L., *Les Gaulois, sanctuaires et rites,* Paris, 1986.
Rapin, A., Brunaux, J. L., *Gournay II - Boucliers et lances. Dépôt et trophée,* supp. à la *Revue archéologique de Picardie,* 1988.
Mont Beuvray: Bertin, D., Guillaumet, J.P., *Bibracte (Saône-et-Loire). Une ville gauloise sur le Mont Beuvray,* Guides Archéologiques de la France 13, 1987.
Beck, F. et alii, *Les fouilles du Mont Beuvray, rapport biennal 1984-1985, Revue Archéologique de l'Est et du Centre-Est,* XXXVIII, 1987, 285-300.
Beck, F. et alii, *Les fouilles du Mont Beuvray, rapport biennal 1984-1985, RAE,* XXXIX, 1988, 107-127.
Almagro-Gorbea, M., *Les fouilles du Mont Beuvray, Revue Archéologique de l'Est et du Centre-Est,* 40, 1989, 205 sg.
Buchenschutz, O., *Neue Ausgrabungen im Oppidum Bibracte, Germania* 67, 1989, 541 sg.
Almagro-Gorbea, M., Granaymerich, J., *Le bassin monumental du Mont Beuvray (Bibracte). Monuments et Mémoires, Académie des Inscriptions et Belles Lettres,* 71, Paris, 1990, 21-41.
Roquepertuse: Gantes, L.F., *A propos du matériel trouvé sur le sanctuaire préromain de Roquepertuse à Velaux: fouilles de Gérin-Ricard 1919, 1924 et 1927, Bulletin archéologique de Provence* I, 1978, 37-46.
Vix: Joffroy, R., *Vix et ses trésors,* Paris, 1979.
Egg, M., France-Lanord, A., *Le char de la tombe princière de Vix,* Mainz, 1987.

Suisse

Schaaff, U., *Zur Belegung latènezeitlicher Friedhöfe der Schweiz*, *IRGZM*, 13, 1966, 49-49.

Hodson, F.R., *The La Tène Cemetery at Müsingen-Rain, Catalogue and relative Chronology*, Bern, 1968.

Osterwalder, Ch., *Die Latènegräber von Münsingen-Tägermatten*. *JbBHM*, 1971/1972, 51/52, 7-40.

Martin-Kilcher, S., *Zur Tracht und Beigabensitte im keltischen Gräberfeld von Münsingen-Rain (Kt. Bern), Zeitschrift für schweizerische Archäologie und Kunstgeschichte*, 30, 1973, 26-39.

Stähli, B., *Die Latènegräber von Bern-Stadt. Schriften des Seminars für Urgeschichte der Universität Bern 3*. Berne, 1977.

Sankot, P., *Studie zur Socialstruktur der nordalpinen Flachgräberfelder der La Tène-Zeit im Gebiet der Schweiz, Zeitschrift für schweizerische Archäologie und Kunstgeschichte 37*, 1980, 19-71.

Martin-Kilcher S., *Das keltische Gräberfeld von Vevey, VD, ASSPA* 64, 1981, 107-156.

Suter, P., *Neuere Mittellatène-Grabkomplexe aus dem Kanton Bern. Ei Beitrag zur Latène C-Chronologie des Schweizerischen Mittellandes, Annuaire de la Société suisse de préhistoire et d'archéologie* 67, 1884, 73-93.

Furger Gunti, A., *Die Helvetier. Kulturgeschichte eines Keltenvolkes*, Zürich, 1984.

Müller, F., *Die Frühlatènezeitlichen Scheibenhalsringe*, Röm.-Germ. Forsch. 46, Berlin, 1989.

Kaenel, G., *Der Beginn der Latènezeit in der Westschweiz*, Kleine Schriften vorgesch. Seminar 23, Marburg, 1989, 27-39.

Kaenel, G., *Recherches sur la période de La Tène en Suisse occidentale. Analyse des sépoltures, Cahiers d'archéologie romande* 50 (1990).

Basel: Furger-Gunti, A., *Die Ausgrabungen im Basler Münster I. Die spätkeltische und augusteiche Zeit (1. Jahrhundert v. Cr.), Basler Beiträge zur Ur- und Frühgeschichte* 6, 1979.

Furger-Gunti, A., *Der murus Gallicus von Basel, Jahrb. der Schweiz. Gesell. für Ur- und Frühgeschichte* 63, 1980, 131 sg.

Bern-Enge: Müller-Beck, H., Ettlinger, E., *Die Besiedlung der Engehalbinsel bei Bern BRGK* 43-44, 1962-1963, 108-153.

Kohler, P., *Die latènezeitliche Besiedlung der Tiefenau, Bern-Engehalbinsel, Jahrbuch der Schweizerischen Gesellschaft für Ur- und Frühgeschichte* 71, 1988, 191-194.

Bern-Tiefenau : Müller, F., *Der Massenfund von der Tiefenau bei Bern*, Basel, 1990.

Genève: Blondel, L., *Le port gallo-romain de Genève, Geneva* 3, 1925, 85-104.

Bonnet, Ch. et alii, *Les premiers ports de Genève, Archéologie suisse* 12, 1989, 2-24.

La Tène: Vouga, P., *La Tène*, Leipzig, 1923.

De Navarro, J.-M., *The Finds from the Site of La Tène I. The Scabbards and the Swords found in them*, London, 1972.

Egloff, M., *Des premiers chasseurs au début du christianisme, Histoire du pays de Neuchâtel 1. De la Préhistoire au Moyen Age*, Hauterive, 1989, 9-160.

Port: Wyss, R., *Das Schwert des Korisios, Jahrb. BHM* 34, 1954, 201-222.

Wyss, R., *Für aus den alten Zihl und ihre Deutung Germania* 33, 1955, 349-354.

Allemagne

Driehaus, J., *Fürstengräber und Eisenerze zwischen Mittelrhein, Mosel und Saar, Germania* 43, 1965, 32-49.

Engels, H.J., *Das Wagengrab von Weilerbach. Mitt. Hist. Ver. Pfalz* 67, 1969, 47-60.

Schaaff, U., *Keltische Einsenhelme aus vorrömischeer Zeit, JRGZM*, 21, 1974, 152-171.

Haffner, A., *Die westliche Hunsrück-Eifel-Kultur. Röm. - German. - Forsch.* 36, Berlin, 1976.

Haffner, A., *Die frühlatènezeitl. Goldscheiben vom Typ Weiskirchen, Festschrift 100 Jahre Landesmuseum*, Trier, 1979, 281-296.

Bittel, K., Kimmig, W., Schick, S. (ed.), *Die Kelten in Baden-Württemberg*, Stuttgart, 1981.

Haffner, A., *Hinweise auf unbekannte Fürstengräber im Trierer Land. Trierer Zeitschrift* 45, 1982, 35-43.

Sievers, S., *Die Mitteleuropäischen Hallstattolche*, P.B. VI, 6, München, 1982.

Kimmig, W., *Die Griechiche Zivilisation im westlichen Mittelmeergebiet und ihre wirleung auf die landschafte des westliche Mitteleuropa, J.R.G.Z.M.*, Mainz, 1983.

Maier, F., *Das Heidetränk-Oppidum. Topographie der befestigen keltischen Höhensiedlung der Jüngeren Eisenzeit bei Oberursel im Taunus, Führer zur Hessischen Vor- und Frühgeschichte* 4, 1985.

Krämer, W., *Die Grabfunde von Manching und die latènezeillichen Flachgräber in Südbayern, Ausgrabungen in Manching Bd* 9, Wiesbaden, 1985.

AA.VV., *Vierrädrige Wagen der Hallstattzeit*, Mainz, 1987.

Fellbach-Schmiden: Planck, D., *Eine neuentdeckte keltische Viereckschanze in Fellbach-Schmiden, Germania* 60, 1982, 105 sg.

Giengen: Biel, J., *Ein mittellatènezeitliches Brandgräberfeld in Giengen'a.d. Brenz, Archäologisches Korrespondenzblatt* 4, 1974, 225 sg.

Kleinaspergle: Kimmig, W. et alii, *Das Kleiaspergle. Studien zu einem fürstengrabhügel der frühen Latènezeit bei Stuttgart*, Stuttgart, 1988.

Manching: Krämer, W., Schubert, F., *Die Ausgrabungen in Manching 1955-1961. Einführung und Fundstellen-Übersicht, Die Ausgrabungen in Manching* 1, Wiesbaden, 1970.

Endert, D. van, *Das Osttor des Oppidums von Manching, Die Ausgrabungen in Manching* 10, Wiesbaden, 1987.

Schubert, F., *Neue Ergebnisse zum Bebauungsplan von Manching, BRGK* 64, 1983, 5 ff.

Danemark

Klindt-Jepsen, O., *Foreign Influences in Denmarks Early Iron Age, Acta Archælogica* XX, 1949, København, 1950.

Brå: Klindt-Jensen, O., *Bronzekedelen fra Brå*, Aarhus, 1953.

Dejbjerg: Jensen, S., *Fredbjergfundet. En bronzebeslået pragtvogn på en vesthimmerlandsk jernalderboplads*, Kulm 1980, København, 1981.

Schovsbo, P.O., *Henry Petersen og*

714

vognfundene fra den ældre jernalder, Aarbøger for nordisk Oldkyndighed og Historie 1981, København, 1983.

Hansen, H.J., *Fragmenter af en bronzebeslået pragtvogn fra dankirke,* Aarbøger for nordisk Oldkyndighed og Historie 1984, København, 1985.

Schovsbo, P.O., *Oldtidens vogne i Norden,* Bangsbomuseet, Frederikshavn, 1987.

Harck, O., *Zur Herkunft der nordischen Prachtwagen aus der iüngeren vorrömischeen Eisenzeit,* Acta Archæologica 59, 1988, København, 1989.

Gundestrup: Klindt-Jensen, O., *Le chaudron de Gundestrup; Relations entre la Gaule et l'Italie du Nord,* Analecta Romana Instituti Danici I, København, 1959.

Nylén, E., *Gundestrupkitlen ock den thrakiska konsten,* Tor 12, Uppsala, 1967, 68 sg.

Powell, T.G.E., *From Urartu to Gundestrup: the Agency of Thracian Metal-work, the European Community in Later Prehistory. Studies in Honour of C.F.C. Hawkes,* London, 1971.

Willemoes, A., *Hvad nyt om Gundestrupkarret,* Nationalmuseets Arbejdsmark 1978, København, 1978.

Klindt-Jensen, O., *Gundestrupkedelen,* København, 1979.

Bémont, C., *Le Bassin de Gundestrup: remarques sur les décors végétaux, Études celtiques* XVI, Paris, 1979, 69-99.

Benner Larsen, E., *The Gundestrup Cauldron, Identification of Tool Traces, Iskos 5, Proceeding of the third Nordic Conference on the Application of Scientific Methods in Archaeology,* Helsinki, 1985.

Bergquist, A., Taylor, T., *The Origin of the Gundestrup Cauldron,* Antiquity 61, 1987.

Autriche

Dürrnberg: Penninger, E., *Der Dürrnberg bei Hallein,* I, München, 1972.

Moosleitner, F. et alii, *Der Dürrnberg dei Hallein* II, München, 1974.

Pauli, L., *Der Dürrnberg bei Hallein* III, München, 1978.

Hallstatt: Barth, F.E., *Das prähisto-*

rische Hallstatt. Bergbau und Gräberfeld, Die Hallstattkultur, 1980, 67 sg.

Magdalensberg: Egger, R., *Die Stadt auf dem Magdalensberg, ein Grosshandelplatzl Wien,* 1961.

Piccottini, G., *Die Stadt auf dem Magdalensberg - ein spätkeltisches und frührömisches Zentrum im südlichen Noricum. ANRW* II/6, Berlin, 1977, 263-301

Piccottini, G., *Bauen und Wohnen in der Stadt auf dem Magdalensberg, Denkschriften Ö. Akad. Wiss., phil.-hist.* K1. 208, Wien, 1989.

Piccottini, G., Vetters, H., *Führer durch die Ausgrabungen auf dem Magdalensberg,* Klagenfurt, 1990[4].

Mannersdorf-. Schutzbier, H., *Mannersdorf am Leithagebirge, Fundberichte as Österreich* 15, 1976.

Neugebauer, J.W., *Die Urgeschichte von Mannersdorf a. Lgb. und Umgebung, Museum Mannersdorf am Leithagebirge und Umgebung, Katalog 1, Ur-und Frühgeschichte,* 1979.

Melzer, G., *Mannersdorf am Leithagebirge, Fundberichte aus Österreich* 23, 1984.

Skt. Pölten: Engelmayer, R., *Latènegräber von Ratzersdorf, p.B. Skt. Pölten, Archælogia Austriaca,* 33, 1963, 37 sg.

Neugebauer, J.W., *Skt. Pölten-Wegkreuz der Urzeit, Sieben Jahre archäologische Rettungsgrabungen im unteren Traisental, Niederösterreich, 1981-1987, Antike Welt* 18/2, 1987.

Bohême et Moravie

Filip, J., *Keltové ve Stredni Evropé,* Praha, 1956.

Ludikovský, K., *Akeramisher Horizont reicher Frauengräber in Mähren, Památky archeologické* LV, 1964, 321-349.

Meduna, J., *Ein latènezeitliches Gräberfeld in Brno-Horní Heršpice, Památky archeologické* LXI, 1970, 225-235.

Čizmář, M., *Die relative Chronologie der keltischen Gräberfelder in Mähren, Památky archeologické* LXVI, 1975, 417-437.

Meduna, J., *Die latènezeitlichen Siedlungen in Mähren,* Brno, 1980.

Waldhauser, J., *Keltische gräberfelder in Böhmen. Dobrá Voda und Letky, sowie Radovesice, Stránce*

und Tuchomyšl, BRGK 60, 1987, 15-179.

Čizmář, M., *Frühlatènezeitliche Funde aus dem Burgwall "Cernov" Gemeinde Jezkovice, Bez. Vyškov, Die vorgeschichtliche und slasche Besiedlung Mähren,* Brno, 1990, 196-204.

Brno-Malomerice: Hucke, K., *Ein keltisches Grab mit Bronzebeschlägen von Brünn-Malmeritz, Zeitschrift des Mährischen Landesmuseums, N.F,* 2, 1942, 87 sg.

Gebhart, R., *Zu einem Beschlag aus Brno-Malomerice, Hellenistische Vorbilder keltischer Gefäßappliken, Germania* 67/2, 1989, 566 sg.

Chynov: Rosolová, I., *Záchranny archeologicky vyzkum casne laténského stálistě v Chynové-Libcicích nad Vltavou, Zpravodaj SVK* VI, 1974, 152-158.

Sankot, P., *Revizni vyzkum mohylového pohřebiště v Chýnovském háji v roce 1978, Středoceské muzejnictví,* 1979/5, 4-10.

Sankot, P., Vojtechovská, I., *Excavations of an Early-La Tène Settlement with a Hoard of Iron Implements at Chynov near Prague, Archæology in Bohemia 1981-85,* Prague, 1986, 119-124.

Duchcov: Kruta, V., *Le trésor de Duchcov dans les collections tchécoslovaques,* Usti nad Labem, 1971.

Staré Hradisko: Meduna, J., *Staré Hradisko I. Katalog nálezu uloenych v muzeu mesta Boskovic,* Brno 1960.

Meduna, J., *Staré Hradisko II. Katalog der Funde aus den Museen in Brno (Brünn), Praha (Prag), Olomouc, Plumlov und Prostejov,* Brno, 1970.

Meduna, J., *Das keltische Oppidum Staré Hradisko Mähren, Germania* 48, 1970, 34-59.

Čizmář, M., *Eiforschung des keltischen Oppidums Staré Hradisko in den Jahren 1983-1988, Archäologisches Korrespondenzblatt* 19, 1989, 265-268.

Stradonice: Drda, P., Rybova, A., *Hradišté de Stradonice-Nouvelles, Notions sur l'oppidum celtique, Památky Archeologické*

Drda, P., Rybova, A., *Hradište de Stradonice-Nouvelles, Notions sur l'oppidum celtique, Památky Archeologicke* 80, 1989, 384 sg. 80, 1989, 384 sg.

Trísov: Be, J., *Trísov, A Celtic Oppidum in South Bohemia,* Prague, 1966.

Závist: Jansová, L., *Zur Münzprägung auf dem Oppidum Závist, Památky archeologické* 65, 1974, 1-33.

Jansová, L., *Two Fragments of Stone Sculptures from Závist, Památky archeologické* 74, 1983, 350-365.

Jansová, L., *Závist und Hrazany an der Schwelle der Latènezeit, Studie Archeologického ústavu CSAV v Brne* XI-1, Praha, 1983.

Motyková, K., Drda, P., Rybová, A., *The Position of Závist in the Early La Tène Period in Bohemia, Památky archeologické* 68, 1977, 255-316.

Motyková K., Drda, P., Rybová, A., *Metal, Glass and Amber Objects from the Acropolis of Závist, Památky archeologické* 69, 1978, 259-343.

Motyková, K., Drda, P., Rybová, A., *Závist, ein keltischer Burgwall i Mittelböhmen,* Praha, 1978.

Motyková, K., Drda, P., Rybová, A., *Fortification of the Late Hallstatt and Early La Tène Stronghold of Závist, Památky archeologické* 75, 1984, 331-444.

Motyková, K., Drda, P., Rybová, A., *Die bauliche Gestalt der Akropolis auf dem Burgwall Závist in der Späthallstatt- und Früh-latènezeit, Germania* 66, 1988, 391-436.

Motyková, K., Drda, P., Rybová, A., *Oppidum Závist. Der Raum des Tors A in der vorgeschobenen Abschnittsbefestigung, Památky archeologické* 81, 1990.

Pologne

Wozniak, Z., *Osadnictwo celtyckle w Polsce,* Wroclaw-Warszawa-Kraków, 1970.

Cuvette karpatique

Szabó, M., *Sur les traces des Celtes en Hongrie,* Budapest, 1971

Benadík, B., *Obraz doby laténskej na Slovensku, Slovenská archeológia* 19, 1971, 465 sg.

Vízdal, J., *Záchranny vyskum keltského pohrebiska v Izkovciach, Slovenská archeológia* 24, 1976, 151-190.

Romsauer, P., *The Hallstatt Period, Archaeological Research in Slovakia. Xth International Congress of*

U.I.S.P.P. - Mexico 1981, Nitra, 1981, 85-96

Jerem, E., *Südliche Beziehungen einiger hallstattzeitliche Fundtypen Transdanubiens, Materijali* (Novi Sad) 19, 1981, 201-220.

Jerem, E., *Zur Späthallstatt- und Frühlatènezeit in Transdanubien, Die Hallstattkultur, Symposium Steyr* 1980, Linz, 1981, 106-136.

Jerem, E., Kaus, K., Szönyi, E., *Kelten und Römer um den Neusiedlersee,* Katalog, Györ, 1981.

Bujna, J., *Spiegelung der Sozialstruktur auf latènezeitlichen Gräberfelden im Karpatenbecken, Památky archeologické* 73, 1982, 312-431.

Kruta, V., Szabó, M., *Canthares danubiens du IIIe siècle av. n.è. Un exemple d'influence hellénistique sur les Celtes orientaux, Etudes celtiques* XIX, 1982, 51-67.

Jerem, E., *An Early Celtic Pottery Workshop in North Western Hungary: some Archæological and Technological Evidence, Oxford Journal of Arch.* 3, 1984, 57-80.

Jerem, E., Facsar, G., Kordos, L., Krolopp, E., Vörös, I., *The Archæological and Environmental Investigation of the Iron Age Settlement Discovered at Sopron-Krautacker, I-II, Arch.ért.* 111, 1984, 141-169, 112, 1985, 3-24.

Furmánek, V., Sankot, P., *Nové nálezy na stredním Slovensku, Slovenská archeológia* 33, 1985, 273-305.

Jerem, E., *Bemerkungen zur Siedlungsgeschichte der Späthallstatt- und Frühlatènezeit im Ostalpenraum (Veränderungen in der Siedlungsstmktur: Archäologische und Paleoökonomische Aspekte), Hallstatt Kolloquium Veszprém, MittArchinst Beiheft* 3, Budapest, 1986, 107-118, 363-365.

Jerem, E., *Bemerkungen zur Siedlungsgeschichte der Späthallstatt- und Frühlatènezeit im Ostalpenraum, Hallstatt-Kolloquium Veszprém 1984,* Budapest, 1986, 107-118.

Kovács, T., Petres, E., Szabó, M., *Corpus of Celtic Finds in Hungary, I. Transdanubia 1,* Budapest, 1987.

Szabó, M., *Les Celtes en Pannonie. Contribution à l'histoire de la civilisation celtique dans la cuvette des Karpates,* Paris, 1988.

Bujna, J., *Das latènezeitliche Gräberfeld bei Dubník I, Slovenská archeológia* 37, 1989, 245-354.

Bratislava: Zachar, L., *Príspevok k problematike bratislavského oppida, Zborník Slovenského národného múzea* LXXVI - *História* 22, 1982, 31-49.

Zachar, L., Rexa, D., *Beitrag zur Problematik der spätlatènezeitlichen Siedlungshorizonte innerhalb des Bratislavaer Oppidums, Zborník Slovenského národného múzea* LXXXI - *História* 28, 1988, 27-72.

Ex-Yougoslavie

AA.VV., *Kelti v Sloveniji, Archeološki vestnik* 17, 1966, 145-426.

Todorović, J., *Kelti u jugoistocnoj Evropi,* Beograd, 1968.

Majnarić-Pandžić, N., *Keltsko-latenska kultura u Slavoniji i Srijemu,* Vinkovci, 1970.

Todorović, J., *Scordisci. Istorija i kultura,* Novi Sad-Beograd, 1974.

Petru, P., *Die ostalpinen Taurisker un Latobiker: Aufstieg ind Niedergang der römischen Welt,* II, 6, Berlin-New York, 1977, 473-499.

Keltoi. Kelti in njihovi sodobniki na ozemlju Jugoslavije, catalogo mostra, Ljubljana, 1983.

Jovanović, B., *Les chaînes de ceinture chez les Scordisques, Etudes celtiques,* XX-1, 1983, 43-57.

Guštin, M., *Die Kelten in Jugoslawien, Jahrbuch RGZM* 31, 1984, 305-363.

Božič, D., *Keltska kultura u Jugoslaviji: zapadna grupa, Praistorija iugoslavenskih zemalja, 5: Zeljezno doba,* Sarajevo, 1987, 855-897.

Jovanović, B & M., *Gomolava,* Novi Sad-Beograd, 1988.

Horvat, J., *Nauportus,* Ljubljana, 1990.

Pécibne: Jovanovic, B., *Les sépultures de la nécropole celtique de Pécine près de Kostolac (Serbie du nord), Etudes celtiques* XXI, 1984, 63-93.

Roumanie

Zirra, V., *Beiträge zur Kenntnis der keltischen Latène in Rumänien, Dacia,* 15, 1971 sg.

Ciumesti: Rusu, M., *Das keltische Fürstengrab von Ciumesti in Rumänien, Germania* 50, Berlin, 1969.

Piscolt: Németi, I., *Necropola Latène de la Piscolt, Kr. Satu Mare, Thraco-Dacica* IX, 1988, 49 sg.

Grèce et Bulgarie

Jacobsthal, P., *Kelten in Thrakien, Epitymbion C. Tsounta,* Athènes, 1940, 91 sg.

Maier, F., *Keltische Altertümer in Griechenland, Germania* 51, 1973, 459 sg.

Danov, C.M., *The Celtic Invasion and Rule in Thrace in the Light of Some New Evidence, Studia Celtica* 10-11, 1975-76, 29 sg.

Domaradzki, M., *Présence des Celtes en Thrace au IIIe siècle av. n.è., Thracia antiqua,* Sofia, 1976, 25 sg.

Wozniak, Z., *Die östliche Randzone der Latènekultur, Germania* 54, 1976, 382 sg.

Galatie

Stähelin, F., *Geschichte der kleinasiatischen Galater,* 1907.

Schaaff, U., *Ein keltischer hohlbuckelring aus Kleinasien, Germania* 50, 1972, 94 sg.

Bittel, K., *Die Galater in Kleinasien archäologisch gesehen, Assimilation et résistance à la culture gréco-romaine dans le monde ancien,* Bucuresti-Paris, 1976, 241 sg.

Nachtergael, G., *Les Galates en Grèce et les Sôtéria de Delphes,* Bruxelles, 1977.

Müller-Karpe, A., *Neue galatische Funde aus Anatolien, Istanbuler Mitteilungen* 38, 1988, 189 sg.

Grande-Bretagne

Hawkes, C.F.C., Dunning, G.C., *The Belgae of Gaul and Britain, Archaeological Journal* 87, 1930, 150-335.

Fox, C., *A Find of the Early Iron Age from Llyn Cerrig Bach, Anglesey.* Cardiff, 1946.

Stead, I.M., *A La Tène III Burial at Welwyn Garden City, Archaeologia* 101, 1967, 1-62.

Cunliffe, B., *Iron Age Communities in Britain,* London, 1974.

Harding, D.W., *The Iron Age in Lowland Britain,* London, 1974.

Hogg, A.H.A., *Hillforts of Britain,* London, 1975.

Harding, D.W., *Hillforts. Later Prehistoric Earthworth in Britain and Ireland,* London, 1976.

Forde-Johnston, J., *Hillforts of the Iron Age in England and Wales,* Liverpool, 1976.

Megaw, J.V.S., Simpson, D.D.A., *Introduction to British Prehistory,* Leicester, 1979.

Stead, I.M., *The Arras Culture,* York, 1979.

Guilbert, G., *Hill-fort Studies,* Leicester, 1981.

Muckelroy, K., *Middle Age Trade between Britain and Europe: a Maritime Perspective, Proc. Prehist. Soc.* 47, 1981, 275-298.

Macready, S., Thompson, F.H., *Cross Channel Trade between Gaul and Britain in the Pre-Roman Iron Age,* London, 1984.

Haselgrove, C., *Romanization before the Conquest: Gaulish Precedents and British Consequences. In Blagg, T.F.C. and King, A.C., Military and Civilian in RomanBritain,* BAR 136, Oxford, 1984, 5-64.

Stead, I.M., *Celtic Dragons from the River Thames, The Antiquaries Journal* LXIV, 1984, 269 sg.

Dent, J.S., *Three Cart Burials from Wetwang, Yorkshire, Antiquity* 59, 1985, 85-92.

Stead, I.M., *The Battersea Shield,* London, 1985.

Foster, J., *The Lexden Tumulus, British Archaeological Reports* 156, 1986.

Stead, I.M., Bourke, J.B., Brothwell, D., *Lindow Man, The Body in the Bog,* London, 1986.

Stead, I.M., Rigby, V., *Verulamium, the King Harry Lane site, English Heritage, Archaeological Report* 12, 1989.

Danebury: Cunliffe, B., *Danebury, Anatomy of an Iron Age Hillfort,* London, 1986.

Gussage All Saints: Wainwright, G.J., Spratling, M., *The Iron Age Settlement of Gussage All Saints, Antiquity* 47, 1973, 109 sg.

Wainwright, G.J., *Excavations at Gussage All Saints, HSMO Archaeological Report* 10, 1979.

Foster, J., *The Iron Age Moulds from Gussage All Saints, British Museum Occasional Paper,* 12, 1980.

Maiden Castle: Wheeler, R.E.M., *Maiden Castle, Dorset,* London, 1943.

Sharples, N.M., *Maiden Castle Proiect 1985: An Interim Report, Proc. Dorset Nat. Hist. Archaeol. Soc.* 108, 1987.

Irlande

Jope, M., *A Bronze Butt or Ferrule from the River Bann. City of Belfast Museum and Art Gallery Bulletin* 1, 1951.

Raftery, J., *A Hoard of the Early Iron Age, Journ. Soc. of Antiq. of Ireland* 90, 1960, 2-5.

Henry, Fr., *Irish Art in the Early Christian Period to A.D. 800,* 1965.

Harbison, E., *The Date of the Moylough Belt-Shrine. Irish Antiquity. Essays and Studies presented to Professor O'Kelly,* 1981.

Raftery, B., *A Catalogue of irish Iron Age Antiquities,* Marburg, 1983.

Raftery, B., *La Tène in Ireland: Problems of Origin and Chronology,* Marburg, 1984.

Raftery, B., *The Loughnashade Horns, Emania* 2, 1987, 21-24.

Warner, R.B., Mallory, J.P., Baillie, M.G.L., *Irish Early Iron Age Sites; a Provisional Map of Absolute Dated Sites, Emania* 7, 1990, 46-50.

Raftery, B., *Trackways Though Time,* Dublin, 1990.

Dún Ailinne: Wailes, B., *Dún Ailinne: a summary Excavation Report, Emania* 7, 1990, 10-21.

Crabtree, P., *Subsistence and Ritual: the Faunal Remains from Dún Ailinne, Co Kildare, Ireland, Emania* 7, 1990, 22-25.

Grabowski, K., *The Historical Overview of Dún Ailinne, Emania* 7, 1990, 32-36.

Dún Aonghus: Westropp, T.J., *The fort of Dun Aengusa in Inishmore, Aran, Proc. Roy. Irish Acad.* 28C, 1910, 1-46.

Navan Fort: Waterman, D.M., Selkirk, A., *Navan Fort, Current Archaeology* 22, 1970.

Mallory, J.P., *The Litery Topography of Emain Macha, Emania* 2, 1987, 12-18.

Baillie, M.G.L., *Dating of the Timbers from Navan Fort and the Dorsey, Co Armagh, Emania* 4, 1988, 37-40.

Lynn, C.J., *Navan Fort: a Draft Summary of D.M. Waterman's Excavations, Emania* 1, 1986, 1-9.

Warner, R. B., *Preliminary Schedules of Sites and Stray Finds in the Navan Complex, Emama* 1, 1986, 5-9.

Tara: Macalister, R.A.S., *Tara: A Pagan Sanctuary of Ancient Ireland,* London, 1931.

O'Ríordáin, S.P., *Tara, The Monument on the Hill*, Dundalk, 1971.

Swan, D.L., *The Hill of Tara, County Meath: The Evidence of Aerial Photography, Soc. Antiq. Ireland* 108, 1978, 51-66.

Les Celtes chrétiens

Stokes, M., *Six Months in the Apennines in Search of Vestiges of the Irish Saints in Italy*, London, 1892.

Stokes, M., *Three Months in the Forests of France: a Pilgrimage in Search of Vestiges of Irish Saints*, London, 1895.

Gougaud, Dom L., *Les chrétientés celtiques*, Paris, 1911.

Gougaud, Dom L., *Gaelic Pioneers of Christianity. The Work and Influence of Irish Monks and Saints in Continental Europe (VI-XIIth Cent.)*, London, 1923.

Clark, J.M., *The Monastery of St Gall as a Centre of Litterature and Learning*, Cambridge, 1926.

Waddell, H., *The Wandering Scholars*, London, 1927.

Kenney, F., *The Sources for the Early History of Ireland 1: Ecclesiastical*, New York, 1929.

Tommasini, A., *Santi irlandesi in Italia*, Milano, 1932.

Kendrick, T.D., *British Hanging Bowls, Antiquity*, 1932.

Gougaud, Dom L., *Les Saints irlandais hors d'Irlande*, Oxford, 1936.

Henry, F., *Hanging Bowls, Journ. Soc. of Antiqu. of Ireland* 66, 1936, 209-246.

O'Riordain, S.P., *The Excavation of a Large Earthen Ring-Fort at Garranes, Co. Cork. Proc. of the Royal Irish Acad.* 47, 1941.

O'Neill, Hencken, H., *Ballinderry Crannog, No. 2. Proc. of the Royal Irish Acad.* 47, 1942.

Hencken, H., *Lagore Crannog: An Irish Royal Residence of the 7th to 10th Centuries A.D., Proc. of the Royal Irish Acad.* 53, 1950.

Walker, G. S.M., *Sancti Columbani opera, Scriptores Latini Hiberniae*, 2 Dublin, 1957.

Bruce-Mitford, R., *Decoration and Miniatures, Evangeliorum quattuor codex lindisfarnensis II*, Olten and Lausanne, 1960, 109-258.

Anderson, A.O. e M.O., *Adomnan's Life of Columba*, Edimburgh, 1961.

Bieler, L., *Ireland, harbinger of the Middle Ages*, London, 1963.

Henry, F., *Irish High Crosses*, Dublin, 1964.

Henry F., *Irish Art in the Early Christian Period to A.D. 800*, London,1965.

Henry, F., *Irish art During the Viking Invasions 800-1020 A.D.*, London, 1967.

Organ, R.M., *Examination of the Ardagh Chalice - A Case History. Explication of Science in Examination of Works of Art. Proc. of the Seminar Boston*, 1970, 15-19.

Alcock, L., *Arthur's Britain*, London, 1971.

Thomas, A.C., *The Early Christian Archaeology of north Britain*, Oxford, 1971.

Angenendt, A., *Monachi peregrini*, München, 1972.

Longley, D., *Hanging Bowls, Pennannular Brooches and the Anglo-Saxon Connexion, B.A.R.* 22, 1975.

Alexander, J., *Insular Illuminated Manuscripts 6th. to the 9th. Century*, London, 1978.

Doherty, C., *Exchange and Trade in Early Medieval Ireland, Journ. Royal soc. Antiq. Ireland* 110, 1980, 67-89.

Kilbride-Jones, E., *Zoomorphic Pennannular Brooches. Reports of the Research Commitee of the Soc. of Ant. of London* 39, 1980.

Clarke, H., Brennan, M., *Colombanus and Merovingian Monasticism*, BAR int. 113, Oxford, 1981.

Löwe, H., *Die Iren und Europa im früheren Mittelalter*, Stuttgart, 1982.

Craig, M., *The Architecture of Ireland from the Earliest Times to 1880*, London & Dublin, 1982.

Bruce-Mitford, R., *The Sutton Hoo Ship-Burial*, 3, 1983.

Thesaurus Hiberniæ. Irish Kunst aud drei Jahrtausenden, 1983.

Ryan, M. (ed.), *Treas res of Ireland: Irish Art 3000 B.C. to 1500 A.D.*, Dublin, 1983.

Ryan, M., *The Derrynaflan Hoard. I. A preliminary Account*, 1983.

Jackson, A., *The Symbol Stones of Scotland, Kirkwall*, Orkney, 1984.

Doherty, C., *The Monastic Town in Early Maedieval Ireland, The Comparative History of Urban Origin in Non-roman Europe*, Oxford, 1985, 44-75.

Ryan, M., *Early Irish Communion Vessels: Church Treasures of the Golden Age*, Dublin, 1985.

Blindheim, M., *A House-shaped Irish-scots Reliquary in Bologna and Its Place among the other Reliquaries, Acta Archæologica* 55, 1986, 1-53.

Charles-Edwards, T., Owen, M., Walters, D., *Lawyers and Laymen*, Cardiff, 1986.

Alcock, L., *Pictish Studies: Present and Future, The Picts a New Look, at Old Problems*, Dundee, 1987, 80-92.

Anderson, M., *Picts - the Name and the People, The Picts a New Look at Old Problems*, Dundee, 1987, 7-14.

Bruce-Mitford, R., *Ireland and the Hanging Bowls-a Review, Ireland and Insular Art AD 500-1200*, Dublin, 1987, 30-39.

De Paor, L., *The High Crosses of Tech Theille (Tibilly), Kinnitty and Related Sculpture, Figures from the Past: Studies on Figurative Art in Christian Ireland*, Dublin, 1987, 131-158.

Alcock, L., *Economy Society and Warfare among the Britons and Saxons*, Cardiff, 1987.

Graham-Campbell, J., *From Scandinavia to the Irish Sea: Viking Art Reviewed, Ireland and Insular Art AD 500-1200*, Dublin, 1987, 144-152.

Alcock, L., *The Activities of Potentates in Celtic Britain, AD 500-800: a Positvist Approach, Power a d Politics in Early Medieval Britain and Ireland*, Edinburgh, 1988.

Prinz, F., *Frühes Mönchtum im Frankenreich*, Darmstadt, 1988.

Herbert, M., *Iona, Kells and Derry*, Oxford, 1988.

Fulford, M.G., *Byzantium and Britain: a Mediterranean Perspective on Post-roman Meditteranean Imports in Western Britain and Ireland, Medieval Archæol.* 33, 1989, 1-6.

Ritchie, A., *Picts*, Edinburgh, 1989.

Youngs, S. (ed.), *The Work of Angels: Masterpieces of Celtic Metalwork-, 6th to 9th Centuries*, London, 1989.

Références iconographiques

Traductions

Le matériel iconographique a été entièrement tiré de l'édition originale du volume.

Mario Carrieri
photographie de couverture

Aerofilms
p. 603, 617, 640

Lothar Beckel
p. 39, 43 (en haut), 102, 149, 191, 194

Werner Forman
p. 25, 248, 541, 556-562, 564 (en haut), 570-571, 575, 577 (en haut), 578, 583, 586, 611, 612, 621, 624, 657, 660 (au milieu), 670, 683

Ingrid Geske
p. 184, 210, 291, 331

Klaus Göken
p. 154, 155

Photo Josse
p. 75 (en haut)

Erich Lessing
p. 21, 65, 71, 80, 81, 82, 84-88, 92, 97, 117, 130, 134, 181, 192, 194, 206,224, 225, 227, 264, 285, 422,445,454, 456, 461, 463, 491, 493, 525, 533, 534, 537 (en bas), 538, 540 (en bas), 574, 595, 614, 662, 671, 677

Petr Paul
p. 151, 302-304, 306, 326, 331, 349, 437-441 (en haut), 520, 541 (en bas)

Foto Pedicini
p. 75 (en bas)

Réunion des Musées nationaux
p. 183, 208, 211 , 257 (en bas), 316, 363, 368, 385, 436, 513, 538

Studio Aguilar: cartographie

Robert Vance
p. 563, 632

Giorgio Vasari
p. 73 (en haut), 70, 74, 492

En outre:
Michael Harity, Université di Dublino
Office du tourisme irlandais (Irish Tourist Board)

Nous remercions en particulier les auteurs pour la précieuse collaboration dans la recherche du matériel iconographique.

Catherine Brut
Silvino Fernandez de Cabo
Luana Kruta-Poppi
Françoise La Garde
Reine-Denise Lecoitre
Germaine Leman Delerive
Geneviève Mc Millan
Dorothée Ulerich

Imprimé en Italie en 1997